LE NABAB

Irène Frain est bretonne. Elle est née en 1950 à Lorient, dans le Morbihan, dans une famille de cinq enfants dont le père était maçon. Elle est mariée et mère d'une petite fille. Elle devient professeur après de brillantes études littéraires (C.A.P.E.S. et agrégation). Elle avait déjà écrit un livre intitulé : Quand les Bretons peuplaient les mers, *quand elle découvre les Indes et la fabuleuse destinée d'un Breton devenu nabab. Ce voyage de deux mois fut un véritable choc émotif et intellectuel. Elle décide d'approfondir sa connaissance de l'Inde et de raconter l'histoire de son compatriote Madec : Irène Frain a aussi publié* Les Contes du cheval bleu les jours de grand vent.

Le *Duc de Bourgogne,* en 1754, vogue vers les Indes. A son bord, des hommes et des femmes rêvent à cette contrée lointaine. Marian de Chapuset, séduite et abandonnée en France, espère y refaire sa vie. Le jeune mousse, Madec, veut déserter la marine et revoir le faste inouï des princes indiens entrevu à Pondichéry lors d'une escale. Aussitôt arrivé, Madec nage vers le rivage et sans le sou, en haillons, s'enrôle dans l'armée française pour défendre nos comptoirs commerciaux convoités par les Anglais. Madec connaîtra les combats, les abandons, les trahisons avant de se mettre lui-même à lever des armées pour le compte de tel ou tel prince hindou, contre l'Anglais redouté et haï. Ami du rajah de Godh, amoureux lointain puis comblé de la princesse Sarasvati, aventurier avide de gloire et de richesse, il a un jour ses palais, sa bégum, son harem, des pierres précieuses, une armée et des éléphants. Il est fait nabab. Le lecteur suit Madec et comme lui est envoûté par les parfums de l'Inde, la grâce de ses femmes, la sensualité et la subtilité de ses mœurs, sa religion omniprésente. Eblouie par l'Inde, Irène Frain a su en dire les richesses avec beaucoup de réalisme ; érudite, elle a parfaitement su créer une ambiance et reconstituer les faits et gestes des Indiens et des Européens du XVIIIe siècle. Nous pénétrons partout, dans le palais de Godh, véritable paradis terrestre que la princesse Sarasvati illumine de sa beauté et de son raffinement, dans les caravansérails, au cœur des bazars, chez les négociants d'épices, de soieries et de diamants, chez les gouverneurs anglais et français. Fasciné à son tour par ce Breton devenu nabab, le lecteur dévore ces pages pleines de poésie, de fureur guerrière et d'amour.

Paru dans Le Livre de Poche :

MODERN STYLE.

DÉSIRS.

HISTOIRE DE LOU.

SECRET DE FAMILLE.

IRÈNE FRAIN

Le Nabab

ROMAN

JEAN-CLAUDE LATTÈS

Pour François.

Tout en se remplissant, il demeure immuable,
L'océan où se perdent les eaux.
De même celui en qui se perdent les désirs
Obtient le repos,
Non celui qui désire le désir.

BHAGAVAD-GÎTA.

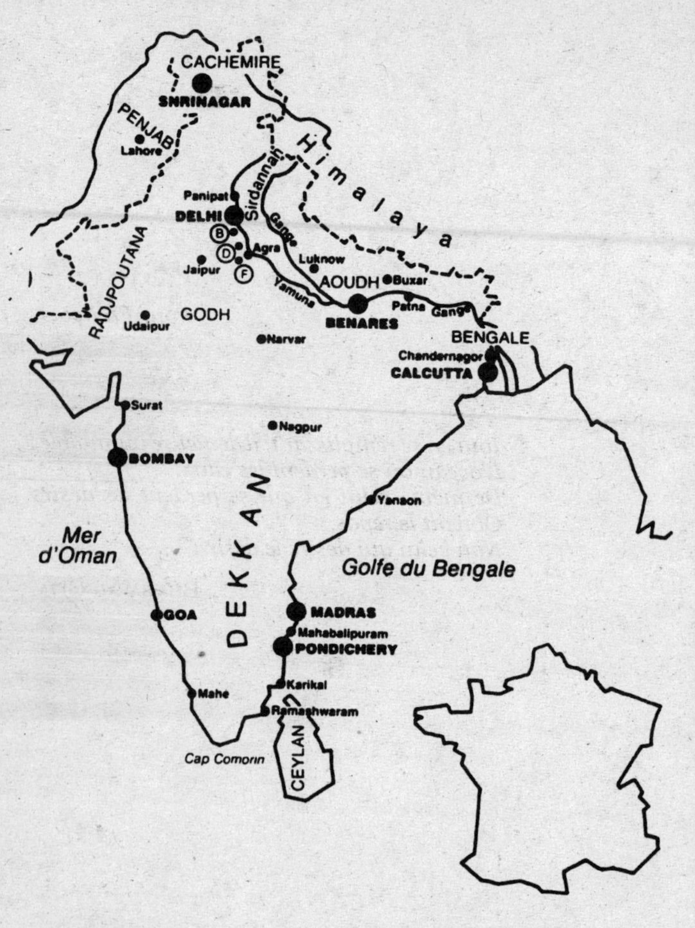

B : Bharatpur
F : Fatehpur Sikri
D : Dig

Radjpoutana – Radjasthan depuis 1947

PREMIÈRE PARTIE

LE COMPTOIR DES PLAISIRS

Les personnages

Madec, le héros.
Sarasvati, la princesse, femme d'amour et femme de guerre.

Puis :
Marian, la gourgandine.
Jeanne Carvalho, la banquière de Pondichéry.
Sombre, le Seigneur de la Guerre, dit la Lune des Indes.
Saint-Lubin, l'espion.
Visage, le chirurgien barbier.
Dieu, le canonnier.
Martin-Lion, l'aventurier lyonnais.
Ananda, le marchand de noix d'arec.
Bhawani Singh, le prince.
Mohan, son brahmane astrologue.
Mohini, la confidente de la princesse.
Gopal, fils de Sarasvati et de Bhawani.
Warren Hastings, le gouverneur anglais.
Ram, son indicateur tendrement aimé.
Sir Francis, son rival au Conseil du Bengale.
Père Wendel, le jésuite ambigu.
Chevalier, l'intrigant de Chandernagor.
Marie-Anne Barbette, l'épouse de Madec,
dite bégum Madec.
Mumtaz, la favorite.
Corentin, l'éléphant blanc.

Et :
Le Grand Moghol, Les Banquiers Mondiaux, Les Seigneurs de la Marchandise.

CHAPITRE PREMIER

Juin 1754

A bord du Duc de Bourgogne
en route vers Pondichéry

Les navires un peu lourds qui gagnaient autrefois les mers orientales transportaient de temps à autre des jeunes filles fébriles et des garçons rêveurs. Tout les séparait ; il arrivait, le plus souvent, qu'ils ne se connussent jamais. Une seule parenté, secrète, jamais avouée, les unissait pourtant : c'était le nom des rives attendues depuis le départ d'Europe, et ils se les répétaient en silence pour se donner du courage, les après-midi de grand calme ou les soirs de tempête. Ce nom, c'était les Indes, et ils se croyaient en chemin vers des merveilles.

Ainsi donc, en ce mois de juin 1754, tandis que la chaleur aigrissait passagers et membres d'équipage, deux êtres au moins, à bord du *Duc de Bourgogne,* conservaient suffisamment d'espoir pour supporter cette promiscuité avec désinvolture : Marian de Chapuset avait dix-sept ans à peine. Séduite et abandonnée un an plus tôt, elle était passée en galanterie. Un embarquement providentiel l'avait soustraite aux poursuites et menaces d'un fermier général, qu'elle avait grugé d'assez belle manière. A l'escale de l'île de France, un officier entre deux âges s'était entiché d'elle ; il lui offrit ce qu'elle attendait : l'assurance d'un gîte à Pondichéry, chez une femme de sa connaissance, Jeanne Carvalho, dont la richesse, prétendait-il, dépassait celle des époux Dupleix qui, pourtant, régnaient sur la ville. Dans quelques semaines, les deux amants se retrouveraient chez elle, et ils iraient de fête en fête. A la vérité, Marian de Chapuset ne pensait plus guère à son vieux militaire. Tout ce qu'elle espérait des Indes, c'était des voluptés neuves, puisque, disait la rumeur, il n'était là-bas le moindre souffle d'air qui ne portât au plaisir ; et, ce qui n'était pas à négliger non plus, les tissus précieux, les parfums, les diamants même, s'y trouvaient à foison. Autant dire le paradis. Depuis deux jours maintenant qu'on avait doublé les Maldives, Marian s'épuisait les yeux à interroger l'horizon.

Cet après-midi, comme tous les autres, languissait. Le vent tombait. Marian connaissait peu de chose aux lois de la mer, mais elle devina, rien qu'au faseyement des voiles, que le navire allait s'encalminer et qu'il faudrait subir comme la veille, comme l'avant-veille, un effroyable tapage : voiles claquantes, grincements de poulies, tremblements sans fin dans la membrure du vaisseau. De surcroît, l'immobilité, alors qu'on était si près du but, créait chez les passagers une tension jamais atteinte ; les disputes naissaient tandis que le navire continuait à se balancer dans le vacarme, près de s'engloutir, semblait-il, dans les eaux brûlantes de la mer des Indes.

Marian détourna son ombrelle, jeta un œil du côté de la chambre du Conseil, puis sourit. A sa porte, elle reconnut une silhouette familière qui lui décrivait les signes qu'elle attendait. C'était Godeheu, haut fonctionnaire de la Compagnie des Indes, son nouvel amant. Une lourde mission l'attendait à Pondichéry. Il n'en parlait guère, et Marian s'en moquait. Quand il l'avait prévenue qu'il aurait fort à faire à son arrivée, elle lui avait répondu d'un simple rire, gracieux et futile, qu'il goûta fort : c'était à ses yeux le gage d'un véritable plaisir, puisqu'il serait sans lendemains. Ainsi donc, depuis une semaine, chaque fois que s'annonçait un calme, que l'ennui ou la querelle menaçaient le navire, que commençaient à monter les odeurs de viande rance et d'eau croupie dans les futailles, ils se retrouvaient pour oublier tout, jusqu'à leurs projets indiens, sur le matelas crasseux d'un lit de la marine.

Marian descendit l'échelle de coupée. Comme son amant l'avait prévu, la grand-chambre était déserte. Les autres étaient sur le pont, sans doute, à guetter la côte, ou dans la chambre du Conseil, à boire, à jouer aux cartes. Elle souleva la toile qui formait sa cabine, s'étendit sur son lit. Elle entendait déjà le pas lourd de Godeheu. Elle ferma les yeux. Elle ne l'aimait pas ; s'il possédait en amour un petit talent, c'était toujours avec brutalité. Il ne savait pas « parler », chuchoter les mots qui font que le plaisir grandit, y joindre les gestes raffinés qui distinguent le rustre de l'homme de qualité, ou le parvenu du grand séducteur. « Mais bientôt, se dit Marian pour la dix millième fois, bientôt je serai dans l'Inde. » Or il en va des hommes comme de la nourriture ; l'ordinaire des vaisseaux est médiocre ; qu'on vienne à débarquer, cependant... Voilà pourquoi, la rêverie aidant, elle ne sentit même pas que son amant l'enlaçait, et lui abandonna sa robe avec une docilité extrême.

Au même instant, à l'autre bout du vaisseau, un jeune pilotin de dix-huit ans, René-François Madec, natif de Quimper-Corentin, connu par tout l'équipage pour son extraordinaire incapacité à obéir — singulière infirmité lorsqu'on s'est enrôlé dans la marine —, reçut l'ordre d'aller nettoyer l'arrière du vaisseau, car le scorbut reprenait de la vigueur, la dysenterie récidivait ; il convenait donc de passer le navire à l'eau vinaigrée, tout spécialement la grand-chambre, qui abritait les officiers et gens de condition. Très curieusement — était-ce un effet de l'approche des Indes, ou de la chaleur qui s'abattait sur le *Duc de*

Bourgogne, chaque fois qu'il s'encalminait — le pilotin Madec ne renâcla pas et prépara avec soin le mélange et l'éponge destinés à protéger des miasmes les bonnes gens de la grand-chambre. En effet, pourquoi aller encore au-devant des coups, puisque Pondichéry s'annonçait ? Une semaine à finir sur ce maudit bateau, et Madec quitterait la vie de marin. Il déserterait, c'était décidé. Comment, il ne le savait pas encore. Il lui fallait un peu d'argent, et, à terre, des gens pour le cacher. Pour l'instant, il n'avait ni l'un ni l'autre. Peu lui importait. Ce qu'il savait, c'est qu'il avait pris la mer en horreur, et qu'il lui fallait les Indes. Sans mesurer le moins du monde l'écart qui séparait la médiocrité de son état et l'immensité de ses rêves de gloire, il dégringola l'échelle qui menait à la grand-chambre et commença mollement à répandre l'eau vinaigrée. Il crut percevoir quelques remous dans une cabine. Il les attribua aux balancements qui agitaient le navire pendant les calmes et continua sa besogne. Après avoir nettoyé le plancher de la salle commune, il en vint aux cabines et souleva la toile de la première.

Ce qu'il y vit lui coupa le souffle ; un coffre était resté ouvert ; au beau milieu d'un amas de dentelles et de parchemins brillait ce qu'il espérait depuis si longtemps : deux pistolets à crosse d'argent. Il ne prit pas le temps de réfléchir et les fourra sous sa chemise. Il voulut se précipiter à la cale : en bas, derrière le capharnaüm de futailles et de toiles pourrissantes, il était sûr de tenir la meilleure des caches. Il se baissa sur son seau, quand il vit la silhouette d'un gros et grand homme repousser la toile de l'une des cabines et disparaître presque aussitôt par l'échelle de coupée. Puis, l'air un peu las, ce fut une jeune fille qui surgit du mur d'étoffe. Elle était jeune et paraissait bien née, tant il y avait de grâce dans ses gestes et d'élégance dans sa mise ; cependant, elle n'était pas belle : un peu maigre à son goût, et le cou très long. Elle tressaillit soudain, pressentant une présence.

Elle se retourna, le vit sur-le-champ. Leurs regards se rencontrèrent. Madec la reconnut pour l'avoir croisée plusieurs fois au hasard des manœuvres. Elle se mordit les lèvres, prit une expression à demi coupable, puis le regarda droit dans les yeux, en rajustant son corsage de soie assorti à son regard vert. Il tenta de sourire. Elle n'avait pas bougé. Elle remettait en place, une à une, les mèches rousses de son chignon bousculé. Terrifié à l'idée qu'elle pourrait apercevoir sous sa chemise l'éclat des pistolets, Madec serra contre lui son seau de vinaigre et s'enfuit à toutes jambes dans la direction des cales. Avait-elle vu les armes ? Dix minutes plus tard, Madec avait résolu de n'y plus penser. Il réprima ses tremblements et courut au gaillard d'avant, au milieu de ses compagnons ; un conteur y entamait sa mille et unième histoire de sirène ou de trésor caché. Le vent revenait par petites bouffées, les voiles reprenaient leur respiration immense. C'était pour Madec un plaisir sans pareil : à chaque souffle qui les gonflait, il se rapprochait des Indes.

Marian épia longuement le couloir sombre où elle avait vu disparaître la silhouette du matelot. C'était la première fois qu'elle était prise de court, du moins sur le bateau ; à terre, par contre, depuis qu'elle avait quitté sa famille huguenote, elle avait eu son compte de lits défaits à la hâte, portes dérobées, fuites au petit matin. Un instant, elle faillit s'engager à son tour dans le corridor qui traversait le navire. Elle y renonça ; il faisait trop chaud. De plus, elle soupçonna qu'il menait à l'endroit infect où logeaient les marins, la « crapule matelotière », comme les appelait Godeheu. Gens sales, malodorants, toujours le juron à la bouche... Elle n'avait rien à chercher là-bas. Le *Duc de Bourgogne* se balançait moins. Les grincements faiblissaient. On avançait. Les Indes, si proches. Ses rêveries familières reprirent leur cours, et Marian retourna s'étendre sur son lit pour mieux les goûter jusqu'à l'heure du dîner.

Elle dut s'endormir. Lorsqu'elle revint aux choses de ce monde, une heure plus tard, lui sembla-t-il, son corps éprouva la rudesse d'un réveil en sursaut. Des cris, des vociférations, des injures l'arrachaient au bien-être de sa somnolence. Parmi les hurlements, elle reconnut avec surprise la voix de Godeheu. Cela venait de la dunette. « Divertissement d'un nouveau genre, se dit-elle. Il faut y courir. » Elle remit en ordre les plis de sa robe, vérifia l'équilibre de son chignon, puis gagna le pont. Elle n'avait pas atteint le sommet de l'échelle qu'elle reconnut Godeheu et le capitaine en second. Elle s'arrêta pour mieux observer. Son amant faisait face au capitaine du Quesnoy, un vieil homme un peu usé, qui cependant ne mâchait pas ses mots :

« Jean-foutre, hurlait-il à la face du second. Vous n'êtes qu'un jean-foutre, un faquin, La Bouchardière, un bâtard du cotillon ! Vous n'avez pas le droit de frapper un matelot comme vous le faites. Les ordonnances royales défendent qu'on use de la canne contre les marins ! Voici quinze jours, je vous l'ai encore rappelé ! » Et il désigna un jeune homme accroupi sur le pont, tout en guenilles, et qui essuyait le sang qui lui coulait de la tempe.

La Bouchardière prit un air goguenard :

« Mais c'est Madec, capitaine, c'est Madec !

— Madec, grommela l'autre, apparemment désarçonné.

— Oui, intervint Godeheu, d'un air faussement désinvolte. Il m'a volé mes pistolets !

— Pistolets, pistolets, bougonna du Quesnoy, qui ne comprenait pas. Donnez-moi votre canne, La Bouchardière, je vous interdis de frapper les hommes. »

Avec un geste qui confondait l'autorité et le théâtre, bien dans la manière des officiers français, il arracha la canne pour la jeter à la mer. A cet instant, Godeheu se planta devant lui, gonflé de l'importance qui convenait au codirecteur de la Compagnie des Indes :

« *Mes* pistolets, capitaine, entendez-vous ? »

L'autre pâlit, reposa la canne, se tourna vers son second :

« Eh bien, faites donc fouiller le gaillard d'avant ! »

La Bouchardière s'exécuta.

« Laissez-moi prendre la défense de votre second », poursuivit Godeheu.

Il désigna Madec :

« Cette vermine s'obstine à nous taire l'endroit où il a caché les armes. La Bouchardière n'a pu se contenir. Il l'a frappé, en effet. Ce matelot est une bête venimeuse.

— Etes-vous sûr qu'il soit coupable ? N'auriez-vous pas égaré vos pistolets ?

— Du Quesnoy ! Vous commandez ce navire, certes : mais n'oubliez pas qu'un homme tel que moi doit aussi tenir le compte de tous ses actes. Diriger la Compagnie n'est pas une mince affaire...

— Certes, certes...

— Ce matin, j'avais mes pistolets, vous le savez, puisque je vous ai demandé la permission de tirer quelques oiseaux. Vous vous en souvenez bien, près de cette île que nous croisions ? Puis je les ai déposés dans mon coffre. Je suis descendu tout à l'heure chercher ma dernière pinte de bordeaux, que je gardais pour la fin du voyage, et j'ai vu alors que mes pistolets n'étaient plus là.

— Votre coffre était fermé ?

— Je fais confiance aux passagers, monsieur du Quesnoy. Lequel des officiers s'aviserait de voler mes armes ? Du reste, Mlle de Chapuset passe dans la grand-chambre le plus clair de ses journées... »

Il s'arrêta un instant, eut un petit rire :

« Nous sommes entre gens de marine. En tout cas, La Bouchardière affirme que c'est ce Madec qu'on a chargé de passer la grand-chambre au vinaigre. Il a vu mon coffre ouvert, il m'a volé. »

Le capitaine s'épongea le front. A l'évidence, il était mal à l'aise ; il aurait bien voulu enlever sa perruque. Il soupira. Il était las de commander. Au prochain voyage, il prendrait sa retraite. Il observa un moment Madec, qui demeurait accroupi, les mains repliées sur sa tête, et se taisait. Quel âge pouvait-il avoir ? Dix-sept, dix-huit ans, bien fait de sa personne, et déjà une belle canaille. Depuis le départ de Lorient il était de toutes les bagarres. C'était lui qui, en pleine cérémonie du passage de la Ligne, avait réglé ses petites vengeances à la faveur de son déguisement, un diable cornu et fourchu. Ainsi, il avait plongé un officier dans un baquet d'eau de mer, d'où il ne le laissa ressortir qu'à demi étouffé. La Ligne est trêve sainte : on n'avait pu le punir. Par contre, à l'escale de l'île de France, quand il était rentré ivre mort, on l'avait fessé devant tout l'équipage. Une insolence rare : il avait continué à jurer sous les coups. Qu'en faire, maintenant ? Le battre encore ? Il se prit à souhaiter qu'on ne retrouvât pas les pistolets. A ses côtés, Godeheu écumait, il considéra Madec, puis, retenant un coup de pied, lança au commandant :

« Il faut y mettre bon ordre, du Quesnoy ! Voilà pourquoi nos navires marchent mal, et que les Anglais nous battent au commerce ! La plus extrême discipline doit régner sur les vaisseaux de la Compagnie. Faute de quoi vous les verrez tous, ces misérables, se mettre à mener vie de chanoine, mangeant, buvant, dormant tout le jour, et jurant plus de diables qu'il n'est de pommes en Normandie ! Ce sont des bigots stupides et ivrognes, qui ne savent que réciter leurs superstitions imbéciles, sorcières, sirènes, Satan, loup-garou, et ils les mélangent à longueur de nuit en fricassée et en salade... » Il s'interrompit. La Bouchardière était de retour.

« Nous avons fouillé tout le gaillard d'avant, annonça le second. Rien nulle part, ni dans les coffres, ni dans les hamacs. »

Jusqu'à cet instant, Marian était restée légèrement en retrait, si bien que personne ne l'avait aperçue. Elle n'osait avancer, de peur que son amant la vît. Il l'aurait écartée sur-le-champ. Or elle voulait voir. En restant perchée sur l'échelle de coupée, elle pouvait observer tout à son aise, sans crainte d'être découverte. La scène était charmante, piquante même, puisqu'elle s'accroissait du spectacle de la souffrance. Ce marin humilié était beau. Une musculature saillante mais fine, des cuisses et des épaules superbes, des bras faits pour l'amour. Et surtout son expression, à la fois rêveuse et fermée, maintenant qu'il levait les yeux sur le capitaine en second. Des traits fins, un regard clair : trop de grâce pour un marin. Son visage, cependant, se creusait déjà des marques de la peine ; on devinait au creux de sa bouche un pli, dur, qui s'accentuait sous sa crispation grandissante. Une tension violente semblait le traverser, comme si tout son être se ramassait pour un effort. Son regard noircissait : honte, colère, vengeance préméditée, tout ensemble peut-être. C'était exquis. L'envie de s'approcher commença à dévorer Marian.

« Où sont les pistolets de M. Godeheu ? » tenta une dernière fois le commandant.

Madec ne répondit rien. Il se crispait de plus en plus.

« Sale canaille de matelot, cria alors Godeheu. Charogne, tu vas répondre, ou l'on va t'étriper comme cochon gras ! »

Marian esquissa un pas. Elle était maintenant sur la dunette. Les cris fusaient de toutes parts, les perruques s'agitaient, la sueur couvrait les visages ; Godeheu avait saisi Madec au collet, continuait de l'injurier, écrasait ses pieds nus de ses souliers, levait un bras. Il y eut alors un moment bizarre : le bruit cessa d'un coup. On n'entendit plus sur le pont qu'un friselis de mousselines, celles de la robe de Marian, un tourbillon vert et vaporeux qui s'avançait doucement. Tous les regards convergèrent sur elle. Elle ouvrit son ombrelle, sourit ; Godeheu se précipita pour l'éloigner. Il ne fit pas trois pas. Tout se passa très vite, et personne ne comprit comment le codirecteur de la Compagnie des Indes se retrouva allongé sur la dunette, à demi assommé et la bouche en sang. Debout devant lui, le poing encore levé, Madec lui-même semblait stupéfait. Il tremblait de partout. Deux officiers le saisirent. Il se laissa faire. Toute son énergie s'était dissipée. D'un seul coup, le vent forcit. La jeune femme frémit, claqua son ombrelle et s'en retourna à la grand-chambre sans un seul regard.

Contrairement aux coutumes en vigueur sur le *Duc de Bourgogne,* on dîna bien après le coucher du soleil. Marian avait faim ; cependant, elle ne se plaignait pas. Elle connaissait la raison du retard : il avait fallu punir le beau matelot rétif ; du Quesnoy et Godeheu avaient tenu à surveiller l'exécution du supplice, et toute l'affaire avait pris du temps.

La table était servie dans la chambre du Conseil. Chandeliers et fanaux brillaient, ce qui donnait à la pièce moins d'austérité qu'en plein jour ; elle en paraissait plus intime, plus étrange aussi. Tandis qu'elle achevait le demi-chapon qu'on lui avait servi, Marian regarda Godeheu à la dérobée. Son visage massif s'était empourpré, il avait bu, beaucoup plus qu'à l'ordinaire, sans doute pour oublier l'incident de l'après-midi ; du reste, il semblait y être parvenu. Il mâchait sans trop de peine, son œil s'était allumé, et même, lui qui d'habitude glaçait toute la table par ses manières de pisse-froid, il riait de temps à autre aux plaisanteries des officiers. Marian reconnut là les effets du vin. Elle sentit que Godeheu, si discret sur ses projets en Inde, allait parler. Pour la deuxième fois de la journée, et peut-être de la traversée, car dès Lorient elle s'était ennuyée ferme, sa curiosité fut piquée au vif. Un matelot enleva les plats, distribua de l'arak en guise de dessert.

« Quand vous repartirez de Pondichéry, capitaine, veillez bien à laisser aux fers ce petit voleur ! »

Du Quesnoy s'étonna de la remarque de Godeheu :

« Mais, monsieur, on n'a pas encore retrouvé vos armes ! Pour l'instant, je le laisse à fond de cale jusqu'au port. Il sera consigné à bord quinze jours. D'ici là...

— D'ici là, j'aurai d'autres soucis en tête que mes pistolets, vous le savez bien, du Quesnoy. Je vous trouve bien indulgent. Vous devriez laisser croupir cette vermine avec les rats jusqu'à votre retour à Lorient.

— Il en mourrait. Il est en bonne santé, ce n'est pas si commun sur les navires. Et vous savez quel mal on a pour recruter des marins. »

Godeheu reprit de l'arak. Du Quesnoy voulut en finir avec cette conversation subalterne. Il se pencha vers Marian :

« Par bonheur, nous serons dans l'Inde d'ici peu. Et il nous faudra vous quitter, mademoiselle de Chapuset.

— Hélas oui ! monsieur du Quesnoy.

— Vous nous avez fait bien des mystères. A ce jour, nous ne savons même pas ce que vous venez faire dans l'Inde ? »

L'alcool déliait les langues. Ainsi, songea Marian, il fallait répondre à la question qui brûlait tous les officiers depuis six mois qu'on avait quitté Lorient. Ses longues siestes dans la grand-chambre, ses airs distants et rêveurs avaient, la plupart du temps, découragé l'inquisition. Quant à Godeheu, préoccupé par d'autres soucis, il avait négligé de s'enquérir de son destin. En ce moment, d'ailleurs, il n'écoutait guère.

« J'ai... une parente à Pondichéry, Mme Carvalho. Elle a promis de me trouver un bon parti dans la ville. J'en doute un peu, mais je suis orpheline, mon frère m'a contrainte à partir. »

Du Quesnoy s'étonna :

« A l'escale du Cap, vous m'avez dit que vous rejoigniez votre père. Et n'est-ce pas aussi ce que prétendit votre frère, quand je lui accordai votre embarquement ? »

Marian sourit encore :

« Il se fait tard, monsieur du Quesnoy, vous me confondez avec une autre.

— Les vaisseaux de la Compagnie n'abritent pas si souvent de belles passagères, madame. Je ne peux vous confondre.

— Une autre, dans un autre voyage », poursuivait Marian, l'air lointain, sans paraître l'entendre.

Du Quesnoy n'insista pas. Au bout de tant de voyages, il n'était plus très sûr de sa mémoire.

« Le climat des Indes est pénible, reprit-il. Il faudra vous en méfier. Ce pays-là ne convient pas à tout le monde.

— A qui donc convient-il ? trancha soudain Godeheu. A personne, sinon à ces cochons d'Anglais !

— Il serait pourtant glorieux que nous les y battions, observa du Quesnoy. Cette guerre doit prendre fin ! La France devrait s'installer là-bas, autrement que dans des comptoirs. Il y a tant de richesses à conquérir. Et c'est le pays des sages... Un peuple doux, industrieux, qui nous aime ; les hommes y vivent, dit-on, selon les lois de la nature ! »

Godeheu l'interrompit :

« Vous n'avez guère dépassé le quai de Pondichéry, commandant, et trop étudié nos philosophes. Nous n'avons rien à faire aux Indes, sinon acheter au meilleur prix diamants, épices et mousselines. Pour conquérir les Indes, il faudrait continuer la guerre. Qui la paierait, sinon la Compagnie ? Elle va déjà si mal ! De ce jour-là, le commerce serait condamné.

— Dupleix fait la guerre.

— Dupleix est un fou. »

Du Quesnoy sursauta :

« On le dit pourtant de vos amis... N'avez-vous point passé aux Indes des années entières ? »

Godeheu prit une expression embarrassée :

« Oui, j'ai vécu des années là-bas. Je sais de quoi je parle, quand je parle de l'Inde. A Pondichéry, à Chandernagor, j'en ai passé des heures sur les marchés, chez les banquiers, dans les arrière-boutiques et, parfois, sur les chemins. Yanaon, Karikal, Mahé, cinq comptoirs en tout : cela nous suffit bien, croyez-moi, pour rapporter en France assez de poudre pour le nez des dames !

— Dupleix..., marmonnait du Quesnoy. Mais n'a-t-on pas dit que l'empereur des Indes voulait sa fille pour bru ?

— C'est possible. Une folie de plus. Les temps changent, du Quesnoy, et nous en savons désormais assez sur ce pays. Ce n'est pas le paradis que vous imaginez. Sitôt passé Pondichéry, c'est la jungle. Et des sauvages. »

Marian, pour une fois, prit la parole :

« Mais comment donc les soieries et les épices pourraient-elles être fabriquées par un peuple aussi grossier ?

— Il n'est pas seulement grossier, madame ! Ces hommes sont des monstres !»

Marian parut effrayée, ce qui réjouit Godeheu.

« Ils mutilent leurs enfants pour les faire mendier, poursuivit-il, ils brûlent les veuves sur le bûcher de leur mari, ils vendent à des hommes riches la virginité de leurs filles ! Et ils sont idolâtres, de surcroît ! Quand ils n'adorent pas Mahomet, ils vénèrent des dieux à tête d'éléphant ou de sanglier, des serpents, des vaches, que sais-je... On ne compte plus le nombre de leurs divinités. Sans oublier leur lubricité ! C'est pis que Rome aux temps de la décadence ! »

Marian l'écoutait, extrêmement déçue. Elle n'avait que fort peu parlé pendant le temps du voyage, voulant garder pour elle ses imaginations secrètes ; elle ne doutait pas que la réalité les confirmât. Quand son compagnon d'antan, un assez beau filou, à qui elle avait remis les bijoux volés à son fermier général, lui avait proposé un embarquement pour les Indes afin de lui éviter la prison, ou même la déportation car elle n'allait pas tarder à être découverte, Marian n'avait pas reculé devant l'aventure. A ce moment-là d'ailleurs, on pouvait lui proposer les Isles comme le

Monomotapa, elle s'en moquait bien. Et puis, au fil du voyage, elle s'était mise à rêver des Indes, ou du moins de ce qu'on en décrivait en Europe : palais fleuris, esclaves nus et poudrés comme des laquais, danses et parfums, les *Indes galantes*, en somme, et voilà que Godeheu lui contait des horreurs.

Il avait beaucoup bu ; on ne l'arrêtait pas :

« Là-bas, pas de batailles rangées, pas de déclarations de guerre, pas de soldats, comme chez nous, bien alignés derrière un drapeau. Mais des assassinats, des trahisons, des danseuses espionnes qui viennent séduire l'ennemi et le transpercent d'un poignard dans le moment même de l'extase amoureuse... Des hordes de miséreux qui se jettent contre d'autres miséreux, les adorateurs de Mahomet contre ceux de la vache et du singe, les nababs contre les rajahs. Jamais de paix, toujours l'intrigue, jusqu'au plus profond de leurs harems. Toujours un feu caché qui couve, qui brûle intérieurement, et qui mine les Indes. Ce sera bientôt une conflagration générale ! »

Son exaltation retomba soudain. Il se tourna vers du Quesnoy et lui chuchota, comme s'il s'agissait d'une confidence :

« Croyez-moi, Dupleix se trompe. Les Indes ne nous sont bonnes qu'à faire du commerce. Il faudra arrêter sa guerre de conquête. »

Marian voyait déjà se dissoudre ses espoirs de bonheur. Elle posa sa main sur la manchette de Godeheu, qui sursauta, gêné de cette marque publique d'intimité.

« Et Pondichéry, monsieur Godeheu, Pondichéry connaîtra-t-il la conflagration ?

— Mais non, madame, mais non ! Pondichéry, c'est l'Inde française. Le calme, la prospérité assurés. A condition de n'en point sortir, évidemment. Mais vous avez bien dit que votre parente était Jeanne Carvalho ? »

Il avait donc suivi la conversation depuis le début.

« C'est cela même.

— Vous avez de la chance. C'est la plus riche et la plus habile femme de la place, tous les gens de la Compagnie le savent. Et quelles fêtes ne donne-t-on pas chez elle ! La société de la ville est charmante, vous trouverez vite un parti à votre goût. »

Du Quesnoy approuva :

« Oui, cette femme est très riche. Sans être bien introduit dans Pondichéry, on connaît son nom de Lorient à l'île de France. Elle s'y connaît très bien en affaires, dit-on. Je comprends maintenant votre discrétion, mademoiselle de Chapuset. »

Marian reprenait espoir. Godeheu avala un dernier verre d'arak et acheva son petit discours :

« Les Indes... Les femmes des Indes ! Elles ont le teint fort noir, la narine percée de bijoux, mais ce sont des merveilles, les uniques merveilles de ce pays brûlant. Des princesses. Et comme elles s'entendent en amour ! Elles nous en donnent à tous l'irrésistible contagion. J'ai longtemps habité Chandernagor, dans la résidence de campagne de Dupleix. Vous me prendrez peut-être pour un extravagant ; cependant, je dois vous avouer que certains jours on y goûtait des voluptés si fortes que je croyais respirer, avec l'odeur des fleurs, le parfum du plaisir.

— Chandernagor, répéta Marian. Chandernagor... »

Godeheu se leva :

« Ne rêvez pas, madame. Le nom est beau, mais le lieu ne vaut rien. Trop éloigné pour le commerce, trop proche de Calcutta, où sont les Anglais. Du reste, Pondichéry nous suffit bien. »

Il titubait. Elle passa devant lui sans le saluer.

« Chandernagor », murmura-t-elle encore, tandis qu'elle sortait sur la dunette.

Le ciel était clair. Le vent portait bien. Elle se promit ce soir-là de connaître elle aussi le parfum indien du plaisir, qu'il fût de Pondichéry ou de Chandernagor ; ou même, n'en déplût au sieur Godeheu, chez les plus barbares des rajahs.

*

* *

Le chirurgien du bord n'avait pas assisté au dîner ; au bout d'une demi-heure de raisonnements, il avait persuadé le capitaine de ne pas jeter sur-le-champ le supplicié à fond de cale. « Je voudrais le veiller un moment, capitaine, il est toujours sans connaissance. » Pressé d'en finir, du Quesnoy s'était laissé convaincre : « Pour le moins, faites vite ! », et il était parti en bougonnant.

« Alors ? » questionna un gros matelot roux qui se trouvait aux côtés du médecin.

L'autre ne répondit pas, se pencha sur les planches du gaillard d'avant, où Madec était étendu. Il écarta ses cheveux bruns, examina la blessure provoquée par le coup de canne. Ce n'était rien. Mais son patient respirait toujours aussi mal.

Le chirurgien Visage soupira :

« Mon pauvre Dieu..., il faut attendre.

— Attendre », répéta Dieu, puis il se remit à son loisir des soirs où il n'était pas de quart : il taillait des figurines. Il était très habile de ses mains. Dans les essences exotiques qu'il collectionnait aux escales, on le voyait toujours sculpter des images de saints ; d'où son surnom. D'ailleurs, il était plutôt bigot, toujours ponctuel à confesse et communion. Il est vrai qu'il était canonnier ; il vivait près des mortiers et des mousquets, avec la poudre, l'acier des canons, la mèche des boutefeux. A vingt-deux ans, il avait déjà vu plusieurs fois des corps cassés en deux par un seul boulet, le pont ruisselant de sang, les éclats de bois qui volent partout et se fichent dans les chairs ouvertes. Scorbut, noyade, incendie, la mort multiforme des navires lui était familière ; Dieu s'était pourtant résigné à l'horreur. Il ne voyait pas pour lui d'autre destin, d'autre « planète », comme il disait en breton. Ses seules joies, il les trouvait dans l'amitié. S'il ne parlait guère, comme la plupart des gens de mer, il tâchait pourtant de se trouver toujours aux côtés des deux compagnons qu'il s'était faits sur le *Duc de Bourgogne* et dont il était certain qu'il aurait donné sa vie pour eux : le chirurgien Visage, qui l'avait guéri d'une brûlure réputée incurable, et le *petit Madec*, comme il l'appelait : Dieu était de quatre ans son aîné ; une sorte d'affection fraternelle le portait vers lui. Mais il y avait sans doute davantage : les frasques du petit lui avaient plu ; à travers elles, il découvrait un sentiment neuf, une colère possible contre la mer et ses misères, qu'il n'avait, pour sa part, jamais laissé sourdre. Cette fois, cependant, il n'approuvait plus son compagnon de peine. Voler des pistolets ! Mais pourquoi diable ? Car il était sûr que Madec était coupable, il l'avait deviné rien qu'à son œil un peu farouche quand on l'avait attaché aux vergues pour le lâcher dans l'océan, une fois, deux fois, trois fois, avant de le ramener ici, évanoui, livide, à demi noyé. Dieu laissa retomber son couteau. Visage se penchait à nouveau sur Madec, écartait sa chemise crasseuse, à demi pourrissante d'humidité.

« Il reprend souffle, on dirait. »

En se relevant, le chirurgien surprit l'œil inquiet du canonnier.

« Tu connais Madec... Il s'en tirera. »

Dieu reprit sa sculpture sans mot dire. Il se refermait sur sa peur. Visage voulut le rassurer davantage :

« Sitôt débarqué à Pondichéry, il se remettra à courir les filles, comme nous tous !

— Les filles de l'Inde ! éclata Dieu. Tu sais comme moi que c'est l'Inde qu'il veut, pas les filles ! Et pourtant, la marine, on s'en sort jamais, sinon les pieds devant ; il le comprendra, lui aussi, Madec !

— Ce n'est pas sûr », murmura Visage, et il se pencha encore une fois sur la poitrine de Madec, car elle venait de tressaillir.

Il connaissait bien son homme. Depuis qu'il voyageait sur les vaisseaux de la Compagnie, neuf ans maintenant, et il en était à son cinquième voyage, il avait rarement rencontré un marin si fougueux. Visage avait vingt-cinq ans ; sept années seulement le séparaient de Madec, mais il le considérait comme un fils : il l'avait connu mousse, alors que lui-même commençait l'apprentissage de la médecine de bord. Un jour de septembre dans le port de Lorient, il l'avait vu embarquer pour Pondichéry, jeune garçon encore, treize ans, quatorze ans peut-être, tout émoustillé à l'idée du départ. Cet enthousiasme fut sans lendemains. Coups, brimades, privations, Madec connut l'ordinaire des petits marins. Un jour de désarroi, il se confia à Visage : séduit par les boniments des racoleurs de matelots, il avait quitté sans crier gare la maison paternelle. Visage le rassura : si son père était bien l'homme qu'il avait décrit, ce maçon qui était allé autrefois au collège et donnait des leçons de lecture aux pauvres de Quimper, il ne lui tiendrait pas rancune de sa fugue. Ce serait le retour de l'enfant prodigue. Madec reprit espoir. On fit escale à Pondichéry. Tout d'un coup, Madec s'éclaira. La joie l'illumina quelques jours. Puis il redevint taciturne, violent. Il ne parla guère jusqu'à Lorient. Aussitôt débarqué, il prit la route de Quimper. Visage pensa ne jamais le revoir. Il se trompait. Malgré le bon accueil reçu dans sa famille, Madec ne supporta plus d'y vivre. La terre bretonne, irrémédiablement, lui devint trop étroite. Pour se distraire, il apprit à monter les chevaux d'un hobereau des environs. Puis, ne comprenant pas qu'un demi-gueux ne pût aussi posséder un animal, il vola un pur-sang. Le lendemain, il vint le rendre, mais la prison menaçait. Il reprit la route de Lorient, le chemin de la mer, un nouvel embarquement.

Etait-ce vraiment un hasard, on l'embarqua pour les Indes. Ainsi donc, Visage l'avait retrouvé sur le *Duc de Bourgogne*. Il s'étonna :

« Tu veux toujours être marin ?

— Ce n'est pas la mer que je cherche, répondit sèchement Madec. Pas la mer ! »

Le reste de la traversée, il ne fut guère plus explicite ; il se referma dans le silence. Le temps que lui laissaient les tâches du bateau, et lorsqu'il n'était pas puni, il le passait à écouter les conteurs, se berçant d'histoires de trésors cachés, de femmes poissons et de princesses lointaines. L'œil triste, l'air taciturne, il demeurait des heures immobile, suspendu aux lèvres du faiseur de merveilles, dans l'attente, semblait-il, d'un *ailleurs*, qu'il était seul à voir.

Tandis qu'il guettait les signes d'un mieux, Visage se disait que ce garçon-là tranchait sur le commun. Madec n'était pas un marin. Visage avait observé assez d'hommes à bord des navires comme son métier les lui présentait, c'est-à-dire tels qu'en eux-mêmes, comme ils se montrent dans la maladie, ou aux approches de la mort ; et il se demandait à présent si Madec ne vivait pas sur un autre mode que ses compagnons : plus intense, plus chimérique aussi. Et c'était cela, bien qu'il fût l'aîné, qui le fascinait chez ce presque gamin : un mélange de force, de gourmandise, d'avidité, et surtout ce silence tendu qu'on devinait peuplé de visions folles et de créatures échevelées. Visage sursauta encore ; Madec gémissait faiblement, à intervalles irréguliers. Il n'avait toujours pas repris connaissance ; d'ici peu le capitaine aurait fini de dîner, et il reviendrait pour veiller à ce qu'on le descendît aux fers.

« Dieu ! il faudrait encore de l'arak ! »

Dieu laissa tomber son couteau et son morceau de bois, rentra pour aller à son coffre.

Il revint aussitôt, porteur d'une fiasque pâle :

« Tiens, barbier », dit-il en la tendant à Visage.

Le chirurgien écarta les lèvres de Madec, qui grimaça, puis suffoqua.

« Allons, mon brave Dieu, cette fois-ci, je crois bien qu'il nous revient. »

Madec secoua longuement la tête ; une chaleur diffuse l'envahissait, qui chassait le goût du sel. Peu à peu, elle reflua. Il ne sentait presque plus rien, à part une sorte de grand vide en lui. Complètement engourdi, il tenta de reconstituer la réalité, d'identifier les silhouettes qui s'agitaient, mais il n'y parvint pas. Au dernier moment, il lui sembla que sa conscience s'éparpillait, et il retomba dans une somnolence où demeurait une seule certitude : il était encore vivant. Des souvenirs désordonnés traversèrent sa léthargie : le tourbillon vert de la robe féminine, les insultes d'un homme très rougeaud, puis le supplice de la cale, les cordes des vergues lui déchirant les avant-bras, la grande gerbe d'écume, quand le maître voilier l'avait laissé tomber à la mer du haut de son câble. Des bribes d'images se succédèrent dans son esprit, toujours dans le même ordre, répétitif et chaotique, puis elles se bousculèrent comme dans un cauchemar. Il voulut reprendre son souffle. Ainsi que tout à l'heure, il suffoqua. Il avait la gorge sèche, du geste qui lui était familier quand il se réveillait dans la moiteur étouffante du bateau, il se passa la langue sur les lèvres. Le goût du sel le picota. Alors le cauchemar le reprit. A nouveau, l'horreur de la mer se referma sur lui. Il crut mourir. Souffler, respirer, chasser l'atroce oppression, l'étranglement de l'eau salée. Il recommença à haleter, et la conscience lui revint par petites saccades.

« Madec... », murmurait quelqu'un.

Cette fois, il avait retrouvé ses esprits. Il distingua la fiasque d'arak.

« Donne ! »

Visage lui versa l'alcool. Il avait encore du mal à respirer. Il cracha la première rasade, puis but encore.

« Ne bois pas trop », intervint Visage.

Il ne l'écouta pas. La vie le reprenait. Il avalait le liquide à grandes lampées, ne sachant pas encore pourquoi il désirait si fort la chaleur sucrée de l'alcool. Puis, brusquement, il se souvint. Les pistolets. L'homme qu'il avait frappé devant cette passagère. Et puis la cale, l'humiliation. Il faudrait se venger.

Dieu s'était approché, qui le regardait avec une sorte de tendresse contenue.

« Je me vengerai, dit simplement Madec. Je le tuerai. Et je me tuerai après. »

Dieu et Visage n'eurent pas le temps de répondre. Deux officiers arrivaient pour le traîner aux fers, où il devait rester jusqu'à Pondichéry.

Cette première nuit à fond de cale, alors qu'il était épuisé, Madec la passa sans dormir, dans une excitation qu'il n'avait jamais connue. C'était l'idée de la vengeance. Il avait résolu de prendre la vie de l'homme, quel qu'il fût, qui l'avait humilié, et ce par le feu de ses propres pistolets. Car ils étaient là, tout près, les pistolets, là où personne n'irait les chercher, derrière un amas de fûts pourris. Madec était certain de retrouver son ennemi. Pondichéry n'était pas si grand. Malgré les quinze jours qu'il devrait passer à bord après l'arrivée, il n'aurait aucun mal à le repérer plus tard. A cause de la femme. Il la voyait encore, avec son air insolent et sa robe verte. Ils étaient ensemble, c'était clair. S'il ne trouvait pas l'homme, il dénicherait la fille, et l'autre, il finirait bien par le découvrir, comme aujourd'hui, au sortir de son lit. Aux multiples cris qui lui parvenaient d'en haut, Madec sentit que la nuit finissait. Le vaisseau avançait plus vite que les jours précédents. Le vent, semblait-il, portait bien, car il entendait contre la coque un clapotis du meilleur augure.

Les Indes, le vent des Indes. Il s'étonna que ses projets de vengeance l'eussent toute une nuit détourné de son rêve. Et pourtant, avec pareil vent, le navire n'allait pas tarder à aborder. Un instant, Madec faillit renoncer à ses représailles. Il n'avait pas pris la mer pour verser le sang d'un misérable bourgeois enrichi — faute d'en savoir plus, c'était ainsi en effet qu'il voyait son agresseur — et risquer de passer le reste de ses jours au fond d'une geôle du comptoir français. Celui-ci, à la vérité, ne l'intéressait pas. Il ne désirait que ce qu'il cachait. Et ce qu'il cachait, c'était l'Inde, la vraie, celle que personne, ou presque, parmi les Français, n'avait encore pénétrée. Il n'en avait aperçu qu'une image. Elle lui suffisait pourtant. Ses souvenirs étaient d'une extrême précision. Ils remontaient à deux ans plus tôt. C'était un jour de gloire. On fêtait un homme qu'on appelait Nabab, Héros d'entre les Héros, Invincible Guerrier. Juchés sur deux cents éléphants, des princes indiens en procession vinrent lui prêter serment d'allégeance « sur la puissance sacrée du riz et du safran » ; ils portaient tous vêtements lamés, turbans à aigrette, diamants à chaque doigt. C'étaient pourtant des vaincus. Doublement vaincus : ils venaient d'abandonner leurs anciens maîtres, les Anglais. Car l'homme blanc, à qui maintenant ils présentaient robe de soie et collier de perles, et qui trônait pour les attendre sur un palanquin incrusté d'ivoire, était un Français : Dupleix, celui-là même qu'avait connu le père de Madec, les quelques années qu'il avait passées au collège.

Du haut du mât de son vaisseau, Madec vit tout de la cérémonie. Ce furent trois jours de gloire, trois jours et trois nuits d'un faste inouï. On distribua l'arak à pleins tonneaux, on tira des feux d'artifice, on chanta la gloire du nabab Dupleix. « Vous verrez que bientôt il nous prendra Golconde, criaient les gens de Pondichéry, oui, vous dis-je, Golconde et ses diamants ! Il en forcera la triple muraille, il en soumettra le prince, il fera plier jusqu'au Moghol ! »

Le bateau de Madec appareilla le dernier jour. Sitôt entrevu, le pays des merveilles s'évanouit. Madec se jura d'y revenir, quoi qu'il en pût lui coûter. Voilà pourquoi il se retrouvait maintenant à fond de cale, brisé de coups, les chevilles immobilisées par les fers : pour chercher la source de toute cette gloire et, peut-être, en prendre sa part. Un quart d'heure durant,

Madec se maudit : selon la règle d'honneur qu'il s'était donnée, il lui était impossible d'aller chercher fortune sans s'être vengé ; c'était enfantin, mais c'était ainsi. Or sa colère avait peut-être compromis à jamais ses retrouvailles avec les Indes.

De rage, il se mit à cogner contre la coque du navire. À présent, le *Duc de Bourgogne* devait croiser les premières côtes indiennes qu'il avait vues disparaître deux ans plus tôt avec un tel désarroi. Car, au-delà de leurs longues plages, et derrière les jungles qui les bordaient, se cachait, il en était sûr, tout un monde qui l'attendait.

CHAPITRE II

Juin 1754

Godh, pleine lune du mois de Jyestha
Année 4855 de l'ère de Kaliyuga

Encore une fois, Sarasvati maudit la chaleur. Elle ne cessait de se retourner sur son charpoï au sommier tressé, et elle craignit que Mohini ne se réveillât à son tour. Car, après elle, ce seraient Lakhsmi et Malika, puis toutes les servantes : des bavardages interminables, des questions à n'en plus finir. Il faudrait bien répondre, la chaleur s'appesantirait, et l'aube arriverait sans qu'elle eût dormi. Sans qu'elle eût goûté, surtout, un moment de solitude. Pour cette nuit, malgré sa peine, elle ne voulait rien d'autre. Et qu'il était difficile de demeurer seule au cœur du zenana, où toujours l'observaient les femmes, guettant à ses paupières la plus petite ride d'insomnie, à sa bouche le premier sourire éteint, pour deviner où elle en était de ses amours avec Bhawani, si ses nuits étaient pleines ou tristes, si son étoile pâlissait.

Sarasvati s'assit sans bruit au bord du charpoï. Elle rajusta son boléro, ramena derrière ses épaules sa lourde natte. D'un geste machinal, elle en caressa l'extrémité. « Mes cheveux se dessèchent, pensa-t-elle, il faudra que je demande à Mohini de les enduire d'huile de santal. » L'amour et la beauté : c'étaient là ses deux seuls soucis ; et d'ailleurs, qu'eût été l'un sans l'autre ? Elle souleva la gaze bleue de sa jupe et se dirigea vers les ouvertures ajourées du zenana. Les charpoï étaient disposés en désordre ; il fallait être très agile pour les éviter. Elle se guidait aux rayons de lune. D'ici deux jours, l'astre serait plein. Bhawani serait-il rentré pour la contempler avec elle ? Sarasvati aimait la lune, car la lune et l'amour ne se séparaient pas : tous les mois, ce rituel magique et brillant de l'astre reliait les amants au ciel, aux étoiles, à la nature entière. A l'ordre du monde.

L'ordre du monde, *dharma : c'est le devoir, et c'est ainsi*. Etait-il aussi fatal que Bhawani s'éloignât d'elle et que s'approchât la menace du malheur ? Pourquoi ne pouvait-elle connaître la douceur du sommeil ?

Ce n'était pas, en tout cas, parce qu'elle ne partageait pas le lit du rajah. Ils ne dormaient que rarement ensemble ; comme toutes les femmes, Sarasvati vivait au zenana, le « paradis des dames », où Bhawani venait la visiter. Assez souvent aussi, il venait la chercher pour la promenade ou la chasse. C'était un fait très singulier dans l'Inde : contrairement à l'usage répandu dans toutes les cours depuis l'invasion des Moghols, les rajahs de Godh avaient maintenu les plus anciennes coutumes du pays, qui n'interdisaient en rien qu'on dissimulât ses épouses. La plupart des femmes, cependant, se contentaient d'une existence recluse, soit qu'elles fussent d'une région voisine, où les filles apprenaient à fuir le regard des hommes, soit qu'il leur suffît de vivre dans ce morceau de palais juché sur la colline, d'où l'on voyait toute la plaine de Godh, jusqu'à ses limites extrêmes, les montagnes, au nord, d'où descendait une grosse rivière, et le grand lac du sud, avec son île, où l'on avait bâti un palais de plaisance. Godh la bienheureuse, ainsi que l'appelaient les marchands : une principauté tranquille, en paix depuis des siècles ; une citadelle haut perchée, une ville aérée aux façades roses, la ceinture des remparts, puis les rizières, et les routes d'est en ouest, par où venaient les caravanes. La sérénité. Avec l'amour du prince, Sarasvati avait retrouvé ici le goût de la vie.

Et voilà que la peur la prenait. Pour la première fois depuis longtemps, elle s'était sentie envahie par quelque chose qui n'était pas l'amour. C'était extrêmement confus. Une terreur d'enfant, sournoise, inavouable. Le sentiment d'une menace implacable. Un danger pesait sur Godh, et peut-être sur Delhi, Bénarès, l'Inde entière, qui sait ? Elle avait un peu voyagé ; elle savait que la vie ne s'arrêtait pas aux marches de la province. Quelque chose était là, au bout des routes, un mal inconnu et mortel. Sans qu'une femme l'eût entendue passer, Sarasvati parvint aux stores. Elle se glissa sur la terrasse. Le marbre luisait sous la lune. Elle chercha le jardin. Dès qu'elle était prise de mélancolie, c'était là son refuge ; près des bassins et des fleurs, la vie lui paraissait meilleure. Le goût lui en était venu très tôt, à Delhi, où elle avait passé toute son enfance, dans la demeure de l'homme qui l'avait recueillie. Pendant des années, ces échappées représentèrent sa seule distraction d'orpheline de haute caste, dont on surveillait étroitement la jeunesse et la beauté pour mieux les monnayer le moment venu. Depuis, Sarasvati avait épousé Bhawani, mais comment aurait-elle pu délaisser les jardins dans une famille dont c'était, avec la chasse, l'exclusive passion, du jour où les rajahs de Godh avaient oublié la guerre ?

Elle marcha un moment le long du canal central. Il séparait le terrain en deux surfaces symétriques, puis aboutissait à un bassin en forme d'hexagone parfait, précédant son endroit favori, le *chadar,* une cascade artificielle de marbre blanc entièrement rectiligne et ciselée de motifs géométriques. Elle dominait la terrasse inférieure, tout aussi régulière que la première, d'autres bassins aux bords découpés en forme de feuilles de lotus, des chadars encore, plus petits ou creusés de niches profondes, où l'on pouvait, les jours de fête, allumer des bougies pour le seul plaisir de voir l'eau étinceler dans la nuit. Cette année, la mousson était tardive ; depuis deux mois, l'eau ne coulait plus. Plus une fleur aux parterres ; rien que le sol grillé et le marbre qui l'enchâssait.

« La chaleur, soupira encore Sarasvati. Cette mousson qui ne vient pas. Bhawani... Pourquoi est-il parti ? »

Il avait prétendu qu'il partait à la chasse. Il ne voulait pas d'elle. C'était la première fois. Elle s'était étonnée. Il n'avait pas répondu. Elle crut d'abord qu'il suffirait, pour le retenir, de l'enjôler ; et elle avait dansé devant lui ainsi qu'il l'aimait, les seins nus, la jupe entrouverte. Il était demeuré las, comme accablé. Alors elle avait pleuré, supplié un peu ; et, comme il partait chercher ses armes, commandait de préparer ses éléphants, elle lui avait chanté doucement le vieux poème :

L'air, l'eau, le ciel et le feu,

Tous les éléments se mêlent en un seul brasier.

Soucieux, le voyageur, et, comme un mouton, l'éléphant sauvage qui voit l'étang sec.

Le cobra se dissimule dans sa trompe, et le tigre s'endort dans son ombre.

Tout ce qui vit sur la terre, tout ce qui vit sur l'eau se sent faible et ne connaît point le repos. Et c'est pourquoi les sages ont prescrit : reste chez toi pendant le mois de Jyestha...

Jyestha, juin, le mois maudit d'avant la mousson. Toute l'Inde du Nord transformée en fournaise ;

Godh la bienheureuse n'y échappait pas ; par ces temps-là, des tourments bizarres prenaient parfois les hommes, sans qu'on pût y trouver de remède ; et Sarasvati eut beau chanter, danser, agiter son éventail au cou du rajah, il fut inébranlable ; il partit seul, lourd d'angoisse, lourd de ce mal qu'il pressentait au bout des routes et qu'il avait fini par lui confier. Trois jours déjà. Trois jours qu'il était absent, trois jours aussi qu'elle se traînait dans le zenana en tâchant de donner le change, trois jours à porter cette peur grandissante, et ce n'était pas l'attente des pluies de mousson. Sarasvati passa et repassa la main sur la pierre de chadar. La solitude n'apportait pas de remède. Un poison, bien au contraire. Elle se leva d'un coup. La lune avait baissé. Elle retraversa le jardin d'un pas fébrile. Le marbre était encore chaud sous ses pieds. Les stores du zenana, d'ordinaire balancés par le vent de nuit, demeuraient immobiles. Sarasvati se glissa sous les lattes, se dirigea vers le charpoï voisin du sien :

« Mohini... »

La natte de la dormeuse pendait du matelas comme un serpent suspendu à l'arbre après la mousson, et elle se lova brusquement dans ses mousselines dorées.

« Sarasvati ! »

On avait répondu doucement, mais le chuchotement était précis et calme, comme au sortir d'une simple somnolence.

« Viens avec moi. Je n'arrive pas à dormir. Viens me masser. Sortons. »

Mohini se leva, saisit une lampe qui brûlait au pas d'une porte et suivit Sarasvati. Elles avaient la même démarche légèrement déhanchée, qui agitait le drapé de leur jupe d'une ondulation identique. Un charpoï était resté sur la terrasse. Pour ne pas réveiller leurs compagnes par leurs bavardages, les deux femmes le déplacèrent à l'autre bout du jardin. Mohini éleva soudain sa lampe sur le visage de la princesse :

« Tes yeux se creusent, Sarasvati. Il ne faut pas te tourmenter pour un homme qui est parti à la chasse.

— Masse-moi, Mohini. Je suis si fatiguée. Le jour va venir et je n'aurai pas dormi. »

Elle s'étendit sur le sommier tressé, défit son boléro, les pans de sa jupe, puis tordit sa natte contre son cou.

Mohini se pencha sur elle, lui enleva un à un ses bijoux. Sarasvati s'abandonnait. Mohini lui envia sa tresse épaisse, qui lui tombait presque aux genoux, ses jambes déliées et surtout son teint clair. D'où pouvait-elle tenir une peau si pâle ? Elle ressemblait aux femmes du Nord, aux filles mêlées de sang moghol qu'on voit entre Delhi et Lahore. Et ses yeux ! Clairs aussi, c'est-à-dire d'un noir ocellé de vert, qui étincelait lorsqu'elle regardait la lumière. Des traits d'une étonnante pureté, bien dessinés, fermes, pas un pli : en somme, la belle au visage de lotus dont parlaient les *raga* du soir, ceux que l'on chanterait bientôt, quand la mousson serait là, et avec elle la saison des amours. D'avoir pensé aux pluies, Mohini leva machinalement les yeux vers le ciel, geste commun depuis le début des chaleurs. Elle commença à pétrir le dos de la princesse.

« Il se prépare un orage », murmura-t-elle.

Sarasvati ne l'entendit pas, ou parut ne pas l'entendre. Depuis sa maternité, elle était souvent ainsi, tout le monde au zenana l'avait remarqué. Etait-ce d'avoir donné au rajah son premier fils, elle avait pris dès ses relevailles des manières singulières : on la croyait proche, parce qu'elle était dans tout son être maternelle et féconde. L'instant d'après, elle s'éloignait, se refermait sur son amour pour Bhawani, qu'elle semblait vivre ainsi qu'un mystère dont elle eût voulu protéger l'excessive beauté. Elle gémissait sous le massage.

« Plus fort, Mohini, plus fort ! »

Mohini transpirait. Elle se débarrassa de son voile, poursuivit avec ardeur. La peau de Sarasvati se mêlait à la sienne ; elle y reconnaissait l'effet des soins de beauté qu'elles se prodiguaient mutuellement ; ainsi, il n'y avait qu'une semaine, elle avait entièrement poncé à la cendre le corps de la princesse, puis elle en avait épilé les moindres recoins ; et bientôt, à la nouvelle lune, elle lui préparerait un masque d'argile, pour l'adoucir encore, la polir, la parer pour l'amour. Mohini ferma les yeux. Ses mains volaient des épaules aux jambes, de la nuque au creux des reins. Ce corps qu'elle enviait, elle le connaissait par cœur. Et pourtant il se dérobait ; Sarasvati demeurait toujours offerte et lointaine, comme une déesse au mur d'un temple, qui sourit, danse et appelle, dont on palpe la ronde-bosse, qu'on décore des poudres sacrées, et qui s'évanouit au même instant, pierre issue de la pierre, et cependant, lorsqu'on y regarde encore, la fascination recommence, le mur s'anime, et il en sourd une puissance étrange : il y avait aussi cela en Sarasvati, une énergie sombre et dissimulée, qui n'était pas encore éclose et affleurait seulement par très brefs moments. A dix-neuf ans, et forte de ses trois fils, Mohini aurait dû exercer sur la jeune princesse l'autorité d'une aînée. Et pourtant Sarasvati, de trois ans sa cadette, la dominait ; non en qualité d'épouse du rajah, car Mohini, qui avait épousé un proche parent de Bhawani, recevait son content de dignités et d'égards. C'était plutôt un effet du charme de la princesse, un pouvoir inconnu, silencieux, irréfutable ; alors, comme tous les autres, comme Bhawani surtout, et malgré sa jeunesse, Mohini s'inclinait devant sa compagne : elle était belle.

Le massage touchait à sa fin. Mohini s'attaquait maintenant à la paume des mains, qu'elle appuyait fortement contre la sienne, avant d'en tirer les doigts l'un après l'autre ; on eût dit qu'elle voulait les arracher. Sarasvati parut se réveiller ; ce contact sensuel et complice la troublait toujours. Puis Mohini lui saisit les pieds. Elle les caressa d'abord, les frotta ;

enfin, elle étira les orteils comme elle avait fait des doigts.

« Tu me fais mal !

— Alors il faudrait que tu quittes ton anneau de mariage, ou que je saute cet orteil-là !

— Jamais je ne l'enlèverai. Surtout maintenant que Bhawani est au loin.

— Es-tu stupide ! Tu crois vraiment que les tigres et les cobras vont le manger... Un chasseur comme lui, il t'a même appris à tirer à l'arc !

— Je n'ai pas peur de la chasse ! »

Sarasvati avait parlé à voix haute, presque crié.

Mohini se tut. Elle saisit sous sa jupe un morceau de gaze, dont elle s'épongea le visage. Le massage l'avait épuisée. Elle s'assit sur le rebord de marbre qui dominait le jardin. Sur le charpoï, Sarasvati soupirait ; la lune pâlissait encore, de gros nuages s'épaississaient du côté des montagnes. Un léger vent s'était levé. L'aube approchait ; demain, après-demain peut-être, commenceraient les pluies.

Elle se tourna vers sa compagne. Elle allait mieux. Elle avait retrouvé l'expression candide et tendre du jour où, toute nouvelle épousée, elle était entrée au zenana ; pour cet unique instant, où elle avait paru entièrement présente, Mohini l'avait aimée ; presque aussitôt, elle devint sa confidente. Aussi Mohini savait-elle que, d'un moment à l'autre, Sarasvati allait tout lui dire de cette angoisse qui lui enlevait le sommeil, et pourquoi son chagrin, et pourquoi son ennui.

Il ne fallait pas la presser. Elle désigna le ciel :

« Regarde, le jour va venir. Sais-tu que les servantes ont préparé du henné frais ? Dès que le soleil sera levé, je te baignerai, je te coifferai, et sur tes mains et tes pieds je dessinerai les plus beaux *menhadi* de la terre ! »

Mohini savait combien Sarasvati prenait soin de sa personne, surtout de ses pieds, qu'elle avait très jolis, fins et charnus à la fois. C'était la partie du corps la plus impudique ; Mohini parfois, dans leur intimité de femmes, se plaisait à les détailler, offerts sans retenue à ses regards, essayant d'imaginer les plaisirs du rajah quand il les levait jusqu'à ses yeux et sa bouche, ainsi que le voulaient les règles de l'amour ; et il lui semblait même, certains après-midi, qu'elle imaginait trop bien.

Sarasvati dénoua ses cheveux. Elle glissa du charpoï et s'accroupit aux côtés de son amie.

« Mohini, Mohini... »

Mohini la regarda et sourit. Le moment était venu. Sarasvati allait parler.

« La peur, Mohini, la peur. Je croyais l'avoir oubliée... » Elle enfouit son visage dans la soie de sa jupe.

« Calme-toi. Je vais t'éventer. »

Mohini repartait déjà vers l'intérieur du zenana.

« Rapporte aussi des coussins et du parfum... Et veille à ne pas réveiller les servantes... Ni Gopal. »

C'était son fils premier-né. Depuis sa naissance, quatre mois maintenant, Sarasvati se sentait sereine. La première épouse de Bhawani, en douze ans de mariage, était restée stérile. Elle avait vingt-cinq ans ; on ne la voyait guère. Elle s'était retirée dans une aile du zenana, d'où elle sortait rarement. Sarasvati l'avait aperçue une seule fois, tremblante, fébrile, toute cachée derrière de grands voiles. La seconde épouse était un peu plus jeune. Elle passait le plus clair de ses journées à pouponner ses quatre filles tout en mangeant des sucreries. Quant à la troisième épouse, Sarasvati n'en avait rien à craindre : c'était une plante. Profondément affecté de n'avoir point de fils, Bhawani avait pensé que sa troisième femme, s'il s'était agi d'une « humaine », lui aurait attiré malédiction plus grande encore, celle du chiffre trois, unanimement désigné comme maléfique. Avant de s'unir à Sarasvati il avait donc épousé, conformément à la tradition, une grande liane décorative, et le bonheur revint sur lui : un an après ses noces, Sarasvati lui donnait Gopal. Depuis ce jour, il ne voyait plus d'autre femme au monde ; quatre, cinq fois la semaine il venait la chercher ; c'était folie, disaient les femmes au zenana, il l'aime trop, feu de paille, pluie de printemps : cela ne peut durer. A cette pensée, Sarasvati sentit sa gorge se serrer. Se pouvait-il que le zenana eût raison ? Que connaissaient de l'amour ces femmes engourdies ? Que savaient-elles du rajah ? Sa mère était morte depuis longtemps, il n'avait pas de sœur. Et, d'ailleurs, qui aurait pu comprendre pourquoi il était parti sans elle à la chasse, seul, alors qu'il l'emmenait toujours, l'honorant des fastes de l'Eléphant Royal, dont le pas lourdement cadencé, quand Bhawani soulevait ses voiles, les étourdissait tous deux de sensations inédites.

Mohini revenait, chargée d'une corbeille et d'un tapis. Elle le déroula sur le sol, disposa des petits coussins, alluma un brûle-parfum. Sarasvati allait parler, mais elle hésita encore. Comment prononcer les trois syllabes qui la hantaient depuis le départ de son époux, trois syllabes ainsi qu'un maléfice, puisqu'elles la privaient des mille et une manières de l'amour ?

C'était trois jours plus tôt, après l'amour, justement ; un long moment ils avaient picoré dans l'insouciance. Sarasvati revoyait le lit blanc dressé sous une tente au fond du jardin, les sorbets oubliés au fond des porcelaines bleues et blanches, le paon qui se penchait pour boire dans une coupe d'or. Tout lui revenait avec une exactitude extrême. On avait étalé sur le marbre un tapis au dessin tranquille ; deux heures durant, leurs enlacements avaient imité l'entrelacs des fleurs, tandis qu'une musicienne jouait le *raga* Malivi, celui qui incite à l'amour l'après-midi. Plusieurs fois, il s'était montré d'une singulière fougue, au point que la joueuse de vina, pétrifiée du spectacle de son ardeur, en avait perdu le fil de sa mélodie, n'osant plus la reprendre sur le même ton, telle une magicienne effrayée par ses enchantements.

Puis le soleil avait baissé. Sharma la caressait lentement, s'attardant aux plis de son cou, qu'elle parfumait de menthe frottée, car il en aimait l'odeur. Elle le devina soudain.

« Tu es triste, Bhawani. »

Il regarda le ciel, lourd de mousson qui ne venait pas. Un couple de hérons, pourtant, traversait les nuages, signe de pluie prochaine.

« Tu es triste, et ce n'est pas d'attendre la mousson... »

Il attira à lui le tuyau d'un narguilé.

« Les firanguis, Sarasvati, les firanguis... »

Trois syllabes, une bouffée de tabac : ainsi s'était dissoute la magie de l'après-midi. Trois syllabes maudites : *firangui* ; puis une longue, très longue confidence, comme elle ne lui en avait jamais entendu. Une heure plus tard, il était parti.

« Allonge-toi donc, écoute-moi, répéta Mohini. Tu ne m'entends même pas. »

Sarasvati, au contraire, se tendit davantage.

« Mohini, que sais-tu des firanguis ?

— Les firanguis ? » Elle laissa reposer l'éventail. « Lesquels ? Les hommes des caravanes venues de Perse ?

— Non. Les autres... »

Mohini ne comprenait pas.

« Les autres ? Mais tu es née à Delhi, toi, tu en as vu, tu les connais mieux que moi !

— A Delhi, j'étais enfermée, à apprendre la danse et les arts de l'amour.

— Ne t'en plains pas. Le père de Bhawani t'a rachetée, t'a sauvée. C'est lui qui t'a donnée à ton mari. Si tu n'avais pas appris la danse, tu ne l'aurais pas rencontré.

— Je suis de haute caste, Khsatrya, comme toi, autant que toi ! »

Elle élevait le ton. Sarasvati n'aimait pas son passé, sa longue enfance d'orpheline échappée par miracle aux massacres de la guerre.

Cette fois, cependant, elle s'était calmée très vite. Mohini voulut réparer son allusion à Delhi.

« Les firanguis... Les autres, ceux des Eaux Noires ? Ils sont très pâles, un peu rouges, dit-on. Les cheveux couverts de poudre blanche, et ils traînent des armes au bruit de tonnerre. C'est du moins ce qu'on prétend ! »

Sarasvati l'interrompit :

« Bhawani m'a dit qu'ils n'étaient pas loin. »

Mohini éclata de rire :

« C'est cela ton tourment ! Les firanguis...

— Ils viennent de la mer, Mohini. Des pays impurs qui se trouvent au bout des Eaux Noires. Ils viennent sur des navires profonds, aux coques grosses comme des noix énormes, avec des bouches qui crachent le feu !

— Sarasvati ! Mais tout le monde sait cela depuis longtemps ! Comment veux-tu qu'ils arrivent ici, sur leurs bateaux ? Nous sommes si loin des Eaux Noires ! Et puis ce ne seraient pas les premiers voyageurs à passer ici. Tous les ans, les caravanes en amènent de nouveaux.

— Ils ne sont pas si pâles. Ils ne sont pas si durs.

— Mais qu'en sais-tu ? Et jamais un homme de l'Inde n'a redouté les firanguis. Qu'importe qu'ils arrivent. Ils nous achèteront, comme les autres, des diamants taillés, des épices ; et nous leur demanderons en échange des miroirs et des flacons d'eau de rose. Pourquoi te tourmenter ?

— Ce n'est pas ce que dit Bhawani. »

Elle parlait d'un ton sec, hésitant encore à se confier, craignant que Mohini, comme toute autre femme, ne l'arrêtât du sempiternel :

« Laisse à l'homme les affaires de l'homme. » Cependant, son cœur était trop lourd ; elle changea soudain de voix, laissa échapper toutes les phrases qu'elle ressassait depuis trois jours :

« Mohan est rentré de Bénarès. Il a rapporté de mauvaises nouvelles.

— Les brahmanes voient toujours l'avenir en noir, ma belle !

— Il est astrologue, Mohini. Il sait. »

Mohini s'inclina. C'était vrai : que valait sa parole face à celle d'un voyant ?

« Les nouvelles sont mauvaises, poursuivit Sarasvati. Il a dit que les firanguis étaient de deux sortes et que chacune déteste l'autre. Les plus nombreux sont aussi les plus habiles à manier les navires, ils portent une veste rouge et se sont installés là où la rivière Ganga se jette dans les Eaux Noires. On dit qu'ils avancent peu à peu dans la plaine, qu'ils posséderont bientôt tout le Bengale. Les autres firanguis sont furieux ; ils veulent eux aussi le Bengale, et ils se répandent chez les princes pour leur demander de s'unir avec eux contre les hommes à vestes rouges...

— Tous les rajahs sont les vassaux du Moghol. L'empereur chassera les firanguis s'ils nous veulent du mal.

— Détrompe-toi, Mohini. Le Moghol n'est plus rien. A Delhi ce ne sont plus qu'intrigues et assassinats ; l'on ne sait même pas qui héritera du trône. » Elle plissait le front tout en parlant. Mohini posa la main sur sa bouche :

« Tais-toi, Sarasvati, tais-toi. Voilà que tu me répètes les phrases d'un homme, et les mots du mâle sont laids dans la bouche de la femme. Tu es jeune, belle, tu es mère : que cherches-tu d'autre ? Laisse donc les firanguis là où ils sont, oublie cela ! Godh restera bienheureuse aussi longtemps que son rajah vivra, et les fils de ses fils. Allons ! laisse à l'homme les affaires de l'homme ! »

Sarasvati tressaillit. Elle jeta à sa compagne un regard un peu honteux.

« Allons, répéta Mohini. Viens, relève la tête, regarde, le jour se lève. »

Sarasvati essuya une larme, passa le doigt sur son diamant de nez, sourit enfin. Un vol de hérons passa dans le ciel gris-bleu. Du zenana surgirent deux adolescentes encore ensommeillées.

« Un bain, vite, un bain », commanda Mohini.

Puis, sans désemparer, elle se saisit d'une fiole et se mit à frotter les cheveux de sa compagne avec de l'huile de santal.

« Appelez une musicienne », ordonna-t-elle. Quelques instants plus tard, une petite femme toute ronde s'assit à leurs côtés, une vina devant elle ; elle regarda longuement le ciel d'orage, préluda un moment, puis commença à chanter un raga de l'amour absent.

« *Proshita-patika*, murmura Mohini, petite princesse dont l'amant est au loin ! Allons ! la mousson va venir, le rajah ne tardera pas, et l'on te chantera à nouveau la chanson des plaisirs du soir ! »

Tandis que Mohini lui nouait les cheveux au sommet de la tête, Sarasvati ferma à nouveau les paupières. Elle n'était pas certaine d'avoir tout compris des explications de Bhawani. Tout ce qu'elle avait saisi, c'est que les peuples qui entouraient Godh, agités par les firanguis, se dresseraient les uns contre les autres. Et surtout Ragu, le frère cadet du rajah ; il ne se consolait pas de n'avoir pas hérité ; Mohan, à Bénarès, avait appris qu'il intriguait auprès des firanguis à veste rouge. Un instant, elle fut tentée de tout dire à Mohini. Cette fois-là, elle saurait s'expliquer, son amie verrait bien que sa peur était fondée, qu'elle avait des raisons de ne pas dormir. Elle s'arrêta au premier mot. Elle se souvint tout d'un coup que Ragu était aussi le beau-frère de Mohini. A quoi bon l'effrayer ?

Avec le matin qui venait, un paon entra dans le jardin. Sa grâce un peu fragile s'accordait à merveille au raga de la musicienne. Des femmes en tissus colorés s'agitaient derrière les moucharabieh on s'affairait. Des bébés pleurnichaient ; Gopal, peut-être. A cet instant précis, suspendu dans la paix, Sarasvati éprouva l'impression absurde que la sérénité désertait les lieux ; le zenana, le palais, la plaine de Godh, si lisses, si tranquilles dans le matin levant, tout cela se dissolvait devant la venue d'un autre monde, qui s'avançait, là, derrière les jungles et les montagnes, au bout des routes, du côté des Eaux Noires. Pourtant, c'était sûr, les choses allaient leur train ; la mousson n'allait pas tarder ; tout renaîtrait : les plantes, les animaux, les hommes. L'amour. Et voilà qu'elle pensait à la haine, qu'elle se rappelait la figure grimaçante de Kali la Noire, au fond d'une vieille chapelle du palais, où personne n'allait plus guère depuis des années que Godh était en paix. Le brahmane s'en plaignait vivement, répétant qu'il fallait l'honorer autant que le dieu Khrishna, car, disait-il, « l'esprit de mort et de destruction est nécessaire comme l'amour à la renaissance du monde, en cet âge usé par ses péchés... ». Pour la première fois, Sarasvati s'en voulut de ne pas l'écouter. Et si Kali, cette mousson ou la prochaine, choisissait de revenir à Godh ?

Les servantes arrivaient avec les cuvettes et les pots d'eau, ouvraient des fioles de parfums.

« Sais-tu bien ce qu'est la guerre, Mohini ?

— Godh ne connaît plus la guerre depuis des siècles. Godh est pacifique. Oublie cela, oublie Delhi. Tu es femme, tu es mère. Le temps est venu pour toi où l'enfance doit s'effacer. Et puis tu n'avais que trois ans quand tout cela est arrivé, tu me l'as dit toi-même.

— On n'efface pas le sang. Je le revois, tu sais, le sang de ma famille massacrée, les Afghans partout dans la maison, qui cherchaient de la chair à meurtrir. Les serviteurs assassinés sur la terrasse. Moi, les soldats ne m'avaient pas vue, ils m'avaient oubliée...

— Dharma, Sarasvati, dharma ! le vieux rajah de Godh t'a aimée comme sa propre fille, il a recherché des traces de ta famille, il a appris que tu étais khsatrya comme lui-même et ses ancêtres, et il t'a montrée à son fils ! Souviens-toi encore, quand tu es arrivée ici, le jour du Holi, et qu'il t'a fait danser.

Crois-tu que tout cela soit l'œuvre du hasard ? Dharma, Sarasvati, et cesse donc de te plaindre ! »

Elle voulut lui répondre que Bhawani l'aurait aimée sans son père, fût-elle une danseuse des temples, une prostituée sacrée, ou même une femme de basse caste. Elle chassa ces mauvaises pensées. Mohini avait raison : les choses étaient dans l'ordre, tranquilles, et il fallait prendre le bonheur où il était. Le bonheur, il était là devant elle : Mohini qui riait avec les servantes et lui offrait le broc pour le bain. A son tour, Sarasvati se mit à rire et présenta son dos à la douche.

Dans l'air moite qui sentait l'orage, la fraîcheur lui fut délicieuse. En un instant, sa peur s'enfuit. A travers les giclées d'eau, elle regardait se mouvoir les étoffes des servantes, leurs bracelets, et parfois, quand elles se baissaient, leurs seins passant le boléro. C'était l'évidence même : la paix était sur Godh, immense, ronde, lisse. Les femmes se mirent à la frotter. Peu à peu, un bien-être infini gagnait Sarasvati ; on l'essuyait, on l'enduisait de farine de pois chiche pilée dans du lait, on parfumait un à un les recoins de son corps, on retouchait l'épilation, on commençait le maquillage. Sur la pointe des seins, d'où le bain avait chassé le fard doré passé pour la nuit, des petits pinceaux déposèrent une crème argentée ; puis ce fut le nombril, qu'on décora de fleurs multicolores qui convergeaient toutes, comme pour le souligner, vers le bas du ventre. Enfin on la coiffa, on borda au khôl le tour de ses yeux, avant de fixer sur son front, sous la marque rouge du tilak porte-bonheur, le samantha d'or qui couvrait la raie de ses cheveux, montrant qu'elle était mariée à qui l'aurait ignoré. Elle choisit ce jour-là de porter du rose ; à sa rapidité à passer jupe et boléro, Mohini comprit qu'elle était rassurée. Elle enfilait ses derniers bracelets, quand elle s'arrêta soudain :

« Mohini... Tu m'avais bien promis des *menhadi* ?

— Donne tes mains et viens sous le store, la chaleur monte. »

Deux heures durant, un pinceau trempé dans la pâte brune du henné, Mohini dessina patiemment sur les mains et les pieds de la princesse les plus évidents symboles de l'amour fou, des paons, des fleurs de lotus, des myrtes entrelacés. Le matin avança doucement, avec un ciel très noir d'où s'échappèrent quelques gouttes de pluie. Le fantôme de Kali était loin. La saison des amours allait commencer.

Il n'était pas neuf heures quand on annonça que le guetteur avait aperçu dans la plaine, au sortir de la jungle, juste avant le palais du lac, les éléphants du rajah qui revenaient joyeusement sous la première averse. Le menhadi était sec. Sarasvati s'ébroua soudain dans ses voiles, secoua sa longue tresse et déclara avec allégresse :

« En attendant, allons prier Khrishna, le Bleu Profond ! »

Un vol de hérons retraversa le ciel. D'où venaient-ils ? Elle s'arrêta dans son élan. Qu'attendait-elle ? Elle répéta :

«... Khrishna, le Bleu Profond ! »

CHAPITRE III

Août 1754

Pondichéry

Sitôt débarqué, Godeheu, comme il l'avait prévu, devint un homme très occupé. Il avait reçu l'ordre de déposer Dupleix, gouverneur de Pondichéry et des comptoirs de l'Inde, que l'on soupçonnait de mener la guerre contre les Anglais sur l'argent de la Compagnie. Or, les ordres de Versailles étaient formels : désormais plus de guerre, mais des bénéfices. La possession des comptoirs était trop précieuse : que deviendrait la France si les vaisseaux ne rapportaient plus de thé et de mousselines ? Dupleix, avait dit le ministre, était un extravagant, doublé d'un voleur, tout nabab qu'on l'appelât ; Godeheu avait donc pour tâche de le renvoyer en Europe dans les plus brefs délais, après avoir réuni contre lui suffisamment de preuves et sollicité quelques bons témoignages — les jésuites, peut-être, se laisseraient tenter, on connaissait leur goût pour ces sortes d'affaires.

Quinze jours durant, Pondichéry fut en émoi. On n'aimait guère Dupleix, et pas du tout sa femme, qui n'avait d'autre ambition, semblait-il, que de régner sur la ville ainsi qu'une maharani, bâtissant palais sur maisons de campagne, étalant un luxe inouï, méprisant qui portait moins de diamants qu'elle, et surtout passant nuit et jour à vouloir se mêler des affaires de son époux. Cependant, il n'était pas dans la ville un seul habitant blanc qui n'eût partie liée dans ces trafics. Notaires, courtiers, prêteurs à gages, ou simples agents de la Compagnie, ils étaient tous plus ou moins compromis, et ils tremblaient d'être trahis par l'ancien maître, quoiqu'ils fussent prêts, s'il le fallait, à le dénoncer avec la même ardeur qu'ils l'avaient servi. Au bout de quinze jours, toutefois, il fut évident que le seul gouverneur subirait la vindicte de la Compagnie. Pondichéry soupira d'aise. La vie pouvait donc reprendre son cours ordinaire ; on décida de fêter dignement le retour de l'insouciance ; et, comme c'était la coutume au comptoir des plaisirs, on donna un bal, dans le bâtiment même où Godeheu achevait la perte de Dupleix : le palais du Gouvernement.

Madec avait été libéré deux jours auparavant. Dans la chaloupe qui l'emmenait, aucun des matelots, pressés de retrouver Pondichéry, ne remarqua les pistolets cachés sous sa chemise. Il débarqua un peu hagard, étonné de découvrir une ville aimable et tranquille à la place de la cité qu'il avait quittée deux ans plus tôt. Il passa outre ; il n'avait plus en effet qu'une seule idée en tête : retrouver son offenseur. Depuis deux jours, Madec traînait donc dans la ville, suivant toute femme un peu rousse, détaillant tous les visages sans découvrir la moindre trace de son ennemi ; et pour cause, puisqu'il était enfermé dans un bureau du palais, épluchant l'un après l'autre des volumes de comptes. Au deuxième soir, Madec sombra dans le plus noir chagrin. Voyant que le vent portait vers le Bengale, et constatant qu'il y avait au port des mouvements de navires, il pensa que le couple était parti vers les comptoirs du Bengale, Yanaon ou Chandernagor. Il allait renoncer à sa poursuite, la rage au cœur, quand il vit que le palais du Gouvernement était illuminé. Des dizaines de palanquins incrustés de plaques d'ivoire et de petits ananas d'or attendaient devant la grille, des esclaves enturbannés préparaient des torches. Il y avait bal.

Alors qu'une minute plus tôt il semblait prêt à admettre la disparition de son ennemi, il retrouva d'un seul coup la certitude qui le menait depuis deux jours : son homme était là, il le verrait sortir. Ou, du moins, il trouverait la fille qui le mènerait à lui. Sans plus chercher à s'expliquer sa conviction, il décida donc d'attendre. Les violons et les flûtes à bec venaient de se taire. Les musiciens quittaient le palais dans leurs livrées de soie. Au premier étage, dans une pièce immense tapissée de feuilles d'argent, les domestiques soufflaient un à un les chandeliers, puis tiraient sur les fenêtres de lourds rideaux de velours vert. Le bal était fini. D'un instant à l'autre, les invités seraient dans l'entrée, ils passeraient devant sa vasque de marbre et ses tritons. On n'entendait presque plus rien, sinon des rires, des petits cris, des murmures assourdis qui se perdaient dans la nuit, du côté de la Ville Noire, là où portait le vent, et ils s'y mélangeaient aux longues mélopées des prières indiennes.

Madec tressaillit soudain : des femmes un peu décoiffées étaient déjà là, qui se pressaient vers les palanquins. Les torches éclairaient des visages très blancs, entièrement poudrés des cheveux au décolleté, où la sueur commençait à creuser de petites ravines. Il se demanda comment il pourrait reconnaître la femme du bateau ; toutes ces dames, ainsi que des masques de plâtre, lui paraissaient identiques. En quête d'une silhouette masculine, il se tournait à nouveau vers l'entrée du Gouvernement, quand il vit surgir ce qu'il attendait. Un lourd chignon roux, non poudré, une taille fine, une poitrine très menue. C'était la fille avec un homme à ses côtés. Il le tenait. Madec se cacha derrière un palmier. Enfin ! Le couple avançait doucement vers la grille. Un négrillon porteur de torche se précipita. L'homme le renversa d'un geste très sec ; le petit demeura un instant interdit, puis s'enfuit à toutes jambes. Madec jubila. Il tâta encore les pistolets dans sa chemise. Il ne s'agissait plus que d'attendre l'occasion. Le couple se dirigeait vers la Ville Blanche, dont les rues étaient fort sombres, il le savait depuis la veille. Il se cacherait, il tirerait. Ou bien non, il tirerait à visage découvert, puis il se sauverait vers la Ville Noire. Enfin, peu importe : il allait se venger, c'était une joie sans pareille, il en tremblait. De temps à autre, la jeune femme s'arrêtait pour soulever sa robe. Puis elle reprenait sa marche, alanguie sur le bras de son compagnon, dont on sentait bien qu'il aurait voulu aller plus vite. De temps à autre, cependant, il se penchait sur elle, lui murmurait quelques mots ; elle riait. Un moment même, alors qu'on pénétrait dans la Ville Blanche et que la rue décrivait un coude, il lui saisit la main, y déposa quelques baisers fébriles. Elle la retira, avec un nouvel éclat de rire. L'homme ralentit le pas, ses mains se perdirent dans le drapé de la robe. La fille rassembla ses jupes et se mit à courir, ou plutôt à le feindre.

On pénétra dans une rue plus étroite. La nuit était

claire. L'homme pressa l'allure. Madec tâcha lui aussi d'avancer plus vite. Ils allaient rentrer chez eux, sans doute. La rue était bordée de hauts murs blancs, avec de temps en temps de lourds portails de bois derrière lesquels on devinait les palmes d'un jardin, de grandes maisons à terrasses et colonnades. L'homme s'arrêta devant la troisième porte.

« Venez, ma chère », murmura-t-il en tendant la main à la jeune femme pour l'aider à franchir le seuil.

Il avait une très grosse voix, ce qui surprit Madec. Il ne s'y arrêta pas, occupé qu'il était à sortir ses pistolets. C'était le moment. Il fallait le frapper avant qu'il ne fermât le portail. Cependant la femme était devant lui, qui trébuchait dans les pans de sa robe.

Madec n'osa pas tirer. Le couple s'attardait. Soudain, l'homme se pencha sur la jeune femme, comme pour l'embrasser, tandis qu'il soulevait l'épaisseur de ses jupons. La fille se raidit d'un seul coup, ramassa toutes ses étoffes, disparut dans le jardin. L'homme restait sur le seuil, les bras ballants. D'un bond, Madec courut face au portail et visa.

L'autre s'était retourné encore plus vite. Madec n'eut même pas le temps de tirer. Son adversaire était déjà sur lui, le traînait dans le jardin, refermait le portail.

Ils roulèrent tous deux sur une terre grasse, sans doute fraîchement arrosée, car elle collait. Madec reprenait son élan pour se ruer tous poings dehors sur son ennemi, quand la situation se renversa. Une étreinte effroyable se referma sur son cou. Celui qui le pressait avait des muscles énormes, durs et épais. Ce n'était pas l'homme du bateau. Il crut s'évanouir. L'étreinte se desserra. Il sentit sur lui une respiration chaude. Puis ce fut une volée de coups de poing.

Il n'avait plus la force de répondre. Il retomba sur le sol.

« Alors, on maraude ? »

En effet, ce n'était pas la voix de l'homme du bateau. On le saisit au collet, on le poussa vers la maison, puis dans un hall immense, très blanc, qu'éclairait un chandelier, suivi d'un long couloir où dormaient quelques Indiens ; ils ne se réveillèrent même pas sur leur passage. Enfin un escalier très raide, une porte effroyablement lourde, qui se referma sur eux. L'homme avait saisi au passage une lampe à *ghi* ; il l'éleva sur Madec.

« Alors, on maraude ? » insista-t-il.

Madec était anéanti. Tant de savoir-faire l'avait abasourdi, et ce n'était pas seulement la violence des coups. En un tour de main, cet homme l'avait pris, vaincu, réduit comme jamais, et il se retrouvait plaqué sur le mur d'une cave par un géant trapu en justaucorps de velours. Ses vêtements lui allaient mal. A l'évidence, c'était un homme de plein air et de grand vent, un marin, un soldat peut-être. Ses lèvres se tordaient en un sourire qui n'en était pas un, une sorte de grimace un peu satanique, un rictus d'enfer. Et ce regard ! Madec frissonna.

D'immenses yeux noirs, aussi noirs que ceux des Indiens, un regard qui fouillait les prunelles, ravi, à l'évidence, d'y découvrir la peur.

« Tu ne réponds pas ? Je sais bien pourtant que tu n'es pas venu voler... »

Le rictus se creusait. La voix était grasse, sensuelle, avec un léger accent étranger.

« Un petit marin qui court les rues ! »

Il faisait chaud. La peau de l'homme semblait suinter de partout ; sa barbe bleuissait sous la lampe. A chaque pression de ses bras ou de ses jambes, Madec se sentait jaugé, soupesé comme un animal. Soudain, alors que le temps semblait s'éterniser, il sentit un genou s'enfoncer dans son entrejambe. Une main moite lui ferma la bouche, où son cri s'étouffa. Il s'affaissa sur le sol. On l'abandonna.

« Je te reverrai tout à l'heure. Et souviens-toi de mon nom... »

La voix se fit triomphante, de plus en plus belle et rauque.

« On m'appelle Sombre ! »

*
* *

Jeanne Carvalho sursauta sous sa moustiquaire. Elle venait, après celui de Marian, de reconnaître un pas familier. Elle se dressa dans son lit, tendit l'oreille. C'était dans l'escalier. Elle n'osait plus respirer. Si Sombre passait devant sa porte sans entrer, s'il continuait jusqu'à l'autre chambre, celle de Marian...

C'était impossible. Elle avait pris ses précautions. Au premier coup d'œil, elle avait compris ce qui amenait à Pondichéry Marian de Chapuset, sans même lire le billet qu'elle lui remettait, sans même savoir que c'était ce vieux gredin de Lestriverde qui la lui envoyait. Une robe trop voyante, un décolleté trop insolent. Et ce sourire alangui, un peu racoleur... Cette fille-là sentait la gourgandine, comme auraient dit les bonnes dames de Pondichéry. Jeanne Carvalho, un instant, songea à la mettre à la porte. Elle lut le billet, réfléchit. Lestriverde était un bon client, qu'elle fournissait en diamants depuis longtemps. Il promettait de venir au plus vite. Au plus vite : c'est-à-dire un an, deux ans peut-être, si la guerre continuait. Ou jamais : l'Angleterre coulait tant de vaisseaux au sortir de l'île de France... Mais si, comme la rumeur commençait à s'en répandre, Godeheu était venu pour signer la paix ? Dans un mois, le vieux Lestriverde accourrait ; qu'il apprenne qu'elle n'avait pas voulu de sa demi-putain, il était capable de crier au scandale, d'aller voir les gens de la Compagnie... Ce serait alors, pour six mois au bas mot, la fin de ses fructueux trafics. Jeanne Carvalho soupesa tous les risques. Elle n'était pas sûre encore que l'amour de Sombre valût qu'elle lui sacrifiât ses affaires. Elle reçut donc Marian à une seule condition, celle qui garantissait aussi les intérêts de son cœur : la chasteté jusqu'à l'arrivée du vieux militaire.

« Pondichéry n'est pas grand, mon enfant. Tout se sait ici. Les jésuites règnent. Je suis honorablement connue, par toute la ville, et au-delà, je possède des intérêts chez les meilleurs agents de la Compagnie. Je vous accepte donc sous mon toit à la condition que voici : pas de galanterie, entendez-vous ? Ni intrigue, ni galanterie. »

La jeune femme avait rougi. « Elle est donc encore un peu fragile, pensa Jeanne. Pas encore endurcie. Elle va m'obéir, mais s'accoutumer très vite au luxe indien. A moi de faire en sorte qu'elle se marie au plus tôt et qu'elle parte. Avec Lestriverde, ou un autre. »

En attendant, il fallait la loger, vivre dans la peur que Sombre...

Les pas se rapprochaient. Jeanne referma la moustiquaire. Surtout, qu'il ne sache rien de son insomnie, de son attente, de sa jalousie. Elle, jalouse, Jeanne Carvalho, qu'on n'appelait plus que *la* Carvalho, du jour où, héritant de son mari, elle avait fait fortune dans le négoce des tissus, d'où elle se retira habilement pour financer toutes les opérations secrètes de la Compagnie des Indes. De Lorient à Mahé, de Chandernagor à Karikal, pas un agent qui ne la connût, sans qu'elle eût jamais reçu le moindre titre officiel. C'est son nom qu'on murmurait à qui venait de perdre tout son bien dans un achat de mauvaise soie, son nom encore à qui s'était ruiné en jouant au pharaon. Du petit boudoir où elle serrait ses lettres de change, elle régnait sur le comptoir ; elle détenait plus de pouvoir que femme n'en avait jamais possédé à Pondichéry, fût-elle Mme Dupleix, qui avait voulu l'éclipser dans l'intrigue. Faute de discrétion, cette dernière avait échoué. Jamais les marchands indiens ne l'avaient aimée. Tandis qu'elle, la Carvalho, ils la respectaient, ils la vénéraient, ils venaient depuis la Ville Noire s'incliner dans son salon, lui proposant les plus beaux ivoires du Dekkan, les plus purs diamants de Golconde, les plus fines perles et soieries.

Cachée sous son drap et s'efforçant de feindre le

sommeil, Jeanne mesurait l'étendue de sa puissance et la faiblesse de son cœur. Que n'eût-on pas exulté, dans tout Pondichéry, si l'on avait su qu'elle se mourait de jalousie, et cela pour un misérable soudard de cinq ans son cadet. Qu'elle l'eût pris pour amant, passe encore : caprice de femme riche. Mais l'aimer ! Car elle devait en convenir : quoiqu'elle donnât le change à tout son entourage, elle aimait Sombre d'une passion ravageuse, exigeante, irrésistible. Et voilà pourquoi, l'oreille tendue sous la mousseline du drap, elle était prête à sangloter, à la seule idée que, ce soir, il pourrait la délaisser.

Que faisait-il donc ? Etait-il derrière la porte, à chercher sa clef, ou s'en allait-il à tâtons chez l'autre, la petite, la jeunesse, la gourgandine ?

Elle n'en pouvait plus. Elle se leva, alluma son chandelier, mélangea dans une tasse de thé froid un bon demi-verre d'arak.

Elle n'avait pas fini de boire qu'elle entendit le déclic attendu.

« Sombre ! »

C'était plus fort qu'elle, elle avait crié. Elle savait pourtant qu'il en serait excédé. Elle retourna sous ses draps, heureuse qu'il soit là, et effroyablement malheureuse. Car il allait encore hurler, et elle se fâcherait aussi, et pleurerait, et peut-être une fois de plus la battrait-il en lui disant ces choses horribles, qu'elle ne lui donnait pas assez d'argent, qu'il allait partir, à moins qu'elle ne lui offrît quelques bayadères entre douze et seize ans...

Il avait allumé un chandelier dans le boudoir rose et bleu qui précédait la chambre, et en effet il commençait à crier :

« Alors, la Carvalho, as-tu bien compté tes roupies ? »

Elle ne bougea pas.

« Tu ne dors pas ! » rugit-il encore.

Cette fois, elle ne put se retenir.

« Pourquoi es-tu venu si tard ?

— Il fallait venir au bal, madame !

— Au bal ! Quand j'avais ici un agent qui venait négocier des bijoux de mariage ! Et puis, tu avais une cavalière ! Deux femmes pour un seul homme, c'est trop !

— Vous ne l'avez pas toujours dit, madame ! »

Il prenait maintenant plaisir à lui jouer le jeu de la distinction, à lui distribuer ces *madame* qu'elle détestait. Et puis, tout d'un coup, il redevint soudard, le soudard qu'il n'avait jamais cessé d'être : comme si elles l'eussent exaspéré, il jeta sa veste galonnée et sa chemise à jabot sur un bonheur-du-jour. Un flacon de parfum en verre de Hongrie s'écrasa sur le plancher marqueté. Il éclata de rire, le piétina. Elle ne put se retenir :

« Sombre ! tu n'es pas ici chez les carabiniers de Mayence ! »

Il s'approcha du lit, écarta la moustiquaire, souleva doucement la chemise de Jeanne, puis la repoussa d'un revers de main.

« Non, madame, mais je ne suis pas non plus chez la reine de France ! Et quand bien même vous seriez reine, vous êtes... »

Il s'arrêta soudain. Lui aussi sentait revenir le vieux rituel de leurs disputes, et, pour une fois, il décida que c'en était assez ; oui, Jeanne avait quarante-cinq ans, elle était lasse, lourde, et il n'aimait que les très jeunes filles. Oui, elle était fripée par un retour d'âge précoce dans les moiteurs tropicales. Mais elle était riche, et maintenant qu'il avait décidé de partir il voulait à tout prix endormir ses soupçons. Et puis il se sentait fatigué : une journée passée à débaucher des marins, des heures à leur vanter les bonheurs de l'armée indienne, le bal ensuite, tout ce temps perdu à courtiser la mijaurée qui logeait à côté, enfin l'échauffourée de tout à l'heure : il y avait de quoi éreinter son homme, fût-il allemand, dans la force de l'âge, et s'appelât-il Sombre, *alias* Walter Rheinhardt. Il lui fallait dormir très vite : deux, trois heures de sommeil, et il se lèverait vaillant et frais, juste avant l'aube, pour régler le sort du petit, en bas.

Il s'assit sur le lit, s'essaya à un ton doucereux qui lui allait mal :

« Jeanne... »

Il passa ses mains étrangement longues dans l'épaisse chevelure de Jeanne Carvalho, tout ce qui lui restait de beauté. Comme il l'avait prévu, elle ne résista pas à ce geste ; elle tressaillit de tout son être :

« Sombre, Sombre... »

Il laissa retomber les boucles noires, tenta de sourire. Il savait qu'il n'y parviendrait pas ; entre la colère et le rire, ses lèvres se perdaient toujours en un rictus maladroit, et son regard conservait l'expression funèbre et ténébreuse qui lui avait valu son surnom.

Jeanne, cependant, se calmait peu à peu.

« Alors, madame, que vous ont dit les agents des affaires de Dupleix ? »

La femme de tête se réveillait. Elle parlait maintenant d'une voix ferme, paraissait l'oublier :

« Elles sont finies, mon ami, finies et bien finies ! Godeheu a découvert dans les comptes un énorme déficit. Mme Dupleix boucle ses malles : d'ici trois semaines le gouverneur fera voile vers l'Europe. Et là-bas, crois-moi, c'est un beau procès qui l'attend, le malheureux Dupleix... »

Sombre ne l'écoutait plus. Il l'interrompit :

« Et la guerre ? »

Jeanne éclata de rire :

« Depuis que tu vis sous mon toit, tu ne m'as jamais parlé que de la guerre ! »

Il la saisit aux poignets, l'attira à lui, puis la rejeta sur l'oreiller :

« La guerre est mauvaise pour les affaires. Je me soucie de tes bénéfices. »

Jeanne le regarda d'un air interloqué ; elle ne comprenait rien à ce mélange de tendresse et de violence, elle commençait à perdre ses moyens. Sombre éclata d'un grand rire : c'était ce qu'il attendait. Maintenant, elle allait parler, sans rien lui cacher de ce qu'elle savait. Il la prit à nouveau dans ses bras.

« Rassure-toi, lui dit alors Jeanne, les quelques gueux que tu commandes seront bientôt tranquilles. Les Anglais signeront la paix avant un mois.

— Un mois ! s'exclama Sombre. Un mois... »

Elle ne vit pas son expression inquiète.

« Oui, c'est la paix, Sombre ! Les affaires, les bonnes affaires vont reprendre ainsi qu'avant. Mais tu n'étais pas ici de ce temps-là.

— Tu n'as plus besoin de t'enrichir ! Tu roules sur les diamants, les lettres de change, les sacs de roupies, et je n'en ai jamais vu que le centième ! »

Jeanne ne releva pas. Elle ferma les yeux, s'abandonna à ce qu'elle croyait son amour :

« Nous serons heureux, Sombre, nous serons heureux... »

Sombre l'observa du coin de l'œil. Elle portait une chemise de mousseline blanche à la mode de Pondichéry, extrêmement fine et transparente. Cet examen le confirma dans sa résolution. Il partirait. Six mois auprès de cette banquière n'étaient que trop. A son arrivée, bien sûr, il avait goûté près d'elle quelques joies, celles du luxe et du repos. Cela avait pu suffire au simple déserteur qu'il était alors, venu fuir aux Indes quelques crimes commis dans les armées palatines. Désormais, il voyait plus loin. A vivre plus longtemps auprès de cette femme de cinq ans son aînée, qui l'avait imposé à Dupleix à la tête d'un petit régiment, il deviendrait vite ridicule. Grotesque. D'autant que la Carvalho commençait à se livrer à des transports inquiétants : des attendrissements, aussi subits que suspects, des larmes du matin, des airs mélancoliques au moindre relâchement de ses devoirs amoureux. Ce n'était pas le pire. Le plus grave, il venait de l'apprendre. La paix. Jeanne s'était endormie. Il la repoussa sur le lit, alla à la fenêtre.

La malheureuse ! La paix, et elle croyait que revenait le temps des bonnes affaires, quand l'exact opposé se préparait. Sitôt le traité conclu, les Anglais, à coup sûr, consolideraient leurs installations au Bengale, d'où, à leur manière bien hypocrite, ils allaient commencer à grignoter l'Inde. Le cœur de l'Inde. L'Inde des palais, des plaines fertiles, des maharajahs couverts d'or. Sombre s'était bien renseigné auprès des marchands, maintenant qu'il parlait tamoul. Là-bas, il y avait des montagnes de trésors à forcer, des villes fabuleuses à dévaster. Il fallait être là-bas avant les Anglais. Sillonner les plaines du Nord avec une armée, des canons. Se vendre aux princes, aux nababs, aux rajahs, pour mieux les piller. Quant au comptoir des plaisirs, il l'abandonnait à son sort : commerce de danseuses racolées dans les villages tamouls, tripatouillages dans les caisses de la Compagnie, bals, parties de trictrac, dépucelages organisés par des mères entremetteuses, mariages à l'encan se terminant invariablement sur des adultères consentis pourvu qu'ils fussent réciproques, la demi-république blanche et marine de Pondichéry irait son train ordinaire jusqu'au premier coup de canon anglais, jusqu'à la fin. Rien de tout cela n'intéressait Sombre, car il désirait le vice, le vrai grand vice, viols, harems, esclaves, torture, sang, danseuses nues ; la fortune, sans mesure, les femmes, innombrables, la mort quotidienne. Et le plein vent de la guerre. Pour tout cela, il lui fallait le Nord. Partir. Il retourna vers le lit, souleva la moustiquaire, regarda longuement le cou de Jeanne. Ses mains tremblaient ; depuis un an, le crime lui manquait. Il se contint. Quelques mois encore, et il comblerait ses désirs. Il avait racolé les hommes, il tenait les canons, ceux-là mêmes du régiment qu'il commandait. Il avait reçu la paie des soldats, et on lui avait adjoint un officier, un certain du Pouët. Cela ne le gênait guère : dès que ses recrues seraient accoutumées à l'Inde, au bout de douze ou quatorze mois, il déserterait avec les meilleures d'entre elles. Et à ce moment-là, à lui, les princes du Nord...

Sombre souffla le chandelier. Ce qui le retardait encore — et il continuait à partager le lit de Jeanne Carvalho pour cette seule raison —, c'est qu'il avait besoin de beaucoup d'argent pour gagner son pays de cocagne, soudoyer les hommes avant la traversée des déserts ou des jungles, recruter des cipayes, séduire les princes, fabriquer de nouveaux canons, acheter des dizaines de bons éléphants. Il faillit se lever, recommencer comme tant de nuits à chercher où la Carvalho pouvait cacher ses roupies et ses diamants. Il songea alors à la cave, qu'il avait plusieurs fois retournée, en vain, et se souvint du petit marin qu'il venait d'y enfermer. Un beau gaillard, celui-là, bien musclé, brûlant du feu de Dieu. Dans quelques années, peut-être, un vrai foudre de guerre. Mais pour l'instant, encore trop pataud, désordonné ; un chien fou. Il fallait le mettre au pas, lui apprendre la ruse et la discipline. Le faire souffrir, afin que le mal lui devienne familier. Il le mettrait avec les novices. Et, dès l'aube, le soumettre à sa loi. Interrompant là ses spéculations politiques, Sombre se mit à réfléchir aux moyens les plus susceptibles de desserrer les lèvres de cette recrue prometteuse, mais trop peu bavarde. Après avoir longtemps hésité entre le tisonnier chauffé à blanc et le fouet assaisonné de piment et citron, il choisit de s'en remettre à l'humeur du moment et s'octroya trois heures de sommeil, au terme desquelles il se réveilla fort exactement.

L'aube n'était pas levée qu'il tenait Madec à sa merci.

*

* *

« Quand partirons-nous ? demanda Madec, tandis que Sombre lui déliait les poignets.

— Te voilà pressé ! La guerre s'apprend !

— Je sais me battre ! »

Sombre laissa échapper un sourire :

« Pas encore, pas encore... »

Dans le regard de Madec passa le même tremblement que tout à l'heure, quand la douleur avait desserré ses mâchoires. Il haïssait cet homme ; et pourtant, lorsqu'il le regardait ainsi, il l'aurait suivi n'importe où. Il s'était établi entre eux, depuis le moment où il avait cédé sous la torture, une sorte d'alliance bizarre, une intelligence secrète et inexplicable ; l'autre l'avait vaincu, lui avait révélé ce qui dormait en lui, qui l'avait agité si fort tout le temps qu'il avait servi sur les navires : la soif des routes, les hasards des chemins, la guerre, l'aventure. Et ce matin, de le savoir, un peu d'enfance s'en allait de Madec.

« Tu n'as vraiment pas de place dans la cavalerie », hasarda-t-il cependant.

Pour toute réponse, Sombre reprit son tisonnier dans le brasero, l'agita sous le nez de Madec. Il recula d'un pas. Sombre éclata de rire, un rire atroce, immense, rauque, qui résonnait dans la cave.

« Alors quand, balbutia Madec, quand ? »

Sombre reposa le tisonnier.

« Dans quinze jours. A minuit. Sois à la taverne de Marie-Sans-Maison, auprès du port. Voilà de quoi vivre jusque-là. »

Il sortit de son gilet un sac de roupies.

« Et tais-toi ! N'oublie pas que tu désertes la marine. Méfie-toi de tout le monde.

De sa main gauche, Sombre, comme la veille, lui comprimait le cou. Il étouffa. L'autre rit encore, un peu moins fort, comme lassé du jeu, et le relâcha. Il désigna la porte.

Sombre s'était détourné. Madec chercha encore son regard, quêta une sorte d'encouragement, un sourire. L'autre ne bougea pas.

« File ! »

Tout endolori, Madec gravit l'escalier. La plante de ses pieds, où Sombre avait à deux reprises appliqué le tisonnier, le brûlait affreusement ; il avait peine à marcher, il boitait presque. Il traversa le long couloir blanc, puis le vestibule de la demeure, et ne reprit ses esprits qu'à la lumière.

C'était l'aube, une aube très bleue, chaude déjà, comme toujours en Inde. Dans un coin du jardin, près de l'endroit où il s'était battu la veille, des domestiques à demi endormis commençaient à trier des graines. Ils le regardèrent passer avec la plus grande indifférence. Le portail était ouvert. Il se précipita dans la rue, courut jusqu'à l'avenue, s'arrêta contre un palmier, souffla un bon moment en massant ses pieds. La douleur était atroce. Il parvint à se contenir, puis, brusquement, il se souvint des pistolets, qu'il avait perdus dans la bagarre. Ils avaient dû rouler dans le jardin. Maintenant que Sombre l'avait lâché, sa peur s'estompait. Quelque chose même en lui se révoltait. Il résolut de retourner sur ses pas. Il allait rentrer dans le jardin, quand il aperçut au premier étage, debout sur la terrasse, la silhouette de Sombre. Il ne s'était pas encore aperçu qu'il était si énorme, presque monstrueux. Il crut encore entendre son rire et se sauva à toutes jambes. Au coin de la rue, il s'arrêta. Il était seul. Seul, et un peu ivre peut-être. Il respira longuement les odeurs de jasmin et de vétiver qui montaient des jardins, auxquelles se mélangeaient déjà les relents des premiers caris. « L'odeur de l'Inde », pensa-t-il, et il sentit monter en lui une sorte d'élan poétique. Il ne dura pas. Entre la peur de Sombre et le désir de l'Inde, Madec ne savait plus à quoi se résoudre. Marque incontestable d'une solide santé, il décida de remettre à plus tard ses pensées d'aventures et s'en alla dépenser ses roupies dans le premier lupanar qui se présenta.

*

* *

Debout sur la terrasse, face au soleil levant, Sombre continuait à rire. Car il était rentré à l'improviste dans le boudoir de Jeanne, et il l'avait surprise, sans qu'elle s'en aperçût, serrant ses diamants dans la cachette qu'il cherchait depuis des mois : un petit coffret d'ivoire marqueté, confondu dans la décoration des murs, à côté de ses flacons d'eau de rose et ses boîtes à poudre.

Ainsi donc, s'il le voulait, il tenait toutes les pierres dont la Carvalho faisait trafic pour sa plus grande fortune et la perte des ambitieux qui gouvernaient Pondichéry. Il s'étonna que le coffret soit si petit ; les difficultés dues à la guerre, sans doute. Peu lui importait. Il patienterait ; entre deux expéditions avec son régiment, il reviendrait la voir, il endormirait ses soupçons, il la laisserait engraisser le magot. Il faudrait attendre six, huit mois. Pas davantage cependant. Il y avait trop à gagner dans le Nord. Quand il eut fini d'exulter sur la terrasse, Sombre revint doucement à la chambre de Jeanne. Six, huit mois, se dit-il encore, et il se souvint du petit marin. Ce ne serait pas assez pour le former à la guerre. Tant pis. Il l'abandonnerait. Un homme de plus, un homme de moins... Et, qui sait, les hasards des routes, un jour peut-être, le lui ramèneraient. Il se trouvait maintenant à la porte de Jeanne. Dans la pièce voisine, il entendait s'affairer la mijaurée qui n'avait pas voulu de lui. Il haussa les épaules, s'arrêta devant la chambre de la Carvalho, prit son plus bel œil noir et, pour une fois, il frappa avant d'entrer.

*
* *

Les deux semaines qui le séparaient de sa désertion, qui étaient aussi les deux semaines avant l'appareillage du vaisseau, Madec les passa à arpenter le port. Il retarda le moment de penser au départ. L'argent qu'il avait en poche y était pour beaucoup ; Sombre s'était montré généreux. Il but des pintes et des pintes d'arak, souleva une bonne dizaine de jupons ou saris mercenaires. Dieu et Visage, rencontrés au détour d'un tripot, s'étonnèrent de cette soudaine embellie. Pour toute réponse, Madec leur jeta dans les bras sa bayadère du moment. « Il a dû gagner gros jeu », grommela Dieu, tout en palpant ce cadeau qu'il n'attendait pas. Et l'on en resta là. En fait, Madec ne parvenait pas à se décider vraiment. D'un côté, il y avait l'Inde, bien sûr, par le moyen de la désertion. De l'autre, la très relative sécurité de la marine française, avec sa hiérarchie autoritaire et bornée. Mais l'honneur ? Il avait si bien hésité qu'il était retourné à bord du *Duc de Bourgogne*. Le vaisseau appareillait le lendemain à l'aube. Et Sombre qui l'attendait... C'était l'heure de la décision. En quelques instants, dans l'obscurité du gaillard d'avant, il réunit tout ce qui lui manquait : son paquet de hardes, deux chemises, une culotte, qu'il attacherait sur sa tête au moment de plonger, une corde, pour se laisser couler contre les flancs du vaisseau. Tapi dans le noir, guettant les lumières pâles de Pondichéry, il se demanda encore pourquoi, au dernier moment, il avait suivi ses compagnons et regagné le vaisseau en partance. Peur de rompre, peur de la fugue. Et pourtant, les deux fois qu'il avait quitté la Bretagne, il s'était senti libéré. Course, échappée, liberté ; un moment d'exaltation intense, qui s'était dissous dès les premières heures en mer. Mais, pour ce seul instant, il aurait voulu qu'il y eût au monde dix mille Chines, un million d'Amériques, afin de renouveler jusqu'à plus soif l'indicible ravissement du départ. Cette fois-ci, c'était la rupture. Divorce, sans espoir de retour. Désormais, le fil invisible des chemins de mer ne le relierait plus à sa première vie, Quimper et ses marées tranquilles, champs de lin, beurre gras et vêpres carillonnantes.

Neuf heures sonnèrent au clocher des jésuites. C'était maintenant ou jamais. Peur de lui-même, ou goût du vertige, il avait reculé à l'extrême le moment du choix ; désormais, c'était clair : il trahirait la mer. Pas Sombre. Il avait dit « à minuit, chez Marie-Sans-

Maison ». L'attendrait-il ? Ces deux lieues de mer à franchir, entre les requins et les brisants de la barre... Mourir. Mourir, ou gagner l'Inde. Voilà qui était beau.

Madec sortit de sa cachette, se déshabilla, fixa sur sa tête le paquet de hardes, attacha la corde au bastingage et la fit glisser sur les flancs du vaisseau. Il éprouva soigneusement la solidité du nœud, franchit la rambarde et, doucement, se laissa descendre. La mer était assez agitée. Il nagea vite au début, puis son rythme se ralentit. Il faillit se retourner pour jeter un dernier regard au vaisseau, dont les fanaux se balançaient, mais se retint. Ne plus penser. A rien, ni aux requins, ni à la barre. Nager. Forcer la chance. Et l'Inde. La fortune, à deux lieues.

Il passa quatre heures dans les vagues. Plusieurs fois, il défaillit. Au plus fort de la barre, bousculé de tous côtés, il se demanda, comme en rêve, quel était le visage de la Mort. Ici, il était impossible qu'elle vînt comme en Bretagne, squelette ironique et moissonneur, gardien des portes de l'Enfer Froid. En ces terres chaudes, au contraire, mourir devait être quelque chose de bien douceâtre, une fusion, un abandon. Curieusement, cette pensée morbide ragaillardit Madec, il échappa bientôt à la barre et sortit de l'eau. Le sable était encore chaud. Il aurait voulu s'écrouler, s'endormir. L'Inde nocturne, plus insidieuse encore qu'en pleine lumière, lui offrait un berceau tiède, caressant, velouté, parfumé. Madec se souvint alors qu'on disait *partir dans l'Inde,* alors qu'on se contentait, banalement, d'annoncer qu'on allait « à la Chine » ou « aux Amériques ». Pris *dans* l'Inde : à son tour, il avait succombé, et il ne savait pas si c'était un piège ou un enchantement. Il se ressaisit. S'il abandonnait maintenant, s'il s'écroulait sur le sable qui remontait à chacun de ses pas, il était mort pour l'aventure. Coûte que coûte, rejoindre Sombre. Le courant l'avait éloigné de la ville. Son chemin jusqu'à la taverne de Marie-Sans-Maison s'en trouvait allongé ; il devrait se faufiler dans Pondichéry en traversant la Ville Noire, en contournant la cité par-derrière, du côté de la terre. Mais c'était aussi bien, il courait moins de risques d'attirer l'attention.

Pourvu qu'on l'ait attendu. Ses genoux chancelèrent. Ses oreilles bourdonnaient, sa gorge se desséchait d'avoir craché l'eau salée. Il s'était avancé de quelques pas sur le sable, quand le poids des vêtements, restés solidement amarrés sur sa tête malgré la violence des vagues, lui rappela qu'il était un fugueur. Il se sentit vaguement ridicule de se promener ainsi, nu et coiffé d'un paquet de hardes, pareil au dernier coolie de Pondichéry. Et comme l'orgueil avec le rêve étaient à peu près les seules choses qui le fissent marcher, il se rhabilla en un éclair, remonta la plage et s'engagea dans les champs qui bordaient la ville. Il redoutait surtout la traversée des *Limites* : une forte haie d'acacias, de palmiers, de cocotiers et d'aloès, qui formaient autour de Pondichéry une manière de rempart. Mais la certitude de la paix était maintenant si forte qu'on n'y avait même pas installé de poste de garde. A deux ou trois reprises, Madec distingua dans l'obscurité quelques vagues silhouettes. Il se tapit ; rien ne vint. Des Indiens en maraude, sans doute. Il en fut quitte pour la peur et des accrocs à sa chemise. Le plus dur n'était pas fait. Il était parvenu à la lisière de la Ville Noire, ainsi appelée parce qu'elle était le séjour des Indiens. La police de Pondichéry la surveillait étroitement ; avant tout, il s'agirait de l'éviter. Fort heureusement, Madec avait appris à la reconnaître ; elle était exclusivement composée des « pions malabars », brutes massives et trapues, nées sur la côte ouest de la péninsule et qui se croyaient tout permis, en vertu de l'insigne fleurdelisé qu'elles arboraient en bandoulière.

Deux heures sonnèrent. Dans la Ville Noire, la vie ne s'était pas encore arrêtée. Quelques Indiens s'affairaient encore, farfouillant des étals à demi vides, à la lumière de leurs lampes remplies de beurre clarifié. De temps à autre, il s'en échappait un relent de musique, une odeur forte, cari ou massala. Personne ne paraissait remarquer Madec. Il dépassa sans encombre le canal qui séparait le quartier indien de la Ville Blanche. Le dédale des rues s'arrêta. Avenues tirées au cordeau, hauts murs blancs aux portails clos : il serait difficile de se cacher, en cas de mauvaise rencontre. Il pressa le pas. Il se rapprochait du quartier des tavernes, son domaine familier. Toute une vie grouillante et tumultueuse, dans de petites maisons basses de crépi blanc qui tranchaient sur les formes massives et rouges du fort, et surtout la splendeur de la Porte Marine, par où les remparts s'ouvraient sur l'océan.

Pour la première fois, Madec se demanda ce qui avait bien pu pousser les Français à choisir, pour leur plus grand établissement aux Indes, un site aussi peu favorable. Les vaisseaux ne pouvaient franchir la barre, et, quand bien même ils l'auraient passée, ils se seraient échoués sur ces sables blonds et gris, où nulle anse, nul bassin ne pouvait les abriter. Seuls les remparts, le palais de Dupleix, le clocher de l'église des jésuites donnaient un air de majesté à l'endroit, dans le goût français : prestige, raison, sobriété. A découvrir ainsi Pondichéry déserte, à nu dans la nuit venteuse, Madec s'aperçut qu'il ne l'aimait pas. De l'éblouissement de son premier voyage ne demeurait qu'une merveille, la Porte Marine, la porte des Indes. Ce qu'il avait pu rêver d'elle, à son retour, dans les grisailles de Quimper : une gigantesque ouverture, ouvragée comme un décor de théâtre, comme les « châteaux » des bateaux, contournés de volutes et alambiqués à l'envi. Au pied de cette porte, la mer prenait un sens. Elle ne s'ouvrait pas sur des projets raisonnables de richesse patiente, comme le laissaient croire les façades rigides des autres monuments. Elle débouchait sur l'excès, la folie, une orgie de passion et de sensations fortes, analogue à l'exaltation fébrile qui portait Madec vers la taverne de Marie-Sans-Maison, au mépris de la fatigue et du sommeil. Dans l'Inde, il allait vivre double, et cette porte donnait sur un autre monde, semblable peut-être à celui des contes, où les navigateurs fous d'océan, au détour d'un archipel, trouvaient une île mystérieuse, des palais labyrinthiques, des secrets à forcer, des femmes à séduire et abandonner.

Pondichéry tout entière dormait, livrée à ses rêves tranquilles d'après les plaisirs. Les agents de la Compagnie avaient depuis longtemps recompté les roupies perdues ou gagnées au jeu, bu leurs derniers verres d'arak, et, dans les chambres des belles créoles, le vent soulevait rideaux et moustiquaires. Le quartier des tavernes lui-même semblait pris de torpeur.

Sombre, Sombre. M'a-t-il attendu ? Un frisson de terreur parcourut Madec ; il se mit à courir. La taverne du rendez-vous était au bout de la rue. Sombre était parti, il en était sûr. Il se laissa tomber en haletant sur la porte noirâtre de l'échoppe. Avec surprise, il sentit qu'elle cédait sous son poids, et il entra en trébuchant dans une vaste salle. Quelques bougies brûlaient. Sur une natte posée à même le sol, une forme féminine frémit, puis une autre, plus épaisse, dans un autre coin de la pièce. Et, brusquement, un homme se redressa, tout d'un bloc, surgi lui aussi d'un quelconque matelas.

« Sombre ! » s'exclama Madec, et c'était un cri de soulagement.

Tout autour d'eux, des hommes se réveillaient, des matelots comme lui, burinés et en guenilles.

Sombre le prit au collet, le secoua, le poussa contre le mur :

« Tu as eu peur, dis-le, tu as eu peur ! »

Madec acquiesça en rougissant. Il sentit, comme deux semaines plus tôt, les muscles de Sombre l'écraser.

« Tu as eu peur ! » continuait-il à gronder.

Madec osa lever les yeux, tenta de le braver. Les cheveux de Sombre étaient tout décoiffés ; privé de justaucorps de velours et de jabots de dentelle, il n'avait plus la prestance de l'autre soir ; sa puissance, cependant, demeurait intacte, plus insistante peut-être, car elle se montrait sans apprêt, à l'état brut.

Une femme se leva dans un coin, défripa sa chemise de plumetis bleu. C'était la tenancière.

« Pauvre petit ! »

Sombre l'écarta d'un revers de main.

« Tais-toi ! »

Puis il héla les autres, saisit Madec par les épaules, le poussa devant lui :

« En route ! »

CHAPITRE IV

Avril-décembre 1758

De Mahabalipuram
aux marches du Bengale

Les quatre années qui suivirent son engagement dans l'armée, Madec vécut dans un demi-bonheur, quoique autour de lui l'histoire se fût mise à bouger. De patrouille en reconnaissance, de défrichage en exercice de tir, il apprenait peu à peu à connaître l'Inde, et peu à peu aussi disparaissait sa part d'enfance. Quelques mois après l'avoir enrôlé, Sombre avait disparu. Il avait emmené une bonne part des hommes du régiment, et Madec s'était retrouvé aux ordres du chevalier du Pouët, un vétéran des Indes, qui avait remplacé dans son cœur son ancien maître, bien que les deux hommes fussent très dissemblables. Le matin de mai où l'on avait découvert la désertion de Sombre — quatre ans plus tard, Madec s'en souvenait avec la plus grande précision, les écuries silencieuses et vides, les sabots des chevaux imprimés dans le sable, dirigés vers le nord-ouest, vers les jungles, la colère de du Pouët devant l'affreuse évidence —, il s'était senti un peu orphelin. La complicité née de la nuit de la torture les avait liés ainsi que père et fils ; Sombre, au-delà même de la raison, lui avait appris tout ce qu'il savait de la guerre : à la tête de ses dragons, les cavaliers noirs, comme on les appelait, il lui avait montré comment dresser les chevaux à se cabrer pour avoir dans une charge l'avantage du premier coup de sabre, « monter à pic », ainsi qu'il disait en son langage imagé. Il lui avait expliqué comment rôder dans les maquis pour espionner les mouvements de l'ennemi, dans quel ordre ranger les soldats pour l'attaque. Ce ne furent, à vrai dire, que simples exercices, une manière de passe-temps : la vraie guerre persistait à se refuser. Un jour cependant il y eut des combats. Sombre alors, avec une cruauté rayonnante qui devait laisser à Madec une immense rancune, le relégua avec les fantassins, sous les ordres de du Pouët : trois ans plus tard, celui-ci l'y maintenait encore, par respect de la hiérarchie militaire, bien que Madec lui eût abondamment prouvé qu'il montait à la perfection.

En ce début de décembre 1758, alors que séchaient les dernières flaques de la mousson, Madec commençait à se lasser de l'armée régulière, et il se surprit souvent à penser à Sombre, ne comprenant pas encore pourquoi il l'avait abandonné ici, aux rives de l'Inde, où il se voyait s'enliser. Guerre ou paix, on ne savait plus. Rallumé deux ans plus tôt en Europe, le conflit entre la France et l'Angleterre avait comme hésité à se porter dans l'Inde. Mais un chef anglais venait de se lever, plus menaçant que tous les autres : Clive, dont tous reconnaissaient la marque à ses coups de main fulgurants. En un seul jour, il avait détruit Chandernagor.

Chandernagor... Seul espoir de la France au Bengale, et qui disait alors Bengale, disait aussi cocagne, eldorado, rivières de lait et de miel. Tapie dans un bras du Gange, aux portes de Calcutta, Chandernagor seule pouvait menacer la puissance anglaise. Le contraire s'était produit. La ruine, la catastrophe. La France, tout soudain, s'en était réveillée. Elle décida de se battre, envoya à Pondichéry un homme neuf, tranchant, brutal autant que Clive, le maréchal de Lally-Tollendal, Irlandais jacobite, héros de Fontenoy. Il commandait un corps expéditionnaire d'une assez rare qualité. A un moment où l'on ne savait plus où se trouvait le pouvoir, où l'armée s'était éparpillée sous les ordres contradictoires de ses chefs successifs, Madec, comme les autres soldats, salua l'arrivée de Lally comme un triomphe. Enfin, l'Inde à conquérir. Lally envoya l'armée au comptoir anglais de Madras, qu'on prit presque aussitôt. Madec exulta. A cette occasion d'ailleurs, le maréchal vint passer en revue le bataillon où il servait. A part Sombre, jamais homme ne lui laissa plus vive impression : c'était un être frémissant, tendu comme un arc, aux idées divinement simples, telles que les aimaient ses vingt-deux ans : plus d'Anglais dans l'Inde, mettre au pas les gens de la Compagnie, qui ne sont que vils faisans ; quant aux indigènes, des nègres comme les autres : point de nuance, point de quartier, un honnête homme aux Indes n'est qu'un coquin ailleurs.

Dans un premier temps, la popularité du maréchal fut extrême ; il la soignait : un membre du conseil de Pondichéry ayant proclamé qu'il verserait tout son sang pour le service du roi, Lally lui demanda aussitôt s'il en avait assez pour donner du boudin aux troupes. Cette énergie cassante fit le bonheur des soldats, et Madec n'était pas de reste. Du Pouët, cependant, le mit un jour en garde :

« Le maréchal va vite, trop vite... L'Orient n'est pas rapide. »

Madec tombait des nues.

« Tu verras, reprit du Pouët, il a tort. Un jour, il ira réclamer les impôts des rajahs sans les salamalecs d'usage, eau de rose, prosternations, grandes politesses. Ce jour-là, la haine de l'Inde se lèvera.

— La haine de l'Inde ?

— Tu verras, tu verras... tu as bien le temps. »

Du Pouët ne s'étendit pas davantage ; mais, comme il l'avait prévu, le vent tourna. Dès qu'il eut prit Madras, Lally dut l'abandonner : un obscur prince des environs refusait de payer tribut. Malgré tous les canons du maréchal, le rajah résista. Lally s'obstina à son tour : temples pillés, idoles brisées, brahmanes attelés aux canons. Cette fois, Madec avait compris. Une sorte de désenchantement s'empara de lui ; les idées simples de Lally impliquaient, à la vérité, des manières de brute. Ce qui réussissait à Clive, parce que les troupes anglaises possédaient l'avantage du nombre, pouvait bien se retourner contre les misérables régiments français. Il saisit alors pourquoi, avant Lally, on lui avait appris à ménager les indigènes, en ne tolérant que le pillage et le vol ordinaire dans les armées d'Europe. En touchant aux idoles, on risquait fort de soulever les Indiens : ils se livreraient bientôt aux Anglais, qu'ils prendraient pour un moindre mal. Profitant du répit offert par Lally, ces derniers avaient en effet repris Madras ; à nouveau fortifié, le comptoir était imprenable ; les Français s'épuisèrent en un siège inutile. Il fallut rebrousser chemin. Fou de rage, Lally brûla la ville indienne, qui était vide : cet exploit cependant ne passa pas inaperçu. Pris d'une sorte de fureur de décision, il donna les ordres les plus insensés, rappela du Dekkan le légendaire général de Bussy, qui, de Golconde aux marches du Nord, tenait encore à sa botte de richissimes nababs. De bévue en bévue, on commença à le haïr, les bruits changèrent. Il distribua aux soldats du lait de coco en guise d'arak, il fit déchiqueter à la bouche des canons un bataillon de cipayes, trop indolents à son goût : on le surnomma Néron, Domitien. Les jours de fête, pour obtenir leurs vivats, il dut payer les gens de Pondichéry ; il les traitait aussitôt de guignols à mourir de rire, appelait putains les bonnes dames du comptoir, et sodomites leurs maris, ce qui était un peu moins vrai.

Pendant ce temps, dans la Ville Noire, quelques brahmanes fanatiques commencèrent à colporter les bruits les plus curieux, et la population se mit à murmurer.

*

* *

L'histoire en était là de ses hésitations, quand un ordre subit vint y mettre fin. L'armée campait dans un lieu ensablé, qui avait nom Mahabalipuram : Madec s'en souvint sa vie entière, car ce fut là le début de sa longue marche vers l'Inde, le vrai prologue de sa quête. Depuis quinze jours maintenant, on avait établi le camp au milieu des dunes, au bord du golfe du Bengale ; mais ce n'était pas ici un rivage ordinaire. Des siècles plus tôt, des souverains étrangers, dont la mémoire s'était perdue, avaient voulu que cette plage fût leur port. Ils en lancèrent des vaisseaux jusqu'aux confins de l'Asie. Un jour vint où leur dynastie s'éteignit et leur cité après eux. N'en demeurait qu'un vieux phare, et surtout des dizaines de temples, sculptés à même des granits erratiques, à demi ensevelis par l'invasion des sables. L'endroit ressemblait, en apparence, aux temps qui couraient : indécis, lagunaire, lourd d'un passé à peine aboli, mais immature encore pour les jours à venir. L'aurore pourtant y revêtait des charmes irrésistibles, jusqu'ici ignorés de Madec. Tourmenté par l'insomnie et la faim, il s'était levé déjà depuis deux heures ; la nuit venait de s'éclairer, et il voyait l'Inde ressusciter soudain au premier rai de soleil, l'appelant comme jamais à cet autre monde qu'il cherchait depuis quatre ans, soldat sans chaussures d'une armée de traîne-misère. La lumière blanchissait sur la mer ; l'un après l'autre, les temples surgissaient de l'ombre, déroulant le détail de leurs frises, cortèges d'apsaras et de musiciens divins, processions d'éléphants sacrés, buffles monumentaux et placides taillés à même le granit qui affleurait sous les sables : c'était ici, dans le vent gris du matin, toute l'Inde des dieux réchappée de la mort des dunes, fière à nouveau devant la mer, malgré sa façade rongée de siècles et de sel. Quelques indigènes erraient déjà de temple en temple, porteurs d'offrandes. Ils s'attardèrent devant les princesses aux seins nus, taille fine et hanches pleines, puis, avec une tendresse et un naturel étonnants, couvrirent de poudre rouge les lèvres de leur ventre.

Païens... Madec se souvint de la réponse de du Pouët, quand il l'avait questionné sur tous ces dieux dont il apprenait les noms en même temps que la langue du pays : Vishnou, Brahma, Shiva, Parvati, Lakshmi, Ganesh, Khrishna, Kali... Syllabes incantatoires, magiques, terrifiantes, qui commençaient à peupler ses nuits, comme les formes trop dévêtues des déesses, dont la lubricité le réveillait souvent, tourmenté, hagard, tout entier tendu vers un corps désespérément absent. *Païens* ! avait tonné du Pouët, méfie-toi, ce sont des sorciers ; sur leurs autels, au lieu des fleurs et de l'encens, on voit parfois du sang. Du sang d'homme. Ainsi donc, le diable était ici. De la religion, Madec n'avait appris en Bretagne que douleurs et péchés, chemins de croix, calvaires, *Mater dolorosa.* Parfois, bien sûr, les Vierges des chapelles étaient un peu dénudées, arborant de temps à autre des seins triples ou sextuples ; parfois aussi, des sirènes à l'œil pervers se lovaient aux voussures d'une église. Cependant, il n'avait jamais vu en un lieu saint tant de libertinage exhibé ; mais, au lieu de le heurter, cette impudeur, avec les mois qui passaient, lui devenait essentielle.

Le soleil montait sur le golfe du Bengale. Bientôt reprendrait la vie du camp, monotone, enlisée comme ces constructions. Il rôda un bon moment de sanctuaire en sanctuaire, tâchant d'apercevoir une cérémonie. L'accès des temples était interdit à la plupart des étrangers ; tout ce qu'il put voir fut, au fond d'une niche, l'image d'un dieu, couronné, de ses bras déployés, et qui dansait devant un sexe dressé, sculpté dans une pierre noire : forme brute, précise, parfaite. Des indigènes la dérobèrent à sa contemplation : c'étaient des filles tamoules, sans doute en désir d'enfant, venues honorer le dieu dans une prière, ou offrande, à leur façon : sari relevé, assises sur la pierre comme s'il se fût agi d'un amant.

Madec s'enfuit vers le camp. Misère, dénuement, fatigue : tentes délavées, uniformes déchirés qui séchaient dans le vent, dix canons, des chaudrons renversés : le néant ou presque, face à l'onde.

L'Inde païenne. La belle affaire !... Là-bas, du côté des jungles où Sombre avait disparu, il était sûrement des femmes semblables à celles des temples, impudiques et superbes. Auprès de ces princesses, on ne pouvait que vivre double, comme Madec l'avait souhaité aux temps de l'enfance. La vie à grande allure, mener tout de front, à grandes guides, et la guerre, et l'amour.

Le clairon sonna. D'ici peu, avalé le premier cari, on le remettrait aux exercices, uniforme sale, fusil à l'épaule, fourniment sur le dos ; et sans chaussures, comme toujours. Madec se dirigeait vers l'endroit où chauffaient les marmites, quand il vit soudain la sentinelle courir, suivie d'un autre soldat, venu de Pondichéry certainement, car il avait, lui, les pieds chaussés. Du Pouët sortit de sa tente d'un air ensommeillé, échangea quelques mots avec le soldat, puis se réveilla tout à fait.

« Le clairon, se mit-il à hurler, le clairon, tout de suite ! »

Madec s'approcha.

« Le clairon ?

— Oui, hurla du Pouët. C'est la guerre ! Nous embarquons demain pour le Bengale !

— *Bengale...* » répéta Madec, comme s'il se fût agi d'un nom de dieu.

Puis il se retourna, face à la mer. La guerre, enfin. Et peut-être du nouveau. Le lendemain, comme annoncé, plusieurs navires vinrent mouiller face aux temples. Le régiment de Madec embarquait sur le *Bristol,* frégate arrachée aux Anglais par des corsaires malouins ; on n'avait même pas pris le temps de changer son nom, tant la guerre commençait à presser. Debout dans la pirogue qui l'emmenait sur le navire, Madec s'étonna de retrouver dans des vergues et des haubans de très anciennes allégresses : à nouveau, un bateau, telle une promesse de bonheur, et pourtant il s'en allait au feu.

La pirogue franchit la barre. Des bruits oubliés s'approchaient, grincements, craquements, voiles qui claquaient ; autour de lui, les soldats se bousculèrent pour être les premiers à monter à bord. Madec se retourna, jeta un dernier coup d'œil aux temples de la côte. Le soleil de l'après-midi les dorait. La barre, en se gonflant, les dérobait un instant à sa vue ; une fois la vague déferlée, ils surgissaient d'un seul coup, comme avatars d'un monde en renaissance éternelle. Lui aussi, il ressuscitait. Ces quatre années d'armée, il le voyait maintenant, l'avaient empli de lassitude ; or l'annonce du combat ranimait subitement son énergie, une force secrète qui le tendait vers un but imprécis encore, mais dont il savait qu'il prenait le chemin.

A bord du *Bristol* l'attendait une première surprise : la frégate arrivait de l'île Bourbon, où elle avait embarqué des renforts, or, à peine Madec avait-il posé le pied sur le pont du navire qu'au milieu des têtes crevassées de soleil et d'alcool qui faisaient fête aux nouveaux venus il reconnut Dieu et Visage.

« Le temps parfois, comme un serpent, se mange la queue », se dit-il, et le monde peut être beau ; pour la première fois de sa vie, il bénit les fortunes de mer, les haubans, les voiles, la sirène en figure de proue. Il sauta dans les bras de Visage. Visage, et pourquoi pas

Dieu ? Sans doute parce qu'il était de plus loin son aîné, la trentaine maintenant, et sa tendresse affleurait davantage. Madec posa son fusil sur les planches du pont. Les deux hommes s'étreignirent.

« Madec ! tu t'en es tiré... »

Le regard de Visage s'embua ; Madec y lut autre chose que la compassion indulgente d'autrefois. La mélancolie s'était installée en lui, semblait-il, ses yeux s'étaient enfoncés ; sur son front, ses cheveux bruns et raides se clairsemaient.

« Et toi, barbier, toujours au poste ?

— La guerre, Madec, tu vois où elle nous mène. »

Il ne souriait plus.

Dieu les interrompit :

« Sus à l'Anglais, Madec ! Nous autres mariniers, on nous appelle au renfort ! Mort aux Saxons maudits ! »

Dieu, lui, n'avait pas changé. Il jubilait. Toujours aussi gros, toujours aussi roux. Comme autrefois, à chacun de ses mouvements, son uniforme paraissait près de craquer : une ventripotence triomphante, un baril de poudre avant l'explosion.

« Sus à l'Anglais ! criait-il encore. A moi, les canons ! »

Il mima une attaque, figurant d'un bras un canon pointé, et de l'autre, fourrageant sa bouche imaginaire. Madec éclata de rire, puis se retourna vers Visage, qui les regardait en silence, l'air un peu absent.

Pourquoi, un si beau jour, cet insondable fond de tristesse ? Pourquoi ces cernes aux creux des yeux, et si lasses ses mains douces, qui se penchaient autrefois sur lui avec tant d'amour ?

Madec n'eut pas le temps de s'interroger : Dieu le pressait de questions : tous les fantassins de l'armée des Indes allaient-ils donc nu-pieds, lui avait-on réglé sa solde, avait-il avoué sa désertion ? Madec se fit aussitôt conteur ; cela dura fort avant dans la nuit. Lui que ses deux amis, par le passé, avaient si peu entendu, il s'installa sans vergogne au beau milieu du gaillard d'avant, au lieu et place du tisseur de légendes. Le *Bristol* filait doucement vers le Bengale, poussé par les vents réguliers de la mousson de sud-est. Sans s'arrêter, Madec racontait les rizières embourbées, le siège de Madras, les dix-huit mois de solde qu'on lui devait, la joie des petites victoires, le pillage qui s'ensuivait, les filles plaquées sur la terre battue des cases, puis qu'on emmenait derrière la troupe pour ses plaisirs ordinaires. Il ne s'expliqua pas sur sa désertion, il ne dit rien de Sombre, ni de sa disparition dans les jungles. Les deux autres, du reste, n'en demandèrent pas plus. Leur complicité ancienne, entretenue de tempête en escale, était retrouvée : cela leur suffisait. Dieu n'en finissait pas d'exulter :

« Sus à l'Anglais ! On reprendra Madras, Mazulipatam, toute l'Inde ! »

Et, comme en écho, Madec reprenait son récit, racontait les grandes gloires de son armée, celles aussi des soldats indiens, les cipayes, qu'il fallait selon lui enrôler en plus grand nombre :

« Tu verras, Visage, l'Inde sera conquise par elle-même. Ils se battent comme des dieux. Il faut voir leur allure, leur grand turban, leur plaque d'argent sur la tête, comme un casque ; ils s'entourent tout le corps de mousseline, en telle épaisseur qu'elle arrête les coups de sabre ! Et ils ne demandent rien : une cruche de terre au côté, un bidon fait d'une coque de coco, et ils vont au feu ! »

Visage ne l'écoutait plus. Il s'était levé. Il se dirigea vers la proue, observa un long moment les étoiles, très brillantes en cette saison dans le golfe du Bengale. Tout était calme ; avec ce vent régulier, la navigation se faisait sans peine. Les hommes de quart étaient près de s'endormir, et pourquoi les secouer ? La sérénité qui précède les catastrophes. La paix des navires, quand le diable rôde sur la mer. Cette fois, c'était pire. Le *Bristol* avait pris la mort en voyage. Contrairement au temps où Visage naviguait pour la Compagnie, il ne transportait pas dans ses cales des mousselines, ou des poudres à réveiller les sens endormis de l'Europe. Le navire était lourd de canons, farci de baïonnettes, gorgé de barils de salpêtre. Il se mit à arpenter le pont. Partout, des fusils. Son accablement grandit. Et Madec, qu'il venait de retrouver ? Il aurait dû être en joie, comme lui, comme Dieu... Madec, de la chair à canon ?

Tout à l'heure, perdu dans l'allégresse générale, il avait préféré se taire. Comment déclarer en effet à des soldats joyeux que l'Inde était promise à une gigantesque boucherie, qu'on l'avait recruté, lui, le chirurgien barbier, pour scier des jambes déchiquetées, soigner au perlimpinpin des plaies qui tourneraient à la gangrène, raconter les fariboles qui aideraient à mourir tous les Jolicœur, Grain-de-Sel et autres soldats d'aventure enrôlés de force sur ce bateau de mort ? Face à l'océan qui clapotait doucement, Visage sentit sa trentaine s'appesantir sur lui. Il s'en voulut d'en être arrivé là, spectateur impuissant d'une probable hécatombe. Et pourtant personne ne l'avait poussé, lui, Visage, rejeton d'une honorable famille nantaise, à franchir le mur du séminaire pour suivre un petit nobliau des Isles qui depuis des mois lui racontait les Tropiques. Dès les côtes africaines, il le regretta ; trop tard : quatorze ans, le destin avait bifurqué. Il décida d'être chirurgien de bord. De son ancienne vocation à servir l'Eglise, il garda une infinie compassion pour la souffrance, le sort tragique des esclaves noirs, ou la révolte de Madec, par exemple, quand il n'était encore que le *petit Madec*... Nul ne soupçonna sa vocation première. Il ne croyait plus ; finie la Bible, oubliées les paroles saintes. Ici-bas, rien n'existait de vrai, de beau, que la splendeur de la jeunesse, celle-là même qui commençait à le fuir et que la haine des hommes arracherait à ses compagnons.

Il caressa le bastingage tout en pestant contre le

destin. Monde stupide où, dès treize, quatorze ans, tout était tracé de l'existence, sabotier, le fils du sabotier, musicien, celui du violoniste ; et pour qui se révoltait contre l'ordre des choses, Madec ou lui-même, le mirage des îles, la route, l'aventure. Perse, Martinique, Indes, Pérou. Filles brunes, sacs de piastres, escroqueries et coups de couteau. Et, le plus souvent, la guerre. Il secoua les épaules, retourna près de ses compagnons. Le gaillard d'avant sentait très fort l'arak. Certains chantaient :

Nous les aurons, les Anglais, vraiment,
A double rangée de dents,
Les marchands de mort subite...

Madec riait. Il jouait aux cartes. Son profil légèrement busqué passa rapidement dans le halo d'une lampe, et Visage devina en lui quelque chose qui attendait. Il frémit. Oui, car lui, Visage, il attendait aussi. Une merveille, peut-être, qui le sauverait de l'humeur noire. Mais était-il encore des merveilles au monde ? Il s'approcha des autres, demanda à partager la prochaine partie, s'assit près de Madec. Il était sûr de l'avoir deviné, de la même façon qu'il pressentait, sans la toucher, la tendresse de sa peau. La vie, si courte.

De désespoir, Visage perdit cinq parties successives.

*
* *

Le *Bristol* avait pour mission de débarquer les troupes à Mazulipatam, place forte française aux marches du Bengale, assiégée de longtemps par les troupes anglaises. Le vaisseau n'avait pas mouillé qu'on dut se résoudre à l'incroyable : le fort s'était rendu, le pavillon anglais y flottait depuis quatre jours. La première pensée de Visage fut alors pour

Madec, il craignit pour lui le plus violent désespoir. Ce ne fut que du dépit ; on l'aurait détroussé, roué, laissé nu en pleine place de Pondichéry, sous les regards ironiques des belles pavaneuses, qu'il n'aurait pas eu l'air plus abasourdi : on lui avait volé sa bataille. Les officiers décidèrent alors de continuer vers le nord. Si les Anglais, depuis un an, contrôlaient Chandernagor, ils ne tenaient pas encore tout le Bengale, et on trouvait toujours, éparpillés au long des dunes interminables qui se prolongeaient jusqu'au delta du Gange, des comptoirs français minuscules, vagues baraquements fortifiés à la hâte, où s'échangeaient de temps à autre des ballots de tissus et d'épices. La décision était sage ; cependant, le vent des Indes ne laissait pas d'autre choix. Tout repli sur Pondichéry était désormais impossible : la mousson de sud-est, qui venait de commencer, persisterait d'avril à décembre à pousser les vaisseaux vers le Bengale, quelle que fût la volonté des stratèges maritimes, et fussent-ils français. En désespoir de cause, on se laissa donc porter par le vent jusqu'aux confins du Gange, et le commandant, un dénommé du Quay, jeta son dévolu sur un fortin de la Compagnie des Indes, tellement abandonné qu'on n'en savait même plus le nom. On y construisit des casernes en torchis, on les couvrit de paille, et on y logea la troupe, qui y mena ses premiers combats contre les cobras, dont c'était la demeure familière. Puis on organisa un arsenal de fortune pour travailler à l'artillerie ainsi qu'aux munitions de poudre.

Madec ne décolérait pas. Toutefois, il ne parvint pas à s'avouer que ce contretemps était un effet de l'incapacité des officiers des Indes. Il aimait du Pouët, il respectait l'armée. Il attribua tout à la malchance, fulminant seulement de ne pas courir au feu. Aussi, comme l'avait été sa fureur, son enthousiasme ne connut plus de bornes quand il apprit le plan qu'ourdissait l'état-major. Mazulipatam pouvait être repris, à condition de séduire le rajah qui régnait sur le pays ;

il commençait, semblait-il, à se lasser de la présence anglaise. On lui écrivit donc quelques mots très polis et très ornés, selon l'usage. Charmé de ce message qui lui laissait présager d'autres gains que des chamarrures de style, le rajah se rendit au camp des Français. On déploya toute la pompe militaire, on se répandit en salamalecs, la troupe même fut sommée d'en être. Le rajah fut ravi et promit de suivre les Français partout où ils voudraient.

Cependant les provisions diminuaient ; et il était clair qu'on n'aurait pas assez de vivres pour attendre le moment où s'inverserait la mousson. Le commandant du Quay rappela donc le rajah, qui, pensait-il, lui avancerait sans difficulté sacs de riz et ruisseaux de perles, à valoir sur les pillages à venir, pour qu'on pût tranquillement manger à sa faim et acheter la poudre destinée à déchiqueter la chair anglaise. Le rajah promit tout ce qu'on voulait. La bonne humeur revint au camp ; Madec retrouva la jovialité de ses premiers temps dans l'armée, belles parties de chasse et de cartes. Visage seul demeurait taciturne : les semaines passaient en effet, sans qu'on vît les trésors convenus. On convia donc le rajah une troisième fois ; les paroles du commandant se firent plus vives. Selon Dieu, qui avait assisté à la scène, le prince y lut sans doute quelque menace : la nuit suivante, il avait décampé. Du jour au lendemain, il organisa, dans l'arrière-pays, la déportation des paysans de la province. Les Français étaient désormais privés de toute forme de subsistance : fruits, riz, légumes, il n'y avait plus rien ; il fallait donc livrer bataille.

Le « perfide rajah » campait au pied d'une montagne, à l'orée d'une épaisse forêt. Avant d'ouvrir le feu, on sacrifia quand même à l'usage en vigueur chez les peuples civilisés, et qui consiste à envoyer, avant l'ultime sommation, quelques ambassadeurs pleins de bonne volonté. A leur grand étonnement, et malgré les canons pointés à l'horizon, le rajah ne fit paraître aucune animosité ; des propositions furent faites de part et d'autre. L'Indien demanda qu'on fît placer des tentes à égale distance des deux camps, où le commandant français viendrait le rejoindre avec une escorte égale à la sienne. Et on y terminerait la négociation en paix. Madec devait faire partie de l'escorte. Mais il désapprouvait tant ces atermoiements, où il ne voyait que lâcheté et terreur du combat, qu'il obtint du commandant lui-même la permission de rester au camp ; du Quay adorait le cérémonial des tractations diplomatiques ; il ne vit aucun inconvénient à se passer de la présence de ce petit grenadier impulsif. On devait partir au point du jour ; mais le rajah fit retarder le rendez-vous jusqu'à la tombée de la nuit. Le lendemain matin, quatre soldats terrorisés apportaient au camp une nouvelle affreuse : le commandant et sa troupe étaient tombés dans une embuscade. Les hommes étaient morts sous les lances des Indiens, à l'exception de du Quay, qu'on avait emmené dans les montagnes. Des indigènes rencontrés dans la jungle avouèrent sous la torture qu'on l'y avait laissé mourir, au fond d'une fosse remplie d'excréments, offert en pâture aux serpents et aux insectes.

Le désarroi gagna le camp. D'autres troupes indiennes étaient arrivées, qui bloquaient l'accès à la mer et au vaisseau. Désormais, la famine était là. On prit donc le parti de vivre de maraude ; nuit et jour, les armes à la main, on escalada les collines pour prendre bestiaux et grains ; au retour, pour rejoindre le camp, on se battait contre les Indiens. Avec l'énergie du désespoir et la faim au ventre, Madec se distingua dans quelques-unes de ces petites affaires. On le nomma alors sergent, et on le mit à la tête de quatre cents soldats cipayes, indigènes fort dociles, qu'on venait de soustraire à leur ancien maître, en leur faisant miroiter quelques babioles et quincaillerie d'Europe. La tâche était rude : il fallait tout leur apprendre. Madec, flatté d'être chef, y retrouva pourtant un regain d'ambition. De l'été à l'automne, et par les pires averses de mousson, il fournit chaque jour le camp en vivres, combattant la nuit aussi bien que le jour. Enfin, au prix d'un effort inouï, on força donc les lignes du rajah ; embuscades, batailles rangées, canons hissés sur les pirogues pour descendre les rivières qui menaient à la mer. Le *Bristol* était toujours là. Les vaisseaux anglais, sans doute occupés ailleurs, ou retenus par des vents contraires, n'étaient pas venus le reprendre. C'était décembre. Il fallait se hâter : la mousson allait s'inverser, porter les navires vers Pondichéry. Du Pouët ordonna d'embarquer. La moitié des troupes françaises étaient à bord, des officiers pour la plupart, quand une voile anglaise surgit à l'horizon. Il n'y avait plus à hésiter : le *Bristol* appareilla sur-le-champ.

Visage, Dieu, Madec et ses cipayes étaient restés à la côte, avec une cinquantaine d'autres soldats dont la fortune semblait se rire.

Il ne leur restait plus qu'à tenter de rejoindre Pondichéry par voie de terre, et la petite troupe s'engagea alors dans les montagnes. Par bonheur, ils avaient gardé des canons ainsi que quelques buffles, auxquels ils les attelèrent. Au moment de franchir le premier torrent, on découvrit sur la rive d'en face un petit temple à demi abandonné. Par une curieuse association d'idées, Visage se souvint alors que c'était Noël ; il le fit remarquer à ses compagnons, de peur que l'aventure qui commençait n'effaçât en eux le décompte du temps. Tous se signèrent et commencèrent quelques chants, à l'exception de Madec qui tenait les yeux fixés sur une statue de pierre, sculptée au temple de l'autre rive.

C'était une jeune fille très dévêtue, qui souriait à son amant et semblait inviter le voyageur des montagnes à venir partager leurs ineffables joies.

CHAPITRE V

Décembre 1758-août 1759

Pondichéry

La mousson tardive de l'Inde du Sud était à peine close que Pondichéry tout entière se mit à préparer des fêtes. Dans la Ville Noire, on allait célébrer le *maadu-pongol,* la fête des semailles et du riz à venir. Commença dès la mi-décembre un extraordinaire tintamarre de cymbales et de tams-tams, moins allègre cependant qu'à l'accoutumée. Dans la Ville Blanche, c'était Noël, Noël à la créole, à la façon du comptoir des plaisirs : depuis trois mois déjà, il ne restait plus chez les marchands une aune de satin, et les tailleurs indigènes s'échinaient nuit et jour à froncer des jabots, draper des ruchés, découper des prétintailles et creuser des décolletés dont l'insolence les glaçait de terreur. Une rumeur effroyable courait en effet la Ville Noire, murmurée des pagodes aux lavoirs, de l'atelier des tisserands aux boutiques des changeurs d'or, mais jalousement contenue dans le périmètre de la cité indienne : car nul n'osait la porter au-delà du canal qui séparait les deux villes, dans la crainte que la foudre s'abattît sur celui qui oserait la divulguer aux Blancs. Ce n'était pas une nouvelle, à proprement parler ; c'était plutôt une annonce, une prédiction, bref une parole divine. Mais qui aurait le courage de reproduire les mots des dieux, quand ils sont pleins d'un tel désespoir ? Et qui surtout oserait la répéter à un Blanc de Pondichéry, des firanguis la race la plus légère, la plus insouciante que la terre eût portée, fallait-il que leur dieu fût homme de confiance pour qu'ils se pavanent ainsi avec tant de fierté, dans la cité même que les autres dieux, les vrais, l'immense tribu de Brahma, avaient choisie pour théâtre de l'universelle punition, aux fins de régénérer le monde usé, en ce bas âge de Kali-Yuga.

De son boudoir aux volets clos, Jeanne Carvalho sentait monter d'étranges choses. Noël passa, cependant, sans qu'elle s'en inquiétât. Depuis que Sombre était parti, elle ne jouait plus au jeu de l'argent qu'avec désinvolture, une sorte de distance un peu somnambulique. Une suprême habileté, acquise de longue date, lui apportait encore le succès. Mais elle savait bien qu'elle ne s'y plaisait plus ; et, si elle persistait à réussir placements et spéculations, le miroir chaque matin lui en disait la raison : ces lourdes poches sous les yeux, la graisse noyant son visage et son corps, ce regard trouble, les mains qui parfois, sans motif apparent, se mettaient à trembler... L'arak avait définitivement remplacé le thé.

Cet après-midi encore, au sortir d'un très copieux déjeuner, rougail, cari, tourte, chocolat, confiture de mangues, elle n'avait trouvé le bienfait de la sieste qu'après trois grands verres d'alcool : le goût fort et sucré du liquide la rassurait. Avant de s'endormir, elle revit, se penchant sur elle, le grand poitrail de Sombre. Elle murmura son nom, tendit les bras sur le vide, des larmes s'échappèrent. Puis la torpeur de l'arak l'envahit ; elle flotta longtemps entre veille et sommeil, abandonnée à son fantôme d'amour. Puis il y eut, comme chaque après-midi, le réveil lourd et triste, les sens émoussés, mais la vieille blessure, la passion, toujours présente, prête à surgir, à renouveler le désespoir. Elle se leva, se traîna jusqu'au boudoir, s'arrêta devant sa coiffeuse. Elle saisit un flacon d'eau de rose, le renversa sur un mouchoir de dentelle. Les trois quarts de la fiole se répandirent sur le plancher marqueté : c'était souvent ainsi, elle le savait d'ailleurs, ses gestes perdaient de leur précision. Elle ne répara pas sa maladresse. Elle venait d'apercevoir dans le miroir les bouffissures de son visage. Elle détourna la tête. Ce n'était pas vrai. La glace mentait. Elle ferait venir Marian tout à l'heure, la forcerait à se pencher sur la glace, et elle verrait bien aussi, la petite, s'y défraîchir sa jeunesse.

« Une mauvaise glace, une mauvaise glace », murmura Jeanne, et elle repartit vers la fenêtre avec son mouchoir et son flacon en filigrane d'argent.

Elle n'avait même pas remarqué son esclave, assise en contre-jour près de la jalousie baissée, et qui, d'une palme immense bordée de vétiver, continuait à éventer la pièce comme si Jeanne n'avait pas bougé. Le soleil qui filtrait par les lattes du store fit étinceler le flacon. Jeanne plissa les paupières. Elle était maintenant complètement réveillée. Trop réveillée. Vite, de l'arak. Elle se tamponna fébrilement le visage à l'eau de rose, rajusta les boucles de son chignon et jeta à la petite un ordre en tamoul :

« Descends. Laisse la palme. Je veux... »

La servante avait déjà compris. Elle ramassa les pans de son sari, glissa sur le parquet ciré, disparut dans l'escalier. Jeanne se mit à arpenter les deux pièces de son appartement, cherchant à contenir les frémissements qui la prenaient. Autrefois, l'attente fébrile de la conclusion d'une affaire la transportait ainsi. Désormais, elle ne tremblait plus que pour du vide : l'attente de la fiasque blanche qui lui donnait un semblant de joie.

Trois ans que cela durait. Trois ans, où elle n'avait jamais pleuré en public, où elle était restée droite, ferme, femme d'argent, femme de tête, même devant la petite Marian, qu'elle n'avait toujours pas mariée et qu'elle hébergeait encore. Trois ans de souffrances solitaires, d'avachissement discret, de demi-sommeils engourdis d'alcool. Comment se plaindre d'un homme qu'elle avait toujours su infidèle ? Et le mot était faible, puisqu'il était parti en la volant... Elle l'avait pressenti des mois auparavant. Il était trop calme, tout d'un coup, trop peu brutal, il revenait trop régulièrement de son régiment. Elle avait donc laissé, presque en évidence, quelques pierres assez communes. Au fil des mois, pour parfaire la supercherie, elle avait grossi le presque faux magot. Il ne lui déplaisait pas de le tromper à son tour ; c'était sa façon de le tenir, de le posséder, au double sens du mot. En elle quelque chose, bien sûr, continuait à espérer : c'était là un geste gratuit, il allait rester, il commençait à l'aimer...

Il n'en fut rien. Un matin de mai, elle se réveilla seule sous la moustiquaire ; comme prévu, la cachette des mauvais diamants était vide. Ce matin-là, curieusement, elle fut prise d'un immense rire. Là où elle cachait ses belles pierres, personne ne les trouverait jamais. Sombre avait tout obtenu d'elle, sauf sa part la plus inaltérable, la fortune, qu'elle ne livrerait jamais. Amère victoire. Le soir même, la vie commença à tourner en rond. Jeanne était vide, morte, achevée. De cette nuit-là, il y eut toujours, parmi ses fioles de parfum, beaucoup de bouteilles d'arak.

Nul à Pondichéry ne voulut s'étonner de sa soudaine solitude. Quant à elle, elle ne chercha pas à savoir où Sombre était parti. Les jungles, les rajahs, peut-être. Elle préféra l'ignorer : l'Inde comptait pour elle tant qu'elle déversait ici le produit de ses mines et de ses ateliers, elle s'arrêtait à la lisière de la Ville Noire : à l'extrême limite, à sa demeure de campagne, Circé, sur le chemin qui menait Madras.

La servante tardait. Jeanne s'assit sur un canapé d'acajou incrusté de coquillages, cadeau d'un agent qu'elle avait soustrait aux foudres de Godeheu, puis se leva presque aussitôt. Son impatience grandissait. Elle se dirigea vers la fenêtre, écarta la jalousie. La Ville Noire, elle aussi, se réveillait de la sieste. Le tam-tam recommençait. « Oui, se dit Jeanne, la belle saison revient, les nuits brillantes d'étoiles, la fête du pongol. D'ici peu, on va voir arriver au port de nouveaux bateaux, avec des jeunes gens bien frais, de tendres jouvenceaux qu'autrefois j'aurais pris pour amants... » Les larmes lui revenaient. La servante n'était pas remontée. Elle courut jusqu'au palier, appela.

On ne répondait pas.

Jeanne se mit à réfléchir. Etait-elle sûre que la petite ait bien compris ? Elle ne se souvenait plus de son nom. Elle en employait une bonne vingtaine, qui parlaient au moins trois langues différentes, tamoul, telougou et malayalam. Elle ne savait même plus ce qu'elle avait dit. Elle appela encore, passant mécaniquement d'un dialecte à un autre. On ne répondait toujours pas.

Soudain, la porte voisine s'ouvrit.

« Jeanne..., ma bonne Jeanne. Qu'avez-vous donc ? »

C'était Marian, arrachée à sa sieste, toute fraîche, délicieuse, dans un caraco de velours vert et un jupon d'organdi blanc.

« Les servantes, répondit Jeanne, d'un ton très sec.

— Ces négresses... La fête leur tourne la tête ! Avec cette musique dans la Ville Noire... »

Jeanne s'appuya à la rampe de fer forgé, vacilla. Marian la retint :

« Vous n'allez pas bien, Jeanne. Attendez. »

Elle se précipita dans sa chambre, revint avec un verre.

Jeanne voulut refuser. Mais non, c'était plus fort qu'elle, l'odeur forte, le goût du sucre. Elle but d'un seul trait, soupira d'aise.

« On ne peut plus compter sur les servantes, ces temps-ci, commenta simplement Marian. Je n'ai jamais rien compris à ce qu'elles racontent, mais je les trouve bien fébriles, ces derniers jours.

Jeanne n'écoutait pas. Elle avait rougi. Ainsi, Marian savait. Et, qui plus est, elle aussi, elle aimait l'arak ! Elle se raidit dans son déshabillé. L'alcool. Et alors ? Ne s'ennuyaient-elles pas également, toutes deux ? Et n'était-il pas explicable que Marian y trouvât aussi une distraction passagère, puisque à vingt-deux ans elle n'était pas mariée et qu'elle n'allait pas tarder à se faner ? C'était sa faute, du reste. Mais il fallait désormais aller vite. L'arak avait rendu Jeanne tout à fait maîtresse d'elle-même. Elle résolut de s'ouvrir sur l'heure de ses inquiétudes :

« Venez donc dans ma chambre, mon enfant. J'ai à vous parler. »

Marian parut étonnée :

« Mais... laissez-moi me refaire, je ne suis même pas coiffée, il fait si chaud ! »

Son caraco s'ouvrait en effet sur sa poitrine menue, qu'elle ne songeait pas à cacher.

« Peu importe. Venez. »

D'amolli qu'il était l'instant d'avant, le ton de Jeanne s'était durci : cassant, impératif, ainsi qu'avec les servantes. Marian s'exécuta.

La Carvalho lui désigna le canapé, s'assit sur le lit.

« Souffrez que je vous parle franc, Marian. Si je vous ai accueillie avec un peu de réticence, voici quatre ans, vous avez bien vu que nous nous entendons à merveille. Ce qui m'est une grande consolation depuis que... »

Marian leva les yeux, regarda par la jalousie.

« Bien, reprit Jeanne. Nous sommes heureuses, vous ne me pesez guère. Durant trois ans, vous avez attendu — ou prétendu attendre — le vieux Lestriverde. Parlons net, Marian, je vous le répète ; vous et moi savons bien qu'il ne viendra pas. L'île de France l'a retenu. Qu'il s'agisse d'une belle créole ou d'une mauvaise affaire — ou peut-être même est-il mort —, nous n'avons plus de nouvelles de lui.

— Je sais, dit Marian, je sais. C'est la guerre, un an qu'il n'écrit plus, je ne suis toujours pas mariée, les affaires déclinent. Quel souci je vous donne...

— Nous y sommes. Il faut vous décider.

— Tout le monde ici...

— Passe d'amant en amant, certes. Mais on se marie. Vous n'avez pas manqué d'hommes, vous n'en manquerez pas, et puis je m'en moque ! L'amour fait marcher les affaires !

— Vous n'avez pas toujours aimé la galanterie.

— J'avais alors mes raisons. D'ailleurs, je vous ai laissée assez vite mener vos amours à votre guise. Maintenant, ma belle, sachez que la jeunesse s'en va. Par bonheur, vous n'avez pas enfanté. Vous pouvez trouver un mari qui vous entretienne la vie durant, une bonne pâte d'homme, bien paisible, bien riche. Vous êtes encore charmante. Pour peu de temps... Allons, il faut vous marier. »

Marian prit un air détaché :

« Il n'y a personne ici que je puisse épouser. Pondichéry n'est plus rempli que de barbons ou de soudards.

— Attendez les nouveaux bateaux, ma belle. Avec le bon vent, vous allez les voir débarquer, les jeunes hommes, ils vous croiront créole, ils seront riches, vous passeront vos caprices jusqu'à la fin de vos jours !

— Croyez-vous qu'ils veuillent ramener chez eux des filles telles que moi ?

— Qui vous parle de ramener ? Ils peuvent rester. Certains restent, épousent ici. Regardez les Kerjean. Des nobles, des vrais, avec des terres en Bretagne.

— En Bretagne... »

Marian haussa les épaules, s'alanguit sur le canapé. Pendant cinq bonnes minutes, elle demeura silencieuse. De temps à autre, elle s'étirait sur le divan, ainsi qu'un chat, soupirait, remettait de l'ordre dans ses boucles rousses, soupirait encore, caressait sa poitrine échappée du caraco.

Jeanne ferma à demi les yeux, l'observa entre ses cils. Elle qui n'avait jamais supporté, hors la présence docile et indispensable des esclaves indiennes, la moindre compagnie féminine, elle avait découvert en Marian une complicité agréable ; ce n'était pas une amie ; elles se confiaient peu l'une à l'autre, s'observaient plutôt, se devinaient : ainsi, le goût de l'alcool... Jamais, en ces quatre ans, elles ne s'étaient heurtées. Marian n'aimait que le plaisir ; elle était allée tranquillement d'amant en amant, silencieuse, discrète, rapportant de temps à autre quelques beaux bijoux qu'elle remettait à Jeanne pour le prix de sa pension, se vêtant toute seule, et superbement, toujours sereine, heureuse, semblait-il, s'il n'y avait eu, de temps à autre, ces grands soupirs, ces alanguissements, qu'elle chassait dans les plaisirs, variés à l'infini selon l'heure ou l'humeur : une tasse de chocolat, une nouvelle robe, la sieste, un long massage ordonné aux servantes, conclu sur des ardeurs interdites, que goûtaient fort aussi les petites tamoules. Une femme aérienne, que rien ne semblait toucher, pas même ses amants les plus assidus. Ils la traversaient sans la blesser, comme l'épée dont se transpercent les fakirs, et qui sort de leurs flancs intacts. Et comme elle la jouait bien, la comédie de l'amour, se refusant à l'un, se donnant à l'autre, silencieuse ou bavarde à point nommé, maniant en virtuose la pudeur ou l'œillade assassine. Dans toutes les fêtes, il y avait toujours eu autour d'elle comme un remous d'argent et de luxe ; on la cherchait, sans que jamais cela fît scandale ; on la quittait, et pas une larme n'était versée. « C'était peut-être cela, l'Europe, songeait Jeanne Carvalho : cette légèreté habile, brillante, cette délicate vanité. » Demi-portugaise, trop tôt mariée, trop vite veuve, emportée par le souci des affaires, elle l'avait très longtemps ignorée. Devant Marian, elle en rêvait maintenant ; mais trop tard, n'est-ce pas, puisque Sombre était venu, que s'était évanouie sa beauté et que la vie tournait sans but.

« Ne faites pas la sourde, Marian, ne laissez pas fuir votre jeunesse, mariez-vous, mariez-vous... »

Jeanne s'interrompit, la contempla. Elle l'enviait. Merveilleuse indifférence, savante économie des sourires. La silhouette légère, la peau fraîche encore sous la poudre, le rouge et les mouches. Dans la fête continue de Pontichéry, une femme impalpable ; et pourtant, au fond d'elle-même, si dure, sans doute.

Brusquement, comme si elle surgissait d'un rêve, Marian consentit à parler :

« J'ai autrefois aimé, Jeanne, savez-vous ? Ce temps-là n'est plus. Laissez-moi m'amuser encore. Les amants sont des cartes à jouer, Jeanne, on s'en sert quelque temps ; quand on a gagné, on les jette, on en demande d'autres ! J'ai toujours gagné. On se prend, on se garde, un peu de temps, par convention, puis on se quitte, sans peine : *piacere senza pena,* comme dit la chanson, le plaisir, Jeanne, le plaisir sans la peine... » La Carvalho frissonna. Se pouvait-il que Marian fût en train de lui faire la leçon ? Qu'elle fît allusion à Sombre ? Qu'elle eût deviné sa faille, sa passion secrète ? Marian sentit sa peur, lui désigna une boîte d'argent, d'où elle sortit quelques feuilles de bétel.

« Allons. Ne parlons plus de mariage. Après le pongol, je vous promets, j'y songerai. »

Il y eut un long silence. Elles s'étaient mises toutes deux à chiquer. A son arrivée, Marian avait jugé cette coutume un peu répugnante, mais elle avait fini par admettre les vertus digestives de la plante, et le jus rouge qui colorait les lèvres et les dents lui parut bientôt, comme aux autres femmes, le complément obligatoire du maquillage. La bouche devenait sanguinolente, plus provocante, appelait d'autres bouches, d'autres baisers.

Le silence s'installa. Marian, les yeux mi-clos, rêvait de robe, songeait au madras jaune et vert qu'elle avait acheté la veille, à la dentelle de nouvelle façon qui l'agrémenterait. Jeanne mâchait consciencieusement, les mains enfin calmées.

Elle se leva soudain, les yeux fixés sur la palme abandonnée :

« La servante, la servante ! Elle n'est pas remontée ! Depuis tout ce temps ! »

Marian se leva avec paresse.

« Le pongol, Jeanne, je vous l'ai dit. Elles sont folles, comme toutes les négresses.

— Non, non, je n'ai jamais vu cela. »

Marian remarqua qu'elle recommençait à trembler.

« Je descends. »

Elle saisit au vol une robe de chambre en satin rose, trop étroite pour elle, qu'elle passa sur ses épaules, comme à regret, puis enfila ses babouches dorées. Ses pieds traînaient sur le parquet. Elle n'avait pas atteint la moitié de l'escalier quand elle s'arrêta, frappée de stupeur ; elle dut se rattraper à la rampe. Deux servantes s'étaient prostrées sur le sol et se lamentaient en cadence, en répétant un nom qui la fit frémir, et cette fois ce n'était pas de manquer d'arak : Mariamallé, la déesse de la petite vérole, dont elles prétendaient avoir vu, une heure plus tôt, l'effroyable apparition.

La perspective d'un désordre au sein de sa maison rendit tout son sang-froid à Jeanne Carvalho. Elle secoua les domestiques, les interrogea, les abandonna bientôt, avec l'ordre de ne pas quitter les lieux. Puis elle remonta à sa chambre sans un mot, saisit d'un geste jupons et corsets, commanda à Marian de la lacer et redescendit au salon, souveraine comme elle ne l'était plus depuis le départ de Sombre. Elle était transfigurée, au point que Marian, dans tout son négligé, paraissait soudain d'une fadeur extrême. Celle-ci, que la métamorphose de Jeanne avait pétrifiée, n'avait pas osé souffler mot. Elle s'habilla à son tour, descendit au salon, se hasarda à une question :

« Mais enfin, Jeanne, que se passe-t-il ? Qu'ont dit ces folles de servantes ?

— Retournez à votre chambre, ma petite Marian ; j'ai beaucoup à faire. »

Et elle s'adressa aussitôt à un vieux serviteur métis. Marian savait assez de tamoul pour reconnaître dans les phrases de Jeanne l'annonce d'une visite qui promettait beaucoup d'ennuis. Jeanne mandait en effet le vieil Ananda Rangapillé, seigneur des marchands de la Ville Noire, ancien courtier de Dupleix, et toujours attaché à la Compagnie.

« Vous voyez bien, ma belle, qu'il faut vous retirer ! »

Marian ne se fit pas prier ; plutôt que de subir leur interminable conciliabule, elle alla se coucher sous sa moustiquaire, où elle passa le restant du jour, croquant des gâteaux et rêvant de la France et des délicieux jeunes gens qu'elle y regrettait.

Le vieil Ananda se fit attendre. Une heure durant, Jeanne Carvalho le guetta de son salon, le regard fixé aux ombres changeantes des jalousies. Son inquiétude grandissait. Les filles avaient parlé d'une apparition de la déesse, d'une épidémie de variole qui se répandrait dans la ville. Jeanne savait bien que les dieux n'apparaissaient pas pour un prétexte aussi futile. Le mal était plus grand, qui sans doute menaçait les affaires ; et c'est bien pourquoi il lui fallait voir Ananda qui seul la renseignerait sur la rumeur du bazar ; quelques semaines plus tôt, au détour d'un marchandage sur des soies du Nord, ou des châles de Cachemire, elle ne s'en souvenait plus, il lui avait bien semblé que s'installaient chez les boutiquiers des silences insolites, qu'erraient dans son dos des regards lourds de peur, mais après tout, s'était dit Jeanne avec le détachement qu'on lui connaissait depuis trois ans, l'Inde est ainsi, placide et inquiète à la fois, impassible et secrètement tourmentée.

A présent qu'elle attendait Ananda, elle se reprocha son aveuglement, maudit la passion qui l'avait rendue insensible, au point d'émousser son plus précieux talent : une pénétration singulière des hommes et des choses, sa légendaire intuition de leurs plus petits mouvements. Elle joua un instant avec une boîte à musique, tapota son clavecin, se leva pour guetter le jardin et voir si elle ne voyait pas, derrière les jasmins et les lianes, s'avancer les robes chamarrées du marchand. Elle se rassit, tenta de se calmer ; elle était familière de la lenteur orientale, elle-même en usait au besoin. On avait dû déranger Ananda pendant sa sieste ; il avait dû se faire prier, dire qu'il lui fallait sur-le-champ rejoindre son magasin de noix d'arec, ou prétendre qu'il était fatigué, qu'il ne pouvait pas quitter sa maison de la Ville Noire, où tout, comme sa personne, était franco-indien, des colonnades à la romaine de la pièce centrale, à ses secrétaires dos-d'âne incrustés de marqueterie d'ivoire.

Qu'eût été Pondichéry sans Ananda ? Jeanne éprouvait pour lui, quoi qu'elle se fût souvent âprement battue contre ses conditions commerciales, une sorte de tendresse, de fraternité peut-être. Et pourtant c'était un Indien, un *Gentil,* comme disaient alors les Français fraîchement débarqués, par elle ne savait quelle allusion biblique. Ananda le madré, le matois, soixante ans ce mois-ci, et il semblait qu'il commerçait de toute éternité. Il avait commencé en vendant des noix d'arec, devenu courtier officiel de la Compagnie, il retournait chaque jour à son ancienne boutique, où il continuait à vendre les mêmes fruits ; c'était en fait son observatoire ; de là, il épiait tout le bazar, pour le plus grand bien de ses très lucratives affaires. A la seule allée et venue d'un changeur d'or, au frémissement d'un tisserand sur le seuil de son échoppe, il devinait le cours du diamant et la qualité des mousselines. Or aujourd'hui, si Jeanne voulait continuer à bien mener ses affaires, si, comme elle le présumait, un début de peur s'installait dans la ville, il fallait qu'elle connût la rumeur du bazar, et lui seul, l'ancien courtier de Dupleix, la lui raconterait.

Un grincement dans la cour, des feuilles qui bruissaient, des froissements d'éventails et d'étoffes traînantes. Enfin ! Jeanne faillit se lever. Mais non. Il convenait de rester en place, bien droite sur le fauteuil, un coussin sous les pieds, telle une princesse. Tout bien considéré, Ananda n'était jamais qu'un Indien. Il entra, entama une bonne dizaine de prosternations. La Carvalho abrégea les civilités, lui désigna un fauteuil de rotin, où, elle le savait, il serait mal à l'aise, habitué qu'il était, comme tous ses semblables, à vivre accroupi ou allongé. Il s'exécuta avec un regard complice qui rassura Jeanne. Il parlerait donc. Et pourtant, depuis combien de temps ne s'étaient-ils pas vus ? Huit, dix mois, le temps du siège de Madras, quand on avait craint que les Anglais ne dévastent les récoltes ? Elle ne s'en souvenait plus. Peu lui en importait. Elle trancha dans le vif :

« Ananda, je veux savoir ce que dit Mariamallé, quand elle apparaît dans la ville. »

Elle parlait en tamoul. Ananda fut surpris. Il était d'usage avec les Européens de parler leur langue, et il maniait le français à la perfection.

Il baissa les yeux, regarda un instant ses babouches rebrodées de fils d'argent. Il signifiait ainsi que la réponse était délicate, et même dangereuse pour sa personne. Jeanne était rompue à ces dialogues tortueux : elle attendit. Au bout d'un petit moment, Ananda releva la tête :

« Mariamallé, memsahib, dit ce qu'elle dit chaque fois qu'elle se montre. »

Il sourit, laissa échapper un soupir. A l'évidence, il souffrait d'être engoncé dans un fauteuil, où ses robes le gênaient. Il se concentrait deux fois plus qu'à l'ordinaire. Tôt ou tard, il n'en pourrait plus, souhaiterait un tapis. A cet instant-là, il parlerait.

« Ananda, tu sais fort bien que je ne me lasse pas d'entendre ce que disent tes dieux et déesses.

— Il en va de même pour moi, memsahib. Je me fais toujours renseigner sur ce que racontent tes pères jésuites au prône de la messe. Mais ils ne sont pas aussi discrets que nos brahmanes, car les secrets que vous leur remettez en confession atteignent parfois ma boutique de la Ville Noire ! »

Jeanne sursauta. C'était un avertissement. Elle savait que les Indiens n'aimaient pas les jésuites, surtout depuis qu'ils avaient fait raser la pagode, aux tristes temps de Mme Dupleix ; mais qu'Ananda les évoquât ainsi, d'entrée de jeu, signifiait que l'hostilité des brahmanes était déclarée : ils devaient commencer à prêcher la terreur. Elle choisit de feindre la désinvolture :

« Ananda... Tu ne me feras pas croire que Mariamallé a parlé des pères jésuites ! »

Ananda se passa lentement les doigts dans sa moustache et ne répondit rien. Attendre, pensa Jeanne. Elle était la femme la plus patiente de la ville, et l'estime que lui vouait le marchand n'avait pas d'autre origine. Elle fit semblant d'épier le jardin. De temps à autre, son œil revenait sur Ananda. La sueur suintait sous son turban. Bientôt, abandonnant l'impassibilité de convenance, il l'essuya d'un revers de main. Elle sut alors qu'elle avait pris l'avantage : non seulement elle était sur son terrain, chez elle, mais encore en robe légère ; et lui, sous sa tunique de brocart et sa cape de velours de soie, il transpirait toute sa graisse de marchand repu.

Il parla, en effet :

« Mariamallé, memsahib, raconte des histoires tristes !

— J'imagine bien, Ananda, que la déesse de la petite vérole ne puisse être bien gaie ! »

Ananda s'assombrit :

« Memsahib... C'est le pongol, tu le sais, et le bazar devrait être en joie, puisque le soleil remonte vers nos contrées.

— Il est en joie ! Tous ces tams-tams, à longueur de jour !

— Ne te fie pas aux tams-tams, memsahib. »

Enfin, Ananda se découvrait ; Jeanne saisit l'occasion :

« Vraiment ? Les affaires vont mal ?

— Le malheur est sur la ville, memsahib, la Ville Blanche comme la Ville Noire. Les brahmanes l'ont dit. »

Il prit un air extrêmement pénétré, regarda Jeanne au fond des yeux :

« Tu es bien aveugle, memsahib, depuis quelque temps, bien aveugle... Tu n'étais pas ainsi par le passé.

Te souviens-tu des belles affaires que nous avons traitées ensemble, quand c'était la prospérité, et que la déesse Lakshmi dansait dans nos rues ?

— Laissons cela, marchand. Le passé n'est plus. Je te parle du présent.

— Tu es aveugle, rétorqua Ananda, comme tous les tiens ; mais le malheur guette Pondichéry ! Quand je vaque aux affaires de la Compagnie, plus personne pour me témoigner du respect, la dispute déchire tous les agents. Les calamités sont aussi dans la Ville Noire, nous perdons de l'argent, le peuple tremble, pleure, gémit, tel celui de la cité maudite de nos écritures saintes, celui qui nuit et jour devait offrir aux dieux le sacrifice de ses fils...

— Ananda ! Nous n'en sommes pas là... »

Il l'interrompit. Au fil des minutes, il s'était peu à peu dépouillé de son vernis européen, l'Inde était remontée lentement du plus profond de lui.

« Si, memsahib. Car depuis le départ de Dupleix vos agents ont volé les Indiens et obligé, voici un mois, femmes et filles à leur remettre leurs bijoux ; pour la guerre, ont-ils dit, parce que le gouverneur n'a plus d'argent pour combattre les Anglais !

— La guerre est loin ! Elle va s'éteindre ?

— Non, memsahib, car Mariamallé est venue nous prévenir en jetant la petite vérole dans la Ville Noire ! Hommes de France et d'Angleterre, vous avez apporté ici l'impureté et le désordre, et la déesse vient nous châtier de vous avoir obéi.

— Si les Anglais prennent Pondichéry, Ananda, ni toi ni les tiens ne serez plus heureux.

— La déesse ne fait pas le détail des Français et des Anglais. »

Ananda avait parlé sèchement ; il oubliait sa courtoisie habituelle. Jeanne soupçonna le pire. Une révolte des princes indiens soumis à la France ? Ananda, qui travaillait depuis si longtemps avec la Compagnie, n'aurait pu l'apprendre. On se serait méfié de lui.

C'étaient donc les brahmanes. La peur. L'épouvante venue du plus profond des temples, et dont elle avait connu le visage lors du premier siège de Pondichéry, dix ans plus tôt. Des milliers de riches et de miséreux s'étaient jetés sur les chemins, le regard fixe, perdu sur on ne savait quelle vision d'apocalypse ; et ils allèrent de sanctuaire en sanctuaire, priant et se mortifiant, pour demander rémission aux figures ricanantes ou impassibles des dieux de la destruction, Shiva, Kali, Durga... Certains n'en étaient jamais revenus. Mais cette fois l'épouvante s'installait au cœur même du calme ; la guerre était lointaine, indécise et larvée ; les agents, pas vraiment plus voleurs qu'à l'ordinaire.

Jeanne observa un moment Ananda. En avait-il été, lui aussi, de ces marches anciennes, de ces courses à l'effroi ? Oui, sans doute. Et sans doute aussi n'oserait-il pas faire état de sa peur devant un Blanc, une femme de surcroît. Elle appela une servante, demanda du thé.

Peut-être rassurée par la présence d'Ananda, la domestique obéissait comme à l'accoutumée, muette, impassible, effacée. Dès qu'elle eut apporté le plateau, Jeanne la renvoya, versa elle-même le liquide dans les porcelaines. Ananda avait eu le temps de retrouver son calme. Il buvait le thé à lampées gourmandes, les yeux baissés sur la tasse, l'air lointain. De sa main droite, il ramassait déjà les pans de sa robe. Jeanne comprit qu'il ne désirait pas prolonger l'entretien. A ce point de leur entrevue, le retenir eût été d'une extrême insolence, puisqu'il manifestait par toute sa personne qu'il n'avait plus rien à lui dire. Jeanne tritura un instant la dentelle d'une nappe. Elle n'en savait pas assez. Comment l'empêcher de partir ? Ananda reposa sa tasse. Elle rencontra son regard. Cette fois, il ne pouvait plus dissimuler. La peur, la peur, c'était bien cela. Il fallait trancher, coûte que coûte. Elle avança brusquement la main vers le fauteuil du marchand :

« Ananda, la déesse a parlé, et tu vas me répéter sa chanson, entends-tu ? »

Elle avait prononcé cette phrase d'un seul trait, comme si elle s'y était lancée à corps perdu, dans un irrépressible élan de désespoir. L'effroi grandit dans les yeux d'Ananda. C'était précisément ce qu'attendait Jeanne : les Européens ne parlaient jamais religion avec les Indiens ; s'ils ne l'ignoraient pas délibérément, ils la méprisaient, ils s'en moquaient. A cet instant, Jeanne le soupçonna, le marchand devait la prendre pour une démone ; ou il fuyait à toutes jambes, et c'en était fini de leur complicité, ou il parlait, vaincu, fasciné par sa puissance d'intuition. Il parla. Ce ne fut au début qu'un murmure ; il desserra doucement les lèvres, puis les mots se précipitèrent :

«... Ce n'est pas Mariamallé, memsahib ; oui, bien sûr, la petite vérole est dans la ville, et la déesse apparaît parfois aux femmes en menstrues. Mais une autre est venue, qui a parlé aux brahmanes, et c'est pire, memsahib, malheur sur nous, car c'est Radyafé, la quatrième fille du soleil, il y a trois mois, elle s'est montrée à la porte des temples, avec ses quatre têtes, ses quatre nez, ses huit mains, ses huit yeux, ses huit oreilles... »

Ananda abandonna alors toute retenue. De mourante, sa voix enfla, s'affermit ; les mots tamouls résonnèrent sous les stucs du plafond avec une solennité extraordinaire. Il était redevenu complètement indien. Ses gestes avaient repris leur aisance naturelle, il ne paraissait plus emprunté dans sa robe de brocart. La prédiction l'habitait tout entier. Il s'agenouilla sur le tapis. Le trouble gagna Jeanne. Jamais elle n'avait vu cela, l'Inde en folie de la Ville Noire, entrant par surprise dans son salon calme et précieux de créole opulente.

La voix d'Ananda se fit mélopée :

«... Radyafé, entends-tu, memsahib, qui n'était pas venue depuis des siècles ! Mauvais signe, memsahib, malheur sur nous... Car ses oreilles sont grandes, ses lèvres pendantes et ses sourcils dressés ! Il lui sort du feu des yeux, et de la fumée des narines ; elle a deux jambes ! Elle paraît sur un éléphant, ce qui annonce la guerre entre les nations. Elle se plonge dans le jus des fleurs de margousier, ce qui annonce la malédiction sur le genre humain. Son habit est noir, elle s'est barbouillée de gomme moulue, au lieu de santal, ce qui signifie malheur aux femmes mariées. Elle porte des joyaux faits des yeux des chats, ce qui veut dire malheur pour les joailliers et pour les chaudronniers en cuivre, car elle porte une marmite à la main ; ceux qui dorment d'un profond sommeil le perdront, car elle a au cou un collier de jasmin. Malheur aux bestiaux, car elle boit du lait ! Malheur aux malades de petite vérole, car elle mange une mangue ! Malheur à qui trafique de l'or, car elle porte un parasol jaune resplendissant ! Malheur aux bayadères, car elle a paru un vendredi ! Et elle fume une pierre qui se trouve dans le ventre des bœufs, ce qui annonce calamité pour les petits enfants ; malheur aux Hommes des Eaux Noires, car elle tient la lance à la main ! Malheur au genre humain, car elle se transforme en homme, avant de se coucher, fort étonnée, en regardant vers l'ouest... »

Ananda se prit la tête entre les mains et se tut.

Un long moment, ils restèrent ainsi, sans rien dire ; il demeurait agenouillé, les yeux fermés sur sa terreur, attendant peut-être un mot de Jeanne.

Elle se taisait aussi, repliant mécaniquement le volant de taffetas qui frangeait le bas de son caraco. Derrière les jalousies baissées, les lianes du jardin remuaient leurs ombres fraîches. Quelques phrases tamoules parvenaient de la cuisine, et, parfois, le cliquetis de cuivres qu'on entrechoquait.

Jeanne se raidit soudain :

« J'en sais assez, Ananda. »

Maintenant, il fallait à tout prix retrouver la conversation ordinaire, le ton uni et mesuré des marchandages. Feindre, ne pas trembler, garder la tête froide.

Elle reprit la parole, en effet, de l'air détaché et serein qu'on avait toujours connu à la Carvalho, quand elle parlait affaires. Ce qui venait de se dire, elle tenta de le considérer comme un simple prélude au commerce. On avait échangé des politesses domestiques, n'est-ce pas, Ananda, nous avons dit : comme votre salon est bien meublé, comment vont vos petits-enfants, et notre vieil ami le marchand de bétel cache-t-il encore de belles soies dans son arrière-boutique, et la fille du fabricant d'eau de rose, est-il bien vrai qu'elle est toujours aussi coléreuse ?

Impressionné par un tel sang-froid, Ananda retrouva sans difficulté son personnage de courtier franco-indien. Une heure durant, ils évoquèrent sans discontinuer le cours des mousselines et des saphirs, discutèrent des arrivages de safran, fixèrent le nombre de miroirs à commander pour les rajahs voisins. Jeanne négocia quatre affaires d'un assez grand intérêt, après quoi, et selon les usages, elle donna congé au marchand.

Pour marquer l'estime qu'il lui portait, il voulut la saluer à la française ; ses lèvres effleurèrent le dos de sa main. Leurs regards se croisèrent encore. Le seul espace de cet instant, une seconde, un éclair, Jeanne fouilla l'œil d'Ananda, y cherchant encore un démenti. Elle pâlit. Il s'était déjà retourné, s'en allait vers le perron dans le froissement de ses brocarts d'or. Jeanne serra de toutes ses forces le rebord d'une table, lutta contre la tentation de l'arak. Ce n'était pas le moment. Garder l'esprit clair. N'avait-elle pas, dix ans plus tôt, enduré un siège ? Et ne s'en était-elle pas relevée, toute veuve qu'elle fût ? Si la Carvalho, comme on disait, s'abandonnait à la peur, qu'en serait-il de la Ville Blanche, toute amollie de plaisirs et d'intrigues ? Tenir bon ; dans l'œil d'Ananda, elle avait débusqué, inchangées par la confidence, l'épouvante de la Ville Noire, toute la vieille transe de l'Inde. Mais il le fallait, la Ville Blanche resterait calme. Et c'est bien pourquoi elle convierait au plus tôt la colonie dans sa maison de campagne, où elle donnerait grande fête.

*

* *

Jeanne Carvalho fit diligence. Elle lança les invitations le soir même. Deux jours plus tard, tous avaient répondu et accepté, jusqu'au nouveau gouverneur, M. de Leyrit. Comme elle l'avait pressenti, on commençait donc à s'ennuyer, et il était urgent de distraire ce beau monde, avant que la peur ne vînt le saisir en plein désœuvrement. La fête était fixée au samedi suivant, de façon qu'on fût revenu le lendemain, pour la messe. On partit matin. La perspective d'une journée dans son domaine de Circé éloigna de Jeanne tout souci : avant d'atteindre sa maison de campagne, elle goûterait, trois lieues durant, l'ineffable douceur du voyage en palanquin ; de temps à autre, elle écarterait les rideaux de soie galonnés d'or, elle contemplerait à loisir les cocoteraies touffues, les hameaux, les temples, les étangs, et surtout les rivières bruissantes, où se concentraient la vie et la gaieté des femmes. Ce n'était qu'une trêve, elle ne pouvait se le cacher. En attendant, Jeanne voulait s'offrir le luxe de la promenade : les lavandières battant leur sari au ruisseau, le boutiquier recomptant ses cornets de bétel, le paysan repiquant le riz, et même le mendiant demi-nu des routes poussiéreuses. L'Inde, ainsi captée au cœur de ses occupations séculaires, la rassurerait pour quelques heures, la bercerait de son illusion.

Illusion, *maya* ! disait parfois Ananda, désignant le ciel, au moment même où il venait de conclure une bonne affaire. Maya, memsahib, nous ne sommes ici que de passage, et tout n'est qu'apparence en ce monde. Maya, se répéta Jeanne au moment du départ. A la bonne heure ! Illusion ou non, une belle et grasse matinée sur les coussins d'un palanquin, c'était un luxe à ne point mépriser. Croire. Croire encore un moment que les soieries et les perles, le safran et les rubis continueraient longtemps à se déverser sur Pondichéry la belle. Et là-bas, au bout de la route, à Circé la bien nommée, renouveler l'enchantement du comptoir des plaisirs. Et qui sait, le charme peut-être s'éterniserait.

On avançait un peu lentement, mais à une cadence régulière. Pour franchir une aussi longue distance, une chaise à porteurs n'aurait pas suffi ; Jeanne avait donc commandé qu'on avançât son palanquin d'ébène, sculpté de fleurs et incrusté d'ananas d'argent. Six valets indiens, les *boués,* le soutenaient, précédés d'un domestique à parasol ; derrière le palanquin, six autres boués, tout aussi impavides que les premiers, qu'ils devaient relayer quand viendrait la fatigue. Enfin venait une dizaine de pions armés de bâtons, que Jeanne avait prévus pour la traversée du bazar, quand la foule se ferait trop dense et qu'il faudrait l'écarter de son équipage. Devant cet étalage de marques de puissance et de distinction, nul n'ignorerait alors que le palanquin transportait des gens de qualité, et l'on traverserait sans encombre la Ville Noire. En ce matin levant, comme à l'ordinaire, la Ville Blanche demeurait calme. Aux côtés de Jeanne, Marian somnolait sur le sofa. Son visage abandonné aux coussins se balançait à la cadence du pas des porteurs. D'ici peu, elle serait réveillée : au carrefour de l'Etoile, d'autres palanquins, ou des carrosses, devaient se ranger derrière celui de Jeanne. Alors commenceraient la stridence des trompes, les roulements de tambour, qui précédaient toujours dans la Ville Noire les cortèges d'Européens. Puis ce serait le tintamarre du bazar, franchi en pleine effervescence. Enfin, la vina et les crécelles accompagneraient les danses de bayadères commandées pour saluer le cortège, comme il se devait, au sortir de la ville. Marian sortirait-elle alors de sa complète indifférence aux choses de l'Inde ? Jeanne en doutait. Depuis quatre ans, Marian s'était contentée d'explorer l'infinie variété des tissus étalés aux comptoirs des marchands indiens. Baccas, salampouris, gingiras, allégas, sottamouras n'avaient plus de secrets pour elle ; quelle merveille de soie ou de mousseline exhiberait-elle encore au bal de ce soir ?

Les porteurs tournèrent à angle droit vers le nord, vers la campagne. On avait donc atteint l'extrémité de la rue. Jeanne souleva un coin du rideau pour jeter un coup d'œil à la Ville Blanche. Sur les terrasses des jardins, où l'on avait abandonné de la veille des fauteuils de repos, grimpaient des arbustes à clochettes mauves.

La douceur, l'abandon même de la paix. Qui pourrait la détruire ? Là-bas, au loin, du côté de la mer, tout parlait d'ordre et de sécurité : la masse solennelle du fort dont les caves regorgeaient de munitions, avec l'or et l'argent de la Compagnie. Puis les casernes, entre le bastion, Bretagne et le bastion Dauphine. Aux remparts, les canons pointés. L'hôpital, les entrepôts, les magasins de vérification des toiles, le palais du gouvernement, les églises, la Porte Marine : Pondichéry tranquille, dont les murs blancs, et même l'ocre du fort, rosissaient dans l'allégresse du levant. Pondichéry sereine, solide. Les Indiens se trompaient. Le comptoir des plaisirs n'était pas si fragile. Jeanne se pencha davantage à la fenêtre du palanquin. Elle voulait s'assurer que les coolies recrutés pour le transport des provisions rejoignaient le cortège à l'heure dite. Ils étaient là, en effet, et elle sourit de satisfaction à les voir ainsi, une bonne vingtaine, la tête chargée de paniers ou de petits cuivres qui débordaient de fruits, de viandes, de pâtés. D'autres s'affairaient autour de quelques bœufs, porteurs de bissacs gonflés. Ainsi donc, tout était en ordre, et ce n'était pas là un effet de la maya. Ils le verraient bien, cet ordre, les gens de la Ville Noire, quand on traverserait le bazar, ils ne songeraient plus à leurs déesses de calamité, Kali, Radyafé, Mariamallé, mais c'est Lakshmi, divinité de l'abondance, qui leur apparaîtrait, venue bénir les siens de sa danse sacrée. Et les brahmanes sinistres en seraient pour leurs frais.

Jeanne allait laisser retomber le rideau quand elle remarqua, au toit d'une maison, une immense couronne de margousier tressé. Elle écarquilla plusieurs fois les yeux ; c'était bien le feuillage d'un vert délicat, les fleurs mauves du lilas indien, que les gens de la Ville Noire offraient à Mariamallé pour conjurer ses maléfices. Jusqu'ici, pourtant, les Français avaient ri des superstitions indigènes. Le mal était-il si avancé ? Ce fut ensuite une seconde maison, puis une troisième, enfin toute la rangée de terrasses qui formait la rue. La lassitude s'abattit sur Jeanne. Elle lâcha le voile de soie. Elle avait compris. La terreur indienne avait franchi les lourds portails de la Ville Blanche. Comme chez elle, les domestiques avaient pleuré, hurlé, on avait tremblé, on avait tressé les couronnes de lilas, on avait prié. Elle saisit alors pourquoi on s'était empressé de répondre à son invitation. Elle, la Carvalho, comme disaient les Pondichériens, elle n'avait pas peur. Elle, la femme-homme, comme ils ajoutaient parfois. La femme-homme : bien sûr, puisque sa faiblesse n'affleurait jamais en public, bien sûr, puisqu'il y avait le secours de l'arak. Mais aujourd'hui... Elle sentit aussitôt que la fête de Circé serait dérisoire. Tant pis. Il fallait lutter. Donner le change, comme depuis le départ de Sombre. Grâce à quoi, cet après-midi, sous les arbres de sa folie, quand viendrait l'heure des madrigaux et des galanteries, tous les Européens oublieraient Mariamallé et la promesse du malheur. Eux aussi, ils joueraient la comédie : au premier importun qui hasarderait une question sur la petite vérole et les remous de la Ville Noire, ils feindraient la désinvolture, mon cher, ne contrariez donc pas les superstitions des domestiques, allons donc, la nuit est si claire, écoutez-moi ces beaux violons, avez-vous remarqué les épaules de Mlle de...

Jeanne déplia son éventail. Le soleil montait, elle le

sentait bien, les rideaux de soie ne protégeaient plus de la chaleur. On n'était plus loin du carrefour de l'Etoile, on entendait quelques équipages venus rejoindre le sien.

Tenir bon. Jouer juste. Extirper le mal à la racine. Mais où était le mal ? Hier encore, sans qu'on sût pourquoi, une ombrelle avait pris feu dans une messe de mariage présidée par le gouverneur. Toute la colonie en avait frémi. Le mal ? Peurs informelles de la Ville Blanche, impressions diffuses, tout était encore pour Jeanne trop imprécis, malgré la confession du vieil Ananda. C'était l'Inde qu'il fallait déchiffrer. L'Inde du bazar, à nu, à cru, la Ville Noire dans le matin qui venait. A chaque instant, la chaleur s'alourdissait.

Jeanne déplia son éventail. On franchit le canal dans un tintamarre de trompettes. La Ville Noire était là, toute proche. Comme prévu, Marian s'éveilla. Elle prit une moue un peu fâchée, secoua ses boucles, caressa un moment le fermoir de nacre de son éventail ; enfin elle se décida à l'ouvrir, reprit son air détaché et dit à Jeanne d'un ton doux et las, presque un murmure, comme si elle s'arrachait à regret d'un monde extrêmement lointain.

« Désennuyez-moi...

— Faites comme moi, mon enfant, contemplez donc nos hindous à la tâche.

— Si je relève le rideau, le soleil me gâtera le teint... Dites-moi donc plutôt ce que vous nous avez préparé pour notre partie de campagne ! »

La traversée du bazar, Jeanne le savait bien, constituait pour Marian une insupportable épreuve. La cadence régulière du palanquin était bousculée par les mouvements de la foule, les cris des pions, les relents de cuisine, les odeurs fortes l'incommodaient. Pour s'en distraire, elle demandait toujours qu'on lui annonçât les plaisirs à venir.

Tout en observant les Indiens derrière un pan du rideau, Jeanne parla du bal, énuméra des plats :

«... Des tourtes de pigeons garnies de jambon et de culs d'artichauts, des canards aux câpres et aux anchois, des tartes au goyave et au gingembre, des macarons, des pralines... que sais-je, et des rougails, et des caris, naturellement.

— Jeanne, nous devrions nous méfier des caris. On m'a dit que l'épice cache le goût des poisons. Il y a eu ces derniers jours deux ou trois morts dans la Ville Blanche, sans qu'on démêlât pourquoi.

— Allons, Marian, vous n'allez pas vous aussi ajouter foi à ces racontars de nourrice ! Je suis née ici, sachez-le, et je n'ai jamais cru rien de tel. Qui donc pourrait vouloir notre mort ?

— Je n'aime pas les Indiens.

— Qui vous parle d'aimer ? Sachez aussi qu'ils sont comme les chiens ; ils n'attaquent que les poltrons, ceux qui tremblent en passant devant eux. Nous sommes maîtres en ce pays. Ananda lui-même me l'a dit : « Sans vous, ils ne peuvent rien ; ils sont comme un fil de soie qui demeure parfumé parce qu'il a touché les fleurs. » Peut-être pourraient-ils, j'en conviens, piller ou empoisonner quelques-uns d'entre nous. Mais ils ne savent pas se battre, encore moins se rebeller. Laissons-les à leurs champs d'épices et à leurs métiers à tisser ! » Marian ne répondit pas. Jeanne l'avait remarqué, elle avait la discussion en horreur. Elle se replia dans la somnolence, songeant sans doute aux plaisirs de Circé.

Jeanne se cala sur les coussins, noua solidement le cordonnet du rideau, de sorte qu'elle n'eut plus, pour observer la rue, à le lever sans cesse. L'affluence était énorme. En certains endroits, selon l'expression en vigueur à Pondichéry, on n'aurait pas pu laisser choir un seul grain de pavot. Avec le soleil, c'était toute l'Inde qui s'en allait au marché ; dans la gigantesque bousculade au seuil des boutiques, ce qu'on cherchait, plutôt qu'acheter ou vendre, c'était chanter la vie, la vie renaissante avec la lumière de la nouvelle année, au sortir du sommeil, la joie de retrouver tous ses semblables, hommes et femmes, et les animaux aussi, buffles, vaches, cochons, poulets, qui encombraient les rues. Terre, eau, ciel, soleil, et tous les cris des bêtes, les odeurs d'urine, les parfums de fleurs écrasées : une immense prière à la nature, à la Mère-Inde, dans un corps à corps sans fin, la sueur mêlée, les ablutions en pleine rue, les crachats rouges de bétel.

Tambours et trompettes ; bien qu'annoncés selon les règles, les boués peinaient, trébuchant sur la foule. Malgré les secousses, Jeanne était à l'affût. Rien n'arrachait les Indiens à leur indifférence. Visage après visage, elle tentait de déchiffrer les pensées recluses derrière les fronts peinturlurés, dessins et couleurs différents selon les sectes, mais toujours ornés en leur centre d'un point safrané. Bientôt, elle ne vit plus que cette seule marque, qui finit par lui faire paraître l'emblème de la connaissance qui lui était refusée. Revint alors à sa mémoire un jour lointain de l'enfance, où elle avait abruti de questions sa nourrice indienne pour savoir ce que signifiaient les poudres sacrées du *tilak*. Elle apprit qu'elles protégeaient l'endroit le plus important de la tête : c'est là que le dieu créateur, Brahma, avait touché le premier être vivant, quand il l'éleva de l'état d'inconscience à la condition humaine. Aussitôt, Jeanne crut y reconnaître un signe du démon, la marque de ce que les jésuites appelaient la « folie indienne » : soulignés par ce point étrange, les yeux souvent fixes des Indiens semblaient en effet s'ouvrir sur un gouffre d'absolu irraisonné. Or, depuis que Sombre l'avait quittée, elle se demandait parfois, au profond d'une longue insomnie, ou dans la rencontre d'un parfum ancien, où refluait sa passion toute vive, s'il n'entrait pas en elle, par une béance qu'aucun divertissement ne pouvait combler, quelque chose d'étrangement semblable à la « folie indienne ». Alors sa tête bourdonnait, comme maintenant, et elle souffrait le martyre avant de mettre en fuite les démences où l'appelait, se plaisait-elle à croire, la proximité trop insistante des divinités de l'Inde. La sueur couvrit ses joues, son cou ; elle lâcha le rideau, respira, prit sa tête entre ses mains, ferma les yeux. Ne plus voir ces visages, garder la tête froide. Aux bruits des rues, à leur odeur seule, elle pouvait se repérer dans le bazar ; le quartier des tisserands sentait le coton frais cardé ; puis il y avait les relents un peu rances de la rue des huiliers, l'arôme sucré du quartier des marchands d'arak, qui lui donnerait envie de boire. Enfin, le fracas des échoppes de forgerons, le piaillage des femmes au quartier des tissus ; et, comme à l'accoutumée, la nausée la prendrait avant de sortir de la ville, quand on passerait devant l'atelier des tanneurs, rejetés comme vermine à la lisière de la ville, où s'étalaient leurs mares putrides et leurs cases de misère.

Qu'y changer ? L'Inde était telle : compartimentée à l'extrême, figée dans des habitudes immémoriales, centaines de castes, mépris des intouchables, et les règles sacrées des Varna Shastras interdisaient d'y rien modifier. Les tisserands de Pondichéry ne se mêlaient pas aux tisserands venus d'ailleurs, les changeurs d'argent ne mariaient pas leurs fils aux filles des frappeurs de monnaie ; et, pour tous les diamants de Golconde, jamais un presseur de coton n'eût touché à la nourriture préparée par un vendeur de corail : dharma, dharma, l'ordre du monde, memsahib ! soyons fidèles à notre caste, notre varna, et méritons après la mort une condition plus haute ! Dharma, murmurait Jeanne tandis qu'on s'approchait des Limites, dharma, voilà l'explication. Sur le passage du palanquin, les Indiens jouent l'indifférence, mais la peur est dans la ville, car le dharma est souillé, comme l'a dit la déesse, et nous sommes les fauteurs de trouble, nous les hommes blancs, qui venons des terres impures, nous qui avons traversé les Eaux Noires. L'odeur du quartier des tanneurs s'estompa. On arrivait à la porte de Villenour, juste avant les redoutes et les haies épineuses des Limites. C'était là que devaient danser les bayadères, et Jeanne s'étonna de ne pas entendre la musique qui préludait à leur divertissement. C'était au contraire une rumeur, des cris, des lamentations. On était à deux pas d'un temple, le sanctuaire de Khrishna. Jeanne pensa à une cérémonie funèbre. Elle tendit l'oreille. Ce n'étaient pas des funérailles : la mort n'allait jamais sans le bruit des trompettes, *do, si, do, si,* et les petits tambourins devant la civière où l'on couchait le cadavre. Pas non plus de parfum brûlé sur les deux côtés du chemin. Elle allait s'étonner, quand Marian releva le rideau, tressaillit, s'exclama :

« Ciel ! Jeanne, quelle horreur ! »

Jeanne se pencha de son côté, releva la soie à son tour. Du haut du palanquin, soutenu sur les épaules des boués, on dominait toute la scène. Au bord de l'étang sacré, parsemé de lotus roses et d'iris bleutés, s'étendait une énorme masse informe et grise, de couleur presque aussi minérale que le granit du temple. Jeanne blêmit :

« Venkatachalam... »

A la longueur extraordinaire de ses pattes, elle avait reconnu l'animal : Venkatachalam, l'éléphant de parade de Dupleix, sa bête favorite, qu'il avait confiée avant son départ aux brahmanes du sanctuaire de Khrishna. Jeanne donna aux boués l'ordre de s'arrêter. A sa voix, un homme s'était retourné dans la foule. Il se dirigea droit vers le palanquin. C'était Ananda.

« Memsahib ! Je te l'avais bien dit ! Malheur, malheur sur nous ! La tempête va dévaster le jardin qu'était jusqu'ici notre monde ! Venkatachalam est entré cette nuit dans la cité de Yama... »

A ce dernier mot, Jeanne frémit. Sa main se crispa sur son ombrelle : Yama, dieu de la mort, premier humain qui connut le trépas, souverain de l'Autre Monde, le paradis du mont Meru, où il attend les âmes, les juge, puis les renvoie sur Terre à la prime averse, dans l'apparence et la condition qu'elles ont méritées. Après le départ de Dupleix, les prêtres avaient fait de Venkatachalam un éléphant sacré ; ils étaient bien capables de l'avoir empoisonné pour entretenir la panique.

Ananda lissait nerveusement sa moustache ; son teint bistré avait pris une coloration terreuse. Malgré les protestations de Marian, Jeanne demanda à s'approcher de la bête. Les pions écartèrent la foule. L'odeur du cadavre se précisa aussitôt, à faire pâmer les reîtres les plus endurcis. Elle s'avança sans ciller.

Déjà les insectes pullulaient dans les crevasses noires qui sillonnaient le cuir de Venkatachalam. Sa trompe raidie marinait dans l'eau boueuse de l'étang sacré. Des fastes d'antan ne lui restaient que les peintures bleues et rouges dont les prêtres lui ornaient la tête et les défenses depuis le départ de Dupleix. Ce soir, les vautours lui feraient fête, à moins que les brahmanes, ce qui était plus sage, ne prissent la décision de le brûler sur-le-champ. Finis les caparaçons d'or et d'argent, les pompons de soie, les cornacs enturbannés. La parade était finie. Dans les flancs renversés de l'animal, que boursouflait déjà la décomposition, c'était un peu de Pondichéry qui venait de mourir. Ananda se prosterna devant Jeanne Carvalho. Elle passa devant lui sans lui accorder un regard et regagna le palanquin. Aux boués et aux pions pétrifiés, Jeanne donna un seul ordre : sortir de la ville au plus vite. Elle voulut interroger le visage de Marian, chercher un soulagement dans son indifférence. Celle-ci, au contraire, paraissait très affectée ; ses yeux se concentraient sur son éventail, et elle tiraillait son corsage d'une main crispée. Jeanne se détourna.

On parvint rapidement hors les murs. Le calme revint, et la beauté des choses.

On traversa des rizières vertes, des routes sablonneuses, des jardins où poussaient tous les légumes de la Terre, ceux de l'Europe comme ceux des Amériques, dont les graines arrivaient par les vaisseaux de la Compagnie. Fleurs et fruits : Circé s'annonçait. Au bout d'une lieue, on changea les porteurs. Jeanne s'attarda alors à regarder la ville, au loin, étalée rouge et blanc derrière ses murailles ; çà et là, des bouquets de palmes, les toits de ses pagodes ; la mer était paisible depuis deux semaines, le ciel net et clair ; à l'extrême horizon, dans l'embouchure d'une rivière, on distinguait quelques pirogues qui naviguaient allégrement vers une île plantée de cocotiers.

A cet instant précis, pour une seule rasade d'arak, Jeanne Carvalho eût volontiers donné Pondichéry tout entier. Il n'y avait pas d'alcool dans le palanquin ; aussi ses ordres aux nouveaux porteurs furent-ils très secs, et arriva-t-on à Circé bien avant midi.

*
* *

La fête se dissolvait lentement dans l'après-midi finissant. On attendait le bal, mais ce n'était pas l'heure : il fallait que vînt la nuit.

« Une heure », soupira Marian, une heure encore à flâner au jardin entre les tables abandonnées, leurs cristaux pleins de citronnades réchauffées au soleil, les assiettes chinoises où les domestiques indiens raflaient des pâtés à peine entamés. Une éternité à meubler, à marcher sous les arbres légers de la tope, comme on appelait ici les parcs, à se mirer dans les bassins, à supporter les marivaudages peu convaincus des invités de Jeanne.

Maintenant que les reflets du soleil pâlissaient dans les moirures des robes, la journée n'en finissait pas de languir. Et y aurait-il vraiment du nouveau à ce bal ? Malheureusement, Marian connaissait trop la société de Pondichéry, presque toujours les mêmes têtes, toujours le même jeu : faces et perruques poudrées, saphirs au doigt au lieu des rubis de la dernière fois, un brocart d'or pour changer de la soie argentée du bal précédent. Pondichéry, songea Marian, oubliait sa fantaisie. L'air français, brio et mouvement perpétuel, était pris de fatigue, d'une étrange maladie. Il faudrait peut-être songer à voir ailleurs. Mais comment ? N'était-elle pas elle aussi prise au piège du comptoir, de ses répétitions mécaniques, plaisir et spéculations ? Un lointain galop de chevaux l'interrompit dans ses réflexions. Enfin, du nouveau...

Elle ne put retenir sa curiosité, s'avança dans l'allée sablée, sous les feuillages légers des filaos, fouilla la courbe du chemin qui menait à la route. L'ombre envahissait ; un carrosse en surgit soudain, doré et frappé aux armes de France. Ses roues crissèrent sur le sable, il s'arrêta à sa hauteur. Des laquais métis en livrée de mousseline blanche accoururent. On tira le marchepied, la porte s'ouvrit.

C'était le gouverneur, de Leyrit, qui avait pris la succession de Dupleix. Une sorte de caricature fardée, bardée de cordons et de décorations. Il ne s'occupait que de représentation, de parure, de perruques surtout ; il avait mis au point une mécanique ingénieuse dont il conservait jalousement l'exclusivité, et qui permettait, en tirant la peau sur le derrière de la tête, d'atténuer considérablement les rides du visage. Il ennuyait, avec ses airs hautains et cérémonieux : on l'invitait par simple convenance. Marian songeait au meilleur moyen d'éviter ce fâcheux, quand apparut derrière lui, à la lumière d'une torche brandie, ce qu'elle prit tout d'abord pour une très jeune femme. Une tête pâle, rose et très douce, s'il n'y avait eu les yeux, d'un bleu glacé, et un sourire un peu durci. Elle se hissait sur les talons pour mieux voir, lorsque les laquais tout d'un coup s'écartèrent. Marian découvrit alors avec ravissement que cette chose charmante était un homme, un homme de la plus délicate espèce, fin, léger, élancé, la tournure prise à merveille dans un costume blanc et or. Il s'avançait vers le perron en veillant à demeurer en retrait du gouverneur. Une démarche gracieuse et princière à la fois, l'ambiguïté même, un mélange de fermeté et d'indolence. Marian suivit, puis s'arrêta, comme fascinée. Jeanne apparut, sous d'autres torches, dans l'encadrement de la porte-fenêtre. Les silhouettes se découpèrent en ombres chinoises, où Marian reconnut d'abord les gestes affectés du gouverneur ; puis il y eut un second baisemain : une révérence aérienne, un papillon de nuit qui se serait mis à danser devant les vitres du salon.

Vraiment, il y avait du neuf. Marian en tremblait d'excitation. Elle aurait voulu être une héroïne de contes de fées : qu'à l'instant commencent les violons, le bal, un menuet, une pavane, une chaconne, une passacaille, n'importe quoi, mais qu'on danse, qu'on la voie, qu'elle éblouisse ; enfin, qu'on l'emmène.

Par un jeu d'évolutions discrètes et désinvoltes, Marian gagna le perron puis les salons, sans que son apparition y parût déplacée ou volontaire. Cinq minutes plus tard, on la présentait à l'inconnu.

« Le vicomte de Saint-Lubin, dit le gouverneur.

— Saint-Lubin », murmura à son tour Marian, toute rosissante.

Comme ce nom convenait à ce jeune homme, presque trop bien peut-être ; comme sa personne, il était distingué, délicat, avec un léger soupçon de frivolité : tout ce que Marian adorait dans l'existence. Elle redressa le buste sous le carcan du corset, tira doucement sa jupe pour dégager son décolleté menu.

« Madame... »

On se pencha sur la main qu'elle tendait ; on effleura des lèvres ses diamants, les dentelles de ce bras s'attardèrent sur ses doigts deux secondes de plus que ne l'exigeaient les bienséances : Marian sut qu'elle avait plu. Alors on échangea des mondanités, d'où les affaires, avec bonheur, se trouvèrent exclues d'un accord tacite. On picora des tourtes de pigeons et des confitures de goyave. La nuit s'était glissée dans les palmes du parc. Enfin un agent de la Compagnie se mit à l'épinette, et Jeanne Carvalho appela les violons.

L'affaire fut rondement menée. Comme s'ils s'étaient consultés, ils accordèrent la première danse à un tiers ; un regard coulé à propos derrière l'épaule de leur partenaire, une œillade suffisamment appuyée de part et d'autre, et la complicité s'établit. On laissa traîner les choses encore trois danses ; puis à la quatrième, un peu essoufflés et déjà fébriles, on se trouva enfin. Les doigts, très cérémonieusement, se croisèrent pour le menuet : chacun constata que cet avant-goût de peau lui convenait. Marian baissa les yeux pour feindre un émoi dont Saint-Lubin n'était pas dupe, elle en profita pour observer à la dérobée la silhouette de son compagnon, et surtout ses hanches bizarres, étroites et rondes à la fois, identiques à celles des amours androgynes que l'on voyait aux niches du salon. Au bout d'une heure, ils se désirèrent suffisamment pour vouloir abréger les préliminaires habituels ; la colonie, qui les avait observés un moment, s'en désintéressa : d'autres couples s'étaient formés, n'attendant plus que le feu d'artifice pour s'égailler au hasard des chambres et boudoirs, dont la folie de Jeanne, Dieu merci, ne manquait pas.

Saint-Lubin et Marian, qui étaient plus pressés, étaient déjà descendus au jardin. Tant de charme inattendu chez son partenaire avait résolu Marian à entreprendre des ébats un peu plus longs et raffinés que d'usage. Elle pensa à la chauderie, vaste bâtiment situé en dehors du parc, en bordure de la route, pour le repos des voyageurs en quête des grands pèlerinages, Bénarès ou Rameshwaram. Il était environné d'un gros bouquet d'arbres au feuillage touffu, dont les racines plongeaient dans l'étang voisin : cette proximité garantissait à l'édifice la plus parfaite fraîcheur, contrairement à ce que laissait supposer son nom. Marian l'avait déjà visité ; elle s'était étonnée de découvrir, si loin de l'Europe, toute une série de petits appartements étranges, d'une blancheur austère, voûtés à la gothique, ainsi que les cellules d'un monastère, si ce n'est qu'ils étaient plus vastes. Elle suggéra l'endroit à Saint-Lubin, en lui représentant qu'il n'en regretterait pas la solitude et le dépouillement. Elle s'assura cependant qu'il savait se défendre contre les serpents qui pouvaient gâcher n'importe où la meilleure aventure : car il venait de lui glisser qu'il n'était à Pondichéry que depuis sept jours à peine ; il arrivait de l'île de France, où il avait attendu les vents favorables avant de rejoindre les Indes. Qui il était, ce qu'il cherchait ici, Marian s'en moquait pour l'instant : ce serait pour après, et elle souhaitait que cet *après* fût le plus éloigné qu'il se pût. Une demi-heure plus tard, les jupons de Marian et son corset dénoué s'amoncelaient aux pieds d'un sommier à l'indienne, et tout s'annonçait bien.

Ce présage fut confirmé : ce fut un moment excellent ; et long, et varié, et délicieux, comme elle l'avait souhaité dès la première seconde. L'ennui s'était évaporé, avec les angoisses venues de la Ville Noire, les feuilles de margousier, Mariamallé et l'éléphant de malheur. Pour sa part, l'exquis jeune homme parut aussi fort satisfait ; à trois reprises au moins, il réitéra ses prouesses, demeurant tout aussi fringant et distingué. Marian suivait l'allure sans difficulté : si la nudité de Saint-Lubin avait révélé des contours assez fermes, il gardait pourtant quelque chose de tendre et langoureux, un peu d'enfance ou de féminité à fleur de peau, qui redoublait l'émoi de Marian. Vint cependant le moment de parler. Après les quelques mots d'usage, ah ! que le temps est merveilleux, madame, en cette saison, avez-vous remarqué ce matin toute cette belle mer, le paradis terrestre n'est pas loin, mais je suis ici depuis quatre ans, cher ami, j'y ai goûté à satiété... on passa à des questions plus sérieuses. Saint-Lubin fut direct :

« D'où venez-vous donc, mon amie, pour être restée quatre ans durant dans ce petit comptoir, vous qui avez si joli minois ? Ne me dites pas que vous êtes une parente de Jeanne Carvalho, je ne vous croirai pas !

— Vous devinez bien ! »

Elle parlait doucement, elle susurrait, les yeux cachés sous ses boucles défaites.

« Vous... vous êtes... soyons aimable, une sorte d'*aventurière* ? »

Saint-Lubin avait détaché le mot avec une préciosité subite.

« Aventurière, répéta Marian, comme si les syllabes lui étaient tout à coup, à elle aussi, d'un prix inestimable.

— Et vous êtes égarée ici. Et vous vous ennuyez. Pondichéry n'est pas un lieu pour vous. Vous vous amusiez, n'est-ce pas, quand vous étiez en France ? »

Marian rougit. Depuis son entretien avec Jeanne, à son arrivée dans le comptoir, personne n'avait jamais plus évoqué ce passé.

« Et vous le regrettez un peu, dites-le, la belle !

— *La belle !* Mais ce mot-là me paraît bien impertinent ! »

Il la saisit au menton :

« Allons... Tais-toi. Nous sommes tous deux de même race. »

Elle rougit encore, s'en aperçut, et s'en voulut. Voilà que le plaisir se mêlait d'un trouble qui l'effrayait. Elle espéra qu'il ne remarquerait pas la coloration soudaine de ses joues, feignit la désinvolture, éclata de rire en secouant ses cheveux, dans un mouvement qu'elle savait irrésistible.

« Tu perces bien les âmes, assurément !

— C'est mon métier.

— Ton métier ?

— Laissons cela. Vous êtes bien jolie, bien charmante. Ne restez pas à Pondichéry.

— Mais pourquoi donc ? Et où irais-je ?

— A Madras, ma chère. »

Elle regarda Saint-Lubin sans comprendre.

« Chez les Anglais ? »

Il répéta, avec un petit ton pervers qui accentuait son air d'enfance :

« Oui, à Madras. Et nous nous y retrouverons. Car vous êtes vraiment très charmante, madame, vous n'êtes pas de celles qu'on abandonne. »

Elle faillit répondre : « Détrompez-vous », se souvenant de ce premier amour, si vite dissipé, et qui l'avait menée, précisément, à l'*aventure*, comme il disait si bien. Elle se retint ; bien jouer, paraître lisse : indifférence, rouerie, désinvolture, sourires.

Il recommençait à la caresser :

« A Madras, vous dis-je, à Madras !

— Mais vous êtes français, lâcha-t-elle malgré le plaisir qui venait.

— Français... Disons plutôt français d'occasion. »

Il la retourna sur le charpoï, s'amusa à examiner un à un tous les détails de son corps. Marian s'abandonnait, mais elle était de plus en plus étonnée. Cet homme si jeune — vingt ans sans doute, peut-être moins — ne mentait pas sur son pays d'origine, ses exploits de tout à l'heure ne permettaient pas d'en douter : Paris et Pondichéry avaient permis à Marian d'explorer la diversité des talents européens, et les manières de Saint-Lubin, indiscutablement, portaient la marque du brio français. Il s'allongea à ses côtés :

« Lâchons le mot, madame, j'ai besoin de vous. Il vous faut cependant me jurer le secret. »

Ces invites furent accompagnées de si délicats baisers que Marian eût promis sur-le-champ de résister aux pires tortures de l'Inquisition, pour peu qu'on lui garantît une éternité d'amour avec ce beau jeune homme. Elle jura donc.

« Bien, reprit Saint-Lubin. Les affaires de l'Inde vont mal, madame, vous ne pouvez l'ignorer. Je suis... disons, l'envoyé secret et extraordinaire du roi de France pour les affaires de l'Inde. Notre ministre de la Marine, qui m'a nommé, et qui m'aime, m'a chargé d'enquêter sur la situation de Pondichéry. Godeheu, qui n'entend rien à la politique, n'a rapporté que des livres de comptes, ou des factums plus volumineux que l'histoire d'Alexandre, et pleins de venin. Moi, je dois apprendre ce qui se trame réellement dans nos comptoirs. Et ce qui se trame aussi *contre* eux. Il me faudra donc aller chez les Anglais. A Madras... »

Marian l'interrompit :

« Mais quelle aide puis-je donc vous offrir ?

— Officiellement, je suis un protégé de la marquise de Pompadour, qu'elle a envoyé ici pour s'initier au commerce. Nul ne sait que j'observe, que je note. Hélas ! mon ministre ne m'a guère rempli la bourse. Il était d'ailleurs imprudent de venir jusqu'ici avec des coffres d'écus. De surcroît, comme le gouverneur est un imbécile qui n'entend rien à la guerre, je dois le maintenir hors de tout cela, je ne puis lui demander un sou.

— La guerre ! Vous aussi vous parlez de la guerre... Vous n'allez pas, à votre tour, m'entretenir des méfaits de la Compagnie, me rebattre les oreilles de la grande colère des brahmanes...

— Vous avez tort. Depuis le départ de Dupleix, la Compagnie est finie, madame, elle se vendra bientôt à l'encan : c'est un oiseau qui a perdu une aile, elle est incapable de voler de l'autre, malgré ses efforts, elle périra. Les agents de la Compagnie ne rêvent que d'exploits militaires, où ils perdraient toutes les places françaises plus sûrement encore que notre vilaine armée. Les officiers, eux, voudraient être marchands pour se remplir les poches !

— Ce sont là les potins de la ville ! Pondichéry a toujours été ainsi.

— Oui, madame, sauf quand le siège menace ! Et les brahmanes le savent. Ils sont bien renseignés. La plupart du temps, ils préfèrent s'asseoir que marcher, se coucher que s'asseoir, dormir que veiller et mourir que vivre. Mais qu'on touche à leur tranquillité, qu'on dépouille leurs fidèles de leurs oboles... ils sortent alors de leur indolence !

— Et c'est à Paris qu'on vous a appris toutes ces choses indiennes...

— Je suis un *cosmopolite,* madame : nulle part je ne suis étranger. »

Son regard bleu s'était durci, et son air de jeunesse parut se dissoudre un instant. Il y eut un silence.

Marian calculait. Elle tenta d'analyser la complicité qui s'était, avec tant de rapidité, installée entre eux. Aventurier, aventurière : ils étaient bien du même métier, maîtres ès plaisirs, grâce et hasard ; vol aussi peut-être. Depuis quand n'avait-elle détroussé personne, autrement que par ses talents d'alcôve ? Elle refusa d'y songer davantage. Du passé, tout cela. Saint-Lubin était là.

Saint-Lubin : de ces syllabes mêmes, qui lui avaient plu si fort, elle commença tout d'un coup à se méfier. Les réflexes de sa vie antérieure lui étaient revenus. Cet homme était sans doute un de ces roturiers qui, du bien commun des lettres de l'alphabet, savaient tirer un nom léger, impalpable, identique à leur personnage. Un homme de vernis, mais d'une audace à affronter les dieux ; un artiste sans doute, dont le grand œuvre serait sa propre vie. Elle eut envie de soupirer, mais brisa sa mélancolie à temps. *Piacere senza pena,* le plaisir sans la peine... Elle en avait déjà rencontré, de ces hommes-là, du temps où son premier amant l'avait emmenée, toute fraîche enlevée, dans les coulisses des théâtres parisiens. Dès leur premier mois de vie commune, il la contraignit à partager leurs fredaines. Elle fut désirée, échangée, passa docilement de l'un à l'autre, émerveillée devant ces hommes si brillants, les paillettes du siècle, d'un siècle qui n'était plus grand, et dont les lumières, parfois, venaient mourir ici, aux rivages des Indes. Qu'ils se prétendent, comme Saint-Lubin, « cosmopolites », ou qu'ils s'avouent, franchement gredins, ils se ressemblaient tous, en amour comme en affaires : des météores. Ils oubliaient les femmes comme les comptes d'aubergistes, trichaient au jeu, au lit, à la politique, répandaient un jour les perles à profusion, se retrouvaient le lendemain au cachot, pour s'enfuir bientôt et s'évanouir encore, tels des fantômes, une fois escroqués deux ou trois aigrefins moins roués qu'eux. Marian se cacha un moment dans ses cheveux ; ce Saint-Lubin, vraiment, ressemblait trop à son premier homme, qui l'avait aimée trois semaines à Paris, entre la Comédie et la rue Vivienne, le temps que durèrent ses écus et la fête, aux jours de neuve liberté : il était jeune, et beau, et éphémère, ainsi que celui-ci, venu d'où, elle ne sut jamais, reparti pour l'inconnu, où l'appelaient sans doute d'autres bonnes fortunes. Elle avait souffert, et de la même douleur qu'elle sentait poindre maintenant. On lui apprit alors ces trois mots italiens, dont elle jura de faire sa devise : piacere senza pena ; et elle courut, comme pour s'étourdir, gruger les riches financiers. Elle se releva sur le matelas d'un seul coup, avec un regard inspiré. Saint-Lubin paraissait attendre.

« Tu cherches de l'argent ?

— Oui. Pour la guerre. »

Pour la guerre, se répéta Marian ; ce n'était pas si sûr. Il devait certainement savoir qu'elle vivait chez Jeanne et que la Carvalho était riche, comme le répétait tout Pondichéry. Il y avait donc un moyen de s'attacher cet homme ; elle, Marian, elle serait l'instrument délicieux de ses intrigues.

Elle prit une expression mutine :

« Si vous voulez de l'argent, monsieur de Saint-Lubin, ce n'est pas moi qu'il faut séduire. Vous vous êtes trompé de porte. »

Elle sourit d'un air entendu ; on fit de même.

« Eh bien, ma chère, présentez-moi *la* dame.

— Elle est dure en affaires, sachez-le.

— Certes. Mais en amour ?

— En amour, monsieur, vous aurez bien du mal, car elle ne se remet guère d'avoir été abandonnée, voici quatre ans, par un vilain soldat qui l'a privée tout à trac de ses faveurs et, dit-on, de ses coups. Vous avez des talents, vous pouvez risquer l'affaire : c'est la grosse aventure, je vous l'affirme, car elle a le cœur fidèle et tendre, je la soupçonne même de n'avoir pas eu, depuis ce temps, la moindre ombre d'homme sous sa moustiquaire...

— Alors nous allons signer un petit traité, mon amie : si vous m'aidez à réussir, et que je tiens sous la moustiquaire, comme vous dites, au-delà de la troisième nuit, me garderez-vous le bonheur de quelques excursions secrètes ? Car il me semble, voyez-vous, que je vous goûte un peu. »

Marian rosit. Elle n'en espérait pas moins. Qu'il était joli, ce « je vous goûte un peu » ! Et comme il promettait de caprices, de piquant et de fantaisies ! Elle prit une mine assez arrogante, avec une petite moue indécise. Saint-Lubin se pencha sur son oreille. Il dut lui murmurer quelques effronteries, car aussitôt Marian éclata de rire, avec des accents peu équivoques. Saint-Lubin reprit son regard faussement naïf, mais quelle fougue, quand il la saisit par la taille, la contraignant à une autre pose, parmi les plus insolentes :

« Et ne l'oubliez pas, madame, nous nous retrouverons à Madras ! Chez les Anglais ! »

Après de longues caresses, encore inédites, puis les derniers gémissements, Marian pensa en effet qu'elle était prête à affronter toute société au monde, les Anglais comme les Hurons, pourvu qu'elle fût assurée d'y retrouver, de temps à autre, d'aussi singuliers transports.

*
* *

Quelques semaines passèrent ; oubliant les rumeurs de guerre, Pondichéry stupéfait ne bruissait plus que d'une seule nouvelle : la Carvalho avait repris amant ; l'heureux élu était ce charmant jeune homme, de trente ans son cadet, qu'on appelait le chevalier de Saint-Lubin, et qui était si beau. On s'étonna un peu qu'il eût préféré la banquière vieillissante à la jeune Marian qui logeait sous le même toit et n'avait toujours pas trouvé d'époux à sa convenance. Celle-ci, du reste, était fort occupée. Une fois la semaine, on la voyait se rendre à la chauderie de Circé, d'où, murmurait-on, elle sortait deux heures plus tard, les joues très rouges, et fort embellie. Par chance, Pondichéry ne chercha pas l'auteur de ce singulier phénomène. Il lui suffit de constater que Saint-Lubin avait rajeuni une femme ; jamais on n'imagina qu'il pût en combler deux, d'autant qu'il se rendait à Circé sous les déguisements les plus divers, soudoyant largement le tenancier, et déployant un luxe de précautions qui frisait la manie.

Jeanne ne pressentit rien : elle avait découvert un nouveau bonheur. A l'ivresse de l'arak succéda celle de l'amour. Elle donna à son amant de très larges moyens ; quant à lui, il s'efforça de la conforter dans son aveuglement. Roué comme il l'était, rien ne fut plus facile. Cependant, il suivait les nouvelles de la guerre avec la plus extrême attention. Aux questions de Marian, il finit par répondre et lui exposa son inquiétude : l'Angleterre gagnait bataille sur bataille, l'ennemi ne tarderait pas à entrer dans la place. Il fallait s'enfuir de Pondichéry ; adieu ministre, gouverneur et roi de France. La rumeur prêtait à Jeanne un immense magot dont il ignorait la cachette : une fois découverte, Marian et lui se promettaient de s'enfuir à Madras, où ils fileraient le parfait amour, enfin libres de leurs faits et gestes.

D'abord un peu émue, un peu travaillée de scrupules, Marian finit par se laisser convaincre. Elle devina que son amant était, et peut-être de longue date, un agent des Anglais. Qu'il partageât quotidiennement le lit de Jeanne avait excité sa jalousie : il était des matins où elle se réveillait dans le vacarme de leurs transports. Quant aux escapades de la chauderie, était-ce la nécessité du déguisement, la peur continuelle d'être pris sur le fait, Saint-Lubin ne s'y rendait plus qu'un peu las ; leurs ébats avaient perdu de leur piment premier. Dans ces conditions, l'idée de s'enfuir du comptoir des plaisirs, qui n'était plus désormais que celui de l'ennui, la remplit de joie, d'autant qu'elle se voyait déjà riche de la fortune amassée en vingt ans par Jeanne Carvalho. Il ne s'agissait plus que de la dénicher avant l'arrivée des Anglais. Cela presse, répétait Saint-Lubin. En effet, jour après jour, on voyait rentrer dans la ville les restes de régiments défaits, demi-nus, pieds écorchés, des hordes exténuées de privations et de marches forcées. Quand ils arrivaient par la mer, leur situation n'était guère plus réconfortante : c'est ainsi que vint mouiller un soir une frégate nommée *Bristol* qui débarqua des officiers au désespoir : ils avaient perdu tous leurs fantassins, déclara l'un des chefs, un certain du Pouët. Le vent avait contraint d'abandonner les malheureux à la côte, sur les rives du Bengale ; ils avaient dû s'égailler dans le profond des jungles, et le bon sens interdisait de penser qu'ils en revinssent jamais.

Cette nouvelle acheva de jeter le trouble dans la colonie ; entretenu par les brahmanes, il grandissait chaque jour : les nourrices indiennes refusaient désormais de nourrir les enfants des Blancs, les seins des Européennes se tarissaient à leur tour, des incendies prenaient à tout propos, les pénitents couraient la Ville Noire en hurlant et se flagellant, des récoltes entières séchèrent sur pied ; enfin le commerce commença à décliner. L'agonie peut être longue, murmuraient les marchands du bazar ; six mois, un an. Mais qu'est-ce qu'un an au regard du temps où se meuvent les dieux, dharma, mon ami vendeur d'huile de palme, dharma, cher voisin ciseleur de corail : à la cité de Yama, nous serons tous jugés selon nos actes passés, et veillons surtout à ne point nous souiller, si nous voulons pour notre prochaine vie une condition meilleure.

Il ne demeurait donc dans toute la ville que deux êtres encore allègres et pleins d'espoir, Marian de Chapuset et le chevalier de Saint-Lubin : ils passaient le plus clair de leur temps à ourdir traquenards, mensonges, artifices et fourberies, afin de découvrir l'endroit où la Carvalho dissimulait son magot.

CHAPITRE VI

Noël 1758 - Janvier 1760

Marche vers Godh

Cette année-là, ni pour Dieu, ni pour Madec, ni pour Visage, il n'y eut de Nouvel An, de Jour des Rois, ni de Pâques carillonnées. Sitôt franchi le premier torrent, ils s'enfoncèrent dans un autre temps : le coucher du soleil, pour donner l'heure de la halte ; à son lever, la marche recommençait, et des mois ainsi. L'Inde était là, qui les happait, mais ils ignoraient encore ses rythmes propres, ses temps morts, ses jours de fête. Ils étaient seuls, égarés au fond des forêts comme dans le cours du temps, décomptant obstinément les jours l'un après l'autre, mais sans plus les marquer des césures familières : l'aventure les possédait. Jungles, cascades, cols, plateaux poussiéreux ; la chaleur de l'été, puis les cataractes de la mousson. Et d'autres montagnes, des rivières plus éperdues que les premières, des lianes aux réseaux plus tortueux, des marais, des plateaux encore. Pondichéry, Pondichéry, et retrouver la chance, et recouvrer la gloire. Coûte que coûte, on devait fuir la côte infestée de marins anglais et, sans doute aucun, d'autres perfides rajahs. Les cipayes avaient parlé de grandes routes au centre du pays, où, de mémoire indienne, on n'avait jamais vu de firanguis à vestes rouges. Les Français, disait-on, y avaient prêté main-forte à des princes du temps du général de Bussy, et la rumeur voulait qu'on les y aimât. On n'aurait donc rien à craindre sur ces chemins, excepté les attaques des brigands, mais on eût voyagé en Europe qu'il en serait allé de même. Alors on se mit à escalader une à une les montagnes qui se succédaient sans vouloir s'arrêter si nombreuses que les cipayes les appelaient *ghats*, les escaliers.

On marcha des semaines, des mois, mécaniquement, le corps tendu vers l'ouest ; et Madec, qui toujours avait cherché l'est, n'avait de sa vie avancé ainsi. Derrière chaque colline, à tout nouvel horizon, il supposa l'existence de la route bienheureuse qui innervait l'Inde et le ramènerait aux quais de Pondichéry ; non pour un retour à l'Europe — existait-elle encore ? — mais pour un nouveau départ vers la gloire. Eclat, lustre, fastes, honneurs, l'orgueil le travaillait constamment. L'épisode du rajah l'avait mortifié. Il commandait à ses quatre cents soldats, il en répétait fièrement le nombre à tout propos, mais il ne possédait toujours pas de cheval. Et s'il franchissait des forêts, à perte de vue, à perte de vie, c'était dans le seul espoir de monter, un jour de parade, dans l'habit d'or des conquérants bénis. On rencontra des hordes de peuples nus, chez qui un rien semait l'effroi ; ils adoraient le feu et entaillaient les arbres de leurs haches de pierre. On s'endormit chaque nuit dans le ricanement des hyènes. On suivit même, quatre jours durant, un vieil éléphant solitaire qui s'en allait mourir en paix dans un lieu secret ; il s'arrêta enfin dans les vases d'un marais, au pied d'une petite colline, s'y accroupit soudain et s'abandonna à la mort, au milieu d'autres carcasses vides et de dizaines de défenses engluées dans les roseaux. Chaque jour apporta un spectacle insolite, dont le souvenir se dissolvait aussitôt. Car seule comptait la quête : identique aux Lancelot et Perceval des contes de ses ancêtres, Madec, de torrent en rocaille, guettait une sorte de Graal indien, dont il imaginait les infinis bienfaits sans en connaître le détail. Les hasards de l'aventure, comme pour les héros d'autrefois, et fussent-ils les monstres d'une forêt farouche, n'étaient plus qu'embûches tendues dans une traversée des apparences ; et il marchait.

Et Dieu, et Visage, et les autres marchèrent, jusqu'au jour étrange qui révéla une route, et plus qu'une route même : un carrefour. Autour du feu, ils reconnurent des silhouettes dont les guenilles ressemblaient aux leurs. De part et d'autre, passé le premier mouvement de stupeur, ce ne fut qu'un élan. D'autres Français ! Rescapés d'une attaque meurtrière des Anglais dans le comptoir de Yanaon, ils avaient fui eux aussi vers les montagnes.

On s'embrassa. Un seul homme n'avait pas tressailli. A peine les effusions étaient-elles finies qu'il déclara :

« Hâtons-nous, car la jungle est malsaine ! »

Tous se retournèrent, un peu déconfits. Madec le prit à partie :

« Qui es-tu donc, pour nous faire la leçon ? »

L'autre éclata de rire :

« On m'appelle Martin-Lion, petit soldat ! Martin-Lion, car parfois je rugis ! »

Et il recommença à rire. Alors que Visage redoutait déjà une altercation, où Madec à coup sûr n'eût pas gagné car l'autre était de fort grande taille, Madec à son tour se mit à rire. Tout dans la personne de Martin-Lion appelait la sympathie : c'était une sorte de géant au teint coloré, chaleureux, tendre presque, mais qui portait les marques de distinction que l'on voyait souvent aux officiers de l'armée française. Et pourtant il n'était, lui aussi, qu'un aventurier.

« Où t'en vas-tu ? demanda Madec.

— Mes hommes et moi nous allons vers le nord chercher à nous engager chez les princes !

— Etes-vous fous ! intervint Visage. Vous n'allez pas déserter au moment où la nation a tant besoin de vous ! »

Cette fois, Martin-Lion ne s'esclaffa pas. Il venait de

reconnaître en Visage un homme proche de lui ; leur langage, leur âge communs, leurs origines, peut-être. Dix minutes plus tard, il n'était plus question de jungles malsaines, et l'on décida de camper ensemble. Le soir venu, autour d'un feu, on parlementa ; cela dura toute la nuit et recommença la veillée suivante. On apprit alors que Martin-Lion était dragon ; il défendait Yanaon quand les canons anglais vinrent assiéger le comptoir français. Il s'était échappé avec sa troupe et des canons ; depuis des semaines il errait dans le Dekkan. La pauvreté des terres, jointe à l'hostilité déclarée des princes, nababs musulmans repris de fanatisme pour l'islam, l'avait résolu à mener ses hommes vers le nord, où il espérait rencontrer des seigneurs plus accommodants : les rajahs hindous, disait-on, étaient au contraire d'une tolérance extrême. D'autre part, il était persuadé que ceux-ci devraient tôt ou tard soutenir les attaques des Anglais quand ils poursuivraient leur percée au Bengale. Dans ces conditions, prétendait Martin-Lion, l'arrivée de soldats étrangers, avec des armes efficaces, un nouvel art de la guerre, serait reçue là-bas comme un bienfait des dieux.

« Vous ne pouvez envisager de traverser le Dekkan dans l'état où vous êtes, poursuivit-il. Regardez-vous, tout en guenilles, et si peu de canons ; pas de chevaux ni le moindre éléphant de guerre ! Les nababs du Sud, qui deviennent redoutables depuis notre déconfiture, ne feraient de vous qu'une bouchée.

— Et Pondichéry ? intervint Madec. Comment rentrer ?

— Nous pouvons rentrer, répondit Martin-Lion. A condition d'être patients et de faire un... un détour. Le Nord.

— Le Nord ?

— Pour revenir à Pondichéry, il nous faut être armés jusqu'aux dents, et nombreux. Nous avons donc besoin d'argent ; gagnons le Nord, joignez-vous à nous ! Nous finirons bien par dénicher un rajah en mal d'impôts, ou mort de terreur à l'idée de l'arrivée des Anglais. Nous lui proposerons de *nous* louer, oui, de nous louer, nous, nos canons, nos hommes, nos épées... Quand nous serons libres de notre engagement, et pleins de roupies, nous regagnerons Pondichéry sans avoir à craindre quiconque sur notre route. Foi de dragon, ce n'est pas déserter que de refuser le suicide ! »

Visage approuva. Dieu et Madec furent plus réticents. Au bout de trois jours de palabres, cependant, ils acquiescèrent. On leva donc le camp, et l'on recommença à marcher, les yeux désormais rivés sur le nord, comme un navire qui eût changé d'amer. Et défilèrent d'autres jungles, d'autres palmes, d'autres rizières, dont la mémoire s'effaçait chaque soir. Le temps était mort, hormis le rythme d'un pas devant l'autre ; à chaque montagne gravie s'installait l'éternité. Les peaux des hommes rencontrés s'éclaircirent, leurs langues aussi se modifièrent ; il arriva même que Madec, de temps à autre, y reconnût des syllabes qui n'étaient pas si éloignées du breton : qui l'eût cru ? Et l'on marcha encore, tout à l'espoir des palais du Nord, leurs perrons de marbre blanc, leurs princes dorés et pacifiques.

Combien traversèrent-ils de ces villages presque identiques, avec leurs cases de terre serrées au bord d'une mare boueuse, leur petit temple, des vaches errantes, les singes qui sautaient de liane en liane ? Selon le dieu tutélaire de la place, on les accueillait à l'entrée d'un « Shiv-shiv, Ram-ram » ou « Khrish-khrish » : bonjours aux syllabes tronquées des noms magiques de Shiva, Rama ou Khrishna ; la troupe apprenait du même coup qu'on la recevrait sans animosité, qu'on lui donnerait de l'eau, qu'on lui vendrait du riz. Marcher, survivre ; il n'y avait rien d'autre. Quelquefois, pourtant, à l'orée d'un village, l'Inde des campagnes leur offrait un visage nouveau : il les distrayait un moment de leur tension vers le nord. Ainsi, ces prédicateurs ambulants, qui couraient les sentes les plus perdues pour raconter la geste du seigneur Khrishna et transmettre son enseignement divin. Ils portaient dans leur balluchon de petits temples de bois peint, où se trouvaient représentées toutes les grandes scènes de l'auguste épopée, métamorphoses, expiations, renaissances, copulations sacrées. L'une après l'autre, le montreur de temples en ouvrait les portes : voici que s'offraient aux yeux émerveillés de nouvelles peintures, des dieux jeunes et frais, avatars des précédents ; et la seconde porte en cachait une troisième, puis une quatrième, jusqu'à une niche où apparaissaient, dans une pénombre semblable à celle des sanctuaires, trois dieux souriants, Vishnou, Rama, Khrishna ; alors se mourait le propos légendaire. Chaque fois, la troupe s'arrêtait, comme fascinée, les Blancs d'ailleurs plus que les cipayes, Madec au premier rang. Toutes ces scènes grossièrement peintes en couleurs vives sur du bois laqué de noir lui plaisaient fort, ainsi qu'à Dieu, qui se souvint des temps de son enfance, où des prédicateurs bretons venaient aussi semer la bonne parole dans les villages de marins, à leurs yeux trop païens, et déroulaient devant eux une autre histoire de jeune homme à miracles. Il y avait pourtant ici, Madec le sentait bien, quelque chose de plus débridé, une merveille plus fraîche, qui sentait encore les débuts du monde. Dans les récits embrouillés des montreurs de temples, faute de bien connaître leur langue, il suivait mal la généalogie des dieux, leurs transformations successives ; deux divinités, cependant, lui devinrent familières : Ganesh, le dieu éléphant, ventripotent et souriant, et surtout Khrishna, aisément reconnaissable à sa couleur bleue, et ses comparses habituelles, de très jolies femmes plus ou moins dévêtues. Le prédicateur refermait une à une les portes du temple. On buvait une rasade d'eau, on reprenait la marche ; puis, afin d'oublier l'immensité de peine qui la séparait encore du Nord, la troupe berçait de rêves le rythme de ses pas.

En secret, chacun s'était construit le théâtre de l'arrivée. Madec, pour sa part, avait imaginé une bâtisse analogue aux manoirs féodaux de la campagne quimpéroise, en plus immaculé, en moins gris, où l'attendait un rajah chamarré de pied en cap, qui lui désignait un éléphant blanc ; une armée hurlante surgissait des profondeurs du palais ; sabre au clair, Madec en prenait la tête. Dans un fracas horrible, on se répandait dans la plaine, et, le temps d'un éclair, on avait pourfendu des bataillons entiers d'Indiens cruels ou de Saxons maudits. Au fil des routes, l'amitié se resserra entre les quatre hommes, avec des nuances cependant : Visage s'était plutôt rapproché de Martin-Lion et Dieu de Madec. Chaque jour se présentaient de nouvelles épreuves, qui les unissaient davantage. Un marais putride, et qu'il fallait pourtant traverser ; au détour d'un chemin, une famille de cobras qui se dressait, paralysant d'un seul coup la marche des cipayes : les Indiens se refusaient à les tuer ; le manque d'eau, souvent, et les querelles habituelles en temps de rationnement. Des hommes mouraient. Ils se laissaient aller au bord de la route, suppliant qu'on les abandonnât. La fièvre les avait pris ; le temps de se pencher sur une gourde, de la déboucher, de la leur tendre, ils avaient saisi leur pistolet et s'étaient tiré une balle dans la tête. Ou bien, au passage d'une rivière, le courant emportait un soldat ; un peu plus loin, dans une anse tranquille, les crocodiles attendaient leur proie. Mais rien n'approchait en singularité le trépas des cipayes. Quand ils n'allaient pas se joindre aux cohortes déguenillées des « fous de Dieu », sortes de pèlerins hébétés qu'on voyait sillonner tous les chemins, ils s'arrêtaient parfois aux marches d'un temple, se prosternaient, réunissaient leurs dernières forces pour une ultime mortification et mouraient d'un seul coup, sans bruit, les membres encore raidis dans l'attitude de la prière, les yeux grands ouverts, ainsi qu'ils l'avaient été chaque fois qu'ils s'étaient inclinés devant la divinité ou qu'ils avaient rêvé d'elle. Madec devinait bien que, désertant pour se faire *sadhu,* ou trépassant à l'ombre sacrée des sanctuaires, ces hommes aussi étaient en quête. Mais il voyait trop que leurs quêtes et la sienne ne se rejoindraient jamais. Car il marchait vers un but précis, au-delà duquel il ne pouvait imaginer d'autre « après » que celui de la gloire et de la fortune ; tandis que ces Indiens se perdaient dans l'éternel cycle des vies, pressés sans doute d'atteindre un état meilleur, tellement parfait qu'on n'y sentait plus rien.

Il y eut la chaleur, il y eut la mousson ; à des jours de soif succédèrent les pluies, et les routes coupées retardèrent la troupe des semaines. Après de longues journées d'immobilité sous les tentes détrempées, on reprit la route. Boue, serpents, plaines, poussière ; une langue nouvelle encore, l'hindi. A force de négocier chaque jour l'eau, le grain, les légumes, Madec y passa maître. Hier et demain s'y disaient de la même façon, comme avant-hier et après-demain. Au fil de cette migration effrénée, cela parut un signe : le temps, vraiment, s'était dissous. Qu'elle parut alors lointaine à Madec l'exaltation de Mahabalipuram, et son petit matin dans les dunes ; une tristesse sournoise s'emparait de lui, où il se retrouvait d'un seul coup dans le désarroi de l'enfance, lorsque son cœur déjà nomade s'attristait des cieux trop gris de la Bretagne. Et pourtant, plus que jamais, il était *dans* l'Inde ; telle une gangue, elle l'enserrait. Il possédait son content de chaleur et de palmes, et la belle aventure, puisque les maladies l'ignoraient : pas l'ombre d'un flux de ventre, pas la moindre bourbouille ; marais infestés, villages cholériques ou pestiférés, il traversait tout, quand tant d'autres tombaient : l'Inde le recevait comme un greffon qui prend bien. Mais il était inquiet ; une mélancolie ancienne affleurait, dont il déchiffra aussi les signes dans le regard de Dieu. Ni l'un ni l'autre ne priaient. A mesure que l'on s'approchait du Nord, les temples se transformèrent, se multiplièrent, jusqu'à créer l'obsession. Aux pyramides et chariots des sanctuaires côtiers succédèrent des pains de sucre entièrement sculptés, où le ciseau de l'homme abolissait la pierre. Quand ils étaient abandonnés, ce qui arrivait parfois au fond des jungles, on les explorait en allumant des torches. La lumière y révéla, répétés partout, des déesses rondes et maternelles, ou des sexes mâles dressés dans le granit, dont l'obscénité finit par ne plus étonner. Madec y trouva même la confirmation de l'intuition première qui le guidait depuis l'enfance : en Inde la vie était plus forte, la nature plus inépuisable, les femmes, peut-être, plus amoureuses. Il suffisait de regarder la jungle, dont les temples souvent n'étaient que le prolongement : quand elle s'arrêtait dans une plaine poudreuse, c'était, trois lieues plus loin, pour mieux reprendre, troncs énormes, fouillis d'une forêt pentue, lianes tordues de sève jusqu'à l'inextricable.

Et l'on marchait, l'on marchait toujours, sans arriver jamais. A l'entrée des villages hurlèrent des meutes d'enfants pouilleux, qui demandaient à caresser la peau claire des soldats ou la gueule des canons, comme ils l'auraient fait de l'effigie des dieux ; des cipayes moururent, des buffles aussi, harassés de tirer les canons. On viola des fillettes esseulées rencontrées près des rivières, des bayadères dépenaillées se vendirent pour quelques grains de riz. Enfin, au bout d'une dizaine de mois de ces marches brûlantes et mélancoliques, on atteignit une région chaotique, pierreuse et tavelée.

C'était janvier, l'hiver, la saison sèche. Les nuits étaient claires et souvent froides. Le pays, disait-on, était infesté de bandits, les Dakoïts coupeurs de tête, suppôts de Kali la noire. Par bonheur, ils devaient posséder de quoi manger à leur faim, ou la chair des Français leur parut impure, car on ne les vit pas. C'était partout le désert, la solitude ; le désespoir gagnait la troupe. Seul Martin-Lion gardait courage ; sur les navires de la Compagnie, il avait étudié les cartes et les récits de voyage, et il affirmait qu'on arrivait aux marches du Radjpoutana, au pays des princes du Nord. Un matin, en effet, derrière une montagne nue, on découvrit enfin une plaine immense et verte. Vers l'ouest s'étendait un lac, avec une île tout ornée d'une sorte de petit château aux marbres ajourés. Au centre de la plaine coulait une rivière très calme, qui traversait une ceinture de remparts de terre rouge ; ceux-ci abritaient des centaines de maisons à terrasses, façades roses, au pied d'une superbe citadelle fortifiée, où Martin-Lion, d'après ses anciennes lectures, reconnut sans faillir le palais de Godh.

C'était l'heure du levant, et la poussière n'avait pas encore envahi l'horizon. On vit distinctement des femmes porteuses de paniers descendre à la rivière, où elles trempèrent de grands linges multicolores. Déjà les paysans se penchaient sur leurs champs, les bergers poussaient leurs bêtes vers les prés. Tant de douceur et de tranquillité : en un instant, Madec trouva ce qui manquait à son cœur pour qu'enfin l'Inde le comblât.

Il ne savait pas comment le dire, ni même comment le penser. Il n'y avait pas, lui semblait-il, de mot français qui convînt à ce territoire de l'âme, que ni la marine royale ni l'armée ne lui avaient offert d'explorer. Il fouilla sa mémoire. Des syllabes enfouies lui revinrent ; elles étaient bretonnes : *karantez*, l'amour. *Karantez ar galon*, l'amour du cœur, *karantez ar c'horf*, l'amour du corps ; et même *orged*, la passion, la folie, pourquoi pas ? Cela, sans doute, en dehors des contes ou des vieilles chansons, ne pouvait s'avouer, voilà la raison pour laquelle on n'en parlait pas.

Avec le soleil qui montait, la lumière se fit plus blanche ; Godh cependant demeurait aussi belle, et elle rosit encore, éclata au milieu de ses prés. Le bonheur semblait s'y lover.

Karantez. Ici viendrait la plénitude.

CHAPITRE VII

Janvier-mars 1760

Godh, mois de Magha
Année 4861 de l'ère de Kaliyuga

Ils descendirent dans la plaine.

« Les canons, en avant ! » cria Madec.

L'ordre avait jailli, comme d'instinct. Nul ne protesta : aux Indes, ils le savaient tous, la force ne va pas sans le faste. Or ils étaient en guenilles, sans chevaux, sans éléphants, sans musique. Ils ne possédaient même pas le nombre, en un pays où le moindre rajah déplaçait des foules sur son passage. Si l'on exceptait les deux cent cinquante cipayes rescapés des marches ou des lubies religieuses, ils étaient à peine une centaine d'Européens amaigris, les traits tirés, tricornes déformés, cordons dorés s'en allant en charpie : ils n'impressionneraient pas le dernier des intouchables. A moins que les canons... Madec avait remarqué que les cipayes vénéraient les bouches à feu à l'égal de leurs divinités de la destruction : ne pouvait-on pas espérer révérence plus grande des maîtres de ces lieux, dont Martin-Lion prétendait qu'ils étaient kshatrya, guerriers de haute caste depuis la nuit des temps ? Scrupuleusement frottés par des poudres dont les cipayes conservaient le secret, les canons rutilaient dans le matin levant. Aux buffles qui les tiraient, les Indiens avaient tenu aussi à refaire une beauté. A la première fontaine, ils avaient nettoyé leur peau encroûtée de boue, fourbi leurs cornes pour les rendre brillantes ; aux premiers champs, ils avaient tressé des colliers de fleurs, qu'ils venaient de passer à leur col. Certes, on demeurait très loin du faste ordinairement observé chez les princes, du temps où ils venaient parader dans Pondichéry. Toutefois, l'équipage attirait curiosité et sympathie ; plus la troupe approcha des remparts, plus la foule grossit autour d'elle. Les femmes d'abord, les marcheuses des chemins, chargées de paniers de bouse de vache, de sacs de riz, d'enfants noués à leur dos. Malgré leur faix, elles avançaient de la démarche commune à toutes les femmes de l'Inde, une danse aérienne, pieds et bras légers, pareilles à Shiva, disaient les cipayes, Shiva Nataraja dont la cadence magique rythme la Création. Mouvement langoureux, ferme et lent à la fois, que les draperies des vêtements accentuaient à plaisir. A l'arrivée de la troupe, elles se figèrent soudain : d'un seul coup, tous les saris, les jupes multicolores s'arrêtèrent et on n'aurait pu dire si c'était l'étoffe, ou la chair des femmes, qui venait ainsi de se pétrifier. A une lieue des remparts, les enfants se précipitèrent ; ils jaillirent les premiers des portes, suivis de la multitude oisive qu'on voit toujours aux cités de l'Inde. Il y eut alors une immense bousculade ; Madec craignit pour les canons. Mais non, les bouches à feu les laissaient indifférents ; ce qu'ils voulaient, c'était toucher la peau des soldats, non celle des cipayes, trop identique à la leur, mais celle des Blancs ; ils caressèrent longuement les visages, ouvrirent sans vergogne les chemises, s'étonnèrent d'un teint si pâle malgré tous les soleils. Un peu réticent, car il craignait que les Indiens, par une volte-face qu'on leur connaissait parfois, ne s'avisent brutalement que les Blancs venaient des Eaux Noires, et qu'ils contractaient à les toucher une effroyable souillure, Martin-Lion finit par se laisser faire, et il s'abandonna, comme Madec, à l'exploration des mains brunes. Ne cherchaient-elles pas sur leur peau le même secret qu'eux-mêmes, quand ils fouillaient des yeux les saris des femmes ou le regard éperdu des *sadhu* : comment des êtres, qui paraissaient tellement autres, pouvaient en même temps demeurer si semblables ?

La curiosité de la foule ralentit la marche des

Français. Ils mirent plus de trois heures à franchir la dernière lieue qui les séparait des remparts. C'était une immense ceinture ocre, de pierre et de terre mêlées, ouverte par sept portes sur la campagne, dont une porte d'eau par où la rivière sortait de la ville. L'ensemble était monumental mais ancien. Par endroits, on sentait le mur près de s'affaisser.

« Comment défendre une aussi longue muraille ? » observa Dieu.

Il désigna la citadelle qui couronnait la ville :

« Crois-tu qu'ils cachent là-dedans des archers ? Il en faudrait des dizaines de milliers, et l'enceinte des remparts est très longue. »

Madec approuva ; si Godh offrait de loin l'image d'une puissance tranquille, elle semblait plus fragile à mesure qu'on s'en approchait. Ces remparts d'abord, sans meurtrières, sans bastions ; de simples créneaux ogivaux, trop grands, trop exposés ; et surtout le matériau friable des murs, qui jamais ne résisterait à un canon anglais. La citadelle, pour la guerre, ne valait guère mieux. Elle était située au sommet d'un éperon rocheux qui l'isolait de la ville ; mais les palais de marbre qui le couronnaient, se pliant à tous les caprices de la falaise, lui donnaient un air futile, presque dérisoire. Madec avait rêvé de palais blancs, mais avec échauguettes, douves, pont-levis, herses, ceintures de bastions : la version indienne d'un château breton. Or il contemplait des arabesques de marbre, ajourées de partout, des colonnades offertes à la lumière, des pavillons gracieux qui narguaient les à-pics, des dentelles de pierre, tourelles frivoles, légers moucharabiers : un univers désinvolte accroché à ce qui n'aurait dû être, à ses yeux, qu'un roc de guerre. On parvint enfin aux portes de Godh. A cet endroit, le rempart se renflait de deux tours massives, au milieu desquelles était percée une ouverture immense en forme d'ogive adoucie, ornée de festons et de fleurs peintes. C'était jour de marché ; les battants de cèdre clouté étaient ouverts sous la surveillance d'un corps de garde armé de lances.

On ne pouvait envisager d'entrer dans la ville sans proposer à son prince un gage d'amitié, ce qui, aux Indes, signifiait cadeau. Martin-Lion se tourna vers Madec :

« Toi qui parles leur langue, explique-leur : nous voulons camper sous les remparts en attendant que le rajah nous reçoive. Il faudrait lui présenter un cadeau... »

Il parcourut la troupe :

« Oui, un cadeau... »

A l'évidence, on ne pouvait se dessaisir d'un seul fusil. Pour le reste, la troupe ne possédait rien qui vaille, à part ses gourdes et gamelles fabriquées en Europe, dont l'offrande aurait du reste constitué un affront.

« Donnons un canon ! » cria alors Madec.

Cette annonce créa la stupeur générale. La troupe n'avait rien de plus cher : onze bouches, traînées à travers le Dekkan au prix d'incroyables efforts. A chaque rivière, l'angoisse avait repris : pourvu que le courant ne les emporte pas, pourvu que les cordes tiennent ! Dans les steppes désertiques, autres folles inquiétudes, pourvu qu'on ait assez de fourrage pour les buffles, assez d'eau, pourvu qu'ils ne crèvent pas ; dans les montagnes, gare aux falaises, gare aux pierrailles. Douze mois pleins, et chaque jour on avait crié gare, gare aux canons !

Néanmoins, c'était clair, il fallait en offrir un. Peut-être en pure perte. Mais l'Inde l'exigeait : pour se faire agréer, donner ce qu'on possède de plus précieux, cela même par quoi on désire se faire admirer.

« Va pour un canon ! » répondit alors Martin-Lion, et il fit signe à Madec de s'avancer vers les sentinelles pour parlementer. Le chef de la garde, tout enturbanné de blanc, attendait d'un air placide et légèrement ironique. Madec s'adressa à l'un des cipayes chargé de guider les buffles.

« Fais avancer Gueule d'Enfer ! »

Le cipaye frappa de sa baguette les flancs décharnés des bêtes. Les Français retenaient leur souffle : Gueule d'Enfer, le plus beau de leurs canons, un canon-minute, de pur acier suédois, qu'ils avaient sauvé à grand-peine de la sinistre affaire du rajah. Et si le prince de Godh, comme le souverain de la côte, était lui aussi un traître ? Trop tard, puisque l'attelage avait déjà atteint la hauteur de la porte, là où se tenaient les gardes. Madec fit quelques pas jusqu'au canon ; il salua d'abord à la française, puis s'inclina à l'indienne, le bras croisé sur le ventre et le corps à moitié plié, comme il l'avait vu faire à du Pouët dans l'Inde du Sud. Puis il se releva et cria :

« *Nazar !* »

Le chef des gardes ne bougea pas ; cependant, il avait abandonné son air narquois. La curiosité le tenaillait manifestement, comme tous les autres Indiens rencontrés en chemin : il ne savait plus quoi penser, devant cet homme à peau claire, et qui semblait connaître sa langue.

« *Nazar*... répéta Madec. *Nazar,* pour ton prince, pour le rajah, cette bouche qui crache le tonnerre comme le dieu Indra. »

Madec répétait mécaniquement la formule dont les cipayes désignaient les canons, sans avoir la moindre idée de ce dieu vomisseur de foudre. Il interrogea à nouveau le regard du chef des sentinelles. Celui-ci conservait son expression impassible. Il se sentit irrité. Ses compagnons devaient s'impatienter, douter peut-être de ses talents d'interprète. A vrai dire, il n'en était pas lui-même tellement certain ; de colline en montagne, de plaine en plaine, l'accent hindi changeait, parfois jusqu'à rendre la langue méconnaissable : il fallait constamment s'accommoder aux nouveaux venus de la route. Jusqu'à présent, Madec s'y était plié sans peine : dès l'âge de huit ans, son père l'avait contraint à un constant va-et-vient entre le breton et le français, et en Bretagne aussi, d'une lande à l'autre, il arrivait parfois qu'on ne se comprît pas. Il interrogea le garde une dernière fois, mais commença sa phrase moins paresseusement : il lui donna son titre :

« *Chaukidar, nazar, nazar,* pour ton rajah... »

Le visage de l'Indien s'anima enfin. Il cria quelques mots d'hindi, si rapides que Madec n'en saisit rien. Dix gardes se précipitèrent. En l'espace de quelques instants, le canon fut rentré à l'intérieur des remparts, puis on le vit disparaître sous bonne escorte dans la rue principale qui menait à la citadelle.

« Maintenant, *parwanah,* dit Madec, *parwanah,* pour camper sous les remparts, en attendant ton seigneur. »

Il était épuisé. Il se contenta donc de juxtaposer des mots ; quant aux formules de politesse, il préféra s'en passer, ne sachant pas quelle importance accorder à ce petit chef, et préférant ne pas étaler un vocabulaire susceptible d'interprétations fallacieuses. *Parwanah,* cela suffisait, et sans nul doute l'usage était partout identique : les étrangers devaient solliciter la permission de s'installer dans une cité, fût-ce pour planter leurs tentes l'espace de quelques jours.

Le garde répondit sans difficulté. Il désigna un bouquet de banians, qui n'était pas très éloigné :

« A quatre *koss* d'ici, vous pourrez vous installer, près de la Porte d'Eau. »

Madec le dévisagea, l'air un peu étonné. Quatre *koss,* ce n'était pas très loin, à peine une demi-lieue. Un autre point toutefois le surprenait davantage : la forme très respectueuse que le garde avait employée dans sa phrase, une marque de déférence assez rare, et dont les syllabes, jointes à celles du verbe, avaient très agréablement résonné à son oreille. Les canons avaient donc produit l'effet escompté. Madec traduisit sommairement. Les autres s'inclinèrent à leur tour devant le garde, et l'on fit marche arrière pour établir le camp là où on leur en avait donné *parwanah.* Madec n'osa pas demander quand on les introduirait près du rajah. Depuis la traversée du Dekkan, les lenteurs de l'Inde lui étaient familières ; il devinait qu'on lui aurait répondu *kal,* d'un ton un peu las. *Kal,* demain, après-demain, hier, qu'importe, attends donc, étranger, la vie est courte, mais nous avons devant nous tellement d'existences !

Il se tut donc. On attendrait.

Deux heures plus tard, la troupe avait dressé les tentes auprès de la rivière. C'était un endroit assez beau, situé face à la Porte d'Eau, là où s'interrompaient les remparts pour laisser passer le fleuve, celui-là même qu'on avait aperçu du plateau, dévalant la montagne ; malgré la saison sèche, il coulait encore assez abondamment. On y remplit les gourdes et les marmites, on fit cuire du riz, on marchanda des légumes à des paysans qui passaient. Puis, une fois restaurés, on se mit à guetter les portes de la ville.

Vers la fin du jour, la troupe tout entière fut prise de somnolence. Personne encore n'était venu de Godh. D'avoir marché des jours sans désemparer, et de se trouver brusquement arrêtés non par un obstacle naturel, mais par une simple muraille qui n'aurait pas résisté à un coup de canon, l'énergie des hommes semblait s'être dissoute, et ils s'enfonçaient peu à peu dans la torpeur.

C'est alors qu'arriva le peuple du désert. Comme ses chameaux, il était couvert de poussière, et l'on apprit qu'une sécheresse excessive le chassait pour un temps de son domaine des steppes sableuses et salées. Les femmes marchaient en tête ; on les vit arriver de loin, armée dansante de jupes plissées couleur safran, bordées de ganse rouge et argent : on aurait cru sur le chemin une longue écharpe onduleuse. Elles étaient pauvres, plus pauvres certainement que les paysannes de Godh, moins raffinées aussi, mais elles ruisselaient de bijoux : énormes boucles d'acier perçant le nez, grelots sans nombre, dizaines et dizaines de bracelets, aux bras comme aux pieds. Des romanichels, pensa Madec. Cet air de pauvreté fière, leur somptueuse façon de porter la poussière des routes, et jusqu'à l'insolence des femmes, qui paradaient en avant de la troupe, tout cela rappelait ceux qu'à Quimper on appelait *les hommes d'ailleurs,* ou les *gens de loin,* qui venaient sur la grand-place les jours de fête montrer des tours et des jongleries. Abandonnant ses compagnons à demi engourdis, Madec se dirigea vers eux. Ils s'installaient déjà, comme en pays familier, attisant des feux, puisant de l'eau à la rivière. Un vieillard s'était isolé. Il sortit d'un gros ballot un attirail de rideaux et de poupées. Les enfants de Godh accoururent. Deux grandes joies en une seule journée, ils n'en pouvaient plus d'excitation. L'homme aux poupées les calma d'un seul geste. Le soir tombait ; sa parole monta soudain vers le ciel rougissant. Sa langue était dure, un peu saccadée ; c'était encore un autre accent, qui sentait le caillou et la rocaille. Madec cependant s'y accoutuma dès la première phrase, la voix de l'homme ensorcelait :

« Me voici, moi le conteur, qui m'en vais vous dire une histoire ! Je l'ai pêchée dans l'océan où se jettent les rivières des contes. Mensonge ou vérité ? Tous les deux à la fois, c'est à vous de les démêler ! »

Puis il disparut derrière le cadre de bois qu'il avait déplié, tira les rideaux, et les marionnettes apparurent. L'auditoire se recueillit. Madec s'efforça de suivre le détail des récits. Il ne peina guère ; scène après scène, toute la vie indienne défilait devant lui : les femmes en sari multicolore et longue natte, le tilak au front, avec le bijou traditionnel des femmes mariées, épanoui comme une fleur à la naissance des cheveux ; les bayadères des chemins, dont la marionnette imitait à merveille le déhanchement savant et les poignets délicatement tournés ; puis vint le charmeur de serpents, avec un terrible cobra qui hésitait, se dépliait, se lovait encore, avant de se dresser dans sa corbeille, comme sur les places de marché. A moitié ravis, à demi morts de peur, les enfants hurlèrent ;

enfin ce fut la vieille maquerelle, avare et stupide, qui querella son client et provoqua les rires. Pour finir surgit, près d'un oiseau de rêve, une belle princesse indolente et mélancolique :

« Elle est belle comme un bouton de lotus, disait l'homme aux marionnettes. Elle a le port du cygne, et son corps souple a le parfum du santal... Mais, toute jolie qu'elle soit, elle n'est pas aussi belle que la dame de Godh, qui vit avec le rajah dans le palais d'en haut. »

Madec tendit l'oreille. Il n'était pas sûr d'avoir bien compris. C'était bien la première fois qu'il entendait vanter dans l'Inde la beauté d'une princesse.

Fallait-il en effet qu'elle fût belle pour que le conteur affirmât qu'elle surpassait les dames de légende. Le récit continuait. C'était une histoire de déesse amoureuse. Troublé, Madec ne le suivait plus qu'avec distraction. Enfin parut une poupée peinte en bleu, l'éternel Khrishna, qui déposa la princesse triste sur une balançoire et lui murmura des mots d'amour. Le soleil se couchait. Dans l'ombre, d'un seul coup, le montreur de marionnettes replia théâtre, poupées et rideaux. C'était fini. Malgré la fin du conte, les enfants n'osaient pas bouger.

«... Et maintenant je m'en vais, moi, l'homme des récits, qui vous ai dit une histoire, pêchée à l'océan où se jettent les rivières des contes ! Mensonge ou vérité ? Tous les deux à la fois, c'est à vous de les démêler ! »

Madec était déjà parti. Il retournait à sa tente. Quelques rayons rougissaient encore les falaises et les marbres fantasques de la citadelle. Il crut y voir s'y promener des torches vacillantes. Là-bas, derrière les marbres capricieux, contre une porte finement menuisée, la belle au visage de lotus contemplait-elle aussi la nuit qui venait ? Mais comment donc une Indienne, avec sa peau sombre, pouvait-elle approcher la roseur du lotus ? Qu'avait dit le conteur ? Son parfum de santal, le port du cygne... Mensonge ou vérité, à toi, Madec, de les dénouer. Un long moment, la tête un peu vague, il contempla le palais qui disparaissait dans le noir, tandis que se levaient les étoiles.

Les journées qui suivirent furent extrêmement tranquilles. Epuisés par leur marche, les Français dormaient le plus clair du jour, et la nuit aussi, dans le murmure de la rivière. La curiosité des gens de la ville s'éteignait peu à peu, le peuple du désert s'en était allé par les jungles, et les alentours du camp paraissaient presque abandonnés. Un seul homme à Godh s'inquiétait encore : c'était le rajah. Dès la réception du nazar offert par les gens des Eaux Noires, il avait convoqué Mohan, son astrologue, brahmane entre les brahmanes, qui interrogeait les planètes avec un art consommé. Mais le moment n'était pas favorable ; avant que l'astrologue pût s'en aller à l'observatoire déchiffrer l'ordre inscrit dans les étoiles et rapporter les réponses qu'elles prescrivaient, il avait fallu attendre trois nuits pleines.

Ce matin était décisif. Le premier rai du soleil n'avait pas passé les interstices du store que Bhawani se leva, repoussant d'un geste nerveux la demi-douzaine de petits coussins et d'oreillers répartis sur son charpoï, et dont la mollesse n'avait pas adouci son repos. Ni la couette légère, ni même le traversin de perles qu'il avait exigé la veille pour éloigner de lui le mauvais sort n'avaient pu le calmer. Plusieurs fois il s'était levé, guettant dans la plaine les formes géométriques de l'observatoire. Il ne vit rien et finit par s'endormir d'un sommeil inquiet, d'où l'arrachait maintenant un soupçon de lumière.

Un long moment, il posa le front sur le store, les paupières encore fermées, prolongeant l'instant où il n'était pas encore seigneur, rajah de Godh la bienheureuse. A l'entrée de la pièce, les deux gardes demeurèrent imperturbables ; ces gestes fébriles, un peu veules, n'étaient pas cependant dans les habitudes de leur maître. Malgré le souci qui l'assombrissait depuis des mois, il se levait chaque jour impatient d'être beau, appelait sur-le-champ les serviteurs pour la toilette, afin de se montrer au plus vite dans toute la plénitude de sa force et de sa jeunesse, lui, le rajah de Godh, Souryavansi, fils du Soleil.

Or ce matin il se sentait faible. Il n'osait même pas glisser l'œil sous le store. Une colombe posée sur la balustrade, un chat blanc courant au long d'une galerie, un serviteur à gros nez apparu derrière une fenêtre, ce serait le visage du malheur. A l'aurore, le premier regard posé sur le monde était signe des signes ; car le soleil, en même temps qu'il éclairait les yeux, illuminait l'âme, lui montrant les menaces, les obstacles à éviter et quelquefois la mort. Bhawani fut pris d'un sursaut de courage. Le fils du Soleil ne devait pas craindre les révélations de son ancêtre. Il pencha doucement la tête sous la jalousie, souhaitant, du plus fort qu'il pouvait, apercevoir dans la plaine un éléphant ou, ce qui serait mieux encore, un perroquet agrippé aux arbres de la falaise, un lézard courant les pierrailles.

Tout était calme, rien ne bougeait. Le monde n'était pas encore éveillé. Seules peut-être, dans la demi-obscurité, les porteuses d'eau s'en allaient à la rivière avec leurs bassins de cuivre. Peu à peu émergèrent de la pénombre les sept portes sacrées, les remparts crénelés, les angles droits des rues, tracées selon les principes d'architecture des temps anciens du Radjpoutana, qui voulaient que toute cité terrestre, dans son ordonnance aérée, ressemblât à la cité céleste du dieu Indra. De quartier en quartier, à chaque métier sa place, dans l'ordre et l'harmonie. Les maisons de la ville ne recevaient pas encore la lumière, le palais, lui, sur son piton, commençait à resplendir : et cela n'était-il pas justice, puisque les princes de Godh étaient nés du Soleil ?

Il chercha dans l'ombre le camp des firanguis, que signalaient leurs tentes fatiguées et quelques feux mal éteints. Il se retourna tout de suite, soupira, s'en voulut. Que pourraient lui apporter ces hommes ? Que préfigurait leur nazar ? Une bouche à feu, cracheuse de mort. Il en connaissait l'existence ; certains de ses voisins en avaient vu chez le Moghol. Mais Godh ne voulait pas de la guerre. Les mettre en usage, ne serait-ce pas rompre la trêve conclue avec les dieux depuis des siècles ? Et comment lancer sans frémir ces gueules à feu au milieu des combats qui n'étaient, au peu qu'il en savait, que mêlée et désordre ?

La nouveauté ne lui répugnait pas, bien au contraire : si le monde changeait, il fallait changer avec lui ; mais on ne pouvait s'y résoudre avant d'avoir consulté les signes, avant de s'être assuré que la modification des choses était d'accord avec l'ordre du monde. Bhawani, une fois encore, baissa les yeux sur le matin. Si ces firanguis s'étaient présentés aux portes du Nord, le présage eût été clair et la paix dans son cœur : tout ce qui vient de l'Himalaya est béni ; mais non, ils étaient arrivés au Sud, à la Porte du Vent, Hawa Pol. Et ces étrangers-là, n'étaient-ils pas aussi des sacrilèges, puisqu'ils avaient osé traverser les Eaux Noires ?

Il écarta fiévreusement les lattes du store. Désormais, il faisait assez jour pour qu'il vît l'observatoire. Il était situé à l'intérieur de la ville, sur un grand terrain plat ; c'était une très étrange construction, commandée par son grand-père au plus célèbre astrologue du temps, un disciple du maharajah Jai Singh. Le vieux rajah de Godh avait exigé un observatoire analogue aux *Jantar Mantar* que l'illustre maître avait bâtis dans les grandes cités indiennes, Delhi, Jaipur, Ujjaïn, Bénarès, aux fins de calculer le point d'infortune où se trouvait l'humanité depuis l'arrivée des Moghols et de prévoir aussi le plus proche avenir. Tous les instruments de mesure consistaient en d'immenses structures géométriques de pierre peinte en rouge, blanc ou noir, des escaliers, des arêtes dures, des cercles parfaits tendus vers le soleil et les étoiles. Ce matin encore, il s'étonna devant les lignes impitoyables des gnomons et des arcs gradués, qui contrastaient si fort avec les formes légères, languides où il aimait à vivre. Le reflet dur de la perfection, se dit-il, la perfection de *Brahman*, l'au-delà implacable dont parle Mohan, et il se répéta le verset sacré :

Cet univers est pure conscience, tout est Brahman, éternel, impérissable...

Son inquiétude, pourtant, ne passait pas. Il se rappela d'autres phrases du brahmane : Rajah, la venue des firanguis est inscrite dans les astres, pourquoi te tourmenter, qu'est donc ton existence, et la leur, au regard des quatre millions trois cent vingt mille années de la durée du monde, dont se sont déjà écoulées, en ce jour de l'ère d'infortune, plus de trois millions huit cent quatre-vingt-dix-sept mille !

Il ne l'avait pas écouté :

« Va voir les astres, Mohan, je le veux ! »

D'ici peu, il serait fixé, avec le matin s'étaient évanouies les ultimes pâlissures de la lune, la traînée des dernières étoiles. Le store, soudain, lui glissa de la main. Il se garda de le rattraper de la main gauche : aujourd'hui, plus que jamais, le moindre geste devait être propice. Bien commencer la journée ; alors il claqua des doigts, haut et clair, comme seuls savent faire les princes. Aussitôt s'ouvrit une porte de bois ajouré, et déferla une nuée de serviteurs, qui se courbèrent devant lui l'un après l'autre. Le long rituel de la toilette allait commencer. On releva les jalousies, le soleil se répandit sur le marbre. Pourquoi s'inquiéter ? Le prince retourna à la balustrade. Tout était divinement calme, pareil au sommeil de Vishnou sur le serpent Ananta, aux temps où l'univers baignait encore dans l'océan d'inconscience. Le printemps s'annonçait ; déjà fleurissaient dans la plaine des milliers de jacarandas mauves. Il coula un regard vers les galeries du zenana. Des formes s'agitaient derrière des moucharabiers, mais il ne démêlait pas si elles étaient nues ou habillées. Lui revint alors, dans ses détails les plus intimes, le souvenir du corps de Sarasvati, et il s'aperçut qu'il ne l'avait pas visitée depuis l'arrivée des firanguis, quatre jours maintenant, une éternité.

Il se retourna vers ses serviteurs, l'air dur et impatient :

« Dès que l'astrologue sera là, vous l'introduirez ! »

Puis son regard s'en alla à nouveau sur la plaine de Godh. Une prière monta en lui, d'une ferveur qui le déchira. C'était que l'avenir, quel qu'il fût, épargnât au moins Sarasvati, de Brahma, à coup sûr, la créature la plus parfaite. Car lui, Bhawani, fils du Soleil et rajah de Godh, l'aimait ici-bas plus que toute autre au monde.

*
* *

Il s'allongea sur un divan bas. Un serviteur le dévêtit et l'enduisit d'une pâte composée d'huile, de farine de gruau et d'essences odorantes, qui sécha aussitôt en s'effritant. Comme d'une coquille, le corps du rajah en émergea, lisse et frais. L'astrologue demeurait dans un coin de la pièce. Tant que la toilette ne serait pas achevée, il ne s'approcherait pas. Bien que Bhawani fût Souryavansi, et que toutes les impuretés qu'on enlevait à son corps ne constituent pas des souillures, la perfection de l'état de brahmane lui interdisait de s'approcher, du moins pendant les premières minutes des ablutions. Quant au rajah, la peur de savoir lui nouait la langue. Si l'on exceptait le tintement des fioles et des boîtes à onguents, dans la chambre de marbre régnait le silence.

Deux serviteurs entrèrent, porteurs d'aiguières d'argent. Le rajah s'arracha au divan, se pencha sur un bassin de cuivre. L'eau de rose, en coulant sur son dos musclé, le détendit. Il se releva, s'ébroua, s'allongea à nouveau sur le divan de toilette. Un nouveau domestique se précipita, lui présenta des bâtons de *nim* disposés sur une feuille de bananier fraîche. Il se servit aussitôt, mais ce matin il les écrasa sous ses dents avec la plus grande nervosité. Le jus dentifrice gicla sur son menton, et, devançant le geste d'un serviteur, il l'essuya d'un revers de main irrité. Accroupi dans son recoin, le brahmane attendait, les yeux baissés sur le tapis, apparemment indifférent.

« Mohan », murmura Bhawani.

Un nouveau domestique l'interrompit ; muni d'une raclette métallique en forme de fer à cheval, il se penchait sur la langue du rajah pour y gratter la couche pâteuse déposée par la nuit. Surpris de voir parler son maître, il faillit en perdre son instrument, mais se reprit à temps avec une habileté extraordinaire ; il est vrai que toute maladresse, fût-elle due à la fébrilité du prince, lui aurait immanquablement valu le fouet. Il était de son métier de comprendre que le rajah était tendu. Il expédia donc la séance de grattage de langue, tout comme son successeur le nettoyeur de paupières, qui retourna en un tournemain les deux membranes princières jusqu'au fond de l'œil et les débarrassa avec un minuscule instrument de la fine pellicule qui les asséchait encore au sortir du sommeil.

Avant de parler, Bhawani décida d'attendre qu'on l'eût massé. Pris entre l'impatience de connaître l'avenir et le désir de commencer la journée sous des auspices favorables, il s'en remit à cette dernière résolution.

De son recoin, d'ailleurs, le brahmane semblait l'approuver ; il appela donc le coiffeur, qui vérifia soigneusement l'épilation de tout le corps et repassa sur le triangle du sexe la marque rouge et verticale du mariage. Le masseur pouvait alors s'approcher. Il saisit par les tempes la tête du rajah, la serra comme dans un étau, en s'arrêtant entre chaque pression pour frapper deux fois entre ses mains : ainsi s'envolèrent les mauvais esprits. Puis il posa une serviette sur le ventre et la poitrine du prince, le piétina ; enfin, de ses doigts trempés dans un mélange d'huiles chaudes, de moutarde, de safran et de santal, il le pétrit de la tête aux pieds. Dans la pénombre, le corps musclé brillait comme une statue d'or. Le masseur le regarda d'un œil un peu critique : le rajah demeurait encore trop mince, pas assez gros pour un chef. Mais cela viendrait avec l'âge, à force de fêtes et de sucreries. Toutefois, Bhawani portait indiscutablement les marques des élus des dieux : des yeux presque gris, un teint plus clair que le commun des Indiens, des cheveux parsemés de filaments blancs, comme il seyait à tout fils du Soleil, digne descendant des envahisseurs radjpoutes, nés autrefois du Feu sacré dans un pays lointain, et répandus par toute l'Inde pour en chasser les démons et la régénérer dans son tréfonds.

Les derniers soins allèrent vite. D'un coup de pince, on lui arrondit les ongles. Puis on lissa et ordonna sa moustache. Chaque rognure, chaque poil étaient soigneusement déposés dans une boîte d'ivoire, avec tous ceux des autres matins, qu'on brûlerait avec son corps le jour de sa mort. Tous les domestiques avaient compris que le maître était pressé ; ils avaient accéléré le rythme, sans omettre cependant la moindre de leurs courbettes obséquieuses ni rien perdre de leur dextérité délicate. Seul, un dernier homme prit son temps.

C'était un vieillard au visage ridé ; tout le temps de la toilette, il était resté aux côtés de Mohan. Il s'approcha et, d'un petit sac qu'il portait en bandoulière, tira une spatule en or qu'il appliqua sur le corps du rajah, en délimitant avec soin chacune de ses régions. Il était brahmane, tout comme Mohan, et faisait office de médecin quand l'astrologie empêchait son collègue de se consacrer à l'*ayur veda,* science de la vie et des moyens de la maintenir. De son outil sacré, il fermait les pores de la peau, distendus par les soins de beauté ; il interdisait ainsi, pour vingt-quatre heures, aux mauvais esprits de s'y insinuer. D'un geste, le rajah fit comprendre qu'il ne mangerait rien avant d'avoir conféré avec l'astrologue.

Tous le virent bien, son impatience grandissait :

maintenant qu'il était propre, il pouvait parler sans crainte. En un éclair, bassines, fioles et pots de crème disparurent ; ne restèrent plus que les domestiques chargés des vêtements.

« Mohan, dis-moi sur l'heure ce que veulent les astres ! »

Le brahmane se leva.

« Les astres, seigneur, ne nous dictent pas leurs volontés. Ils nous racontent simplement ce qui, de toute éternité, est inscrit en *Brahman.* »

Tandis qu'il prononçait ces paroles saintes, il souriait légèrement, ce qui n'échappa guère à Bhawani. Il sait, et il se tait ! pensa-t-il. Ces brahmanes sont bien tous les mêmes. Ils se rient de nous, avec leur savoir, quand bien même nous sommes kshatrya, et puissants comme moi ! Le brahmane continuait à sourire et le rajah, sentant qu'on suivait tous les mouvements de sa rage mal contenue, s'en voulut. Il lui fit signe de s'approcher et lui désigna, face à lui, un tapis du Cachemire, où le brahmane s'accroupit ; pendant qu'on l'habillait, Mohan gardait le silence ; il attendait que l'impatience du prince le découvrît davantage. Pour sa part, le rajah avait décidé de résister. Il se laissa docilement passer un pantalon collant, d'étoffe jaune mouchetée de rouge, puis une robe transparente et dorée. Les serviteurs l'aidèrent à attacher sa ceinture, où pendaient deux poignards à manche de jade de l'Himalaya, et, dans un fourreau de velours pourpre, un sabre à lame ondulée. Vint enfin le moment des bijoux ; Sharma espérait produire son effet. Sous son turban à aigrette et ses rangs de colliers, il aurait l'air d'un dieu, et le brahmane serait contraint d'abandonner son air narquois.

Il passa des bagues, un triple collier de rubis, arracha son turban des mains du serviteur et se le noua lui-même sur la tête.

« Le miroir ! »

Il fixa en un instant son aigrette de diamants ; les pierres étincelèrent. Très satisfait, Bhawani pensa qu'il ressemblait à Khrishna, son dieu favori. Il présenta à Mohan une boîte à bétel, s'accroupit devant lui, sur un tapis d'ivoire. Le brahmane persistait à se taire.

« Je te vaux bien, maintenant, brahmane, avec mon gros diamant sur le front ! C'est un troisième œil, et mieux que toi peut-être il lit l'avenir ! Comme moi, c'est un diamant kshatrya, je rayonne ainsi que lui, et mon pouvoir suit son éclat ! »

Le rajah s'admirait sans retenue dans le miroir.

« Méfie-toi, rajah... Ton rayonnement dans la glace pourrait t'éblouir toi-même. »

Bhawani tressaillit ; où finissait l'avertissement, où commençait la plaisanterie ? On déconseillait à quiconque était paré de diamants de contempler son reflet, c'était exact ; cela, disait-on, avalait le pouvoir des rajahs. Mais on venait justement de baisser les stores ! En fait, Mohan voulait le ramener à son rang de kshatrya, inférieur à l'état de brahmane. Tous pareils, les brahmanes, insupportables, fiers de leur science et de leur caste !

Une fois encore, il réprima son irritation car il nourrissait pour Mohan une extrême affection ; c'était un homme d'une cinquantaine d'années, un vieillard déjà, petit et sec, aux dons étendus et multiples : astrologue confirmé, diplomate extraordinaire, médecin parmi les plus savants. Malgré sa place éminente au palais, il avait tenu à conserver les attributs traditionnels de sa fonction, draperie safran nouée autour de la taille, cordelettes sacrées en bandoulière, et petit chignon piqué au sommet du crâne, alors qu'il aurait pu, comme dans beaucoup d'autres cours influencées par le luxe moghol, arborer turbans d'apparat et robes rebrodées de perles. Mohan n'avait qu'un seul idéal : la pureté ; mais elle n'excluait pas chez lui, à la différence de certains brahmanes, la présence au monde d'ici-bas, à ses changements, à ses nouveautés. Son importance à Godh, il estimait la tenir d'abord de sa condition de brahmane, *deux fois né,* comme on disait : une première fois sa venue au monde, puis lors de son initiation ; mais il avait aussi reçu du père du prince mission de maintenir la tradition de la petite principauté, qui depuis des siècles conservait l'innocence tranquille des mœurs de l'Inde, aux temps où les Moghols ne l'avaient pas encore envahie. A ceux-ci toutefois, elle empruntait les nouveautés — architecture, jardins, vêtements — qui ne pouvaient pas souiller la pureté des fonctions et des devoirs religieux. C'est à cette longue collaboration des rajahs avec les hommes de savoir, pour qui la religion n'était pas fermeture à l'univers, mais au contraire un accueil perpétuel de ses changements, que Godh devait d'être cette ville à la fois traditionnelle et contemporaine, hors de l'histoire, mais nourrie de ce qu'elle avait de fécond, protégée des guerres et pourtant à l'affût des nouvelles.

Singulière, en un mot. Pour l'étranger qui passait, elle était surtout la cité dont le prince, presque seul en Inde, ne cachait pas ses femmes. Observation futile, semblait-il de prime abord. Elle ne l'était pas, cependant ; Bhawani le savait mieux que quiconque, qui avait maintenu l'usage, quoiqu'il en connût le danger, du jour où l'avait envoûté la beauté de Sarasvati. Cette entière liberté des femmes, leurs faces exemptes de tout voile, la latitude qui leur était laissée de sortir ou non du zenana, sans l'humiliante surveillance des eunuques que les autres princes imposaient à leurs épouses, constituait le symbole même de la cité de Godh : une ville franche, dans tous les sens du terme, visage découvert, indépendance, liberté et paix.

Le rajah sentit soudain peser sur lui le regard ironique du brahmane. Son irritation monta encore :

« Par l'amour ! Par l'acier ! Parle donc, brahmane. »

C'était la formule sacrée des ordres royaux. Mohan ne pouvait plus se dérober :

« Les astres, comme le monde où nous vivons, se précipitent vers leur perte, seigneur.

— Oui, je le sais comme toi, et tout cela est écrit dans les textes sacrés des Vedas et des Upanishads. Je ne t'ai pas fait veiller pour me l'entendre répéter comme lorsque j'étais enfant ! Je veux savoir ce que disent les astres ! »

Il ajouta, plus timidement :

«... Ce qu'ils me conseillent. »

Il était contraint de plier devant la puissance du prêtre. Privé de ses connaissances immenses en astrologie, Bhawani perdait tout son pouvoir. Comment diriger un peuple sans le secours d'un intercesseur entre ce monde périssable et l'univers impérissable du *Brahman,* l'Etre suprême, dont l'astrologue était l'un des rares élus à détenir une parcelle ?

Mohan jubilait :

« Rajah, rassure-toi, je ne viens pas te proposer une marche à l'étoile. Pour connaître la vérité divine, tu n'auras pas besoin de mener ton peuple de fontaine en lac sacré, de sanctuaire en pèlerinage. Contrairement à beaucoup d'autres royaumes indiens, le peuple de Godh est sain, la corruption des empereurs moghols l'a épargné... Il n'est nul besoin qu'il se purifie. » Il s'interrompit, joua du plat de la main sur les dessins à reflets que dessinait la soie du tapis.

« Parle !

— Chaque acte de notre vie n'est qu'une étape sur le chemin d'une longue perfection. Pour l'instant, seigneur, méfie-toi des saphirs.

— Des saphirs ? »

Bhawani se mit à inspecter fébrilement tous ses anneaux, saisit le miroir pour voir si la pierre maudite ne se mêlait pas par erreur aux diamants de son aigrette. Mais non, tout était en ordre. Il ne retint plus sa colère :

« Brahmane, je te fais venir pour te demander si je peux admettre sans souillure les firanguis à mes côtés, et tu trouves à me répondre ce que je sais déjà depuis la mort de mon père ! Jamais, au grand jamais, depuis que le mal de ventre l'a emporté et que tu m'as révélé les secrets de cette pierre maléfique, je n'ai porté de saphirs, ni admis qu'on en portât à mes côtés !

— Toute chose est double en ce monde, rajah. Le saphir peut t'être maléfique, et bénéfique à un autre.

— Par l'amour et l'acier, suffit ! Parle ! »

Mohan détestait ces colères du rajah. Il était de son devoir de le ramener à plus d'humilité. *Dharma,* devoir de caste, sans quoi l'ordre du monde serait souillé. Et n'était-il pas aussi le plus âgé, l'initiateur de ce petit seigneur bouillonnant ?

« Retiens tes passions, rajah ! A moi l'Ayurveda, la science de la vie. A toi la science de la guerre, Dhanourveda. Et à Sarasvati Gandhavaveda, la science des rythmes musicaux. A chacun sa caste, *varna,* sa couleur et son destin, sa part de connaissance. Taistoi donc, respecte ton Dharma, écoute-moi plutôt, et passe tes colliers de perles, afin qu'ils aspirent avec ta sueur tes mauvaises humeurs ! »

Bhawani s'exécuta. Mohan reprit :

«Je te l'ai déjà dit, rajah, tu es trop pressé. Depuis que je suis entré dans cette pièce, tu attends de moi que je te dise l'avenir. L'avenir est comme le reste, ni bon, ni mauvais, et plutôt mauvais, puisque nous sommes en l'âge de Kaliyuga. Tu crois que je peux tout lire dans les astres, et tu désires que je te dicte ta conduite. Tu es encore faible. Tu es encore fragile, malgré ton diamant sur le front. »

Le brahmane l'avait appelé par son prénom ; le prince se sentit redevenir enfant, revivre les séances d'étude passées à réciter à longueur de jour les versets sacrés des Vedas. De ces longues récitations, Mohan avait gardé, même lors des conversations plus profanes, une musique curieuse au fond de la voix, qui semblait psalmodier encore, poursuivre la vieille litanie du sacré. Bhawani était pétrifié de honte ; il avait eu tort de s'emporter. En Mohan, c'était le *Brahman* qui parlait.

« L'avenir va où il veut, Bhawani. Je ne discerne

que de vagues repères. Si je distingue les inimitiés qui opposent les planètes entre elles, je ne peux, pas plus que toi, deviner le cours des choses. »

Il répartit nerveusement les colliers de perles sur sa poitrine.

« Pardonne-moi, Mohan. Depuis que les firanguis sont aux portes de Godh —, et peut-être depuis plus longtemps, des années, depuis que tu m'as parlé des étrangers venus des Eaux Noires —, je n'en peux plus de perplexité et d'inquiétude. Maintenant qu'ils m'ont offert le nazar, je dois prendre une décision, et je ne sais que faire. Je t'en prie, aide-moi, et parle. »

L'astrologue le regarda calmement, marqua une pause. Bhawani avait compris : il renvoya les serviteurs, toujours présents, qui passaient tout le jour à attendre les ordres. Dès qu'ils furent sortis, le prêtre se rapprocha du rajah et se mit à parler d'une voix presque chuchotante ; il ne fallait pas non plus que les gardes l'entendent.

« Toute la nuit, rajah, je me suis consacré à *Brahman,* sur l'autel du Roi des Rois, sur l'orbe duquel, tu le sais comme moi, les courbes célestes ne sont que quelques feuilles, et les étoiles, et le coursier azuré du Soleil, que piécettes dans le Trésor du Suprême... »

Bhawani sentit redoubler son exaspération ; le style ampoulé dont les brahmanes entouraient leurs déclarations importantes l'agaçait au plus haut point. Mais la leçon d'humilité de tout à l'heure avait porté ; il se tut.

Mohan remarqua sous les yeux du rajah de grands cernes bleus, qui lui ternissaient le teint, malgré les soins de toilette.

« Ecoute-moi en paix, reprit-il. Sache que les firanguis sont déjà venus dans nos contrées, il y a très longtemps, dans des époques où se perd la mémoire. Ils s'appelaient Darius le Perse, ou Alexandre le Grec ; sache aussi qu'ils sont partis comme ils étaient venus, nous laissant simplement un peu de leurs arts et de leurs sciences, contre ceux qu'ils découvrirent ici.

Puis ils rentrèrent dans les pays d'Ouest, chantant nos gloires pour des siècles et des siècles... La Mère-Inde ne change pas, rajah, ceux qui la visitent sont simples passagers, ils la caressent l'espace d'un court instant et s'en vont. A nous de tirer des firanguis le meilleur d'eux-mêmes !

— Autrefois, il y a cinq ans, tu m'as bien dit pourtant que les firanguis venus des Eaux Noires étaient de deux factions rivales et qu'ils ne tarderaient pas à se battre entre eux sur nos propres terres ?

— C'est exact ; ils se détestent comme mangouste et cobra. Les premiers portent veste rouge ; ils viennent d'une petite île perdue au nord des Eaux Noires et parlent un dialecte dont les brahmanes de Bénarès m'ont appris quelques mots. Comme ceux qui campent à nos portes, ils possèdent des bouches à feu, *cannon,* comme ils disent.

— Quoi ?

— *Cannon.* Peu importe. Or, voici ce que disent les astres. Nous venons d'entrer dans le signe du Capricorne et la planète de la guerre s'y trouve en exaltation. Les firanguis qui campent à tes portes, t'apportent donc une guerre juste et bonne. Quand, je ne le sais pas. Mais n'oublie pas que tu es Kshatrya, Fils du Soleil, et que l'indépendance doit être ta vertu première, au prix même de ta vie.

— Car je dois en mourir ?

— Cela, les astres ne me l'ont pas dit. Je te répète simplement que tu dois te méfier des saphirs.

— Et Sarasvati, et mon fils ? Que disent les astres ?

— Ils sont eux aussi sous le signe de la planète guerrière.

— C'est impossible, du moins pour Sarasvati. Tout en elle est *Sukra,* amour et volupté.

— Dans ces conditions, rajah, jamais je n'aurais dû conseiller à ton père de te la donner en mariage, puisque l'astre d'amour est ennemi du Soleil ! C'est moi qui lui ai fait chercher le secret de sa naissance ; je me doutais bien qu'elle était kshatrya et non simple bayadère. C'est alors que nous avons su qu'elle était de bonne famille, et de surcroît, chose rarissime, protégée du roi Cobra. J'ai consulté le ciel, je m'en souviens encore, une nuit très claire ; tous les présages étaient bons : le soleil était entré en son point le plus actif, Putrabhava, enfants, gloire, universelle renommée...

— Oui, murmura Bhawani, c'est vrai.

— Godh, la liberté de Godh, répéta Mohan. Reçois ces firanguis. Et ne leur cache pas ton épouse !

— Je n'en avais pas l'intention. La clôture du zenana est bonne pour les musulmans, et j'ai toute confiance en Sarasvati. Elle n'est pas une femme commune.

— Tu as raison. »

Le brahmane réfléchit un instant, puis ajouta :

« Surtout, fais-lui vite d'autres fils !

— Son ventre est sec depuis cinq ans !

— Le ventre d'une jeune femme qui a enfanté à quinze ans n'est pas sec quand elle en a vingt. Et toi-même, qui viens d'atteindre la trentaine, tu es fort et plein d'énergie. La deuxième épouse ne vient-elle pas encore de te donner une fille ? Rajah, c'est ton cœur qui est malade, non le ventre de Sarasvati : tu es inquiet, et la nature, malgré tes assauts, te refuse progéniture de celle que tu aimes.

— Qui craindrais-je ?

— Ton frère. Ton cadet, qui a disparu vers l'est aux lendemains de la mort de ton père.

— Je suis le rajah, de plein droit.

— Ne joue pas au plus fin. La jalousie de ton frère Ragu est connue de tous. Voilà pourquoi l'arrivée des firanguis te trouble et t'inquiète à la fois : si Ragu parvient à trouver une belle troupe de ces guerriers étrangers pour venir attaquer ta province, tu es fini. A moins que tu n'aies pris les devants et que, toi aussi, tu ne possèdes les armes et les hommes des Eaux Noires. Et que tu engendres suffisamment de fils solides et valeureux pour rendre ton pouvoir impérissable, même aux temps où tes forces, Dharma ! t'abandonneront. Fais des fils à Sarasvati : en elle vit la force et la guerre, et le roi Cobra la protège. »

Mohan ferma les yeux, rajusta les pans de sa jupe de safran. L'entretien était clos. Le rajah se prosterna.

« Va prier, dit le brahmane.

— Je m'en vais à l'instant voir Khrishna !

— Guerre et armées demandent plutôt Kali. Tu la négliges depuis ton mariage.

— Brahmane, laisse-moi à Khrishna, qui a béni toutes mes amours... »

Le rajah éclata de rire. Mohan venait de lui rendre son assurance d'autrefois. Il se leva, retourna à la fenêtre, considéra une dernière fois la plaine de Godh, le fort du Tigre et les défilés qui en gardaient l'accès, revint aux remparts, au camp des firanguis. La lumière blondissait à chaque minute. Sous son aigrette de diamants, dans ses vêtements dorés, frais encore de la toilette, Bhawani resplendissait.

Il claqua des doigts ; un serviteur apparut :

« Fais venir le chef de la garde ! »

Quelques instants plus tard, l'homme était là :

« Qu'on prépare une robe de brocart d'or pour le chef des firanguis ! Qu'on leur donne à tous de quoi se nourrir, se parer et se rafraîchir. Et qu'on les fasse venir à moi par la ville, en grande pompe. Par l'acier ! Qu'il en soit fait selon ma volonté ! »

Toujours accroupi sur son tapis, le brahmane ne put réprimer un petit sourire. Les astres avaient raison. Et dire que Bhawani s'obstinait à croire que Sarasvati était du signe de l'amour et qu'ils continuaient tous les deux à rendre à Khrishna dévotion sur dévotion ! *Par l'acier* ! Les astres guidaient le rajah sans qu'il s'en aperçût : ne venait-il pas d'omettre la seconde injonction rituelle des rajahs de Godh : *par la puissance de l'amour...*

A cet instant de sa réflexion, le brahmane cessa de sourire.

Il avait lui aussi omis de raconter à Bhawani une

petite part de ce qu'il avait lu dans les astres. Jamais d'ailleurs il ne le lui dirait, pas plus qu'à Sarasvati qui l'apprendrait bien assez tôt. Comment se déroulerait ce qu'il avait appris en suivant l'orbe des étoiles, nul astrologue, si savant fût-il, ne pouvait le prédire. Cependant, dès minuit, Mohan avait clairement vu, aux ombres de la lune sur le *Jantar Mantar,* que la planète des combats venait d'entrer, en sa pleine puissance, dans la maison astrale qui commandait le destin de la princesse. Et Sarasvati la douce, qui se croyait encore de l'amour, deviendrait sous peu ce qu'elle avait toujours été au regard des étoiles : une femme de guerre.

*
* *

Il était midi au soleil quand une rumeur s'éleva de la Porte des Vents. Du même bond, Madec et Martin-Lion furent debout. Ce fond de musique stridente et monocorde ne pouvait pas tromper : gloire, triomphe, serments, voilà ce qu'il annonçait ; le temps de l'attente était clos. Tout se mêlait dans le bruit qui venait : les cordes, les trompettes, les conques, les tambourins ; c'était le rythme grave et solennel des fastes indiens, amplifié à chaque minute par la basse continue de la foule en murmure. Des deux côtés de la route, le cortège soulevait une fine poussière rouge. Les Français écarquillèrent les yeux, mais ils ne purent distinguer qu'une troupe enturbannée de tissus lamés et quelques éléphants qui la suivaient dont on n'apercevait que les têtes et les défenses peintes ; la distance, jointe à l'effet du nuage de poussière, donnait à l'ensemble un aspect irréel.

Ainsi l'Inde venait à eux. Elle consentait à descendre de la citadelle où, depuis quatre jours maintenant, elle semblait s'être recluse, et il y avait dans son apparition lente et chamarrée quelque chose de ce que les saddhu du Dekkan appelaient le *darçan,* la vision d'un être béni, rencontré après des koss et des koss de marches épuisantes. Oui, et c'était encore un autre monde qui s'avançait vers eux, toujours une Inde en dissimulait une autre, qu'on ne finissait pas de désirer. Car voici qu'à nouveau elle soulevait ses voiles, et aujourd'hui encore elle allait les happer.

La musique enfla. Les Français étaient pétrifiés, comme s'ils avaient du mal à passer aussi vite de l'inquiétude à la joie. Depuis la veille, l'humeur noire l'emportait.

« L'Inde est lente, répétait Martin-Lion, mais, trois jours, c'est beaucoup trop. Ils n'ont rien compris à notre nazar.

— Il aurait fallu peut-être ajouter du santal, du bétel », suggérait Madec, et Dieu l'approuvait.

Visage, qui se taisait depuis l'arrivée, avait dit soudain :

« Ces gens-là ne sont pas faits de la même pâte que nous. Ils se moquent de la valeur des choses, ils cherchent surtout des signes de bon augure...

— Foutredieu ! Des signes », avait pesté Martin-Lion, et la soirée s'était passée en imaginations diverses, sans qu'un seul des quatre hommes n'avouât ce que tous redoutaient en secret : l'indifférence indienne, cette formidable force d'inertie qui, des mois entiers, des années parfois, pouvait décourager les plus ardentes entreprises.

Mais désormais le miracle était là, devant eux : l'Inde était descendue de Godh. Le premier, Madec s'arracha à la fascination.

« Martin-Lion, fais ranger la troupe ! »

Des ordres fusèrent. Le plus difficile fut d'obtenir l'obéissance des cipayes : la vue des éléphants leur avait tourné la tête. Ils hurlaient, sautaient de joie, se perdaient en remerciements éplorés à tous les dieux du panthéon hindou. Madec menaça, promit le fouet et peu à peu ses hommes se calmèrent. Le cortège n'était plus qu'à quelques pas. Le soleil de midi tapait. Madec se raidit. Tenir son rang envers et contre tout. Malgré les pieds nus, l'uniforme en loques. En lui remontait le vieil orgueil du pauvre. Sous ses guenilles, il se répéta qu'il possédait un « état » : sergent, depuis l'affaire du perfide rajah, et seul maître de ses cipayes. La procession s'arrêta. La nuée d'enfants qui l'avait suivie en piaillant s'immobilisa aussi, comme indécise. La musique se tut, il y eut un long silence, tandis que la poussière du chemin retombait doucement sur le sol. Au milieu des Indiens en turban de brocart s'avança un homme assez gros, dont la coiffure était ornée d'une aigrette de pierres précieuses. Il s'inclina devant les quatre chefs français, prononça les salams d'usage, puis déclara d'une voix forte :

« Khal'at. »

Il tendait une robe de brocart analogue à celle qu'il portait.

Dieu, Visage et Martin-Lion avaient parfaitement compris, mais l'embarras les prit : à qui était destiné le cadeau ?

Madec s'avança, fit répéter le mot :

« Khal'at, pour nous, les firanguis ?

— Khal'at, pour ton chef. »

Madec rougit. On ne l'avait pas pris pour le chef. Tel n'était pas son rang, d'ailleurs, puisque la traversée du Dekkan n'avait représenté, somme toute, qu'une simple et longue marche. En l'absence de tout combat à livrer, les quatre hommes s'étaient répartis le pouvoir en fonction de leurs compétences : Dieu aux canons, Visage à la médecine, Martin-Lion à l'itinéraire, Madec au ravitaillement. La décision avait toujours été collégiale, au terme de longues veillées ou de palabres sous les banians.

Madec traduisit ; les quatre hommes se regardèrent. Rien, dans leurs uniformes en hardes, ne permettait plus de les distinguer ; la misère des routes les avait rendus égaux.

« Martin-Lion, dit Visage, tu commandais bien des dragons ?

— Comme capitaine, oui, mais je n'ai plus de cheval !

— Il faut un chef, ajouta Madec. Tu as le grade.

— A Dieu vat ! »

Madec se retourna vers l'homme à l'aigrette :

« Voici mon chef. »

L'Indien s'avança, s'agenouilla et déposa la robe aux pieds de Martin-Lion.

« Mon maître Sharma, rajah de Godh et fils du Soleil, te prie de m'accompagner avec ta suite en son palais de la citadelle. »

Tandis qu'il parlait, des gardes descendaient d'énormes ballots du dos des éléphants.

«... Que tes hommes se rafraîchissent et se parent ; dès que ta suite sera prête, tu entreras sous notre garde dans Godh la bienheureuse, la cité des joyaux, qui dans sa beauté approche la splendeur de la demeure d'Indra ! J'ai dit, conformément aux ordres du Fils du Soleil, qui me l'a ordonné, par l'amour et l'acier ! »

Dérouté par cette avalanche de formules, Madec ne comprit que l'invitation à se rendre au palais. Il traduisit encore. Martin-Lion paraissait de plus en plus éberlué. Son teint s'était coloré, mais il parvint à conserver l'air de grandeur qu'il se donnait toujours, tête en arrière et mèche au vent. Les soldats de la garde indienne ouvrirent les ballots ; ils en sortirent d'autres robes, puis un turban à aigrette, que le notable présenta cérémonieusement à Martin-Lion.

« Madec, balbutia celui-ci. Demande-lui ce que je dois faire... Je ne vais tout de même pas m'habiller en carnaval !

— Je crois bien que si... Le vieux Dupleix, autrefois, n'en a pas usé d'autre façon ! »

D'autres coffres arrivaient. L'Indien confirma :

« *Sharif,* voici des parfums, des tissus, des babouches pour ta troupe ! »

Sharif, noble guerrier ; Madec ne connaissait ce mot que d'un mois, quand les hommes avaient rencontré un ermite qui leur avait demandé l'aumône et les avait pris pour des princes étrangers. L'enthousiasme l'envahit :

« Il n'y a aucun doute, Martin-Lion ; à ton nazar, le rajah de Godh répond par ces cadeaux, qui signifient qu'il agrée ta visite dans sa ville. Il te considère comme son égal ! Nous devons nous habiller et le suivre. »

Martin-Lion soupira. Visage eut alors un de ses rares sourires :

« C'est pourtant bien toi qui nous as suggéré de venir offrir nos services aux princes du Nord, dont tu nous racontais monts et merveilles ! »

Martin-Lion n'aimait guère l'ironie ; il se mit à bougonner. Les Indiens tournèrent les talons et partirent attendre non loin de là, sous un bouquet d'arbres, laissant derrière eux une traînée de parfum.

Comment les hommes passèrent robes et turbans, comment ils se retrouvèrent, un moment après, juchés sur des éléphants caparaçonnés de drap d'or, comment le cortège, contournant les remparts, les amena à la Porte Triple, ni les uns ni les autres ne s'en souvinrent jamais : le soleil tapait trop fort, sans doute, et leur joie les étourdissait. Le parfum de santal brûlé que la garde répandait les drogua, décupla leur excitation ; ils s'abandonnèrent tout entiers à la pompe indienne. Avant de passer la triple ogive de la porte du Nord, la musique reprit, plus insistante qu'à l'aller. La foule en liesse jeta des fleurs.

On brûla encore du santal. Le parfum monta, et avec lui comme un vertige. Les arabesques de fleurs sculptées qui décoraient les vantaux de la porte, les guirlandes travaillées dans le marbre rose des tours de garde parurent monter vers le ciel, suivre les volutes de la fumée. Comme l'autre soir, Madec leva les yeux vers les fenêtres de la citadelle, suspendue au milieu des rocailles. Tandis qu'il cherchait derrière les fumerolles la silhouette fantasque du palais de marbre, il crut sentir sur le cortège le poids d'un immense regard, fixe et passionné. C'était absurde.

Mais tout aussi irrépressible qu'insensé. La fatigue, le soleil, la musique, l'odeur forte. Il parvint cependant à repousser l'hallucination. Les éléphants reprirent leur marche. Le bercement de leur pas le calma. On pénétrait dans la ville, où les maisons donnaient de l'ombre et dérobaient aux yeux le palais d'en haut.

Pourtant, la pesanteur étrange demeurait sur son front. Comme si on lui avalait l'âme. Et ce regard immense qui le dévorait, lui et ses compagnons, il ne savait pourquoi, semblait l'œil d'une femme.

*

* *

Godh était une ville douce, et rose, tellement rose. Rien dans ses murs n'appelait la démesure : une cité calme, tendre, aérée, où la liesse même paraissait tranquille. Tout y disait la paix. Madec respira ; peu à peu, l'hallucination se dissipa. Chaque quartier, très nettement délimité par de larges rues qui se coupaient à angle droit, apportait une découverte. En dehors de Pondichéry, Madec n'avait jamais eu le loisir d'observer les villes indiennes. Dans l'Inde du Sud, l'armée l'avait conduit de fortin en bastion ; quant aux routes du Dekkan, en dehors de cités de pierres cristallines, évitées la plupart du temps à cause des brigands qui les gardaient, elles reliaient surtout d'innombrables villages : à tout moment, on devinait, prêts à les détruire, le désert ou la jungle.

Ici, à l'abri des remparts, vivait une Inde en miniature, univers clos, aisément déchiffrable. Au bord de la rivière qui le traversait, le *chawk*, le marché, où se balançaient des barques de légumes et d'épices. Puis le quartier des potiers, celui des joailliers ; les ouvriers n'avaient pas quitté leur tâche, malgré le défilé, comme s'ils avaient tenu à offrir aux firanguis le spectacle de leur dextérité. Du haut de son éléphant, Madec distingua çà et là, derrière la foule des badauds, des hommes penchés sur leur travail, polissant les facettes de gemmes perdues au plus creux de leur paume. Le notable indien continuait de crier à l'adresse de Martin-Lion : « Te voici, noble firangui, dans la cité de Godh, semblable, par ses palais et ses joailliers sans nombre, à la ville d'Aramati, la demeure d'Indra... »

Encore Indra ! se disait Madec. Décidément, en ce pays, tout ce qui éblouit ou terrifie appartient à Indra... Entièrement à son observation, il ne traduisait plus ; et d'ailleurs Martin-Lion, sur l'éléphant qui le précédait, semblait s'endormir sous la litanie de l'Indien, n'échappant parfois à sa léthargie que pour vérifier l'équilibre de son turban.

A mesure qu'on se rapprochait des rochers de la citadelle, les constructions devenaient somptueuses. Et pourtant les maisons modestes de la périphérie n'étaient pas sans raffinements, la moindre d'entre elles se parait de peintures multicolores à même la chaux des façades : paons, perroquets, éléphants porteurs de couples joyeux, guirlandes de svastikas. Aux carrefours, des parterres de fleurs, des fontaines mousseuses, aussi légères que les encorbellements des maisons, puis la ville se mourait brusquement, au pied des rocailles, dans d'immenses demeures à étages et balcons arachnéens, où l'Indien annonça qu'habitaient de puissants marchands. On les dépassa ; et, tandis que la foule s'épuisait en derniers vivats, le cortège s'engagea sur la rampe abrupte qui menait au palais.

La falaise était si accidentée qu'on n'apercevait plus que les galeries les plus élevées de la citadelle. Sa fragilité, sa fantaisie s'accentuèrent encore aux yeux de Madec. Il l'en désira davantage. La rampe montait dur ; les musiciens s'essoufflaient, la marche même des éléphants se ralentit ; à chaque virage, le cornac les frappait, ce qu'ils n'appréciaient guère ; un instant, Madec se retourna vers Dieu et Visage. Il constata qu'ils n'étaient pas plus rassurés que lui. Les dais de brocart qui recouvraient le cuir des bêtes traînaient à terre, et il se demanda avec horreur ce qu'il adviendrait de lui si l'éléphant s'y empêtrait, emportant sous ses pattes l'étoffe et le balconnet de bois où il paradait... A l'évidence, personne, ni même le cornac, ne s'en préoccupait : maintenant qu'on avait traversé la ville, la routine du faste tirait à sa fin. La rampe décrivit un dernier coude. Embrassant le paysage qui s'étalait à ses pieds, Madec s'aperçut alors que la plaine de Godh était gardée au nord par un impressionnant défilé ; c'étaient les gorges de la rivière ; elle serpentait ensuite dans la plaine, avant de pénétrer la ville par une Porte d'Eau, puis d'en ressortir à l'ouest. A l'autre extrémité du paysage s'étendait un lac isolé, qu'il avait repéré dès le matin de l'arrivée, au palais étrange qui recouvrait son île unique. Puis venaient des forêts, des collines, des montagnes verdoyantes, la jungle sans doute. Un décor parfait, si l'on excluait l'incongruité de ce lac erratique et son insolite construction. Madec détourna les yeux, se remit à fixer la citadelle : dans ce monde clos et paisible, c'était le centre qui l'attirait. On était parvenu au but. Une double ceinture de remparts crénelés, des portails massifs et roses comme ceux de la ville ; mêmes ogives douces, mêmes guirlandes de fleurs sculptées. Les éléphants montaient toujours. Des gardes armés de lances surgissaient de partout. Brusquement, la peur envahit Madec. Il venait de se souvenir de l'épisode, déjà lointain, du « perfide rajah ». Et si, une fois encore... Il n'eut pas le temps de conjecturer davantage. On allait franchir une troisième porte, quand surgit de cette dernière enceinte une grosse cohorte de soldats, qui entoura aussitôt le cortège des éléphants. D'une même syllabe rauque, les cornacs immobilisèrent les animaux devant le balcon de marbre ouvragé qui décorait la porte.

Madec voulut appeler Martin-Lion, mais la musique des trompettes et des cymbales reprit de plus belle et couvrit sa voix. L'un après l'autre, les éléphants se rangeaient contre le balcon ; un soldat en cotte de mailles détachait le portillon du palanquin, et le passager de l'animal descendait sans encombre. Martin-Lion n'avait pas eu besoin de traducteur pour comprendre ce qu'on lui demandait. Le notable indien le suivit dans la foule des soldats, l'air important, et ils passèrent la porte. La garde se referma sur eux. Madec eut un haut-le-corps : c'était impossible ; il n'avait pas escaladé cette montagne, dilaté d'espoir et de désir, pour se heurter au dernier rempart qui le séparait de la cité de marbre. Il se leva dans le palanquin, rouge de colère :

« Martin-Lion ! Martin-Lion ! Reviens ! »

De rage, il en avait oublié Dieu et Visage. Debout sur les coussins de soie, il trépignait. Il saisit un des traversins, l'envoya rouler à terre, empoigna le cornac :

« Descends-moi, descends-moi tout de suite ! »

Il hurlait de toutes ses forces. En bas, imperturbables, les musiciens poursuivaient leur fanfare. Le cornac s'affola, laissa échapper quelques sons auxquels Madec ne comprit rien.

« Descends-moi ! »

Sous lui, il sentit alors courir une onde lente et puissante. Aussitôt, le palanquin se mit à osciller comme un bateau pris dans la houle. Madec retint son souffle. Autour de l'animal, ce ne fut qu'un seul cri. Les soldats se plaquèrent sur les parois de la rampe, tandis que les musiciens s'éparpillaient derrière la porte de marbre. L'animal grondait.

« Tais-toi, étranger », dit simplement le cornac, et il saisit son bâton.

Dix ou quinze fois, il frappa les flancs de l'animal en criant des syllabes de plus en plus rauques, fortes, pénétrantes. A chacune d'entre elles, les coussins étaient parcourus de frissons. Puis remontaient cette force en révolte, des soubresauts saccadés, des barrissements à peine étranglés. Le cuir raviné de la bête exhalait une odeur atroce. Madec s'agrippa au portillon de bois. Peu à peu, la voix du cornac produisit son effet. Les soubresauts de l'éléphant se calmèrent. Il souleva une dernière fois sa trompe peinturlurée de plumes de paon et fit quelques pas vers la petite construction qui faisait office de débarcadère.

Toujours sur la défensive, Madec sauta au milieu des soldats qui le gardaient, la main sur ses pistolets ; l'éléphant avança. Derrière, plus dociles, arrivaient les montures de Dieu et de Visage, qui le regardaient de l'air de pitié qu'on accorde à un fou. Il voulut leur parler, crier, mais les gardes le poussaient à son tour vers la cour. Comme si rien ne s'était passé, la mélopée indienne recommença, monocorde jusqu'à l'insoutenable. Et on le poussait toujours. Il était comme paralysé. Contre lui, il sentait crisser l'acier des cottes de mailles, presser la garde des épées. Sa gorge se serra. L'ombre de la porte était tombée sur lui. Il avançait, noué de peur, vers la lumière qui l'appelait. Les soldats lui masquaient l'intérieur du palais. Brusquement, la pression se relâcha. Plus personne devant lui. Un éblouissement le saisit. Ce n'était que du blanc. Mais un blanc lactescent, doux, nacré jusqu'à la transparence. Il cilla. Dans la lumière de l'après-midi se levèrent alors des jets d'eau, un jardin tranquille, et, tout au fond, une longue colonnade. L'une après l'autre, lignes et couleurs se précisèrent. Au milieu des piliers en forme de lotus se déployait un immense soleil d'or. En son centre s'alanguissait une silhouette assise, qui caressait un jeune daim. Un trône. Un prince, un seigneur. Le rajah.

Madec n'osait plus bouger. Les soldats avaient disparu, mais il sentait encore derrière lui leur remue-ménage ; ils devaient escorter ses deux autres compagnons. D'ici, la musique ne parvenait plus qu'affaiblie. Sa robe l'empêtrait ; sa ceinture de soldat, d'où pendaient ses pistolets, le gênait. En lui montait la peur.

Un homme s'avança vers lui d'un pas lent. Il portait

une aigrette plus importante que celle du notable qui était venu au camp. Il s'inclina devant Madec.

« Bienvenue, noble firangui ! »

Madec en perdit tout son hindi.

« Bhawani Singh, fils du Soleil et rajah de Godh, t'invite à me suivre à l'audience qu'il t'accorde au *Diwan-i-Am.* »

Diwan-i-Am... Madec ne connaissait pas ce mot. Il fit répéter, de peur d'avoir mal compris. Le mot *diwan* évoquait dans son esprit une tout autre idée : en breton on nommait ainsi le blé qui lève. Quel rapport ?

« Tu connais notre langue, noble firangui ? »

Il eut une hésitation, puis débita tout d'un trait :

« Pas encore assez pour tout comprendre ! Que veut dire *Diwan* ?

— Ici, devant toute sa suite, le Fils du Soleil consent à t'écouter ; ensuite il jugera de la conduite à tenir envers ton chef. »

Un Conseil, comprit Madec. Il fut surpris ; pourquoi tant de douceur en ce lieu, de fraîcheur et de bien-être ? Ces fleurs, ces bassins, ces parterres... Jusqu'à présent, l'exercice du pouvoir impliquait pour Madec austérité et claustration. Sur le bateau comme à Quimper ou Pondichéry, qui était puissant s'enfermait : bureaux hermétiquement clos sur tout soleil, rideaux, tentures, grilles, jalousies. Or, pour la première fois il pénétrait la demeure d'un seigneur, et il voyait une cour gracieuse, aux ouvertures découpant le ciel clair ; à peine, çà et là, un dais de velours pour en modérer l'éclat. S'il n'y avait eu, sous la colonnade, ce monumental soleil d'or adossé au marbre, on se serait cru au jardin d'une jeune princesse.

« Mais moi aussi, je suis *Diwan,* poursuivit son nouveau compagnon, en le guidant à travers les parterres. Je suis le premier après le rajah, l'homme de l'argent, le premier serviteur... » Il s'interrompit. On était à quelques pas du trône ; il lui fit signe de s'arrêter et de s'incliner. Avant de se courber, Madec eut le temps de remarquer Martin-Lion, assis en tailleur, du mieux qu'il pouvait, sur un tapis de soie posé aux pieds du rajah. Sur le sol, décoré de fleurs dessinées en poudre de couleur, brûlait du santal dans de petites coupelles. Madec se releva. Dieu et Visage suivaient.

Assis devant le soleil, un homme jeune, tout doré, lui sourit. Il devait avoir une trentaine d'années. Mais qu'il était lisse ! Il l'envia. Pas une ride, pas un pli amer ; nulle part, sur son corps ou son visage, la trace des veilles, du travail qui ne paie jamais, de l'angoisse du pain. Seul, peut-être, ce cerne bleu...

« Quel est ton nom ? »

La voix elle aussi était douce.

« Madec.

— Madecji, on m'a dit que tu connaissais notre langue ! »

Madecji : on avait accolé à son nom la syllabe qui en hindi marquait le respect. Seigneur Madec. La gueuserie revêtue de splendeur, bien plus encore que sous robe et turban. Il en oublia toutes ses peurs ; Visage et Dieu venaient d'arriver à leur tour. Il se lança à corps perdu dans sa tâche d'interprète.

Deux heures passèrent, légères, comme ce palais. Cependant, on parlait canons. Dès sa troisième phrase, le rajah demanda aux Français de lui fabriquer des bouches à feu et d'expliquer ensuite à ses soldats la manière de s'en servir. Pour ce faire, il proposait une somme énorme, un trésor, sembla-t-il aux quatre hommes.

Au terme des deux heures de discussion, Martin-Lion demeurait perplexe :

« Es-tu bien sûr, Madec, d'avoir tout compris ? Il ne nous propose pas d'entrer à son service, tu es sûr ? »

Madec devina sa déception.

« Nous ne pouvons pas le proposer nous-mêmes. Il faut attendre.

— Oui, mais il a l'air d'en avoir fini avec les palabres. »

Effectivement ; Bhawani se levait sur les coussins, distribuait des ordres. Des serviteurs chuchotèrent. On apporta des narguilés, des coupes de sorbets et de confitures. Pendant quelques minutes, les Français s'abandonnèrent aux sensations nouvelles, cédrat confit, *lassis* à la rose, petites mangues cuites dans un miel translucide.

« Ne mange pas de la main gauche, avait prévenu Madec. Cela serait de mauvais présage. » Le rajah ne touchait à rien, comme s'il attendait seulement que la curiosité de ses hôtes fût rassasiée. Martin-Lion, le premier, se demanda si ce petit festin sucré n'était pas un moyen de les retenir. L'après-midi s'avançait. Il repoussa son narguilé :

« Madec, et nos hommes ?

— Il est temps de rentrer, c'est vrai », fit Madec d'un air un peu las.

Le charme était brisé. En un instant lui revint le souvenir des tentes en lambeaux ; ordres, jurons, corvée d'eau, moustiques, serpents. Tout cela paraissait si lointain.

Le rajah le pressentit.

« Sache, Madecji, que vous êtes mes hôtes. Si vous acceptez ma proposition, tout le temps de votre mission, vous logerez en ce palais et partagerez ma vie.

— Et nos hommes ?

— Ici aussi, dans notre corps de garde. La citadelle est vaste et bâtie pour des soldats. »

Madec traduisit.

Le bonheur de Dieu éclata aussitôt. Visage même, d'habitude sceptique et détaché, soupirait d'aise sur son tapis.

Seul Martin-Lion demeurait perplexe :

« Je ne peux accepter sans lui demander un gage d'amitié ! »

Bhawani précéda sa requête ; il ouvrit la paume des mains :

« Que puis-je offrir à ton chef en garantie de ma bonne foi ? »

Martin-Lion ne sut que répondre ; ni lui, ni Madec n'avaient la moindre idée des usages en la matière. Un silence pesant s'installa. Chacun se creusait la tête. Bhawani prit l'initiative :

« Je vous offre deux femmes à chacun, trois pour ton chef. Et deux jeunes éléphants. Etes-vous satisfaits ? »

Visage intervint :

« N'accepte pas tout de suite, Martin-Lion. Marchande. »

Une demi-heure plus tard, le rajah de Godh leur avait attribué trois esclaves à leur personnel et exclusif usage ; en tant que chef, Martin-Lion en obtint cinq. Les Français, toutefois, n'avaient pas exigé de changer le nombre des éléphants.

On désigna Dieu pour aller chercher la troupe et donner l'ordre de lever le camp. Tout était réglé. Bhawani se leva :

« Voulez-vous bien venir au Diwan-i-Khas ? »

Suivi de son petit daim, qui ne l'avait pas quitté durant les deux heures de palabres, Sharma s'engagea dans un couloir qui prenait à l'extrémité de la colonnade. On déboucha sur une deuxième cour. Marbres. Jardins, jets d'eau, fenêtres découpées. Nouveau couloir. Puis une cour encore ; et galeries, et colonnades. Chaque fois, le jardin intérieur paraissait plus miraculeux, plus incroyable, l'eau qui sourdait aux cascades géométriques. Clochetons, coupoles graciles, carreaux de marbre polychrome : on allait de façade imprévue en décor irréel. Le soir venait ; au jour des fenêtres brunissait la plaine. Madec avançait sans comprendre. Comme si les fées des vieux contes marins l'avaient envoûté, il était prisonnier d'un charme. Son corps lui devenait étranger. Il n'était plus qu'un regard. Chaque pas lui enlevait comme une peau d'Europe ; il se sentait léger, ainsi qu'aux veillées du gaillard d'avant, lorsqu'il écoutait des contes. Mais cette fois il les voyait, les merveilles : plafonds cloisonnés de minuscules miroirs, murs carrelés de porcelaines chinoises. Il avait atteint son Inde intérieure. La féerie vivait ; il ne rêvait pas ; tant de détails en attestaient la vérité : l'ombre changeante du soir venu, la trace de l'arrosoir passé sur les fleurs, des pas inscrits au sable du jardin, la miette qu'emportait un paon cérémonieux, les flancs palpitants du jeune daim que le rajah poussait devant lui de couloir en couloir.

Bhawani s'arrêta au seuil d'une dernière cour et se retourna vers ses hôtes :

« Voici le Diwan-i-Khas.

— Je crois que c'est l'endroit où le rajah reçoit ses invités », expliqua Madec.

La cour était plus modeste que la précédente ; plus intime, plus gracile aussi. Sous la colonnade passait un petit canal, où coulait de l'eau fraîche.

« Le Fleuve du Paradis », expliqua le rajah.

Aucun des Français n'en douta. Dans ces architectures intérieures où sans le moindre heurt les jardins se mariaient au marbre, tout donnait l'illusion d'une béatitude céleste. Et la profusion des merveilles : pierres semi-précieuses enchâssées dans les murs, dais de brocart, tapis, mosaïques d'or et d'argent, n'écrasait jamais ; le corps ne pesait plus, mais continuait à sentir, et quels délices...

Un matelas de velours frangé était disposé sous le péristyle. Le rajah s'y installa, désignant des coussins à ses hôtes ; on apporta d'autres narguilés, de nouveaux sorbets. Le santal fumait toujours. On alluma des torches. Doucement, dans un coin de la cour, monta une musique légère. Une femme assise préludait un air allègre sur une sorte de mandoline. Peu à peu le rythme s'accéléra, les sons forcirent. Brusquement, la fatigue de la journée retomba sur Madec. Tout cela, encore, était trop neuf, trop fort. Il repoussa la pipe du narguilé.

Etait-ce le tabac, le parfum du santal ? Il ne savait plus. Le bien-être, trop entier, trop rapide, peut-être ?

Tous ses sens lui paraissaient atteindre une puissance insoupçonnée.

La musicienne reprit la mélodie sur un ton plus neutre, adouci. Madec entendit la voix du rajah.

Mécaniquement, Madec traduisit, comme pour lui-même, à voix basse :

« *Arc-en-ciel...* »

D'une porte invisible surgit une silhouette mince et longue, qui se déployait à chaque pas. On ne distinguait d'elle qu'un magnifique sari bleu frangé d'or. Elle dansait. Ses doigts volaient sur le ciel du soir, désignant des créatures imaginaires, des étoiles, ou peut-être un dieu. Elle avançait cependant ; ses pieds nus ornés de bracelets à clochettes suivaient très exactement le tempo donné par la musicienne.

Elle n'avait pas atteint le halo des torches, mais on devinait chacun de ses déhanchements et, dans son dos, la natte épaisse qui se dépliait comme un serpent. Avec terreur, Madec sentit se dissiper son bien-être. Le vertige éprouvé aux portes de Godh recommençait.

La danseuse s'avança dans la clarté des torches et le rajah répéta avec la même douceur :

« Sarasvati... »

C'était diabolique. Infernal, comme dans les histoires de sorciers. La lumière grésillante dévoilait à Madec un visage d'une beauté qu'il crut reconnaître. Où avait-il rencontré ces traits si purs, l'amande de ces yeux qui souriaient, le contour fin et charnu de ces lèvres qui se taisaient mais promettaient tant de joies ?

Promettaient ? Il était fou. Cette femme appartenait au rajah. Le vertige. La danse, les hanches qui balançaient, les seins nus sous le boléro bleu, les doigts qui montraient le ciel. Le narguilé, le santal. Le vertige, le vertige...

Il s'évanouit.

*
*   *

Madec passa la tête par-dessus bord et sourit ; il venait de reconnaître la voix de Martin-Lion, qui l'appelait d'une embarcation identique à la sienne. D'un geste parallèle, les serviteurs indiens fendaient l'eau de leurs pagaies, dessinées sur le modèle d'une feuille de lotus. L'heure était divine, quoique un peu fraîche : un matin d'hiver qui s'en allait vers le printemps. La surface du lac reflétait le bleu serein du ciel. Madec se laissa retomber sur les coussins de la barque. Il s'abandonnait à une joie inconnue : vivre, vivre avec délices, dans la seule conscience des plaisirs. Chaque moment en apportait de nouveaux. Ainsi tout à l'heure il y aurait la chasse. La barque du rajah et celle de la princesse, parties les premières, avaient déjà atteint les berges du lac, où se formait le cortège d'éléphants. Martin-Lion appela encore. Madec ne répondit pas. Il se sentait trop bien. La robe et le pantalon indien ne l'embarrassaient plus, il portait désormais le turban avec grâce. Seule peut-être, tapie quelque part, une angoisse un peu sourde. Mais non ; son corps, lui, était trop heureux.

Cette semaine passée au palais du lac l'avait définitivement remis. Au sortir de son évanouissement, il s'était retrouvé sur un charpoï, dans une des innombrables pièces de la citadelle. Un brahmane se penchait sur lui :

« Ne crains rien ; je suis l'homme de l'*ayurveda.* »

Et il lui passa au bras un lien d'or et d'argent, où brillait un rubis :

« Garde-le à ton poignet. Pour te garder. Te protéger. »

Madec ne savait quoi répondre ; il ne trouvait plus ses mots et s'agitait sur son charpoï. Le brahmane étendit la main sur son front :

« Fais le silence en toi, et entends ce silence. Ecoute

l'Un qui parle en toi, et dans ta poitrine l'éternité entière. »

Puis il posa sur lui un regard calme et doux :

« Je suis Mohan, l'astrologue du rajah. Suis mes conseils. »

Il tendit à Madec une coupe où flottait une poudre en suspension.

Visage intervint :

« Dis-moi quel est ce remède ? »

Sans comprendre un seul des mots étrangers, le brahmane devina, à la violence du ton, que Visage se méfiait.

« Moi, ayurveda aussi, répétait le chirurgien en se frappant la poitrine de l'index. Ayurveda ! »

Mohan se tourna vers Madec :

« Donne-moi ta confiance. J'ai concassé dans ce liquide des pierres précieuses incinérées qui te guériront. Vois-tu, je suis brahmane, et je te soigne comme si tu étais le rajah. »

Madec se laissa faire. Mohan lui présenta ensuite une sorte de bouillon épais et parfumé, qu'il avala presque d'un seul trait. Visage ne protestait plus. Après tout, il ne connaissait rien aux pierres ni aux herbes de l'Inde ; dans tous les cas, la médecine ne pouvait y être pire que l'apothicairerie de la Compagnie, dont il avait toujours usé avec le plus grand scepticisme. L'agate pilée du brahmane valait bien la poudre de vipère, les sang-dragon en larmes et toutes les râpures de cloportes qu'on distribuait aux marins agonisants.

« Fais le silence en toi, répétait le brahmane ; tes forces s'épuisent à force de tension. Ecoute en toi le silence de l'éternité. »

Sous l'effet de cette litanie, Madec s'endormit pour une bonne douzaine d'heures. A son réveil, le prêtre revint, porteur d'une proposition du rajah. En signe de bonne amitié, il offrait aux Français de séjourner au palais du lac pour qu'ils y refissent leurs forces, épuisées par un trop long voyage. Dès qu'ils s'en sentiraient le désir, on partirait chasser dans les montagnes avoisinantes.

Dans un premier temps, les Français se méfièrent. Encore des délais ! tonna Martin-Lion. Madec n'était pas rassuré non plus ; il s'étonnait de cette Inde qui s'attardait dans les plaisirs au moment même où elle parlait guerre, soldats, canons. Mais comment résister à l'assaut de ces bonheurs multiples et neufs ? On leur en proposait continuellement : massages, nourritures exquises, bains parfumés — ils avaient un peu renâclé, cependant, devant ce dernier délice ; il leur déplaisait assez de faire disparaître la carapace de crasse qui les protégeait, croyaient-ils, de tous les maux ambiants. On leur expliqua alors qu'ils risquaient de passer pour impurs : la dextérité des servantes fit le reste, et désormais, comme les Indiens, ils se baignaient quotidiennement.

Le palais du lac était un plaisir inédit. On accepta. Le lendemain, on quittait la citadelle et le bruit de ses armes, ses longues heures scandées par le son des cymbales et des tambours, et la musique douce qui émanait parfois, comme une plainte, de l'appartement des femmes. On redescendit la rampe, puis la ville de Godh. Cette fois, le voyage à dos d'éléphant, la liesse de la foule laissèrent aux Français l'impression d'une simple routine. Ils se sentaient tous las, le rajah avait raison. Le rajah, ou plutôt le brahmane, qui semblait guider les moindres décisions et devinait tout. Il ne se montrait que par surprise, comme l'autre soir, lorsque Madec s'était évanoui et qu'il avait bondi d'une tenture.

Dans ces conditions, le séjour au palais de plaisance fut d'un infini repos. On leur fit une vie moins fastueuse, plus tranquille. Loin du labyrinthe de la citadelle, coins et recoins, couloirs, détours, où tout sentait la ruse, ils découvrirent une simple construction ouverte sur l'eau. Ils y vécurent en paix, à leur allure ; au petit matin, les lavandières des rives les réveillaient : le lac alors reprenait vie, respirait au rythme de leurs battoirs, les crocodiles sacrés pointaient leur nez entre les nénuphars en dérive dans le courant. Madec se levait, déambulait sous les galeries de marbre blanc. L'île entière était palais ; pas un pouce de terre, à l'exception des petits parterres des jardins intérieurs. Une île-joyau. Derrière des moucharabiers roses, il discerna parfois des rires, des froissements d'étoffes, les cordes pincées d'un sitar qui annonçaient la femme, et peut-être la danseuse au nom étrange, Sarasvati, Arc-en-Ciel. De la semaine, il ne la revit pas, et le rajah lui-même ne les admit qu'à le saluer de loin, d'un sourire :

« Préparez-vous bien pour la chasse ! »

De temps à autre, comme ses compagnons, il fit venir du zenana l'une ou l'autre des filles qu'il avait reçues en cadeau. Ses assauts répétés le rassurèrent sur sa santé. Mais à l'instant où son plaisir se mourait sur ces peaux dorées, entre ces voiles et ces bijoux à profusion, lui revenait, dans un dernier soupir, la silhouette parfumée et dansante qui, l'autre soir, l'avait fait défaillir. Il chassa les syllabes de son nom, jusqu'à les oublier. Maintenant qu'on partait pour la chasse, qu'il allait la voir à nouveau, l'approcher peut-être, elles lui revenaient peu à peu, enjôleuses, troubles et distantes comme la danseuse quand elle avait jailli de l'ombre.

La barque de Madec avait atteint le petit embarcadère construit sur la rive ; celle-ci était vierge de constructions, si l'on exceptait des terrassements, sans doute en vue d'un jardin. Une route en partait ; une dizaine d'éléphants y étaient rangés, avec leur habituel harnachement de brocart et leurs palanquins en forme de petit palais. Madec ne leur accorda pas un regard. Il ne voyait sur le débarcadère qu'une seule créature : jupe et boléro bleu moucheté d'or, elle, mince, longue, les yeux tendus vers le matin juste levé. Il se souvint alors de son nom, qui l'avait tant troublé. Elle, Sarasvati.

Bleue. Il ne la verrait jamais que bleue. Comme

tous les départs. Comme la mer, quand elle promet. Comme l'amour, auquel il ne connaissait rien, mais qu'il pressentait, au geste langoureux du rajah, soulevant le bras de la jeune femme pour l'amener vers l'éléphant. Madec descendit de la barque, sauta sur les pierres du débarcadère. Le Diwan l'y attendait ; celui-ci s'amusa de voir que le firangui, dans ses vêtements indiens, se montrait moins maladroit qu'au premier jour. On lui avait remis un superbe sabre à manche de jade et lame ondulée, mais il avait demandé à passer à sa ceinture les deux pistolets qu'il avait gardés de ses campagnes depuis l'Inde du Sud. On n'en voyait pas l'intérêt : seul le rajah avait droit de chasser. Madec avait cependant insisté. On le laissa faire, voyant là sans doute un caprice de firangui.

Autour des éléphants grouillait une foule de domestiques, qui devaient transporter la nourriture, les vêtements de rechange, tout un capharnaüm destiné à meubler le pavillon de chasse, où l'on devait passer la nuit. Eventuellement, ils serviraient aussi de rabatteurs. Martin-Lion venait de rejoindre Madec sur le débarcadère, et les barques de Dieu et Visage n'allaient pas tarder. Le rajah échappa à la foule qui l'entourait et s'avança vers Madec. Il avait choisi son plus bel arc et portait dans son carquois une grosse provision de flèches.

« Explique à ton chef comment nous passerons la journée. Nous partons pour Baghdada.

— Le Domaine des Tigres, traduisit Madec.

— C'est un très bel endroit, ajouta le rajah. Un lieu sauvage, des montagnes, un lac, des forêts. »

Il s'arrêta un instant, puis reprit d'un air un peu rêveur :

«... Une solitude délicieuse. »

Madec le regarda, un peu surpris. Pourquoi chercher, comme un plaisir, la solitude d'un lieu sauvage quand on était le jeune prince d'une cité fastueuse, opulente et tranquille ? Pour Madec, la solitude n'avait toujours été que le mal du pauvre ; la campagne, le repli du malheur. Avant tout, la joie, c'était « la Compagnie », comme on disait, la ville, Pondichéry ou Lorient, la fête. Alors, chez le rajah, quelle souffrance dissimulée ?

Bhawani poursuivait :

« Jusqu'à mi-chemin, tu monteras à mes côtés sur le premier éléphant. Nous y parlerons de Godh, et je t'expliquerai le déroulement de la chasse. Lors de la halte, tandis que nous prierons aux temples de Shiva et de la Grande Déesse, tu feras ton rapport à ton chef, qui viendra à son tour sur ma monture. Et, là, je tuerai le Tigre ! Le Tigre, entends-tu ? »

Pour la première fois, Madec vit se dessiner sur le visage du rajah un sourire cruel. Un rictus. Le goût du sang, pensa-t-il. L'attrait de la souffrance. Où l'avait-il déjà vu ? Mais oui, Sombre, bien sûr, Sombre, qui n'avait fait que traverser sa vie, comme un éclair, et l'avait abandonné aux sables de Pondichéry. Il était sans doute mort. Madec chassa le souvenir.

En quelques mots, il expliqua à ses compagnons le protocole du voyage. Il sentait bien que Martin-Lion commençait à prendre ombrage de la prééminence que lui donnait son statut d'interprète. Néanmoins, le rajah lui avait réservé la place d'honneur pour le moment où la chasse commencerait vraiment, et Martin-Lion conserva sa jovialité ordinaire. Chacun rejoignit sa monture. Il n'y avait pas ici de balcon, et on accédait au palanquin par une petite échelle que soutenaient des serviteurs le long des flancs de l'animal. Sarasvati avait déjà pris place au milieu des coussins. Le rajah s'assit à ses côtés, puis fit signe à Madec de monter à son tour. Quand tout le monde fut installé, il donna au cornac l'ordre d'avancer.

« *Namasté* », dit simplement la jeune femme quand Madec apparut sous le baldaquin ; et elle joignit sur sa poitrine ses deux mains. Madec lui rendit le salut de la même manière, si ému qu'il en trembla.

« Aujourd'hui, par l'acier, je veux des tigres ! répéta

Bhawani, tandis que l'on gravissait les premiers contreforts de la montagne.

— Je croyais pourtant que votre religion vous interdisait de tuer, intervint Madec. Vous honorez tant d'animaux sacrés, auxquels il ne faut pas toucher, sous peine de souillure éternelle... Jusqu'à ces crocodiles du lac ! »

Bhawani prit l'air supérieur que Madec commençait à lui connaître, chaque fois que l'un ou l'autre des firanguis s'étonnait d'une habitude où il croyait lire une incohérence, le rajah lui adressait ce sourire d'un infini mépris :

« Seul le rajah a droit à la chasse, car il est kshatrya et fils du Soleil ! Le corps du tigre cache un démon ; l'ennemi du prince vient s'incarner en lui. Alors, firangui, tu vois bien que j'ai le droit de chasser ! Dharma ! »

Madec tentait comme il le pouvait de pénétrer la subtilité du Dharma : règle, vertu, devoir, Dharma justifiait tout, de la loi commune à l'exception. Il ne s'y accoutumait pas. Dans l'autre recoin du palanquin, Sarasvati souriait. Elle approuvait. Elle ruisselait de bijoux, elle en portait aux bras, au cou, dans les cheveux qu'elle avait noués en gros chignon. Une petite mèche en avait coulé ; elle se tordait sur sa nuque, ce qui la rendait plus humaine, moins parfaite. Dans le sourire, l'arc de ses sourcils se soulevait doucement, et sous ses lèvres apparaissaient des dents petites et régulières, rougies par le bétel, comme toujours ici. Tant de beauté. Madec se sentit misérable. La plénitude de la promenade sur le lac se dissolvait. Pourtant, il portait toujours robe de soie et turban à aigrette, presque aussi somptueux que le Diwan. Mais auprès de la dame de Godh, il était plus gueux qu'à Quimper. Il comprenait maintenant pourquoi le conteur aux marionnettes avait évité de dire son nom et de la décrire plus précisément. Tout en cette femme approchait l'indicible.

La jungle commençait, avec ses enchevêtrements

de troncs et de lianes. De temps à autre, l'ombre laissait filtrer un rai de lumière, qui illuminait brièvement le visage de la princesse ; le temps de l'éclair de soleil, le diamant brillait à l'aile de son nez. Ce profil. Ce nez, légèrement busqué, si fin, si noble. Un arc-en-ciel jaillissait de la pierre, rappelant à Madec les syllabes de son prénom. Il aurait voulu qu'elle parlât. Tout à l'heure, elle n'avait fait que chuchoter le salut rituel. Quelle était donc sa voix ? Il se détourna. Trop de bouillonnement en lui, malgré le moelleux des coussins et le pas calme de l'éléphant. D'ailleurs Bhawani se mit à discourir :

« Délicieux printemps, disait le rajah. Entendez-vous le chant des boulbouls ? Une rivière de beauté inonde mon cœur, et je suis entraîné dans une exquise joie... »

Il chantait presque, et Madec ne suivait pas très bien le sens des mots. Il avait seulement remarqué que Bhawani commençait parfois les discussions importantes par ces sortes de mélopées. Un chant sacré, peut-être. Il attendit la suite.

« Madecji, en cet instant, je doute de la guerre. Et pourtant je sais que la guerre est inscrite dans la loi du Dharma. L'astrologue Mohan ne cesse de me le dire : Shiva, qui détruit, est aussi important que Brahma, qui crée, et Vichnou, qui conserve, et que j'honore tout particulièrement en sa huitième incarnation, Khrishna, le Bleu Profond. Mais ma cité de Godh est fille de la guerre. Maintenant que je suis loin d'elle, je le sais mieux encore ! Tu ne connais pas la légende de la fondation de ma ville, et je m'en vais te la dire pour que tu la rapportes à ton chef ! Il y a très longtemps, à une époque qu'on ne saurait dater, un de mes ancêtres, fils du Soleil comme moi, arriva dans la plaine de Godh, à l'endroit où la rivière surgit du défilé. Il y rencontra un ermite, s'inclina devant lui comme le veut la coutume, et le sage lui dit : "Ô prince des souryavansi, viens sur cette terre, et élève sur cette colline une grande citadelle. Erige ici ta demeure, fils du Soleil, car elle vivra mille ans, subira trois sacs ; au troisième, elle sera réduite en poussière, mais elle renaîtra pour l'éternité sous la forme d'une femme." »

Bhawani s'interrompit un instant, prit un air rêveur, puis reprit :

« Comprends-tu, Madecji, depuis toujours, nous autres rajahs de Godh, nous vivons dans la terreur de la guerre. Déjà, au cours des siècles, Godh a subi deux sacs, et elle s'en est relevée, comme l'avait prédit l'ermite. Nous avons eu la paix, une très longue paix, tranquillité, indépendance, le commerce fécond... Nous avons désappris la guerre, mes pères et moi, et les pères de mes pères. Le troisième siège ne saurait tarder. Vois-tu, Madecji, maya, maya, la paix ici n'est qu'apparence. J'ai besoin de vous, hommes venus des Eaux Noires ! »

Il avait prononcé cette phrase d'un ton très solennel. Il jeta un regard à Sarasvati, qui continuait à sourire, et se radoucit :

« Fort heureusement, les dieux m'ont donné un fils ! »

Il évita le regard de Madec et concentra son attention sur le chemin qui s'ouvrait devant l'éléphant. On parvenait à mi-montagne ; le site devenait impressionnant. Dans un ravin encaissé bouillonnait une rivière. Le cornac multipliait les ordres. L'éléphant obéissait avec docilité. De temps à autre, un paon sauvage, des bandes d'écureuils traversaient le chemin. Puis surgissaient une biche à robe tachetée de blanc, une antilope, un sanglier. Le prince ne bougeait pas.

« Pourquoi ne chassez-vous pas ce gibier qui surgit de partout ? hasarda Madec.

— Aujourd'hui, je veux des tigres ! répondit le rajah avec le même rictus qu'au moment du départ. J'attends d'avoir atteint son domaine. La petite chasse ne m'intéresse plus. Je veux le tigre, prince royal et solitaire comme je le suis, le tigre, qui fait le silence autour de lui ! Nous ne sommes pas encore parvenus en son royaume. Patiente ! »

Madec se tut. L'éléphant grimpait toujours. Bientôt, le chemin décrivit une large courbe, et on se trouva brusquement sur une plate-forme moussue, en surplomb d'une cascade tout ombragée de palmes. S'y élevaient deux temples jumeaux, souvenirs peut-être d'une cité ancienne, car des blocs de granit épars étaient renversés alentour. Le cornac du rajah arrêta son éléphant près d'une rampe verdie d'humidité ; les passagers descendirent, et chaque monture se rangea devant elle à son tour. Madec était surpris : malgré l'abandon qui régnait dans tout le site, les deux sanctuaires paraissaient parfaitement entretenus. S'ils n'étaient pas colorés, comme ceux de la plaine, si d'innombrables moussons avaient usé leurs formes d'un autre âge, on avait empêché la jungle de prendre le dessus sur les pierres, et c'était sans doute à un défrichage régulier qu'elles devaient d'être encore debout. Leurs dômes allongés narguaient l'exubérance des lianes ; sur les façades grises s'épanouissaient des frises qui mangeaient la pierre : une multitude de sourires intemporels, bienveillants et indifférents à la fois.

Le même sourire que celui de Sarasvati, pensa Madec. La princesse avançait de son pas tranquille vers le premier temple. D'où il était, il distingua dans la pénombre bleutée du sanctuaire la forme ronde d'une immense statue aux seins nus. La déesse inclinait doucement la tête sur le côté, de son chignon, comme de celui de Sarasvati, s'échappaient quelques boucles. Elle aussi souriait. Mais, on le sentait bien, ce regard de douceur, d'un instant à l'autre, pouvait devenir terrifiant. Sarasvati s'avança vers la statue, déposa à ses pieds quelques offrandes et se recueillit. Dans la lumière atténuée du temple, son sari parut d'un bleu presque immatériel.

Bhawani était entré dans l'autre sanctuaire. Malgré les années, on l'avait aussi préservé du fouillis de la jungle. C'était le temple du Soleil. On y pénétrait par une porte monumentale. Le Dieu Soleil, Sourya, tenant à la main deux fleurs de lotus, surmontait la triade sacrée de Brahma, Vichnou et Shiva sculptée sur les chambranles. Bhawani se mit à prier. Le Diwan entra, puis les autres dignitaires invités à la chasse. La mélopée du sacré commença, où ne revint bientôt qu'une seule syllabe. *Om. Om. Om.* Madec ne comprit pas. Le son répété à l'infini allait se perdre sur la voûte de pierre et le berçait.

Il atteignit un état de conscience étrange. Ce n'était pas un vertige, comme l'autre soir. En lui s'ouvrait comme une brèche. Un flot de sacré. La litanie s'arrêta. Il entendit derrière lui un bruissement de soie. Il sursauta. Entre toutes les mousselines de l'Inde, il en aurait reconnu le froissement sous toutes les feuilles chiffonnées, derrière tous les cris des oiseaux de la jungle. C'était elle, encore, qui sortait et rejoignait Bhawani.

On reprit la marche à dos d'éléphant. Madec se trouvait sur la monture du Diwan, et il en éprouva une sorte de soulagement, bien qu'il ne fût plus aux côtés de la princesse : ce lieu lui pesait ; partout, surabondante, tenace, comme maléfique, la vie sourdait et le troublait. La princesse aussi l'inquiétait, avec son sourire trop immense, ponctué de l'étincelle du diamant de nez, les seins palpitants sous le boléro. Quel âge pouvait-elle avoir ? Dix-huit, vingt ans ? Déjà mère, à ce qu'on disait.

On arriva bientôt à un col de montagne, où la jungle s'arrêtait. L'air était plus vif, presque froid. Madec vit Sarasvati s'envelopper de châles du Cachemire. Puis on redescendit vers un plateau. On traversa une zone de marécages, où nichaient des milliers d'oiseaux.

« Ils sont venus de l'Himalaya, disait à Madec le gros Diwan de sa voix poussive. C'est ici qu'ils passent l'hiver ! » Il désigna soudain un sous-bois, pris d'une exaltation insolite :

« Baghdada ! Le Domaine du Tigre ! »

Aussitôt, on avança plus rapidement. Le rajah préparait son arc et ses flèches. La végétation s'épaissit. Le pas de l'éléphant dérangea quelques antilopes apeurées, des bandes de chats sauvages. Madec se tendit. Brusquement, la jungle entière se mit à frémir. Des singes jetèrent comme un cri d'alarme, puis se turent d'un coup. Les paons s'envolèrent vers des branches haut perchées. Au travers du chemin, une biche s'immobilisa, dressa l'oreille, puis disparut d'un seul bond. Le silence prit la forêt.

« Le tigre n'est pas loin, murmura le Diwan ; regarde, la jungle l'attend. »

Le silence. Les éléphants continuaient pourtant d'avancer. Tous les hommes scrutaient le débouché du chemin. On ralentit.

« Il doit être à la cascade, reprit le Diwan. Le tigre adore l'eau.

— La cascade ?

— Oui, celle du pavillon de chasse, où nous passerons la nuit. »

Madec comprit alors pourquoi les Indiens fouillaient l'extrémité du sentier avec une telle intensité. L'ombre était épaisse. On ne voyait presque plus le soleil.

Machinalement, il leva les yeux vers le couvert des arbres.

Là, là, sur cette branche devant l'éléphant du rajah ; il était là, le tigre, immobile dans sa majesté sûre. Là, souple, prêt à sauter, dans sa robe jaune rayée de noir ; il avançait une patte, toute de velours, sans briser une seule brindille, pour un ultime élan. Madec n'en avait jamais vu d'aussi près.

Le tigre tendit une griffe. Vite la main à la ceinture. Le pistolet. L'éléphant du rajah continuait d'avancer. Bhawani ne bougeait pas, ni Sarasvati, ni le cornac. L'impossible : ils ne l'avaient pas vu ! Et l'éléphant, indifférent lui aussi...

Le silence. Sarasvati se penchait vers le rajah. Sur le

corps élastique du félin, un dernier frémissement. L'éléphant, enfin, suspendit son pas.

Tout se fit très vite. Un coup de feu. La masse lourde de la bête, brisée en plein élan. Et la chute, plus lourde encore, sur le palanquin. Coussins, morceaux de bois, dais de velours, tout roula dans les feuillages. Le cri du cornac de Madec : l'éléphant princier s'enfuyait dans la jungle, et l'autre, terrorisé, voulait le suivre. A force d'injonctions et de coups, l'Indien l'immobilisa.

« Sarasvati ! » cria alors Madec.

Ce fut, depuis une éternité sembla-t-il, la première parole humaine. Il fallait à présent descendre de l'éléphant. Madec détacha les liens qui maintenaient le tapis du palanquin et, comme d'un hauban de navire, se laissa glisser. Sarasvati. Il était près d'elle.

Les serviteurs qui suivaient la chasse accoururent. Le Diwan hurlait, gesticulait du haut de sa bête. Madec n'entendait rien. Sarasvati ouvrit les yeux, étonnée, fixa Madec un instant, puis se tourna vers le rajah :

« Es-tu blessé ? »

Il ne répondait pas. Du sang coulait sous la mousseline qui recouvrait son bras droit.

« Bhawani... »

Elle se levait, tendue :

« Bhawani !

— Ce n'est rien. »

Il souleva le tissu. Des éclats de bois étaient fichés dans la chair.

« Ce n'est rien. Et toi, la belle au visage de lotus ? »

Tant de sang-froid. Madec était stupéfait.

« Bhawani, Bhawani, ma vie... »

Le rajah se tourna vers Madec :

« Où est la proie ? Comment cela s'est-il fait ? »

Madec lui désigna son pistolet, puis les morceaux de bois épars. Tout commentaire était vain ; le rajah comprit sur-le-champ : sous le poids du tigre, le palanquin avait cédé. Sarasvati était tombée la première. Ses châles et ses coussins l'avaient protégée.

Pour lui, le choc avait été plus rude. Il avait reçu sur le dos les pattes du tigre, et il commençait à sentir son épiderme lui cuire. Il se retourna : son vêtement était entièrement lacéré. Quant au cornac, emporté lui aussi par la chute du palanquin, il avait reçu le plus gros choc puisque la masse de l'animal s'était écrasée sur lui. Il était encore assommé, ainsi que Martin-Lion, tombé de l'autre côté du chemin.

« Visage, Visage ! » cria Madec.

Le chirurgien fendit la foule des serviteurs et dignitaires.

« Ils ont besoin de soins ! clama encore Madec.

— Et l'homme de l'*ayurveda* ? » interrogea Visage.

Le rajah réprima une grimace :

« La chasse est interdite aux brahmanes. »

Madec désigna Visage :

« Mon ami connaît bien les blessures et les moyens de les calmer. Voulez-vous qu'il examine votre bras ? » Madec craignit de se voir opposer un refus méprisant : l'éternel sentiment de supériorité. A sa grande surprise, Bhawani accepta :

« Ton arme étrangère m'a sauvé la vie ; des mains étrangères peuvent me toucher. »

Le ton était déterminé.

Visage souleva doucement la manche de brocart ; des éclats de bois, provenant du baldaquin, s'étaient enfoncés dans les muscles. Il connaissait bien ce type de blessure, classique à bord des navires, surtout après les canonnades, quand les boulets répandaient partout des volées d'éclisses. Néanmoins, que la chute d'un tigre eût produit le même effet le déconcerta. Par bonheur, il ne se séparait jamais d'une petite trousse où il rangeait quelques lames et deux ou trois pinces. Il eut tôt fait de débarrasser les chairs des éclats de bois, qui n'avaient pas pénétré profondément. Le rajah ne frémit pas. Il se contentait de respirer régulièrement.

« Maintenant, dit Visage, il me faudrait des crèmes et des onguents pour calmer la douleur et prévenir la gangrène. Je pense qu'il vaudrait mieux retourner à Godh. »

Madec traduisit.

« Par l'acier ! A Godh, jamais ! s'exclama le rajah. Nous passerons la nuit comme prévu au pavillon de chasse. Diwan, donne l'ordre aux serviteurs de chercher dans la jungle des herbes à guérir. »

C'était extraordinaire : le rajah parlait comme hier, comme tout à l'heure. Un calme superbe. Visage en demeura abasourdi. Sur les navires, ce genre d'héroïsme tranquille était chose courante ; la vie à bord n'était qu'une suite ininterrompue de souffrances et de petites morts. Mais ce jeune prince, si lisse, intact de toute épreuve, et qui semblait si alangui dans les plaisirs... L'exercice de la médecine apportait toujours de nouveaux sujets d'étonnement, et Visage se demanda une fois encore s'il n'y recherchait pas le contact avec l'imprévisible, plutôt que la satisfaction de soulager les corps douloureux.

Bhawani, appuyé sur les coussins qu'on avait passés derrière son dos, contemplait le tigre mort. Le coup de feu l'avait atteint en pleine tête. Le corps était intact.

« Approchez-le. »

Il se mit à caresser le pelage encore chaud, rêva un moment.

« Madecji, maintenant, comprends-tu bien le tigre ? La chasse au tigre... »

Madec ne répondit pas ; ses yeux erraient aussi sur la robe de l'animal. Il ne comprenait pas vraiment qu'il fût mort : tout était allé si vite, dans une fulgurance, pour finir sur le regard étonné de la princesse.

« Le tigre, reprit Bhawani. L'ennemi qui vous menace ! Et l'éléphant qui ne l'a pas senti... Cela n'arrive jamais. Vois-tu, Madecji, c'est un signe !

— Un signe ?

— Repartons. Nous verrons tout cela au pavillon de chasse. Qu'on me donne l'éléphant du Diwan ; que viennent avec moi le chef des firanguis et son homme de l'ayurveda. Madecji, tu monteras sur l'autre éléphant avec le Diwan et Sarasvati la belle. Par l'acier ! Et chargez le tigre sur ma bête ! »

Il se releva sans trembler malgré la douleur.

« Digne fils du Soleil, s'exclama le Diwan, incarnation de la force guerrière qui régit l'univers, Souryavansi, je salue ta force. »

Il se répandit en prosternations. Bhawani passa devant lui sans un regard. Le cortège se remit en route. L'éléphant marchait à plus vive allure. Tantôt il balançait Madec contre les chairs flasques du Diwan, tantôt il le projetait contre le corps souple de Sarasvati. Il ne savait lequel redouter le plus. Il se raidit à l'extrême. Le voyage devenait une torture. Bientôt cependant les lianes s'espacèrent, les arbres s'ouvrirent sur le ciel. On parvint à une grande clairière ; auprès d'un étang se dressait un pavillon doré, léger, saugrenu, comme le palais de Godh ; et cependant il se mariait délicatement à la sauvagerie du lieu.

Le rajah donna l'ordre de s'arrêter. On lui tendit une échelle pour descendre de l'éléphant. L'accident ne paraissait pas l'avoir touché. Des serviteurs coururent vers le pavillon, armés de balais de jonc, le débarrassèrent en hâte des feuilles mortes et des souillures des animaux. D'autres apportèrent des tapis et des coussins. Dès que tout le monde fut descendu des éléphants, Sharma se dirigea vers la galerie extérieure du petit palais.

Il était environ midi. Sous le soleil d'hiver, le marbre se dorait davantage.

Le rajah ne s'assit pas. Il attendit que toute sa suite fût réunie autour de lui. Les notables prirent un air grave.

« Madecji... »

Madec se tenait un peu en retrait. L'adresse du prince le décontenança. Sarasvati non plus ne voulait pas s'asseoir.

« Madecji, avance. »

Madec s'exécuta. Le rajah enleva son turban, en détacha le diamant.

« Prends cette pierre. Voici mon troisième œil. C'est à toi qu'il revient, puisqu'il t'a guidé, et non moi. Prends ce diamant. »

Madec était paralysé. La pierre était énorme et d'une eau superbe. Il avait tué un misérable tigre et on lui offrait un diamant, plus beau peut-être que ceux qu'avait reçus Dupleix, quand il soumettait les nababs.

« Je me suis sauvé en même temps que vous.

— Non. C'est moi que le tigre attaquait. En la bête se cachait mon ennemi, et tu l'as tué. »

Il ajouta, d'un ton plus doux :

« Et tu as sauvé aussi Sarasvati, belle d'entre les belles, Nur Mahal, élue de mon harem. Par l'acier, je te commande donc de prendre ce diamant ! »

Madec ne bougeait pas. On n'entendait plus que le cri des oiseaux de la jungle, et de temps à autre des brindilles froissées. Alors que le silence atteignait l'intolérable, une voix douce et tranquille s'éleva :

« Si vous le refusez par l'acier, alors acceptez-le par l'amour ! »

Ce bruissement de soie, ce bleu moucheté d'or. Sarasvati joignit les mains sur son boléro, comme pour dire « Namasté », baissa les yeux et se tut. Madec tendit la main, prit le diamant, se prosterna aux pieds du rajah.

« Regarde bien cette pierre, dit Bhawani, c'est un diamant à six pointes, pur, sans tache, aux arêtes nettes et fines, d'une belle nuance, léger, illuminant l'espace de feux d'arc-en-ciel... »

La voix de Sharma s'affaiblit. Il luttait contre la douleur. Il poursuivit pourtant :

« *Vajra* ! Sache que ce mot est divin ! *Vajra,* la première d'entre toutes les gemmes, le diamant raie tout et n'est rayé par rien. Il n'est coupé que par lui-même. Il donne à celui qui le porte une force triomphante, le rend maître de toutes terres, apporte enfants, richesse, grain, prospérité, bétail, bonheur invincible... » Le rajah se laissa tomber sur les coussins. Dans le ciel passa une volée de canards piaillants. Sarasvati demeurait debout, les yeux perdus dans ceux de Madec. Il serra la gemme entre ses doigts. Autrefois, il avait passé des nuits entières, quart ou bivouac, à rêver des joyaux indiens. Il en tenait un. Dans sa paume s'enfonçaient les arêtes de la pierre. La princesse le regardait toujours. Il baissa les yeux, cherchant un peu de solitude derrière le voile noir des paupières. Sarasvati, si lointaine, quand elle n'était qu'à quelques pas de lui. Au moment même où les trésors de l'Inde venaient le combler, c'est elle qu'il aurait voulu tenir ainsi, au plus creux de sa main.

Il était allé d'Inde en Inde, de révélation en révélation, pour aboutir à une femme. Il se répéta en silence les syllabes de son nom. Sarasvati. L'Inde ultime.

Le soir tomba presque d'un coup. Il y eut dans la jungle un court moment de silence ; les animaux du jour se taisaient, et ceux de la nuit n'avaient pas pris le relais. Le rajah avait emmené Sarasvati jusqu'à une pièce ouverte sur un bassin, dans l'aile la plus retirée du pavillon de chasse. Dans l'air flottait l'odeur des chapati grillées sur le feu de bois, et celle de l'épaisse sauce aux lentilles qui accompagnait les galettes. Un cri de hyène s'éleva ; assise sur sa natte, Sarasvati sursauta, renversant presque la lampe et le petit brasero qui brûlaient à côté d'elle.

« Tu as peur ? »

Bhawani saisit la lampe, l'éleva près de son visage. Debout derrière lui, les deux servantes qui partageaient la chambre avec eux pour prévenir leurs moindres désirs interrogeaient la princesse d'un regard muet. Sarasvati rajusta sur son boléro les châles où elle se blottissait. Si elle s'était trouvée avec des femmes, elle n'aurait pas répondu, tirant sur elle ce voile d'impassibilité qui protégeait sa solitude dans la promiscuité ininterrompue du zenana. Mais comment ne pas répondre à Bhawani ?

« C'est pour toi que j'ai peur. Ta blessure...

— Je n'ai plus mal ; je ne sens plus rien, ni sur mon dos ni dans mes bras. La résine de laque a bu le sang de mes blessures. Tu vois, il n'est meilleur marchand de remèdes que le jardin de la nature ; deux serviteurs lâchés dans la jungle, ils saignent un arbre et six heures plus tard, sous l'effet de la divine sève, mes plaies se sont refermées. »

Sarasvati fixait le turban du rajah. Il avait remplacé le gros cabochon offert à Madec par un diamant plus petit, qu'il portait ordinairement sur son sautoir de perles.

« J'ai envoyé un messager à Godh pour consulter Mohan ; dès demain, nous le retrouverons au palais du lac, avec un diamant plus pur encore, choisi de ses mains chez les meilleurs joailliers de la ville. Il doit aussi préparer l'horoscope du firangui Madec, mais je ne sais pas comment il va s'y prendre, car le firangui n'a pas pu me dire le jour précis de sa naissance ; si j'ai bien compris, il ne semble pas compter le temps comme nous, selon la lune. »

Sarasvati parut soudain inquiète :

« Sans tout savoir de son horoscope, tu ne peux garder longtemps à tes côtés un homme doué de tels pouvoirs. Et si sa force se retournait contre toi ? »

Il prit la main de Sarasvati et plongea son regard dans le sien. Elle avait peur, en effet. Mais on aurait dit qu'elle essayait de se persuader de ce qu'elle disait. Sa voix tremblait. Elle ne redoutait pas le firangui Madec, ou, si elle le craignait, ce n'était pas pour le destin de Godh. En elle quelque chose échappait au rajah. Il lissa sa moustache. Ne l'aimait-il pas, justement, entre toutes ses femmes, pour cet indéchiffrable ?

« Suffit ! Tu es trop peureuse. Demain nous redescendrons au plus vite et prendrons l'avis de Mohan. »

Il saisit dans un plat une noix de bétel enveloppée d'une feuille fraîche :

« Prends donc cette *bamboula* ! Et tais-toi... Tu n'es qu'une enfant, qui craint le cobra, alors qu'on a disposé le gravier autour de la maison !

— Je te rappelle que les cobras me protègent et que je n'ai rien à craindre d'eux ! »

Elle feignait la colère. Bhawani crut y lire un préliminaire aux jeux amoureux. Il la poussa vers le bassin, approcha la lampe et le brasero. Dans l'eau tranquille, à peine agitée par le léger courant de la cascade, se refléta le visage de Sarasvati. Il se pencha et déposa un baiser sur son image réfléchie. C'était le « baiser de déclaration ». Ainsi, ce soir même, et malgré la blessure, le désir le prenait. Elle croqua la noix de bétel, mâcha un moment la feuille, puis hasarda :

« Tu finiras du mal royal, Bhawani. Tu ne sais pas te ménager.

— *Rajayaksma* ! Oui, j'en veux bien, du mal royal, car à te voir je me sens aussi amoureux que l'était le roi Lune, quand il courtisait la vache Rohini, et, comme lui, je consens à me dessécher à force de désir ! »

Sarasvati le regarda, étonnée. Depuis combien de temps n'avait-il pas été aussi gai ? Il prit ses pieds à deux mains et y imprima le baiser de provocation.

« N'oublie pas la loi, princesse ! Quelque geste que l'un des amants fasse à l'autre, celui-ci doit lui rendre la pareille, baiser pour baiser, caresse pour caresse, coup pour coup !

— Ton dos tout lacéré de griffures, ton bras... »

Il répéta le baiser de provocation, dénoua le nœud du boléro, écarta les plis de la jupe. Bhawani approcha encore la lampe :

« Ah ! que je voie ta maison de kama ! »

A quelques pas de là, les deux servantes souriaient, le regard pétillant de curiosité. Assis face à face, ils avaient pris la figure de l'étreinte du lait et de l'eau, celle où les amants, tant leurs corps sont unis, ne sentent plus nulle blessure. Sarasvati fit un geste en direction des servantes pour qu'elles apportent un traversin où caler son dos, et qu'elles délient ses cheveux en signe de grande passion.

Quand il la vit déployer sa chevelure, Bhawani s'exclama :

« Tu as l'air d'un petit poisson qui sort du lac, tout paré, pour courir au rendez-vous d'un grand crocodile ! »

Les servantes se levèrent. Il les retint. Il fallait qu'il partage son émerveillement avec elles, leur dire combien Sarasvati lui était précieuse, leur montrer la beauté de la princesse, emportée dans le désir qui montait.

« Regardez, servantes, cette femme Padmini, telle qu'il n'en existe qu'une au monde sur dix millions de femmes. Sa sueur a l'odeur du musc, l'abeille la suivrait comme le miel ; elle a le yoni petit, qui s'ouvre comme un mystère, et je sens sa semence d'amour, parfumée comme le lys qui vient d'éclore. Femme-lotus... »

Il s'interrompit. Sur son sein découvert, Sarasvati sentit s'enfoncer ses ongles, qu'il avait longs. Demain matin, dans le miroir, elle trouverait les marques artistes qui, en son absence, réveillaient l'amour ; signes délicieux, porteurs de noms tout aussi exquis, feuille de lotus bleu, patte du paon, ou, comme maintenant, quand on mordait en courbe l'intérieur des cuisses de façon à n'y laisser qu'un joli pointillé, le nuage brisé. Elle se dégagea un instant, pour le lui rendre, ce nuage brisé ; qu'il se souvienne d'elle, lui aussi, au matin ! Puis ils reprirent la figure de l'eau et du lait.

« De toi, ce soir je veux un fils ! »

Elle ne l'entendit pas. Phra ! Phat ! Sout ! Plat ! A chaque coup, elle rendait le son approprié, le roucoulant, le tonnant, la cascadette de la caille ou le cri du paon.

« Je veux un fils ! »

Cette fois-ci, elle avait compris. Aussitôt, elle croisa ses pieds sur ses cuisses.

« Oui, oui, me voici ! »

Leurs respirations égales se mélangèrent. Cette docilité. Sans la moindre difficulté elle avait pris la figure de l'épouse d'Indra, celle qui donne les enfants. Sarasvati se laissa aller sur la poitrine de Bhawani ; elle ne sentait même plus les rangs de perles qui le recouvraient ; en elle, au bas de son dos, s'était réveillé le serpent Kundalini, et l'énergie du dieu, l'esprit de création, la parcourait, l'innervait de partout.

« Je veux un second fils. »

Ce fut le dernier souffle du rajah, et ils retombèrent, oubliés l'un dans l'autre, morts à eux-mêmes. Le reflet du bassin s'était éteint. Les servantes assoupies murmurèrent. Un petit vent balança les palmes de la jungle, avec un bruissement qui ne couvrit pas le remue-ménage des animaux nocturnes. Et cependant les deux amants s'endormirent aussitôt.

Sarasvati s'éveilla la première, dès le petit matin. L'air était très frais. Les domestiques commençaient à réparer le désordre de la nuit, et on entendait derrière la cascade quelques barrissements d'éléphants qu'on harnachait pour le retour à Godh.

Bhawani dormait toujours, enveloppé sous ses châles. Il paraissait lointain, comme absent, semblable à Vichnou dans son sommeil sur le serpent d'éternité.

Pourquoi veut-il un fils ? se demanda Sarasvati. L'obscénité de la question la troubla aussitôt. Femme elle était, et mère de nombreux fils elle se devait d'être : dharma. Comme toutes les femmes de l'Inde, de l'intouchable à l'épouse du brahmane. Mais son ventre, sec depuis six ans ? Elle se souvint du plaisir de la veille. S'était-elle déjà approchée autant de la perfection de Kama ? Et ne promettait-il pas un bel enfant, ce bonheur-là, où il lui avait semblé atteindre l'éternité, jointe au rajah comme le couple divin des débuts du monde, Shiva et Shakti, si étroitement unis qu'ils ignoraient le temps, et jusqu'à leur différence.

Le temps. La différence. Mais si, il était là, le temps, elle était là, la différence. Bhawani dormait, séparé d'elle ; perdu dans quel rêve de guerres et de canons, de frère jaloux, de fils à engendrer ? Et dans l'autre aile du pavillon, de quels cauchemars et de quels désirs s'éveillaient les firanguis, surtout ce Madec aux yeux si pâles, avec l'arme redoutable de son pistolet ? Y avaient-ils droit aussi, les étrangers, venus des eaux impures, à cette part d'absolu que donne le plaisir ?

Elle se sentit brusquement mal à l'aise, souhaita la pénombre tranquille du temps de Khrishna, l'odeur des parfums brûlés, les offrandes de fleurs, la prière.

Elle regarda le rajah dormir. De temps à autre, son corps était parcouru de légers soubresauts quand se produisaient ici-bas des cataclysmes, on disait que c'était Vichnou qui tressaillait dans son sommeil ; Alors, que fallait-il penser de Godh, maintenant que les firanguis étaient là, qui l'arrachaient à sa tranquillité ? Le signe du tigre, par exemple, hier... Quel nom donner à ce soudain tremblement de la vie ? Temps éclaté, temps chercheur d'horizon, temps d'attente et de guerre sournoise. Fini, le rythme de l'hiver et des moussons, des caravanes et des pluies : car le firangui Madec était venu, avec ses compagnons, et il semait le trouble.

Pourtant, songea Sarasvati, il y a aussi de l'amour en lui. Mais cette fièvre, cette mobilité continuelle, cette impuissance à respirer en douceur, cette inquiétude posée sur les hommes et les choses. Firangui, étranger, nouveauté. Cet homme-là ne voit que le jour à venir, non la minute présente.

Kundalini, serpent d'éternité, ta peau se fendille et craquelle, et moi, Sarasvati, me voici dans une faille du temps. Une chaîne d'événements va naître, plus forte que le retour régulier des moussons, plus forte que la vie, qui, déjà, peut-être se lève en moi.

Bhawani tressaillit. Les blessures. Elle replaça les

châles qui glissaient. Sur le bassin, le vent poussa une fleur légère, bleue, qui blanchissait sous la lumière montante. Elle dériva un moment, puis se perdit dans la cascade. L'instant était mort, et plus jamais il ne reviendrait. Comme l'instant d'hier, le plaisir avec le rajah, et puis surtout ce moment fou, où elle avait dit « *par amour* » au firangui Madec.

Alors elle comprit le pari insensé de Bhawani, et pourquoi il l'avait approuvée, quand elle avait contraint Madec à accepter le diamant. Le rajah voulait entrer dans la nouveauté des étrangers, ce monde entièrement tendu vers l'avenir ; et cependant, il conserverait la part d'immuable que lui avaient donnée ses pères, le respect de la loi de l'Inde, dharma, et qu'il transmettrait à des fils innombrables. Dharma : elle aurait donc un fils, si telle était la volonté des dieux. Et continuerait à tourner l'éternelle roue de la loi cosmique, mais il y aurait désormais ici-bas une autre force qu'elle avait lue dans les yeux des firanguis. N'était-il pas grisant, comme ils semblaient le dire, de vouloir changer au monde quelques-uns de ses détails ?

Comme il était difficile pourtant, ce matin, d'être femme, de sentir en soi la force des choses et leur cycle sans fin, et de savoir aussi, comme seuls peut-être en avaient le droit les puissants, qu'il fallait désormais compter avec le monde neuf et catholique de l'irréversible. Et ce matin-là, quand le rajah se réveilla et qu'elle déposa, l'esprit ailleurs, le premier baiser à ses lèvres, elle se fit une fête à l'idée de penser qu'on vivrait peut-être avec les firanguis, qu'elle avait tant redoutés à la mousson de ses seize ans.

On reprit presque aussitôt la route de Godh, à une allure plus vive qu'à l'aller, un peu fébrile, eût-on dit. Sur le chemin du retour, on fit halte au palais du lac.

« Quand rejoindrons-nous Godh, demanda Madec au Diwan.

— *Kal,* Madecji, *Kal* », répondit l'autre de sa voix poussive.

La lenteur recommençait : cela pouvait être demain ou dans deux jours, la semaine prochaine ou jamais. Aucun des Français ne protesta. L'endroit était merveilleux ; l'on allait passer tout le jour à boire des liqueurs florales et sucrées. Seul Madec demeurait tendu.

L'astrologue arriva le matin qui suivit. Accompagné de deux gardes, il entra dans l'appartement des firanguis d'un pas lent et cérémonieux. De stupeur, Madec lâcha le flacon de liqueur dont il s'apprêtait à se verser une coupe. L'intrusion du pouvoir, ici, sous sa forme la plus dépouillée. Il devait se passer quelque chose.

« *Namasté* !

— *Namasté.* »

Le geste du salut était maintenant familier aux Français. Madec désigna au brahmane quelques coussins épars.

« Merci. Je resterai debout. Ce que j'ai à vous dire tient en peu de mots. »

Entre le corps massif des deux sentinelles, sa silhouette petite et mince paraissait décharnée.

« Madecji, le rajah vous présente une nouvelle offre. Acceptez-vous de rester à Godh, le temps qu'il faudra, pour lui constituer une armée à la manière des firanguis ? Lui fabriquer les armes nouvelles, mais aussi commander ses hommes, leur enseigner les nouvelles façons d'obéir. Le rajah paiera le prix. »

Madec traduisit, la voix tremblante. Ils allaient accepter, c'était sûr. Ils n'attendaient rien d'autre. A chaque mot traduit leur visage s'éclairait ; Dieu avait rougi de plaisir, l'air sceptique de Visage avait disparu, et Martin-Lion exultait déjà.

« Dis-lui que je ne peux pas répondre tout de suite. »

L'attente était le rituel obligé de toute négociation : le brahmane ne fut pas surpris, quand Madec lui répéta la phrase en hindi.

« Faites vite, répondit cependant l'astrologue. Le

rajah est impatient. Ce soir même, sur le lac, il y aura fête. D'ici une heure, il attend votre réponse. »

Il s'inclina et disparut.

« Enfin ! Enfin ! cria Martin-Lion. Je vous l'avais bien dit, les princes du Nord... »

Madec se dirigea jusqu'à l'appui d'une fenêtre. Il contempla en silence la surface lisse du lac. Le printemps était là. Il faisait presque chaud. Bientôt s'élèveraient des routes indiennes des tourbillons de poussière. La terre se dessècherait jusqu'à se fendre de partout, et ce serait l'enfer d'avant la mousson. L'enfer, oui, l'enfer : il brûlait déjà en lui. Il ne pouvait rester ici. Comment leur expliquer ? Ils croiraient qu'il les abandonnait à cause du diamant qu'il avait reçu.

« Madec, tu vois bien que j'avais raison ! »

Il fallait parler tout de suite.

« Martin-Lion, je ne resterai pas. Je vais rendre son diamant au rajah, et je rentre à Pondichéry. »

Visage sortit d'un seul coup de sa torpeur sucrée.

« Mais tu es fou, fou, fou à lier !

— Laissez-moi. Je ne suis pas fait pour cet endroit. Je veux rejoindre le Sud, l'armée française. C'est d'ailleurs ce que nous avions décidé. Je pars avant vous, c'est tout.

— Seul ? Et tes hommes, qui ne sont qu'à peine remis ? Tu es fou ! Pourquoi tant d'impatience ?

— Laissez-moi. Je ne resterai pas. »

Martin-Lion intervint :

« Il est libre, Visage, comme chacun d'entre nous. Nous apprendrons à notre tour la langue des indigènes.

— Libre », bougonna Visage, tandis que Madec partait s'allonger près des cascades du jardin.

Une heure plus tard, le brahmane était revenu. Quand Madec lui transmit la décision de ses compagnons, il hésita un moment à parler de lui-même. Mais l'astrologue le devança :

« Et toi ? Tu t'en vas ? »

Madec ne put articuler une syllabe. Comment avait-il deviné ?

« Je... Je sollicite du rajah l'autorisation de gagner le Sud avec mes hommes. Qu'il reprenne le diamant qu'il m'a offert et dont je ne suis pas digne.

— Madecji, tu le lui expliqueras toi-même, ce soir, après la fête. »

Impassible, le brahmane releva les plis de sa robe safran et s'évanouit entre les deux gardes au fond de la galerie de marbre qui menait aux appartements du rajah.

*
* *

Quelques dernières barques illuminées s'attardaient sur le lac. Çà et là, la lueur d'une torche révélait une guirlande de fleurs abandonnée au courant ; un bref instant, des plantes aquatiques la retenaient dans le réseau de leurs feuilles étales.

La fête était finie. C'était donc le moment. Bhawani jeta un dernier regard derrière la tenture. Il observa rapidement les firanguis. Il était temps. L'astrologue le lui avait dit :

« Attends la fin, l'extrême fin de la fête. Qu'ils soient repus. Que les danseuses les aient envoûtés. Que le feu d'artifice, tiré des barques, ait comblé comme jamais leur soif de splendeur.

— Et le firangui Madec ? avait demandé le rajah. As-tu interrogé les astres ? Crois-tu qu'il partira vraiment ?

— Il est des cas, je te l'ai déjà dit, où parfois les astres se taisent. Je te parle en ce moment le seul langage de la vieillesse prudente et rusée, et non celui du brahmane.

— Mais pourquoi donc veut-il partir ? Et comment le retenir ?

— Sois patient, rajah. On n'a jamais vu personne quitter un éléphant pour monter un âne. N'essaie pas de le retenir dans l'immédiat. Les autres restent, ne l'oublie pas. Et il a une façon de partir qui montre bien qu'il reviendra.

— Mais quand ? Mais quand ? »

Le brahmane soupira. La tristesse du rajah lui pesait, à lui aussi.

« Quand donc ? reprit Bhawani. Mohan, ne m'en veux pas de mon anxiété, mais de tous les firanguis Madec est celui que je préfère. Il m'a sauvé, et... il a beau venir des Eaux Noires je me sens proche de lui, comme d'un être qu'on a rencontré dans une vie antérieure.

— Cesse de divaguer. Cet homme est un étranger. Seuls peuvent t'être utiles son savoir-faire et la force de ses muscles.

— Pourquoi veut-il me rendre le diamant que je lui ai donné ?

— Par orgueil. Il ne veut pas prendre congé de toi en te laissant l'impression de n'avoir attendu que le moment propice pour recevoir un cadeau. Laisse-le te le rendre ; et, là encore, sois habile, si tu veux qu'il revienne. Parlons plutôt de ton nouveau diamant : tu l'as vu, il est plus gros que l'autre, et le joaillier qui l'a taillé m'assure que son eau est plus pure, plus puissante sa force.

— Oui, oui », répondit Bhawani, l'air distrait. Il pensait déjà à la fête. L'astrologue s'éclipsa.

Tout l'après-midi, il avait rêvé au moment où il se retrouverait en tête-à-tête avec le firangui. Contrairement à son habitude, il n'était pas allé au zenana, se contentant d'ordonner à Sarasvati de revêtir son plus beau sari et de passer les rangs de diamants et de perles qu'il lui avait offerts à la naissance de son fils. Il n'était pas d'humeur à l'amour, le retour à Godh l'avait fatigué, son dos et son bras le tiraillaient ; et d'ailleurs, l'autre soir, n'avaient-ils pas connu l'un et l'autre leur part de grande joie ? Une dernière barque aborda au quai du palais. Bhawani claqua dans ses doigts ; deux gardes apparurent.

« Ici, tout de suite, le firangui Madec. Pas de torches encore. Qu'on n'en apporte qu'à mon ordre, une bonne dizaine : j'ai bien dit, à mon ordre. Par l'acier ! » Les gardes tournèrent aussitôt les talons.

Appuyé contre un pilier, Madec fixait les dernières barques à errer sur le lac. Les salles étaient ici de dimensions réduites, plus modestes qu'à la citadelle ; des dizaines d'arcs ouvragés, des fenêtres découpées s'ouvraient sur l'eau, donnant l'impression que le marbre dont le palais était construit n'était que le prolongement solide du lac qui l'entourait. Maintenant qu'avaient disparu le rajah et la princesse — elle surtout, pourquoi se le cacher, qui s'était montrée ce soir plus belle que jamais —, il aurait souhaité mourir. Se perdre dans cette eau prisonnière, trop calme, qui parlait de mort douce, infiniment douce. Pourquoi, lorsqu'il avait, du sommet du plateau, découvert Godh, avait-il éprouvé ce rêve de plénitude, sinon parce que s'annonçait ici un trépas tranquille, pareil à celui des Indiens, et non cet épanouissement supposé de l'amour, qui n'était, il le voyait bien désormais, que brûlure et tourment ?

L'arrivée des gardes le dérangea :

« Madecji, le rajah vous demande ! »

Ils tendaient leurs lances vers la porte opposée. Madec les suivit à regret. Le couloir était sombre. Il se demanda pourquoi ils n'avaient pas de torches. Il fut encore plus étonné quand il pénétra dans la pièce où se tenait le rajah. Seul, un petit brasero l'éclairait, devant lequel il distingua le visage de Bhawani ; il était allongé à même le sol.

« Tu ne connais pas encore cet endroit, n'est-ce pas, Madecji ? »

C'était vrai. Il ne comprenait pas pourquoi le rajah l'appelait, au moment même où il devait regagner la pièce qu'il partageait avec ses compagnons. Une audience secrète. Un frisson le parcourut. On allait chercher à l'empêcher de partir. Il voulut parler ; Bhawani l'arrêta dès le premier mot :

« Ainsi, Madecji, ta décision est prise : tu veux retourner auprès des tiens ?

— Permettez-le. Délivrez-moi de tout engagement envers vous ; voici la pierre que vous m'avez donnée. »

Madec se prosterna, lui tendit le diamant.

Le rajah posa sa main dans la sienne. Elle était douce, presque amollie, et Madec en rougit, tant il savait ses propres doigts rugueux, râpeux à force de guerre et de souffrances. Sarasvati devait avoir la peau encore plus tendre, plus parfumée. Du coup, elle lui parut plus inaccessible que jamais.

« Madecji, je respecterai ton silence. Je ne chercherai pas à savoir pourquoi tu t'en vas. Tu m'as sauvé la vie : pour toujours je t'en saurai gré. Je te remets donc une escorte et des vivres pour t'aider à retourner chez toi. Et j'accepte de reprendre la pierre. »

Il lui lâcha la main, serra la gemme dans son poing, puis reprit :

« Mais sache à présent qu'elle t'attendra ici. Quels que soient les temps et l'heure, sache que Godh t'attendra, enclose au sein de ces facettes. Car les diamants vivent aussi, d'une vie intérieure et puissante, toute de mystère et de sagesse. Cette pierre t'appartient, et je veux me donner une chance de te revoir en mes murs. »

Le rajah se tourna vers la gauche, claqua les mains :

« Gardes, les torches ! »

Brusquement, la pièce s'illumina. Madec frémit. Le mur étincelait de toutes parts. Peu à peu, ses yeux s'accoutumant à la lumière, il y distingua un paon superbe, entièrement constitué de pierres précieuses ou semi-précieuses incrustées dans le mur : améthystes, cornaline, turquoises, calcédoine, lapis-lazulis, le tout serti d'or ; à ses pieds, malgré ses perles et sa robe dorée, le rajah en devenait presque misérable.

« Voici, Madecji, la seule merveille de ce palais de plaisance. Vienne le premier conquérant, il balaiera les marbres de mon île, saccagera tous les jardins et, l'une après l'autre, arrachera les pierres de cette merveille.

— Vous n'avez pas besoin de moi pour la garder, interrompit Madec.

— Certes non ; on n'enlève pas si facilement les trésors de Godh. »

Le rajah se tourna vers les gardes :

« Posez les torches, sortez. »

Ils restèrent face à face. Bhawani laissa s'installer une place de silence ; Madec ne comprenait toujours pas, mais il ne savait comment reprendre la conversation. Il était ébloui, encore une fois, et n'en souhaitait que plus violemment partir. Trop de splendeur, trop d'amour. Ce paon, beauté déployée, tranquille et superbe, comme tout à l'heure Sarasvati.

Le rajah se leva :

« Je ne te retiendrai pas, Madec. Ne crains rien. »

Il saisit l'une des torches :

« Vois, à la base de cette patte. Regarde de près.

— On a enlevé une pierre.

— Non. Tu te trompes.

— On croirait pourtant en voir encore la trace.

— Non. Il n'y en a jamais eu. Et regarde, enfonce ton doigt... »

La main de Bhawani guida celle de Madec, fit pivoter son index :

« Enfonce, enfonce ton doigt... »

Un crissement, puis un déclic. Il approcha la torche :

« Regarde. »

Sous la patte du paon, un caisson de marbre avait glissé, découvrant une cache.

« Vois-tu, Madec, elle est vide.

— Je ne comprends pas.

— Je te l'ai dit : Godh a subi deux sacs ; au troisième, elle tombera. Dès que j'apprendrai que l'ennemi nous menace, c'est ici que je ferai porter le trésor de la ville. Quand elle tombera, le palais du lac sera saccagé, les pillards enlèveront une à une les pierres du paon, sans se douter, un seul instant, qu'un trésor plus fabuleux se cache à ses pieds.

— Que voulez-vous m'apprendre ?

— Je crains les temps à venir, Madecji. Reviendras-tu jamais ? L'astrologue lui-même n'en sait rien. Mais si tu reviens, de deux choses l'une : ou Godh sera encore debout, belle et tranquille comme tu l'as trouvée. Ou esclave, morte, finie, saccagée. »

Il déposa le diamant de Madec dans la cache, fit à nouveau pivoter la vis de pierre, et le caisson se referma :

« Dans le premier cas, Madec, je serai toujours là, ou mon fils, ou le fils de mes fils. Ton diamant sera là aussi, dans sa cache, à t'attendre de sa vie invisible. Ou bien Godh ne sera plus ; alors viens ici, prends les dizaines et les dizaines de gemmes que tu y trouveras, et venge notre honneur. Voilà mon cadeau de départ en signe d'amitié. Nul, excepté Mohan, n'en connaît l'existence, pas même Sarasvati. »

Pas même Sarasvati...

Madec se prosterna. Comme il avait raison de partir ; et comme il aurait voulu pouvoir le dire, l'indicible, qu'il reprenait la route pour une seule raison : ne plus entendre d'autres lèvres que les siennes prononcer les quatre sons où le monde, durant sa vie entière, puiserait tout son sens et son absurdité.

CHAPITRE VIII

Mars-décembre 1760

Retour à Pondichéry

Jungles retraversées. Torrents, montagnes, cols Longs plateaux poussiéreux. Faim et soif. Madec refit, mais à l'envers, le chemin de la merveille. Cette fois, tout était plus facile. Le rajah lui avait offert un cheval, une petite bête afghane, nerveuse, rapide, qui lui rendit moins pénibles les premières semaines de route. La chaleur monta, les cipayes commencèrent à déserter. On était au plus fort du Dekkan quand le cheval mourut d'un flux de ventre. A nouveau, Madec se mit à marcher. Les hommes sentaient que ce chef solitaire portait en lui trop de désespoir ; chaque sanctuaire rencontré, le premier fou de Dieu venu lui enlevèrent cinq à dix hommes, alors qu'au temps de la marche vers le Nord ces occasions n'en détournaient qu'un ou deux en moyenne. Madec s'en revenait du Graal, sans Graal ; et pourtant il avait tout connu, épreuve, Dame du Lac et Château Périlleux. Les conteurs du Dekkan, qu'il écouta parfois, lui apprirent d'autres histoires : au tréfonds de la jungle, disaient-ils à longueur de veilles, séjourne un magicien gardeur de trésors, le Roi des Rois Cobras, montrant dans sa gueule béante le plus pur diamant qui soit au monde. « Joie des joies, ô bénédiction éternelle, à qui verra le Roi des Rois Cobras ! »

Dans la jungle de Godh, lui, Madec, dit Madecji, demi-gueux de Quimper-Corentin, avait trouvé mieux encore : l'espace d'un instant, il avait possédé le regard étonné d'une princesse indienne. Et voilà maintenant qu'à sa manière absurde, et l'âme noire comme jamais, il lui tournait le dos.

Afin d'oublier qu'il souffrait, Madec se réfugia dans

la mesquinerie. Fort opportunément, la discipline militaire exigeait qu'on donnât des ordres ; bivouacs, corvée d'eau, négociations pour le ravitaillement, la besogne ne manqua pas. Les marchandages avec les populations locales furent des plus serrés ; pour se détourner de l'amour, Madec décida d'apprendre les cent premiers nombres de la langue hindi, dont les syllabes n'obéissaient à aucune règle de succession et ne se retenaient qu'au prix d'un intense effort de mémoire. Il confondit ainsi l'impudence des marchands qui prétendaient ne pas les connaître pour vendre au prix fort ou justifier leurs erreurs volontaires. Au bout de deux mois de marche, il s'aperçut qu'il ne parlait pratiquement plus qu'à l'impératif ; mais de ses cinq formes il avait désormais exclu les manières raffinées en cours chez le rajah de Godh ; il ne prononçait que les sonorités d'ordres brefs, rapides et presque méprisants. Il aimait pourtant ses cipayes, rescapés de la première marche, auxquels il avait joint des hommes offerts par le rajah. Lorsque son cheval mourut, s'écroula la dernière barrière qui le séparait d'eux puisqu'il n'y avait à ses côtés d'autre firangui. Mais que leur confier de ses états d'âme ? C'était déjà bien assez que de tâcher de marcher. A son départ, dans leurs adieux tendus, les compagnons de Madec, Martin-Lion en tête, lui avaient prédit le pire. Il s'était obstiné, refusant même les deux canons qu'ils étaient prêts à lui abandonner. Il s'en félicita. Les bouches à feu l'auraient retardé, et il était pressé. Autour de lui, l'Inde était calme, étrangement calme. L'argent remis par le rajah délia parfois des langues, lui ouvrit des routes secrètes, sans qu'il fût possible cependant d'apprendre ce qui se tramait. De loin en loin, il aperçut des troupeaux d'éléphants, l'ombre d'un tigre. A ces instants-là, trop lourds de réminiscences, Madec souhaita plus ardemment les rivages familiers de Pondichéry : vite, des rizières, des remparts à l'européenne, les mâts d'une frégate à l'horizon, n'importe quoi, un clocher d'église, une soutane de jésuite passant devant les murs de la Ville Blanche. Et, peu à peu, ses rêves redevinrent d'ambition. Du temps où il fourrageait contre le perfide rajah, du Pouët avait promis de le recommander à Lally. Il rêva à nouveau de gloires françaises. Devenir grenadier dans la cavalerie. Trucider de l'Anglais. L'odeur de la poudre. Des forts à prendre.

Il n'était plus qu'à cent lieues de Pondichéry quand il apprit que l'une des places les plus importantes que possédât la France sur la côte de Coromandel venait de tomber. Les Anglais, le temps de son absence, avaient patiemment grignoté toutes les positions françaises dans l'Inde. Il n'était même plus question du Bengale, d'où sa nation était pratiquement bannie. A l'ouest, l'ennemi tenait Surate. Il ne manquait plus à sa victoire que Pondichéry, et l'Inde entière était prise dans son étau.

A cette annonce, la quarantaine de cipayes qui restait à Madec s'évanouit dans la jungle.

Il considéra ses vêtements, qui n'étaient plus que haillons, puis ses pieds nus, tout craquelés par les chemins. La fuite en avant se définissant au premier chef comme une obstination à la catastrophe, Madec persévéra donc et se présenta en cet état aux portes de Pondichéry. La ville était singulièrement et fortement gardée. Il déclina qui il était, d'où il venait. Au bout de quelques heures de discussions et d'ordres transmis de subalterne en supérieur, on admit que René Madec, natif de Quimper, et ci-devant sergent dans le régiment du chevalier du Pouët, était le seul rescapé de la sinistre affaire qui avait opposé ce valeureux soldat à un misérable roitelet indien. Madec se garda bien d'évoquer l'épisode de Godh et le sort de ses compagnons. On l'autorisa donc à entrer dans la ville, toujours pieds nus et en guenilles ; il se présenta aussitôt au palais du gouvernement, où il chercha le moyen de rencontrer du Pouët. On le considéra d'un air indifférent, quoique un peu mélancolique, mais on consentit, après quelques silences, à lui faire connaître que ledit chevalier était depuis longtemps mort et enterré des suites d'un baril de poudre qui lui avait explosé trop près de la figure. Aux bureaux du gouvernement comme chez les agents de la Compagnie, les rangs des bureaucrates paraissaient s'être considérablement éclaircis, et il flottait dans l'air quelque chose de tendu et inactif à la fois qui aurait inquiété le dernier des gratte-papier. N'en étant point, Madec demanda avec ingénuité à être reçu par le maréchal de Lally, à qui, disait-il, le chevalier du Pouët avait promis de le recommander, et peut-être, insistait-il, avait-il eu le temps de dire du bien de lui avant que le baril de poudre ne lui fît sauter la tête ? On le regarda du même air attristé ; il y eut d'autres silences, puis, tout en plongeant une plume dans un encrier et en dessinant sur un parchemin quelques paraphes manifestement gratuits, on finit par le laisser passer : « La porte vous est ouverte, sergent ; vous pouvez parler à M. le maréchal. Sachez cependant qu'il est convulsionnaire, qu'il chasse de son bureau tous les importuns, à commencer par ses propres aides de camp, et même le gouverneur de cet établissement, M. de Leyrit. Il serait en effet fort étrange qu'il gardât son calme, puisqu'il perd bataille sur bataille, et que les bons bourgeois de cette ville font afficher contre lui des libelles, jusqu'aux murs de sa chambre à coucher ! » Et le fonctionnaire éclata de rire, en continuant sur un autre parchemin ses artistiques paraphes. Dans ce palais presque abandonné, où il avait guetté autrefois Godeheu, Madec trouva sans difficulté le bureau du maréchal, qu'aucun huissier ne protégeait plus.

On le reçut. L'homme en effet paraissait très nerveux, beaucoup moins à son aise qu'à la revue de Madras. Madec constata cependant qu'il n'était pas en convulsions, ce qui le soulagea grandement. Comme, d'autre part, les jungles indiennes lui avaient offert de plus puissantes surprises, il ne s'émut pas non plus des deux pistolets chargés que le maréchal tenait en permanence sur son bureau, jouant de temps en temps avec eux et prêt à tirer sur le moindre fâcheux. Madec était déterminé ; Lally, rapide et brutal. Madec demanda un poste dans l'armée, en se recommandant de du Pouët dont, par bonheur, le maréchal se souvenait avec gratitude, car sa mort lointaine avait évité de se déranger pour ses obsèques.

« Cadet dans l'artillerie, déclara Lally en crachant par la fenêtre.

— Non, répondit Madec. Je veux la cavalerie. »

Un peu surpris, Lally ravala la salive qu'il préparait pour un second crachat, se leva et lui dit :

« Breton, tête de cochon. J'ai besoin d'hommes comme toi. Alors va pour la cavalerie. Grenadier à cheval ! Et va-t'en donc me casser de l'Anglais ! »

Une heure plus tard, tandis qu'on enregistrait son nouvel état, Madec apprit d'un émissaire essoufflé que les Anglais resserraient leur pression sur les campagnes avoisinantes et qu'ils avaient décidé de porter le coup fatal au Comptoir des plaisirs.

*
* *

Une semaine plus tard, les Anglais étaient sur la route de Pondichéry. Au palais du gouvernement, les ordres étaient formels : ne pas affoler la population. Il serait bien temps de la prévenir quand tonnerait le premier coup de canon. Lally, du reste, ne doutait pas de son armée ; il était certain de repousser l'ennemi. Aussi le Comptoir demeura-t-il paisible, quoique la Ville Noire fût plongée dans le plus grand désespoir.

Ananda Rangapillé était mourant. Malgré son indifférence grandissante aux gens du bazar, Jeanne Carvalho s'y était aventurée pour une visite de politesse à son vieux compère.

« Pondichéry est perdu, gémit-il, nous sommes finis, memsahib, je te l'avais bien dit, quand il était encore temps ! »

Jeanne ne s'attarda pas. A quoi bon demeurer plus

longtemps dans la maison d'un moricaud ruiné, à écouter ses délires sans queue ni tête, quand l'attendait chez elle le cher, l'adorable, l'exquis Saint-Lubin ? Dans son obstination à vouloir un cataclysme, le bazar allait d'errement en errement. Le bonheur était là, tout proche : dans l'instant. Un courtier en mousselines lui assura cependant que la Ville Blanche n'offrait qu'une apparence de calme. Eh bien, donnons encore une fête, se dit Jeanne, une demi-fête bien sûr, le ravitaillement n'est plus ce qu'il était, et Circé bloquée par l'armée. Peu importe, un petit concert, ce soir, à la fraîche, avec les gens de la colonie...

Et elle rentra, le cœur léger, pressant ses porteurs, sans même remarquer leur pâleur. « Plus vite, plus vite... » Ils ne s'en étonnèrent guère. Car, depuis que ce jeune homme était entré dans sa vie, la Carvalho passait le temps à se hâter chaque fois qu'elle était loin de lui. Le retrouver ; se perdre dans ses bras ; depuis combien de temps, déjà, courait donc l'aventure ?

Elle entra chez elle d'humeur allègre. Vite, vite ; la fête à préparer pour ce soir, envoyer des messagers. Et puis chignon, aigrette, robe nouvelle, être parfaite, pour *son* retour. La vie de Jeanne n'était plus qu'un long prélude à l'amour ; miroirs constamment interrogés, robes pensées et repensées, poudres, parfums, alliances savantes de bijoux sur la peau, et tout cela dans le seul espoir de voir ces mains si jeunes, si tendres détruire d'un seul élan son bel arrangement. Elle monta tout de suite à l'étage. Marian sortait de sa chambre, un peu rose, défroissant son jupon au pas de sa porte, la gorge, comme souvent, passant son caraco. Du geste affectueux qui lui était devenu familier depuis que Saint-Lubin lui avait rendu le goût de vivre, Jeanne la saisit par ses boucles rousses : « Ne vous inquiétez pas, ma belle. Je suis allée chez Ananda : il délire. C'est lui qui répand dans la ville tous ces mauvais bruits ; il est perdu de fièvre, et fou de rage, à l'idée de voir venir la mort : vous pensez bien, plus de noix à vendre, plus de saphirs à trafiquer ! »

Marian lui jeta un regard terrifié.

« Allons ! Reprenez-vous ! J'invite ce soir la colonie à la musique ! J'ai déjà vu un siège, et c'était bien autre chose que ces Anglais-ci, qui ne savent que couper les oreilles des paysans pour les empêcher de nous livrer du riz. En ce temps-là, ils nous envoyaient des boulets et des bombes ! Ah ! vous auriez vu Mme Dupleix, tapie dans ma cave et les diamants débordant de son corsage ! En ce temps-là, la nation anglaise n'était pas encore amollie par les fièvres du Bengale. Comment voulez-vous qu'ils se fassent à ce pays dont ils ne connaissent rien ? »

Elle lui saisit les mains, les serra dans les siennes.

Marian se détendit et sourit. Jolie, songea la Carvalho, mais en passe de se faner.

Marian, déjà, se sauvait dans sa chambre. Jeanne se refit une beauté, redescendit, donna des ordres, envoya des messagers, tempêta contre les servantes si rétives depuis quinze jours. Saint-Lubin revint vers midi, l'air léger, comme à l'habitude. Il n'avait pas fini de déjeuner qu'il repartit. Enfin, vers quatre heures, juste après la sieste, vint l'heure de la musique. Saint-Lubin n'allait pas tarder. Jeanne parcourut des yeux l'assistance, tandis que les musiciens réglaient leurs instruments. Ils étaient venus, tous. Enfin, tous ceux qui restaient. Tous ceux qui croyaient encore en Pondichéry. A nouveau, elle proposa à chacun un verre d'orangeade, une assiette de confiture. La chanteuse, une jeune mariée d'excellente famille, s'éclaircissait la voix. Le concert allait commencer.

Jeanne ne s'assit pas. Elle alla s'appuyer au chambranle de l'entrée afin d'accueillir son amant dès son arrivée. Il l'avait prévenue. « Je serai en retard, ne t'inquiète pas. Une petite réunion secrète avec le gouverneur, surtout n'en parle pas. »

Il était remonté pour se changer. Elle l'avait suivi,

comme elle faisait toujours, et l'avait regardé s'habiller. Combien de temps encore lui appartiendrait-il, ce corps presque d'enfant, peau tendre, à peine duvetée, fesses minces et pommées à la fois ? Et tant de force pourtant. C'était trop beau, cet enfant-amant, qui tout soudain était venu la combler, et tout soudain aussi l'avait guérie de tout, de sa passion pour Sombre, des maternités qu'elle n'avait pas connues. Trop beau, oui, et combien de temps ? Mais elle n'avait jamais su compter que les roupies. Pas les années. Oui, et Saint-Lubin, encore une fois, s'était évaporé, tandis que tombait sur la ville la première averse de l'après-midi.

Elle guetta encore le jardin, ne vit rien, soupira. La musique commença, vive, entraînante. « Un air gai, surtout, un air gai ! » avait-elle réclamé. Les violonistes s'échinaient donc à la joie. Au grand désespoir de Jeanne, leur poudre ne parvenait pas à dissimuler leur teint métissé, et certaines maladresses dans l'exécution du morceau laissaient trop apparaître qu'ils avaient appris la musique dans les arrière-salons du Comptoir. Mais enfin, se dit Jeanne pour la centième fois de la journée, encore un peu de patience ; les vaisseaux de France ne vont pas tarder à retrouver les mers libres, avec de bons gros équipages de cadets de famille tentés par l'aventure, des maîtres à danser frais émoulus des opéras d'Europe et des caisses de partitions neuves plein les cales... Quels esprits chagrins prétendaient donc que Paris abandonnait ses comptoirs ?

Elle en reconnut un, à deux pas, dans le couloir, qui parlait malheur à une jeune femme.

« Savez-vous bien que les bourgeois de France commencent à gronder ? Au dernier vaisseau, j'ai reçu une lettre de M. de Voltaire, et savez-vous ce qu'il me dit ? Que la guerre dans l'Inde n'est qu'une querelle entre commis, pour de la mousseline et des toiles peintes, et que le seul intérêt des longs et pénibles voyages qui mènent les jeunes gens vers nos comptoirs est d'apprendre à ne pas juger du reste de la Terre par le clocher de leur village ! Qu'enfin il ne sied pas aux nations européennes de faire endurer aux malheureux qu'elle transplante dans l'Inde des misères telles que l'*Encyclopédie* ne pourrait en contenir le dixième des détails.

— Voulez-vous bien vous taire, intervint Jeanne. Vous êtes venu ici pour écouter la musique, ce me semble, non pour semer l'effroi chez mes invités. »

L'homme, un petit agent assez fat, lui désigna du doigt un plateau à thé et poursuivit d'un air ironique :

« Bientôt, madame Carvalho, Lally vous fera vendre cette belle vaisselle d'argent pour payer les soldats...

— Eh bien, répliqua Jeanne, allez donc chercher fortune chez les cafres de Madagascar, et l'on verra si vous y serez plus heureux qu'ici !

— Au train où vont les choses, madame, si vous voulez conserver un peu de votre fortune et continuer à traiter de belles affaires dans l'Inde, c'est à Madras qu'il vous faudrait partir. »

Jeanne lui claqua son éventail au nez et se remit sur-le-champ à guetter par la fenêtre.

Ces gens-là ne connaissaient rien au bonheur ; agents de la Compagnie, plus misérables que valetaille, justaucorps usés, malheureux nobliaux en quête de fortune, plus vils encore que les gorets des intouchables. Mais heureusement il y avait Saint-Lubin qui, d'une seule caresse, ôtait pesanteur à la vie, même au plus fort de la guerre et de la mousson. La chanteuse entama son air. Etait-ce l'orage menaçant, ce beau monde ne se réjouissait guère. Les maquillages ne parvenaient même pas à dissimuler la peur. Comme si la guerre pouvait contrarier l'amour ; voilà, on en oubliait même ce qui avait bâti la fortune de Pondichéry et l'avait toujours sauvé de ces Anglais secs et sans joie : son irrésistible vocation aux plaisirs. La Carvalho inspecta une dernière fois l'assistance. Son intuition fut confirmée : pas de main en errance sous les ruchés d'une jupe, pas de mouche assassine au liséré des seins. Les imbéciles. Et Marian ? Marian. Elle n'était pas là. Sa robe, sans doute, longue à mettre, et pas de servante pour l'aider. Pourquoi Jeanne l'avait-elle oubliée ? Le bonheur, toujours ; le bonheur, dont elle avait fait son ordinaire alors même que tout dans la ville s'en allait à vau-l'eau. Saint-Lubin dans cette maison, et la vie, comme lui, était devenue légère, mousseuse. Marian ? Elle s'était fondue dans le décor, avec ses petites robes, son air de rien, teint frais, silences opportuns. Cette fois-ci, toutefois, Jeanne se sentit mal à l'aise. Que Marian ne fût pas encore descendue lui parut soudain fort extraordinaire. En un instant elle fut à l'étage, malgré son souffle court. Elle s'arrêta devant la seconde chambre.

« Marian ! Marian... »

On ne répondit pas.

La petite avait dû s'endormir. Il faisait si chaud. Jeanne se retourna pour vérifier dans une glace l'arrangement de ses boucles. Être parfaite, repasser de la poudre, remettre du rouge à ses joues. Depuis ce matin, tellement d'ordres à donner, et les servantes indiennes odieuses à force d'indolence. Elle poussa la porte de sa chambre, alla droit à sa coiffeuse, agita fébrilement quelques fioles et boîtes à parfums. Un dernier regard au miroir, avant d'aller arracher Marian à son trop lourd sommeil ? Pourtant, cette musique...

D'un geste qui lui était depuis longtemps mécanique, la Carvalho caressa du plat de la main la serrure de son secrétaire en bois de rose, dont le contact lui plaisait. Aussitôt, comme par surprise, le battant céda, découvrit les coffrets qu'elle y gardait. La serrure était donc abîmée ? Il faudrait la changer au plus vite. Elle ne s'attarda pas. Tout était en lieu sûr. Tout, c'est-à-dire une dizaine de petits sachets de pierres précieuses, le quart peut-être de toutes les gemmes qui avaient transité par Pondichéry depuis le dernier siège. Sombre lui-même n'aurait pas pu les dénicher. Il les aurait cherchées à la cave, à la cuisine, derrière les sacs de riz et d'épices. Alors qu'elle les avait enterrées dans le pot où grandissait l'oranger de la véranda, là où les servantes, les après-midi de langueur, venaient masser Marian pour qu'elle s'endormît. Le premier lundi de chaque mois, tandis que dormait la maison, la Carvalho venait soigner sa plante et vérifiait ses pierres, en rajoutant une, en retranchant une autre, au hasard des affaires et des spéculations. Elle retourna à la porte voisine :

« Marian... »

Elle tourna la poignée. La chambre était vide, le lit défait. Défait, oui, mais de quelle façon défait... Ces draps en tapon, la moustiquaire chiffonnée, et surtout ce parfum encore stagnant, trop connu, cette trace de rouge au creux de l'oreiller, qui se mêlait à l'odeur de la poudre. *Sa* poudre. Elle ouvrit l'armoire : tout était en ordre, en apparence, les robes, le linge de dessous. Elle souleva les piles, secoua les tiroirs. Comme elle le pensait, pas trace de bijoux. On avait fui. On avait filé.

Sa tête se mit à bourdonner. Pour la première fois depuis longtemps, elle souhaita de l'arak. Elle s'adossa à l'armoire, tenta de réfléchir.

Les domestiques, si paresseuses ce matin... Marian, surprise à son retour de la Ville Noire. Il était là, bien sûr, Saint-Lubin, dans ce lit, sous cette moustiquaire. Alors Marian avait eu peur, elle avait pris la fuite ; c'était vrai, elle n'était pas descendue déjeuner, elle pourtant si gourmande, et Jeanne, dans son bonheur, n'avait même pas songé à s'en étonner.

Une gourgandine, elle l'avait toujours pensé. Tant pis pour elle. Marian avait cru mettre la main sur le petit. Elle s'était trompée ; car ce midi même, alors qu'elle était sans doute déjà à se prostituer sur le port pour obtenir un embarquement, Saint-Lubin était bien docilement revenu la voir, elle, la Carvalho, plus très jeune, mais la plus puissante, la plus riche, la plus experte des femmes du Comptoir.

La tête, encore, lui bourdonna. Elle se souvint du secrétaire, courut à sa chambre. Il était forcé. Avait-elle été aveugle, tout à l'heure, pour ne l'avoir pas compris ? Elle fouilla les tiroirs : on avait tout retourné, billets à ordre, reconnaissances de dettes. Rien de monnayable. La petite en avait été pour ses frais. Restait à vérifier le pot d'oranger, sous la véranda. Jeanne se précipita dans l'escalier. Entre deux mouvements, les musiciens se turent. Elle s'arrêta d'un seul coup, le pas suspendu, comme un animal pris de peur. Au fond du silence, montant du jardin, elle venait d'entendre un bruissement de feuilles écrasées.

Lui, ce ne pouvait être que lui. Elle avait raison, Saint-Lubin revenait, reviendrait toujours. La gourgandine ne lui était rien. La musique reprit. Jeanne descendit l'escalier d'un pas plus assuré. La soprano entama un aria mélancolique. Elle eut un geste d'irritation : n'avait-elle pas demandé qu'on chantât gai, ce soir ?

D'où elle était, elle s'arrêta une dernière fois pour contempler l'assistance. Tous les notables de la colonie étaient présents, étalés dans ses fauteuils cannés, figés sous leur masque de plâtre et mâchant du bétel. Ils devenaient pareils aux Indiens, ils en tachaient leurs habits. Des bas mal tirés à la jambe des hommes ; trop de rides affleurant sous le maquillage trahissant la veulerie plus que l'énergie. Dans un instant, elle se cacherait derrière un rideau avec Saint-Lubin, et comme il se moquerait d'eux, lui chuchotant leurs ridicules à l'oreille !

Elle courut à la porte. Il devait être là. Devant elle se dressa un jeune homme mince et beau, comme l'autre qu'elle attendait. Mais la peau si brûlée, qui disait tant de courses au grand soleil. Pourtant, ces jolis yeux clairs...

Elle pencha la tête, sourit, les cils tremblants de larmes :

« Saint-Lubin...

— Mais, madame...

— Saint-Lubin !

— Madame... Les Anglais, les canons...

— Es-tu stupide ! Aussi stupide que ces greluchons à qui j'offre la musique !

— Madame... je dois vous prévenir... Je suis le sergent Madec, c'est le général de Lally qui m'envoie. Les Anglais... »

Elle serra son bras sous le sien avec une force incroyable, le tira vers le salon. L'instant de la mélodie était particulièrement pathétique. La chanteuse roucoulait de son mieux, quand soudain sa voix se mourut.

« Le tonnerre, dit quelqu'un au fond du salon. Enfin ! la mousson ! »

La nuit n'était pas encore tombée. On regarda par la fenêtre. Deux, trois, quatre fois, il tonna encore, mais si sourdement, si régulièrement... Tous se levèrent.

« Les Anglais ! »

La bousculade. Les femmes, perdues dans leurs jupons et leurs escarpins. Des perruques dérangées. Violons et archets jetés aux orties. D'un seul coup le plâtras des maquillages se fendilla. L'instant d'après, la maison était vide.

« Où vont-ils ? où vont-ils ? répétait Jeanne Carvalho en s'agrippant au bras du jeune homme.

— Mon cheval, s'exclama Madec. On va me le voler ! Mon cheval ! Laissez-moi ! »

Elle continuait, d'une voix très douce, sans paraître l'entendre :

« Viens, mon amour, viens voir mes pierres, et tu comprendras que Pondichéry ne mourra pas. Pondichéry va vivre, vivre... J'ai déjà vu un siège, tu sais. »

Et elle l'emmenait doucement vers la véranda, se

demandant simplement d'où le bel enfant pouvait bien revenir pour avoir la peau si tannée, si brune, si semblable à celle de l'autre, Sombre, qui l'avait abandonnée voici des années. Elle s'arrêta au seuil de la pièce ; le nom remontait du plus profond d'elle-même ; le nom, et la douleur. Elle tressaillit :

« Sombre... Sombre, tu n'es pas Sombre, n'est-ce pas, tu ne m'as pas laissée ? »

Elle sentit que le jeune homme tremblait lui aussi. Mais pourquoi donc sa main était-elle si rugueuse ?

« Regarde ! Le pot de l'oranger ! »

Elle s'accroupit. La terre vola de tous les côtés. Madec se figea, fasciné par cette femme en dentelles et robe à danser, fouillant comme un lapin la terre humide ; au loin, le canon tonnait toujours.

Brusquement, elle se mit à hurler. Elle avait atteint le fond du pot, grattait maintenant le grès ; ses ongles se cassèrent les uns après les autres.

« Il m'a volée ! Volée ! Volée... Je n'ai plus rien. Saint-Lubin ! »

Elle l'avait oublié. Elle déracina l'oranger, saisit un fauteuil de rotin, le jeta sur les vitres de la véranda.

« Saint-Lubin ! Sombre, Saint-Lubin ! Sombre, Sombre... »

Il n'y comprenait plus rien. Il eut le temps, entre deux éclats de verre, de s'apercevoir que les invités en fuite étaient passés devant son cheval sans le voir, ou s'étaient refusés à le lui voler, eu égard, peut-être, à son harnachement militaire. Il soupira de soulagement. Cette femme était folle, il devait partir. Elle s'accrocha à son bras. Il la repoussa.

« J'ai fait mon devoir, madame ! »

Plus urgent, en effet, l'attendait. Il traversa en courant le jardin, enfourcha d'un bond sa monture. Cette scène insolite l'avait pourtant piqué, et les lieux réveillé en lui une bizarre réminiscence ; il se promit donc d'y revenir, si toutefois les hasards de la guerre, qui étaient considérables, lui en présentaient l'occasion.

*
* *

Les deux mois qui s'écoulèrent avant la chute de Pondichéry, Madec ne douta plus d'être parvenu au terme de son existence. Cela ne tenait pas aux rigueurs du siège, mais au nom prononcé par la vieille folle, le soir où tonnèrent les premiers canons.

Sombre, dont la mémoire flottait en lui à la manière d'un songe d'enfance, fugace et fantomatique à la fois. La boucle était bouclée, se dit-il alors : de Sombre je suis revenu à Sombre. La mer est bloquée ; la terre interdite. Des deux côtés, les mêmes canons anglais. Pondichéry n'est plus qu'une souricière. Curieusement, cette pensée, jointe à la satisfaction de posséder un cheval, lui donna le cœur léger, et même une certaine satisfaction, qui lui fit endurer avec aisance toutes les restrictions. L'officier était réduit à une demi-livre de riz, le soldat, dont Madec, à quatre onces ; avant de frire les cobras et de ronger le cuir des ceintures, on réquisitionna les derniers grains possédés par les particuliers. Injures, supplications ; ce ne fut pas une mince besogne. En raison de services rendus, les maquerelles du port réclamaient des ménagements analogues à ceux des agents de la Compagnie, et il était difficile de trancher à qui on devait la plus grande reconnaissance. Madec eut donc l'esprit fort occupé. De temps à autre, il éprouva la tentation de retourner à la maison étrange où il avait cru voir se clore le cours de son existence, quand, sur les lèvres de la folle, était venu le nom de Sombre. Il n'en eut pas le loisir. Un jour qu'il passait devant le porche toujours ouvert, il remarqua simplement des lambeaux d'étoffe pendus aux arbres, des meubles précieux, laque, bois de rose, chavirés au milieu des lianes nées de la mousson et fendus à la hache. Le vent avait poussé des dizaines de parchemins déchirés jusqu'au seuil du jardin, où ils achevaient de moisir. Il passa son chemin. On avait dû piller la « maison de Sombre », comme il la nommait en lui-même. Il s'en trouva, sans pouvoir se l'expliquer, encore plus soulagé, libre de dépenser son trop-plein d'énergie comme il l'entendait. Il y avait d'ailleurs fort à faire : on avait dépassé l'état de disette ; la famine entrait dans la ville.

Dans un ultime sursaut d'héroïsme, bien conforme à son naturel impulsif, le maréchal de Lally décida d'envoyer la cavalerie forcer la route de Pondichéry à Madras et rapporter du ravitaillement. Rendez-vous avait été donné à tous les cavaliers pour le soir même, près des Limites et du sanctuaire de Khrishna.

C'était la fin de l'après-midi ; la pluie s'était un peu calmée. L'orage, cependant, traînait encore des nuages lourds qui s'accumulaient du côté de la mer. Arrivé à l'étang de Khrishna, Madec arrêta un moment son cheval et contempla le paysage. Ville Noire contre Ville Blanche, Pondichéry s'étalait à ses pieds. Quelques pirogues devant la barre, pas une frégate au port, pas un bruit. Le Comptoir des plaisirs se mourait de l'intérieur, d'une consomption lente et certaine. Les cocotiers se pliaient docilement sous le vent, et les lointains de la mer, entr'aperçus dans une trouée de nuages, grisaillaient sous la mousson. Comment avait-il pu croire que l'Inde était ici ? La lumière diminuait, l'ondée allait reprendre. Madec se tourna vers le temple de Khrishna. Désert, lui aussi, comme la Ville Noire, comme le bazar, d'où les Indiens avaient fui avant même la famine. Il distingua pourtant, aux marches du sanctuaire, quelques formes allongées. Les habituels miséreux, les éternels laissés-pour-compte ou fous de Dieu, qui toujours s'en venaient, au milieu des pires catastrophes, attendre en un lieu consacré le passage à une nouvelle vie.

La réincarnation ne va pas tarder, songea Madec. Avec les pluies, un nouveau fléau s'annonçait en effet : l'épidémie. En pareille saison, les eaux bourbeuses de l'étang sacré, grossies d'averses, léchaient les degrés du temple et devenaient le nid préféré des fièvres. Il pressa le pas du cheval, quand il vit s'avancer la grande et belle silhouette d'une femme brune, en cheveux, qu'il crut reconnaître à son air altier et à sa mise impeccable. Une Européenne, en robe bleu-gris, qui commençait à flotter sur un corps amaigri : la folle de l'autre jour. Elle se baissa, prit dans ses bras un enfant indien et se mit à crier :

« Sombre !... »

Elle descendit les marches du sanctuaire, s'avança dans la boue, voulut traverser l'eau.

Madec ne voyait que l'enfant, une fillette, cinq ou six ans peut-être ; elle devait mourir de faim. Que faire ? Il n'avait rien à leur offrir, et il devait partir. *Dharma,* se dit-il en souvenir de Godh ; et il comprit brusquement pourquoi, la plupart du temps, les Indiens n'admettaient pas les Européens dans l'enceinte de leurs temples. Une incompatibilité fondamentale. Ainsi, cette chrétienne, qui s'acharnait à vivre quand il ne fallait plus, de toute évidence, qu'attendre doucement la mort, s'abandonner à la toute-puissance du dieu, à la tranquillité de sa demeure. Mais aussi tellement de tendresse dans les gestes de la Blanche, tant de commisération pour l'enfant : Jeanne Carvalho s'était immobilisée, de l'eau jusqu'à la taille ; elle s'inclinait vers la fillette, lui caressait doucement le visage. Pour la première fois depuis longtemps, Madec s'émerveilla. Mais, d'un seul coup, les mains de la femme furent prises de tremblements. Elles s'arrêtèrent soudain sur le cou de la fillette qui la regarda sans comprendre.

Et puis une pression des doigts, dont il devina, d'où il était, l'étreinte implacable. Des serres. Et ce port de tête, si digne, si droit. Elle le fixait. Madec se précipita, entra dans l'eau de l'étang. La folle continuait à serrer. A chaque pas il trébuchait dans la boue ; il n'avançait pas. Enfin, du geste à la fois solennel et désinvolte d'une grande dame qui ouvre un bal,

Jeanne Carvalho lâcha dans l'eau le corps de l'enfant et sourit à Madec :

« Sombre... mais je me trompe, je me trompe toujours ; mon pauvre, mon petit Saint-Lubin ! »

Madec ne l'entendait plus. Il avait glissé encore, mais il était parvenu à repêcher l'enfant. Un corps léger, si frêle. Depuis quand n'avait-il pas pris dans ses bras un enfant ? Et si maigre. Il le pressa contre son visage ; sur ses épaules ruissela la boue de l'étang. La fillette ne respirait plus.

Il retourna à sa monture. Il n'avait même pas de quoi envelopper le cadavre. Il le déposa au bord du chemin, remonta à cheval, fila à bride abattue. La folle allait le suivre, sans doute, mais elle ne pourrait aller bien loin. Il ne voulut pas se retourner. Il traversait les dernières cases qui le séparaient des Limites quand lui vint une pensée absurde, dont il se reprocha aussitôt la sottise. La boucle, se dit-il, n'est pas encore bouclée, puisque je sors de Pondichéry. Une autre vie, peut-être, commençait. Combien de temps se donnait-il ? Un jour, deux semaines, quatre mois ? Il ne savait pas. « Peu importe la durée de ton existence, avaient dit les *sadhu* rencontrés au hasard des routes, et Madec l'avait bien retenu, c'est la pureté qui compte ! »

Il songea au cadavre de l'enfant. C'était la première fois qu'il voyait une telle mort. Il eut un haut-le-cœur. La pureté, en tout cas, n'était pas ici. L'avait-elle d'ailleurs jamais été ? Et Godh ? Et Sarasvati ? Ne les avait-il pas souillés, lui aussi, de ses désirs, de ses ambitions de firangui ? Il faillit en pleurer. L'averse reprit. Il était en retard. Son détachement n'allait pas tarder à partir au feu. A la gloire peut-être. Il vivrait. Pondichéry mourrait sans lui.

Les Français résistèrent encore trois semaines. Le 16 janvier 1761, Pondichéry se rendit. Aux portes attendaient quatre mille Anglais et dix mille cipayes, et la cité ne comptait plus que trois cents soldats noirs et sept cents Français, pressés par la faim. La plupart des Indiens de la Ville Noire étaient morts entre les Limites et la barrière implacable des lignes ennemies. Il fallut brûler des monceaux de cadavres, parmi lesquels, chose un peu insolite, celui d'une Européenne d'une cinquantaine d'années, en robe de soie et escarpins dorés. Le maréchal de Lally fut conduit à Madras, où on l'emprisonna avant de le transférer en Angleterre. Son origine irlandaise lui valut, malgré sa maladie, un traitement fort rigoureux.

Madras, l'austère comptoir anglais, venait d'être égayé de l'arrivée d'un charmant espion à la solde de Sa Très Gracieuse Majesté britannique, le chevalier de Saint-Lubin, flanqué d'une délicieuse compagne illégitime, huguenote à ce que l'on disait, quoique d'allure un peu provocante. Ce jeune homme spirituel devint rapidement la coqueluche de la ville, par l'irrésistible description qu'il donnait de la déconfiture du Comptoir des plaisirs, avec un adorable accent qui ravissait les dames. Sa maîtresse dut en prendre assez vite ombrage, car elle lui fit plusieurs scènes publiques où sa jalousie éclata à la vue de tous, jusqu'au jour où le jeune Français s'évanouit dans la nature et Madras retourna à son ordinaire ennui.

Le Conseil du Comptoir chargea deux officiers, Dupré et Pigot, huguenots français passés au service du roi d'Angleterre, de s'en aller raser Pondichéry. Ils s'en acquittèrent très scrupuleusement. Les derniers habitants furent expulsés, et les jésuites priés de bien vouloir dire leur messe ailleurs. Quelques jours plus tard, il ne resta plus de la cité qu'un amas de pierres, un ou deux semblants de clocher et un plan de la façade du gouvernement qu'envahirent assez vite les ronces et les serpents.

Le détachement de Madec, dont la progression sur la route de Madras avait été empêchée par les pluies, se réfugia dans une forteresse au nom obscur, Gingy, où le drapeau français flotta trois mois encore. Pour finir, l'ensemble des forces ennemies vint l'assiéger, et il fallut se rendre. Madec fut fait prisonnier et mené à

Madras, avec tous ses compagnons d'armes. Où, on le jeta au cachot, sans espoir d'en sortir qu'en offrant ses services à la nation anglaise.

Pendant ce temps, à Paris, par une de ces volte-face assez communément attestées dans la politique française, le duc de Choiseul commença à réfléchir aux clauses d'un traité de paix entre la France et l'Angleterre, dont il résuma la philosophie en ces termes : « Tout laisser aux Anglais, et même le Canada. Tout abandonner pour les comptoirs de l'Inde. »

DEUXIÈME PARTIE

LA DAME DE GODH

CHAPITRE IX

Avril-septembre 1761

De Madras au delta du Gange

La France des Indes était morte. Ses derniers soldats, officiers ou volontaires, furent parqués comme bétail dans la prison commune, où le commandement de Madras attendit qu'ils eussent bien croupi avant de les réduire à merci. Le sol gluant de la prison, les immondices, la mort en maraude, Madec résista pourtant. Chaque fois qu'apparaissaient à la porte les uniformes rouge et doré de ses geôliers, il était soulevé d'un torrent de colère. A chacune de leurs solennelles entrées, il aurait voulu pousser les cris immémoriaux de la Bretagne en guerre, *Torrebenn,* casseleur la tête, sus aux Saxons maudits ! Il se tut. Son tourment surpassait la simple haine ancestrale. Chaînes aux pieds, rien ou presque dans le ventre, trois hardes pourries pour couvrir un corps humilié : il ne pouvait rien contre l'Anglais.

Au désespoir fou des premiers jours, hurlements, têtes frappées contre les murs, prières et larmes sans réponse, succéda le silence : un mutisme morne, prostration parfois entrecoupée de râles ; la Mort rôdait toujours, monarque fantasque qui frappait à son bon plaisir. Des gaillards bâtis à chaux et à sable expirèrent les premiers ; d'autres, souffreteux et malingres, s'obstinèrent à vivre. Frêle et robuste à la fois, Madec fut de ces entêtés. A défaut de riz, que les Anglais distribuaient selon une irrégularité calculée, il se nourrit de hargne et de vindicte. Il se répéta, pour survivre, le détail de sa honte. Il se moquait bien que la France fût vaincue. Qu'elle eût perdu les Indes le désespérait davantage. Mais lui surtout, René Madec, il avait manqué son destin. Tout juste nommé grenadier à cheval, il était condamné à mourir de fureur et d'impuissance sur le terreau puant d'une prison anglaise. La France des Indes, que foutre ! Avait-elle jamais connu, hormis sous Dupleix, l'aspiration à la grandeur ? Mais lui, Madec, un rajah l'avait appelé Madecji, célébré sa force, serré au creux de ses doigts une pierre inestimable. Et tout cela pour finir ici, confondu dans la foule et prisonnier de ces cochons d'Anglais. *Confondu dans la foule* : quatre mots pour la honte, et c'était le pire à ses yeux. Pourquoi avoir repoussé Godh, qui lui offrait la chance de « s'ouvrir un chemin » ainsi qu'il nommait alors l'ambition, faute d'en connaître le nom. Chemin de la gloire, fui dans la déraison, et désormais interdit par une double rangée de baïonnettes anglaises.

Au terme de soixante jours d'emprisonnement, le commandement de Madras jugea que les cent cinquante Français encore vivants, en dépit du traitement de rigueur qu'on leur avait méticuleusement appliqué, pouvaient leur être de quelque profit. Londres voulait parachever la conquête du Bengale. On proposa donc aux Français le marché suivant : ou ils demeuraient dans cette geôle, fidèles à leur patrie, et la mort viendrait les prendre sans tarder, attendu que toute nourriture leur serait refusée ; ou bien ils acceptaient de servir sous l'uniforme rouge de Sa Majesté le roi George, qui avait fort à faire aux Indes.

On leur donna une soirée pour délibérer. Un tiers d'entre eux choisit aussitôt un trépas héroïque. Les deux autres tiers, sans hésiter, acceptèrent la seconde offre, qui flattait, il faut le reconnaître, l'instinct de conservation. Madec était du lot. Avant l'ouverture des portes de la prison, il prit spontanément la tête du groupe qui avait choisi le parti de la vie. Il les harangua avec une si belle fougue qu'il obtint aussitôt de ses compagnons la solennelle promesse de déserter à la première occasion, pour s'en aller délivrer l'Inde du joug intolérable des Saxons maudits.

Réunis sur la plage blonde de Madras, la centaine de Français passés à l'Angleterre attendaient leur chef. *A Frenchman,* leur avait-on aimablement précisé ; les compagnons de Madec s'accordaient à penser qu'il ne pouvait être qu'huguenot, comme les destructeurs de Pondichéry. Madras, annexe tropicale de l'hérésie, repaire colonial des mal-pensants, tonnaient même certains officiers, qui ne se pardonnaient pas encore d'avoir préféré les gamelles britanniques à l'opportunité d'une mort héroïque. Madec ne les écoutait pas ; pour la tranquillité de son âme, il possédait son serment, il déserterait. Cependant, il ne pouvait se dissimuler que le moment ne s'en présenterait pas de sitôt. D'ici quelques heures, il embarquait pour Calcutta. Là-bas, le piège anglais se refermerait sur lui : manœuvres, exercices, maniement d'armes, jusqu'au jour où on l'enverrait au feu. Alors seulement il pourrait prendre le large, et encore faudrait-il bien choisir son heure. Du temps, du temps... Tromper l'Anglais à la manière anglaise.

Il était midi. A l'horizon du fort, rien ne venait. La chaleur était insupportable, et pas un cocotier pour donner de l'ombre. Les soldats s'étaient affalés sur le sable ; la toile épaisse de l'uniforme les protégeait de sa brûlure. Madec retrouva un geste familier, il se mit à égrener le gravier entre ses doigts, mais il ne rêvait plus comme autrefois. Il réfléchissait. Vingt-cinq ans bientôt, l'armée encore et toujours : que possédait-il de plus qu'aux temps du chevalier du Pouët ? Un uniforme neuf, une paire de souliers tout droit sortis des manufactures anglaises... Et l'espoir en moins. Un instant, il contempla la mer, puis se retourna vers la ville. Le site ressemblait étonnamment à celui de Pondichéry. Un endroit tout aussi absurde : une simple et immense plage, l'impitoyable barre, interdisant l'installation d'un port ; pour le reste, comme là-bas, remparts, fortins, Ville Blanche, Ville Noire, épices, bazar et palmiers. Et pourtant, les Anglais avaient gagné.

Pourquoi ? Pour quelle secrète raison ? Depuis son emprisonnement, Madec ne cessait de s'interroger. Il détailla les remparts, les casernes, les bâtiments administratifs. A première vue, rien ne différait du Comptoir français. Mais si, pourtant, cette froideur, cette efficacité. Contre le ciel bleu des tropiques, quelque chose de glacé, qui formait un contraste saisissant. Il se souvint alors de Pondichéry, dont maintenant il ne restait plus rien. La Porte Marine, panache, splendeur, appel aux plaisirs : la France des Indes en était morte.

Rien de tel ici. Les Anglais découvriraient-ils l'Eden des mers du Sud qu'ils y construiraient les mêmes murs austères. Pierres sans âme, ignorantes de la beauté, uniquement rassemblées pour abriter des comptables besogneux, des intendants méthodiques. Convoitise, cupidité. Le rêve anglais des Indes n'avait jamais connu la saison du désir. Et Calcutta ? Madec se livrait déjà à des imaginations voyageuses quand il vit, à l'extrémité de la plage, s'élever un nuage de sable. Des chevaux au galop. Les soldats se levèrent. Le chef, sans doute. L'air tremblait.

D'où il était, Madec voyait mal. La poussière retomba. Il distingua quelques silhouettes en uniforme rouge qui s'affairaient autour des chevaux. Des officiers. Ils échangèrent quelques paroles, calmèrent les bêtes égarées par ce galop en plein midi. Madec cligna les yeux. Mais non, il ne se trompait pas : quelque chose ici, quelqu'un peut-être, lui rappelait Godh. Le soleil. C'était sûrement le soleil ; devant lui ne flamboyaient que les uniformes des officiers anglais, le juron à la bouche, Goddam, Rascal et autres By Jove : assurément, et cyniquement anglais. Un des officiers se détacha du groupe, s'adressa aux hommes en français :

« Allez ! On embarque ! Qui que vous soyez, d'où que vous veniez, sachez que vous êtes ici dans l'armée britannique et que vous me devez pleine et entière obéissance. Faute de quoi vous aurez la tête cassée sur le front des troupes ! »

Martin-Lion ! Madec faillit crier. Son exclamation s'étrangla. Son compagnon, lui aussi, venait de le reconnaître : il avait hésité une seconde, puis il avait repris sa harangue avec le même aplomb. Martin-Lion, privé, comme lui-même, de la barbe hirsute de leur errance dans le Dekkan ; Martin-Lion, sans la robe indienne qu'il avait reçue à Godh, et dont l'ampleur souple adoucissait là-bas sa stature de colosse. Madec comprit alors pourquoi il ne l'avait pas reconnu aussitôt : son corps se pliait maintenant aux règles de superbe en vigueur chez les Blancs : il rentrait le ventre, faisait valoir la cambrure de ses reins, la tournure de son mollet, paradait sous le velours neuf du conquérant anglais. Pour le reste, il n'avait pas changé, même autorité joviale, même voix rugissante, et les joues chaudes, rouges, où constamment affleurait l'émotion. Sous le silence de midi, Martin-Lion termina calmement son inspection. Ni l'un ni l'autre ne parlèrent. Un seul moment leurs regards se croisèrent : Godh alors ressuscita tout entière, et Madec crut bien voir que son compagnon en tremblait.

« Allez, on embarque ! répéta Martin-Lion. Fichez-moi à l'eau tous ces catimarons ! »

Les hommes se précipitèrent sur les pirogues. Madec, lui, alla plus lentement. En lui cependant bouillonnait l'impatience ; mais comment trouver le moyen de questionner Martin-Lion ?

Godh, Martin-Lion : il n'aurait jamais pensé les retrouver ici. *Les* : c'est-à-dire Visage aussi, et Dieu, et le rajah, le palais, la Dame du Lac. Sarasvati. Avec

Martin-Lion, c'était, curieusement, un peu d'elle qu'il tenait. Il ramassa encore une poignée de sable, la fit couler entre ses doigts. Un peu d'elle. Une infime part de la princesse, un grain de sable, ou plutôt un minuscule mica, car son souvenir brillait tellement encore, trop peut-être, à en défaillir, comme le soleil du plein midi. Madec en oublia son uniforme anglais qui jusque-là le rendait si honteux ; il ne pensa plus qu'aux moyens de questionner son nouveau chef, sans manquer aux us et coutumes de l'armée ; et, surtout, sans révéler quoi que ce fût des tourments secrets qui le dévoraient.

*
* *

Doucement, portée par le cours tranquille de la marée, la frégate anglaise *Non Such* remontait le Gange. Côte à côte sur le gaillard d'avant, Madec et Martin-Lion regardaient défiler ses rives imprécises, couvertes d'inextricables jungles semi-aquatiques. Tantôt, au long d'un bras mort, comme par caprice, la végétation s'interrompait ; le fleuve avait changé de cours, laissant derrière lui de larges tranchées de boue, quelques mares, que la jungle n'avait pas encore reprises. Il flottait dans l'air une odeur étrange d'humidité fangeuse et pourrissante, un parfum lourd, de vie et de mort à la fois.

« Le Bengale est malsain », commenta Martin-Lion.

Madec ne répondit pas tout de suite. Depuis la nuit du départ, où il avait exigé de Martin-Lion des explications sur son départ de Godh, ils ne s'étaient plus quittés. Cependant Madec ne tenait pas encore la réponse à sa plus secrète interrogation. Ni l'un ni l'autre n'avaient osé évoquer Sarasvati, comme si son destin les troublait également. Alors s'était installé ce silence bizarre, entrecoupé parfois de remarques banales, de commentaires sur le paysage, de demi-questions.

« Oui, le Bengale est malsain », répéta distraitement Madec.

Il parlait d'une voix sourde, comme un écho triste et songeur des paroles de Martin-Lion.

« A la grâce de Dieu », ajouta-t-il seulement. Comme sur les vaisseaux de la Compagnie !

Son esprit était ailleurs. Le Bengale, il le savait bien, était un immense réservoir de maladies éveillées ou dormantes ; peu lui importait. Dès l'instant où le navire s'était engagé dans la rivière d'Ougly, le bras principal du delta, une bizarre émotion l'avait saisi, qui ne le quittait pas. Une sorte d'ivresse. Elle durait de longs moments, autant d'heures de paix qui effaçaient en lui l'obsession de Godh.

Bengale. L'Eldorado s'étalait sur les rives du fleuve, déroulant ses jungles foisonnantes. Ce pays, dont les syllabes couraient les quais de son enfance quimpéroise, depuis toujours il se l'imaginait léger, immatériel, impalpable ainsi qu'un sari lamé. On avait cherché à le détromper, du temps de la marine : on lui avait raconté à longueur d'océan la lente agonie des matelots échoués dans ses comptoirs. Et voici qu'il en découvrait ici la vérité : ni le paradis de ses rêves d'enfant, ni l'enfer décrit par les mariniers. Non ; mais une réalité prenante, poignante, comme cette odeur, qui imbibait jusqu'aux cordages de la frégate. Une terre lourde, gorgée d'eau, une terre-fleuve. Une terre-force.

Ganga. Le fleuve le fascinait. Sitôt engagé dans l'armée, il avait appris que le Gange était femme. Ganga : déesse souveraine au pays des fleuves-dieux. Combien de filles rencontrées sur les chemins, et qui portaient son nom ? Combien de brahmanes venus jusqu'à Pondichéry en colporter l'eau sacrée dans des petits pots de terre suspendus au bout d'un bâton ? A leur attirail étrange, on les reconnaissait de loin : plus décharnés encore que les autres *sadhu,* ne vivant que de lait et de riz, ils abordaient le passant, et Madec parfois les avait écoutés : « Prends, prends donc l'eau de Ganga, la liqueur précieuse qui purifie les humains et nourrit tous les fleuves et les océans du monde. Prends l'eau sacrée, dont jamais l'homme ne connaîtra la source, prends, et va en paix... » Et voici que Ganga se déployait devant lui. D'elle, il ne savait rien, sinon ce que les rois de Mahabalipuram avaient gravé à leurs temples : dans une fissure de la pierre, au milieu d'une foule de génies des eaux, une longue déesse-serpent, dont les anneaux déroulés vers le bas représentaient la descente sur terre de l'eau bienfaisante.

Accoudé à la rambarde, Martin-Lion continuait :

« Et on appelle cette jungle le paradis de l'Inde...

— Nous n'en sommes qu'au delta, répliqua Madec.

— Je sais, j'ai vu les cartes ; après Calcutta s'étend une plaine très fertile qui va jusqu'à l'Himalaya. Que les Anglais gagnent la guerre contre le nabab du Bengale, et ils prennent tout. *Tout,* entends-tu, Madec ? Le thé, la soie, le riz, l'opium, le salpêtre. Les commerçants bengalis traiteront avec eux comme autrefois avec nous, ou avec les Portugais, les Hollandais. Et puis les Anglais tiendront aussi les routes, celles qui mènent à l'Arabie heureuse, à l'Asie jaune, le Tibet, la Tartarie, la Chine ! Les marchands de Madras racontent que les bengalis ont placé des agents partout, en Perse, en mer Rouge, à Sumatra, à Canton. Pour peu que les Anglais les appâtent, les soumettent à leur loi... Ils prendront tout, tu verras. »

Martin-Lion poursuivit son énumération :

« La laque, la gomme, le benjoin, le tabac, le camphre, le musc, l'indigo, le santal, le gingembre, la cannelle... » Il se grisait de mots. L'Inde en effet, entrepôt de tous les étranges, de tous les possibles. Mais le temps de la course aux épices était révolu, Martin-Lion ne pouvait l'ignorer. Si le Bengale avait donné à l'Europe l'envie de saveurs nouvelles, celle-ci s'en était lassée. Madec l'interrompit :

« Tu sais bien que les Anglais et les Hollandais brûlent maintenant leurs cargaisons de poivre pour en maintenir le cours. L'Angleterre ne se contentera pas de faire ici du commerce. C'est pour eux un nouveau territoire. Et voilà pourquoi tu t'es engagé chez eux ! Tu as pris les devants, toi, Martin-Lion ! Ils t'ont appâté, comme tu dis, ils t'ont soumis ! »

L'autre rougit sous l'attaque, comme la nuit où ils avaient réglé leurs comptes.

« Je t'ai tout dit. »

Madec haussa les épaules. C'était vrai, d'une certaine façon. A quoi bon revenir là-dessus ? La nuit du départ, Martin-Lion lui avait raconté comment Dieu avait fondu des canons, et comment, avec Visage, il avait tenté d'entraîner les hommes à l'européenne : un échec cuisant. « Je ne suis pas un dresseur de sauvages, ces hommes-là ne savent pas obéir. » Il sollicita du rajah la permission de s'en aller, ce qui lui fut accordé sans difficulté. Le prince rayonnait d'une joie mystérieuse. Sans plus en éclaircir les raisons, les trois hommes reprirent la route du Sud, des roupies d'or plein les poches.

Un jour, au cœur du Dekkan, ils apprirent la chute de Pondichéry et la fin de l'Inde française. Dieu et Visage choisirent de retourner vers le Nord. La vie indienne leur plaisait. Ils pensaient trouver un autre prince à qui offrir leurs services. Et lui, Martin-Lion, préféra l'Angleterre. A cet instant de son récit, il s'était effondré. Alors la complicité née à Godh l'emporta. Madec arrêta ses questions, posa sa main sur l'épaule de Martin-Lion, pardonna. Ils burent ensemble des pintes d'arak. Et comment faire, maintenant, pour pousser plus avant la confidence ? Ce qui pouvait se dire dans la solitude de la nuit, à la lueur trouble d'un fanal, devenait déplacé au grand jour bleu du matin bengali. D'ailleurs, au plus profond de lui, les raisons du départ de ses compagnons lui étaient indifférentes. Godh, le rajah, Sarasvati, voilà qui lui importait.

Le bateau s'arrêta soudain ; un banc de sable barrait le passage. On affala les voiles, les marins sondèrent le fleuve.

« Regarde ! cria Martin-Lion. La vase est si dure qu'on dirait un rocher à fleur d'eau !

— Ce qui m'étonne, répondit Madec, c'est que ces chiens d'Anglais, les meilleurs marins du monde, paraît-il, soient tellement surpris quand ils voient arriver les bancs de sable ; tu vois, c'est à chaque fois le branle-bas de combat ! Ils n'ont donc pas de cartes du Gange ?

— Les bancs changent de place constamment. A chaque mousson, tout serait à refaire. Pas un mois, m'ont-ils dit, sans que sombre un vaisseau. Et les malheureux qui font naufrage ici n'ont rien d'autre à chercher que la jungle, où les tigres les attendent. Une quantité incroyable de tigres ! Il n'y a pas longtemps, un navire chargé de nègres du Mozambique s'est ouvert près de la rive. Les bêtes les ont tous mangés, à l'exception de trois ou quatre. Et il y a aussi les Mogs, les pirates du Gange, un ramassis d'esclaves fugitifs, commandés par des moines portugais défroqués ; si tu échappes aux tigres, tu tombes entre leurs mains ! Ou tu deviens des leurs, ou ils te tuent.

— Les Anglais, que je ne croyais pas pirates, ne m'ont pas offert d'autre choix ! » rétorqua Madec.

C'était plus fort que lui. Quelque chose le poussait à provoquer son compagnon. Cette fois, Martin-Lion ne se laissa pas démonter. Avec une froideur et une ironie déjà presque britanniques, il répondit en souriant :

« Le monde a changé. L'Inde sera bientôt anglaise. Mais si tu regrettes d'être vivant, le Gange est là, qui t'attend avec ses tigres affamés. »

La frégate repartait ; la jungle déroulait à nouveau son lacis de palmes et de lianes. Madec se planta devant son compagnon :

« Nous étions égaux, du temps de Godh, Martin-Lion. Tu ne m'aurais jamais parlé sur ce ton.

— Pourquoi es-tu parti, le premier ? »

Madec ne répondit pas.

« Nous sommes de vrais soldats, reprit Martin-

Lion. Notre place est dans une grande armée. Pas chez les sauvages !

— Et Dieu ? Et Visage ? explosa Madec. Ils ont choisi l'Inde, et toi ces cochons d'Anglais !

— Tais-toi ! »

Puis il se pencha vers Madec et se mit à chuchoter :

« A l'heure qu'il est, ils sont certainement dans le seul parti qui soit dans l'Inde !

— *Parti ?*

— Oui, c'est ainsi qu'on appelle une armée de mercenaires. Les temps ont changé, Madec, je te le répète. L'heure n'est plus à gagner des roupies en fondant des canons pour le premier roitelet venu. La guerre couve, la grande et vraie guerre. Les nababs du Nord appellent à eux des mercenaires de toutes les nations ; ils ont mis à leur tête un certain Sumroo, un homme terrifiant, du moins à ce que prétendent les caravaniers. Très cruel, très dur... On ne sait pas d'où il vient. Afghan, peut-être, d'après son goût pour la torture. Dieu et Visage ont été tentés. Moi, je n'ai pas voulu de cette affaire-là. J'aime les vraies armées.

— Sumroo... Curieux nom, dit Madec. On dirait de l'hindi, mais ce n'est pas de l'hindi. »

Il s'interrompit soudain, l'air rêveur.

« Mais voilà pourquoi tes Anglais ont tellement besoin de soldats ! Ce Sumroo leur fait peur, à eux aussi ! Un jour ou l'autre, ils vont nous envoyer nous battre contre son armée. Contre Dieu, contre Visage ! »

Il n'osa pas ajouter que, ce jour-là, il déserterait, que l'occasion fût ou non favorable.

Martin-Lion s'était assombri ; il guettait les sinuosités du fleuve, d'où, à tout moment, pouvait surgir une levée de vase, ou même un navire, que les touffeurs de la jungle dérobaient au regard le plus aigu. Plusieurs fois, déjà, on avait vu apparaître, au dernier moment, la voile carrée d'une embarcation indienne qu'on aurait crue née d'une brusque efflorescence des lianes. On évita un nouveau banc de sable, puis la rivière décrivit un coude. Sur chacune des rives, Madec aperçut deux gros forts entourés de remparts et d'une énorme douve. Derrière les meurtrières, on devinait une quantité extraordinaire de canons et de mortiers.

« Baj-Baj ! annonça Martin-Lion.

— Ces canons-là portent en moyenne de cent cinquante à trois cents toises, dit Madec. Qu'on y ajoute quelques bombes... Impossible de passer à travers un amas de feux si bien dirigés, sur un fleuve aussi dangereux. Elle est bien gardée, leur Calcutta !

— Quand je t'expliquais pourquoi je ne voulais pas être du parti des vaincus ! Il y a dix, quinze ans, nous aurions pu gagner. Il aurait fallu détruire Calcutta dans l'œuf, bâtir ce fort à leur place ; agrandir, protéger Chandernagor. »

Chandernagor ! Madec l'avait oublié. Disparu à jamais, lui aussi, dans la débandade générale de la France des Indes ? La frégate *Non Such* salua le fort. Madec baissa les paupières. Il ne voulait pas le voir. Peut-être, en définitive, aurait-il dû choisir la mort. Le bras de Martin-Lion l'effleura, puis il sentit sa main se poser sur son épaule :

« Ne m'en veux pas. Nous sommes tous deux gens d'aventure. Chacun sa voie. Les routes du hasard se croisent et se décroisent, il en est des milliers. »

Il chuchotait presque. Il était ému. Madec se sentit découvert mais aimé à la fois. Il rouvrit les yeux, tandis que tonnaient les canons. Maintenant, il oserait poser la question, l'unique, celle qu'il retardait depuis le départ de Madras.

« Parle-moi de Godh ! »

Il avait crié, autant pour se donner du courage que pour couvrir la canonnade.

« Godh... Godh... »

Martin-Lion haussa les épaules, tritura un moment les cordons dorés de son uniforme. Madec continuait à le fixer. Que perdrait-il à lui parler ? Il se décida enfin :

« Godh... Mais qu'est-ce que Godh dans l'immensité de l'Inde ? J'ai mis deux mois pour rejoindre Madras ! Ils n'avaient plus besoin de nous, je te l'assure. Depuis trois semaines, le rajah rayonnait.

— Des voyageurs étaient passés ?

— Non, pas à ma connaissance. Quelque chose est arrivé, je ne sais pas quoi. Tu connais bien la vie compliquée de leur palais, les secrets, les tentures. Tout ce que j'ai remarqué, c'est qu'ils sont devenus joyeux du jour où la princesse, la quatrième épouse, a cessé de paraître en public. J'ai interrogé une de mes esclaves, qui m'a répondu qu'elle était devenue grosse, et donc impure selon leur loi. On l'avait isolée dans un coin du zenana. Seules les femmes intouchables avaient le droit de l'approcher. Curieusement, ils en étaient tous ravis. Je n'y comprendrai jamais rien. Si je l'avais engrossée, moi, cette belle danseuse, comme j'aurais été fier de la montrer à mon bras et de lui taper sur les fesses ! Voilà pour Godh, mon brave Madec. Tiens, regarde, là, sur le bord, un gavial, un gavial !

— Gharvihal », corrigea Madec d'une voix blanche. Il n'en avait jamais vu ; mais il en connaissait l'existence, depuis Godh, précisément, depuis le jour de la chasse. Le cortège attendait le couple royal qui priait à l'intérieur des temples. Parmi la foule des animaux gravés dans la pierre du sanctuaire, Madec avait remarqué une forme bizarre, un long reptile aux yeux protubérants, au museau très effilé. « Crocodile ? avait-il demandé au cornac, dans son hindi encore hésitant. — Non, noble firangui, c'est le seigneur Gharvihal, l'animal sacré de Vichnou, le Maître des Eaux. Jamais, il ne te fera de mal ; jamais non plus ne lui fais de mal si tu le rencontres au bord des eaux sacrées de Ganga, car au creux de son ventre il garde les bijoux des êtres morts dans la pureté, les brahmanes et les jeunes enfants ; des dizaines et des dizaines de bijoux ! »

L'animal sortit de l'eau, étendit son long museau

sur les boues grisâtres de la berge. Son ventre était gonflé. Ne plus penser à Godh. Madec tenta d'imaginer les bijoux qu'il pouvait contenir. Un animal coffre-fort. Ce n'était pas si insolite. L'Inde elle-même n'était-elle pas la gigantesque malle au trésor de l'univers, sertissant les joyaux de ses femmes dans l'argent du Potosi et l'or du Monomotapa, acceptant les piastres espagnoles comme les florins de Hollande, et les gardant, avidement, sans jamais les rendre, sinon dans les voiles fins et dérisoires des mousselines, les senteurs volatiles de l'eau de rose et du santal ?

Le Bengale, la serrure de ce coffre-fort. Comment n'y avait-il pas pensé plus tôt ? Il est vrai qu'il n'avait jamais beaucoup écouté les marchands. Au temps de ses voyages sur les vaisseaux de la Compagnie, il ne rêvait que de gloires militaires. Maintenant, il voyait bien que l'un ne pouvait aller sans l'autre, et il mesurait l'ampleur du désastre. Car Godh aussi serait du cataclysme. Dans ses échoppes résonnant de métiers à tisser, on fabriquait des soies lamées, qu'on chargeait sur les caravanes avec l'indigo et le riz ; c'est ici qu'elles aboutissaient, au Bengale, entrepôt de l'Inde et de l'Asie entière. Godh, dont les joailliers travaillaient, autour des pierres de Golconde, l'or venu des Amériques, transité par Madrid, Lisbonne ou Amsterdam : toutes les routes océanes convoitées par la marine anglaise. Godh qui ne se doutait de rien ; et, dans la joie d'une proche naissance, elle avait laissé partir les seuls hommes capables de la défendre. Se pouvait-il que l'Inde, comme la France, fût si étourdie ?

Les voiles recommencèrent à faseyer. Avec la marée qui se mourait, le vent tomba. Le gavial, attiré sans doute par les petits poissons que le reflux abandonnait dans les flaques, disparut sous les eaux boueuses. Insensiblement, la frégate s'immobilisa. Il était encore tôt. La lumière bleue du matin s'argentait peu à peu, mais elle n'avait pas encore pris l'éclat dur de midi. Il y eut un grand moment de calme, mais de calme lourd : avant d'inverser son cours, l'eau s'endormit comme en un lac, dans l'odeur douceâtre de la végétation amphibie, les tressaillements devinés de la jungle.

« Calcutta, murmura Martin-Lion tout à ses souvenirs d'estampes. Calcutta... Encore trente lieues ; deux marées encore, nous y serons demain. » Les yeux mi-clos, Madec ne répondit pas. Entre ses cils, son regard errait au ras des eaux, à la lisière des lianes et du fleuve. De tout son être il appelait le mirage. Le conte. Quel marin, au cœur des calmes équatoriaux, lui avait récité l'histoire du matelot qui « passa prince dans l'Inde » pour avoir rencontré sur le Gange la belle princesse à la frégate en or et aux poulies d'argent ? Madec ne se souvenait plus que des bribes de l'histoire ; l'épisode où la princesse versait au marin de la liqueur de « parfait amour », le moment où elle l'installait dans son lit pour la vie, à faire le « Grand Quart ». Enfin, le début du conte lui revint : « C'était dans le temps où il n'y avait plus la guerre dans l'Inde... » Oui, mais son histoire à lui était plus triste : il y aurait à nouveau la guerre dans l'Inde, la princesse était lointaine, inaccessible, mariée, grosse de surcroît, et sans doute, à l'heure qu'il est, deux fois mère. Cette dernière pensée le mit au désespoir ; pendant quelques minutes, il souhaita même que Sarasvati fût morte, tant il lui était insupportable de l'imaginer mère à nouveau d'un enfant conçu, selon toute vraisemblance, pendant son séjour dans la demeure du rajah. Puis lui vint une pensée plus humaine. A cet instant précis, nonobstant la maternité de la dame et son propre serment de vengeance contre les Saxons maudits, il aurait bien donné tous ses rêves de gloire militaire contre un seul « Petit Quart » sur le charpoï de Sarasvati. Il repoussa l'idée, l'attribua à la fatigue et à une abstinence prolongée. Vaillamment, il s'efforça de chasser toute considération sur le destin général de l'Inde, dont il ne pouvait plus séparer le sort particulier de Godh et celui de sa princesse. Il passa donc le reste du voyage à questionner Martin-Lion sur les charmes de certaines couventines qu'on disait établies au comptoir voisin de Birnagor, et dont la rumeur voulait qu'elles fissent la joie de tous les chrétiens du Bengale. Martin-Lion fit état sans barguigner des talents qu'on leur prêtait, s'étonnant toutefois en lui-même d'un si soudain intérêt pour de triviales réalités. Pas un instant il ne comprit que son compagnon s'étourdissait, afin d'éviter de remâcher à l'infini son tourment qui, jour après jour, ne cessait de grossir.

CHAPITRE X

Avril 1760 à octobre 1761

Godh
Années 4861 et 4862 de l'ère de Kaliyuga
Les vingt lunes maudites
Du mois de Çaitra au mois de Karttika

Contrairement à ce que pensait Madec, la cité de Godh n'était pas heureuse, et, sourdement, à sa manière lente, elle se préparait à l'infortune. La joie folle du peuple, quand on avait appris que la quatrième épouse portait un enfant — présage de fécondité pour la ville entière, puisque son ventre, sec depuis six ans, reprenait soudain vie —, ne dura pas. Du zenana où elle vivait recluse parvinrent en effet les plus étranges rumeurs. Ne disait-on pas que la princesse était malade, et qu'à plusieurs reprises l'enfant attendu avait failli quitter son sein ?

Sarasvati était prise d'un mal étrange. Cela commença d'une façon très ordinaire, une sorte de mélancolie qui succéda très vite à l'allégresse des premiers jours. L'éloignement de Bhawani n'y était pour rien : dharma, c'était la loi. Il se plaisait d'ailleurs à lui rappeler constamment sa présence, lui envoyant mille et une gâteries, pâtisseries sans nombre, parfums très doux, tresses de fleurs des champs. Un matin même, il apprit que Sarasvati désirait de la viande, et il dépêcha aussitôt des serviteurs pour en acheter au quartier des intouchables. Sarasvati, cependant, se traînait de langueur en langueur.

« Tu es née sous une mauvaise influence ! lui répétait Ganga, une demi-sœur du rajah, devenue grosse presque en même temps qu'elle d'un prince voisin de Godh qui la délaissait. Tout te sourit, et tu ne sais que te morfondre. Mohini a raison : à force de ne pas voir le bonheur qui est devant toi, tu finiras par rencontrer le malheur ! »

Sarasvati ne l'écoutait pas. Sans un mot, elle regardait pâlir le soleil derrière les verres colorés du zenana, la tête lourde, la gorge serrée de dégoût : en elle s'épanouissait jour après jour un corps d'enfant, mais il lui semblait que c'était une chair malade, un petit monstre rond et palpitant, étranger à elle-même. Elle n'osait s'en ouvrir à personne, pas même à Mohini. Folies, folies, lui aurait-on répondu, sornettes, Sarasvati, tu devrais être heureuse ! L'astrologue n'a même pas consulté les astres pour savoir si tu portes un fils ou une fille, et déjà ton époux te fête, et son amour s'accroît en même temps que ton ventre ! Terreurs et songeries de fillette, quand grandiras-tu, ma belle ?

Sarasvati se taisait donc, qui ne connaissait que trop le refrain. Obstinément, dans son silence, elle cherchait pourtant la raison de son mal. Elle accusa d'abord le temps de l'avant-mousson : nous sommes en mai, se dit-elle, les pluies ne vont pas tarder. L'allégresse du printemps est morte, les jours bleus de la forêt, où nous avons conçu l'enfant, se sont dissipés. Tout n'est plus que poussière et chaleur, saison maudite pour la femme enceinte ! Mais quand, quel jour maudit, dis-le-moi, Khrishna, s'est dissoute la paix de mon âme, accordée à mon corps comme sitar et tamboura ? Un matin, au sortir du sommeil, elle crut avoir trouvé. Elle venait de rêver. Elle s'était vue à la chasse, comme au jour où les firanguis les avaient accompagnés. Ainsi qu'à l'habitude, elle trônait sur l'éléphant de parade. Elle se penchait vers son compagnon. Ce n'était pas Bhawani, mais un homme pâle, beau et pur. Madecji. « Où est le rajah ? lui avait-elle demandé, étrangement sereine.

— Il est très loin, princesse, et nous aurons la guerre ! »

Horreur, pensa Sarasvati à son réveil. Et il me disait tout cela en souriant, le firangui, et moi aussi je souriais.

Pour chasser le rêve et son mauvais présage, elle saisit aussitôt un linge, s'en essuya soigneusement la face. Son anxiété demeura. Car elle l'avait bien reconnu, le firangui Madec, ses yeux clairs comme le ciel de Godh aux lendemains de pluie, et sa façon malhabile et chantante de prononcer l'hindi. Lui, Madec. Tout avait commencé quand il était parti. Avait-il donc emporté avec lui le secret de la joie ? Bien qu'elle ne se mêlât jamais des affaires de Godh, elle fit demander des nouvelles des autres firanguis. On lui répondit qu'ils étaient partis eux aussi, dès qu'ils avaient fondu les canons, et qu'ils s'étaient dispersés aux quatre vents, les uns vers le Nord, du côté des Himalayas, les autres vers les plateaux qui mènent aux Eaux Noires. Le mal, quelques jours oublié, reprit.

La mousson vint, un peu plus tôt qu'à l'habitude. Autour de la princesse, toutes les femmes s'empressèrent : « Ah ! voici enfin que nous respirons ! La délicieuse pluie ! Et quel soulagement pour toi, Sarasvati. Tiens, prends ce coussin, encore un sous ton cou, encore un sous tes jambes... Mais que tu as l'air triste ! Veux-tu de la guimauve ? du lait au gingembre ? des noix de cajou ? » Elle prenait le verre ou les plats inlassablement offerts, souriait, tâchait de faire mentir son regard. Un jour, était-ce en juillet, oui, sans doute, car la mousson contemplée des fenêtres dérobait à ses yeux le palais du lac, le zenana se mit à frémir. Des pieds nus coururent sur les marbres, des bijoux tintèrent de partout, un chuchotement traversa un à un les moucharabieh, une à une les galeries, avant de venir mourir à son oreille.

« La première épouse, princesse, la première épouse...

— Taisez-vous ! cria Sarasvati. Je suis l'aimée, l'élue, la favorite. Rien ne saurait changer l'amour de Bhawani.

— Certes oui, répondit Mohini. Mais la première épouse a réussi à attirer le rajah jusqu'à son charpoï. C'était cette nuit. Les servantes m'ont tout raconté. »

Sarasvati éclata de rire :

« Mais elle est stérile ! Que vous êtes sottes !

— En tout cas, il faut qu'elle ait persuadé le rajah du contraire, car il est venu jusqu'à son charpoï, et il a pris la position de l'union de la vache, ce qui lui a clairement signifié qu'il désirait d'elle un enfant.

— Et leurs baisers ? Et leurs morsures ? interrogea Sarasvati qui se forçait maintenant à sourire.

— Je n'ai pas ouï dire de leurs baisers, répondit Mohini ; par contre, et tu le verras toi-même si tu veux, la première épouse porte à la joue la morsure corail-et-joyau. Elle est folle de joie.

— La pauvre ! Comme elle sera triste bientôt...

— Je ne crois pas. La première épouse, du jour où elle t'a sue enceinte, consulte tous les guru de la plaine et des jungles. Elle qui ne sortait pas, elle bat les chemins, prie les dieux, boit des potions d'herbes bizarres. Tu l'as vue, d'ailleurs, elle te nargue derrière son moucharabieh !

— Nous avons toujours veillé à ne pas nous croiser.

— Sarasvati... Mais comment peux-tu oublier ? L'amour t'aveugle !

— Mais de quoi devrais-je donc me souvenir ?

— Hier... Mais hier... Tu l'as vue ! Elle t'a touchée ! »

Sarasvati continua à sourire et détourna la tête. Elle avait pâli.

« Oui, elle m'a touchée... Oui, Mohini... Mais elle est stérile ! La fécondité qui est dans mon corps ne saurait passer dans le sien, Mohini !

— Tu cherches à te persuader toi-même de ton erreur... Elle a vu tous les guru, te dis-je, elle est allée de pèlerinage en pèlerinage ! »

Sarasvati se leva, caressa lentement une ciselure de la fenêtre, puis se rassit, se mit à mâcher une feuille de bétel. Depuis qu'elle était enceinte, il était courant que les femmes du zenana qui désiraient un enfant cherchent à l'effleurer, la toucher, pour prendre un peu de sa force fertile. Hier, au moment de la musique, elle s'était étonnée de voir sortir de sa retraite la première épouse. Elle se rassura aussitôt : la joueuse de tamboura et celle de vina sont excellentes, se dit-elle, leur mélodie ravit l'âme, la musique réconcilie les êtres les plus moroses avec l'ordre divin de Brahman. Moi aussi je devrais reprendre goût à l'existence.

Aussi, quand le bras de la première épouse effleura le sien, Sarasvati ne trembla pas, tant son désir était grand de retrouver la paix.

« Oui, Mohini, elle m'a touchée, mais de si peu ! Une goutte d'eau dans le désert n'y fait pas pousser la jungle. Et quand bien même la première épouse serait grosse, elle pourrait mettre au monde une fille ; et quand bien même elle aurait un fils, Gopal est le premier-né de Bhawani !

— La première épouse a le cœur dur et l'âme aigre, Sarasvati. De n'avoir point de fils du rajah l'a rendue méchante, et elle hait son époux. Pour se venger de lui et de toi, elle est prête à s'allier à quiconque vous jalouse... Dès la mort du vieux rajah, elle s'est alliée au frère de Bhawani ; et maintenant, elle lui envoie, dit-on, des messages. Souviens-toi de leurs regards à tous deux : aucun lien de sang n'unit ces deux êtres, mais ils sont frères dans la cupidité et l'amour du mal. » Mohini s'arrêta un instant, puis reprit :

« Tu es si jeune, si belle, princesse... Et elle... bientôt elle aura trente ans ! Elle a vu les guru ! Elle a appris d'eux des secrets affreux.

— Fadaises !

— Elle fréquente les prêtres de Kali !

— Kali qui détruit protège aussi les femmes enceintes.

— Méfie-toi. »

Mohini se leva. Avant de disparaître derrière le store, elle chuchota :

« Le rajah t'aime, sois-en sûre. Mais veille à le garder ! »

Cinq semaines s'écoulèrent. Sarasvati essaya d'oublier l'avertissement de Mohini. Le temps de sa grossesse, n'était-il pas légitime que le rajah approchât d'autres femmes, puisqu'il ne pouvait se distraire avec son élue ? Averses, nuages bas. Sarasvati passait le jour près des fenêtres. De temps à autre, une trouée du ciel découvrait le lac embrumé, les montagnes, parfois, les jungles reverdies. Gopal, le premier-né, sept ans bientôt, jouait à la guerre au bout du zenana.

« Celui que je porte ne lui ressemblera pas », ne cessait de penser la princesse.

Elle était sûre que ce serait un fils. L'astrologue le confirma bientôt. Le zenana tut ses rumeurs.

Et vint le jour des cinq ambroisies. Ce matin-là, comme au temps de sa première grossesse, Sarasvati accomplit une toilette complète. Elle en était au cinquième mois. Nul ne parlait plus de la première épouse. L'heure était solennelle. On allait fêter l'hôte qui habitait son sein. Et pourtant, elle était malade, son ventre la tiraillait de partout, la nausée la prenait à tout moment. Elle parvint toutefois à se faire plus belle qu'à l'ordinaire, les étoffes, les bijoux voyants lui étaient interdits ; seules les fleurs les plus simples pouvaient se mêler à ses cheveux. Elle se composa malgré tout un visage lisse, un rayonnement de façade, puis s'approcha de la clôture du zenana. En fait, elle se traînait. La pièce était très sombre, personne ne s'en aperçut. Elle entendit les paroles saintes du brahmane qui passaient le moucharabieh :

« A présent, Sarasvati, le cœur de ton fils est formé, et se lèvent en lui conscience, entendement et sensibilité ! Fête-le avec joie dans les cinq ambroisies... »

Le rajah ouvrit la porte, s'avança, tenant un bol où se mêlaient le sucre, le beurre, le miel, le lait frais et le lait caillé :

« C'est notre deuxième enfant, Sarasvati, dit-il doucement. Aussi ne puis-je plus répéter le rite de *simanta* et séparer tes cheveux de la raie du bonheur. J'aurais pourtant volontiers recommencé... »

Ce fut un grand moment de sérénité. Sarasvati ne souffrait plus. D'un seul coup, elle se sentit légère, attribua ses douleurs à l'absence de Bhawani.

Sans vouloir me l'avouer, j'étais jalouse, songea-t-elle. Comme j'ai eu raison de ne pas douter de lui !

Elle sourit ; pour la première fois depuis longtemps, elle ne feignait pas. Elle repartit à son charpoï, portant son ventre comme une gloire, et dormit quelques heures.

Le vent de mousson la réveilla. Il avait arraché le store à la fenêtre ; le soleil, échappé soudain d'une trouée de nuages, s'était posé sur son visage, et elle se leva d'un coup, le corps en sueur. Elle allait appeler la servante pour réclamer de l'eau quand son regard endormi effleura le marbre. Elle ne comprit pas aussitôt. C'était une forme de poupée, faite de pâte de riz pétrie.

En guise de sari, elle portait une étoffe immaculée. Elle pensa aux jeux des enfants. L'une ou l'autre des fillettes avait dû entrer dans la chambre, oublier son jouet.

« Du blanc, murmura-t-elle, encore ensommeillée.

La couleur du deuil pour une poupée. Ces petites sont vraiment bien étranges... »

Le soleil glissa, fantasque, jusqu'à la statuette. Il y eut une sorte d'éclair, et Sarasvati se mit à hurler. Sur le bas-ventre de la poupée, enfoncée droit dans l'étoffe et la pâte, brillait la lame étroite d'un poignard d'or.

Le soir même, on rappela le brahmane. L'enfant voulait s'échapper du sein de la princesse, et il fallut plusieurs heures de prières pour l'y maintenir, malgré l'acharnement du démon saisisseur qu'avait annoncé la poupée de riz.

*

* *

Et les douleurs reprirent, pour de longues semaines. Personne ne donnait cher de la vie de Sarasvati, pas plus de celle de l'enfant qu'elle portait. La tristesse s'installa au zenana. Peu avant Diwali, la fête des lumières, à la fin de l'automne, la jeune Ganga accoucha avant terme d'une petite fille malingre, et son époux ne vint même pas la saluer, occupé qu'il était avec ses bayadères. Malgré ses souffrances, Sarasvati tâcha de la rassurer. Mais elle ne pouvait se le dissimuler, c'était elle-même qu'elle cherchait à calmer. Bhawani viendrait-il la retrouver, elle aussi, après les couches ? Et si elle allait donner naissance à un monstre ?

Elle tint bon cependant. Son ventre était énorme ; elle ne pouvait plus bouger. Enfin vint le temps des couches, deux semaines après le terme prévu, au début du mois de Margasirsa. On appela la vieille Sita, la sage-femme du palais, qui avait accouché toutes les princesses. Elle n'était pas entrée dans la chambre réservée aux naissances qu'elle devina que ce jour-là serait une grande épreuve, pour elle-même comme pour Sarasvati. Les douleurs augmentaient sans que pourtant l'enfant s'annonçât. Sarasvati gémissait. Elle lui saisit les bras et entreprit de les masser :

« Prends patience, princesse, prends patience... » Une crampe monta. Humblement, Sarasvati tenta de la suivre, de s'oublier en elle. Elle laissa échapper une nouvelle plainte.

« Doucement, princesse, doucement... »

Le mal décrut.

« Sita, Sita, ce n'est pas comme pour mon premier-né.

— A chaque fois, on croit avoir plus mal qu'au premier jour, la belle ! Allons... Le second fils est toujours plus facile ! Ton corps s'est façonné à son devoir de femme. Ton enfant passera en toi comme la rivière dans la ville de Godh. Retourne-toi, que je te masse en attendant la prochaine douleur. »

Elle aida Sarasvati à se soulever du charpoï. Sita avait les mains douces, très douces, et Sarasvati s'en étonna, car Sita était vieille. Mais ces femmes-là, de la caste des *nai,* à force d'avoir aidé des dizaines de naissances, portaient en elles un peu d'une éternelle jeunesse : tant de vies neuves, écloses sur leurs mains, tant de premiers cris guettés par leurs oreilles... Et pourtant la mort si souvent rencontrée, les accouchées baignant dans leur sang, les nouveau-nés obstinément violacés qui jamais n'ouvraient les yeux sur la lumière. Ces femmes-là venaient d'un autre monde. Cette fois-ci, ses mains s'approchaient-elles pour la mort ou la vie ? Avant de se retourner pour lui offrir son dos, Sarasvati guetta ses yeux :

« Dis-moi, sage-femme, n'as-tu pas peur ?

— Voyons, princesse, ne t'ai-je pas bien accouchée de Gopal ?

— C'est long, trop long... Des heures que je suis ici à me tenir le ventre !

— Jeunette que tu es ! Impatiente, trop impatiente.

— Tu m'as tant répété que le second enfant était plus facile... »

Sita tenta de sourire encore ; elle allait parler, mais la princesse posa sa main sur sa bouche :

« Tais-toi, sage-femme ! Je sais que tu mens. Je la

sens, moi, la douleur, et je sais bien que je n'ai jamais souffert ainsi. L'enfant peine en moi, je suis à la torture !

— Dharma, princesse.

— Dharma », répéta Sarasvati en soupirant.

Elle se coucha sur le côté et Sita commença à pétrir son dos. Elle sommeilla un court moment, puis, d'un seul coup, repoussant le bras de la sage-femme, elle se dressa sur le charpoï.

« Sita, je t'en prie, cours chercher le brahmane, c'est le démon saisisseur d'enfant, je le reconnais bien, il revient ! Il est là, le Rôdeur de Nuit, le Raksa ! »

La sage-femme se mit à trembler.

« Calme-toi, princesse, calme-toi. Les douleurs sont plus fortes et se rapprochent, tu as des visions, c'est quelquefois ainsi ! »

Sarasvati haletait :

« Le saisisseur, te dis-je, le saisisseur, comme la dernière fois, le jour de la poupée. »

Le visage ridé de Sita blêmit. Si la princesse disait reconnaître le démon, elle qui en avait déjà vu le visage, elle avait raison. Le Raksa. Nairta sans doute. Ou Papadevata, celui qui était venu quatre mois plus tôt ; maintenant, il cherchait à retenir l'enfant dans le sein de sa mère, l'étouffer, l'empêcher de connaître le monde.

Le brahmane, vite. L'homme de l'ayurveda. Sita souleva la petite lampe qui brûlait au pied du charpoï, ramassa les plis de son sari :

« Attends un instant. »

Eperdue de souffrance, Sarasvati se laissa retomber sur les coussins. Le zenana se mit à frémir. Elle ferma les yeux, résignée. Plusieurs fois dans sa vie, depuis qu'elle était entrée dans l'appartement des femmes, elle avait entendu cette rumeur sourde. C'était le bruit des naissances difficiles. Le marbre résonnant des courses des servantes ; les soupirs des femmes réveillées en hâte, ou dérangées dans leurs plaisirs ; des chuchotements à peine étouffés. Puis des lampes se promenaient, on tâchait de faire silence. Si la femme dont le ventre peinait n'était pas de haute naissance, le frémissement se taisait bientôt, et s'installait un silence indifférent ; si au contraire c'était une princesse, dont le « devoir de femme » s'enlisait aux parages de la mort, le bruit grandissait, ainsi que maintenant. Tout le zenana se mettait à l'affût, les bavardages s'enflaient, puis refluaient, régulièrement. Personne n'entrait dans la chambre sombre où gisait la femme en travail, mais toutes tendaient l'oreille vers les soupirs qui filtraient des moucharabieh, les gémissements qui franchissaient les stores. On écoutait, puis on commentait ; on racontait le jour où, soi-même, on s'était tordue de douleur dans la pièce obscure, on instruisait les petites filles. De temps à autre, une femme plus sombre que les autres, une vieille ridée, la plupart du temps, racontait une histoire de dieu saisisseur, et, dans le silence retombé de la nuit, on n'entendait plus que le son monocorde de sa voix. Facile ou tragique, chaque accouchement d'une des leurs était la grande fête des femmes, la seule aventure qui fût permise au zenana, une secrète cérémonie de la vie, qui invariablement se terminait, que l'accouchée fût morte ou vivante, l'enfant garçon ou fille, beau ou malformé, vigoureux ou chétif, par une litanie ininterrompue de Dharma ! avant que ne s'installât à nouveau la monotonie des sonorités quotidiennes.

Dharma ! Dharma ! se répétait Sarasvati pour vaincre la douleur. Et derrière la cloison du store, loin de l'impureté dont la naissance souillait son corps, les femmes guettaient chacune de ses respirations, épiaient le moindre de ses cris. Sarasvati n'était pas seule. Toutes les femmes du zenana, amies ou ennemies, haineuses ou tendres, l'entouraient de leurs sens aux aguets. Et là-bas, au fond des plus lointains corridors, elle entendait courir sur la pierre les jambes lourdes de la vieille Sita.

Une nouvelle douleur, plus forte encore, la terrassa. Un cri, un hurlement de bête percée de flèches.

« Le saisisseur », murmura la princesse, puis elle se remit à haleter.

Le zenana se tut. Désormais, elle était seule. Un silence glacial retomba sur la chambre. Avant de s'évanouir, Sarasvati crut pourtant distinguer, à la lueur tremblante de la lampe à huile, une forme très maigre, tendue derrière le store de la fenêtre, et qui paraissait prête à braver d'un instant à l'autre l'impureté de la pièce où elle accouchait.

Le brahmane arriva le plus tôt qu'il put. Avant d'entrer dans la pièce impure de l'accouchement, il pria les dieux de ne pas le punir de la souillure qu'il allait commettre. C'était pure forme : la loi autorisait l'homme de l'ayurveda à secourir les femmes en couches, pourvu qu'il accomplît ensuite tous les rites de lustration et qu'ainsi sa dignité de brahmane demeurât intacte. Dès qu'il vit Sarasvati, il réprima un tremblement. Sita s'accroupit au pied du charpoï, accablée, ne sachant que faire.

« Sage-femme ! »

Elle se prit la tête entre les mains :

« C'est fini, brahmane, c'est fini. »

Mohan se raidit :

« Non. »

Il lui désigna un petit paquet qu'il avait rassemblé à la hâte.

« Voici les plantes. Allons, dispose-les autour d'elle ! Voilà... Maintenant, je vais commencer les *mantra.* »

Docile, la sage-femme parcourut la chambre, plaçant chaque herbe et chaque fleur à l'endroit prescrit.

« Avant que je n'entame les incantations, fais brûler près de son ventre la peau de serpent noir.

Le brahmane lui tendit une pellicule noirâtre que Sita enfuma à la flamme de la lampe.

« Le soleil ne va pas tarder à se lever, dit le brahmane. Il faut que j'aie fini avant l'aube, trop propice à la mort. Donne-moi le *soma.* »

Il s'approcha du charpoï. C'était l'heure d'avant le jour ; le temps, suspendu entre nuit et lumière, hésitait, s'immobilisait. Du zenana ne filtrait plus un souffle. Le brahmane commença la récitation des *mantra* :

« Regarde, femme, voici le soma, liqueur de l'immortalité ! Voici le dieu du feu, et le dieu cheval ! Qu'ils viennent en cette maison, que leur séjour y soit doux. Voici le soma, liqueur d'immortalité tirée des eaux, que ton enfant devienne léger, qu'il se libère de ton sein ! Femme, voici les bonnes divinités, Anada, Pavana, Arka et Vavasa, et tous les génies qui protègent l'onde salée ; lâchés sont les liens rompus du bétail, lâchés les rayons du soleil. Libéré de toute crainte, enfant, viens, viens vite ! »

Sarasvati se mit à gémir.

« ... Sur la montagne sacrée se trouve la déesse Surasa ; à ses chevilles sont des anneaux, dont le son apporte la délivrance à la femme enceinte. Aïm ! Hrim ! Ô Seigneurie ! Toi qui as le bonheur pour guirlande ! »

Le brahmane brandit une plante cachée dans les plis de son dhoti, en détacha une feuille où il grava un signe :

« Princesse, voici la plante *adhaka,* celle qui délivre ! »

Sarasvati ne se plaignait plus. Le brahmane posa la feuille sur le lit, d'un air accablé.

Il se tourna vers la sage-femme :

« Pendant sa grossesse, lui as-tu bien prescrit de prier le dieu singe Hanouman à chaque samedi ?

— Mais elle l'a fait.... murmura Sita. Dharma ! Dharma ! Le saisisseur a été le plus fort, brahmane.

— Non ! En cette femme lutte encore le démon. Mais la vie ne s'est pas éteinte en elle. Sarasvati est une femme de guerre.

— Que dis-tu là ?

— Une femme de guerre », répéta Mohan.

Sita ne comprenait pas. Mais elle vit bien que le brahmane ne parlait que pour lui-même.

«... Une femme de guerre », marmonna-t-il encore.

Derrière le store, la forme maigre avait frémi.

*

* *

L'aube venue, il y eut le cri, la grande clameur des naissances. Aussitôt, cependant, la sage-femme se rembrunit :

« La petite fille n'a pas survécu. »

Le brahmane sourit :

« Oui... Mais son fils vivra ! »

Sarasvati, avec le jour qui montait, rouvrit les yeux.

« L'enfant est mort ?

— Le premier enfant ! dit doucement Sita. Le premier seulement ! » Sarasvati secoua la tête sur le charpoï.

« C'étaient des jumeaux, reprit la sage-femme. Des jumeaux ! Voilà pourquoi tu as tant peiné !

— Des jumeaux, répéta Sarasvati. Il me reste un fils ?

— Attends, attends, la belle. Il y a tant à faire autour de lui ! »

Sarasvati aperçut Mohan :

« Tu m'as sauvée. Tu as sauvé mon fils.

— Le saisisseur est vaincu, princesse.

— Oui, mais la petite fille est morte. Où est-elle ?

— On l'a emmenée au fleuve ; il n'était pas bon de la garder ici. Mais ne te lamente pas ; son âme était pure, aussi pure que celle des brahmanes, et elle renaîtra bientôt. Dharma !

— Dharma ! » répéta Sarasvati.

Les bruits du zenana enflèrent tout d'un coup. On bavardait bien fort, ce matin. Le cri de la sage-femme avait réveillé tout le monde. A en juger par les cliquetis de cuivres et de bassines, on faisait de grandes toilettes.

« Tu es bénie des dieux, princesse, sache-le ! Crois-en l'homme de l'ayurveda : quand des jumeaux viennent au monde, fille et garçon, c'est d'ordinaire le garçon qui meurt si les dieux ont résolu d'en faire périr un.

— Dharma, dharma... Mais montre-moi mon fils.

— La voici à nouveau tout impatiente ! s'exclama Sita. Vois comme la vie revient en elle. Regarde-le, ton fils, oint de la poudre d'or, du miel et du beurre ! Laisse donc le brahmane en paix, il va se mettre à l'horoscope. Allez ! Maintenant il faut que je baigne le petit dans l'eau de cardamome.

— A-t-il déjà goûté la cuiller d'or ?

— Oui, princesse. Il n'avait pas déplié ses poumons que l'ambroisie touchait déjà ses lèvres.

— Bhawani... »

La vue de Sarasvati s'était brouillée, mais elle reconnut le rajah au seuil de la pièce.

« Un fils... C'est donc bien un fils ! »

L'enfant criait ; Sita le déposa dans ses bras.

« Mon fils, s'exclama le rajah, je te souhaite la sagesse ! Que jamais la *mveda* ne te quitte, qu'avec toi soient la prospérité, la longévité, l'intelligence, la force physique et la protection des dieux ! »

Sarasvati sourit, puis ferma les yeux. Elle avait gagné. Bhawani était là, rayonnant, murmurant tout bas dans l'oreille de l'enfant les formules sacrées. Pendant deux semaines encore, jusqu'à son deuxième bain, Bhawani ne s'approcherait pas d'elle, fût-ce pour l'effleurer, mais elle était heureuse ; accompli deux fois, son devoir de femme ! Elle demanda l'enfant.

« Quelle impatiente, continuait à marmonner Sita. Il est beau et bien fait, je te le répète ! »

Bhawani s'appuya au marbre de la porte :

« Beau comme le jour ! Il a ta peau... »

Il était pâle, en effet, et si léger. Sarasvati se mit à le caresser.

« N'est-il pas faible, Sita ? Vois comme il est pâle.

— Les femmes du Nord ont des enfants au teint clair. Regarde aussi ses yeux ! »

Ils étaient différents de ceux de Gopal. Plus pâles, plus brillants, son regard de mère s'en aperçut sur-le-champ.

« Il sera calme, je crois. Calme et rêveur... Ces yeux... Mais quel nom lui donner ?...

— Le brahmane n'a pas encore terminé l'horoscope. Il faut attendre qu'il donne l'initiale, dit Bhawani.

— Et envoyer quelqu'un enterrer le cordon ombilical », ajouta la sage-femme.

Le rajah eut un dernier regard, s'éclipsa, rayonnant. Sita se mit d'un seul coup à trembler. Fébrile, elle inspecta la pièce d'un regard circulaire, puis tourna et retourna tous les récipients qui s'y trouvaient.

« Qu'y a-t-il ? » interrogea Sarasvati.

Sita ne répondit pas. Elle souleva encore deux à trois fois les bassines :

« Cela ne se peut, princesse, cela ne se peut...

— Mais de quoi parles-tu ? Envoie-moi les servantes ; tu es épuisée et moi aussi. Va donc manger et dormir ! »

Comme égarée, Sita s'agenouilla au pied du charpoï.

« Pardonne-moi, princesse, pardonne-moi... Ce n'est pas ton enfant que voulait le saisisseur ; ou la saisisseuse, plutôt...

— La saisisseuse ? Que veux-tu dire ?

— On voulait ta force, princesse. Le cordon ombilical a disparu. »

*
* *

Mohini, comme une folle, traversa les longs couloirs du zenana. Essoufflée, elle s'arrêta au seuil de la chambre de Sarasvati.

« Dois-je le lui dire ? Elle doit être si lasse... »

Dans son désarroi, elle s'était exprimée tout haut. Mohan se dressa devant elle :

« Il faut parler, Mohini, si tu sais quelque chose qui puisse chasser le mal. »

Mohini sursauta. Elle n'avait pas soupçonné la présence du brahmane. Elle se reprit sur-le-champ :

« Ainsi, tu montes la garde, Mohan ?

— Les saisisseurs peuvent rôder encore !

— Saisisseurs... Ou saisisseuses ?

— Eh bien, parle, comme je te l'ordonne ! Mais pas devant la princesse. Viens par ici. Elle dort. »

Le brahmane attira Mohini dans un recoin du couloir. Le soleil, déjà haut dans le ciel, jouait dans les ciselures du marbre et les bois des moucharabieh.

« La première épouse, n'est-ce pas ?

— Comment as-tu deviné ?

— Mohini, mon métier est de tout deviner, des astres et des dieux, des hommes, des animaux et même des plantes. Que serait notre monde, en cette ère de kaliyuga, s'il n'y avait pas des êtres doués du pouvoir de pressentir ?

— Les femmes aussi devinent parfois, dit Mohini. Depuis longtemps je la soupçonnais. Je croyais que c'était une folie d'intouchable ou un crime en usage chez les femmes de basse caste !

— La haine, avilit aussi les brahmanes, et les kshatrya, Mohini.

— Mohan ! Je n'en suis pas remise. Cette odeur... Je n'en peux plus ! Elle ne s'est pas cachée, sais-tu ? Elle l'a préparé elle-même.

— Aucune servante, fût-ce la plus vile, n'y aurait consenti. Mais remets-toi. Cela arrive de temps à autre. Deux ou trois fois déjà, dans la ville de Godh, une femme jalouse a dérobé et mangé le cordon ombilical du fils de sa rivale. La première épouse croit ainsi devenir féconde, et peut-être le sera-t-elle. Vois-tu, Mohini, Brahman, l'Esprit, est pur, éternel, inchangé. Les dieux, eux, sont déjà souillés de l'œuvre du temps, et ils peuvent aussi montrer leur force dans la cruauté. Kali comme Khrishna connaît la passion. Et cela est bien. »

Mohini haussa les épaules.

Le brahmane reprit :

« Et maintenant, fais la paix en toi. Pas un mot à Sarasvati. Qu'on lui dise que la sage-femme était épuisée, qu'elle ne s'est pas souvenue que j'avais appelé une servante, et que le rite avait été accompli comme il se doit. La première épouse va se calmer pendant un moment ; elle ne va plus penser qu'aux moyens d'attirer à nouveau le rajah à son charpoï, et je ferai en sorte qu'il ne soit pas trop indifférent. Pendant ce temps, Sarasvati et son fils prendront des forces. Allons, presse les servantes, qu'elles lui préparent les pichets de lait au gingembre, des gâteaux de sucre brun et d'amandes ! Sois en paix, Mohini. »

La jeune femme, encore sous le coup de l'émotion, ne parvenait pas à sourire. Elle rajusta le voile de son sari et dit simplement :

« Je suis en paix. Je vais prier Khrishna.

— Tu es fort sage, Mohini. »

Elle s'éloigna dans le couloir avec un air courroucé. Cette nuit, la lune sera encore pleine, se dit le brahmane. Je descendrai au *Jantar Mantar.*

Pure forme. Les astres, il le savait, confirmeraient les calculs opérés à l'heure de la naissance. *Satrubhava,* telle était la maison astrologique de cet enfant. *Satrubhava* : entraves, maladies, misère, ennemis, disaient les livres, et leur parole était incontestable. Lequel choisir de tous ces fléaux ? Comment prédire ? Comment oser déclarer le malheur, le pire de tous, puisque l'astre de l'enfant se situait en plein *madhya bhava,* le point le plus actif de la maison maléfique ? Il aurait fallu, pour se prononcer, déterminer l'avenir de sa mère, qui demeurait constamment flou depuis des mois, depuis l'arrivée des firanguis. Tout ce qu'il pouvait lire, c'est qu'en Sarasvati, inchangée, se trouvait la force de guerre. Et c'était d'ailleurs la raison pour laquelle Mohan, homme de science et de prière, ne pouvait malgré lui s'empêcher d'aimer cette jeune mère qui, de la vie, ignorait presque tout.

*
* *

Vingt mois durant, le brahmane vécut dans l'inquiétude. La princesse n'avait pas accompli ses relevailles qu'on découvrit auprès de son fils nouveau-né, lové dans des coussins épars sur le marbre, un cobra royal d'une taille impressionnante. Il n'avait pas touché l'enfant. Sarasvati interdit qu'on le tuât ; elle voulut y voir un signe favorable :

« Moi aussi, dans mon enfance, je fus épargnée par un cobra royal ! Et par la suite, quand Delhi fut mise à sac, je fus l'une des seules à échapper au massacre ! Cet enfant-là traversera le fer et le feu... »

Et Sarasvati prit le bébé dans ses bras, sourde à tous les conseils, étonnée cependant de lui voir ce teint pâle et ces yeux étrangement clairs.

« Tu ne dis rien, brahmane, toi qui sais tout des hommes et des bêtes ?

— Les grands cobras sont de famille royale, et sans doute reconnaissent-ils leurs semblables, répondit Mohan en hochant la tête. Aux époques lointaines du début du monde, ils étaient les maîtres absolus. L'ordre de l'univers a voulu que l'homme les détrônât. Mais n'oublie pas, Sarasvati : malgré leur défaite, les serpents rêvent encore de reprendre leur place. Le venin qu'ils distillent est produit par des millénaires de rage intérieure. Parfois cependant, malgré leur déchéance, ils gardent en leur cœur la raison et consentent à épargner un faible. Qui peut connaître l'âme impénétrable des serpents ? »

Sarasvati éclata de rire :

« Comme tu racontes bien les histoires, Mohan ! »

Et elle les répéta à l'enfant babillant.

Mohan tâchait de paraître impassible ; néanmoins, il se demanda pendant des mois comment un cobra d'une si grande taille avait pu pénétrer dans l'appartement des femmes. Les jardins ratissés n'abritaient pas le moindre orvet, et on prenait bien soin à renouveler chaque jour le gravier qui empêchait, mieux que la meilleure barrière, l'entrée d'un éventuel reptile. La première épouse ? Comme elle était sotte, alors, si c'était elle qui avait introduit le cobra : tout le monde, jusqu'au rajah, y avait lu un heureux présage. Dharma, dharma, que les astres se trompent ! marmonnait Mohan en épiant les allées et venues du zenana, et il savait bien qu'ils n'étaient pas dans l'erreur.

Bientôt se répandit dans la ville une troublante nouvelle. Des marchands revenus du Bengale racontaient que Ragu, le frère du prince, y réunissait des troupes avec des armes nouvelles prêtées par des firanguis.

C'était le début de l'automne, la fin des pluies. La mousson avait été bonne ; les paysans apportaient aux notables chargés de les récolter de belles et grasses dîmes. La richesse est dans Godh, clamait le Diwan, et Bhawani conservait l'allégresse qu'il ressentait depuis la naissance de son second fils. Seul Mohan se tourmentait. Il fit interroger en secret les caravaniers.

« Le frère du rajah s'est-il rangé derrière le nabab du Bengale pour l'aider à recouvrer ses droits et possessions ? demandèrent ses émissaires.

— Détrompez-vous, leur fut-il répondu. Il a offert ses hommes et ses armes aux firanguis à vestes rouges ! Les firanguis qui ont pris le Bengale ! »

Mohan fut atterré. Il n'était plus douteux qu'un jour ou l'autre, proche ou lointain, mais qu'étaient quelques années au regard des dieux, ce traître de Ragu reviendrait à Godh. Il fallait, bien sûr, que les firanguis à vestes rouges s'aventurent plus profondément dans l'Inde, qu'ils dépassent Bénarès, qu'ils convoitent Delhi, le Radjpoutana. C'était plausible. Et, de toute façon, Ragu était assez bas pour se vendre au chef le plus fort, quel qu'il fût, pur ou impur. Ainsi donc, comme prévu, il y aurait la guerre. Ni les jungles, ni les déserts, ni les moussons ne l'empêcheraient de venir.

Cependant, tout était calme. Le malheur prend son temps, songeait Mohan, les yeux plus souvent fixés que de coutume aux embrasures du zenana. Là-haut, la vie avait repris son cours ordinaire : sieste, musique, massages. La maternité avait encore embelli la princesse. Sitôt accomplies les purifications en usage après les couches, on avait vu Bhawani courir à son charpoï. La première épouse, néanmoins, continuait à porter beau. Elle sortait très souvent de l'appartement des femmes, avec un air d'insolence rieuse que Mohan lui détestait. Elle a appris les nouvelles des marchands, se dit-il, et le malheur qui se prépare lui tient lieu de joie ! Mais il se refusa à prévenir le rajah : il aurait pu se mettre en colère, prendre contre son frère et la première épouse des dispositions violentes, hâtives, plus dangereuses encore que leur présumé complot. Quelles ruses ourdissait Ragu, comment comptait-il attaquer, quel chemin emprunterait-il, le brahmane l'ignorait. Or, disait le proverbe, à la chasse au tigre, le premier coup doit être mortel, rien de plus mauvais que le fauve blessé, Mohan laissa donc en paix la première épouse.

Un matin d'automne, cependant, un immense cri déchira les couloirs ensoleillés du zenana. Godh ce jour-là ruisselait de lumière, le palais du lac brillait comme un joyau.

« Voici donc le début du malheur, déclara Mohan, et l'on dirait qu'il aime les beaux jours. »

Il courut vers les servantes éplorées ; elles lui désignèrent, ainsi qu'il s'y attendait, les fils de Sarasvati. Agités d'atroces convulsions, la bouche infectée d'une bave verte, ils hurlaient tous deux, comme à la mort. Mohan entama aussitôt des incantations :

« Mères divines, protégez en mères ces deux enfants ! Divinités ailées, rapides comme la pensée, faces de chats, d'éléphants et de tigres, yeux de safran, cheveux hérissés, cheveux noirs, cheveux blancs, vous qui aimez la lymphe et la moelle, vous qui n'avez qu'une main, qu'un pied, qu'un œil, vous, créatures affolées, ivres, furieuses ! Mères divines, protégez en mères ces deux enfants ! »

Dix, quinze fois, le brahmane répéta les *mantra*, tandis que Sarasvati se balançait d'avant en arrière au rythme des paroles sacrées. A la dix-septième fois, les enfants se calmèrent. Gopal, l'aîné, s'arrêta le premier. Ses traits se détendirent, il ouvrit les paupières, sourit et dit quelques mots. Il vivait.

Le dernier-né, plus fragile, mourut au même instant. Il était si pâle, commenta simplement Mohan, avant de porter le petit corps à la rivière.

« Par l'acier ! s'exclama le rajah quand il apprit la nouvelle. Nous aurons d'autres fils ! Sarasvati est jeune et vigoureuse. La dernière lune d'hiver ne sera pas finie qu'elle sera grosse à nouveau ! Quant à mon premier-né, il faut qu'il soit bien fort pour avoir vaincu les démons saisisseurs. Regarde, Mohan, Godh la bienheureuse et la paix qui l'environne...

— Il faut que ton épouse soit bien forte pour avoir sauvé son premier-né des mains des saisisseurs, corrigea le brahmane. Quant à Godh... »

Il ne termina pas sa phrase ; déjà le prince retournait à sa musique. Mohan descendit de la citadelle. Avant de jeter le corps enveloppé de blanc dans la rivière qui sortait de Godh, il contempla la place ombragée où, deux ans plus tôt, les firanguis avaient établi leur camp. Alors s'éclaira d'un coup l'horoscope des époux royaux. Des années qu'il n'y lisait rien, en effet, car il se refusait à les dissocier l'un de l'autre. Mais si le destin de Bhawani était irrémédiablement lié à Godh, Mohan découvrait maintenant que le sort de Sarasvati, comme ces eaux qui fuyaient la ville après l'avoir traversée, l'entraînait, de façon tout aussi irrésistible, vers les terres extérieures.

CHAPITRE XI

15 octobre 1761

Calcutta

En ce mois d'octobre 1761, de tous les ports que la marine anglaise avait construits dans le monde, Calcutta était certainement la ville la plus laide qui se puisse imaginer. Chaque fois qu'il quittait le couvent de Birnagor, où il se distrayait à intervalles réguliers de l'ennui de sa charge, et quoiqu'il fût anglais, Warren Hastings, membre du Conseil du Bengale, était contraint d'en convenir.

Cinq heures du matin, avait annoncé la supérieure du couvent. Le jour se levait sur le Gange ; d'incessants mouvements de navires le parcouraient déjà. Frégates, flûtes, barges, boutres, brigantins : il en était de toutes sortes et de toutes les tailles. Cinq cents vaisseaux au moins, mouillés le long des quais, forêt de mâts, jungle de cordages. Au milieu du fleuve flottaient d'énormes troncs de bois charriés par les eaux depuis le Népal ; des dizaines de barques indiennes à voiles carrées s'agglutinaient autour d'eux afin de les haler. Le Gange, comme une route. Mieux encore : une caravane aquatique. Avant de laisser retomber la gaze qui protégeait la fenêtre étroite de la cellule, Warren Hastings songea un moment à d'autres caravanes, terrestres celles-là, qui traversaient à date fixe le lointain marché de Cassimbazar où il avait fait ses débuts aux Indes. Les chariots chargés de blé ou de riz, les milliers de bœufs qui les tiraient, la sueur mêlée des hommes et des animaux, leurs cris, la foule des colporteurs, la fête. Là-bas, le commerce était liesse. Alors, pourquoi l'Angleterre, venue sur ces rivages assouvir ses gourmandises marchandes, avait-elle bâti une ville aussi disgracieuse ?

On frappa à la porte de la cellule ; il reconnut la voix étouffée de la supérieure :

« Mr. Hastings ! Ne vous rendormez pas ! Il est temps que vous partiez, mes pensionnaires vont se réveiller ! »

Maintenant que le temps du plaisir était passé et qu'il n'avait plus besoin de ses services, la voix éraillée de mère Maria lui fut particulièrement désagréable. De surcroît, son détestable accent portugais ne s'améliorait guère ; malgré la fréquence des visites d'Hastings au couvent, la supérieure abîmait avec la même insistance la pureté sonore de la langue anglaise.

Il laissa retomber le rideau, se retourna et ouvrit la porte :

« Apportez-moi plutôt un miroir, au lieu de geindre comme vous le faites. »

Mère Maria sortit aussitôt d'entre ses jupes une petite glace :

« Vous n'êtes donc pas content, Mr. Hastings, pour vous montrer de si méchante humeur ? Ce serait bien la première fois... »

Sa voix suppliait presque, la graisse de ses joues en tremblait. Un mot encore et elle fondrait en larmes. Il l'arrêta aussitôt :

« Mais non, mère Maria, je suis ravi, comme toujours. Le jeune moine qui veille au salut et à l'instruction de vos chères pupilles est parfait, comme vous-même. Je suis ravi, parfaitement ravi. »

Il saisit ses mains potelées, perdues dans les grains épais de son chapelet :

« Ravi, vous dis-je », répéta-t-il en souriant.

C'était parfaitement exact. Tout en rajustant sa perruque sur ses cheveux déjà grisonnants, il dressa mentalement un récapitulatif précis des plaisirs que lui avait offerts la fin de cette nuit. Assez pour vivre dans la sérénité quinze jours, trois semaines. Comme à l'ordinaire, moyennant quelques pièces, mère Maria l'avait promené de cellule en cellule. A chaque porte elle s'arrêtait, ouvrait doucement le guichet, et

Warren Hastings contemplait le spectacle qui s'offrait à lui, voyant sans être vu, en toute quiétude. Puis il passait à la cellule suivante, bénissant en silence la divine industrie de la supérieure. Car, en ces rivages du Bengale où tant de maux menaçaient les marchands, le saint office de mère Maria consistait à abriter dans ses murs quelques jolies créatures susceptibles de distraire les Européens des pénibles soucis du commerce. Ces messieurs, en général argentés, choisissaient leur nonnain selon les mouvements de leur conscience ou le caprice du moment : il en était de chrétiennes, de musulmanes, et même des hindoues. Contre de gros sacs de roupies, que la supérieure utilisait d'ailleurs à bon escient, bâtissant et ornant une assez belle église, ils passaient toute une nuit avec la moniale de leur choix, et c'étaient ces ébats quelque peu sabbatiques, quoique tolérés, que Warren Hastings aimait à venir contempler. A chaque porte venait une joie neuve, car la supérieure de Birnagor hébergeait des couventines de toutes confessions et de toutes couleurs, si bien que chacune d'entre elles, sur son identique couche monacale, présentait au visiteur une conformation, une pratique et des talents qui illustraient fort agréablement les théories sur la diversité du génie à travers les peuples. Warren s'amusait beaucoup. Selon le jour et les occasions, mère Maria assortissait telle belle Indienne à un vieil Hollandais édenté ; une autre fois, Warren la retrouvait dans les bras d'un jeune et fringant Anglais. Il observait sans relâche, notait mentalement les variantes, appréciait l'art et la manière à leur juste mesure. Jamais, cependant, il n'approchait les jeunes créatures : le bruit courait qu'elles n'étaient pas des plus saines et que les attentions de mère Maria eussent été parfaites si, au jeune moine qui les éduquait, elle avait adjoint un brillant apothicaire. Mais de telles considérations n'arrêtaient pas un Anglais.

C'était plutôt le lieu qui bridait les élans de Warren.

Trop de crucifix, bénitiers et *mater dolorosa* baroques lui rappelaient qu'il était dans une enceinte consacrée, et cela même qui pimentait le spectacle des nonnes interdisait qu'il poussât plus loin l'affaire : l'infinie prégnance du péché. Warren Hastings se passa le visage à l'eau de rose, constata avec satisfaction qu'il n'y apparaissait rien de ses turpitudes nocturnes : il était redevenu lisse, si l'on exceptait la longue ride verticale qui lui barrait le front depuis son veuvage et allongeait encore son visage fin et délicat. Mais cela lui ajoutait du sérieux. Il pourrait apparaître honorablement aux cérémonies qui l'attendaient l'après-midi même à Calcutta. D'un revers de la main, il chassa les plis que le sommeil avait laissés dans sa veste, baisa avec ferveur les mains de la supérieure et s'éloigna sous les voûtes blanches du déambulatoire.

Une lieue à parcourir, et il était cinq heures passées. Un rendez-vous d'affaires à six heures avec Ram, le jeune banquier bengali qu'il devait rejoindre aux confins du quartier arménien afin de prendre les dernières nouvelles des intrigues indiennes. Il aurait dû presser le pas. Quelque chose, cependant, qui ressemblait à de l'indolence, le retenait ici : le jardin sentait bon, il faisait presque frais. Sitôt passé le porche, il reverrait le Gange, et surtout Calcutta, verrue hideuse et pourrissante accrochée au fleuve. Le commerce, l'ennui, la tristesse. De Birnagor, il aurait voulu garder avec lui un peu de la fraîcheur. Non sans émoi, il se souvint alors qu'il avait négligé de compter au titre des plaisirs de la nuit une vision étrange et bien douce qui le troubla à nouveau. Etait-ce à la huitième ou à la neuvième cellule ? Un guichet entrouvert avait révélé des formes très blanches, merveilleusement fermes et graciles à la fois, qu'il avait prises sur le moment pour celles d'une novice. Avec stupeur, il s'était alors aperçu qu'il s'agissait d'un jeune homme, d'un très jeune homme, dont la tête, se renversant joliment sur le côté, avait laissé voir sa partenaire : en fait de moniale, c'était l'épouse du constructeur des remparts de Calcutta, l'une des plus jolies personnes qui fussent chez les Européennes du Bengale, où la beauté se faisait rare. Mère Maria avait alors prestement refermé le guichet :

« Mr. Hastings, je vous en prie, gardez le silence... Mr. Hastings ! La prochaine fois, je ne vous ferai pas payer... »

Délicieuse et surprenante vision. Tandis qu'il descendait au bord du Gange, Warren Hastings fut envahi de torrents d'allégresse. Certes, la perspective de pouvoir revenir à Birnagor sans bourse délier n'y était pas étrangère : il n'était pas depuis treize ans employé de l'*East India Company* sans que cet office n'eût gravé en lui le sens de la plus stricte économie. Mais voilà que se présentait enfin une nouveauté à ajouter au catalogue un peu ressassé des fantaisies de Birnagor ; ce n'était pas d'avoir contemplé un adultère mondain, c'était mieux : pour la première fois de sa vie, une sensation agréablement bizarre avait traversé Warren. Il venait d'être troublé par la beauté d'un homme. Toutefois, comme chacun de ses pas le rapprochait de Calcutta, où la morale en vigueur voulait que les préoccupations commerciales l'emportassent sur toute autre sorte de considération, il s'empressa d'effacer en lui le souvenir de cette adorable découverte qui, à coup sûr, l'eût entraîné vers un lyrisme extrêmement fâcheux.

*
* *

Malgré sa jeunesse — il n'avait tout au plus que vingt-trois ou vingt-quatre ans —, Ram était l'un des habiles banquiers de la toute-puissante caste des Sahukars bengalis. Hastings lui avait donné rendez-vous dans une rue fangeuse du quartier arménien, afin qu'il lui éclaircît les étranges remous qui paraissaient agiter depuis quelque temps les provinces du Nord. Tandis qu'il pressait le pas à travers les rues de la ville, le souvenir de sa nuit s'effaça peu à peu. Son moment de nonchalance à la sortie de Birnagor l'avait contraint à se hâter, et il avait crotté ses souliers et ses bas. Bien qu'on fût au début de la saison sèche, Calcutta n'était pas plus propre que Londres. Des immondices souillaient en permanence les rues tortueuses de la ville, même dans le quartier anglais, où, du reste, rien n'était entretenu. Il l'avait traversé en courant presque, essayant de résister à l'ennui qui transpirait de toutes ses constructions. Des maisons sans alignement, un semblant de place mal pavée où s'immisçaient partout les herbes folles, et, le long des quais, une vague perspective, réplique fade du théâtre somptueux des ports européens, Londres, Pétersbourg, Nantes ou Amsterdam.

A tout prendre, Warren préférait le désordre du quartier arménien, le charme de ses maisons de bois aux encorbellements périlleux, la boue même de ses venelles, où coulaient dans le même ruisseau la fiente des hommes et celle des animaux. Et son regard s'amusait à traquer, dans l'obscurité des boutiques, les dizaines et les dizaines de mercantis silencieux, pâles et roués, penchés sur leurs balances, ou sur leurs comptoirs à mesurer le tissu. Il se disait alors qu'il était en train de se perdre dans le lieu où se réunissaient toutes les ruses de l'Orient, et cette pensée le mettait en joie.

Aussi Warren avait-il situé ses rendez-vous secrets avec le jeune Bengali aux confins de ce quartier silencieusement chéri. Du moins aimait-il à penser que ces entrevues étaient confidentielles ; au fond de lui-même, il savait bien que son tricorne et son habit anglais ne passaient pas inaperçus. Ce qu'on ignorait, en revanche, c'était la nature de ses rapports avec Ram. On croyait à des tractations commerciales, aux catiminis d'affaires dont étaient coutumiers les agents de l'*East India Company.* Les moments qui précédaient chaque rendez-vous remplissaient donc Warren Hastings d'une félicité un peu perverse, eût-il comme aujourd'hui gâché des bas de la meilleure soie pour arriver à l'heure.

Adossé contre le mur de bois d'une maison qui formait lisière entre le quartier indien et le quartier arménien, Ram l'attendait, les yeux comme toujours perdus dans le vague. Bien des fois Warren s'était demandé si ce regard curieusement triste et fixe n'était pas dû à un usage immodéré de l'opium, très répandu sous ces climats ; mais il n'avait jamais reconnu sur sa peau l'odeur si caractéristique de la plante brûlée. Son premier coup d'œil fut pour les cuisses nerveuses et longues de Ram, insolemment apparentes sous son dhoti blanc. L'autre ne bougea pas. Il lui toucha l'épaule, le salua à l'indienne. Ram demeura impassible. Warren recommença.

« Ram, très cher, très honoré Ram, donne-moi la bénédiction de ta divinité... »

Jeu, ou ferveur sincère, Ram ne consentait jamais à sortir de sa torpeur qu'au nom de la déesse dont il se proclamait le fidèle servant. Warren connaissait sa manie, et c'était pure flatterie, s'il ne prononçait pas le nom sacré dès la première phrase. Il lui était même arrivé de faire traîner l'affaire plus longtemps, pour mieux convaincre l'Indien de son importance : ainsi, il pouvait obtenir de meilleurs renseignements. Aujourd'hui cependant il pressa le protocole, car il avait devant lui une rude journée.

« Ram... je t'en prie, que Kali me bénisse.

— Kali te bénit, répondit l'Indien en soupirant. Viens ! »

C'était la deuxième étape du rituel, celle que Warren préférait. Ram parlait d'une voix blanche, un peu oppressée. Il le poussa dans le couloir central d'une maison, qui débouchait sur une cour tranquille, encombrée de palmes, d'où personne ne les voyait. Mais eux, à travers une trouée du mur de la cour, pouvaient contempler tout à loisir le temple de Kali, la déesse de Calcutta.

Voir sans être vu : ici encore, Warren jubilait. Peu

lui importait cependant le va-et-vient des Indiens, qui se pressaient dès l'aurore pour honorer leur toute-puissante patronne. Kali seule l'intéressait. A travers les lianes, il contemplait sa figure noire, monstrueuse et sanguinolente, les bâtons d'encens, les fleurs déposées autour de la statue par les fidèles. Le diable. Un tête-à-tête avec Satan, pour la grandeur de la lointaine Angleterre. Il se sentait héroïque.

Les deux hommes s'assirent côte à côte, à même le sol. Ram prit la main de l'Anglais, la pressa doucement, selon un geste familier aux Indiens. Warren détestait ce contact et l'aimait à la fois. Cette peau sombre, païenne, impure...

« Prends bien garde, l'étranger, que la déesse ne saisisse ta race pour assouvir sa vengeance !

— Tu me le dis à chacune des nos rencontres. Quelles nouvelles du Nord, de la province d'Aoudh ? »

Warren tâchait de ne pas paraître sec, alors que le temps pressait ; il tentait d'adoucir sa voix un peu nasale.

« Tous les gens du Nord n'adorent pas nos divinités, sahib ; leurs temples parfois sont étranges et nus, et l'on n'y voit nulle image du dieu unique qu'ils adorent. Mais, comme les Bengalis, ils commencent à vous haïr. »

Ram serra avec fébrilité la dizaine d'amulettes qui pendaient à son cou, poudres de serpent ou de scorpion pilés, serrées dans des goussets de cuivre et d'or, autant de remèdes à l'adversité.

« Vous autres, Bengalis, nous haïr ? Mais nous travaillons de concert depuis si longtemps !

— Tu n'as pas de mémoire, étranger, et pourtant tu es plus âgé que moi ! Nous vous aidons avec notre or, parce que les banquiers sont toujours du côté du plus fort. Depuis que ton ancien chef, Clive, a vaincu notre nabab à la bataille de Plassey, nous vous appartenons. Cinq ans, six ans déjà... Mais cela fait presque autant de temps que les agents de ta compagnie pillent le nouveau nabab. Un fantôme, installé par vous.

— Les salaires de nos agents sont trop faibles ; il faut bien les intéresser au commerce en leur permettant de trafiquer un peu pour leur compte ; Ram, tu es toi aussi un Seigneur de la Marchandise, tu le comprends sans peine ? Ta famille et toi-même profitez assez de notre commerce ! »

Warren sentait la colère monter en lui ; ce jeune Indien, qui prenait un ton à lui donner des leçons... Il s'interrompit néanmoins. L'autre continuait, et il savait bien qu'il n'avait pas tort :

« Vous allez trop loin, sahib. Avant que vous ne vous installiez ici, nos princes avaient jalonné l'Inde de douanes et de péages qui protégeaient notre commerce et nous enrichissaient. Depuis que vous êtes les maîtres du Bengale, vous avez obtenu la dispense des droits de douane, et même de visite, pour toutes marchandises. »

Warren l'interrompit.

« Mais il y a le *dustuck* !

— Le *dustuck* ! ricana Ram. Mais ce passeport, tous vos agents l'obtiennent ! Pour être protégé des agents du fisc il suffit maintenant qu'un vaisseau arbore pavillon britannique ! Le Gange est parcouru de centaines de navires qui repartent vers les Eaux Noires gorgés de nos richesses, sans que jamais nous puissions y trouver à redire. Je te le répète, sahib ! Prenez garde. Car les banquiers du Bengale sont en colère de voir l'or s'enfuir de l'Inde comme le sang du cou de la victime immolée. »

Il désigna du doigt le sanctuaire où des hommes se prosternaient devant la statue de la déesse. On entendit quelques piaillements, puis les fidèles s'agenouillèrent. On venait de tuer un petit chevreau ; ils contemplaient avec recueillement le sang qui se répandait à gros bouillons aux pieds de la divinité noire.

« Nous en avons déjà trop fait pour vous, reprit Ram.

— Et le Nord, dans tout cela ? rétorqua Warren. La nababie d'Aoudh, d'où tu reviens ? »

Warren s'impatientait ; les syllabes bengalies, qu'il maniait d'ordinaire à la perfection, s'emmêlaient dans sa bouche. Ram ne quittait pas des yeux la statue de Kali. Il était manifestement décidé à ne pas répondre. Warren enrageait. Il les avait pourtant bien prévenus, ses collègues de l'*East India Company.* Il n'y avait pas deux mois, en plein conseil de la présidence du Bengale, il s'était lancé dans une tirade passionnée :

« Ne tombons pas à notre tour dans le travers qui a perdu la France. Les agents de la Compagnie abusent du commerce privé, ils lèsent les intérêts des financiers indiens. Mettons fin à ces abus, ou nous risquons de les voir nous devenir hostiles... »

Il n'avait convaincu personne. Il n'avait jamais eu d'éloquence. Ram continuait à se taire, et cela pouvait durer des heures. Et pourtant, c'était clair, un secret lui pesait ; il avait quelque chose à lui transmettre. Une révélation, qui serait aussi un avertissement, un conseil de prudence. Par l'intermédiaire de Ram, Warren et la banque bengalie avaient, ici même, machiné assez d'intrigues pour que ses alliés ne le trahissent pas sans le prévenir. Agacé, l'Anglais se mit à frotter la soie de ses bas. Il lui fallait deviner. Mais il lui manquait la pièce maîtresse de l'énigme. Quelle question poser ? C'est à moi de parler, se dit Hastings. Si je vois juste, il approuvera. Sinon, je ne saurai rien de plus.

« Ram ! »

L'Indien ne tressaillit même pas.

« Ram ! Pourquoi es-tu allé chez le nabab d'Aoudh ? Dis-le-moi, dis-le... Tu es allé voir les Banquiers Mondiaux, n'est-ce pas ? Les frères Djagarset, qui ont quitté leur Radjpoutana, et tu les as retrouvés là-bas ? »

Ram se retourna vers Hastings. Au lieu de l'œil vague qu'il avait encore une minute auparavant, insondable à force de flou voulu, il avait un air très doux, celui d'une bête vaincue. Warren connaissait bien la gamme d'expression des Indiens ; il comprit ce qu'annonçait cette subite douceur : il l'avait percé. Il suffisait, maintenant, de persévérer :

« Le nabab d'Aoudh a besoin d'argent pour faire la guerre, n'est-ce pas ? Et si les frères Djagarset vont jusqu'à se déplacer chez lui, c'est que l'affaire leur paraît suffisamment sérieuse pour engager leurs énormes fonds dans ce conflit. Mais à qui donc en veut le nabab d'Aoudh ? »

Warren savait qu'à ce point de la conversation Ram prendrait le relais.

« A vous, sahib ! La guerre, contre vous, la guerre ! Tous les Indiens rangés contre les firanguis. Le nabab d'Aoudh prétend restituer le nabab du Bengale dans tous ses droits ; à la vérité, il cherche surtout à vous chasser d'ici. Le Grand Moghol est derrière eux.

— Le Moghol ! »

Warren éclata de rire.

« Le Moghol ! Mais il n'est plus rien ! Un prince amolli, vautré sur son harem à la cour de Delhi, à condition que les Afghans le laissent rentrer dans sa ville et que ses eunuques ne se mettent pas à comploter contre lui... Le Moghol !...

— Oui, le Moghol, sahib, le Grand Moghol, le Seigneur du Monde, le souvenir vivant des grandes ombres du passé, et sous sa gloire les hommes se reposent comme sous un parasol ! Le fils de Tamerlan, Babur, Aurangzeb !

— Ram, tu plaisantes. C'est un musulman. Un fils d'envahisseur.

— Le Moghol n'emporte pas notre or derrière les Eaux Noires.

— Ainsi, reprit alors Warren, les banquiers sont en colère, même les frères Djagarset... »

Ram ne répondit rien. Warren continuait à réfléchir. L'affaire était grave. Que feraient les Anglais devant des hordes de barbares déchaînés ? Dès l'origine, leur politique avait été d'éviter les affrontements. La bataille de Plassey, qui leur avait donné le Bengale, n'avait représenté qu'un engagement dérisoire, en comparaison des immenses conflits qui déchiraient l'Europe. Clive ne s'était distingué en Inde que par la soudaineté et l'efficacité de ses assauts. Pour le reste, la Compagnie anglaise avait patiemment rongé le Bengale, en silence et en toute apparente humilité. Jamais Warren n'aurait imaginé que cette sinistre affaire de commerce privé prît de telles proportions. Les Anglais, à leur tour, étaient donc pris au piège de l'avidité commerciale qui avait fait la perte de la France ? Non, tout cela était exagéré. Les Bengalis aimaient la peur et la démesure. Ram se trompait, ou le trompait.

« Les Indiens ne s'entendent pas entre eux, Ram. Le Moghol n'a pas d'autorité.

— Pour retenir l'or chez eux, sahib, les Indiens sont prêts à tout. Les nababs des provinces musulmanes comme les rajahs hindous. Eux aussi vivent des douanes et des impôts. Ils sont nombreux, les rajahs des steppes et ceux des jungles ! Les Djattes, les Radjpoutes, que commence à gagner l'inquiétude. N'oublie pas que les Banquiers Mondiaux viennent du Radjpoutana, là où convergent les grandes routes de l'Inde, reliant la mer aux chemins des caravanes, vers l'Arabie, le Cachemire, le Tibet. Et n'oublie pas non plus l'histoire du Trou Noir ! »

Ram se remit à contempler Kali. Le Trou Noir... Cette fois, l'avertissement était clair. Comment avait-il fait pour y échapper, lui, Warren ne le savait pas encore. Six ans plus tôt, juste avant Plassey, l'ancien nabab du Bengale s'était révolté, avait envahi Calcutta. Cent quarante-six Anglais furent faits prisonniers et jetés vivants au fond d'un entrepôt, où le nabab les laissa périr de chaleur, n'en extrayant qu'une jeune femme qu'il ne jugea pas assez défraîchie pour faire injure à son harem. Divers monuments de la ville commémoraient ce tragique épisode.

Par quel bonheur Warren s'était-il trouvé retenu dans une bourgade des environs, quand tout l'appelait à Calcutta ? De ce jour, il se crut protégé du destin ; mais il suffisait qu'on prononçât ces terribles syllabes, *Black Hole,* pour qu'il en frissonnât encore.

« Nous n'en sommes pas là.

— Non, sahib ! mais que les tiens se rappellent qui leur a livré le nabab du Bengale : un des nôtres, un sahukar, Ormishund. Clive lui avait promis le quart des bijoux du nabab, cinq pour cent de son trésor. Ormishund vous a donné le nabab. Les tiens ont gardé le trésor. La semaine dernière, on a retrouvé Ormishund terré au fond de son immense palais : il venait d'apprendre que Clive ne reviendrait plus jamais de son île lointaine. Jusqu'à ce jour il avait espéré. Ormishund est devenu fou. Les sannyasis commencent à menacer. »

Décidément, Ram était décidé à ne lui épargner aucune terreur. Warren prit le parti de plaisanter :

« Les sannyasis ! Nous avons souillé l'ordre cosmique, c'est cela ! Alors tu seras des victimes, Ram, toi qui me donnes rendez-vous près du temple de Kali ! Tu souilles la déesse en traitant avec les firanguis !

— Je sais. Le massacre rituel des sannyasis ne m'épargnerait pas s'ils se mettaient en marche. Je suis commerçant ; eux, des guerriers khsatrya, et c'est du commerce qu'ils veulent laver le Bengale. Dharma ! Mais tu es prévenu.

— Ram, parlons net ; tu m'as averti, je t'en remercie. Je me doutais bien qu'un jour ou l'autre les Banquiers Mondiaux nous trahiraient. Mais qu'ils sachent ceci : s'ils veulent la guerre, ils la perdront. Qu'ils coupent ou non nos routes avec l'Afrique, la mer Rouge, le Cachemire ou Sumatra, il y a une chose qu'ils ne sauront jamais faire comme nous : la guerre. Notre guerre à nous. Les canons. Les baïonnettes. L'ordre. Nous sommes les plus forts.

— Maintenant, peut-être plus. »

Ram saisit son collier, puis agita comme une toupie

les amulettes qu'il portait à son cou. Encore quelque chose à deviner. Warren se sentit épuisé. Tout le bien-être qu'il avait trouvé à Birnagor s'était envolé de son corps. Il regarda à son tour la statue de Kali. Le sacrificateur était parti, et il ne restait plus, aux pieds de la déesse, au milieu des colliers de fleurs, qu'une grande flaque de sang qui achevait de coaguler au soleil. Pour la première fois depuis bien longtemps, Hastings aurait voulu être loin d'ici. La verte Angleterre, ses enclos à bétail, ses prairies mouillées, une maison tranquille de l'Oxfordshire...

Un juron lui échappa alors :

« Rascal ! Rascal ! Mais vas-tu bien me dire ce qui nous empêche, nous, Anglais, d'être les plus forts ! »

Ram se leva lentement, s'inclina devant Warren Hastings et lui chuchota dans l'oreille :

« Sumroo, sahib... et les aventuriers. »

*

* *

Warren Hastings revint à sa demeure dans un état de grande agitation ; il ne quittait pas des yeux les pavés herbus, son front se creusait d'une grande ride verticale ; plusieurs fois, il manqua de se perdre dans le fouillis des maisons. Enfin il retrouva la petite place où il s'était loué une bâtisse grise à deux étages, fort cher, non loin de la cabane de bambou et de chaume qui faisait office d'église anglicane et d'un obélisque d'assez mauvais goût, destiné à éterniser le souvenir des martyrs du Trou Noir. La vision de ce monument ranima ses inquiétudes ; les mouvements de la plus vive passion se bousculèrent dans son âme. Nul n'en sut rien : à cette heure ses collègues anglais étaient tous penchés sur leur maîtresse ou leur livre de comptes ; quant aux servantes de Warren, qui depuis son veuvage constituaient son exclusive compagnie, leur indifférence égalait leur beauté, et elles n'eurent pas un frissonnement quand leur maître franchit le seuil de la maison.

« Du thé », commanda-t-il simplement.

Il passa devant elles sans les regarder. Elles obéirent aussitôt, les yeux baissés, bruissantes d'étoffes drapées.

« Dans le bureau ! » ajouta-t-il en gravissant l'escalier qui menait à sa chambre.

Il s'étendit un instant sur son lit, tâchant de se calmer. Il n'y parvint pas ; il valait mieux se mettre à la tâche. Aussitôt donc, il redescendit à son cabinet de travail. Le thé était déjà là, sur un plateau de laque. Il posa doucement la main sur la porcelaine de la théière. Il aimait ce contact. A chaque instant diminuait la chaleur, et avec elle semblait s'enfuir un peu d'éternité. Immuables, gelés sous la couverte, les monstres fous et les dames délicates s'en riaient et continuaient à gambader. D'où lui était venue cette porcelaine de Chine ? Warren ne le savait plus. Tant de lots d'objets rares lui passaient par les mains depuis qu'il était au Bengale. L'Asie faisait naufrage, et tout ce qu'elle possédait de précieux, un jour ou l'autre, échouait à Calcutta, dans les magasins anglais. Pour combien de temps ? Un *sahukar* lui avait dit un jour, au plus profond du marché de Cassimbazar : « Firangui, tu es jeune ! Si tu veux faire fortune ici, n'oublie pas que la vie d'un Indien n'est qu'une minute de patience au cœur de trente-trois millions d'existences... » La patience n'avait pas manqué à Warren. Travail, silence, discrétion. Mais pas encore de fortune, et trente ans déjà... Il ne se sentait pas devant lui trente-trois millions d'existences. La nouvelle que l'Inde allait se soulever l'accabla à nouveau. L'Inde et les aventuriers. Et ce nom inconnu, terrifiant, Sumroo... Il caressa la porcelaine. Elle refroidissait. Il se versa une tasse de thé. Le liquide, à peine infusé, était encore doré, presque orange, comme il l'aimait. Le thé, sa grande force : dans l'étuve de la mousson comme à la saison sèche, il ne s'était jamais permis d'autre breuvage. Et il avait résisté à tout : à la peste, à la dysenterie, au choléra, à toutes les fièvres que couvait avec tendresse la jungle du Bengale. Et cela à Calcutta même, qu'on appelait le Golgotha de l'Inde. Il se souvenait encore de l'horrible année 1757, quand l'épidémie avait tué les trois quarts des agents de la Compagnie. Des mois d'horreur. A la première averse, le cimetière gorgé d'eau avait laissé remonter les cadavres. Sa femme et ses deux enfants avaient succombé. Lui, il avait tenu. Quelques moussons plus tard, les fièvres continuant à décimer le Conseil de l'*East India Company,* sa belle santé lui avait valu un brillant avancement, et il ne savait plus s'il devait y voir la main du destin ou un effet inattendu de son breuvage préféré.

Il soupira. Ses livres de comptes l'attendaient. Il allait lui falloir, en *True Born Englishman* qu'il était, consciencieusement s'ennuyer. Il appela la servante, qui parut aussitôt ainsi qu'à l'accoutumée.

« Assieds-toi ici. Tu me verseras le thé pendant que je travaillerai. »

Elle s'accroupit sur le sol, il la contempla un instant. Elle était fine et longue comme certaines Bengalies que mère Maria employait à Birnagor. Docile, muette, impavide. Un bel animal. Comme des autres, il ne savait rien d'elle, à peine le son de sa voix, à peine le goût de sa peau, qu'il goûtait de temps à autre, au gré de son caprice. De ses servantes, il n'attendait rien, que cette présence attentive et indifférente à la fois, cette épaisseur de silence, aussi constante sous ses assauts brusques et ses fuites soudaines quand l'idée du péché le reprenait. Il souleva une grosse liasse de parchemins. Lettres de change, inventaires de magasins, décomptes de balles de soie, ordres d'achat venus des marchands de la lointaine City. Que n'aurait-il pas donné pour être des leurs, à banqueter d'huîtres ou à nocer avec les plus belles catins de Londres ! Il pensa, une fois de plus, que sa vie avait bien mal débuté ; être né Hastings, noble et intelligent, et se voir condamné par un tuteur imbécile à devenir un zélé fonctionnaire de la Compagnie... Il n'avait pas connu sa mère, morte peu après sa naissance ; son père n'avait pas tardé à s'évanouir aux Amériques. Brillant élève, il avait été proposé comme boursier à l'université : Oxford, latin, grec, hébreu, histoire et philosophie des peuples, voilà qui lui aurait plu. Alors était venu ce tuteur avide, pressé de se débarrasser de lui. « L'*East India Company,* mon garçon, le commerce, voilà le destin d'un *True Born Englishman,* quand il n'a plus ni château, ni famille, ni terres ! » Warren entendait résonner encore son petit rire sec. Le mépris. Il s'était juré de se venger. Mais quinze ans maintenant que l'Inde l'avait pris, quinze ans de paperasses, de comptes, de finasseries. Quinze ans de demi-vie, quand tout bougeait autour de lui : l'Inde profonde, bouillante, intense, qu'il ne faisait que soupçonner ; et toutes les mers du monde, sillonnées de capitaines flibustiers ou explorateurs, à la recherche de trésors, de bons sauvages ou de paradis perdus. Rien. Il n'avait rien connu. Rien tenu, rien possédé. La servante versa une deuxième tasse de thé. Il ne parvenait pas à se mettre au travail. Sur les rayons de son bureau, entre des masses de registres, luisaient quelques reliures de peau. Son regard glissa lentement sur les tranches. Il continuait à rêver. L'université, ou l'aventure, il lui aurait fallu l'une ou l'autre, les boiseries tranquilles des bibliothèques d'Oxford, ou les mers folles de la boucane. Mais pas ce compromis chaud et grisâtre de Calcutta. Ici, comme les murs au temps de la mousson, il croupissait. Warren Hastings ouvrit un registre, prit sa plume. Il allait la tremper dans l'encrier, quand il arrêta son geste. Ses yeux ne quittaient plus les cinq dernières reliures du rayonnage. Les œuvres complètes de Daniel Defoe. Il les avait lues et relues. Il les connaissait par le menu, mais chaque fois son plaisir demeurait le même, et extrême. L'histoire du capitaine Jack, « qui naquit gentilhomme, exerça pendant vingt-six ans la profession de voleur, fut cinq fois marié avec quatre catins, partit à la guerre, se conduisit bravement, obtint de l'avancement, est toujours à l'étranger achevant une vie merveilleuse, est résolu à mourir général »... Ou bien les « heurs et malheurs de Moll Flanders, qui, pendant une vie continuellement variée qui dura soixante ans en plus de son enfance, fut douze ans une catin, cinq fois une épouse, dont une celle de son propre frère, douze ans déportée pour ses crimes en Virginie »...

Warren soupira, très bruyamment sans doute, car la servante sortit de sa torpeur et posa sur lui un regard presque étonné.

« Verse-moi du thé. »

C'était bien la troisième tasse. Et pourtant il ne parvenait pas encore à se mettre au travail. Les aventuriers. Mais non. Ce monde-là était mort. Il y avait beau temps que l'*East India Company* avait abandonné son premier titre de « Compagnie des marchands aventuriers ». C'était maintenant l'ère de la sécurité, de l'organisation. D'ici peu tous les navires seraient assurés, et il n'y aurait plus un marchand assez fou pour prêter son argent « à la grosse aventure », gagnant dix fois la mise si le navire rentrait mais perdant tout s'il venait à sombrer. Folies, folies ! Defoe, lui aussi, un forcené ; un génie, mais imposteur et fou, comme tous les hommes de lettres. Bravement, Warren Hastings trempa sa plume dans son encrier. La petite Bengalie ne le regardait plus, et il en fut soulagé. Saurait-elle jamais, cette adorable servante, qu'elle venait de l'aider à surmonter la plus affreuse des tentations qui soit à un homme de commerce ? Lui, Warren Hastings, gentilhomme anglais de souche pure, quoique ruinée, avait bien failli laisser là comptes et lettres d'affaires pour se plonger dans l'histoire hautement condamnable du capitaine Jack. Damnation ! Au moment même où il apprenait que les grands intérêts de la nation britannique étaient menacés ! Dans son émoi, Warren Hastings avala coup sur coup trois tasses de thé supplémentaires, puis demanda à son exotique ange gardien de lui apporter sur-le-champ un autre récipient de l'excellent breuvage. Quatre heures durant, avec une ardeur inégalée, il aligna les chiffres, sans la moindre fatigue. Quand vint l'heure de la réception, il lui sembla même parvenir à une sereine lucidité. Quoique subsistât en lui la nostalgie de n'avoir point connu le destin d'un capitaine Jack ou d'une Moll Flanders, Warren Hastings s'était en effet persuadé que la médiocrité de l'Inde anglaise pourrait connaître une heure de splendeur, pourvu qu'on lui proposât un projet approprié à ses talents. Vaincre l'Inde. Réduire, soumettre, organiser. Mais le tout, par pitié, sans l'aventure !

Et, qui sait, peut-être serait-il l'homme de l'affaire ? L'homme d'une Inde neuve, d'où seraient exclus les gentilshommes de fortune et tous les Sumroo de la terre.

*
* *

Pour la société européenne de Calcutta et des environs, le 15 octobre était un grand jour. Cette date marquait en effet le retour définitif de la saison sèche et l'ultime terme des agonies dues aux fièvres de la mousson. Les gens de bonne compagnie avaient pris coutume de se réunir en ce jour pour une belle assemblée, où ils se félicitaient mutuellement d'avoir échappé aux périls de la saison des pluies. On dénombrait silencieusement les morts et les vivants, on poussait quelques petits soupirs de regret, enfin on s'asseyait autour d'une table bien garnie pour fêter dignement le départ du fléau. La satisfaction d'être en vie était si unanime, et si morose la société des Anglais, qu'ils consentaient ce jour-là à admettre dans leur cercle tous les Européens de la région, qu'ils fussent des comptoirs hollandais, des loges danoises, ou même, fait éminemment remarquable en ces lendemains de guerre, quelques survivants égarés du siège de Chandernagor. Dans ces conditions, la visite que Warren Hastings avait faite le matin même au couvent de Birnagor était une manière d'anticipation de la fête ; son entretien avec Ram avait failli tout gâcher. Par bonheur, il était parvenu à triompher des tourments dus à ces révélations. C'est donc d'un pas allègre, et fort d'une neuve ambition, qu'il se dirigeait maintenant vers le lieu des agapes.

C'était une grosse bâtisse à deux étages, grisâtre et moussue comme tout Calcutta à cette époque de l'année ; le Gange, en période de crue, venait presque en lécher les fondations. Avant de franchir le semblant de jardin qui l'entourait, Warren eut un regard pour la banlieue de la ville, de l'autre côté du fleuve : des potagers gras et plantureux, où se mêlaient plantes indiennes et essences européennes, si bien que, de loin, on pouvait croire y retrouver l'air d'aisance et de sérénité que les Anglais savaient donner à toutes leurs campagnes. Des réminiscences de prés mouillés et de boiseries douillettes se bousculant à nouveau dans son esprit, Warren rappela à lui toutes les ressources de sa détermination et se tourna résolument vers la façade du *club*. Il devait être légèrement en retard, car des bruits de conversation, et surtout des tintements de vaisselle, lui parvinrent dès qu'il eut franchi le seuil. Il sourit, de sa manière faussement aimable, à un domestique européen en livrée et pénétra dans le couloir central qu'ornait une sorte de marbre à l'antique. Les bruits de voix venus de la salle à manger s'amplifièrent. Oui, des marchands. Derrière ces plâtres fendillés, à travers les gloussements et les éructations qui arrivaient jusqu'à lui, Warren devinait toutes les faces rougies qui l'attendaient, couperosées et congestionnées d'alcool. Il fallait entrer. Toujours attentif à sa mise, quoique d'une élégance strictement réglementaire, Warren jeta un coup d'œil dans l'unique glace qui ornait le couloir. Il supposait en effet qu'il y aurait dans l'assistance quelques troublantes Européennes, ce qui le rendait ordinairement un peu timide ; or l'ambition exigeait qu'il brillât par toute sa personne. Le reflet du miroir n'était guère encourageant. Sa perruque était de travers, comme souvent. Quel travail souterrain de ses cheveux rebelles pour déranger si fréquemment l'arrangement de son visage ? Il se maudit, se trouva laid et entra cependant.

« Fasse le Ciel que ma naissance et mon intelligence des affaires indiennes me tiennent lieu de beauté », pensa-t-il, un peu lyrique, tandis qu'il poussait la porte.

« Hastings ! vous enfin, que nous n'espérions plus ! »

Warren s'arrêta, le regard un peu fixe.

« Enfin, Hastings, reprit son interlocuteur, vous êtes en retard, mon ami, et vous rêvez encore ! »

L'homme, un de ces marchands congestionnés auxquels il pensait tout à l'heure, l'apostrophait avec une ironie amère, qui le lui fit aussitôt reconnaître. C'était Botson, membre comme lui du Conseil du Bengale, les deux hommes se détestaient. Warren ne supportait pas les manières grossières de Botson, et moins encore l'étroitesse de ses vues sur l'Inde. Quant à son rival, il jalousait Hastings pour sa culture, sa finesse, sa patience ascétique, toutes qualités rarissimes sous les cieux du Bengale. Son voisin, un Hollandais, poursuivit :

« Vous passez trop de temps sur vos comptes, Mr. Hastings ! Je veux bien que votre légendaire tempérance fasse de vous l'homme le plus coriace de ce maudit pays, mais enfin il nous faut en tout respecter la mesure... Voyez-vous donc ce beau banquet ! »

Warren Hastings se pencha vers la table. A première vue ce n'était guère que l'ordinaire des fêtes anglaises. Le marchand hollandais reprit :

« Venez, venez à mes côtés ! »

Redoutable Néerlandais. Il lui tendait un siège, lui désignait une place, juste en face de ce Botson qu'il haïssait. Par bonheur, le président du Conseil du Bengale, Vantissard, n'était pas loin et pourrait venir à son secours en cas de besoin. Warren le salua respectueusement, tandis que le marchand hollandais entamait un inventaire des plats :

« Regardez-nous ces mets exquis, Mr. Hastings ! N'êtes-vous donc point gourmand, pour accourir à la fête d'aussi mauvaise grâce ? »

Il ne cesserait donc jamais ! Et cet horrible accent continental, presque germanique, une voix épaisse. Aucune grâce chez ces étrangers. Warren s'assit, contempla à nouveau la table. Caris variés, chapati à l'indienne. Mais, était-ce la joie de la victoire sur la France, on avait innové : chaque fois que la nation britannique damait le pion aux Français, elle prenait en effet un plaisir un peu pervers à s'annexer, outre leurs possessions territoriales, leurs nouveautés en matière de plaisir ; cette année, à l'évidence, la conquête était culinaire : les narines de Warren en frémirent de joie. Sur le plat que lui tendait un laquais, il reconnut des œufs durs arrosés d'eau de rose, à la dernière mode parisienne. Puis vinrent, pour accompagner le ragoût de mouton, non ces épices, dont on était si las, mais une sauce à l'iris, enfin une autre au musc. Il remplit avidement son assiette de porcelaine.

« Ah ! comme je préfère les parfums aux épices ! murmura-t-il en humant le plat. C'est le meilleur de l'Inde... »

L'odeur délicate des sauces l'avait détendu. Avant de goûter la première bouchée, il les respira un long moment. Un vrai bonheur. Enfin il échappait à ces senteurs moites et chaudes qui imbibaient toute la vie indienne, des cuisines aux caves, des chambres aux cales des navires. Plus qu'un paysage, l'Inde, pour lui, était d'abord une odeur. Tenace, pourrissante et forte. Un instant, les sauces au musc et à l'iris l'en sauvaient ; et pourtant c'était l'Inde aussi qui produisait ces parfums ; mais il avait fallu attendre un caprice de Paris, fatigué de plaisirs trop anciens, pour en retrouver les délices au fond d'une porcelaine. Il avala coup sur coup deux œufs à l'eau de rose.

« Eh bien, mon ami, voilà comme nous vous aimons ! Un peu gourmand. Oubliez donc vos malheurs un moment. »

A son tour, Vantissard se mettait de la partie ; Warren le maudit. Comme s'il pouvait regretter femme et enfants, en un pays où il en mourait tant. Comme s'il n'y avait pas au monde d'autre gourmandise que d'engloutir des monceaux de ragoûts et des pintes d'alcool... Mais enfin, pourquoi leur en vouloir ? Warren éprouva alors une satisfaction inattendue : de lui, on ne percevait donc que cette image extérieure d'homme tempérant, studieux, presque ascétique. Et Birnagor... Ses convoitises secrètes. Nul ne les pressentait. Un bref moment, les yeux mi-clos pour mieux savourer la sauce à l'iris, il mesura avec délices la toute-puissance de son hypocrisie. En face de lui, Botson demeurait silencieux. Il lui parut encore plus rouge que tout à l'heure. Il est vrai que les bouteilles se vidaient rapidement. Bordeaux, madère, cognac, on n'avait pas lésiné. De surcroît, aucun des membres de l'assistance ne pouvait avaler une bouchée sans l'arroser de bière, et l'usage voulait qu'entre chaque service on engloutît un demi-verre de ratafia de cerises.

Vantissard reprit :

« Voyez-vous, Hastings, je crains que vous ne trouviez de sitôt une de ces jeunes beautés qui guérirait votre mélancolie. Depuis que Chandernagor est tombé, toutes les belles créoles françaises ont fui les Indes et sont parties chercher fortune à l'île de France ou aux Isles d'Amérique... Il va falloir que nous vous fassions venir un bon parti de notre verte Angleterre. Hélas ! ces dames-là sont rarement à notre goût. Il faut choisir : de l'agrément d'une famille, ou de la solitude des galanteries ! »

Warren pâlit. Se pouvait-il qu'on l'eût découvert ? Pourtant, mère Maria, qu'il payait si cher...

« Je ne vous comprends pas.

— Vous êtes un homme triste, Hastings, perpétuellement mélancolique. Il vous faut épouser rapidement. Un homme seul, et tempérant comme vous l'êtes — contrairement à bien d'autres —, ne résistera pas longtemps à l'ardeur pernicieuse de ce climat. Ou prenez quelques galantes amies. Il est quelques Indiennes fort saines, et très charmantes ! »

Warren respira. L'habitude de la dissimulation lui permit toutefois de cacher son soulagement, et il répondit presque aussitôt :

« Je ne cherche pas tant la beauté que l'agrément des âmes.

— Cher, très cher Warren... Vous êtes l'employé le plus déroutant qu'ait jamais employé l'*East India Company.* On croit connaître un homme d'affaires ; on découvre un poète !

— Je ne crois pas que Mr. Hastings soit celui que vous décriviez », intervint Botson.

Warren avait bien prévu que le long silence de son rival cachait quelque perfidie. L'autre avait bu. Il s'attendit au pire. Botson avait prononcé sa phrase du ton aigre que tout le monde lui connaissait, et la voix empâtée de ses abondantes libations.

«... Il me fait beaucoup penser à ces nababs indiens qui refusent de payer leurs impôts, arguant de leur pauvreté. En réalité, au plus profond de leurs palais et de leurs forteresses, ils entassent des trésors...

— Expliquez-vous, Botson, car je crains qu'il n'y ait là quelque offense ! »

Warren, cette fois, n'avait pas blêmi. Botson reprit, d'un air dégagé :

« Certes, certes. Mais ne vous croyez surtout pas insulté. Vous avez la pauvreté ambitieuse, la vertu patiente. Vous attendez votre heure. Et... »

Botson, jusque-là, se maîtrisait encore ; mais la hargne fut la plus forte :

«... Vous avez pris le parti de l'Inde. Vous jouez votre jeu, non celui de la Compagnie. Comme Clive, qui est parti du Bengale avec des diamants plein les poches, pour des dizaines de milliers de livres !

— Je vous mets au défi de prouver que je thésaurise les diamants ! Et faut-il ici rappeler les exactions de la Compagnie sur les Indiens ? Les 800 000 livres sterling prises sur l'ancien nabab du Bengale, son trésor raflé sans autre forme de procès ! 7 271 666 roupies, ni plus ni moins, 700 caisses qui remplirent 100 navires, vous en souvenez-vous, M. Botson, le beau spectacle sur le Gange, bannières déployées et musique en tête ! Dois-je vous rappeler que vous étiez de ceux qui avaient promis d'en verser cinq pour cent au banquier qui avait livré le nabab ? Ormishund ! Ormishund ! Ce nom vous rappelle-t-il quelqu'un, Botson ? Ormishund est devenu fou, le saviez-vous, de n'avoir point été payé pour sa trahison. Est-ce défendre l'Inde, de prétendre que la nation anglaise ne se maintiendra en ce pays que si elle consent à se comporter loyalement envers lui ? Craignez bien, Botson, que l'Inde ne préfère être notre ennemie plutôt que notre esclave !

— Hastings, vous avez des chiffres une mémoire fort exacte. Je maintiens cependant que vous entretenez avec les banquiers indiens des relations, disons très ambiguës. Vous ne semblez guère dévoué au bien public, quand vous fréquentez cette caste des *sahukars* répandue par toute l'Asie. »

Goddam ! se dit Hastings. Il m'a vu, il m'épie, il sait tout de mes rendez-vous. Cette ville est donc plus ouverte à la curiosité mesquine que le plus misérable canton de l'Oxfordshire.

« Botson, savez-vous vous passer des banquiers indiens pour faire du commerce ? Nos amis du *Stock Exchange* n'ont pas encore ouvert d'annexe en ce pays, que je sache ! »

L'autre sourit, les lèvres pincées :

« Enfin, Hastings, reconnaissez qu'ils sont nos concurrents, non nos alliés : leurs femmes mêmes, du fond de leurs harems, spéculent sur le cours de la soie et du coton ; et, m'a-t-on dit il y a peu, ils viennent de s'installer à Moscou ! Moscou ! Vous rendez-vous compte ! La Sainte Russie ! Il y a deux ou trois ans, l'un de ces maudits banquiers s'est avisé d'y mourir : bien sûr, il a fallu le brûler, selon leur coutume barbare. Mais pis encore : la femme voulait faire *sati,* se brûler vive sur le bûcher de son époux, usage peu chrétien, même chez les orthodoxes. Eh bien, poursuivit Botson en prenant à témoin toute l'assistance, figurez-vous que le tsar a cédé, eu égard à la puissance de ces beaux banquiers, et qu'il y a eu sur la place de Moscou, au beau milieu des glaces, une aussi vigoureuse flambée que dans notre cité de demi-nègres !

— Messieurs, je vous prie, calmez-vous, intervint Vantissard. Nous aurons réunion au Conseil du Bengale d'ici peu. Ce n'est ni le lieu, ni l'heure de débattre de nos soucis domestiques. »

Il jeta successivement un coup d'œil bref et froid aux deux protagonistes. Warren, aussitôt, s'en voulut. Son élan passionné l'avait entraîné à faillir à la règle de discrétion qu'il s'était imposée. Et tous ces étrangers, levant la tête l'un après l'autre, au fur et à mesure que le ton montait... A ses côtés, le marchand hollandais exultait :

« Eh bien, messieurs les Anglais, vous voici, en ce jour de liesse, réduits à des querelles de boutique, quand vous ne cessez de dire que nous sommes de vils colporteurs vautrés sur notre or et nos épiceries... »

Lui aussi avait bu. Tout, aujourd'hui, était grotesque. Warren, plus que Jamais, était pressé d'en finir. Vite, retrouver le thé. Etreindre une, deux, trois servantes. Ou, pourquoi pas, retourner à Birnagor, puisque sa découverte de la nuit lui valait désormais un crédit illimité. Impossible cependant de partir aussitôt. Il n'était que quatre heures de l'après-midi. On avait choisi ce moment du jour par pure imitation des usages de Londres. C'était l'heure en effet où les gros marchands de la City quittaient le *Stock Exchange* pour se distraire des jeux de la Bourse dans quelque repas fin. Ils y retrouvaient des femmes, demi-putains soyeuses, sans lesquelles, croyaient-ils, l'argent gagné à spéculer n'aurait pas possédé l'éclat qu'ils en attendaient. Ici, évidemment, la société manquait de femmes. De *jolies* femmes, excepté la ravissante Hollandaise, épouse de l'ingénieur qui avait conçu les remparts du fort et surprise la nuit même par Warren en couventine dépravée. En la cherchant dans l'assemblée réunie autour de la table, Hastings remarqua qu'elle était absente. Son époux était là cependant, un Suisse du nom de Wagner, qui ne mangeait guère et semblait préoccupé, à voir son air pâle et son expression mélancolique. Etait-il au courant de son infortune de la nuit, de l'existence de l'éphèbe — ah ! s'exclama Warren en lui-même, divine blancheur de ses flancs nus, exquise fermeté de ses contours juvéniles ! Et pourquoi la dame, contre tous les usages, ne paraissait-elle pas à cette fête du 15 octobre ?

A se souvenir de ses élans hardis, Hastings pensa qu'elle avait dû s'en trouver fatiguée. Néanmoins, cela ne la dispensait pas de venir banqueter avec ses coreligionnaires, ne fût-ce que pour offrir aux Anglais si pauvres en accortes compagnes le spectacle de son harmonieuse personne. Autour des agents de l'*East India Company,* Warren ne distinguait en effet pas une seule créature susceptible d'éveiller son désir, quand bien même il l'aurait observée dans les débordements de Birnagor. Des teints gâtés par les moussons et sans doute aussi par l'habitude immodérée du cognac et du ratafia de cerises. A quoi les femmes de Calcutta pouvaient-elles employer leurs journées, quand déjà lui, Warren, s'ennuyait sur ses paperasses ? Coucheries tristes et commérages, il ne le pressentait que trop, rien qu'à leurs lèvres pincées, toutes parées pour le persiflage, leurs décolletés provocants, mais sans art ni perversité. Même au plus fort des chaleurs de juin, elles demeuraient aussi froides que les pierres des quais londoniens.

On apporta de nouveaux plats, des petites cailles macérées dans un sirop de sucre et de cannelle, ainsi que du cochon de lait rôti, assorti d'une sauce florale au parfum extrêmement étrange. « Patchouli », criait une partie de l'assistance. « Non » ! hurlait l'autre, qui penchait pour la myrrhe. Tout en disséquant une admirable caille, Warren se mit à observer par en dessous le Suisse à l'air mélancolique. Il paraissait vraiment tourmenté, touchait à peine aux plats, et à deux ou trois reprises, quand on l'interrogea sur l'état d'avancement de ses travaux, Warren remarqua qu'il tremblait de la tête aux pieds. Autant par curiosité sincère que pour échapper à un nouveau sujet de querelle, Warren passa le reste du repas à épier le Suisse. Au terme du festin, tandis que tous les convives commençaient à s'endormir dans les fauteuils, ou, pire encore, à vomir et chanter avec leurs femmes comme les dockers de Londres, l'ingénieur se leva vivement et sortit, comme on s'enfuit. Warren le suivit prestement, dans l'indifférence générale. Les rues de Calcutta étaient fort obscures, et il ne put l'observer longtemps. Néanmoins, les gestes de désespoir qu'il lui vit accomplir — il s'arrêtait de temps à autre, la tête contre un mur, se mettait à se lamenter tout haut, fouillait et refouillait les poches de sa veste — le convainquirent que son homme n'était pas en proie au seul chagrin que donne l'infidélité d'une jolie femme.

Warren Hastings, ainsi qu'à son habitude, avait vu juste. Trois jours plus tard, on apprit en effet que l'ingénieur suisse venait de s'embarquer, pour chercher remède à son infortune dans un archipel éloigné du Pacifique. Un mois plus tôt, il avait rencontré sur les quais de Calcutta un jeune homme fort beau, français et huguenot, qui arrivait d'on ne savait où et répondait au nom très élégant de Saint-Lubin. Il le revit souvent, l'introduisit chez lui, le présenta à sa femme. Une semaine ne s'était pas écoulée qu'il avait enlevé la dame, ou, comme le prétendaient les mauvaises langues, c'était la dame qui l'avait enlevé, car il ne paraissait pas prêt à se l'attacher pour l'éternité. Fait singulier, ce désastre conjugal provoqua une réunion extraordinaire du Conseil du Bengale : avant de s'embarquer pour son île déserte, le sieur Wagner avait écrit à Vantissard, lui révélant qu'outre son épouse, le chevalier de Saint-Lubin lui avait dérobé les plans du fort de Calcutta, seconde défense du Bengale après la citadelle de Baj-Baj. De l'avis général, les deux fourbes adultères s'étaient embarqués pour la Hollande, d'où ils ne tarderaient pas à passer en France ; et nul ne doutait plus qu'à Versailles le ministre de la Marine ne fût disposé à payer très cher l'inestimable document, aux fins de prendre sa revanche après la chute de Pondichéry.

CHAPITRE XII

20 octobre 1761

Calcutta

« Messieurs, l'affaire est grave, commenta Vantissard dès qu'il eut achevé la lecture de la lettre aux membres du Conseil. Voici les plans de notre forteresse aux mains de l'ennemi. Que nous signions ou non un traité de paix avec la France, notre sécurité est virtuellement menacée, car nous n'avons pas les moyens de changer notre défense, ni de renforcer l'avant-poste de Baj-Baj.

— Nous sommes à présent les seuls aux Indes, intervint Botson. Nul vaisseau étranger, à plus forte raison nulle flotte, ne peut passer Baj-Baj. Ne donnons pas à cette affaire l'allure d'une tragédie. »

Warren gardait le silence. Il ne pouvait pas faire état de ce qu'il avait appris de Ram. Peut-être Vantissard, ou un autre membre du Conseil, le savait-il ; mais, du moins officiellement, rien ne fondait

Hastings à solliciter des Indiens des informations secrètes. Parler serait imprudent ; et, à coup sûr, Botson en profiterait pour ranimer leur vieille querelle à propos des banquiers. Warren était perplexe. Chacun à leur tour, les membres du Conseil donnaient leur sentiment. Bientôt arriverait le moment de parler, et il ne savait que dire.

« Hastings ! Hastings... Mais vous rêvez encore ! »

Warren sursauta. Il arrivait souvent qu'on le crût perdu dans des méditations sans rapport avec l'objet du débat, ce qui lui valait cette indestructible réputation de rêveur, ou même de songe-creux, quand il n'était que calcul et supputations.

« Hastings ! lui lança à nouveau Vantissard d'un ton sec. Nous attendons maintenant votre avis. »

Warren improvisa :

« Monsieur le président, je me limiterai à une observation simple, qui cependant pourra vous paraître saugrenue. Pourquoi nos ennemis — quels qu'ils soient, et il peut s'en déclarer de nouveaux — ne nous attaqueraient-ils pas de l'intérieur, et non de la côte ? Après tout, la redoutable renommée de Baj-Baj est suffisamment assurée chez toutes les nations marchandes pour qu'aucune d'entre elles n'ose se mesurer au feu de la citadelle qui verrouille le Gange. Mais qu'on nous attaque par le nord, ou l'ouest...

— Vous continuez à vous perdre dans vos songeries de poète, grinça Botson. Comment voulez-vous qu'on nous attaque à l'ouest ? Il faudrait traverser la péninsule de part en part ! Et encore faudrait-il y pénétrer ! Or nous tenons le Gujarat, Surat, sa capitale, et surtout Bombay, la porte de l'Inde. Ses marchands nous sont tout dévoués. Ils nous prêtent autant d'argent que nous en voulons, même les *parsis*, qui sont si durs en affaires ! Ils ne vont tout de même pas nous mettre à la porte ; d'aussi bons clients, il n'y a guère que nous ! Allons, Hastings, vous ne voulez pas nous prédire une invasion des lamas de Tartarie ou des sauvages des Himalayas, que je sache ! »

Warren demeura silencieux. Il attendait que Vantissard se découvrît, ce qui ne tarda pas :

« Nos ennemis sont peut-être déjà dans l'Inde », dit le président.

Tous les membres du Conseil le dévisagèrent, pétrifiés. Hastings se fit un devoir de feindre une identique stupeur, tandis que Botson, moins congestionné que lors de la réception du 15 octobre, ses excès de table l'ayant contraint à jeûner plusieurs jours, pâlissait de rage et d'inquiétude.

« Je reçois de nos loges les plus lointaines des messages fort inquiétants, poursuivit le président. Les musulmans et les hindous, traditionnellement ennemis, songent à s'unir pour rétablir dans ses droits l'ancien nabab du Bengale.

— Ils ne connaissent rien à la guerre ! ricana Botson.

— C'est exact. Et vous auriez raison de sourire s'il n'y avait parmi eux un certain Sumroo.

— Sumroo ! Mais quelle folie ! » intervint Spencer, un ancien épicier passé au service de la Compagnie, un homme d'un naturel plutôt optimiste, jovial et épicurien ; rien ne pouvait l'émouvoir durablement, depuis que la chance, comme Warren, l'avait soustrait au massacre du Trou Noir.

« Cela fait trois mois que l'on parle de ce Sumroo, reprit-il. Je suis certain qu'il ne s'agit que d'une belle invention. Ces moricauds de Bengalis veulent semer la terreur parmi nous. Bon prétexte aussi pour faire grimper les taux d'intérêt. Interrogez ceux qui vous parlent de Sumroo : ils ne l'ont même jamais vu ! Mais moins ils l'ont vu, plus ils y croient... Nous sommes anglais, que diable, nous n'allons pas ajouter foi à pareilles sornettes !

— J'ai quelque raison de croire que ce ne sont pas des sornettes », déclara Vantissard d'un ton grave et mesuré.

De plus en plus inquiet, Botson sortit de sa poche

une tabatière de porcelaine et se mit à priser nerveusement.

« J'ai même toutes raisons de penser que ce Sumroo est un Européen, peut-être un Français. En tout cas, il entraîne ses armées à notre manière. Canons, batailles rangées ! Canons, vous dis-je, canons, tambours et trompettes... Les Indiens ont eu du mal à s'y faire, mais aux dernières nouvelles il semblerait qu'ils commencent à s'y accoutumer.

— Ces macaques... » dit Botson.

Vantissard prit le parti d'ignorer les commentaires de l'assistance.

« Et voici le plus grave. Le plus certain aussi, car le reste n'est que le résumé des rapports de nos agents, et vous savez comme moi qu'ils ne pénètrent pas encore le cœur de l'Inde ; tout ce qu'ils savent, ils le tiennent de colporteurs, de marchands qui suivent les foires et les caravanes, et ce ne sont pas des sources sûres. En revanche, il est désormais certain que les Indiens font très nettement la différence entre deux sortes de *firanguis*, comme ils disent : les Français et nous-mêmes. Nous ne pourrons plus les abuser longtemps, et pour peu que des Français se mettent dans leurs rangs, les commandent...

— Monsieur le président, dit alors Hastings, permettez-moi de vous rappeler que je n'ai jamais approuvé ce titre de roi de France que nous accolons dans nos correspondances au nom de Sa Majesté le roi George. Il était prévisible qu'un jour ou l'autre les Indiens apprissent que nous l'usurpons pour mieux les tromper. Un titre datant de la guerre de Cent Ans ! Il est encore dans l'Inde des marchands français parlant hindi ou persan et qui ont pu facilement rétablir la vérité.

— Hastings, soyons terre à terre, repartit Spencer. Les Indiens n'ont pas de ces subtilités. Il nous est fort utile de nous servir de ce titre, comme du portrait du roi de France qui se trouve dans le bureau de M. le président ; savez-vous ce que racontent vos chers

Indiens, d'avoir ouï dire de ce tableau ? Eh bien, que Louis XV — Dieu le damne, lui et toutes ses catins ! — est notre prisonnier ! Louis XV à Calcutta ! Voilà comme ces sauvages entendent la politique ! Croyez-moi, auraient-ils enfin démêlé que les Français et nous sommes comme chien et chat, cela ne changerait pas grand-chose à l'affaire...

— A moins que ces Français ne les convainquent de venir délivrer leur roi ! » rétorqua Hastings.

Cette remarque en apparence anodine provoqua une stupeur plus forte que les gravissimes déclarations de Vantissard. Le ton léger dont Hastings l'avait prononcée, le sourire malicieux qui avait alors éclairé son visage y furent pour beaucoup, chez des hommes qui ne s'étaient pas encore accoutumés à ce que le cynisme prît un vague air d'humour. Chacun se sentit menacé. Comme aux meilleurs moments de Birnagor, Warren réprima un sourire et prit un intense plaisir à observer ses compagnons. Combien d'eux ne s'accommodaient des Indes que par manie de thésauriser ? Spencer, le jovial Spencer, par exemple, était blême. Finie la contrebande de diamants vers l'Angleterre...

A l'idée que dès la sortie du Conseil, l'ancien épicier enverrait sur le premier vaisseau venu un émissaire chargé de toutes ses pierres fines, Warren exulta.

« Calcutta n'a pas de remparts, poursuivit-il. Seul le fort nous protège, ce fort dont les plans ont aujourd'hui disparu.

— J'espère que vous ne nous conseillez pas de fortifier la ville elle-même, interrompit Botson. Calcutta est indéfendable. Nous n'allons quand même pas nous retrancher derrière des murailles de torchis, comme le Moghol, à Delhi, avec son fort de comédie ! »

Quoiqu'il doutât fortement que les remparts de Delhi fussent une fantaisie d'empereur décadent, Warren poursuivit sans paraître l'entendre ; remuer le fer dans la plaie lui devenait infiniment délicieux ;

à chaque parole s'accroissait son plaisir, avec la terreur de ses collègues :

« Le bruit court que les riches Indiens de la ville, dont les intérêts sont liés aux nôtres, engagent des vigiles à leur service, des chaudikars privés, comme ils disent. Mais nos propres *chaudikars* s'endorment au coin des rues, au lieu de surveiller nos portes et nos fenêtres. Ils s'endorment, messieurs, ils s'endorment ! Tandis que d'autres se réveillent ; n'avez-vous point entendu la rumeur des *sannyasis* ?

— Vous avez toujours eu peur des hindous, Hastings, de leurs dieux, de toutes leurs diableries ! Les étrangleurs de Kali, maintenant ! Depuis le temps qu'ils promettent la malédiction à tous les nouveaux venus aux Indes !

— Alexandre le Grand est mort des Indes, repartit Hastings, qui commençait à se prendre au jeu de Botson.

— Et Tamerlan, et Babur, et Aurangzeb, Shah Jahan, et tous les autres envahisseurs barbares qui règnent encore sur ce pays, ils s'en sont bien accommodés des Indes, il me semble ! Eh bien, Hastings, c'est notre tour de gagner. Je vous soupçonnerais bien de vous être converti au culte de cette Kali de malheur, à vous voir toujours jouer au mauvais prophète. Allons, Hastings, vous êtes un fin lettré : rappelez-vous que l'Inde adore aussi la jeune et belle Sarasvati, déesse des arts et de la connaissance ! Un peu d'allégresse, que diable !

— Botson, Botson ! intervint Vantissard d'un air las. Il nous faut réfléchir de concert. Londres exige de nous des rapports ; et l'Inde est si lointaine que les mémoires que nous enverrons là-bas sont autant de résolutions, des décisions qui engagent l'avenir de l'Angleterre. Le Bengale tient l'Inde, et l'Inde tient l'Arabie, et les îles de Java, Sumatra, la moitié de l'Asie, par le réseau de ses marchands. Londres ne peut plus se passer du Bengale ! »

Apparemment, autour de cette table, personne ne

se souciait de Londres, excepté Vantissard. Cependant, il parut évident à Warren qu'aucun des membres du Conseil ne pouvait présentement se passer du Bengale pour son usage privé, ce qui imposait un intérêt momentané pour la discussion en cours.

« L'essentiel est de garder les banquiers avec nous, déclara sentencieusement Spencer.

— Mais les banquiers de Calcutta sont avec nous ! tonna Botson, et je ne les ai pas encore vus mettre à feu les canons !

— Votre parole dépasse certainement votre pensée, remarqua Hastings ; on vous sait avisé ; rien ne se fait en Inde sans les banquiers ; la Grèce antique n'avait pas encore conçu Périclès que les *sahukars* menaient déjà les affaires en ce pays. Mais vous avez raison sur un point, cher Botson, je vous le concède. A trop parler des banquiers, nous oublions les fermiers de l'impôt.

— Hastings, expliquez-vous, interrogea Vantissard. Je ne vois pas ce qui unit les fermiers de l'impôt au présent débat. Je vous rappelle, si vous ne l'avez pas compris encore, qu'il s'agit de savoir si oui ou non nous allons devoir entrer en conflit avec les Indiens pour la nababie du Bengale. »

Warren soupira. Lents, lents, que ces hommes étaient lents. Vantissard lui-même passait son temps à jouer les arbitres, à solliciter de ses collègues des décisions qu'il était incapable de prendre, à polir de laborieuses et pompeuses déclamations. L'Inde aussi était lente, mais quand elle commençait à bouger... Warren songea à l'interminable attente de la mousson, quand des semaines entières tombait du ciel plombé une véritable fournaise qui rendait fous hommes et animaux. Et puis un jour les nuages crevaient, dans un cataclysme de fin du monde. Et si l'apocalypse des armes, comme une autre mousson, était près d'éclater ? On le crut rêveur, une fois de plus. Déjà des bouches s'ouvraient pour le harceler. Il eut le temps de les devancer :

« Oui, les fermiers de l'impôt, c'est évident. Le Moghol leur accorde des circonscriptions où s'étend leur droit de réclamer les redevances ; le *jaghir*, n'est-ce pas, c'est bien ainsi que cela s'appelle ? Admettons que le Moghol ou ses nababs ou rajahs cèdent à leur tour ce jaghir, par paresse ou reconnaissance, à des étrangers, des Français, enfin, des aventuriers... D'un seul coup, ceux-ci détournent, à notre détriment, toute une partie de la richesse indienne, et sans d'autre peine pour nos ennemis que celle de séduire les Indiens. Cet or, gagné par les échanges de tissus, d'indigo, d'épices, que sais-je encore, avec l'*East India Company*, le voilà dans leur poche ! Et quand on se souvient que les fermiers de l'impôt, d'accord avec les marchands et les banquiers, contrôlent tout en Inde, de la circulation du sel à celle des caravanes de blé, de grain... »

Warren s'interrompit un instant, les joues échauffées, puis reprit :

« Imaginons un instant que ce Sumroo, dont vous parlez, ou l'un quelconque de ces condottieri déments mettent la main sur un, ou plusieurs de ces *jaghirs*... L'acier indien est l'un des meilleurs du monde ; une armée neuve, moderne, peut être levée sans peine. Ajoutons à cela le fanatisme des fous de Dieu ou autres *sannyasis*, voici la guerre, mon cher Botson, la guerre contre la Compagnie, et les quelques rajahs déçus ou jaloux de leurs familles que nous entraînons à l'anglaise ne nous en sauveront pas ! Nous aurons tôt fait de perdre cette belle allégresse que vous nous conseillez.

— Alors il faut attaquer, repartit Botson sans se laisser démonter. Attaquer sur-le-champ, monsieur le président, et tuer dans l'œuf cette vile canaille indienne qui complote contre nous avec la lie des soldats français !

— Oui, attaquer, attaquer, c'est la seule solution, renchérirent les membres du Conseil.

— Il nous faudra cependant attendre l'occasion

favorable, objecta Vantissard. Je partage votre avis, mais rien n'est déclaré, et nos indications sont encore trop vagues. Attendons que la situation se précise. » Le président saisit sa plume, la trempa dans son encrier. Il ne faisait pas chaud en cette fin d'octobre, et pourtant il s'épongea le front. Il parut soulagé :

« Enfin, messieurs, voici une décision claire et nette, qui fait honneur à notre nation ! La résolution, le calme, le sang-froid, toutes qualités qui ont manqué à nos voisins de Chandernagor, et c'est bien pourquoi ils perdent leurs colonies ! »

Un instant ému par cet élan d'enthousiasme satisfait, Warren hésita à intervenir. Il lui fut pourtant impossible de retenir sa pensée.

« Je désapprouve cette décision.

— Comment ! éclata Vantissard, à bout de nerfs. Allez-nous bientôt nous laisser en paix, Mr. Hastings ! On dirait que vous prenez goût à semer ici la discorde ! Vous êtes un excellent agent de l'*East India Company*, soit, c'est une affaire entendue. Mais pour le reste, de grâce, épargnez-nous ! Employez votre zèle à collectionner les miniatures ou réservez vos talents byzantins à vos écritures persanes, je vous prie. »

Les membres du Conseil perdirent brusquement leur air compassé, toute l'assemblée éclata de rire. Jamais en effet on n'avait compris qu'un agent de la Compagnie pût préférer extorquer aux Indiens leurs miniatures plutôt que leurs diamants. On souriait d'en savoir Hastings grand connaisseur, d'autant qu'il se piquait d'en traduire les légendes, qu'on supposait fort libertines, à en juger par les alertes postures des personnages qu'elles représentaient. Aussitôt, Vantissard regretta son éclat.

« Cela dit, mon cher Warren, j'approuve le mémoire que vous m'avez remis sur le commerce privé et qui vise à réduire les abus de pouvoir de certains de nos agents. »

Botson blêmit :

« M. le président... Vous n'avez pas le droit. Sur ce point la majorité du Conseil est contre vous. Tous les agents de la Compagnie ont besoin de commercer à leur propre compte pour compenser le désagrément de la vie outre-mer et le faible salaire qu'ils reçoivent. Il n'y a guère qu'Hastings pour prétendre qu'ils sont des voleurs. Vous avez la majorité contre vous, monsieur le président !

— Je le sais, Botson. Et pourtant je signerai ce mémoire.

— Vous nous trahissez. »

Vantissard ne répondit rien.

« Vous trahissez l'*East India Company* !

— Suffit, Botson. Chacun de vous a donné son avis ; pour ce qui est de la guerre, vous m'approuvez, tous autant que vous êtes. Et c'est le plus important : garder le Bengale, garder l'Inde.

— Excusez-moi, monsieur le président, mais ce sont là deux décisions contradictoires. »

C'était encore Warren. De la même voix neutre, et nullement décontenancé par l'ironie de l'assemblée, il continuait ses impertinences.

« Je m'explique : quelle est la raison de notre victoire au Bengale ? Notre humilité, messieurs, ne l'oublions pas. Rappelons-nous comment l'un de nos premiers directeurs se présenta au Moghol : "La très humble poussière John Russel, gouverneur de l'*East India Company.*" Gare à nous, si la présomption vient à nous perdre !

— Alors, dit Botson en riant, que nous recommande notre belle Cassandre ? »

Warren se tourna vers Vantissard :

« Il nous faut réduire l'Inde, soit, car elle ne saurait longtemps nous craindre. Mais ce n'est pas une victoire voyante qui nous la gagnera ; surtout si les aventuriers, cette racaille d'aventuriers, se met à agiter les indigènes en sous-main. Il faut diviser les Indiens, tout simplement. Ce n'est pas si difficile. Jouons un peuple contre un autre. Les Mahrattes contre les Radjpoutes. Les musulmans contre les hindous du Dekkan, ou du Bengale, que sais-je ? Nous avons le choix ! L'Inde est une mosaïque ; jetons épars tous les morceaux qui la forment. Nous jouons ici forte partie : notre réputation à la face de l'univers. Le monde est désormais un village, messieurs, un village dont la place publique est l'océan. De la mer Baltique aux rives du Pacifique, la route des Indes est devenue trop universelle pour que nous puissions nous permettre la moindre faiblesse au Bengale. Sinon, Mr. Botson, Mr. Spencer, fini les beaux tissus qui remplissent vos caisses ! Fini, les organdis, les guinées, les chittes, les mousselines, les mouchoirs de Mazulipatam, les gazes, les percales... Et, ajouta-t-il, en glissant un regard appuyé du côté de Botson, car il le soupçonnait du même trafic que Spencer, fini, fini les diamants vendus sous le manteau à Londres !

— Vous m'insultez, monsieur !

— Non, Botson, répondit Warren du même ton aimable. Je prétends simplement que c'est raisonner fort étrangement, de vouloir une grosse guerre aux Indes, y entendre maintenir l'*East India Company* et tolérer que se bâtissent ici des fortunes trop rapides !

— Vous m'insultez !

— Je refuse votre défense du commerce privé, ce en quoi je ne fais que suivre les décisions de notre président. »

Le ton tranquille de Warren joint aux désagréments probables d'une abstinence prolongée d'alcool portèrent à son comble l'exaspération de Botson. Il se leva d'un bond, décocha à Warren une gifle d'une violence inouïe, inégalée jusqu'alors dans les annales de l'*East India Company*.

« Messieurs ! » se mit à hurler Vantissard, dont la perruque ruisselait de sueur.

Warren se leva. Il titubait ; il dut se rattraper au dossier de sa chaise.

En face de lui, plus rouge que jamais, Botson continuait à le narguer, tirant une nouvelle prise de sa tabatière. Cette rougeur agressive rendit ses esprits à Warren :

« Nous réglerons cette affaire comme il sied à des gentlemen, dit-il d'un ton posé. Je suis de la lignée des Hastings, vous ne l'ignorez pas.

— Non, Hastings, je vous l'interdis ! cria Vantissard. Le Conseil est unanime pour condamner avec moi l'acte grossier de votre adversaire. Sortez, Botson. Et entendez-vous, Hastings, je vous interdis formellement d'y répondre. Que la réprobation du Conseil suffise à le confondre ! »

Botson s'exécuta, l'air dégagé, toujours prisant son tabac.

Warren se rassit. Faire front. Garder contenance. Il ne pensait plus à lui-même, comme c'était étrange. Il étendit ses mains devant lui, à plat sur l'acajou de la table. Elles ne tremblaient pas. Peu à peu, il retourna au monde sensible. Il se repaissait du contact de ce bois exotique, lisse, vernissé ; l'odeur des Indes, pourrissante et lourde d'épices, lui revenait doucement. Nous sommes en octobre, pensa-t-il. Là-bas, en Angleterre, ce sont les premières tempêtes, les grandes brumes, les feuilles roussies sur l'herbe verte. Il jeta un œil à l'une des fenêtres de la salle du Conseil, sans s'apercevoir des regards de pitié qui se posaient sur lui. Les stores de bambou, éternellement tirés ; et ces palmes tranquilles, éternellement vertes. Pourquoi l'Inde, qu'on disait terre de la sérénité, devenait-elle pour les Européens le champ de la passion ? Il s'en voulut. L'ordre, le calme, la raison, vaincus. Et pourtant il était de son devoir de dire ce qu'il pensait de l'Inde. La sagesse, le bon sens, la vérité... Il ressassait son idéal.

Un moment, tandis que s'alourdissait le silence, Warren fut tenté de se lever. Partir en criant, hurler : « Je rentre à Londres, je ne suis plus de la Compagnie ! » Il jugea aussitôt cette phrase d'un ridicule achevé. Un rapide calcul l'amena à penser qu'il ne pourrait guère rentrer en Angleterre avant trois à quatre ans, si du moins il voulait rapporter de quoi s'assurer quelques années de paix et doter sa sœur ; à condition, bien évidemment, de respecter les règles de probité qu'il entendait imposer aux membres de la Compagnie. Il attendrait donc. Patience. S'il n'avait pas, comme les Indiens, trente-trois millions d'existences devant lui, il possédait pour le moins une superbe santé, enviée de tous.

Ce fut dans cet instant de silence, alors que les membres du Conseil retrouvaient peu à peu le sang-froid méprisant qui leur tenait lieu de sérénité, et comme Vantissard s'apprêtait à parapher la proposition de guerre et l'interdiction de commerce privé, que Warren Hastings prit la décision qui allait bouleverser le destin de l'Inde comme celui de l'Angleterre.

Le temps venu, il rentrerait à Londres. Il attendrait son heure, tranquillement, sobrement, à sa manière ordinaire. Il ne doutait pas qu'on créât pour lui une chaire de persan, à Oxford ou ailleurs, qu'il occuperait jusqu'au jour où, la chance aidant, viendrait le temps d'agir. S'il n'obtenait pas l'enseignement du persan, qu'importe, on lui laisserait bien la philosophie ; ou même l'histoire, il en voulait bien. Et dans l'éventualité, toujours envisageable, où le sort lui refuserait de revenir aux Indes investi du pouvoir suprême, Warren Hastings était résolu à passer ce qui lui restait de vie loin du pouvoir et des livres de comptes, à méditer sur le destin des peuples en contemplant les pelouses mouillées d'un prestigieux collège.

CHAPITRE XIII

Mars-août 1763

Calcutta-Buxar

C'est au lendemain du carnaval de 1763 que le Conseil du Bengale ordonna une attaque, qui se flattait d'être définitive, contre les nababs du Nord en rébellion contre les vues anglaises.

Quelques jours plus tôt, le 10 février, la victoire de l'Angleterre sur la France avait été consacrée par la signature du traité de Paris. On ne la connaissait pas encore à Calcutta, mais les derniers courriers parvenus de Londres laissaient présager la teneur des accords : la France livrerait à sa rivale le Canada et toutes ses dépendances, le Sénégal moins l'île de Gorée, Grenade moins les Grenadines, enfin toutes ses possessions dans l'Inde, à l'exception de cinq comptoirs. La politique des isles à sucre avait prévalu sur toute autre considération ; on avait préféré les champs de canne des Antilles aux immensités de l'Hindoustan ; on avait réclamé les comptoirs pour contenter les gros marchands de Lorient, Nantes ou Bordeaux, et les élégantes toujours éprises de soies et de mousselines. Mais les diplomates de Versailles ignoraient ou feignaient d'ignorer que les comptoirs de Yanaon, Karikal et Mahé n'avaient jamais été que de vagues bâtisses échafaudées à la hâte au bord de plages ensommeillées, et que Chandernagor achevait de se décrépir sous les lianes bengalies et l'humidité qui montait du Gange. Perclus de rhumatismes, criblé de dettes, poursuivi sans relâche par les financiers de la Compagnie, Dupleix n'avait ni la force, ni le crédit qui eussent permis de le rappeler ; la mort s'approchait de lui à grands pas. Quant à Pondichéry, il était de notoriété publique que la ville autrefois splendide n'était plus qu'un champ de ruines, couvert de ronces et peuplé de serpents.

Néanmoins les Anglais se méfiaient ; à Londres comme à Calcutta, on se doutait que l'humiliation essuyée aux Indes pourrait bien réveiller un jour l'ardeur des Français, encore gouvernés par une aristocratie parfois étourdie, mais qui n'avaient pas oublié tout à fait leurs jours de panache. On craignait fort quelque retour de courage et de flamme, d'autant qu'on les savait capricieux et inattendus, comme il sied à une nation primesautière entre toutes. On redoutait par-dessus tout que les Français prissent pour cette revanche le terrain même où ils avaient connu la défaite, et les Anglais soupçonnaient fort Choiseul d'ourdir là-dessus quelque secrète machination ; l'affaire des plans volés augmentait leurs craintes : le ministre français aurait pu n'accepter le traité que dans le souci de ménager un moment les rumeurs de ses bourgeois, fatigués des guerres lointaines et des guerres tout court ; le trublion Voltaire avait en l'espèce apporté aux Anglais un secours inespéré, avec ses belles pointes sur ces Indes, « qui ne servent qu'à allumer de grandes guerres, et poudrer le nez de nos maîtresses », et autres arpents de neige du Canada. Mais le philosophe se faisait bien vieux ; le roi Louix XV, pourri de vérole, ne serait pas plus éternel. Qui sait si d'ici peu ne monterait pas sur le trône un souverain plus sensible aux choses de la mer et des colonies ? Il convenait donc d'être prudent. En ce printemps de 1763, la sagesse commandait qu'on réduisît au plus tôt les débordements intempestifs des nababs si dommageables à la prospérité du commerce anglais ; et, par voie de conséquence, à l'avenir et à la puissance de la couronne britannique.

Encore présent au Conseil du Bengale, quoi qu'il en voulût, Warren Hastings donna son assentiment à ces vues d'un air mélancolique et comme détaché. Il aurait d'ailleurs fallu être fou pour ne pas souscrire à la résolution d'attaquer les nababs. Au cours de ces deux ans, les nouvelles venues de l'intérieur de l'Inde s'étaient faites de plus en plus alarmantes. Sumroo, dont le nom semait la terreur, attirait tout ce que l'Inde comptait de soudards et de gentilshommes d'aventure. Les Anglais, de leur côté, n'avaient rallié à leur cause que de misérables hobereaux intrigants. Le nabab du Bengale, ne contenant plus sa colère de voir les vaisseaux anglais drainer ses trésors vers les terres impures sises au-delà des Eaux Noires, s'était brusquement rebellé. Sumroo, aussitôt, était accouru à ses côtés. Et un autre nabab, Souja-Doula, maître incontesté de la très riche province d'Aoudh, se lançait lui aussi dans la guerre, en se targuant même de rétablir dans sa splendeur passée le Grand Moghol, que les malheurs du temps avaient momentanément contraint à quitter Delhi, et dont le nabab abritait chez lui la splendeur déchue. Les Indiens oubliaient, pour les besoins de leur cause, que ce même Sumroo, deux ans plus tôt, n'avait pas hésité à bafouer le respect dû au Moghol en attaquant Agra, à la tête des Djattes, peuple d'une turbulence extrême. Piller le trésor des empereurs moghols, prendre le fort rouge, en saccager les palais ne lui avait pas suffi. Il se rendit au Taj Mahal, dont le magnifique mausolée de marbre blanc abritait les tombes de l'empereur Shah Jahan et de son épouse. Dépité de ne pouvoir subtiliser les innombrables pierres précieuses qui ornaient le tombeau, il en avait alors arraché les portes d'argent. La fureur guerrière et sa volonté de terroriser les populations l'emmenèrent encore plus loin : il courut aux portes de la ville, où, dans une tranquille campagne, Akbar, le plus prestigieux des empereurs, s'était fait ensevelir un siècle et demi plus tôt au cœur d'un gigantesque tombeau blanc et rouge, d'architecture gracile et grandiose à la fois. Non content d'en démanteler les minarets, Sumroo conduisit la horde de ses soldats jusqu'à la chambre funéraire, au plus profond d'un souterrain obscur. Et là, à la lueur des torches, il souleva de ses propres mains la dalle de marbre qui protégeait le corps. On ne sut jamais vraiment ce qui se passa ; les gardiens du mausolée réchappés de l'aventure ne surent que décrire les cris sauvages de Sumroo, ses rugissements de haine et de jouissance mêlées, répercutés jusqu'au ciel par une ouverture qui montait cent pieds plus haut, jusqu'au sommet du monument. De l'empereur défunt, on ne retrouva que des métacarpes écrasés et quelques vertèbres éparses. Les restes d'Akbar furent emportés par la soldatesque en fureur et dispersés dans la campagne. Le diamant Ko-hi-Noor, au grand soulagement des Anglais, avait été placé depuis longtemps en un lieu plus sûr que le pilier de marbre et d'or qui couronnait l'édifice, où des voyageurs européens l'avaient admiré cent cinquante ans plus tôt ; la disparition de la célèbre pierre n'était certainement pas étrangère à la fureur des soldats. Il était donc urgent d'intervenir, et non plus d'attendre, au nord-ouest du Bengale. Chaque mois la brute pilleuse et violeuse s'approchait de Calcutta. On résolut alors une expédition d'envergure au nord-ouest du Bengale, dans le royaume d'Aoudh, là où s'étaient réunis les deux nababs rebelles.

Et c'est ainsi qu'un matin de mars 1763, au moment où se préparaient les chaleurs de l'avant-mousson, le sergent René Madec, depuis bientôt deux ans aux ordres du capitaine Martin-Lion, et conséquemment au service de l'armée anglaise, apprit que son régiment partirait le jour même pour la frontière du Bengale, aux fins d'exterminer une vermine dite Sumroo, alias la Lune des Indes, dont le nom, décidément, ne lui était pas étranger. Le major Adams, qui commandait les troupes, les exhorta en termes extrêmement vifs, fustigeant la barbarie indienne qui menaçait la tranquillité du commerce. Et l'on s'en fut lui porter un coup fatal, d'un pas au demeurant assez peu gaillard.

Plusieurs mois, on attendit la bataille. Les Anglais gardaient le régiment de Madec pour le cas où le nabab persisterait à ne pas céder ; à ce moment-là, pensaient-ils, il faudrait, pour lui donner l'estocade, des troupes bien fraîches et bien entraînées, et l'on enverrait les Français en première ligne. Ils avaient sous-estimé le nabab du Bengale. Cassim Ali Khan s'estimait très largement supérieur aux Britanniques, et il refusa de se laisser faire. De mai à juillet, il leur fit la guerre à sa manière, leur coupant le ravitaillement, enlevant des soldats, suscitant chez les marchands d'innombrables défections. Fidèles à leur politique, les Anglais tentaient d'éviter un affrontement trop sanglant, qui aurait pu soulever des remous excessifs en Europe et de nouveaux conflits avec leurs voisins. Cependant, la guerre s'enlisait, au propre comme au figuré, puisque chacun des adversaires voulait battre l'autre à l'usure et qu'on avait décidé, d'un accord tacite, que la mousson ne saurait interrompre les hostilités.

Deux faits pourtant résolurent les Anglais à déclencher l'ultime engagement. Dans un premier assaut, où l'ennemi avait décimé entièrement le 84e régiment de la Compagnie des Indes, les officiers britanniques remarquèrent que leurs adversaires avaient chargé à la baïonnette, soutenus par des salves d'artillerie extrêmement régulières, à l'européenne, servies par des soldats blancs. Quant aux cavaliers, ce n'étaient pas les fourrageurs indisciplinés des armées indiennes. Ils chargeaient en bon ordre, obéissaient remarquablement à un chef mystérieux qui cachait son visage sous un tricorne bizarre, à mi-chemin entre le turban d'un nabab et la coiffure d'un officier français. On murmura un nom, qui vint jusqu'aux oreilles de Madec et Martin-Lion, et les fit frissonner, Madec d'ailleurs plus que son compagnon. Sumroo... Ainsi, comme prévu, il se montrait, et le jour approchait où on le verrait en face. Mais l'occasion n'était guère en faveur des Anglais : ils étaient à peine sept mille, y compris les Français ; pour leur part, les Indiens, disait-on, pouvaient aligner jusqu'à cinquante mille hommes. On hésita donc. En juillet, toutefois, une nouvelle arriva qui ne permettait plus de tergiverser. Le nabab du Bengale, persuadé par Sumroo que les frères Djagarset, dits Banquiers Mondiaux, complotaient contre lui avec les Anglais, les fit emprisonner, contre toute prudence et le plus élémentaire bon sens, puisqu'ils n'avaient cessé de défendre les intérêts de l'Inde, ne s'accordant que les petits accommodements en usage chez les hommes d'argent. Leur puissance était extraordinaire. Tout l'argent du Bengale passait entre leurs mains ; ils collectaient les impôts, battaient monnaie, fixaient le cours des roupies, étendaient leur influence jusqu'à l'Arabie et aux îles de la Sonde. Sans doute, pendant un certain temps, avaient-ils ménagé la chèvre et le chou, les nababs en même temps que les firanguis. Mais Sumroo, à qui naguère ils avaient refusé un prêt, voulut se venger d'eux, s'approprier leur fortune, et il persuada le nabab qu'ils étaient des traîtres ; c'est du moins ce que racontèrent les témoins du crime, des eunuques effarés et des soldats morts de peur, qui se sauvèrent du palais du nabab aussi vite qu'ils purent, répandant par tout le Bengale leur épouvantable récit. Sumroo, prétendaient-ils, avait attiré les banquiers à Patna, la capitale du nabab. Sitôt arrivés, on les chargea de fers. Les frères, ne doutant plus alors du sort qui les attendait, offrirent quarante millions de roupies en échange de la vie. Le nabab refusa et confia à Sumroo le soin de l'exécution. A l'annonce de leur condamnation, les banquiers, invariablement calmes, prièrent Sumroo de les exécuter selon les règles de l'honneur mahométan, avec un beau sabre bien affûté. Sumroo éclata de rire et se mit à rugir ; sans autre forme de procès, il les fit ranger contre un mur, sortit ses pistolets ; il commença à tirer ; un coup dans les jambes, un coup sur l'épaule, un autre dans les cuisses : les banquiers s'écroulèrent, tandis que Sumroo riait de plus belle... Le supplice dura une bonne heure. Tantôt, racontaient les transfuges, Sumroo s'approchait des banquiers, qui le suppliaient de les achever. Il posait alors son pistolet sur leur tempe, puis au dernier moment l'enlevait dans un grand rire, et ses rugissements de plaisir résonnaient à nouveau. On interrogea scrupuleusement les Indiens qui s'étaient sauvés. Même sous la torture, ils furent incapables de dire à quoi il ressemblait ni le pays dont il venait. Tout ce qu'on put savoir fut qu'il était pareil aux effigies grimaçantes de la déesse Kali.

Ces bruits, comme tous les autres, parvinrent aux oreilles de Madec. Il ne laissait pas d'en être troublé. D'un jour à l'autre, le major du régiment l'avait annoncé, on allait partir affronter le monstre. Et, quoiqu'il fût presque certain que cette bataille se transformât en boucherie, il attendait le feu comme une délivrance. Demain, après-demain, la mort, songeait-il, et il souhaitait qu'elle fût rapide, éblouissante, glorieuse. Il était prêt pour cela à se jeter seul sur Sumroo, il en oubliait son serment de déserter, Godh elle-même s'évanouissait dans son impatience du sang. On était au plus fort de la saison des pluies, et Madec ruminait une fois de plus ces rêves informels quand le major Adams, qui commandait son régiment, entra soudain dans la tente où il jouait aux cartes avec Martin-Lion.

« Je vous cherchais partout, capitaine Martin ! Réunissez vos hommes ! Cette fois-ci, c'est décidé. Tout le monde part au combat. Tout le monde, entendez-vous ? Les cuisiniers, les palefreniers, les soldats français ! Distribuez les réserves d'armes et de munitions. Nous attaquerons à midi.

— Que s'est-il passé ? »

En quelques phrases brèves, le major Adams exposa l'horrible nouvelle. Sumroo avait fait prisonniers deux cent cinquante Anglais, dont quarante officiers, qu'il avait réunis dans la capitale du nabab, à Patna. Cassim Ali Khan, mis en appétit par le massacre des banquiers, estima qu'il n'avait pas eu son content de sang ; il réclama donc la mort des

Anglais. Sumroo hésita, songeant sans doute à la rançon qu'il ne pouvait manquer d'en tirer. Mais le nabab se mit en colère, menaça de confier l'exécution à un autre soldat et lui promit enfin de lui faire couper la tête s'il n'obéissait pas promptement. Sumroo se dirigea alors vers le patio entouré de terrasses où soupaient les soldats anglais.

« Je suis certain qu'il s'agit d'un Européen, dit le major Adams. Il faut nous méfier. Il connaît tout de nos usages et de nos nations. Du haut des terrasses, il a interpellé les soldats en une langue "semblable à la vôtre", m'ont dit les Indiens qui nous ont apporté la nouvelle. Les prisonniers ont cru qu'il voulait les sauver : il avait crié que les Français, Italiens, Allemands ou Portugais de la troupe devaient sortir du groupe. D'un seul élan, ils ont répondu qu'ils étaient tous anglais. Aussitôt, Sumroo a fait tirer sur eux. Ils s'armèrent de chaises, de tables, de bouteilles, de plats pour se défendre, mais ils ont été tués jusqu'au dernier, et on a expédié à la baïonnette ceux qui n'ont été que blessés. Allons ! Il faut nous battre maintenant contre ce barbare, et le temps presse ! »

En dépit de tous les usages de l'armée, Madec intervint :

« A quoi ressemble donc cet homme ? »

Le major Adams et Martin-Lion, interloqués, le dévisagèrent.

« A quoi ressemble Sumroo ? » répéta Madec.

Il était calme, et, chose rare, il n'y avait pas dans son anglais la moindre trace d'insolence.

« Vous êtes bien curieux pour un ancien prisonnier français ! Dois-je vous répondre ? En principe non, mais comme vous partez vous battre, je vous le dirai si cela doit vous donner du cœur au ventre. On le dit bel homme au poil brun comme les indigènes, mais le teint un peu plus clair. Pendant la bataille, il porte, sur un habit à l'indienne, un tricorne, à notre manière. Cependant, aucun des nôtres n'a encore réussi à distinguer ses traits, car son tricorne est toujours baissé sur ses yeux. Il dirige les opérations de loin, toujours attentif à l'artillerie, qu'il soigne particulièrement, et ne s'approche de ses ennemis que lorsqu'il a gagné, pour achever les blessés agonisant sur le champ de bataille. »

Le major Adams s'interrompit soudain et ricana :

« Cela vous suffit-il, sergent Madec ? Ne pâlissez donc pas ainsi. Je vous mettrai à la première ligne pour que vous ne perdiez rien du spectacle. Et ouvrez aussi grand vos oreilles, car le rire de Sumroo éclate entre chaque salve de canons, et il est devenu célèbre par toute l'Inde ! »

Puis il se tourna vers Martin-Lion :

« Rendez-vous dans une heure. »

Les deux hommes saluèrent. Martin-Lion leva les yeux vers Madec. Il était pâle, en effet.

La bataille eut lieu l'après-midi même, sur un grand plateau de terre rouge, bordé de rizières verdoyantes, qu'on appelait Buxar. De ce combat fulgurant, qui assura définitivement aux Anglais la possession du Bengale, et dans lequel Madec se révéla à lui-même ses qualités de chef, il ne devait garder qu'un souvenir un peu flou, dû sans doute à la rapidité de l'assaut. Tout ce dont il demeura sûr, ce fut du début : il avait volé un cheval. Au moment de partir affronter le monstre — puisqu'il avait décidé que Sumroo était tel, semblable en cela à ceux de ses vieux contes —, il avait jugé que seul un destrier convenait pour donner à l'affaire le panache qu'elle méritait. Du même coup, il n'hésita pas à braver le major Adams. Ce ne fut pas très difficile. Depuis qu'on avait pris la décision d'attaquer, le régiment battait de l'aile. Les cuisiniers et les gens de service répugnaient à partir au feu, et les réquisitions un peu brutales du major avaient suscité quelques incidents. Les cipayes, de leur côté, ne brûlaient pas d'une ardeur extrêmement guerrière à l'idée de devoir affronter Sumroo qui avait si bien réussi à terroriser les siens. Il y eut quelques rixes, des suicides hâtifs, un commencement d'agitation ; au signal du départ, Madec se présenta sur son cheval avec une expression très insolente, dont il supposait qu'elle lui vaudrait une mort immédiate, ou la plus parfaite apathie : ce fut l'indifférence qui prévalut. Il était plus que temps de donner l'assaut : chez un major anglais, le pragmatisme l'emportait toujours sur le sens de la hiérarchie militaire. L'enjeu de la bataille était la possession du Bengale : on n'allait pas perdre temps et poudre pour un misérable sergent français qui, du reste, allait offrir en première ligne le rempart de sa jeune poitrine. Donc le major Adams ne sourcilla pas et cria « A l'attaque ! » de la voix aigre et sèche qu'on lui connaissait. Aussitôt, Madec éperonna sa bête. La terre lui colla aux sabots. Il eut le temps de voir l'armée ennemie qui attendait en face, bannières déployées, forêt de lances, éléphants de combat harnachés d'or. Elle était rangée près d'un temple, ce qui accentuait son caractère exotique. Du coup, Madec se demanda s'il était à la guerre. La première salve de canon dissipa ses doutes. Droit devant lui, une foule de Blancs chargeait à la baïonnette. Désarçonnés par cette avance, submergés par le nombre, les Anglais se mirent à reculer. Déjà la ligne était rompue, déjà des hommes armés de lances, une énorme foule enturbannée et hurlante, surgissaient derrière les baïonnettes. Les canons anglais s'évertuèrent à leur tour, mais à salves plus espacées. Des artilleurs s'enfuirent ; trois éléphants ennemis s'approchèrent, prêts à enlever les pièces abandonnées.

Madec, passif jusque-là, sentit alors se lever le vieux « Non ! » de ses révoltes d'antan. Non ! Pas la défaite. Il oublia l'Angleterre, l'uniforme rouge, il ne chercha même pas à savoir qui étaient ces hommes blancs occupés à charger à l'européenne. Il ne pensait plus qu'à Sumroo, la bête, le monstre assoiffé de sang dont on lui avait raconté les exploits macabres, et pour lequel il avait volé ce fier cheval. Sumroo... Aux syllabes rauques du nom de l'adversaire, la haine le soulevait. Une folie meurtrière, une trouble vengeance, une fureur atroce, la même que celle qui rugissait dans le nom de *Sumroo*. On hurlait de tous côtés, on fuyait, la débandade commençait, et Madec seul avançait. Le rire d'épouvante du monstre n'allait pas tarder. Un instant, les canons se turent. Madec en profita pour hurler à son tour.

Des cris, pour rassembler. Puis des ordres. Dix, vingt cavaliers se regroupèrent autour de lui. Puis d'autres, par dizaines, et il cria encore, des mots anglais et français dont par la suite il ne se souvint plus. Tout ce qu'il retint, c'est qu'une heure plus tard la ligne était rétablie, au long d'un champ de coton, loin de la boue des rizières. On biaisa ; on encercla l'artillerie de Sumroo, on la chargea : monceaux de cadavres blancs, déchiquetés par les boulets ou transpercés de baïonnettes. Emporté dans son élan, Madec ne voyait rien, que sa tactique. Dans son excès de violence, il restait indifférent aux morts qui s'accumulaient de part et d'autre ; et cette ardeur même, des mois plus tard, l'empêcha de reconstituer un souvenir cohérent et ininterrompu. Une seule image surpassa les autres, et il en garda une mémoire tenace : le moment où l'artillerie tomba entre ses mains. Les salves anglaises venaient de reprendre. Les fantassins ennemis s'enfuyaient tous. Deux éléphants de guerre abandonnés par leur cornac s'étaient mis à errer sur le champ de bataille, leurs brocarts souillés de sang et d'entrailles déchirées. La victoire avait changé de camp. Encore deux ou trois échauffourées contre le groupe de cavaliers qui s'obstinaient à résister, et le combat serait clos.

A la tête des Anglais, Madec se rua sur cette poignée d'hommes. A son fusil de sergent, il avait joint un sabre de bel acier britannique arraché à l'un des premiers officiers tombés dans la bataille. La lame étincelait, et derrière elle celles des autres cavaliers, d'un même irrésistible éclat. C'est alors qu'il vit le tricorne. Un tricorne noir, bordé d'or et de velours, avec un diamant fixé en son milieu, comme l'œil magique sur le turban des rajahs. L'homme s'obstinait à baisser la tête ; on soupçonnait cependant le regard, un regard buté, masqué, sinistre. Madec s'avançait toujours, sabre au clair.

Cet homme ! Il le lui fallait. Il n'était plus qu'à une dizaine de pieds. Un dernier élan de son cheval, et il le tenait à merci. A ce moment lèverait-il les yeux pour recevoir la mort, l'homme au tricorne noir, dont Madec se refusait encore à prononcer le nom ?

Alors se leva le rire. Un rire rauque et puissant, un rire profond, gigantesque et pourtant ironique. D'une étreinte des genoux, l'homme avait dérobé son cheval à l'assaut de Madec. Il piqua des deux, partit sur le côté. Et le rire continua. Madec entama une poursuite ; son cheval était plus vif que celui de son adversaire, il eut tôt fait de le rejoindre.

Dans la pagode, une divinité bleue dansait contre des murs blancs. Le cheval noir de l'ennemi, un moment arrêté dans sa course contre les murs du temple, trébucha sur des cadavres ; Madec, une deuxième fois, leva son sabre. L'autre ne riait plus. Madec n'entendait que son souffle ; il paraissait plus écumant que les naseaux de sa monture. Le cheval trébucha encore, puis se reprit. En un éclair, il échappa au coup de Madec. L'épée, cependant, avait effleuré le tricorne, et le chapeau était tombé à terre, dérisoire, sur le corps déjà gris d'un jeune cipaye percé de coups. Le temps pour Madec de suivre la chute du tricorne, Sumroo avait disparu au grand galop dans les rizières. Il chercha du regard les autres cavaliers. Eux aussi s'enfuyaient. La bataille était gagnée. L'Angleterre tenait le Bengale. Il descendit de cheval et ramassa le couvre-chef.

Le soir venu, le major l'interrogea. Il ne répondit rien, tournant et retournant sans cesse ce tricorne dans ses mains d'où le diamant avait disparu, sans doute enfoui dans la boue du champ de bataille. Le major Adams se résigna à ce silence. Il fit donner à

Madec double ration d'arak, pour le remercier d'avoir si bien suppléé à sa propre incompétence. Madec la but sans se faire prier. Tandis que la chaleur sucrée de l'alcool commençait à l'engourdir, un souvenir ancien remontait en lui, celui d'une maison blanche au jardin couvert de palmes, avec une petite cave noire au bas d'un couloir. Puis un regard terrible, des yeux de jais, et des sourcils arqués jusqu'au paroxysme, dans un rictus à mourir d'effroi. Cet homme-là, il n'y en avait qu'un seul au monde. Sumroo, ou la terreur faite homme. Tout s'expliquait : le pillage du Taj Mahal, l'assassinat des Banquiers Mondiaux, la torture des otages anglais, le rire, le goût du sang. Sumroo... Sombre !

*
* *

Quarante-huit heures durant, Madec essaya de réunir les quelques souvenirs indistincts qui lui restaient de Pondichéry. Tout demeurait flou ; il finit par renoncer. Son esprit se porta alors vers des préoccupations plus matérielles ; il fit une grande toilette, nettoya son uniforme et s'en fut d'un pas guilleret réclamer au major Adams le montant de sa solde, impayée depuis vingt-deux mois.

On la lui refusa avec une arrogance qui acheva de l'irriter. Aux yeux de ses compagnons, qu'ils fussent anglais ou français, Madec était devenu une espèce de héros, chasseur de barbares et dompteur de monstres. Le major Adams ne l'entendait pas de cette oreille ; il était résolu à ce que ce jeune sergent ambitieux rentrât au plus vite dans le rang. Il distingua cependant que ce ne serait pas tâche aisée, car sa recrue française joignait à la popularité une redoutable effronterie ; il prévoyait le pire.

Madec revint le voir, et le major lui opposa le même refus, nuancé cependant d'un léger sourire. Il venait en effet d'envoyer son rapport au Conseil du Bengale, en s'octroyant l'entière responsabilité de la victoire de

Buxar ; qui croirait jamais les assertions d'un petit soldat français ? Il faillit un moment ordonner qu'on le déchiquetât à la gueule des canons, comme l'autorisaient en cas d'impertinence les usages de l'armée des Indes. Il n'en fit rien. Il valait mieux se débarrasser du sergent Madec avec discrétion. Maintenant que tout danger était écarté, Sumroo défait, le nabab en fuite, et le Bengale définitivement assuré aux Anglais, la frontière de l'ordre, de la raison, du monde civilisé était portée jusqu'ici, à Buxar. Au-delà, hélas ! c'était encore l'Inde, et son gigantesque estomac toujours prêt à annihiler dans sa barbarie croupissante la plus ardente énergie venue d'Europe. Pour perdre Madec, il suffisait donc de l'y jeter. Aussi le major Adams ne put-il s'empêcher de sourire, tant il était satisfait, quand Madec, ulcéré par son refus, lui déclara d'un ton fort impudent :

« Point de solde, point de soldats, major Adams ! »

Et le lendemain, lorsqu'il entendit battre la générale et claquer sur la terre des galops de chevaux, il ne sauta pas de son matelas, comme c'était son devoir. Deux cent cinquante Français de moins, qu'importe puisqu'il tenait le Bengale ? Il se surprit même à ricaner derrière les toiles de sa tente quand il entendit les ordres de Madec :

« Amenez les canons !

— Il n'y a plus de bœufs ! répondirent les soldats.

— Cochons d'Anglais ! Ils les ont cachés. Eh bien, qu'on mène l'artillerie à la bricole ! »

Et le major Adams, de plus en plus réjoui, sortit de sa tente pour contempler le spectacle des soldats français attelés quatre par quatre aux canons et ahanant à les tirer par les chemins du camp. Il fut un peu moins gai quand il s'aperçut que certains de ses hommes, convaincus par l'ardeur du sergent Madec, avaient consenti à le suivre. Il dépêcha alors quelques officiers auprès des mutins, munis de sacs d'argent et de belles paroles. Suppliant et joignant les mains, ils obtinrent quelques défections chez leurs compatriotes ; les Français, fidèles à leur serment, continuaient, sourds à tous les discours. Enfin Madec, las de cette compagnie et pris d'envie d'en découdre, ordonna de battre « Aux Champs ». Cette résolution mit aussitôt les Anglais en fuite, et ils se vengèrent en exterminant ceux des leurs que les sacs d'argent avaient persuadés de revenir au camp.

A deux lieues de Buxar, se voyant libre, Madec fit halte. La marche vers l'Inde, ou plutôt ce qui restait d'elle, allait reprendre ; il fallait un chef. Conformément à l'usage en vigueur chez les aventuriers, on devait le choisir d'une commune voix, après quoi on serait tenu de lui obéir comme à un général. A l'unanimité, Madec fut désigné.

Martin-Lion n'était pas venu, le sentiment qu'éprouva Madec, dès qu'il retrouva la liberté, ne fut donc pas aussi heureux qu'il l'avait souhaité. Ce n'était pas vraiment une surprise ; au fil des mois, Martin-Lion s'était peu à peu accoutumé aux manières britanniques. Quelques heures plus tôt, dans la complicité d'une dernière veille, lorsque Madec s'ouvrit à lui de son projet, Martin-Lion s'était rembruni :

« Après une si belle victoire, on ne se révolte pas pour une solde impayée. D'ici peu, les Anglais te donneront tout ce que tu veux, grade, honneur, richesse ! Sois patient... Attends que nous ayons levé le camp, que nous soyons rentrés à Calcutta.

— Les Anglais n'ont que faire de moi. Pour eux, c'est le major Adams qui a remporté la bataille. Et le Bengale est entre leurs mains, par ma faute.

— Ta faute ! Mais tu n'avais pas le choix !

— J'ai un serment, Martin-Lion. Le temps est venu de l'honorer. Nous avons rempli notre dette à l'égard des Anglais. Désormais, ils sont devenus nos ennemis.

— Es-tu fou ? Il est temps de cesser les batailles ! L'Inde est en train de devenir anglaise, et l'Angleterre lui apporte la paix. La paix, oui, et la prospérité !

— Tu es des leurs, Martin-Lion, depuis longtemps des leurs. »

Il n'y eut pas un mot de plus, pas une bourrade, pas un adieu. A la lumière mourante du feu de camp, Madec vit pourtant s'affaisser les épaules de son compagnon ; il remarqua alors que le géant triomphant rencontré naguère dans les montagnes du Dekkan s'était voûté, amaigri ; sa vitalité éclatante commençait à se ternir. Il n'y avait plus un mot à dire en effet, puisque désormais Martin-Lion songeait à d'autres combats que ceux des armes. Banquier, administrateur prospère de cette terre inépuisable, voilà sans doute ce à quoi il rêvait maintenant que les Anglais tenaient le nord de l'Inde. Comment lui en vouloir ? Madec jeta un seau d'eau sur le feu, puis il rentra dans sa tente, pour sa dernière nuit sous la bannière anglaise.

Maintenant, il était libre. Libre, et seul. Du haut de son cheval, il contempla la plaine. Dans le soleil levant, l'Inde déroulait peu à peu ses palmes, ses rizières, ses champs gras de plantes précieuses, enfin le cours d'un fleuve. On décida de le suivre, ou plutôt Madec le décida : il était le chef. Il rentrait en aventure, investi du pouvoir suprême. Mais seul. Jamais ne reviendraient les jours magiques de la marche sur Godh, les quatre chefs égaux, les palabres sous les banians. Et Godh, reviendrait-elle ? Il le voyait maintenant, le cours de son existence s'était noué là-bas ; et, mieux que ne l'eussent fait des mémoires griffonnés au hasard des chemins, elle marquait tout dans sa vie, *avant* et *après*.

Autour de Madec, les soldats s'impatientaient ; des chevaux piaffèrent ; les hommes, un peu hagards, fixaient la plaine d'un air désorienté. Seul face à l'Inde. Ce n'était pas le plus lourd à porter. Savait-il seulement ce qu'il venait y chercher ? La survie, sans doute, mais à quoi ? A lui-même, à la défaite de la France, à l'amour ? Plus que jamais, il tournait le dos à l'Europe. Pour la paix de son âme, il choisissait le domaine des jungles, des guerres cruelles, des dieux meurtriers, contre la conquête blanche qui se voulait tranquille, ordonnée et prospère. Marcher, galoper, la tête un peu grise ; et vers quel mystère originel, vers quel cœur secret des choses ? Il n'aurait pu le dire ; c'était folie, et pourtant il fallait y courir.

« Où partons-nous ? cria un soldat.

— Marches forcées jusqu'à la première ville ! jeta Madec d'un air étourdi. Plein ouest ! »

Il avait dit ouest non au hasard, mais parce qu'il savait qu'en cette partie inconnue de lui demeurait l'Inde inaltérée. Et Godh aussi, rose et calme, à ses marches.

Il éperonna son cheval :

« Qui m'aime me suive ! »

La petite armée se mit en route. Le lendemain, elle atteignit une ville étrange, funèbre et sacrée, peuplée de yogis et d'astrologues squelettiques. Elle résonnait des syllabes de mots divins, et ses rues n'étaient que longues venelles aboutissant toutes à de grands escaliers dont les marches se mouraient dans une immense rivière : Madec reconnut le fleuve sans difficulté ; c'était le Gange, à nouveau. Quant à cette cité béate et lépreuse, que la troupe découvrit à l'aurore, flamboyante du soleil levant et des premiers bûchers funéraires, elle ne pouvait être que la cité de Shiva, Varanasi la toute-sainte ou, pour employer les syllabes impures qu'avait inventées l'Europe, l'antique Bénarès.

CHAPITRE XIV

Octobre 1763

Bénarès
Mois d'Asvina, année 4864
de l'ère de Kaliyuga

Le rajah de Bénarès était un petit homme sec, ce qui le distinguait de tous les puissants de l'Inde. Il vivait sur la rive gauche du fleuve dans un vieux palais un peu biscornu, et ne quittait guère ses appartements privés depuis que la malédiction anglaise dévastait le Bengale. Il fallait donc une occasion extraordinaire pour qu'il consentît à se rendre en son Diwan-i-Am. Fait encore plus inouï, et sur lequel ses ministres se perdirent en conjectures affolées, c'était le rajah lui-même qui avait décidé l'entrevue dès l'instant où il avait appris que des firanguis franchissaient les portes de la cité sainte. Madec s'était arrêté au seuil d'un temple, admirant les contorsions savantes d'un yogi en voie d'illumination, quand les gardes du rajah vinrent lui intimer l'ordre de se rendre au palais. Il sursauta violemment, car il n'avait pas entendu depuis longtemps le langage officiel et poli des dignitaires ; il y reconnut aussitôt une invite qu'il était vain de vouloir décliner. Il crut encore se retrouver à Godh, lorsqu'il traversa les innombrables cours du palais où ruminaient d'impavides éléphants, puis des couloirs et des galeries non moins innombrables, enfin les enfilades de salles qui précédaient le Diwan-i-Am.

Le rajah l'attendait, assis sur une pile de coussins dorés, devant une foule de courtisans et une armée de domestiques balançant des palmes. Pourtant, il n'y avait dans son attitude aucune trace d'alanguissement ; il se tenait très droit, comme absorbé dans ses pensées, ce qui ne laissa pas d'étonner Madec, qui lui trouva une certaine parenté d'allure avec les quelques fakirs observés dans les rues. Le rajah abrégea les salamalecs d'usage, repoussa le narguilé que lui tendait un serviteur obséquieux et lâcha comme à l'improviste :

« D'où viens-tu, firangui ? »

Il parlait d'une voix sourde et ne cessait de triturer entre ses doigts un objet étrange ; d'abord, Madec n'y prêta guère d'attention. C'était une espèce de tigre en bois peint, penché sur sa proie qu'il dévorait avidement. Il crut d'abord qu'il s'agissait d'une quelconque figurine de dieu, pareille à celles dont les hindous s'entouraient volontiers ; mais, à y regarder de plus près, il découvrit que la proie portait tricorne, veste rouge et culotte bleue, l'uniforme même sous lequel il avait servi chez les Anglais, et qu'il n'avait pas encore jugé bon d'abandonner. Il crut comprendre alors les raisons de cette convocation soudaine au palais du rajah et ne douta pas, à voir l'ardeur du tigre à saisir la chair européenne, que sa fin pût être meilleure.

« Tu ne réponds pas, firangui ? Mes gardes m'ont pourtant dit que tu entends parfaitement notre langue. Tu n'es pas neuf en ce pays. Qui es-tu ? Où vas-tu ? »

Madec rassembla péniblement ses vieux souvenirs d'hindi de cour :

« Très honoré rajah, sache que je ne suis pas de tes ennemis !

— Tu portes leurs vêtements !

— Nous fuyons les hommes à veste rouge, rajah. Nous ne sommes pas des leurs.

— Les fuir, quand ils viennent de prendre le Bengale ? » Le rajah s'était mis à sourire et caressait doucement le dos du tigre.

« Nous avons été enrôlés de force dans leur armée, très honoré rajah. Nous avions fait le serment de déserter à la première occasion. Cette occasion s'est présentée il y a deux jours, à Buxar.

— Es-tu bien sûr de dire vrai, firangui ? Car je les connais, les mensonges des hommes venus des Eaux Noires ! Toujours vous vous faites petits devant nous pour mieux nous tromper, “vends-moi du poivre, vends-moi de la soie, je ne suis devant toi qu'un minuscule grain de sable, je ne viens ici que faire du commerce et je touche la terre de mon front”... Et maintenant ces marchands soi-disant pacifiques s'emparent de nos terres !

— Je te dis vrai, rajah !

— Hmmm... hmm... » murmura le prince. Il se perdit encore un moment dans ses pensées, puis il déclara, d'un air brusquement tendre :

« Comment ne pas te croire ? Tu es entré dans la cité sainte avec l'innocence des enfants. »

Il pinça ses lèvres émaciées et ajouta, sans vouloir dissimuler son ironie :

« Et d'ailleurs, tu n'es peut-être qu'un enfant. »

Madec rougit.

« Maintenant, dis-moi où tu vas.

— Je vais vers l'ouest. »

Le rajah déposa le tigre de bois sur un coussin.

« Et que vas-tu donc chercher dans l'Ouest ?

— Je connais un peu ce pays. Je veux offrir mes services et mes hommes à des princes indiens. »

Le rajah sourit à nouveau :

« Nos terres de l'Est ne te plaisent-elles donc pas ? Ignores-tu que Bénarès est la ville la plus sacrée de l'Inde ? D'ordinaire, les hommes ne souhaitent d'autre terme à leur voyage que les rives de la cité de Shiva ! Vous êtes donc bien étranges, vous autres barbares, à errer sans but par les routes du monde ! Hmmm... »

Sa voix s'assourdit encore, et les muscles de ses mâchoires se crispèrent :

« Mais je suppose que tu as un but ? »

Madec se tut.

« L'argent ? »

Les serviteurs agitaient leurs palmes avec la même indifférence ; le silence devenait insupportable.

« Vous autres firanguis, vous allez de rajah en nabab, de nabab en rajah comme les *sadhu* vont de temple en temple ! »

Il se tourna vers le balcon du Diwan-i-Am, désigna le fleuve qu'on apercevait en contrebas derrière la fenêtre ouvragée :

« Les *sadhu* s'en viennent un jour mourir à Bénarès, délivrés du fardeau de leur vie, et leurs cendres purifiées se perdent dans les eaux de Ganga. Vous autres firanguis, vous allez par les chemins, sans but que de vous vendre au plus offrant !

— Qu'en sais-tu, rajah, si je suis à vendre ? repartit Madec. C'est toi qui m'as fait mander. Que me veux-tu ? »

Le rajah plissa les yeux, parut un moment s'endormir :

« Tu es pressé, comme les autres.

— Les autres ? »

Le rajah rouvrit les yeux, brusquement vif et tendu :

« Vers l'ouest, tu veux aller vers l'ouest... Tu ne pourras pas, jeune firangui ! Tu n'as pas d'argent, trop peu d'hommes.

— Je sais me battre !

— Tu es un beau guerrier, je le reconnais. Fort et bien fait. Tu aimes les armes. Tu cherches la gloire, peut-être. L'Inde n'est pas un pays pour la gloire !

— Peu m'importe !

— On ne se bat pas contre la famine. La mousson n'a pas été très bonne, cette année. Le riz manque, les bêtes meurent, les bandits infestent les routes. Seul un homme riche, doté d'une armée puissante, peut traverser les provinces qui mènent à l'ouest. Le Radjpoutana, n'est-ce pas, c'est bien là que tu veux aller ?

— Peut-être », dit Madec d'une voix blanche.

En lui grandissait, obsédante, l'impression d'être en conversation avec le diable : cet homme devinait tout.

« Hmm... hmm... » continuait-il à marmonner. Son regard pétillait et il s'était brusquement détendu.

« Tu es pressé, très pressé, comme tous les firanguis. Trop de désir, trop de passion en toi. Bien. Maintenant, parlons net. »

Madec n'osait s'éponger le front, de peur de montrer à ce vieillard démoniaque que l'entretien l'épuisait ; ses oscillations perpétuelles, de méditations solitaires en attaques soudaines, l'avaient exténué. Encore une fois, le rajah pénétra ses pensées :

« Assieds-toi. Prends ce coussin. »

Derrière lui, Madec sentit frémir la foule des courtisans. A l'évidence, ils ne s'attendaient pas à ce que l'étranger reçût aussi vite de tels signes de faveur.

« Firangui, l'Inde est malade, bien malade, je ne te l'apprends pas. »

Le rajah parlait maintenant à voix basse, et très vite, comme s'il avait souhaité que ses ministres et les courtisans ne pussent saisir le moindre mot.

« Je suis rajah de Bénarès, mais je ne crains rien pour ma ville, la plus sainte qui soit au monde. Ici commence et finit toute sagesse. Pas un puissant du monde qui n'ait voulu Bénarès, et pas un qui l'ait possédée ! Les Tartares, les Arabes ont bousculé nos temples, mutilé nos divinités, et Bénarès est toujours là. Qui pourrait détourner le cours sacré des choses ? Regarde, firangui, elle pèse, cette ville... »

Il désigna le balcon. En contrebas, on voyait la foule se presser sur les escaliers et se baigner dans le fleuve, arrondi le long de la ville comme un croissant de lune ; dans l'air du matin s'élevait la fumée brune des bûchers. Par bouffées, selon les caprices du vent, l'odeur âcre de la chair roussie montait jusqu'au Diwan-i-Am.

« Elle pèse ! reprenait le rajah. Sache-le, firangui, quand Brahma créa le monde, le ciel, sa partie la plus légère, monta. Bénarès était la plus lourde et vint ici, sur Terre. Elle pèse... Je n'ai donc rien à craindre des Anglais. Ma ville, depuis la nuit des temps, tisse les plus beaux brocarts de l'univers, et de toute éternité elle les a vendus jusqu'aux confins du globe. Quant à moi, je n'attends plus rien de cette vie passagère.

— Alors, pourquoi veux-tu me retenir, moi qui suis passager ? Je veux aller à l'ouest, et j'irai ! Tu ne m'empêcheras pas !

— Jeune, jeune impatient ! Tu l'auras, le bonheur d'illusion que tu cherches ! *Maya, maya,* car tout ici-bas est *maya.* Mais prends ton temps...

— Mon temps m'est compté, rétorqua Madec ; mes hommes ont faim et soif. Depuis des mois ils peinent chez l'Anglais, sans recevoir de solde. Il faut que nous trouvions à nous employer. Je connais des hommes, dans l'Ouest, qui nous prendront à leur service.

— Je te répète que tu ne pourras franchir les provinces qui mènent à l'ouest. Et nous avons besoin de toi ici. »

Madec prit un air étonné :

« Je croyais que tu étais indifférent aux choses de ce monde, très honoré rajah !

— Certes. Tout est éphémère ici-bas ; ainsi que les brins d'herbe et les insectes, les empires naissent et disparaissent sans laisser de traces. Mais je ne veux pas voir les hommes à veste rouge souiller les flots de la très sainte Ganga. *Ganga maj ki jai !* Gloire à la mère Gange ! Je suis prêt pour cela à m'allier aux nababs musulmans bien qu'ils n'adorent qu'un seul dieu dans leurs temples nus.

— Les nababs ont Sumroo pour les défendre ! »

Le rajah plissa à nouveau les yeux :

« Tiens, jeune firangui, tu connais donc Sumroo, toi aussi ? Comme la gloire est vaine...

— Pas si vaine, puisque son nom est venu jusqu'à Calcutta !

— Si, firangui, la gloire est vaine ! Sumroo a été défait par les Anglais, et il est en fuite, l'homme qui depuis dix ans faisait trembler l'Inde ! En fuite, l'homme qui pillait les tombes, massacrait les banquiers ! Il n'a pu supporter la défaite, il a réuni ses hommes, ses trésors et ses femmes, et il est parti.

— Parti ? Mais où ? »

Le rajah se mit à rire, d'un ricanement aussi sec que toute sa personne :

« L'éléphant cherche la rivière quand il a soif, firangui. L'homme avide s'en va là où se trouvent les fleuves d'or et d'argent. Sumroo est reparti vers l'ouest. Et il passera, lui, les plaines vides de grain, car il est riche et fort. Toi, tu dois attendre. Dharma ! Alors tu vas m'aider ! »

Madec, abasourdi, ne répondait rien.

«... Quelques mois seulement, le temps que vienne la prochaine mousson. Les temps sont troublés, les impôts ne rentrent pas. Tu vas m'aider à les récolter. Tu en garderas une part pour toi. Les nababs t'en sauront gré. Ce sont mes amis malgré leur religion impure. L'un d'entre eux est riche. Il abrite chez lui le Moghol. C'est pour toi une occasion inespérée : réfléchis ; tout ce que tu nous aides à recueillir auprès de nos paysans, c'est autant que ne prendront pas tes ennemis les Anglais. Et tu en recevras ta part, pour te construire une petite armée et t'en aller chercher dans l'Ouest ton bonheur d'illusion.

— Je ne cherche pas un bonheur d'illusion, soupira Madec.

— Tu cherches trop à flatter tes désirs pour n'être pas victime de la *maya,* firangui, comme tous tes semblables. Si j'étais vraiment un sage, je chercherais à t'en guérir, mais tel n'est pas mon rôle, puisque je suis rajah ; je dois d'abord penser à mon peuple. Et puis on ne retient pas un homme en proie au désir ! Mais n'oublie pas que les grands rois ont tous disparu, que les océans s'assèchent, que l'Etoile polaire se déplace, que les dieux même abandonnent leurs anciennes demeures. Regarde, sous ces balcons, les bûchers qui s'élèvent sur la sombre plate-forme de Yama, le dieu des morts, regarde les crânes qui éclatent entre les flammes. »

Il s'interrompit un instant, pressa la main de Madec :

« Mais enfin, tu vas me récolter les impôts, n'est-ce pas ? Je te confie mon jaghir, et j'écris à mon voisin, le nabab Souja-Doula, pour qu'il en fasse de même. Allons, réponds !

— Me laisseras-tu libre à la prochaine mousson ?

— Firangui ! Ah ! Tu es bien un barbare ! Les yeux toujours rivés sur le futur !

— Je veux un gage de liberté !

— Eh bien, je te le donne ; c'est un firangui, comme toi, rompu à l'Inde depuis des années. Un homme de mon âge, un sage, un saint homme de ton pays. Que veux-tu de mieux ? Lui saura te parler, te conseiller. Le croiras-tu, lui, l'homme à la robe noire ?

— Un prêtre ?

— Oui, firangui ! Lui aussi il veut partir vers l'ouest. Vos intérêts sont les mêmes. Dès que tu auras l'argent et les hommes pour t'en aller, tu l'escorteras. Alors, maintenant, me fais-tu confiance ?

— Je veux voir le prêtre.

— Tu le verras. Ce soir même. »

Alors, à la grande stupeur de ses ministres, le rajah de Bénarès se pencha vers Madec, lui glissa quelques mots à l'oreille. Puis il se tourna vers l'assistance médusée et clama d'une voix fort réjouie :

« Nous avons fait affaire ! Apportez des sorbets, des *lassi*, des fruits, des narguilés ! »

Il se pencha vers son hôte :

« Quel est ton nom, jeune firangui ?

— Je me nomme Madec ! » répondit-il haut et clair, mais il avait la mine un peu inquiète.

*

* *

On avait reconduit Madec aux escaliers de pierre, aux *ghats*, comme disaient les Indiens ; ses compagnons l'avaient rejoint ; puis on avait passé le fleuve, sur des barcasses à demi vermoulues, afin d'établir le campement sous un bois de manguiers de la rive droite, à l'endroit assigné par le rajah. La journée fut tranquille. Madec distribua aux soldats les trois cent cinquante roupies qu'ils avait glanées sur les cadavres lors de la bataille de Buxar, et il prit plaisir à voir « ses » hommes, car enfin ils étaient les siens, se régaler de fruits frais et de chevreau grillé au lieu du sempiternel cari des armées. Sur l'autre rive, avec midi, commençaient à vaciller les flammes des bûchers ; néanmoins la foule, inlassable, continuait à descendre les *ghats* pour le bain rituel. Enfin le soleil baissa. C'était l'heure. Les volutes du crématoire pâlirent, leur odeur même parut plus douce. Comme convenu, la barque du passeur arriva. Madec s'efforça de dissimuler son inquiétude. Il avait prévenu ses hommes : « J'irai seul ! — N'as-tu pas peur de t'enfoncer dans cette ville inconnue ? avait demandé un soldat, un jeune sergent blond rescapé comme lui des geôles de Madras. Et si le prêtre n'était qu'une invention du rajah ? — Je n'ai pas eu peur de Sumroo, repartit Madec, pourquoi crois-tu que j'aie peur des Indiens, ou d'un prêtre ? » Et il embarqua aussitôt sur la pirogue d'un passeur aux yeux fixes. Il disait vrai ; il n'avait pas peur. Mais il avait toujours haï les prêtres. Il les connaissait mal. Il devinait qu'ils vivaient selon une discipline et une hiérarchie assez voisines de celles de l'armée ; cependant, il en ignorait les arcanes. Qui découvrirait-il, au rendez-vous chuchoté du rajah ? Un capucin vêtu de bure et les pieds nus dans ses sandales ? Un abbé en robe noire et rabats blancs ? Un curé poudré ? Ou, pourquoi pas, un aumônier de marine, jurant et crachant tous les diables de mer ? Les heures passant, cette histoire d'homme à robe noire lui avait paru de plus en plus étrange. Pour Madec, la chrétienté s'arrêtait aux portes de Pondichéry. Calcutta s'était construit comme par devoir une bâtisse où honorer le dieu anglican, mais il n'y avait jamais vu entrer quiconque, sauf peut-être le matin de Pâques. Avait-il prié, lui-même, aux jours les plus sombres de son désespoir ? Le souvenir de Dieu ne demeurait en lui qu'à travers quelques mots latins, répétés mécaniquement au lever, au coucher, avant les batailles, et devenus presque plus étrangers à ses oreilles que les plus neufs des vocables hindis. Ses jurons eux-mêmes, foutredieu, ou goddam, ne disaient plus depuis longtemps que simple joie ou rage, sans que s'y mêlât le plaisir d'injurier le Ciel, puisque à chaque instant l'Inde déployait d'autres divinités infiniment plus présentes, et donc infiniment respectées. Quel ricanement du destin voulait donc que ses retrouvailles avec Dieu, ou du moins son représentant, eussent lieu en plein cœur de Bénarès, dans un déferlement de sacré qu'il ressentait sans pouvoir le comprendre ?

Au milieu du fleuve, le passeur parla. Madec l'avait tout d'abord cru muet, et il s'était mis à rêver, nonchalamment assis sous le taud chancelant du bateau. Dans l'eau glissaient des guirlandes de fleurs dénouées, de petites coques remplies d'offrandes que le flot n'avait pas englouties encore et, de temps à autre, quelques cadavres. Peu à peu se rapprochait la rumeur de Bénarès, mêlée au clapotement des vagues et des rames ; une psalmodie sans fin, une douce mélodie spectrale qui le berçait. Etait-ce l'oubli, la sérénité, le pressentiment du néant ? En secret il souhaitait que s'ouvrît le mystère.

« Je m'appelle Bhaghirata, dit le passeur. Sais-tu qui est Bhaghirata ? »

Madec secoua la tête ; l'homme lui expliqua alors qu'il portait le nom d'un pieux ascète de la nuit des temps, qui avait obtenu de Brahma la descente sur terre de la belle Ganga, au temps où elle n'était pas encore un fleuve. Et, tandis qu'on s'approchait des ghats, Bhaghirata lui raconta comment Ganga, fille d'Himalaya, le roi des montagnes, descendit sur terre, recueillie par Shiva dans la tiare impénétrable de sa chevelure, où des millions d'années, comme en un labyrinthe, elle demeura prisonnière. On parvint à la rive.

« Ah ! firangui ! dit le passeur en arrimant la barque à un anneau du quai. Innombrables sont les aventures de Ganga la belle, et ma vie entière ne suffirait pas à les dire ! »

Emerveillé du récit, Madec oublia son inquiétude. Il y avait bien quelque chose d'étrange dans l'Inde, puisque l'homme le plus humble racontait les grandes histoires de dieux avec plus d'élégance qu'un rajah. Il sourit ; tout heureux de cette reconnaissance, Bhaghirata sourit à son tour. Ses yeux avaient perdu leur fixité, ils vivaient maintenant, chaleureux et tendres :

« Je dois te mener au lieu du rendez-vous. Suis-moi, mais prends garde à ne pas me perdre dans la foule. »

D'un pas vif, il escalada les degrés des ghats. Ganga maj ki jai. Gloire à la mère Gange... Madec comprit ici les paroles du rajah. Au bord du fleuve, ou plutôt de la rivière, puisque Ganga était femme, Bénarès n'était plus que cet immense alléluia, paroles et gestes unis dans la même prière. Indifférents à la peau claire de Madec, à sa veste de firangui, les Indiens se pressaient dans l'eau sainte. Immergés jusqu'à la poitrine, ils accomplissaient tous un rite identique, prenaient un peu d'eau dans la main, la levaient jusqu'au soleil, la jetaient sur leur tête, la buvaient, nobles, détachés. Les femmes surtout, à la pudeur intacte dans leurs saris collés à la peau. Au cœur de la foule, chacun d'entre eux était seul, en tête-à-tête avec la divinité, dans la rencontre magique que donnait l'eau sacrée. Déjà certains, qui allaient passer la nuit sur les ghats, préparaient des chapatis, remplissaient des lampes. D'autres lavaient des étoffes. A chaque pas, Madec était bousculé. Jamais en Inde il ne s'était senti plus étranger. Le rajah avait raison : il était un Européen, il ne cherchait que l'avenir, non l'éternité.

« Pourquoi donc y a-t-il tant de monde ? interrogea-t-il.

— Tu ignores donc, firangui, que Bénarès est la cité de Shiva ? C'est ici qu'il a vécu quand il a pris forme humaine, c'est ici le Ciel même, non une ville ordinaire. C'est son sanctuaire suprême et secret ; qui meurt ici, qu'il soit brahmane, khsatrya, commerçant, intouchable, barbare, homme ou femme, ver de terre, oiseau ou fourmi, quel qu'il soit, revêt au trépas la figure de Shiva ; car Shiva donne à tous les êtres, sans distinction, pouvoir de franchir l'Océan des renaissances ! Ici, dans l'eau de Ganga, l'âme fragile retrouve sa force et vainc toute souffrance. Tout est sacré à Bénarès, même la parole ! »

La psalmodie continuait, en effet, comme en un temple à ciel ouvert. Tantôt, elle enflait au voisinage d'un orateur ou d'une université ; près d'un temple au toit couvert d'or, elle grossissait encore, tandis que des fidèles, à force d'honorer le dieu en versant des verres d'eau sacrée, transformaient une ruelle en torrent boueux qui ne tarissait pas. Si la rumeur faiblissait, c'était pour mieux reprendre. Litanie des *tarakamantra,* longuement articulés pour libérer l'âme, récitation en chœur des textes sacrés, chapelets chuchotés dans la fièvre. Bénarès priait sur tous les tons, de la ferveur tranquille au cri désespéré. Mais toujours, à chaque carrefour, la répétition inlassable du nom de Ganga, et surtout, basse continue aux sonorités rauques, la syllabe sainte entre toutes, *Om, Om,* que Madec avait entendue pour la première fois dans les temples de Godh. Et tandis qu'il marchait, emporté par ses ondes lancinantes, il lui sembla qu'elle n'avait pas cessé depuis de résonner à ses oreilles.

« Tu es ici dans le Ciel même ! » répétait le guide.

Om, om, om... Et déferlaient toujours les aveugles, les boiteux fatigués, les fakirs arrachés un moment à leur planche à clous pour leurs ablutions au fleuve. *Om.* Certains ne bougeaient plus et s'abandonnaient, comme bercés par le va-et-vient de la foule. Les yeux clos, perdus dans l'extase, ils n'attendaient plus rien ; le flot de pèlerins, que Madec et le guide remontaient à contre-courant, ne leur accordait pas un regard. Dans sa communion avec le dieu, chacun, comme dans l'eau, demeurait seul ; et pourtant les peaux se frottaient, et pourtant les yeux hagards, les fronts coloriés se ressemblaient, tous poudrés et cendrés de marques magiques.

Parfois une scène insolite arrêtait Madec ; des sadhu squelettiques s'avancèrent, royaux, sous d'immenses parasols tressés en lattes de palmes. Un homme se mit à se rouler dans la poussière en hurlant sa passion pour Dieu. Un autre brandit une hache, annonçant sa résolution de se mutiler en public pour expier ses péchés. Le sang jaillit, une main s'écrasa sur le sol. Madec fut pris d'un haut-le-cœur.

« Viens, fit le guide d'une voix inquiète. Ne regarde pas, firangui. Nos dieux te sont étrangers. Et ces gens qui se mutilent ne sont pas agréables à Shiva, contrairement à ce qu'ils croient, pas plus que les Kapalikas qui se nourrissent de chair humaine et d'excréments ! »

Madec se mit à trembler. Lui qui n'avait plus peur de la guerre commençait à craindre Bénarès. Une terreur panique. Un à un, il interrogeait les visages, cherchait à comprendre. Aux pèlerinages de son enfance, il avait vu comme ici accourir aveugles et paralytiques, et ils demandaient aussi à l'eau de les soulager, mais c'était l'eau claire et petite d'une fontaine blottie sous des chênes, mais ce n'était pas cette folie, mais ce n'était pas cette foule. Ici l'Inde déversait tous ses maux, ici l'Inde était en son extrême : toute comparaison s'avérait dérisoire.

Le pire, cependant, n'était pas encore venu. Au pied d'un temple décrépi, il fallut enjamber des mourants. Bhaghirata marchait vite, Madec trébucha sur un corps. Le contact douceâtre d'une chair fiévreuse. Déjà pointait le gris de la mort. C'était une femme, une très jeune femme, dont les cheveux collés trempaient dans la boue.

« Sarasvati », murmura-t-il.

Depuis quand n'avait-il pas dit son nom ? Vivait-elle encore ? Il eut mal. Elle, l'Indienne, comme les autres elle devait souhaiter venir mourir dans cette ville d'enfer qu'il ne comprenait pas, ne comprendrait jamais. Il se pencha vers la morte. Demain ces cheveux superbes ne seraient plus que cendres, emportées par Ganga vers l'océan. Sarasvati, peut-être cendre dissoute dans l'eau de Ganga.

Il se leva. Le guide souriait. Madec avait parlé tout fort.

« Que dis-tu ? Tu parles de la déesse Sarasvati ?

— La déesse ?

— Ah ! Tu ne connais pas nos dieux. Sarasvati est une rivière, comme Ganga, mais une rivière invisible et souterraine, un fleuve de l'esprit, l'eau de la connaissance qui rejoint Ganga en amont de Bénarès, là où se jette aussi l'autre rivière sainte, la belle Yamuna... »

Il continuait, heureux, les yeux brillants, tressant à chaque pas les guirlandes des grandes légendes. Il s'arrêta soudain. On avait atteint une sorte de petite place, entourée de maisons à véranda de grès rouge.

« Nous arrivons, firangui », chuchota-t-il, brusquement tendu.

C'est alors que surgirent les lépreux. Du fond d'une venelle tortueuse, ils avançaient, en troupe compacte, la main, ou le moignon, tendue droit vers Madec. Une horde geignarde, sans force, des faces dévorées, aux lèvres douloureusement ouvertes pour réclamer pitance. Etait-ce l'atmosphère sacrée de la ville, était-ce la perspective de rencontrer un prêtre, un réflexe ancien revint à Madec, qu'avaient gommé ses années indiennes : la compassion. Il fouilla sa poche. Il y restait quelques roupies, le seul bien qu'il avait. Il les jeta dans une main.

« Non ! » cria Bhaghirata.

Mais déjà les lépreux se précipitaient sur Madec. L'un d'entre eux avait saisi la pièce, et les autres hurlèrent. Bhaghirata tomba. Il disparut sous les haillons des mendiants. Un pugilat commença entre deux d'entre eux, tandis que les autres plaquaient Madec contre le mur de la maison, criant doucement comme des bêtes à l'agonie, leurs membres en lambeaux courant sur son corps, leurs visages rongés collés à sa bouche. Alors Madec se sentit soulevé en l'air par les épaules. Happé. Sous lui, les cris moururent. Il bascula de l'autre côté d'une fenêtre, qu'on referma précipitamment.

*
* *

« Inutile de descendre, mon fils. Il est mort. Etouffé, piétiné, que sais-je ? C'est chose courante. Regarde, il ne bouge plus. De toute façon, il serait imprudent de s'aventurer dans la rue. Les lépreux doivent rôder encore.

— Je croyais que les curés devaient donner l'extrême-onction », grinça Madec.

Il était encore mal remis de sa mésaventure, et il lui déplaisait souverainement d'avoir été sauvé par un prêtre.

« A ce que m'avait dit le rajah, je te croyais plus habitué à l'Inde, répliqua l'homme en noir. D'abord, contre toute prudence, tu fais l'aumône à des lépreux. Ensuite, tu t'étonnes de l'indifférence du soldat du Christ envers ces idolâtres ! Je ne confesse que les convertis, mon fils, et ils ne sont pas légion ici.

— A quoi passez-vous donc vos jours en ce pays ?

— Mon fils, Dieu écrit droit avec des lignes courbes ! Le temps n'est pas encore venu où les Indiens se presseront dans nos églises. Il nous faut d'abord gagner la faveur des puissants.

— A mon avis, le rajah de Bénarès n'est pas près de se convertir ! » déclara Madec en s'épongeant le front.

Le père Wendel considéra attentivement son hôte.

Un soldat. Né gueux, sans aucun doute ; il devait tout ignorer de l'exercice de la puissance temporelle. Mais il était clair qu'il savait se battre. Belle tournure, œil vif, vigueur du corps et de l'âme. On pourrait faire affaire.

« Viens par ici. Tu dois avoir soif. »

Madec ne voulut pas se détacher de la fenêtre. Bhaghirata, étendu à même la rue, était bien mort. Un quart d'heure plus tôt, il lui racontait encore les merveilles des dieux indiens...

« Viens donc, mon fils ! Les intouchables viendront ramasser son cadavre. Il est parti pour son paradis idolâtre. Viens. »

Le prêtre parlait d'une voix extrêmement persuasive. Douce, trop douce, pensa Madec. Enfin, le plus difficile était passé puisque l'homme à la robe noire existait bel et bien ; Madec fut soulagé. Il le suivit dans la pièce voisine, s'assit sur un prie-Dieu de laque. Un gigantesque crucifix doré ornait un pan de mur blanc.

« C'est le rajah qui m'envoie à vous, commença Madec.

— Je sais, je sais... Bois donc un peu. »

Le prêtre versa un peu de *lassi* dans un verre et le lui tendit.

Deux jeunes serviteurs attendaient contre une porte.

« Ils sont bien tournés, n'est-ce pas ? » dit-il à Madec en les désignant du doigt.

Les domestiques, sentant qu'on parlait d'eux, se plaquèrent contre le mur, avec des yeux apeurés de bêtes mal dressées.

« Ils viennent du palais. C'est un cadeau du rajah. Tu peux parler en paix ; ils ne connaissent pas notre langue. Veux-tu des *chapatis* ? »

Il présenta à Madec une galette qu'il tenait à la mode indienne entre deux doigts de la main droite. Madec ne put retenir sa curiosité :

« Vous vivez donc à leur manière ?

— Par quel miracle voudrais-tu, mon fils, qu'un prêtre s'avisât d'échapper aux usages de l'Inde ?

— Je ne sais pas, fit Madec d'un air embarrassé.

— Je dirais même, poursuivit sentencieusement le prêtre, que nous autres jésuites considérons comme une obligation religieuse d'adopter les coutumes du pays où nous semons la bonne parole. »

Madec sursauta. *Jésuite* ; il n'avait pas encore entendu parler de cette espèce de prêtres. Ou bien alors c'était si ancien... Il examina l'autre quelques instants, tâchant de distinguer de quelle pâte il était fait. C'était bien un ecclésiastique, point de doute là-dessus : voix en demi-teintes, ni mâle ni fausset, teint pâle, qui annonçait que l'homme passait plus de temps à l'ombre des antichambres qu'au grand soleil de l'Inde. Mains délicates, très soignées, d'un maître ponctuellement servi. Enfin, dans ses yeux gris, un air fort convenable d'hypocrisie bien portée. Un seul trait le distinguait des abbés rencontrés jusqu'alors : celui-ci n'était pas gras. Il paraissait même franchement maigre, et sa soutane flottait sur lui. Madec en conclut que l'ordre des jésuites exigeait de ses membres, contrairement aux autres congrégations catholiques et romaines, une indifférence prolongée à l'égard des plaisirs de la table. Ravi de n'en être point, il but avidement quelques gorgées de lassi :

« Tu es donc soldat, reprit le prêtre. D'où viens-tu ? Où es-tu né ?

— Ah ! Non, pas de questions, répondit Madec. Je ne sais pas moi-même qui vous êtes ! »

C'était une vieille habitude, prise à bord des bateaux. La moindre confession s'y transformait en commérage et il avait appris très tôt à se méfier des prêtres, de leurs talents romanesques et sournois. Celui-ci, quoique maigre et jésuite, pouvait bien être de la même eau.

« Mon fils, tu te méfierais d'un honorable membre de la Compagnie de Jésus ! Nous courons le monde du Brésil à la Chine pour porter la Bonne Nouvelle ! Nous, dont les collèges font la gloire de l'Europe ! »

Les collèges. Ce mot restitua à Madec sa mémoire pleine et entière : c'était son père qui lui avait parlé des jésuites, un jour qu'il déplorait de ne pas avoir assez d'argent pour leur confier ses fils ; il avait dû y faire un an ou deux d'études, dans les années 1720, en compagnie du jeune Dupleix. Quimper, Dupleix, les jésuites, les Indes : en somme, dans ce collège, autrefois, sans qu'il n'en sût rien, s'était noué quelque chose de son destin.

« Dis-moi ton nom. »

Il tutoya le prêtre. Provocation voulue, qui signifiait : « Nous sommes aux Indes, ici ! Donc égaux. »

Interloqué, l'autre acquiesça :

« Wendel. Le père Wendel. »

Madec le sentit alors en son pouvoir. Il faillit s'esclaffer ; c'était la première fois qu'il narguait un prêtre, et, qui plus est, un prêtre qui l'avait sauvé. A l'évidence, celui-ci n'était guère habitué à des manières directes. Néanmoins, il savait plier l'échine : le voilà qui devenait tout humble, mielleux, doucereux :

« Mon cher fils, ainsi nous avons le même ami, le rajah de Bénarès. Avez-vous accepté sa proposition ?

— Et toi, père Wendel ? rétorqua Madec.

— Je n'ai guère le choix, mon fils. Celui qui me protégeait vient de partir, et je ne peux à présent rejoindre Agra, où je me proposais de ranimer un établissement fondé autrefois par les miens.

— Agra ? Et pourquoi Agra ?

— L'ancienne capitale du Moghol, mon fils. Tout près de Delhi. Il y a là-bas de très anciennes communautés chrétiennes, venues il y a deux siècles au temps du roi Henri. Elles sont très proches du Moghol ; et c'est le Moghol que nous devons toucher, nous autres jésuites, pour la plus grande gloire de Dieu !

— Parlons clair, jésuite. Peu m'importe ce que tu cherches, tu es Européen et catholique comme moi.

Bien. Nous sommes bloqués à Bénarès, et tu cherches quelqu'un qui puisse te convoyer : c'est cela ?

— Certes, certes.

— Me paieras-tu ?

— Je ne suis, mon fils, qu'un simple soldat du Christ. La récompense que ma présence et mon secours pourront t'apporter n'a pas de prix et ne saurait se monnayer. Bienheureux les pauvres, car ils connaîtront Dieu ! »

Madec l'interrompit :

« Et l'autre... ton... protecteur précédent... L'as-tu payé pour ses services ? Car je n'ai pas ouï dire d'autres catholiques dans l'Inde, et cela m'étonnerait fort, si maintenant les hindous ou les mahométans prenaient pour des roupies ton royaume des Cieux !

— Mon ancien protecteur est pour l'heure sur un chemin hasardeux, mon fils, mais il faut prier pour lui, car je sais qu'il reviendra au vrai Dieu ! Les voies du ciel... »

Madec l'interrompit :

« Qu'il reviendra ? Mais c'est donc un des nôtres ? »

Madec avait parlé sans réfléchir ; il n'avait pas fini sa phrase qu'il s'étonnait déjà, en face de ce prêtre qui ne lui était rien, d'avoir dit « un des nôtres », comme s'il s'agissait d'une communauté retrouvée. Sans doute la traversée de Bénarès lui avait-elle rendu un peu d'Europe ; pour la première fois depuis longtemps, il se sentait en exil.

« Eh oui, mon fils, il est des nôtres. Il s'habille à l'indienne, il a le teint foncé, mais c'est un Européen. »

A ses mâchoires soudain crispées, à cette lueur d'effroi dans les yeux, Madec devina aussitôt de qui il parlait :

« Comment, jésuite, comment toi, un prêtre, as-tu pu t'acoquiner avec une brute pareille !

— Sombre est comme toi une créature de Dieu. »

Sombre. Il avait eu raison encore une fois, la boucle

se renouait. Serait-il à jamais destiné à marcher sur ses traces ?

« Sombre t'a abandonné ?

— Il est parti vers l'ouest se refaire une fortune chez les rajahs. Il n'a pas eu le temps de venir me chercher. Qu'est-ce qu'un pauvre prêtre, quand il faut sauver les canons ? Et il a eu raison. Dieu a le temps.

— Je voudrais bien savoir ce qui rapproche Dieu de Sombre ! éclata Madec.

— Mais le Moghol, bien sûr, le Moghol !

— Le Moghol est mahométan !

— Réfléchis : Sombre va sauver le Moghol des Anglais, et nous autres jésuites pourrons alors le ramener, lui et son peuple, à la vraie foi. Et les hindous suivront.

— Le rajah de Bénarès connaît tes projets ? ironisa Madec.

— Le rajah de Bénarès sait que je suis l'ennemi des Anglais et cela lui suffit. Jamais les pernicieuses idées calvinistes ne doivent régner sur l'Inde, voilà mon but. »

Le jésuite considéra Madec en silence, puis ajouta :

« Cela te va-t-il, mon fils, pour me faire confiance ?

— Cela me va.

— Alors maintenant, parlons un peu de toi ! »

Il alluma une petite lampe remplie de beurre clarifié. La pièce était grande, mais basse de plafond ; il y régnait une sorte de dépouillement monacal. Quatre heures durant, les deux hommes s'entretinrent des termes de leur accord. Ils convinrent de partir avant la prochaine mousson, dès que l'impôt serait récolté ; Madec obtint du jésuite qu'il ne se mêlerait en rien des expéditions militaires, se contentant exclusivement d'attendre le jour du départ dans la plus grande discrétion. Le père Wendel lui jura sur les Evangiles qu'il continuerait à mener la même vie discrète faite d'entrevues régulières au palais du rajah et de longues méditations au fond de cette demeure reculée.

Au cours de cette conversation, Madec parvint

même à se faire une idée du passé du prêtre. Envoyé aux Indes une dizaine d'années plus tôt, il avait commencé à convertir les païens de Goa, avant que les hasards des Cours indiennes, qu'il semblait priser fort, ne le mènent à Agra, où il avait rencontré Sombre, à la faveur du pillage. Pour des raisons qu'il se refusait à expliquer, il l'avait suivi. Cependant il ne nourrissait pas pour lui assez d'amitié pour l'accompagner sur le champ de bataille, et il avait passé tout le temps de la campagne auprès du rajah de Bénarès qui appréciait beaucoup, prétendait-il, ses talents de botaniste et de médecin. Madec en douta : tout comme à Godh, il avait remarqué auprès du rajah un homme de l'ayurveda, d'apparence fort intelligent. A en juger par les coups d'œil concupiscents que posait parfois le jésuite sur la croupe de ses deux serviteurs, Madec subodora que ses talents étaient d'une autre nature ; cela, du reste, lui demeura parfaitement indifférent : du moment qu'elles ne le menaçaient pas dans son intégrité physique, il ne s'inquiétait plus des particularités humaines. Il était d'ailleurs fatigué. Il demanda donc au jésuite qu'il lui offrît un charpoï pour la nuit, en priant silencieusement le Ciel, s'il existait, pour que son sommeil fût tranquille. Cette grâce lui fut accordée : le père Wendel désirait sans doute ménager une si bouillante énergie, ou ne reconnaissait pas en Madec un terrain susceptible d'accueillir favorablement ses ardeurs. Puis à l'aube, il regagna son camp. Les premiers bûchers s'allumaient sur les ghats.

Par bonheur, il ne rencontra aucun lépreux et trouva sans difficulté un autre passeur. Il contempla longuement les eaux du Gange, rosissantes de l'aube. Ainsi, une rivière invisible s'y jetait en amont, qui portait le nom de sa bien-aimée interdite. A cet instant, il regretta Bhaghirata. Il aurait voulu que son guide fût encore vivant pour lui répéter la merveille : Sarasvati était une déesse, vivante et éternelle à la fois, elle ne mourrait jamais ; pour le moment, pareille à la rivière magique, elle lui était refusée, mais il la reverrait, la contemplerait, la toucherait peut-être. Fort de cette intuition, Madec s'imposa alors l'ardente obligation de réunir au plus tôt un monceau d'argent, afin de venir proposer à Godh les fastes d'une puissance comme les Indiens n'en avaient pas connus. Que la princesse dût lui demeurer lointaine lui importait peu. Il voulait qu'elle le vît dans toute sa gloire et que cette majesté même, où ils seraient enfin égaux, leur tînt lieu d'amour.

CHAPITRE XV

Mars 1764

Agra

Ils partirent quatre mois plus tard. Tout se passa comme à plaisir. La petite armée fit merveille, terrifia les populations, l'argent rentra. Dès le premier mois, Madec put emprunter aux banquiers de Bénarès et fondre des canons dans les échoppes du bazar. Il les remboursa dès la seconde campagne, engagea mille cipayes. Il aurait pu rester quelques mois de plus, mais il craignait de marcher pendant les chaleurs de mai et de juin. Ce n'était pas encore la gloire ni la splendeur. Mais enfin, il était sûr de pouvoir traverser les plaines sans encombre, et il brûlait de plus en plus de prendre la route. Le jésuite, qui s'était tenu sage, n'éprouvait pas moins d'ardeur à partir. « Agra, Agra ! ne cessait-il de répéter. Ah ! Madec, quand tu verras le Taj Mahal ! » L'attente les avait rapprochés. Ils se tutoyaient sans vergogne, et le père Wendel ne lui donnait plus de ses *mon fils* doucereux ; Madec finit par en oublier sa défiance première. Et ils se mirent en chemin, dans l'indifférence générale. Bénarès continuait tranquillement à brûler ses morts sur les ghats, et le rajah, les caisses débordantes des impôts récoltés, recevait d'autres favoris que l'homme à robe noire en ses appartements.

Le voyage fut long. La famine semait sur les routes des ossements d'animaux divers. De temps en temps on croisait des hordes de paysans égarés, ou des brigands pointant le nez vite chassés à coups de fusil. Madec avait acheté force vivres, et on ne souffrit pas. Seule la soif, dans les vallées que la dernière mousson avait oubliées, tourmenta les soldats quelques jours. A la hauteur de Delhi, on piqua brusquement vers le sud pour rejoindre Agra sans traverser la capitale du Moghol, que l'on disait encore peu sûre. Et, un matin de mars, au débouché de la plaine, au pied d'une rivière somptueuse et tranquille, ce fut l'illumination promise par le jésuite, la coupole immaculée du Taj Mahal et la splendeur sereine de ses minarets de marbre. Dès lors, Madec ne vit rien d'autre. Les soldats demandaient à s'arrêter, réclamaient à boire, les chevaux fatigués renâclaient ; Madec avançait, sourd à tous les soupirs. Il n'eut pas un regard pour les innombrables ruines qui parsemaient la ville, ni même pour les remparts et les marbres délicats du fort Rouge. Le Taj, aérien, latescent, tremblait comme un mirage à l'horizon de la plaine d'Agra ; rêve de pierre immatériel, il semblait flotter entre ciel et terre, tel les palais de fées entrevus dans les contes, et Madec redoutait qu'un caprice de la lumière ne vînt à le dissoudre au fond du jour bleu.

« Sais-tu, répétait le jésuite en s'épongeant le front, sais-tu qu'il fut bâti par Shah Jahan en mémoire de son épouse préférée. Elle s'appelait Mumtaz Mahal, l'élue du harem, elle est morte en couches, à la naissance de son quatorzième enfant, et l'empereur en fut inconsolable. Vingt ans, Madec ! Entends-tu, Madec ? Vingt ans pour le construire, le Taj Mahal !

On fit venir tout ce qu'il y avait de plus beau en Asie, d'est en ouest, du nord au sud ; les pierres de Ceylan, les marbres d'Iran, les rubis de Golconde, les jades du Tibet, les cornalines de... »

Madec n'écoutait pas et avançait toujours. On traversa une petite ville, sorte d'annexe d'Agra, qui s'était installée autour du mausolée. Un moment, dans les rues étroites du bazar, les coupoles se dérobèrent à son regard. Dans sa fureur de les avoir perdues, il éperonna son cheval. La tête lui tournait. Plus il approchait, et plus le Taj lui paraissait lointain et près d'un instant à l'autre de s'envoler dans les airs. Alors il comprit pourquoi cette vision l'attirait, le fascinant comme il ne l'avait jamais été qu'à Godh. C'était un lieu de mort, un tombeau, un mausolée, et pourtant c'était un lieu d'amour. Dans cette architecture solennelle et gracieuse, il retrouvait la seule leçon qu'il connût alors de l'existence : la vie brève, et l'amour seul pour la sauver. C'était, devant lui, l'image de la passion qui le tourmentait : un amour d'absence. Un amour qui creusait de douleur tous les jours qu'il avait vécus depuis son départ de Godh, mais qui l'avait purifié aussi, à la manière d'un jeûne ou d'un pèlerinage. Et il volait vers le Taj, comme illuminé, et il accourait vers l'élan des coupoles et des minarets, car en eux il reconnaissait la même force mélancolique et tendre qui, depuis qu'il avait déserté l'Anglais, le portait à nouveau vers Godh et sa dame entrevue dont il croyait apercevoir ici jusqu'aux tréfonds de l'âme.

Le jésuite le rejoignit. De son cheval, il continuait à jouer les guides :

« Vingt ans, vingt mille ouvriers, et l'empereur ne voulut pas s'arrêter là ; il commença un pont sur le fleuve, pour relier le mausolée de son épouse au sien qu'il désirait identique, mais de pierre noire. On commença à rechercher le marbre et les pierres précieuses, on posa les piles du pont. Mais le fils de l'empereur renversa son père. Shah Jahan finit ses jours emprisonné au fort Rouge, n'ayant pour consolation que la vue du tombeau de sa bien-aimée. »

Madec, cette fois, avait écouté, et il imagina l'empereur vieillissant, passant le temps qui le séparait de la mort à s'user les yeux sur les dômes du Taj. L'amour, l'amour d'absence, c'était bien cela. Sa fébrilité grandit, et l'envie d'en percer au plus tôt le mystère. Un parc lui dérobait encore la découverte, un immense jardin à la manière de ceux qu'il avait vus à Godh, mais cent fois agrandi. A l'exception des bassins, il n'était plus guère entretenu, mais on distinguait très nettement le tracé des allées où jouaient des singes. Des perruches volaient dans les fourrés. Au centre de la perspective, un bassin longiligne et étroit s'étendait jusqu'au tombeau et distribuait l'eau dans tous les parterres. Madec s'arrêta, attacha son cheval à un tronc d'arbre, continua sa marche, toujours indifférent à ses compagnons. L'eau murmurante sur les *chadars,* le raffinement des marbres ciselés où couraient des cascades, tout lui rappelait Godh, et il en tremblait. Le premier, il escalada la terrasse qui menait au tombeau. Des groupes d'Indiens, des musulmans pour la plupart, sommeillaient à l'ombre des parapets ; gardiens, mendiants, c'était tout comme. Madec éparpilla quelques piécettes puis entra.

Passant le seuil du tombeau, où subsistaient les gonds d'argent des gigantesques portes, il aurait pu penser aux saccages de Sombre, à sa vaine fureur quand les armes se brisèrent contre les dalles, quand les frises de joyaux se refusèrent à l'estoc des épées. Mais Sombre avait alors déserté sa mémoire. Il entrait dans un lieu que l'histoire paraissait ne pas devoir toucher, fût-ce dans ses plus violents paroxysmes. Grenats, cornalines, émeraudes, turquoises ; rubis, saphirs, jade, porphyre et marbre : le jésuite n'avait pas menti. Des guirlandes de fleurs à l'infini, si vives et si brillantes que la pierre donnait l'illusion d'un tissu brodé. C'était une tente, une coquille, un palais creux et léger, et pourtant bâti avec les minéraux les plus durs, les plus lourds.

Madec sentit arriver derrière lui le gros de la troupe. Il s'empressa de disparaître dans la galerie tournante qui entourait le centre de l'édifice. Entre chacune des pièces, de vastes panneaux de marbre ciselés laissaient passer un courant d'air frais. Mourir ici. Y reposer en paix. Sa main courut un long moment sur les contours d'une frise d'iris, il envia le sort de Shah Jahan et de son épouse. Mais eux, de leur vivant, avaient possédé la gloire et la splendeur. La mort n'avait fait que les exalter pour l'éternité, dans cet envol minéral et précieux vers le ciel de l'Inde.

Etre cette pierre, pour ne plus savoir, pour ne plus sentir. Madec soupira longuement. Même ici, la paix ne venait pas, le monde était trop proche, chaleur, odeurs, bruits de cette Inde pour qui il se perdait.

La cohorte des soldats se rapprochait ; au-dessus d'elle, Madec reconnut la voix sentencieuse du père Wendel. Il sortit, descendit au jardin, détacha son cheval. Un long moment, il resta à contempler le reflet du dôme dans le bassin central, tentant de conserver en lui la magie du lieu. Mais déjà elle s'enfuyait, par à-coups minuscules, et il sentit qu'il allait pleurer. Alors il monta en selle et lui tourna le dos. Les autres le rejoignirent sans tarder, réclamèrent à boire et à manger. Sur le visage des soldats les plus rustres et les plus affamés, Madec distingua cependant, ainsi qu'en lui-même, quelque chose de neuf : on s'en retourna au bazar d'un pas plus lent, et les hommes avaient le regard las et songeur qui suit les nuits d'ivresse.

Le père Wendel avait conservé son sourire mince et son air retors ; il bouillait d'impatience, mais Madec lui parut si absent qu'il attendit qu'il fût restauré pour l'entreprendre sur le projet qu'il mûrissait depuis leur rencontre. Il n'eut pas le temps d'aligner dix phrases. Il ne lui avait pas plus tôt proposé de s'arrêter définitivement à Agra, où il serait reçu dans la communauté catholique et introduit auprès de l'empereur, que Madec l'interrompit d'un geste particulièrement sec :

« Non, jésuite ! Non. Je n'ai que faire de tes manigances auprès du Moghol. Je suis un soldat, un homme de guerre. J'aime l'air et le plein vent, et même la poussière de l'Inde, ses routes, ses jungles. Ton affaire ne m'intéresse pas. »

Le père frotta nerveusement ses longues mains l'une contre l'autre, puis il eut un petit rictus :

« Mais enfin, Madec, le Moghol, le Moghol, c'est le seul espoir de l'Inde française !

— Je ne suis pas fait pour l'intrigue, jésuite.

— Tu es chrétien ! Le sort de millions d'âmes est lié à notre victoire. Nous autres, catholiques, sommes installés à Agra depuis cent cinquante ans. Cent cinquante ans que nous attendons l'occasion de prendre la haute main sur l'empereur des Indes. Voici le moment. Nous avons là-bas une église, un collège, une bibliothèque. En cinq ans de mission à Agra, j'ai même obtenu du Moghol qu'il protège une des familles chrétiennes de la ville. Cela ne s'était jamais vu. Il a accepté, Madec, et il comble de faveurs la fille aînée de cette famille, une ravissante enfant que nous allons devoir marier bientôt. Ton destin est ici, Madec, avec nous ! Viens vivre auprès de tes semblables, des chrétiens comme toi. Ils sont riches, calmes, aimables. Tu pourrais y trouver un bon parti et te marier dans la foi de tes pères. Prête-nous le secours de tes armes. D'ici, du cœur de l'Inde, la France peut renaître, une France indienne, forte, valeureuse, protégée par le Moghol.

— Le Moghol est en exil, il ne cesse d'errer de rajah en nabab !

— Le Moghol reviendra dans sa ville s'il sait y trouver une armée forte. Bâtis-la, tu la commanderas. A toi reviendra alors toute la gloire ! Madec, tu es un guerrier sans pareil ! »

Quand il se mettait à flatter, le père Wendel éprouvait le plus grand mal à modérer ses effusions séductrices : il posa avec transport son front sur la poitrine de Madec, contact qui révulsa quelque peu ce dernier, quoiqu'il ne s'en étonnât plus. Il le repoussa avec un peu d'humeur :

« Ecoute, jésuite, point de sentiment entre nous. J'ai à faire ailleurs. Je t'ai promis de te convoyer jusqu'à Agra. Nous y sommes, j'ai tenu parole ; que veux-tu de plus ? »

Le jésuite parut fort contrarié.

« Nos routes se séparent ici, poursuivit Madec. J'ai un devoir à remplir auprès du rajah, rencontré naguère et que j'ai abandonné trop vite. Je crains que la guerre ne se rallume et qu'il ne soit en difficulté. Et d'ailleurs, jésuite, tu n'as plus besoin de moi, maintenant : tu vas retrouver Sombre.

— Sombre n'est plus ici, Madec. Il a disparu dans l'Inde lui aussi.

— D'où le sais-tu ? coupa Madec. Nous ne sommes même pas rentrés dans Agra. Nous n'avons rencontré ni marchand ni émissaire !

— Avant la bataille de Buxar, nous avions lui et moi passé une convention. S'il arrivait qu'il perdît et qu'il dût fuir, il irait se mettre au service des Djattes, dans la province d'Agra. S'il dominait encore le pays au moment de mon arrivée, je le saurais aussitôt, car son étendard noir frangé d'or flotterait sur le fort. Sinon, c'est qu'il serait parti ailleurs, et je devrais l'attendre à la mission des jésuites. »

Madec leva les yeux vers le fort, qu'on apercevait derrière le bosquet où l'on avait fait halte. Tout était morne. Pas un soldat aux remparts, pas un canon pointé. A l'évidence, la place était abandonnée.

« J'ai rempli ma parole, répéta Madec. Un autre devoir m'appelle. »

Le jésuite plissa soudain les yeux et ajouta avec un petit sourire charmeur et matois :

« Et qui est ce rajah que tu aimes tant ?

— Tu ne peux le connaître. Il habite une petite province à la frontière du pays radjpoute. Une belle terre, environnée de montagnes et très bien cultivée. Il possède de très beaux palais, des chasses, un grand lac. »

Le jésuite réprima un mouvement d'impatience. Ses lèvres minces se mirent à trembler :

« Ses sujets trafiquent et taillent les pierres fines, n'est-ce pas ?

— Tu le connais ?

— Le rôle d'un jésuite est de tout apprendre du pays où il vient répandre la parole du Christ. Tu me parles donc du rajah de Godh. Détrompe-moi si je fais erreur.

— Tu as vu juste », répondit Madec abasourdi.

Il y eut un petit silence. Le jésuite palpa les plis de sa soutane, les fripa et les défripa méthodiquement :

« Je t'ai déjà sauvé une fois, Madec. Alors écoute-moi. Ne va pas à Godh.

— Et pourquoi donc ? hurla Madec, le visage subitement empourpré.

— Ne va pas à Godh. Ce pays est malsain.

— Malsain ! Es-tu donc fou, jésuite ! Je reviens du Bengale, où les hommes meurent comme mouches ! Godh est certainement le pays le plus sain que je connaisse en Inde. Belle eau, campagne sèche et aérée, un peuple heureux et bien nourri.

— Je ne parle pas de cette santé-là, Madec. De mauvaises choses se préparent là-bas, des révolutions pernicieuses. Ces gens-là sont des Radjpoutes, des guerriers orgueilleux qui ne reconnaissent nul maître, nul suzerain !

— J'ai une dette envers eux.

— On n'a pas de dette envers des idolâtres ! »

Madec s'empourpra davantage. Il n'avait pas eu depuis longtemps une discussion aussi violente ; il ne comprenait pas l'opposition obstinée du jésuite, et il sentait se lever en lui le vieux ferment de la révolte :

« Ces idolâtres-là ont plus de cœur et d'amour que la plupart des chrétiens. Et plus d'indifférence aussi à l'égard des biens de ce monde ! »

Le jésuite blêmit :

« Madec ! Veux-tu te perdre, toi et ton âme ?

— Laisse donc mon âme en paix !

— Des païens ! Ce sont des païens, ces idolâtres qui t'attirent ! Malheur à toi, Madec, si tu les écoutes une minute ! Souviens-toi des juifs, quand ils se mirent à adorer le veau d'or ! Les trésors des rajahs ne sont que vanité, Madec, et notre existence une poussière ! »

Madec se leva brusquement :

« Tais-toi, jésuite !

— Les païens portent le diable en eux, l'avarice, le stupre et la luxure ! Leurs femmes ne sont que putes et chiennes, ventres ouverts à tous les immondices, *more diabolico et sodomico...* »

Madec n'entendait pas le latin, mais la colère du jésuite ne lui laissa aucun doute sur le sens de l'injure, qu'il lui retourna aussitôt, en la traduisant de façon un peu libre :

« Chien ! Chien toi-même, diable et sodomite ! Crois-tu que je n'aie pas vu tes manigances à Bénarès ? Chien ! »

Il saisit le jésuite au col de la soutane, lui enfonça son pistolet dans le ventre. Des soldats accoururent :

« Laissez-moi ! cria Madec. Regardez cette vermine de prêtre qui pâlit et qui tremble dès qu'on lui crie aux oreilles ! »

Les soldats se mirent à rire. Il le lâcha sur l'herbe :

« Pars ! Pars d'ici, décampe à l'instant, fous le camp à ton collège et marie tes petites chrétiennes ! »

Le père Wendel se leva, secoua posément ses jupes couvertes de poussière :

« Dieu te pardonne, mon fils. Tu cours après le vent, et tu en mourras peut-être. Mais si tu réchappes, sache-le, je serai toujours là. Tu reviendras ici. »

Madec haussa les épaules, tourna le dos. Il ne l'écoutait plus.

Le jésuite détacha son cheval, monta en selle : il poursuivait ses imprécations onctueuses, tout en répandant les signes de croix :

« Tu reviendras, et tu seras blessé, fatigué, malade. Vieux ! Vieux ! Tu seras vieux, si tu n'es pas mort ! »

Les paroles du jésuite se perdirent dans une bourrasque de poussière. Madec était déjà à dix pas, et il chantait allègrement un air à boire.

CHAPITRE XVI

Quinzaine claire du mois de Falguna
An 4865 de l'ère de Kaliyuga
(mois de mars 1764)

Godh
La veille du Holi, puis le Holi

D'un geste délicat, Sarasvati enfila sur le collier de fleurs la dernière corolle rapportée du jardin. C'était un bouton blanc, à peine rosé, et elle l'avait gardé pour la fin, afin qu'il orne comme un joyau le centre de la guirlande.

« Le printemps revient, Mohini. L'année va recommencer.

— Quel bonheur ! répondit son amie en caressant son ventre gonflé.

— Quel bonheur pour toi, car chaque jour te rapproche de ta délivrance ! Un enfant au printemps, c'est la joie pour l'année.

— Ne sois pas morose, princesse. Ton tour d'être mère reviendra. »

Sarasvati vérifia la solidité du collier, puis le déposa sur un petit coussin :

« Voilà ! Il est fini, le présent que j'offrirai demain à Khrishna. »

Elle soupira, puis reprit :

« Mon ventre est sec, Mohini, aussi sec depuis quatre ans que celui de la première épouse. Aussi sec que les déserts qui sont derrière la jungle. »

Elle parlait doucement, posément, les yeux perdus dans les lointains de la fenêtre.

« La jeunesse m'abandonne... »

Mohini n'osait pas répondre. Depuis des mois, la conversation avec Sarasvati ne consistait plus qu'en ces longs monologues. La princesse parlait, de temps à autre, non pour meubler le silence, mais pour énoncer, sereine comme elle ne l'avait jamais été, des vérités tristes et tranquilles qui semblaient venir d'un autre monde. Lointaine, lointaine... Où vivait-elle à présent ? Dans quel univers de résignation calme, d'indifférence, et d'ardeur aussi ; car, de temps à autre, il y avait dans son regard cette flamme presque terrifiante, que Mohini n'avait jamais observée chez une femme et rarement chez un homme, à moins que ce ne fût un guerrier revenu de la chasse ou un *sadhu* illuminé. Oui, c'était vrai, le temps sur elle avait laissé sa marque. Au creux de ses yeux s'étaient fixés des cernes bleus, et de fines ridules s'arrondissaient autour de sa bouche. Mais jamais Sarasvati n'avait encore été aussi belle. Car enfin elle resplendissait de beauté, de vraie beauté, et non plus du simple éclat de la jeunesse en gloire. Etaient-ce sa voix plus décidée, ses gestes plus fermes, ou son regard brillant d'une sourde force, encore inemployée ? Mohini n'aurait su le dire. Tout ce qu'elle remarquait, c'est qu'à l'âge où le commun des femmes et elle-même commençaient à s'amollir, s'affaisser, perdre leur grâce dans les maternités répétées ou l'abus des sucreries, Sarasvati prenait le chemin inverse. Elle s'affinait, s'épurait. Bien sûr, Mohini le sentait bien, au bain ou sous les caresses du massage, ses seins n'étaient plus aussi fermes, plus aussi effilé le fuseau de ses cuisses. Mais elle avait gagné en douceur ce qu'elle avait perdu d'aspérité ; le sillon profond de son décolleté, les petits coussinets dodus de ses hanches, tout cela seyait merveilleusement à son âge qui s'en allait tranquillement vers les jours de sérénité. Dharma ! l'âge du repli, de la réserve, vingt-six ans bientôt...

« Vingt-six ans, j'aurai bientôt vingt-six ans, fit Sarasvati, comme si elle avait suivi le cours de ses pensées. La jeunesse s'enfuit de moi. »

Elle se pencha vers un miroir, toucha de l'index les plis délicats de ses traits. Ce visage, cet éclat intense : voilà ce qui sauvait Sarasvati du temps. Elle rayonnait de l'intérieur, d'un monde où nul ne pénétrait. Mohini y soupçonna soudain des merveilles, de beauté comme de douleur.

« La fleur épanouie sent plus fort que le bouton, princesse ! hasarda-t-elle alors.

— Combien de temps, combien de temps ? Bientôt va venir l'âge où les hommes se plaisent à s'entourer de jeunettes, de petites filles à peine échappées des saris des nourrices. Plus s'argentent les cheveux des hommes, et plus les prend la maladie des seins à peine éclos, des jambes maigres et des ventres plats ! »

Sarasvati retourna le miroir sur le tapis, suivit un moment des doigts le dessin d'une guirlande.

« Le rajah ne songe pas aux femmes, princesse. Il ne rêve que jardins.

— Jardins ou guerres.

— Dharma, Sarasvati. Si son frère l'attaque comme il l'a menacé, il faudra bien qu'il se défende. »

Il y eut un long silence. Accroupie sur le tapis, Sarasvati redessinait les fleurs.

« La guerre... oui... je n'ai pas peur de la guerre. Je l'ai déjà vue, enfant. Et Godh est un diamant. Indestructible ! »

Puis elle ajouta, dans un de ces élans soudains qu'on lui connaissait depuis la mort de ses jumeaux :

« Et qu'ai-je à craindre ? Mon fils Gopal est beau et fort, il a dix ans, et le printemps revient ! Le rajah viendra me chercher demain pour fêter le Holi au bord du lac, dans les jardins qu'il vient de bâtir. Viens, Mohini, viens au jardin écouter la musique, et nous regarderons descendre le soir en jouant avec les perruches. »

Mohini se mit à rire :

« Comme tu changes vite, Sarasvati, depuis quelques semaines ! Tu as parfois le front lourd et sombre comme un ciel de mousson et l'instant d'après je te vois souriante et belle, pareille à la fleur de lotus !

— Viens, Mohini, dit simplement Sarasvati, et elle aida son amie à se relever. Viens, j'ai hâte de retrouver les autres.

Et elle s'enfuit vers le jardin. C'était bien une fuite, en effet ; du plaisir, de la musique, plus de questions. Mohini commençait à lui peser, et tout le zenana. Elle-même aussi se détestait, d'une certaine façon. Ou du moins elle avait pris en grippe la condition que la vie lui imposait. Ce matin même — et cela elle ne l'eût avoué à personne —, Sarasvati s'était demandé si elle n'allait pas devenir semblable à toutes ses compagnes, avec sa jeunesse qui s'évanouissait peu à peu.

Ce qui s'était passé était pourtant chose banale : on s'apprêtait à marier Parvati, une toute jeune fille, quatorze ans à peine, à un cousin de Bhawani. Selon la coutume, les sages-femmes étaient venues la visiter, dire si elle ferait une épouse heureuse, une bonne porteuse de fils ; pour la circonstance, on lui avait donné son bain en grande cérémonie.

Comme toutes les femmes, elle s'était pressée pour observer la petite, voir comment elle ouvrait son corps à l'exploration des visiteuses. Et, tout d'un coup, Sarasvati s'était sentie devenir jalouse, jalouse à mourir de ces formes neuves, comme les siennes ne le seraient jamais plus. Alors, sans vergogne, elle se mêla aux bras habiles des servantes, réclama pour elle-même la peine du massage.

Tandis que la petite gémissait de bien-être, Sarasvati s'attardait aux creux secrets, aux rotondités naissantes, non par plaisir, mais parce qu'elle voulait saisir un peu de cette verte jeunesse, la retenir en elle, y puiser des forces neuves.

Ce soir, ce fut encore Parvati qu'elle réclama, dès qu'elle eut entraîné Mohini au jardin. Elle posa la main sur son épaule, la jeune fille s'abandonna, et Sarasvati se sentit forte. Puissance étrange, nouvelle, qui montait en elle à la façon du lait, aux lendemains des naissances.

Le soir tomba comme un enchantement. Les cascades murmuraient. Mohini s'était éloignée, portant ailleurs son ventre et ses questions. Dans une cage jouait une perruche ; on apportait un narguilé. Des dizaines de petits biscuits sucrés s'entassaient dans des bols ciselés. Le santal se consumait dans les brûle-parfum. Trop parfait, ce moment, suspendu entre ciel et terre, dans le jardin qui dominait le palais, et Godh, éternellement rose, au bas de la falaise. Suspendu aussi entre guerre et paix. Sitôt finies les fêtes du Holi, l'inquiétude reprendrait. Le frère de Bhawani était aux marches de la province avec une armée neuve, disait la rumeur du bazar. Toutes les femmes du zenana le savaient, à l'exception peut-être de quelques servantes demeurées et de la petite Parvati, qui n'avait de pensée que pour son promis qu'elle n'avait jamais vu, et pour la nuit où il déferait ses voiles. Pauvre Parvati. Imaginait-elle qu'au lendemain de ses noces son époux tout neuf saluerait d'un tendre adieu, puis sortirait son armure, avant de s'en aller sur un éléphant de guerre ? Ce n'était pas sûr, mais il fallait y penser, puisque Bhawani lui-même, dès que les bruits des marchands passèrent le seuil du Diwan, avait ordonné d'avancer le mariage. La guerre. Mais Sarasvati, désormais, s'en moquait. Elle était prête. La musicienne jouait sur la vina un raga de l'amour serein ; une femme se mit à psalmodier la chanson d'une *svadhinapatika,* dame éternellement aimée de son seigneur. Dans un angle de parterres, sous un dais de velours, une servante présentait des couleurs à une jeune princesse mariée de l'an passé, qui dessinait avec application la silhouette de son époux.

Le vent du soir se leva, un peu frais, et la musique commença à languir. Une à une, les femmes s'ébrouèrent, secouant leurs pendeloques et les plis de leurs jupes. Elles souriaient. Demain, ce serait la grande fête du Holi, ultime trêve, peut-être, avant la guerre. Sarasvati détacha son bras de l'épaule de Parvati.

« Allons, petite, lève-toi, va donc dormir. Le sommeil est le meilleur onguent des futures épousées ! »

La petite obéit, se leva d'un bond, courut sous les pavillons de marbre où déjà s'allumaient des lampes. Sarasvati se leva à son tour, tandis que les servantes sortaient leurs balais de jonc pour réparer le désordre du jardin. Elle s'avança jusqu'à la galerie qui dominait la falaise et, un long moment, tant que le soleil demeura à l'horizon, elle resta à regarder les hautes montagnes noires qui encadraient la route du Nord.

Le lendemain, aux premiers rayons du soleil, la grande rumeur des fêtes s'empara du palais.

« Les couleurs sont prêtes ? Et les seringues ? Avez-vous pensé aux seringues ? »

D'un bout à l'autre du zenana, la voix claire de Sarasvati résonnait, courait les galeries et les jardins.

« Allons ! dépêchons ! Les éléphants nous attendent à la porte, ils vont finir par s'impatienter à nous attendre sous leurs dais ! Allons ! Allons !

— Tu es bien vive, ce matin ! remarqua Mohini, qui languissait sur son charpoï.

— Ne nous jalouse pas, Mohini, je te laisse ma petite servante pour te gâter ! Et Sita va rester au palais, pour veiller sur toi si l'enfant se décide à venir.

— C'est encore trop tôt... Mais je me sens bien lasse. Crois-moi, je n'ai guère envie de vous suivre à la fête. Je m'étonne simplement de te voir si fébrile ! »

Sarasvati fronça les sourcils. Son visage, qu'avait détendu la joie du départ, se ferma. Elle se pencha vers le charpoï d'un air froid, serra le bras de Mohini :

« Repose-toi. »

Mohini ferma les yeux.

« Ne t'inquiète pas. Le jour sera beau. Ce sera une

grande fête. Moi, je vais dormir pendant ce temps-là. »

Sarasvati sortait déjà. Quelle allégresse la portait, la rendait légère, fantasque, heureuse comme les perruches du jardin ? Elle allait retrouver Sharma au palais du lac. Mais, auparavant, il y avait la grande parade en éléphant au milieu de la foule en liesse, dont on percevait déjà la rumeur. Chacun chercherait à asperger son voisin d'eau colorée, les femmes assailliraient les hommes, leur arracheraient leurs vêtements, les fouetteraient pour fêter le printemps revenu. Car depuis quelques jours déjà la vie renaissait, et il fallait répandre l'eau et la couleur de tous côtés pour obliger la nature à en faire autant, et qu'elle ne ménageât pas, à la mousson prochaine, ses cadeaux de pluie. L'année dernière, les orages d'été n'avaient pas manqué, mais les paysans demeuraient soucieux car les averses n'avaient pas été aussi abondantes qu'à l'ordinaire. On murmurait même qu'il avait à peine plu dans les plaines du Nord, et certaines d'entre elles, disait-on, s'étaient transformées en désert. Quelle faute les hommes avaient-ils donc commise pour que les dieux les punissent de telle sorte, en les privant du trésor de l'eau ? Il fallait donc cette année une belle fête du Holi, bien généreuse, bien débordante, pour que le monde reprenne espoir et vie, que les plantes sortent de toutes parts en pousses vigoureuses, que le lait des vaches sacrées soit crémeux et nourrissant, que les rizières verdissent, que les hommes soulèvent les jupes des filles, et qu'à l'automne naissent de bons gros garçons.

Bhawani attendait la princesse au pied d'un éléphant :

« Namasté !

— Namasté... »

C'était fête aujourd'hui ; ils se sourirent. Le rajah s'était paré de brocart d'or ; il resplendissait de toute sa personne, et, pour une fois, il avait oublié sa mélancolie. Depuis des mois les menaces de guerre le minaient ; il mangeait à peine, il avait maigri. Qui ne l'aurait pas vu comme à présent, en vêtements de fête et dépourvu de son turban royal, l'aurait pris pour un homme ruiné, ou appauvri, tant il avait perdu la corpulence des puissants. Seuls ses cheveux argentés attestaient à la foule qu'une parcelle du pouvoir divin résidait en lui.

« Tu es bien belle, Sarasvati, tu as le charme de la lune nouvelle à son lever ! Mais guère pressée ! Ton fils est arrivé avant toi ! »

Gopal était déjà monté sur l'éléphant, lui aussi vêtu d'or et enturbanné.

« Les enfants se font une fête de la fête ! Ils sont plus rapides que nous autres femmes.

— Ne te réjouis-tu pas du Holi ? »

Sarasvati baissa les yeux.

« Certes... Mais il me faut tellement d'heures pour soigner ma parure. »

Bhawani saisit entre ses doigts une de ses boucles d'oreilles.

« Et si peu de temps à un rajah pour en défaire l'arrangement... »

Sarasvati feignit de baisser les paupières ; elle n'aimait pas ces déclarations publiques, surtout en présence du gros Diwan, qui ne manquait jamais, en pareille occasion, de l'épier ensuite pendant des heures avec une poussive concupiscence. Sous ses cils pourtant elle traquait le regard du prince, elle cherchait au fond de ses pupilles la lumière aiguë qui lui dirait que le rajah ne mentait pas, que son désir était vrai. D'effleurer son oreille, elle en défaillait déjà. Elle leva les yeux, prête à affronter hardiment le regard qui la convoitait. Oui, il l'aimait, sans doute. Mais elle, l'aimait-elle toujours, de l'âme et du corps ?

Un éléphant se mit à frapper le sol d'une patte nerveuse.

« Partons ! » dit le rajah.

Bhawani, son fils et le Diwan devaient prendre place sur la première bête. Sarasvati se dirigea docilement vers le second éléphant, qu'elle partageait avec l'indolente deuxième épouse, plus que jamais confite dans les sucreries pâteuses. Elle s'était hâtée, malgré sa graisse, et elle avait pris place depuis longtemps sous le baldaquin. Le cornac cria quelques mots ; l'animal se dirigea vers le petit embarcadère, et Sarasvati rejoignit sa place. La journée s'annonçait belle. Air léger, ciel bleu de mars, et déjà la chaleur montante. L'éléphant du rajah ouvrit la marche, précédé d'une cohorte de soldats armés de lances ou de grands éventails. Puis s'avança celui de Sarasvati, entouré de petites bayadères et de musiciens, enfin toute la Cour, sur une vingtaine d'autres éléphants.

A chaque pas de l'animal, Sarasvati sentait s'appesantir contre elle la chair trop douce et trop molle de la seconde épouse, qui souriait béatement, tout à l'espoir des gâteaux de la fête. Tous les ans, au Holi, c'était la même procession, le même protocole ; Sarasvati en connaissait l'épreuve. Pourtant, jamais jusqu'à présent n'était revenu, violent comme s'il était de la veille, le souvenir de l'autre procession d'éléphants : celle de la chasse, celle de l'accident, celle de la nuit où furent conçus ces deux enfants qui étaient morts si vite, ainsi que des oisillons trop fragiles. Et elle, la mère, toujours vivante, toujours amoureuse de la vie. Le trouble qui remontait n'était pas celui de Bhawani. Et si ces enfants étaient morts à cause du firangui ? Non. Cet homme n'avait pu apporter le malheur. Mais la plénitude de la nuit du pavillon de chasse, qu'était-ce en vérité ? Plus le temps passait, et plus Sarasvati réfléchissait aux leçons de son maître, le guru qui l'avait présentée au vieux rajah, alors qu'elle entrait à peine dans sa quinzième année. Sur le moment, elle n'avait retenu de son enseignement que les prouesses qu'il avait apprises à son corps, le code des cris et des morsures, les dessins des jambes, l'art de présenter son ventre, toutes choses alors inconnues. Mais il avait dit aussi : « Il y a plusieurs sortes d'union, Sarasvati, l'union spontanée, quand deux êtres s'unissent par sympathie et goût mutuel et qu'ils sont de même naissance. L'union de l'amour ardent, quand deux amants ont connu trop de peine avant de se réunir. L'union de l'amour transmis, quand l'un des deux amants, pendant toute la durée de l'amour, s'imagine qu'il est dans les bras d'une autre personne, qu'il aime réellement. »

L'éléphant descendait lourdement la rampe. Godh se rapprochait, et les clameurs de la foule. A la porte d'eau le niveau de la rivière était un peu bas pour la saison.

« Khrishna, Khrishna, protège cette ville et donne-nous bientôt une bonne mousson... »

Pourquoi prier si fort ? Pour son enfant peut-être, devant, sur l'éléphant royal ? Pour Bhawani ? Elle contempla un moment les deux dos si semblables. Soudain, à un coude de la rampe, elle fut projetée sur la deuxième épouse. Elle s'excusa. L'autre soupira en gloussant, ainsi qu'à son habitude.

Sarasvati détourna les yeux. A cet instant, elle aurait voulu ne plus rien sentir, comme sous l'effet de la fleur de pavot. Jamais femme ne lui avait autant répugné. Ce n'était pas cependant qu'elle se mît à détester la deuxième épouse ; mais au contact de cette chair amollie, fatiguée par la vie du zenana, Sarasvati venait de comprendre qu'elle ne voulait pas de ce destin. Elle était encore belle, et ferme, et ardente. Mais pour combien de temps ? Elle aussi, le zenana la tuerait, de cette mort lente et flasque. Elle rêva un instant d'une vie plus dense, d'air libre, de grand vent ; elle ne craignait plus le sang, la guerre, la tragédie. Et le passé devenait dérisoire. Des années, des années entières, mousson après mousson, à lutter contre ses compagnes, à rivaliser de savoir-faire, d'onguents et de parures ; des jours, des mois inquiets à interroger les miroirs : pourquoi ? Etre la plus belle, la plus enviée ? Que lui avait donné Bhawani en retour, sinon le plaisir du corps et la glorieuse certitude qu'elle avait gagné ce combat ? Sa maternité même, la naissance de Gopal, elle l'avait ressentie comme une victoire. La mort des jumeaux, un signe des dieux, un avertissement indéchiffrable. Mais comme tout s'éclairait subitement ! Tout avait commencé avec l'arrivée des firanguis. *Du* firangui. Qui allait revenir, oui, qui allait rentrer à Godh, d'où il n'aurait jamais dû partir. Son destin était ailleurs. Hors du zenana ! Loin de la prison des femmes, du lieu des miroirs et des accouchements, des attentes de l'amour et des pensées recluses.

Pensées impures ! Tandis qu'on pénétrait dans la ville, que la pente du chemin s'adoucissait sous l'éléphant, Sarasvati tenta de les repousser. Idées souillées, horreur de l'âme qui risquaient de salir aussi l'ordre du monde, son harmonie, et de compromettre la mousson prochaine. Dharma, Sarasvati, dharma ! Ton esprit est souillé, en ce jour sacré, veux-tu donc la ruine de ta famille ?

Mais l'affreuse conviction se levait à nouveau, irrésistible, inquiétante et délicieuse à la fois, plus violente à chaque pas de l'éléphant : « Bhawani, je l'ai aimé de l'amour ardent, mais je ne l'aime plus que du désir tranquille. Bienheureuse encore, si sur notre charpoï ne vient pas se mêler l'image d'un autre, pour l'union de l'amour transmis. »

Il faisait trop beau. Il fallait jouir du bonheur, tant qu'il en était l'heure. On entrait dans Godh, on passait le quartier des marchands, dont les hautes maisons roses ne parvenaient pas à cacher les pans de la falaise et la silhouette de la citadelle. Elle se retourna. La deuxième épouse s'était endormie. Elle regarda le palais accroché au rocher, chercha à repérer les galeries du jardin, où, des jours entiers, et, elle en faisait le compte maintenant, des années entières, elle avait contemplé la plaine. Elle les découvrit sans mal. Une mousseline de pierre. Tout cela, le point d'ancrage de sa vie petite, qui jusqu'alors lui offrait l'image de la solidité, lui sembla d'un seul coup dérisoire. Pis encore : fantaisiste, irréel, comme les songes. Le zenana était derrière elle.

La veille encore elle se serait interrogée avec terreur sur l'avenir qui serait le sien. Elle s'en moquait maintenant. Car son regard était descendu vers la plaine ; elle avait épié les chemins du Nord, dont elle apercevait les lacets suspendus aux ondulations des montagnes. Or, en ce jour du Holi, Sarasvati y trouva ce qu'elle espérait : le poudroiement jaune d'une troupe en marche. Pour qui était rompu à observer la plaine et à guetter les mouvements de la guerre, celui-ci annonçait sans faillir, rien qu'à voir ses nuages réguliers et son rythme hâtif, l'arrivée fougueuse des hommes des Eaux Noires.

*
* *

Madec descendit la montagne ; à ses pieds grondait la rivière. Elle ne remplissait guère plus du quart de son lit habituel, on le voyait à la ligne de joncs desséchés qui marquaient le cours des hautes eaux, mais la déclivité de la gorge et le chaos des rochers étaient assez forts pour tourmenter le fleuve et faire monter jusqu'à la route le frémissement de ses bouillons. On le suivait depuis trois jours. Après la traversée des crêtes qui servaient de frontière naturelle au pays radjpoute, découvrir, au sortir d'un col, ses eaux jaunâtres avait empli Madec d'une joie immense. A quoi l'avait-il reconnue, la rivière de Godh, qui n'était là-haut qu'un ruisseau impétueux, perdu dans la solitude des pierres sèches ? A son air un peu méchant ? Aux terres ocrées qu'il roulait, au soleil rouge d'ouest qu'il semblait chercher, dévalant la pente des cols avec une ardeur surprenante ? Madec l'ignorait encore. Sans doute en lui, plus sûre qu'une boussole, la mémoire de Godh était assez forte pour qu'il la reconnût dans tout ce qui l'annonçait ; eau, ciel, terre, pierre, et, déjà, qui montait vers lui avec l'entêtement du printemps, l'odeur des jasmins sauvages et des jacarandas.

Et maintenant voici que Godh s'étalait à ses pieds, offerte à lui comme la première fois. Vue du nord, elle présentait son plan curieusement symétrique, l'alignement régulier des portes au long des remparts, la rivière la traversant en son centre comme les deux parts d'un fruit, le noyau inaltéré de sa citadelle. Au milieu du fouillis de clochetons et de galeries qui la couronnait, Madec chercha un lieu familier. Le Diwan-i-khas. Ou les fenêtres de la chambre où il avait dormi. Il ne trouva rien. Le souvenir et le moment présent se superposaient mal ; il se demanda s'il n'avait pas rêvé. Godh demeurait, alors même qu'il l'embrassait de tout son regard, à la fois donnée et soustraite, à la fois présente et absente. Comme elle, pensa-t-il, et il eut mal. Il se retourna vers sa petite armée. Les hommes étaient couverts de poussière. Devant le gros de la troupe marchaient deux éléphants de guerre un peu poussifs, qu'il avait achetés à Agra peu après avoir chassé le jésuite. Ses derniers sacs de roupies y étaient passés car Madec avait dit aux soldats :

« Délibérons pour savoir si nous nous passerons d'éléphants, sans lesquels il n'y a pas de grande armée aux Indes, ou si nous préférons manger un peu moins ! »

La troupe, à l'unanimité, avait choisi les éléphants. Elle n'avait pas vu sans mélancolie diminuer sa ration de cari ; cependant, tous avaient bien lu dans l'œil brillant de Madec sa convoitise orgueilleuse, et ils savaient qu'elle était son unique aiguillon. On emmena donc les bêtes. Quelques cipayes débauchés en chemin tentèrent de leur donner un semblant de faste en peignant leurs défenses et leur front de dessins contournés et chatoyants. On tendit sur leurs flancs de grands draps brodés, mais la traversée des montagnes et les vents de poussière les avaient beaucoup éprouvés. Madec crispa les mâchoires ; il s'en voulait : il n'avait su que choisir entre son souci d'apparaître en beauté et sa hâte à franchir les portes de Godh. Il aurait mieux valu être franchement pauvre, ou d'une richesse éclatante. Bien sûr, on placerait les éléphants en tête, quoique fatigués et pisseux. On y adjoindrait les canons, comme aux temps d'autrefois. Cependant, à supposer même que les canons fissent aux gens de Godh autant d'effet que par le passé, cela ne suffisait pas.

D'un mouvement nerveux, Madec essuya la poudre qui recouvrait son habit. Peine perdue. A chaque pas son cheval soulevait un autre nuage. Depuis Bénarès, Madec s'habillait à l'indienne, robe de brocart et pantalon bouffant. Pendant les marches, s'il y avait menace, il revêtait une sorte de cotte en acier tressé et un casque à visière de la même cotte, sous lequel il se trouvait assez belle allure. Mais comment devait-il se présenter à Godh ? En Européen, comme autrefois, c'est-à-dire en Anglais et en guenilles, vu l'état de son dernier uniforme ? Ou bien en Indien, donc étranger à lui-même, et courant le risque de paraître ridiculement costumé devant des hommes qui ne l'avaient peut-être aimé qu'en ce qu'il était, comme ils disaient, un *firangui* ?

« Va pour l'Indien », murmura-t-il, et il se retourna à nouveau vers ses hommes :

« Voyez le bosquet, au sud, là où la rivière sort de la ville. C'est là que j'ai campé la première fois. Nous y retournerons, et nous ferons toilette. Si les choses n'ont pas changé en ce pays, le rajah nous enverra aussitôt son Diwan, puis nous serons reçus dans son palais !

— Holà, Madec ! cria un cavalier. Elle m'a l'air bien agitée, cette ville... Regarde cette foule, dans les rues, au bord des remparts ! »

Madec suivit son doigt :

« Ma foi, oui. Ce doit être une fête. Ils adorent tant de dieux ! C'est toujours fête chez les hindous.

— Une fête, répéta l'autre en plissant les yeux. Comment savoir ? »

D'ici, on ne percevait en effet que les mouvements d'une foule colorée et désordonnée, dont les remous, vus d'en haut, paraissaient très lents, sans qu'on y pût distinguer un but, ou une quelconque signification.

« En avant, cria Madec, dépêchons ! En bas, nous aurons à boire et à manger ! »

Cette dernière proposition ne manqua pas son effet habituel ; elle redoubla l'ardeur des soldats. On fit passer les éléphants en tête, on aiguillonna les bœufs qui tiraient les canons. Ils mugirent, et, emportés par l'élan général, des chevaux se cabrèrent, qu'on retint à grand-peine dans les dernières pentes. Quant aux huit cents fantassins, ils suivirent en désordre et tout essoufflés. On alla si vite qu'il n'était pas neuf heures au soleil quand on parvint aux portes de Godh.

Ce fut un hourvari sans nom. Porteurs d'énormes seringues de métal, les hommes se bousculaient pour asperger d'eau colorée toutes les formes féminines qui venaient à les croiser ; et il n'en manquait pas, car le jeu des femmes consistait à arracher aux mâles les pagnes safranés dont ils s'étaient ceints ; puis, quand le mal était fait, de leur fouetter les cuisses de petits balais flexibles, qu'à dix pieds de là on devinait cinglants.

Médusé, Madec donna l'ordre d'arrêter la marche. Depuis qu'il l'avait observée du haut de la montagne, la foule s'était considérablement accrue ; elle débordait maintenant l'enceinte des remparts.

Il ne pouvait se faire entendre, le charivari était scandé par un vacarme de tambours, il en était de toute espèce : des tams-tams, des grosses caisses, ou même de simples peaux tendues sur des cercles de bois, analogues à celles qu'on voyait en Europe aux mains des bohémiens. Des femmes soufflaient aussi dans de longues trompettes et dans des sortes de cors. Le tout faisait une effroyable cacophonie.

Il était fort désarçonné. Il s'attendait à ce qu'on le

vît venir, qu'on lui préparât un accueil ; peu lui en importait la nature, pourvu qu'on le reconnût. Quand on avait traversé les dernières rizières, il s'était senti fort paisible, prêt à tout, et même à mourir, pourvu qu'il sût que Sarasvati était ici, vivante, et que le monde allait son train. Il se doutait bien qu'il ne la reverrait pas de sitôt, il y aurait l'habituel prélude des salamalecs et des palabres, la longue marche à travers jardins et galeries, tentures une à une soulevées, tapis à baiser, cadeaux à offrir. Il avait réuni un beau *nazer*, acheté dès Bénarès : deux chevaux bruns, en mémoire des montures afghanes que le rajah lui avait remises à son départ, deux bourses craquantes de perles, enfin un canon frais fondu de sa dernière campagne. Madec avait donc rêvé d'une attente tranquille sous le bois de manguiers, d'une procession indolente des notables rangés derrière le Diwan, d'éléphants, de chasse peut-être. Il avait pensé, parfois, à l'éventualité du malheur : la guerre, un autre rajah, Sarasvati malade ou recluse... Il n'avait pas prévu la fête qui lui apparut tout soudain comme le pire : lui Madec, l'étranger de retour, on ne l'avait pas vu !

Il était fou de rage. Pour mettre le comble à sa colère, une giclée d'eau colorée venait de l'atteindre au visage ; sa robe de brocart, dont il avait réussi à détacher la poussière, ruisselait maintenant de grosses gouttes rouges. Tout occupés à se battre, les gens de Godh ne prêtaient nulle attention aux Français ; les éléphants de guerre s'étaient rangés docilement au long de la rivière, et déjà les cornacs les avaient abandonnés pour aller se joindre à la liesse générale, suivis par les cipayes, qui ne voulaient pas laisser passer une si belle occasion.

Les Français ne comprenaient pas.

« Rentrez dans les rangs ! s'époumona Madec. Rentrez dans les rangs, ou je vous brûle la cervelle à tous ! »

Les stridences des trompettes reprirent alors de

plus belle, et il sembla que nul mot ne passerait ses lèvres. Et puis, soudain, la foule s'écarta.

Une à une, les femmes abandonnèrent leurs tambours, baissèrent leurs cors. Les plis de leurs saris retrouvaient leur sagesse coutumière, leurs traits redevenaient sereins. Mais on ne regardait toujours pas Madec. Au contraire, tous lui tournèrent le dos, les yeux rivés sur la porte des remparts.

Une musique nouvelle déferla. Madec la reconnut aussitôt. La parade. La parade solennelle du rajah, quand il descendait vers la ville, vers la plaine. Les musiciens, les porteurs d'éventails géants, les bayadères, la procession d'éléphants, parés comme les divinités des temples.

Il n'eut que le temps d'éponger les dernières gouttes rouges que n'avait pas bues sa robe. Du haut de sa monture, le rajah l'avait aperçu. Il attendit pourtant d'être à la hauteur de Madec pour arrêter la marche. L'une après l'autre, les autres bêtes ralentirent et s'immobilisèrent. La foule se retourna. Ce ne fut qu'un cri, venu du second éléphant :

« Madecji ! »

Le rajah ne bougeait toujours pas, mais Sarasvati, elle, s'était levée dans le palanquin.

Aussitôt, Madec reconnut sa voix. Sa mémoire, où il l'avait enfouie, s'ouvrit d'un seul coup. Mais il ne voyait pas la princesse, car l'énorme palanquin du premier éléphant bouchait la perspective du cortège.

« Madecji.... répéta-t-elle plus doucement, puis sa voix se mourut.

— Madecji.... reprit le rajah. Tu nous avais sauvés ! »

Madec sauta de cheval, se prosterna sur le sol.

« Rajah ! Me voici de retour, avec ma modeste armée, que je t'offre, si tu y consens ! »

Il craignit aussitôt d'avoir été trop direct. Le rajah détaillait les canons, les fantassins, les éléphants de guerre.

« D'où viens-tu, Madecji ? Du Nord, par ce pays qui

craque de partout et se fendille comme la terre assoiffée ? »

Il parlait d'une voix neutre, un peu assourdie. Madec eut peur : et si le rajah lui en voulait ? Et s'il l'avait deviné ?

« Oui, je viens du Nord, très honoré seigneur. J'étais auparavant au Bengale, où les firanguis à veste rouge m'ont retenu prisonnier pendant presque deux ans.

— Les firanguis à veste rouge... » répéta le rajah. Il s'interrompit un instant, l'air méfiant :

« Et tu nous reviens ? »

Madec leva les yeux vers le rajah. Leurs regards se croisèrent. Ni l'un ni l'autre ne pouvaient évoquer le souvenir commun qui revenait à leur mémoire, la chambre du paon, le diamant et le pacte qu'ils avaient passé. Mais le regard suffit. Le visage de Bhawani s'éclaira :

« Tu n'as pas changé, dit le rajah. Relève-toi. »

Madec secoua la poussière de sa robe et se planta devant l'éléphant :

« Accepte-moi dans ta ville, avec mon armée !

— Madecji, tu ne resteras pas dans ma ville, alors que je vais festoyer. Suis-moi ! Car c'est aujourd'hui le jour du Holi, le carnaval sacré du printemps. Aujourd'hui la nature est en joie, et nous la célébrons, pour que d'ici trois mois elle nous apporte une bonne mousson. Allons, suis-nous jusqu'au lac. J'ai fait construire sur la berge de l'Est de nouveaux jardins, que je compte bien étrenner tout de suite. Tes soldats camperont sur le rivage ; toi, nous t'hébergerons au palais. Par l'acier ! »

Madec se prosterna encore pour acquiescer, puis leva à nouveau les yeux vers Bhawani ; aussitôt, il remarqua tout de sa transformation : son amaigrissement, sa fatigue, mais, surtout, il s'était creusé en lui comme une étrange fragilité ; autrefois, ses joues rebondies et son teint frais laissaient croire à l'insouciance. Maintenant — était-ce que lui, Madec, s'était au contraire endurci —, il ne lisait plus sur ses traits qu'une grande blessure, le tourment d'un vaincu. L'Inde sans doute, l'Inde meurtrie le tenaillait. Son visage s'était curieusement émacié et de grandes rides un peu tristes sillonnaient ses joues brunes. Pourtant, quel éclat, quelle force encore sous son turban et son aigrette ! Et cette bonté inaltérable au fond des yeux. Somme toute, il vieillissait bien. Et elle ? Il n'avait entendu que sa voix. Madec fut saisi d'une honte soudaine. Il avait autrefois sauvé la vie de ces deux êtres, d'un coup de pistolet opportun, voilà tout. Ce rajah et son épouse lui en étaient reconnaissants, ainsi que savaient l'être les Indiens. Et lui, Madec, il s'était inventé un conte, une chimère extraordinaire qui n'avait eu d'autre effet que de le faire courir par monts et par vaux, pour trouver quoi ? Une petite ville rose, dans une minuscule province menacée, avec un rajah aimable et inquiet, au sein d'un monde de dieux, de fêtes et de rites, inaccessible à tout étranger, l'appelât-on Madecji... Le rajah cria quelques ordres au cornac. Il donnait le signal du départ. Son éléphant s'ébranla doucement, tandis que reprenaient les danses des bayadères. Madec se rangea sur le côté.

« Nous allons suivre ! cria-t-il à sa troupe éberluée. Nous camperons au bord du lac. »

La monture du rajah s'éloignait, et s'avançait maintenant le deuxième éléphant. Il ne vit tout d'abord qu'un amas informe de mousselines roses, surmontées d'un visage souriant et gras, outrageusement maquillé. Non, ce ne pouvait pas être elle, cette masse dodelinant au pas de l'animal, elle ne pouvait pas avoir autant changé, il ne s'était pas passé assez de temps. L'éléphant était désormais à la hauteur de Madec, qui déjà cherchait la troisième bête ; cette voix, ce cri, tout à l'heure, il n'avait pas rêvé. Un musicien le bouscula, deux bayadères l'effleurèrent de leurs hanches nues. L'éléphant l'avait dépassé.

« Sarasvati. »

Un sari bleu de nuit galonné d'or. Cet inimitable geste de la tête pour se retourner et ce voile pailleté qu'elle remonta devant ses lèvres, dans un mouvement d'une infinie pudeur. Elle était là, vivante, superbe, aussi belle qu'au premier jour, la dame qu'il avait cherchée depuis des mois, celle dont le visage s'était dessiné à l'horizon des plaines affamées, des jungles vertes et putrides et des champs de bataille, comme dans le jardin du Taj. Elle était là ! Droite, souveraine et princière. L'autre femme, étalée sur les coussins du côté où Madec regardait la procession, l'avait dérobée à ses yeux par un effet de perspective ; elle, Sarasvati, elle avait dû le voir, et c'est pourquoi elle se penchait à présent vers lui, avec une ombre de sourire, comme pour lui dire : Je sais...

Il était soulagé. Soulagé, mais non comblé. Car le cortège s'éloignait déjà, et, n'eût été ce geste imperceptible de la princesse pour se retourner, il n'aurait vu d'elle que ce qu'il contemplait maintenant, paralysé au milieu de la foule des danseuses : un dos brun et droit passant le boléro bleu et or, et ces voiles qui voletaient, l'image même de la délicieuse souffrance qui l'avait porté vers Godh : Sarasvati, ou l'amour d'absence, offerte et à la fois refusée.

De la journée, Sarasvati ne rencontra pas le firangui. Tout le temps de la fête, dans les nouveaux jardins, il s'était tenu éloigné, comme l'exigeait la décence en pareille circonstance. Il eût été inconcevable qu'un étranger se mêlât aux réjouissances, puisqu'on racontait qu'il adorait d'autres dieux, ou, chose plus extraordinaire encore, un seul dieu, un misérable torturé sur deux morceaux de bois. Mais enfin, quelque chose le lui disait tout bas, ce firangui-là n'était pas comme les autres ; il y avait en lui une sorte de don secret, une affinité bizarre avec la terre indienne ; et, pensa Sarasvati durant toute la fête, nul à la cour de Godh n'eût été surpris si, comme toute l'assistance, il s'était armé d'une seringue pour asperger les femmes.

Au lieu de cela, il s'était assis au bord d'un chadar, et le jour entier il y était demeuré, se levant seulement à la fin des réjouissances, quand le rajah vint à lui pour lui faire admirer son nouveau parc.

« J'avance en âge, avait-il dit à Madec. J'ai un fils, qui pourra me remplacer quand s'enfuira de moi la vie. Mais les hommes ne se perpétuent pas seulement par leur descendance. Il leur faut construire. Je n'aime pas les grandes choses de pierre que bâtissent nos empereurs, des mahométans venus du nord ; ils ignorent la vanité des actes d'ici-bas et ne veulent rien savoir de l'éternel cycle des réincarnations. Non, non, je n'aime pas cela... »

Il parlait à voix basse, avec une sorte de tendresse, comme pour la confidence.

« Tout ce qu'ils ont inventé de beau, ce sont les jardins. Les jardins, Madecji, comprends-tu ? »

Madec n'avait jamais réfléchi à la question, et il interrogea Bhawani du regard.

« Regarde, Madecji, regarde cette feuille de lotus. »

Sur un bassin dérivait une fane encore verte, qu'une femme enjouée avait sans doute arrachée en cueillant une fleur. Des gouttes d'eau la parsemaient ; à chaque remous du bassin, elles étincelaient dans le soleil avec de minuscules arcs-en-ciel.

« Regarde, Madecji, poursuivit le rajah, c'est l'image même de notre vie. Le jardin vit et meurt avec la saison, il resplendit ou s'assèche selon la loi du soleil et des pluies. Serions-nous assez riches pour paver de joyaux ces bassins, assez savants pour faire jaillir la lumière de ces jets d'eau, le jardin resterait froid et dur, s'il n'y avait la splendeur des arbres et des fleurs. Et les veilles de mousson, leur sécheresse même présage notre mort. »

Madec écoutait en silence, tâchant de suivre du mieux qu'il pouvait l'hindi poétique de Bhawani.

« Vois-tu, Madecji, la guerre est proche, et je mourrai peut-être, sans avoir jamais contemplé mon fils sous l'armure des guerriers radjpoutes. Ce matin encore, je n'osais le croire. Je l'ai compris quand je t'ai vu.

— Rajah ! Mais je ne t'apporte pas la guerre ! » interrompit Madec.

Bhawani s'assit à son tour au bord d'un chadar :

« Te souviens-tu de notre pacte, dans la chambre des paons ?

— Rajah... Comment aurais-je pu l'oublier ?

— Tu ne serais pas revenu, Madec, si ta nation avait vaincu. »

Madec était abasourdi. C'était peut-être vrai. Mais il y avait la princesse. Sarasvati. Comment lui dire ?

Le rajah lui prit la main :

« Tu ne serais pas revenu. Car la gloire est insolente, elle corrompt tous les hommes. Toi, tu es resté pur.

— La défaite, la prison, les hommes à veste rouge auraient pu tout aussi bien me corrompre !

— Non. Pas toi. »

Il lui tourna le dos, refusant de s'ouvrir davantage. Il claqua des doigts ; les serviteurs, surgis d'un fourré, accouraient déjà.

« Un dais. Des coussins. Du santal. Des sorbets et des lassi ! »

Madec ferma les yeux. Ainsi, comme il l'avait redouté, le rajah l'avait deviné. Pire encore : il comptait bien utiliser à son profit ce qu'il soupçonnait de lui, sa course folle à la chimère, son impossibilité à entreprendre quoi que ce fût de grand s'il ne se fabriquait pas des monstres à vaincre, d'impossibles et lointaines princesses à séduire. Le rajah se taisait désormais. Il semblait méditer. On leur présenta les coussins. Quatre serviteurs en livrée de fête hissèrent le dais.

« L'ombre.... murmura Bhawani. Que l'ombre est bonne. C'est le privilège des riches. Tout le jour les paysans peinent sous le soleil et la poussière. Mais quand s'annonce la guerre, le puissant lui aussi doit les affronter pour défendre son bien. Et voilà pourquoi j'ai construit un jardin. Pour le repos avant la souffrance. Personne ici ne l'a compris, pas même le Diwan. Ils croient tous que je ne suis qu'un homme amolli, comme eux. Ils pensent que je m'amuse à rêver de jardins parce que je crois à la paix, comme mes aïeux, qui les aménagèrent après la dernière grande bataille qui ensanglanta Godh. Fous ! fous et aveugles, les hommes qui m'entourent !

— Et l'astrologue ? hasarda Madec.

— L'astrologue... L'astrologue est en prière dans un ermitage de la jungle. J'attends son retour. Allons, prends ce sorbet. »

Madec n'insista pas. Parler de l'astrologue, c'était évoquer directement les affaires d'Etat. Il étendit la main vers le verre de sirop glacé. Bhawani se pencha vers le chadar, trempa longuement sa main dans l'eau qui ruisselait sur les ciselures de marbre :

« L'eau ne coule pas vite. Les réservoirs n'ont pu être remplis par la dernière mousson. Ah ! Madecji, puisse ton retour ramener ici la puissance et la fertilité. Ma première épouse n'a jamais été qu'un ventre sec, la deuxième s'obstine à mettre au monde des filles, et d'ailleurs son temps est passé. Quant à Sarasvati... »

La main de Madec trembla sur le verre.

« On la croirait ensorcelée. Deux enfants, des jumeaux, qu'elle a mis au monde voici quatre ans. Ils sont morts, l'un après l'autre, comme par magie. Et depuis, son ventre demeure sec. Un fils, un seul fils pour me défendre mes terres... Ce n'est pas assez. »

Madec avala le sorbet d'un seul trait.

« Je devrais prendre une nouvelle épouse. »

Il avait parlé d'un ton tranquille et détaché, comme s'il avait évoqué l'éventualité de construire un jardin neuf ou de changer d'éléphant de parade.

« Mais comment prendre femme, désormais, sans le feu de la passion ? La beauté de cette fille élancée est comme un étang où mon cœur est tombé ! Il faudra bien pourtant que je m'y résolve, car Godh ne pourra survivre sans le secours des guerriers mes fils. Khrishna lui-même faisait l'amour aux bergères, et

Radha son épouse ne l'a pas quitté, et jamais elle ne cessa de l'aimer. »

Madec était stupéfait. Il aurait voulu parler, crier, questionner, questionner, ruser, biaiser, deviner, mais savoir, savoir enfin tout du cœur de ces deux êtres. Qu'attend-il de moi ? se disait-il en regardant le rajah. Que veut-il me confier, à sa manière détournée, et que je ne comprends pas ? Il m'a découvert, mais moi, je n'arrive pas à percer un seul détour de sa pensée. Il n'eut pas le loisir de pousser plus avant sa réflexion. Trois serviteurs accouraient, précédant le Diwan, qu'ils abritaient sous un grand parasol jaune :

« Très honoré rajah, dit celui-ci en se prosternant devant Bhawani, il y a au palais un homme du Nord, avec une suite somptueuse. Il demande à être reçu.

— Je ne recevrai personne aujourd'hui. Et tu le sais. Pourquoi donc viens-tu me déranger ?

— C'est un alchimiste, très honoré rajah. Il prétend qu'il fabrique de l'or.

— Un alchimiste ? répondit le rajah en lissant ses moustaches. Un alchimiste... »

Puis il ajouta brusquement :

« Le brahmane est absent. Va, et dis à cet homme d'attendre jusqu'à demain. Fais-le camper sur les berges. Je ne peux pas le recevoir tant que Mohan n'a pas consulté les astres. »

Le Diwan se prosterna à nouveau et tourna les talons.

« Comment ! intervint alors Madec, tu m'héberges au palais du lac sans avoir pris les présages, moi, un firangui, et cet homme qui dit fabriquer de l'or, un homme de ton pays, tu le fais camper à tes portes ainsi que mes soldats ! »

Bhawani sourit :

« Je ne connais pas cet homme. Il en vient toutes les semaines, de ces demi-magiciens. Je ne le verrai que par curiosité ; au brahmane de me dire si cette curiosité est pure ou impure. »

Puis il reprit le cours de sa méditation. On n'entendit plus que le frémissement des jets d'eau et le pépiement des oiseaux dans une volière, joliment posée à la croisée des parterres.

Sharma sortit enfin de sa torpeur, héla des serviteurs à moitié endormis, leur demanda d'agiter des chasse-mouches. Le soleil n'allait pas tarder à se coucher.

« Le temps est lourd, Madecji, le printemps va perdre de sa fraîcheur. La fête du Holi est finie, et demain reprendront les soucis.

— La guerre... » murmura Madec à son tour.

La lumière changeait, et les terrasses du jardin, elles aussi, se transformaient. C'était une succession régulière de levées de terre contenues dans une maçonnerie de grès rose, comme celle des maisons de Godh. Un canal central les traversait, et l'eau, patiemment pompée du lac par une ingénieuse machine dissimulée sous les arbres, se déversait de terrasse en terrasse à travers chadars et jets d'eau. Le rajah et Madec étaient assis au sommet du jardin, près de la plus haute fontaine. Maintenant que s'adoucissait le soleil, Madec découvrait avec netteté l'alignement symétrique de leurs parterres, les délicats motifs de marbre, étoiles, losanges, hexagones, qui les composaient ; partout, la croissance informelle des fleurs printanières adoucissait ce que l'ensemble aurait eu de trop géométrique ou de trop parfait ; des arbres aux branches flexibles humanisaient la rigueur dentelée des bassins, la fluidité égale de l'eau sur les cascades. Oui, se dit alors Madec, ce jardin parle d'un monde éphémère, et qui renaîtra. Mais suis-je fait pour lui ? Il demeurait encore sous le charme du Taj Mahal, où le parc et le mausolée n'avaient cessé de lui signifier, au contraire, un amour éternel, par-delà la souffrance et la mort. Du parterre auquel on avait adossé son coussin, il détacha un narcisse, puis une violette.

« La guerre... Mais tu ne m'as jamais parlé de tes ennemis, rajah. Est-il possible que les hommes à veste rouge te menacent déjà ? Je les croyais encore occupés à conquérir le Bengale.

— Il est temps de te le dire, Madecji. J'ai un frère, qui me jalouse depuis toujours. Il n'est que de dix mois mon cadet. Quand j'ai pris le pouvoir, à la mort de mon père, il est parti vers les montagnes du Nord, se mettre au service du Moghol, par dépit de ne pouvoir posséder Godh à lui seul. Je ne l'ai pas revu depuis. Mais j'ai eu des nouvelles. On raconte qu'il s'est mis au service des firanguis à veste rouge, qu'il a appris leurs usages de guerre, qu'ils l'ont grassement payé. Il serait actuellement aux marches de la province, avec certains des firanguis, qu'appâte le renom de nos rizières et de nos pierres fines. Mais dois-je croire celui qui me l'a fait dire ? C'est un homme sans foi ni loi, et qu'attirent peut-être autant qu'eux les diamants de Godh.

— Les marchands qui nous renseignent mentent souvent, ou se trompent », approuva Madec.

Le rajah se mit à rire :

« Oh ! Mais celui-là n'est pas un marchand, et tu dois bien connaître son nom, qui a couru toute l'Inde ! Il s'est établi voici trois mois au sud de la province de Godh, à la limite du Dekkan et des défilés que peuplent les Dakoïts. Il aurait réduit, paraît-il, ces armées de bandits, les aurait adjointes à ses propres troupes. Et c'est bien pourquoi je n'ai rien accepté de ses offres. Des bandits sur mes terres, jamais, dussé-je voir périr Godh sous mes yeux ! »

Il s'était enflammé soudain, et dans ses yeux brillait la colère.

« Tu sais bien son nom, Madec.

— S'il ne t'a pas par l'amitié, il te possédera par la force. »

Ni l'un, ni l'autre, comme par superstition, n'avaient osé prononcer le nom redouté. Ainsi qu'au jour du pacte de la chambre des paons, certains mots, certaines syllabes auraient détruit sans retour toute complicité.

« Je sais, répondit Bhawani. Mais la roue de la vie ne tourne pas toujours comme on le prévoit. Regarde : l'eau faiblit encore sur le chadar. L'eau faiblit.... répéta-t-il, l'air fantasque, comme inspiré. Jamais je n'ai vu printemps aussi sec. Aurons-nous assez d'eau pour aller jusqu'à la mousson prochaine ? Sache, Madec, qu'en Inde l'eau commande tout, jusqu'à la guerre. Le lion finit par sortir de sa tanière quand s'assèche la forêt.

— Que veux-tu dire ?

— Laissons cela. »

Il s'était brusquement levé, tendu, les mains tremblantes. On entendait en effet un bruit d'étoffes froissées, des rires, un babil d'enfant.

« La voilà ! » ajouta-t-il simplement, comme si ces mots à eux seuls excusaient son soudain silence.

*
* *

On avait joué un instant avec l'enfant. On l'avait caressé, puis on lui avait dit : « Petit Gopal, il est temps de rentrer, le soleil se couche et vous avez les mains sales. Regardez-moi ce safran qui vous tache de partout, était-ce bien la peine de vous donner une si belle robe pour aller à la fête et une si brillante aigrette, que voilà maintenant toute gâchée... » Gopal continuait à rire, et sa mère aussi, et son père ; le firangui, dans son coin, s'était assombri. Madecji, murmura la princesse avec un soupir, quand l'étreinte du rajah abandonna sa taille pour saisir la main de l'enfant. Madecji... Et ce soir-là tout fut à la couleur de *l'amour transmis*. Bhawani lui disait-il : « Ma belle, la lune se lève, elle est pleine et je vois poindre son halo », Sarasvati pensait : « Puisse l'autre pouvoir me le dire un jour, et puisse ce jour-là venir bien vite ! »

On était rentré doucement, à pied, jusqu'à l'embarcadère du lac. Là, le firangui avait rangé ses troupes, et il présenta son *nazer* à la lueur des flambeaux. « Il ne me regarde pas, songeait la princesse. Il ne me voit pas plus que Khrishna ne voyait les bergères quand paraissait Radha. Oh ! Khrishna, Khrishna, toi le Bleu Profond, redonne-moi le souffle que tu m'as enlevé. Le serpent de l'angoisse tord mon cœur, et je suis pareille à l'oiseau *chataka*, qui crie inlassablement dans l'attente de la goutte d'eau ; mais pas un mot ne passe mes lèvres. Je suis femme, Khrishna, et je suis folle. »

L'instant d'après, elle maudissait sa prière. Car le firangui relevait les yeux vers Bhawani, lui désignait deux bourses craquantes de perles, et tous deux se mettaient à rire, sans plus faire attention à elle que si elle avait été un papillon de nuit, ou l'un de ces hommes de basse caste qui s'affairaient sur le sol avec de petits balais pour nettoyer les dégâts de la fête.

On embarqua, toujours à la lueur des flambeaux. Le palais du lac étincelait dans la nuit. On banqueta au bord des galeries ouvertes sur l'eau, tandis que les servantes tiraient des feux de Bengale. L'air était trop lourd pour un début de printemps. La mousson sera dure, songea Sarasvati, tandis qu'elle éloignait de son visage des insectes affolés, ainsi qu'aux pires temps du mois de mai, quand se préparaient les grands orages.

« Allons, allons, servantes, cria-t-elle aux domestiques harassées par la fête. Vous êtes bien dolentes ce soir, vous remuez les chasse-mouches avec la lenteur des eunuques. Votre journée est loin d'être finie, car il faudra me baigner et me parer pour la nuit ! »

Elle se sentit devenir méchante. Les longues palabres du prince avec l'étranger l'irritaient ; ils échangeaient des propos ininterrompus, puis ils s'arrêtaient tout à trac, et c'étaient des silences sans fin, où ils se souriaient et se regardaient dans les yeux, sans le moindre égard pour sa présence. Et, ce qui la porta au comble de l'exaspération, le rajah ne lui avait pas demandé de danser. La jugeait-il désormais trop vieille, ou trop défraîchie, pour offrir à leur hôte le spectacle enchanteur qu'elle prodiguait rituellement aux autres visiteurs ? Il aimait cet homme, c'était évident. Alors, pourquoi ne pas l'honorer comme il se devait ? Le rajah ne s'intéressait plus à elle, il ne pensait plus qu'à ses jardins, ou à la guerre, puisqu'elle ne portait pas d'enfant.

Pas un instant, elle n'imagina qu'il pût être jaloux. Depuis que le firangui lui était apparu, un seul doute la torturait. Elle, qui avait toujours su séduire, qui avait appris toutes les ruses du corps et de l'âme pour retenir un homme, qui connaissait par cœur les tours et détours des silences, des cris, des battements de cils et des sourires calculés, elle se sentit soudain toute pauvre, et elle demanda à se coucher.

Bhawani frémit, mais acquiesça :

« D'ici peu je te rejoindrai. J'ai encore à parler à Madecji. »

Elle partit de son air altier, ignorant délibérément le double regard qui s'attachait à ses pas.

« Allons, servantes ! » cria-t-elle encore, dès qu'elle fut parvenue en ses appartements. Et elle exigea un grand bain tiède à l'eau de rose, et qu'on la massât, longtemps, longtemps, nerveuse, jamais contente, jusqu'au moment où monta le désir.

Bhawani entra à cet instant précis.

« Il fait chaud, dit-il doucement aux servantes. Laissez-la maintenant, et portez sur la terrasse un lit et des coussins. Allumez des bougies. »

Elle était là, pantelante sur le charpoï du massage, n'attendant plus de lui qu'un geste.

Il s'assit sur le bord du matelas tressé. Un à un, il prit les bijoux déposés à terre : les rangs de perles fines, les bracelets de pieds qui tintaient, les bagues d'or et d'argent, la tresse de diamants pour le front, et il les lui passa.

« Laisse-moi te parer. »

Il lui tendit un miroir :

« Tu es nue, et je te rhabille. Regarde-toi : je te pare

pour l'amour. Sous les perles et les diamants, tu es encore plus nue ! »

Elle regarda le miroir, un peu étonnée. Il poursuivit :

« Pour cette femme-là, ne serais-tu pas toi aussi pleine de désir ? Une vraie Padmini, lustrée comme la tige du mirobolan, les yeux doux comme la gazelle, les seins renversés pareils à deux coupes d'or ; et son jagdana, comme il est pur, et mystérieux son délicat yoni... »

Il éclata de rire, la souleva jusqu'au lit dressé sur la terrasse. Et elle, elle pensait : « Jamais l'étranger ne saurait me les dire, ces mots qui préludent au désir, mais il est peut-être d'autres mots, de l'autre côté des Eaux Noires, plus forts encore, pour faire lever le ventre et s'ouvrir le yoni. »

Elle répandit ses cheveux sur son dos. Il la saisit par les pieds, lui montra le ciel au-dessus de la terrasse :

« Vois, je te l'avais bien dit, la lune a mis son halo. Qu'elle nous verse l'ambroisie de l'amour ! Servante, chasse donc les insectes qui montent de l'eau. »

Il ouvrit la robe de la princesse, l'enlaça violemment :

« J'ai apporté du lait au fenouil.

— Crois-tu qu'il en soit besoin ? » murmura Sarasvati, tandis qu'ils buvaient au même verre.

Les perles tremblaient à ses oreilles. Phra ! Phat ! Sout ! Plat ! Et la roue de l'amour recommença à tourner. Du baiser de provocation aux petites morsures : baiser touchant, baiser droit, baiser penché, griffure en demi-lune, en patte du tigre, en feuille du lotus bleu ; cascadette de la caille, pleurs, roucoulement du coucou... Ils voulurent aller par toutes les figures, de l'étreinte du lierre à celle du grimpeur à l'arbre. Tant qu'ils le purent, l'un comme l'autre, ils observèrent les règles des Soûtra. Mais ils durent enfin laisser le jeu, car le désir avait grandi trop vite. Bhawani se hâta d'en venir aux *auparishtaka* ; sous sa langue affolée, Sarasvati défaillit la première. Alors elle se leva, tandis qu'il restait allongé :

« Vous avez été mon vainqueur ! Je veux, à mon tour, vous faire demander grâce... »

Et elle le caressa de toutes les manières. « Viens, cette nuit, murmurait Bhawani pour prolonger sa joie, viens, mon amour, car les jours passent ! Demain, toi, moi et la jeunesse nous nous serons enfuis. » Et Sarasvati souriait, heureuse dans l'éphémère.

Jamais avant cette nuit ils n'avaient moins songé aux dessins qu'ils décrivaient sur le lit, jamais ils ne s'étaient autant abandonnés. Il s'endormit, comme on fuit.

Quant à Sarasvati, elle reposa, tranquille, apaisée, le corps enfin repu par l'union de l'amour transmis. Tout le temps de leur étreinte, était-ce le prolongement de cette journée sainte, elle n'avait cessé d'implorer Khrishna. Et, dès les premières morsures, les premiers baisers, le dieu s'était levé derrière Bhawani, dans son immense gloire bleue. Seulement, pourquoi se le cacher, maintenant que le rajah dormait et que la profonde nuit les enveloppait tous deux, le beau Khrishna lui-même avait les traits du firangui.

*

* *

Le prince se réveilla aux premiers pépiements des moineaux. Les eaux du lac rosissaient à peine. Il observa un moment sur l'autre berge les fumées mourantes qui s'élevaient du camp des firanguis, puis les terrasses de son jardin. Pour en parfaire l'inauguration, il manquait d'y avoir goûté un dernier plaisir : celui d'y faire combattre ses deux éléphants préférés, deux énormes bêtes dressées tout exprès pour la guerre et pour lesquelles il avait demandé qu'on aménageât une terrasse particulière, la plus basse, au ras du rivage. C'était un terrain un peu sableux, très ordinaire d'apparence, car on n'y avait planté ni arbre ni gazon. Un mur le séparait en deux parties égales ; il s'élevait à hauteur du poitrail des animaux, et il suffisait de les exciter à coups de pique et de cris appropriés pour que se réveillât en eux l'instinct de la jungle et que commençât le combat.

La plupart du temps, l'un ou l'autre des protagonistes succombait. Pourquoi donc, ce matin, vouloir la mort d'un de ses éléphants favoris ? Bhawani préférait l'ignorer. On ne manquerait pas, une fois de plus, d'y voir une des bizarreries dont on le disait coutumier. Tout ce qu'il savait, c'est que dès son réveil il s'était penché sur la princesse et l'avait découverte lointaine, absente, comme jamais elle ne fut. Bien sûr, le sommeil, en anéantissant les êtres au sein de Brahman, les soustrayait du même coup à toute possession humaine ; ils se refermaient sur eux-mêmes ; et cette clôture, l'amour même ne pouvait la franchir. Mais l'aimait-elle encore, Sarasvati, souriant et murmurant dans son rêve, la jupe ouverte et les seins dressés vers une volupté insaisissable ? Il aurait voulu la prendre encore, la réveiller d'un seul coup, l'arracher à ce plaisir qui rôdait autour d'elle sans qu'il pût savoir d'où il venait ; la prendre avec violence, la battre, la tuer peut-être. Elle était trop belle pour mourir ; et, dans le sommeil même, trop obstinément vivante. Alors le rajah n'eut plus qu'une seule hâte : voir couler le sang d'un de ses éléphants.

Il regagna ses appartements à travers les galeries ombreuses, où flottait toujours, entre les lampes consumées et les serviteurs endormis, un peu d'humidité matinale. La journée s'annonçait chaude. Il réveilla ses domestiques, expédia le bain et les soins de beauté. Il chuchotait en donnant les ordres. Il voulait partir seul. Seul, c'est-à-dire sans l'habituelle escorte du Diwan et des courtisans et en n'emmenant que deux ou trois hommes pour veiller au détail de ses menus plaisirs. Il jeta encore un coup d'œil par-dessus la balustrade de marbre, tendit l'oreille. Quelques barrissements lui parvinrent. Il eut un sourire de satisfaction ; on avait donc exécuté ses ordres en tous points, mené cette nuit du palais de Godh ses bêtes chéries. Les cornacs n'allaient pas tarder à se réveiller à leur tour. Déjà la barque princière fendait les eaux, et elle s'arrêta face au débarcadère. Bhawani sauta dans le bateau. Lentement, il longea la terrasse où dormait encore Sarasvati, derrière la mousseline de gaze que venait de tendre une servante attentive. Il ne voulut pas la regarder. Quelques minutes plus tard, il abordait au jardin, et des cornacs ensommeillés traînaient les éléphants jusqu'à la terrasse du combat.

Le premier animal était une grosse bête à longues jambes, assez affectueuse, mais d'un caractère très impulsif, si on venait à le piquer. Bhawani avait un faible pour lui, en raison de ses défenses effilées, qu'il avait fait peindre d'or, tant la courbure en était splendide. Son adversaire, au contraire, ne possédait aucune élégance ; massif, trapu, obéissant, il semblait indifférent à tout, si ce n'est aux ordres du rajah, qui le gâtait de ses friandises favorites. Il l'aimait aussi, mais pour des raisons presque exactement inverses : il adorait chez lui sa fragilité, bizarrement contenue sous une épaisseur de cuir gris, sa vulnérabilité secrète. Il le contempla un instant, tandis que les cornacs roulaient des yeux effarés :

« Vas-tu mourir, toi, le gros éléphant, repu et satisfait comme le dieu Ganesh ? Vas-tu mourir ce matin ? »

Il allait donner le signal du combat quand un homme vêtu de brocart d'or se profila à l'entrée de la terrasse. Il avançait cérémonieusement, les yeux baissés et les mains repliées dans les manches de son vêtement.

« Qui est-ce ? lança le rajah à l'un des serviteurs.

— L'alchimiste, répondit celui-ci d'une voix assourdie.

— L'alchimiste ? Ici, et à pareille heure ? »

Il allait saisir une chique de bétel, dans la petite

aumônière suspendue à sa ceinture, quand il sursauta :

« Mais qui es-tu, toi ? Tu n'étais pas avec moi dans la barque ! »

Puis il se retourna :

« Et ceux-ci ? Je n'ai amené que trois domestiques. »

L'homme sourit :

« Le combat des éléphants peut mal tourner, rajah ! C'est la quatrième épouse, quand elle t'a vu partir, qui nous a donné l'ordre de t'accompagner.

— La quatrième épouse... »

Ainsi, elle ne dormait pas. Elle s'inquiétait de son sort. Elle avait peur. Et peut-être même était-elle jalouse. Divine femme. Infinies combinaisons de la stratégie amoureuse ! Il se mit à rire ; il se sentit brusquement jovial. Il n'avait plus envie de voir se battre ses éléphants. Ils lui étaient redevenus précieux. Il en aurait peut-être besoin pour la guerre.

« Ainsi, voici un alchimiste ! »

L'homme en robe d'or s'approcha.

« Quelle merveille viens-tu donc me proposer, charlatan ?

— L'or, seigneur ! Je peux tout transformer en or. La pierre, la fleur, la poussière.

— Et la chair humaine ? ironisa Bhawani.

— La chair humaine... » murmura l'autre.

Il fut interrompu par un bruit strident. C'était un son inconnu à Godh, le bruit d'un instrument militaire, un de ces clairons dont les firanguis rythmaient la vie de leur camp. Madecji est sans doute réveillé, pensa le rajah, et il se tourna vers le lac. Il avait raison. Une deuxième barque venait d'accoster à la berge, et elle se balançait doucement sous le vent du matin. Madec n'y était plus. Sharma chercha sa silhouette sur les sables roses. Il l'aperçut enfin.

« Va chercher le firangui ! » cria-t-il à un serviteur. Celui-ci ne bougea pas.

« Va chercher le firangui, te dis-je ! » répéta le rajah, et il leva la main sur lui.

Déjà un autre domestique, un petit gamin peureux, le précédait et courait vers Madec à toutes jambes, comme si c'était lui qu'on avait menacé.

Furieux d'avoir été dérangé dans sa curiosité par un serviteur rétif et d'avoir ainsi failli perdre la face devant un étranger, Bhawani se tourna vers l'alchimiste avec irritation :

« Tu fais de l'or ? Eh bien, j'en veux tout de suite !

— Tu ne me crois pas, n'est-ce pas, rajah ?

— Mais si, je te crois... Je m'étonne simplement que tu choisisses le seigneur d'une petite province, plutôt que le Moghol, pour faire montre de tes talents.

— Vois cette robe, dit l'alchimiste en désignant son vêtement. Ce n'était hier que du vulgaire coton.

— Tu n'as pas de chance. Pour moi je ne vais jamais que vêtu de brocart d'or. Je n'ai pas besoin de tes services !

— Oui, mais ta ceinture est de coton safrané.

— Certes », dit le rajah, et il lui présenta son ventre en riant.

Madec arrivait au pied des jardins. Il ne comprenait pas pourquoi ce gamin nerveux l'avait subitement tiré par la manche en balbutiant des mots incohérents, alors qu'il s'apprêtait à regagner son camp, la tête lourde d'une nuit blanche. Il leva les yeux vers le parc et ses parterres étagés. Il ne démêlait pas la raison de cette scène étrange : des éléphants un peu fébriles qui se regardaient par-dessus un mur gris, des serviteurs tendus aux gestes mécaniques, pareils à des soldats à l'aube d'une bataille, deux cornacs terrés sur les remblais de la terrasse, et cet homme à robe d'or qui ne bougeait pas, qui ne se prosternait pas devant le rajah et semblait proférer des paroles qui le paralysaient. Etait-ce un émissaire, un porteur de mauvaises nouvelles ? L'Inde était parfois si bizarre. Madec se penchait pour interroger le petit domestique, quand un immense cri déchira l'air, suivi d'un autre qui mourut aussitôt. Il leva les yeux.

Trop tard. Que n'avait-il compris, que n'avait-il couru, volé sur la terrasse ? Le rajah, un poignard fiché dans le ventre, s'écroulait sur le sol et roulait dans la poussière. Madec se précipita. Chacune des marches qui menait au lieu du drame lui parut une montagne à gravir. Les éléphants s'étaient mis à barrir, l'un d'eux surtout, et dans les intervalles de ses hurlements on entendait d'autres cris, des gémissements, des râles et des glapissements d'horreur. Il ne voyait rien. Pour accéder à la terrasse, il fallait gravir un escalier très raide ; il avait beau lever la tête, il n'apercevait que les très lointains parterres de la dernière terrasse, selon l'effet de perspective voulu par le rajah lui-même, et qu'il lui avait expliqué la veille. « La danse des voiles, Madecji, nos jardins ressemblent à la danse des voiles des danseuses sacrées : nous en voyons le terme, l'objet même de nos désirs, le yoni qui monte et descend au rythme de la danse ; mais combien de voiles à lever avant d'en apercevoir la forme, dessinée sous un dernier tissu ? Et jamais nous ne l'étreindrons, car à cet instant même disparaît la danseuse. Nos jardins sont semblables. Il faut monter, monter de terrasse en terrasse, avant d'atteindre la dernière fontaine. Du bas du jardin tu ne vois qu'elle, tu te crois proche de ton repos. Et tu es loin. Combien de marches à gravir... »

Combien de marches à gravir... Le rajah n'avait pas cru si bien dire. Sur Madec s'appesantit comme une chape de plomb. La sueur ruisselait sur ses joues. Un cauchemar, c'était un cauchemar. La nuit pourtant s'était enfin dissipée, cette nuit infernale, passée à se mordre les poings sur son charpoï du palais, sous le désir et la douleur. Enfin, à la dernière marche, se dévoila toute la scène. Le rajah gisait dans la poussière, et son sang séchait déjà autour de lui dans une grande flaque. Autour de lui, d'autres corps ensanglantés et l'homme à robe d'or, le visage tailladé au point d'être méconnaissable. Enfin des domestiques, dont la peau avait déjà pris le gris de la mort.

« Bhawani. »

Il prononçait son nom pour la première fois, selon les mêmes intonations qu'il avait entendues à Sarasvati.

Il se pencha sur le sol. Le rajah vivait encore.

« Bhawani...

— Protège-la... Mon fils.... il est trop jeune... Protège Godh. »

Madec se mit à trembler. Il connaissait bien le visage de la mort, cet air d'abandon et d'enfance que prenaient les hommes à son approche. Mais sur les champs de bataille il était rare qu'on s'arrêtât quand tombait un compagnon. Pour qu'on interrompît une charge, qu'on descendît de cheval afin de recueillir d'ultimes paroles, un dernier souffle, il fallait éprouver une amitié bien puissante. Or, depuis que Dieu, Visage et Martin-Lion s'étaient éparpillés aux quatre coins des jungles, cette amitié-là, Madec ne l'avait plus connue, excepté pour Bhawani ! et voilà que le rajah venait de s'écrouler, percé de coups, sur la poussière sans gloire d'un jardin de plaisir.

«... Détache mon aigrette... Je te remets mon pouvoir jusqu'à la majorité de mon fils... Mon pouvoir... Par l'acier du courage !

— Rajah.... ils ne me croiront pas ! »

Le sang continuait à couler de son flanc.

« Ils te croiront... à cause de l'aigrette, à cause de Sarasvati... Prends cette aigrette. »

Puis il murmura des paroles bizarres, dans une langue que Madec ne comprit pas.

Enfin, il tourna les yeux vers le ciel :

« Par l'acier du courage... Par la puissance de l'amour... »

Le rajah de Godh était mort.

Madec fourra fébrilement l'aigrette dans un pli de sa robe. Désormais, il s'agissait de comprendre. Le rajah n'avait pas pu se défendre. Son poignard était resté dans sa gaine, et il avait dû tomber dès le premier coup. Quant à l'assassin, ce mage à robe d'or, il était mort aussi. Madec se pencha sur le corps ensanglanté. On lui avait fendu la tête. La mâchoire était fracassée, les yeux exorbités, ainsi qu'on le voyait aux animaux de boucherie. Il serait impossible de l'identifier. A sa main brillait un saphir énorme, que Madec n'osa pas toucher.

Il tressaillit soudain. Un bruit imperceptible, un crissement de graviers dans le sable. Il se retourna d'un seul geste. Il n'y eut que le temps de l'éclat d'une lame dans le soleil. D'un seul coup de pistolet, il avait foudroyé la forme humaine entr'aperçue. Le sable, à nouveau, buvait le sang.

« Pitié, pitié ! » cria alors une autre voix.

A sa grande stupeur, Madec vit sortir cinq serviteurs du parc à éléphants. Ce n'étaient pas les cornacs, mais des domestiques enturbannés de jaune, comme ils l'étaient tous au palais du rajah.

« Pitié, pitié, épargne-nous ! reprirent-ils en chœur, et ils s'avancèrent en se prosternant.

— Rangez-vous là ! hurla Madec en leur désignant le mur de la terrasse. Rangez-vous là, ou je vous brûle la cervelle ! »

Ils s'exécutèrent d'un air terrifié. Madec ne s'y fiait pas. Il était convaincu qu'ils étaient armés comme l'autre qui avait surgi tout à l'heure. Sous leurs dhotis, ils cachaient à coup sûr une de ces redoutables armes indiennes, des poignards à lame en forme de flamme, qui pénétraient jusqu'au profond des chairs et tuaient sur le coup. Pour l'instant, il les tenait en respect, mais cela ne saurait durer. Un instant d'inattention, et ils sautaient sur lui. Il résolut de pointer sur eux le pistolet en demeurant à bonne distance, dégaina son sabre, afin de ne pas être pris au dépourvu tandis qu'il inspectait l'horizon. Des mouches s'agglutinaient déjà sur les cadavres. Le soleil commençait à chauffer. Du côté du lac, rien ne bougeait encore. Pourtant, on avait dû entendre les cris, le coup de feu. Seule une barque fendait l'eau, tandis que les lavandières, munies de leurs battoirs et de leurs linges colorés, s'installaient sur les rives. D'un moment à l'autre, sous les coups de leurs battoirs, comme un poumon gigantesque, le lac allait reprendre sa respiration du matin. Il fouilla alors la plaine du regard, cherchant un indice, un nuage de poussière, la course d'un cavalier, tout mouvement suspect qui pût annoncer le danger. Rien non plus. Rien du côté de la ville, rien à l'horizon de la jungle, rien aux montagnes du Nord. Tout était calme. Alors, pourquoi ?

Madec, une fois de plus, butait sur l'inexplicable. S'il s'agissait d'une révolution de palais, pourquoi ces « serviteurs » avaient-ils trucidé l'alchimiste ? Et pourquoi, ensuite, s'était-on acharné sur lui, Madec, l'étranger ? Qu'on eût tué les domestiques du rajah lui paraissait plausible, presque naturel. Mais l'alchimiste ? Et ce petit apeuré qui était venu lui tirer la manche alors qu'il s'en allait au camp ? Il regarda autour de lui. Le gamin avait disparu. Il n'allait pas pouvoir tenir longtemps ainsi. A la moindre défaillance de sa part, les hommes qu'il tenait en respect lui sauteraient au visage. Celui dont il avait fracassé la tête râlait doucement sur le sol. Madec repoussa la pitié qui l'envahissait, se raidit. L'instant s'immobilisait, et il se demanda si ce n'était pas le prélude à sa propre mort. Une petite mort bleue, dans un matin tranquille, avec à ses pieds un paysage de rêve, le palais de marbre enchâssé dans les eaux du lac, la citadelle rose à l'horizon, rose, trop rose sur les montagnes noires. Brusquement, comme au sortir d'un cauchemar, la vision bascula. Une charge d'abord, une charge de cavalerie. Un tourbillon de poussière. Ses hommes ! Et sur le lac, dix, vingt barques, toutes parées encore des guirlandes du Holi, et des hommes qui s'agitaient, criaient, brandissaient des lances. Enfin ! Devant son pistolet, les serviteurs se mirent à trembler. Et lui aussi, Madec. Sur la première barque, droite comme jamais, divine, mais d'une présence charnelle qu'il ne lui avait jamais vue, se tenait Sarasvati. Elle pénétra sur la terrasse, calme, royale, tandis que s'ébrouaient les soldats. D'un seul coup d'œil, elle fit le tour du terrain, le décompte des morts, reconnut les cadavres. Puis, d'un pas imperceptiblement ralenti, elle s'avança vers le corps du rajah. Elle s'accroupit, contempla longuement son visage, ordonna qu'on lui fermât les yeux. Puis elle se releva :

« Madecji, fais fouiller le parc ! »

Il demeura un instant médusé. Quoi, pas un cri, pas une larme, pas un soupçon d'attendrissement, à l'exclusion de ce geste rituel ! Et si belle, si étrangement belle et sereine, les traits paisibles comme les eaux du lac. Cette femme n'a pas de cœur, pensa-t-il, et il se tourna pour transmettre l'ordre aux soldats. Elle se pencha vers l'alchimiste, contempla longuement son visage fracassé. On eût dit qu'elle se repaissait du spectacle des os à nu, des yeux sanguinolents, des morceaux de cervelle éparpillés.

« Evidemment.... dit-elle simplement.

— Evidemment ? » répéta Madec, abasourdi.

Elle ne répondit pas, se tourna vers un homme long et maigre que Madec reconnut aussitôt comme le chef de la garde au palais du lac.

« Envoie un émissaire au palais de plaisance. Que personne n'en sorte avant trois heures. Et j'interdis que la nouvelle transpire jusqu'à Godh. Personne ne bougera d'ici avant que le parc n'ait été fouillé. Par l'acier ! »

Elle parlait d'un ton extraordinairement ferme, et le chef de la garde lui-même en parut pétrifié. Une voix si douce, aux inflexions sensuelles encore, pour prononcer des phrases d'homme, des syllabes de force, des mots d'autorité. Et on eût dit qu'ils annonçaient le sang.

« Ces hommes, qu'on les torture ! Je veux savoir, et je saurai ! »

Les serviteurs, cernés de lances, ne tremblaient

plus. Ils attendaient, les yeux perdus sur l'horizon du jardin. Les éléphants recommencèrent à barrir.

« Qu'on les torture, et sur-le-champ ! »

Aussitôt, des soldats de la garde se précipitèrent sur eux et les ligotèrent. On alluma un feu, puis on y chauffa la pointe des lances. Les prisonniers n'eurent pas un tremblement.

« Ils font les braves, dit Sarasvati du même air calme et mesuré. Allez me chercher une petite caisse de fourmis rouges, et qu'on coupe d'abord la main de celui-ci. »

Elle désigna un prisonnier au hasard. Derrière le mur de pierre, les éléphants barrirent de plus belle. Le soleil montait vite, donnant aux eaux du lac la couleur de l'acier. Madec héla ses hommes, qui redescendaient du parc. Ils avaient débusqué deux autres serviteurs, occupés à se débarrasser de leurs vêtements de service, et les ramenaient. Ils avaient la même expression, hagarde et butée, que ceux qu'on avait pris les premiers. Tandis qu'on attendait l'instrument de supplice, un grand silence s'abattit sur la terrasse. Un garde avait tranché la main d'un prisonnier ; il n'avait pas crié. Les mouches s'étaient précipitées sur le membre tranché, sans que personne n'y prêtât la moindre attention, tant il avait déjà été répandu de sang sur le sable du terre-plein.

Sarasvati continuait à donner des ordres à mi-voix, et Madec crut saisir qu'il s'agissait des dispositions des funérailles, et du retour à Godh.

« Voici les fourmis », cria un garde triomphant qui émergeait de l'escalier. Il vint se prosterner aux pieds de la princesse, porteur d'un gros coffret métallique.

« Bien ! dit Sarasvati. Je vois que les réserves de l'astrologue sont toujours aussi bien garnies. » Et elle eut un petit rire extrêmement joli. Le chef des gardes s'avançait vers le blessé :

« Parlez, vous autres, ou vous connaîtrez le même sort ! »

Il lâcha les fourmis sur le moignon sanguinolent.

Madec fut pris d'un haut-le-cœur. Les bêtes, d'énormes insectes rouges, se précipitèrent avidement sur la blessure et commencèrent à la dévorer. Le prisonnier se mit à hurler, lui qu'un instant plus tôt on aurait cru indifférent à tout.

« Pitié ! Pitié ! hurlèrent les autres.

— Jetez cet homme dans le parc à éléphants », cria Sarasvati. Ses traits demeuraient calmes. Il n'y avait pas trace de méchanceté sur son visage, ni de désir de vengeance. On emportait le prisonnier, toujours hurlant. Sarasvati s'avança vers ses compagnons :

« Parlez, maintenant... »

Cette voix suave, cette sensualité qui roucoulait dans tous les mots. Et en même temps une absolue indifférence, une maîtrise totale. A chaque syllabe, à chaque geste, Madec lui trouvait de nouvelles raisons d'être aimée.

« C'est le frère du rajah qui a envoyé l'alchimiste.... murmura un prisonnier.

— Le frère du rajah, princesse ! reprit un autre, et la première épouse... Mais elle n'en voulait pas à ton époux, je te le jure !

— Et à qui donc ? »

Elle continuait à s'exprimer d'un ton posé, presque poli. Soudain, de nouveaux cris déchirèrent le ciel, et l'on vit, dans l'enclos, s'emballer l'un des éléphants.

« Il écrase le traître », commenta Sarasvati, et elle reprit le fil de son interrogatoire.

« L'alchimiste nous a trahis !

— Tais-toi », fit son voisin.

C'était un très jeune homme, long et maigre, qui tentait désespérément de résister au regard inquisiteur de la princesse. Elle s'avança vers lui, lui rit au nez :

« Et tu crois qu'il t'obéira ! Garde, déshabille-le, chauffe la lance entre ses cuisses !

— Sarasvati ! » hurla Madec.

Puis il se reprit :

« Princesse... Un peu de patience ! L'autre va parler.

— Madecji, sache que je n'aime pas les insolents de son espèce ! »

Elle s'était brusquement échauffée :

« Et qu'on le fouette au sang, et qu'on y mette les fourmis, et qu'on le jette au pied des éléphants ! »

Le premier prisonnier, terrorisé, parlait désormais avec une rapidité extraordinaire :

« Nous devions tuer ton fils, princesse, elle le voulait. Nous sommes du palais, princesse, nous reconnais-tu ? Nous autres, nos parents, nos grands-parents, nous avons toujours servi la famille du rajah avec dévouement. Mais la première épouse souffrait tant !

— Au point de tuer le rajah.... ricana Sarasvati.

— Elle ne le voulait pas, elle ne voulait que ton fils. »

Sarasvati jeta un coup d'œil inquiet au palais de plaisance.

« J'ai donné les ordres, murmura le chef des gardes, qui avait suivi son regard.

— Continue, dit-elle au prisonnier. Parle !

— L'alchimiste nous a convoqués ce matin au jardin, nous disant qu'il allait convaincre le rajah de faire venir ton fils, ici, seul avec lui, à la nuit tombante, pour voir la transformation de toutes choses en or. Il nous a demandé de l'accompagner par précaution. Quand nous l'avons vu tuer ton époux, nous nous sommes précipités sur lui et nous l'avons tué et défiguré, ainsi que l'avait prescrit la première épouse. Puis nous avons tué les autres serviteurs qui l'accompagnaient. Il était presque seul. C'est alors que le firangui est arrivé.

— Et que tu l'as menacé, crapule, je t'ai bien vu ! Et tu mourras pour cela, tu mourras.

— Princesse ! » intervint Madec.

Elle ne l'entendait pas, poursuivie par une idée fixe :

« Et le nom de cet alchimiste ?

— Nous ne l'avons jamais su.

— Ah ! tu ne l'as pas su ! Donnez-le aux fourmis. »

Elle sourit, un peu mécaniquement, puis se retourna vers le cadavre du mage ; elle écarta les dizaines de mouches qui s'agglutinaient sur sa tête et commençaient à la vider.

« Madecji ! »

Il sursauta :

« Tu n'étais pas là, n'est-ce pas, quand tout cela s'est passé ?

— Un gamin est venu me chercher alors que je rejoignais mon camp.

— Je le sais. Je t'ai vu partir. »

Son regard se troubla, elle baissa les yeux un moment.

« Tu n'as pas aperçu le visage de cet homme ?

— Non.

— Où est le gamin ? »

Le petit s'était blotti dans un angle de la terrasse et se cachait la tête entre les mains.

« Viens ici », lui lança Sarasvati.

Il approcha, tremblant de tous ses membres. Elle lui prit le menton entre ses doigts, presque maternellement :

« Et toi, tu l'as vu ?

— Oui.... balbutia l'enfant.

— D'où venais-tu ?

— Le rajah m'a emmené ce matin pour faire combattre les éléphants.

— C'est exact, confirma le chef des gardes.

— Alors, dis-moi, comment était ce mage ? »

L'enfant hésita un moment :

« Il n'est pas des nôtres, princesse. »

Elle arqua les sourcils, étonnée.

« Pas des nôtres ? Et comment cela ? »

Enhardi, l'enfant parla d'une voix plus assurée :

« Il avait le visage paré et maquillé comme la statue de Khrishna le jour de sa fête.

— Ah ? dit Sarasvati en se penchant sur le cadavre. Madecji ! Tu es un étranger, un homme de guerre, et tu ne crains pas de te souiller en touchant les cadavres. Ouvre donc la robe du mage ! » Elle souriait toujours, comme illuminée d'une certitude. Madec repoussa les mouches à son tour et se mit à défaire le col de la robe dorée. Le corps commençait à sentir. Les fils qui retenaient l'étoffe étaient extrêmement fins et noués très serrés. D'énervement, il s'emmêla plusieurs fois les doigts. Le regard de la princesse ne cessait de le suivre, et cela lui pesait. Il parvint enfin à écarter le lourd tissu.

« Arrête-toi, dit alors Sarasvati. Je sais ce que je voulais savoir. »

Elle ne riait plus. La robe avait découvert le corps d'un Blanc.

« C'est un Anglais, dit Madec. Ce ne peut être qu'un Anglais.

— Un Anglais ? Comment dites-vous ces choses, vous autres firanguis ?... *An-glais*...

— Un firangui à veste rouge, princesse. »

Il ne savait comment lui parler. Sarasvati éclata de rire :

« Et comment fais-tu, Madec, pour reconnaître un firangui *anglais* d'un homme de ton pays ? Nu, il était tout blanc, et semblable à toi, j'imagine ? »

Madec rougit :

« Il avait des cheveux roux... Et puis son teint, plus pâle que le mien. Il devait avoir les yeux verts, ou bleus.

— Toi aussi, tu as les yeux bleus. »

Il ne put répondre. Elle le regardait bien en face, dans le soleil, et la gorge de Madec s'était soudain nouée. Il la contempla longuement et lui tendit l'aigrette du rajah. Cette aventure se termine ici, pensait-il, elle va prendre l'aigrette et me renvoyer. Elle la prit en effet, et elle exulta :

« Il t'a remis son pouvoir ! »

Le Diwan arriva à cet instant précis :

« Princesse ! êtes-vous folle ? »

Elle le toisa.

« Etes-vous folle pour vous aveugler ainsi ? reprit-il d'un ton un peu plus humble. Qui vous dit que le firangui ne l'a pas arrachée du turban et qu'il n'est pas des conspirateurs ? »

Il désigna le cadavre à demi dénudé de l'alchimiste :

« D'ailleurs, l'assassin est un firangui ! »

Il était déjà prêt à dégainer son poignard. Sarasvati s'interposa :

« Non. »

Toujours la même voix posée, et ces yeux qui vous transperçaient jusqu'à l'âme.

« Non, répéta-t-elle.

— Ainsi, princesse, vous avez perdu toute méfiance !

— Garde à toi, Diwan ! Une méfiance de plus envers lui, et tu mourras à ton tour sous les pas des éléphants ! »

Le Diwan se confondit en excuses.

Chose étrange cependant, l'incident n'avait pas diminué le prestige de Madec. Il en était même sorti grandi. Jamais pourtant il n'avait imaginé qu'il pût être protégé par une femme. Mais s'agissait-il vraiment de protection ? « Une méfiance de plus... » avait-elle dit. L'aimait-elle, lui, le petit soldat à peine échappé des armées anglaises ? Et pourquoi, depuis ce mot, était-il soulevé de joie ? Se trompait-il, ou la langue indienne lui jouait-elle des tours ? C'était un sentiment très curieux ; la certitude d'un partage, d'une égalité, en un pays qui ne connaissait qu'une hiérarchie démultipliée à l'infini, brahmanes, intouchables, guerriers, castes et sous-castes. Jusqu'au moment où Bhawani lui avait tendu l'aigrette, Madec était persuadé n'être que le figurant d'une tragédie qui ne le concernait pas, ou dont il fallait se convaincre qu'il y était extérieur, étranger, firangui, comme ils disaient. En lui remettant l'aigrette, il était persuadé que le rajah lui signifiait son adieu, un simple et terrible adieu. Pour le reste, il n'avait pas osé le répéter à Sarasvati ; et pourtant, dès qu'il lui avait tendu l'aigrette, elle avait compris :

« Garde-la, Madec. C'est ta force. Mon fils a besoin de ta protection. »

Le symbole était donc limpide. La princesse aurait pu l'ignorer. Or elle l'avait accepté, avec une sorte d'allégresse qui le gagna à son tour : la dame de Godh le reconnaissait comme un pair.

*

* *

Dans le palanquin, il se retourna. Derrière l'éléphant royal, hissé sur un chariot et enveloppé d'un suaire reposait le cadavre de Bhawani, qu'on emportait vers la ville. Rien ne permettait de le savoir. Non seulement les ordres de Sarasvati avaient été scrupuleusement respectés, et rien n'avait filtré du drame, mais elle avait aussi exigé qu'on recouvrît le corps d'un amoncellement de fleurs, afin que rien ne permît de distinguer si le mort était un adulte ou un enfant. La garde du palais de plaisance suivait le chariot, puis les soldats de Madec, et des bœufs traînant des canons, qui fermaient la marche. Etonnés par cet équipage peu commun, des paysans se retournaient parfois. Hier encore, ils jouaient sur le passage du cortège royal, aspergeant les éléphants et les bayadères d'eau colorée. Ils avaient abandonné leurs vêtements de fête, repris le travail avec un air un peu las.

« L'eau va manquer », commenta Sarasvati.

Elle s'éventa doucement. Il était presque midi, on arrivait aux portes de la ville. Elle se retourna un moment, jeta un dernier regard au palais du lac. Elle était soudain redevenue grave.

« L'astrologue... Il n'avait pas consulté l'astrologue », murmura-t-elle, le visage crispé. A cet instant, Madec crut qu'elle allait pleurer. Ses lèvres tremblaient imperceptiblement. Elle froissa les plis de son sari blanc puis retrouva son calme avec une sorte de défi dans les yeux. Où allait-elle chercher tant de force ? Demeurait-elle la même que cette jeune femme un peu gracile pour qui il avait battu montagnes et déserts ? Si, pourtant, elle était pareille... Les épaules plus pleines qu'en ce temps-là sans doute, le contour des lèvres plus ferme, et plus douce la ligne des seins sous le boléro. Il eut peur, à nouveau. Envie de fuir, de s'en aller au triple galop. Pour aller où ? Chez le jésuite, à Agra ? Il se rappela alors sa phrase : « Ce pays est malsain. » Malsain. L'homme à robe noire avait raison. De la nuit Madec n'avait fermé l'œil, tiraillé entre son amitié pour le rajah et la force irrépressible qui le portait vers Sarasvati. Et voici qu'au matin, et sans qu'il y fût pour rien, le rajah était mort, bel et bien mort ; et lui, Madec, assis contre les hanches à moitié nues de cette princesse qu'il désirait depuis des mois et qui soudain lui susurrait des confidences, lui glissait des secrets, lui parlait comme à un égal.

« Cela ne durera pas, pensa Madec. Je n'ai pas le courage de fuir ; et donc je mourrai ! »

Mourir à Godh. La rampe décrivit son dernier coude et il fut bousculé.

« Déjà.... chuchota-t-il, puis il leva les yeux.

— Que dis-tu ? lâcha la princesse et il trembla rien qu'à l'entendre. Nous voici arrivés, c'est maintenant que tout commence ! »

Son visage, une fois encore, se crispa. L'éléphant se rangea devant la balustrade. Madec tendit la main à la jeune femme pour l'aider à descendre, mais elle le repoussa.

« Rangez l'éléphant ! » cria-t-elle au cornac. La bête, d'un pas lourd, se plaqua contre le mur. Sarasvati descendit jusqu'au chariot, leva les yeux vers les balcons. A ce moment du jour, la lumière aveuglait, on voyait mal. Les troupes et les canons arrivaient par-derrière et se rangèrent à leur tour. Le silence était écrasant. Rien ne bougeait au palais, qui semblait presque vide, creux, telle une illusion de magicien... On attendit. Le soleil brûlait. Personne ne bougeait. Instinctivement, Madec s'était placé aux côtés de Sarasvati, malgré le refus qu'elle avait opposé à sa main. Son bras frôlait le sien, et sa taille nue touchait ses doigts. Elle ne tressaillit pas, semblait même s'abandonner. Elle était accessible.

Aux fenêtres du zenana se profila enfin une forme très maigre, en habit de fête, une mousseline dorée qui resplendissait dans le soleil. Elle leva le store d'un mouvement sec et examina longuement les nouveaux arrivés. On ne distinguait pas ses traits, mais bientôt elle éclata d'un grand rire : une hyène, et tous la reconnurent.

« Première Epouse ! s'exclama Sarasvati. Première Epouse, voici ton œuvre ! » Elle souleva le suaire d'un seul coup. Avec l'étoffe retombèrent les colliers de fleurs. Ce fut alors un long gémissement. Un cri dont on ne sut jamais s'il était de terreur, de dépit ou de désespoir.

Toute la journée qui précéda les funérailles, Sarasvati ne cessa d'ordonner, d'exiger, de régenter. Elle refusa de regagner le zenana, prétextant que la présence de la première épouse l'incommodait. Tout le monde s'était étonné : rien n'était plus simple que d'assassiner sa rivale ; un peu de poudre de diamant glissée dans l'eau du thé, ou bien un garde complaisant introduit de nuit dans le zenana, un verre de poison, un coup de poignard, et tout était réglé. Personne n'aurait ignoré d'où venait la mort, mais nul n'aurait songé à y redire : dharma ! La première épouse avait voulu tuer l'enfant de Sarasvati ; le complot avait échoué, l'assassin s'était trompé de cible, dharma, dharma ; elle méritait donc de mourir ; la quatrième épouse ne pouvait quand même pas lui offrir la satisfaction des veuves, lui laisser la grâce du sati, lui permettre de s'immoler sur le bûcher du rajah ! Contre toute attente, Sarasvati laissa sa rivale en vie. La nuit entière, elle conféra avec l'astrologue, au pied du trône en forme de soleil où Bhawani s'asseyait pour les audiences. Elle avait renvoyé le

Diwan à ses petites esclaves, lui en offrant même trois supplémentaires, choisies dans la fine fleur des servantes du zenana, et dont l'une, à ce qu'on disait, était encore vierge. Le Diwan, dont on connaissait bien les travers, l'avait remerciée avec enthousiasme de ces faveurs inespérées par temps de deuil, et il s'était éloigné à grands pas haletants le long des galeries.

L'astrologue avait tout approuvé. Dès son retour, prévenu par les soins de la princesse, il ne l'avait pas quittée, et ne cessait de la regarder en hochant la tête avec un air de fatalité tranquille. Madec s'était alors rembruni. Ordres, conciliabules, objections du brahmane, chuchotements, puis ordres à nouveau, les serviteurs allaient et venaient, s'inclinaient devant la princesse, couraient obéir au premier de ses souhaits. Madec n'avait plus d'existence, il le sentait bien. Il demeura pourtant à la contempler jusqu'au soir, assis sur un coussin dans un coin du Diwan-i-Am, ne sachant que penser, s'il fallait trouver dans cet anéantissement de l'être le secret du bonheur ou, au contraire, se révolter d'être réduit à l'état d'objet. Le soleil n'était pas couché que la voix flûtée de la princesse mit fin à ces considérations. On le pria de se retirer, et il s'éloigna dans les galeries, écrasé de solitude, jusqu'à une chambre de marbre ouverte sur la plaine où ne l'attendait cette fois nulle esclave. Il l'aurait souhaité : pour passer son désir sur le premier corps venu, et se convaincre à jamais de l'indifférence de Sarasvati. Il eut un moment de rage, mais la fatigue fut la plus forte ; il s'endormit presque aussitôt. Un serviteur le réveilla avant l'aube.

« Les funérailles, sahib... » Comment il revêtit à son tour des habits de deuil, par quel mystère il se mêla au cortège sans qu'on lui prêtât la moindre attention, et comment se déroula la cérémonie jusqu'à ce geste affreux qui lui soulevait encore le cœur, il n'en garda pas le moindre souvenir. Tout s'était passé dans une sorte de demi-sommeil ; la pénombre ouatée du petit matin n'y fut pas étrangère. Il avait parcouru au milieu des autres les rues de la ville, jusqu'au terrain de crémation, au bord de la rivière. On l'empêcha de s'approcher, de peur que sa condition impure de firangui ne souillât les obsèques. Il s'arrêta sur un petit tertre, d'où il vit toute la scène. Les rangs serrés des femmes, blanches et calmes devant les bois bruns du bûcher, c'est tout ce qu'à présent il gardait en mémoire ; enfin Sarasvati, la plus belle de toutes. Elle serrait son fils dans les plis de sa jupe, contre son ventre. On tendit à l'enfant une torche résineuse. Il ne sut d'abord qu'en faire et interrogea sa mère avec des yeux surpris. Elle se pencha vers lui, lui désigna du doigt le corps de son père, tout enveloppé d'un suaire de safran. Le brahmane était là, qui récitait des formules incompréhensibles, répandait de part et d'autre de la paille et de l'eau. Il présenta à l'enfant quelques plats de riz ; Gopal les posa près du corps ; enfin il approcha la torche du bûcher et mit le feu en trois endroits différents, selon les prescriptions du prêtre. La flamme prit sur-le-champ. Le bois crépita. Personne ne bougeait, et Madec trouva la scène extrêmement sereine. « Ce n'est donc que cela », pensa-t-il. Les flammes se propageaient très vite, une fumée âcre se dirigeait vers la rivière. Il rêvait.

Soudain, il y eut un mouvement dans les voiles des femmes. Ce fut un geste lent, imperceptible, mais très assuré. Une à une, elles s'écartaient, avec une grâce languide qui lui parut extraordinaire. A cet instant, il les jugea très belles. Mais son regard appelait la comparaison, et il chercha, comme à l'accoutumée, la silhouette de la princesse. Sarasvati était restée seule au premier rang. Droite, impitoyable, un roc. Cependant, derrière elle, les femmes se réunissaient, s'agglutinaient les unes aux autres, puis s'avancèrent, comme pour un assaut. Elles la poussèrent. Elles n'étaient plus qu'une seule masse blanche, une seule force cachée sous les saris de deuil, et qui poussait, poussait, avec une force incroyable. Sarasvati vacilla. Un instant, Madec crut qu'elle allait s'écrouler dans le brasier et faillit se précipiter. Mais non, elle tenait, elle résistait, corps tendu dans l'autre sens, avec une force démesurée, elle aussi, pour refuser la mort qu'on lui voulait, la mort des femmes. Une à une, comme vaincues, les formes blanches reprirent leur place. Sarasvati était blême. Mais elle avait gagné.

Alors se détacha du groupe une forme malingre, un peu voûtée. Madec la reconnut aussitôt : c'était la première épouse. Sur le côté du bûcher, on avait ménagé un petit renfoncement, vers lequel elle se dirigea d'un pas tranquille, la tête couverte d'un châle de Cachemire et parée de tous ses bijoux. On lui tendit de l'eau, qu'elle but d'un trait, puis elle mâcha une feuille de bétel. Enfin elle s'assit dans la cache, et l'on tira sur elle un panneau de bois. Les femmes commencèrent à hurler, de joie ou d'horreur, Madec n'aurait su le dire. Les assistants se mirent à tourner autour du bûcher en tous sens ; les instruments les plus divers résonnèrent, dans une atroce cacophonie. De temps à autre, la fumée capricieuse se rabattait sur le sol, et Madec apercevait alors Sarasvati, imperturbablement droite et sereine, son enfant serré sur son sari blanc. Enfin un homme se précipita sur le bûcher, muni d'un petit marteau brillant, pour casser les os du crâne du rajah, afin de libérer son âme et lui permettre de retrouver l'Unique, l'Inaltéré Brahman. C'en fut plus que Madec ne pouvait supporter. Il tourna les talons puis courut d'un seul trait jusqu'à la citadelle. Il n'était pas rentré au palais qu'un messager lui intimait l'ordre de la princesse de la retrouver près du bûcher à la nuit tombante.

*

* *

Tandis qu'il errait aux parages du champ funéraire, Madec cherchait encore la raison du rendez-vous. On ne pouvait imaginer lieu plus macabre. L'endroit était jonché de débris de la cérémonie, guirlandes arrachées, piétinées, grains de riz éparpillés, bols d'offrande cassés. Le bûcher fumait encore, avec un relent de chair roussie que n'avaient pas dissipé le santal et l'encens répandus à profusion. Le soir tombait sans apporter la fraîcheur. Madec s'approcha de la rivière. Elle avait encore baissé ; il contempla la plaine ; elle se desséchait lentement, lui sembla-t-il. Et lui, n'était-il pas en train de se dessécher, à force d'aimer cette princesse capricieuse et imprévisible, dans un univers semblable à ce qu'elle était, doux et cruel tour à tour ? Et d'abord, pourquoi ce rendez-vous ? N'y avait-il pas plus urgent à faire : envoyer des hommes aux marches de la province, pour surveiller les frontières ; doubler les gardes au palais pour parer à tout nouveau complot ; les cieux à interroger. Et à peine veuve, elle le faisait mander, sur le champ même où on avait brûlé son époux !

Fragile, fragile et forte Sarasvati. Il ne la comprenait pas, mais il ne l'en aimait que plus. Madec souleva une bûche à demi consumée. Quel sang-froid, ce matin, dans le petit jour, quand on avait dressé sur le bûcher le corps de Bhawani. Droite, blanche au milieu des femmes, plus endeuillée que toutes, tant elle était plus droite et plus blanche.

La découvrant pour la première fois dans un sari immaculé et privée de tout bijou, il avait alors conçu l'idée de ce que pouvait être sa nudité ; mais cela pour autant ne lui rendit pas Sarasvati plus proche. Jamais, en tout cas, il n'avait pensé qu'il la rencontrerait si vite. Le soleil baissa encore ; il pensa qu'elle ne viendrait pas, se mit à piétiner une bûche calcinée. Elle ne viendra pas, elle se moque de moi, elle veut observer jusqu'où je peux m'avilir pour elle, elle est à m'épier du haut de la citadelle, et elle rit, elle rit. Il allait sortir du champ funéraire quand il la vit s'avancer au milieu du chemin.

Elle arrivait enfin, tous voiles déployés dans le jour qui baissait. Elle s'était vêtue de coton, une très commune mousseline rouge qui la confondait aisément avec les paysannes. Dès qu'elle fut parvenue auprès de Madec, elle défit le tissu qui dissimulait son visage, l'étendit sur le sol, puis elle déposa un petit panier et trois lampes qu'elle alluma :

« Viens ! »

Il n'osait bouger. En soulevant son voile, elle avait dégagé l'énorme masse de sa chevelure, que nulle tresse ne retenait ; par vagues, l'une après l'autre, les mèches retombèrent lourdement le long de ses hanches.

« Viens !

— Princesse... Tu es seule. N'as-tu pas peur, toi aussi, de mourir ?

— Je ne mourrai pas. »

Elle parlait toujours du même ton ferme et tendre.

« Allonge-toi. »

Il ne fit pas un geste :

« Qu'attends-tu de moi ? »

Elle le regarda d'un air surpris :

« Et toi, qu'attends-tu de moi, que je n'attende de toi ? »

Ce devait être un piège. Il refusa à nouveau de prendre place sur le voile :

« Je connais un peu les usages de ton pays. Veuve, une femme indienne est maudite ; malheur à qui la convoite, malheur à qui la suit.

— J'ai refusé le sati, Madec. Je veux une grande et belle vie ! »

Elle parlait maintenant comme on défie un adversaire, comme on mène des hommes à la bataille. Il se souvint alors de la cérémonie du matin, des femmes qui la poussaient et de son immense tension pour résister à leur élan.

« Je l'ai décidé dès que j'ai vu le cadavre de Bhawani, Madec, sache-le ! La malédiction n'est pas pour moi. Elle est bonne pour la première épouse. Du reste, elle n'a accompli que son devoir de première épouse, le suivre dans la mort. Quant à moi, j'ai décidé de vivre. J'ai un fils. Il n'y a pas d'homme au palais. Je serai l'homme. Je suis une Radjpoute, une Kshatrya !

— Et le Diwan ? Et l'astrologue ? »

Elle sourit :

« Le Diwan n'est qu'un vieil amolli. Quant aux astrologues, il faut que tu sois un firangui pour ignorer qu'ils sont hommes de science, non d'action.

— Tu as donc besoin de moi ? »

Elle inclina la tête de part et d'autre, et ses bijoux, qu'elle avait remis depuis le matin, tintèrent doucement !

« Besoin de toi, besoin de toi... Je ne comprends pas ce que tu veux dire. »

Elle planta ses yeux dans les siens :

« Il faut se taire, Madecji. »

Il s'étonna de la distance reprise dans cet inattendu « Madecji ». Une bûche achevait de se consumer, et elle crépita soudain. Il baissa les yeux. Tout était signe ici, tout parlait un langage qu'il ne parvenait pas à déchiffrer. Mais comment demander des explications ? L'instant était magique, fragile, il ne voulait pas le détruire. Il y avait tant de choses pourtant qu'il cherchait à comprendre : l'étranger, blanc comme lui, qui avait assassiné le rajah sous cet accoutrement grotesque d'alchimiste ; le *sati* de la première épouse, les femmes qui avaient poussé Sarasvati, et surtout son refus du bûcher, le mystère de cette princesse si sereine, si calme, si froide dans le deuil.

Froide ? Non, elle ne l'était pas. Ou ne l'était plus. Car elle tendait les mains vers lui, posées l'une sur l'autre dans l'attitude du salut ou de la prière :

« Madec !

— Sarasvati...

— Il est deux sortes d'amour, lui chuchotait-elle dans le soir. L'amour *svakiya,* qui est union légitime, et l'amour *parakiya,* qui ne reçoit pas l'assentiment des autres. Madecji, notre amour est *parakiya,* et il n'en sera que plus beau.

— *Svakiya... parakiya...* » répéta Madec en s'asseyant sur le sol.

Il évita soigneusement de toucher au voile qu'elle avait étendu. D'un moment à l'autre, il le savait bien, il n'y résisterait plus, mais il voulait repousser cet instant le plus loin possible. Il saisit un morceau de bois calciné, encore tiède sous les doigts. Il tremblait :

« Ne me parle pas de l'amour ! »

Elle ne tressaillit pas :

« La voie de l'amour est étrange, Madec. Dès que s'y pose le pied, le corps est saisi de faiblesse. Si tu désires l'amour, laisse-lui toutes tes pensées. La gazelle folle de musique brave la mort et s'aventure dans les pavillons de chasse où chante la vina. La phalène amoureuse de lumière sacrifie son corps en tournant autour de la flamme. Au crépuscule, l'abeille reste prisonnière de la fleur qui se referme, et, tu l'as bien vu, l'oiseau *chakor,* dans sa passion pour la lune, se met à manger de la braise. »

Sa voix s'adoucissait à chaque mot ; elle lui caressait les mains, le visage, les cheveux.

« Les fous qui fuient les femmes n'obtiennent que des fruits amers ! D'ailleurs, on ne résiste pas à Kamale, dieu de l'amour. Le jour où les hommes honorables maîtriseront leurs sens, les montagnes traverseront l'océan à la nage ! Et, ajouta-t-elle avec un petit regard coulé, ce que femme entreprend dans sa passion, Brahma lui-même n'a pas le courage d'y mettre obstacle. »

Il la repoussa :

« Que veux-tu dire ? Que je suis ici ton prisonnier et que je dois mourir pour toi, comme ces malheureux serviteurs qu'on a torturés ? »

Les mots s'étranglèrent dans sa gorge. Il n'avait pas fini sa phrase que sa colère s'était muée en désespoir. Elle allait se lever sans doute, reprendre cet air impérieux et souverain qui ne la quittait plus, ramasser ses voiles, l'humilier une dernière fois ; et il mourrait sans l'avoir possédée. Possédée ! Mais tenait-on jamais une femme pareille ? Bhawani lui-même l'avait-il un jour dominée, réduite, annihilée ?

Elle va partir, se dit-il, et les larmes lui vinrent. A son grand étonnement, Sarasvati continua à le caresser ; ses mains délicieuses s'attardaient à son cou :

« Combien sont étranges les voies du destin... Il me l'avait bien dit, mon guru, aux temps anciens où il me donna au vieux rajah de Godh. "Peut-être voudra-t-il faire de toi son épouse et il faudra te soumettre. Mais il est vieux, il mourra vite. Alors, le jour où viendra pour toi le deuil, me disait-il, romps la chaîne des conventions. Tu portes en toi la force, Sarasvati, tu es toute *vajrapani,* il faut la donner à un homme, un homme que tu aimes. Ne fais jamais sati, ces choses-là sont bonnes pour les faibles femmes. Toi, tu es une porteuse d'énergie." En ce temps-là, je n'avais d'yeux que pour Bhawani, je n'y ai rien compris ; s'il était mort alors, je l'aurais suivi sur le bûcher comme la première épouse. Il avait raison, le guru, les femmes du zenana sont molles et sans courage. Elles ont voulu me jeter au bûcher, parce qu'elles savaient que je voulais vivre. Vivre pour Gopal... Pour Godh. Pour moi aussi.

— Je les ai vues. Comment as-tu fait pour résister ? »

Il leva les yeux vers elle, se mit lui aussi à caresser son visage. Elle poursuivit :

« Je reviens de loin, Madec, sache-le. Quand j'ai accouché de mes jumeaux, j'ai failli mourir. Elles, les femmes, elles m'avaient envoyé les raksas. J'ai tenu. Mes enfants sont morts, mais moi j'ai tenu. »

Les raksas... Encore un mot que Madec ne comprenait pas. Il ne s'attarda pas. Ce qui le troublait davantage, c'était la conspiration des funérailles.

« Mais ce matin ? Que voulaient-elles ?

— Peu importe. Je vivrai, on ne me tuera pas. Dharma ! Ce qui devait arriver est arrivé. Ce qui doit arriver arrivera ; et...

— Et ? »

Elle se pencha sur lui, détacha un à un les boutons de sa robe, dénoua les plis de la ceinture :

« Ce qui est en train d'arriver est également en train d'arriver. »

Et elle éclata de rire.

Om ! Om, répéta plusieurs fois la princesse, puis une série de syllabes qu'il ne comprit pas. Madec ouvrit les yeux, la prit doucement sous son bras, releva sur ses seins la mousseline rouge, interrogea son visage. Ses traits étaient transfigurés. Plus sereins, plus lisses, plus doux que jamais. Et sa voix continuait à roucouler :

« Le joyau dans le lotus, Madec ! »

Elle battit lentement des cils, puis s'assoupit un long moment. Le joyau dans le lotus : cette fois, il avait compris... *Maithuna,* lui avait-elle glissé tout à l'heure, je sens que nous allons le connaître ! Sais-tu que nous construisons toujours nos temples à l'endroit où un homme et une femme ont atteint le maithuna ?

Il avait ri, sans plus penser qu'ils étaient allongés entre les restes des bûches.

« Eh bien, nous l'aurons donc. »

Et il avait baissé les yeux vers l'endroit de son corps qu'elle venait d'appeler lotus. Elle continuait à somnoler ; les étoiles se levaient une à une. La journée était abolie. Un peu de fraîcheur montait de la rivière. Il rejeta la tête en arrière, sourd à tous les bruits de la nuit indienne, les hurlements des chiens errants et le ricanement des chacals. Il la tenait enclose au creux de son bras, et le rythme de sa respiration tranquille lui suffisait. Ses oreilles en bourdonnaient presque.

Elle s'éveilla enfin, d'un seul coup, toute vive :

« Approche la lampe, que je te voie encore ! »

Il rougit. Il n'était pas habitué à pareille inquisition. Tout à l'heure, quand étaient tombés les derniers vêtements et qu'il s'était penché sur elle, il avait été décontenancé de sa soudaine autorité : elle l'avait saisi aux poignets, contraint à rester un moment assis devant elle, également assise, qui continuait à le masser ou le caresser, il ne savait plus.

A la surprise succéda une sorte de colère : qu'attendait-elle de lui ? Et son désir à lui courait grand risque, à se prolonger ainsi dans les mignardises. Les femmes indiennes qu'il avait connues jusque-là ne connaissaient pas pareilles manières ; il est vrai qu'il n'avait jamais connu que l'occasion de les violer ou de les payer. Cependant... les minutes passant, il avait cru comprendre. Non seulement sa vigueur ne s'évanouissait pas, mais il lui sembla même qu'elle s'en accroissait. C'était extrêmement curieux. Sarasvati ne cessait de parler, puis s'arrêtait de temps à autre pour corriger l'inclinaison d'une hanche, le dessin d'une cheville, le parcours de sa main. Il s'abandonna et la contempla à l'œuvre ; dans ses gestes, il ne vit plus bientôt le savoir-faire d'une femme experte, mais l'application illuminée d'une artiste ; il se souvint alors du premier soir où elle lui était apparue : une danseuse. Il s'était souvent demandé comment elle s'exerçait à ces figures subtiles et acrobatiques, et maintenant il le savait : dans l'amour, bien sûr, dans l'amour.

Ce fut en effet une danse ; il la suivit sans aucune peine, et bientôt à son tour se mit à inventer, et c'était lui qui la saisissait aux poignets, aux épaules, aux chevilles.

« Tu ne regardes pas mes pieds, lui dit-elle enfin d'un air un peu triste. Regarde, regarde les beaux menhadis que j'ai dessinés pour toi, en dépit de tous mes devoirs de veuve ! »

Il souleva la lampe à son tour, inspecta un à un les dessins qu'avait tracés le pinceau ; et il sut alors qu'elle était près de défaillir. Elle murmura pourtant encore :

« Sens, oh ! sens, Madec, le serpent Kundalini qui se lève en toi et remonte jusqu'à ton esprit. »

Puis elle commença à gémir, ou crier, ou chanter, il

ne se souvenait plus. Il était désormais un peu las. Las, repu et tranquille.

Sarasvati continuait à promener la lampe sur son corps, s'arrêtant parfois à une cicatrice, et surtout à la lisière de ses mains et de ses bras :

« Comme ta peau est blanche... Ta main elle-même, brûlée par le soleil, est plus pâle que la peau de mes cuisses. Et pourquoi n'as-tu pas de bijoux ? Tu ne portes donc pas l'amulette de ton dieu préféré ?

— Je n'ai pas de dieu préféré.

— Comment ? Mais sans amulette il ne peut pas te protéger.

— Laissons cela. »

Elle eut un œil intrigué, puis reprit son air serein :

« Tu as raison. Nous aurons le temps.

— Le temps de quoi ?

— Tu me raconteras les Eaux Noires », répondit-elle en se relevant.

Madec la suivit. Elle ramassa la mousseline rouge qui s'était un peu déchirée ; elle la drapa cependant autour d'elle sans qu'il y parût. Il n'y eut pas un adieu. Il ne voulut pas la regarder s'habiller ; il détourna la tête ; chaque bijou qui tintait, le bruit léger du tissu qui retrouvait ses plis, il la sentait déjà qui s'éloignait de lui. Enfin, elle leva à nouveau la lampe :

« Madec... »

Elle allait dire un mot, puis se retint. Elle se retourna, légère, tranquille, et partit à travers les bûches calcinées.

A la lisière du champ, Madec crut voir une forme accourir à elle. Il se précipita. Elle le repoussa.

« C'est un garde. »

D'un seul mot, Sarasvati était redevenue la dame de Godh et remontait vers le palais d'un pas souverain.

Le reste de la nuit, Madec ne cessa d'errer sur le champ funéraire. Désormais, il entendait les chacals et les chiens. De temps à autre, il soulevait une bûche encore chaude et l'éparpillait en soupirant. La lune se leva bientôt, pleine et blanche. Elle avait perdu le halo des jours précédents. L'exaltation de Madec était si grande qu'il passait d'une minute à l'autre d'une joie extrême au plus noir désespoir. Il se sentait perdu, une fois encore, au cœur d'un monde qui lui échappait de plus en plus, où cependant il rêvait de se fondre, s'oublier, s'endormir et peut-être mourir. L'instant d'après lui revenait le sourire de la princesse après l'amour, et il voulait vivre. Tant de passions contradictoires l'achevèrent.

Aux dernières heures de la nuit, il s'arracha à ce lieu qu'il commençait à trop aimer pour se diriger vers son camp. Il franchit la rivière, réveilla la sentinelle assoupie, demanda une tente. Avant de soulever la toile, il se retourna vers Godh. Le ciel commençait à bleuir, et pâlissait la lune. Il distingua vaguement dans l'aube naissante les arêtes dures du *Jantar Mantar,* puis il rentra sous la tente, sans voir la silhouette menue de l'homme qui se tenait à son sommet. C'était Mohan, le brahmane astrologue. Toute la nuit, il avait interrogé les astres. Mais souvent son regard s'était brouillé ; quelque chose l'appelait vers le bas quand il aurait dû contempler le haut. Car dès minuit, à l'heure où se leva la lune, il s'était mis à pleurer en décomptant les étoiles. Et il répéta : « Dharma, dharma... Car il le faut ! »

CHAPITRE XVII

Avril, mai, juin 1764

Godh, mois de Vaisakha, Jyestha, Asadha de la même année

Le printemps passa comme un songe. Il était mort très tôt, rongé par la chaleur. Sur l'eau des bassins se fanèrent les lotus, et il n'y resta plus que des flaques saumâtres où des graines envolées achevèrent de pourrir. Et il ventait ; un vent ardent qui venait des montagnes, un vent de peine et de poussière ; un vent qu'on eût dit de sel, tant il brûlait la peau. C'était la mousson qui se préparait. Le paysan penché sur son champ, le sadhu des chemins, la lavandière au bord du lac, les notables amollis du palais, tous se posaient la même question : « Et si la mousson ne revenait pas... » « Non, cela ne se peut, songeaient-ils aussitôt. Il faudrait pour cela que le dharma fût souillé... » Et ils interrogeaient anxieusement le ciel privé d'oiseaux. Dans les jardins du zenana s'endormaient des paons, et les perruches s'étaient tues. De temps à autre, une jeune fille inquiète saisissait sa vina, chantait quelques instants un raga du temps de l'avant-mousson, le cobra qui se dissimule dans sa trompe et le tigre qui s'endort dans son ombre. Mais vite elle s'arrêtait, car la fatigue était la plus forte.

Le palais de Godh s'assoupissait lentement. Mais c'était d'un sommeil léger de bête menacée. Si le dharma était souillé... Alors le regard s'en allait errer du côté du Diwan-i-Am, là où, contre tous les usages, Sarasvati s'obstinait à vivre, son fils Gopal accroché à son sari blanc. Elle avait repris le deuil, en effet ; et tout le monde feignait d'ignorer l'éphémère mousseline rouge et le soir du bûcher. Sitôt soudoyés, les gardes avaient parlé ; quelques piécettes généreusement distribuées aux intouchables qui gardaient le champ funéraire avaient eu raison d'un silence sur lequel, du reste, la princesse n'avait jamais compté. La riposte ne tarda pas. Le lendemain même, alors qu'elle venait de la rivière où Gopal, selon la coutume, avait brisé l'urne contenant les cendres de son père, les servantes lui proposèrent un lassi un peu amer, qu'elle but pourtant jusqu'à la lie. Elle souriait ; elle demanda même qu'on lui en versât encore. Elle tendit alors le verre plein au premier venu, qui se trouva être le Diwan. Il blêmit, fut pris de tremblements, bredouilla que ses femmes le réclamaient, que l'une d'entre elles était en passe d'accoucher, que si c'était un fils... « Bois, répéta la princesse et l'on vit bien alors qu'elle était pâle aussi, bois, vieux et sale obèse mou, ta chair n'est déjà que pourriture, et les chacals eux-mêmes n'en voudraient pas !»

Sa belle voix ne masquait pas la portée de l'insulte ; il fut dès lors évident qu'elle venait de signer l'arrêt de mort du Diwan, dont elle donnait simultanément une très exacte définition : « Tu ne nous as jamais servi à rien, les femmes t'ont usé, repose-toi un peu et bois avec nous ! » Quelques silhouettes dans l'assemblée parurent singulièrement impatientes, non de la terreur du Diwan, mais de la vigueur de la princesse ; on n'avait d'yeux que pour ses joues, qui reprenaient rapidement couleur après s'être ternies un bref moment.

Le Diwan finit par saisir le verre de lassi qu'on lui tendait fort joliment, mais avec une égale autorité. « Avale-le jusqu'au bout », murmurait la princesse. Le ministre n'en avait pas bu les deux tiers qu'à son tour il changea de couleur et vint s'écrouler aux pieds de Madec. Il eut une agonie assez douloureuse ; il se tordit quelques minutes en tenant à deux mains son ventre considérable. Assise au milieu des coussins, Sarasvati ne broncha pas ; puis, jugeant sans doute ce spectacle peu conforme à l'idée de beauté qui l'animait toujours, elle ordonna à l'un des gardes qu'il perçât hors de sa vue l'abdomen encombrant, et le Diwan expira sans autre forme de procès. A la pensée que Sarasvati avait bu le même liquide, Madec ne put se retenir :

« Il faut appeler l'astrologue ! Vite, l'homme de l'ayurveda, vite !

— Je suis là, intervint posément le brahmane. Sois en paix, Madecji, il n'y a rien à chercher d'autre.

— Rien à faire ? »

Il eut un moment d'intense désespoir. Tous les usages, tous les codes de cette Cour lui échappaient chaque jour davantage ; on eût dit que la mort du rajah avait brusquement affolé le cours tranquille de la vie du palais, que tout marchait à contresens ; et, malgré le plaisir un peu trouble de l'inédit, il aurait donné tous les diamants de l'Inde pour retrouver le quotidien splendide et prévisible du règne de Bhawani.

Le brahmane s'approcha de lui :

« Regarde, Madecji : elle possède la force. »

Tous les courtisans se prosternaient devant elle.

« Elle a vaincu, reprit Mohan. Le poison même lui cède. »

Bien des fois, durant les semaines qui suivirent, Madec s'interrogea sur cet incident. Puisés au même vase, le *lassi* du Diwan et celui de la princesse ne pouvaient être qu'identiques ; et d'ailleurs Sarasvati ne le savait-elle pas, qui l'avait tendu au ministre avec un éclair de perversité qui n'avait échappé à personne ? On avait dû sans doute la prévenir, et le brahmane lui fournir un contrepoison. Il tenta plusieurs fois d'éclaircir ce mystère ; la princesse éluda toujours la question, comme s'il ne s'agissait que d'une futilité. Ils n'eurent d'ailleurs qu'assez peu de moments en tête-à-tête ; chaque fois qu'elle le mandait au Diwan-i-Am, déserté peu à peu par les courtisans qu'abattaient les premières chaleurs, Sarasvati recevait Madec en présence de l'astrologue. Elle était lisse, lisse et tranquille, comme si la nuit du bûcher n'avait pas existé ; les premiers jours, il ne sut que dire. Comment, c'était là la femme qu'il avait tenue dans ses bras, et maintenant elle jouait à la lointaine, elle se plaisait à le rendre jaloux... A la longue, il remarqua cependant que le brahmane avait l'air absent et ne les écoutait pas. Il découvrit alors un nouveau plaisir.

Ils parlèrent. Tandis que derrière les stores montait la chaleur et qu'un jour de plus en plus ardent chauffait les verres colorés des galeries, ils se racontèrent l'un à l'autre leur vie, comme ils ne l'avaient jamais fait. Les trois mois qui précédèrent la mousson, à quelques exceptions près, la réception des émissaires ou les absences obligées de Madec, ils les passèrent dans ces longues conversations, que seuls interrompaient les jeux de Gopal ou les séances de musique. Ils ne se touchaient pas, et, quand on doublait les stores pour filtrer le jour, ils se voyaient à peine. Ils n'eurent jamais autant l'impression de s'approcher davantage. Dans cet amour où les préliminaires avaient été laconiques, l'*après* fut bavard jusqu'à la prolixité. Ils ne se touchaient pas, ils ne se touchaient plus. Sarasvati menait le jeu ; elle paraissait désormais lui refuser son corps, non par l'effet d'une soudaine vertu, mais, semblait-il, dans l'attente d'un événement qui ne se précisait pas encore. D'ailleurs Madec, qui ne voulait plus demeurer qu'à son camp, d'où il remontait tous les jours pour ces palabres voluptueuses, imaginait mal qu'il pût l'étreindre au milieu de ces tentures lourdes de regards mal dissimulés ; il savait bien pourtant qu'il n'y eût couru nul risque depuis que la princesse avait résisté au poison. Il ne tenta rien cependant, ne se plaignit aucunement ; entre eux s'était installé un accord tacite, de ne rien évoquer qui touchât à leur passion, jusqu'à un terme indéfini qu'ils situaient mal et qui était peut-être la venue des pluies. Mais en parlant ils continuaient à faire l'amour ; et leurs yeux, quand ils se croisaient dans la pénombre moelleuse du Diwan-i-Am, avaient des éclairs déchirants comme ils n'en avaient échangé que sur les cendres du champ funéraire. Les mots, simplement, avaient pris le relais de la danse du corps, et dans leurs phrases murmurées ne s'épanouissait plus qu'un seul désir : y contenir la quintessence de leur vie entière. Sarasvati brodait le récit de son passé ; Madec, pour qui toute mémoire commençait à Godh, disait plutôt son âme. Parfois son vocabulaire se montrait défaillant ; la princesse le questionnait sans relâche pour savoir ce qu'il cherchait à exprimer ; et, le plus souvent, elle devinait.

Gopal, qui ne quittait plus sa mère, jouait parfois bruyamment, exigeait caprice sur caprice. Les serviteurs fatigués le comblaient aussitôt, et Sarasvati, un instant distraite par le tapage, reprenait son sourire et le cours du bavardage.

Le monde « de l'autre côté des Eaux Noires » l'intéressait au premier chef. Un après-midi entier, elle harcela Madec pour savoir comment étaient faites les femmes de l'Europe. Il lui répondit d'abord qu'elles étaient blanches comme lui, « plus blanches encore que ma peau la plus blanche, ajouta-t-il inconsidérément, car elles fuient le soleil comme la peste ». Sarasvati blêmit de jalousie : « Et moi, je suis donc noire ? demanda-t-elle d'un ton qui n'admettait pas le non pour réponse.

— Pas vraiment », dit Madec qui ne voyait pas venir le drame.

Le brahmane, effrayé, s'arracha à sa méditation. Sarasvati frémissait de tout son corps ; enfin la fureur s'évanouit ; l'espace d'un nouveau frisson, elle redevint femme d'acier. Madec tenta de se reprendre :

« Dans mon pays, c'est la coutume d'être blanche. Les femmes les plus communes le sont, ce qui ne les empêche pas d'être laides. »

Il s'enlisait. Elle le contempla avec ironie :

« Vraiment ? Explique-moi cette bizarrerie.

— La beauté n'a rien à voir avec la couleur de peau.

Il n'y a pas chez moi de femme qui puisse t'approcher en grâce, fût-elle blanche !

— Fût-elle blanche ! »

Elle partit d'un grand rire, et il ne sut jamais si c'était de joie qu'il la complimentât, ou de rage de n'avoir point la peau aussi pâle qu'elle la rêvait. Puis elle poursuivit la ronde des questions :

« De quelle caste es-tu ? »

Varna : elle avait dit *varna,* couleur, condition.

« Il n'y a pas de caste chez nous. Il y a des Etats.

— Alors tu es un guerrier, un *kshatrya* comme moi ! »

Il n'osa pas la contredire. Depuis qu'il était en Inde, comme tous les voyageurs, il avait un peu réfléchi aux milliers de castes qui la divisaient. Il avait appris à respecter les brahmanes, à se méfier des guerriers, à redouter les ruses des marchands, à employer avec mépris les hommes des *sudra,* les gens de service. Il s'était d'abord révolté du sort des intouchables ; c'étaient les premiers Indiens qu'il eût côtoyés à Pondichéry, puisque les chrétiens, avec leur religion qui prétendait les hommes égaux, avaient trouvé en eux des recrues faciles. Avec le temps, néanmoins, Madec avait adopté les préjugés des indigènes, qui repoussaient avec horreur ceux qui les fréquentaient. Aussi la question de Sarasvati le troubla-t-elle, et surtout l'affirmation qui suivit : « Tu es un *kshatrya* ! » Dans la France qu'il avait quittée, cela signifiait noble, et noble il ne l'avait jamais été ! Il les avait même tellement haïs, les porteurs d'épée ! Se pouvait-il donc qu'une société pût fonder la condition sur le mérite, puisque enfin le rajah de Godh ne l'avait estimé qu'en ce que Madec lui avait montré de lui-même, bravoure, droiture, efficacité dans les armes ; et, d'une certaine façon, c'était à ce mérite aussi qu'il devait de connaître et d'avoir possédé Sarasvati. Cependant, il voyait bien que c'était là une exception, due sans doute à sa condition de firangui : l'Inde distinguait les hommes selon leur *jati,* leur naissance, le même mot qu'on employait en Europe. La seule différence était qu'elle multipliait les *jati* à l'infini ; là où l'homme de France, dans sa rude simplicité, distinguait seulement le gueux du sang-bleu, le bourgeois de l'homme d'église, l'Indien établissait des nuances sans fin entre le marchand de riz, celui de bétel et celui de noix de cajou, ne confondait pas le cureur de latrines avec le blanchisseur, ni avec le brûleur d'excréments, encore moins avec le gardien des ongles coupés des rajahs. Qu'était-il donc à présent, lui, Madec, René, de Quimper-Corentin ? Considéré en Inde, parce qu'inconnu et armé de canons. Mais de retour de l'autre côté des Eaux Noires, que serait-il ? Etranger à l'Inde, il comprit alors qu'il l'était encore plus à l'Europe. Il avait même passé plus de temps en Asie qu'en son pays natal, dont il ne connaissait que deux villes : Lorient, Quimper, et quelques lieues de mer. Les plaines, les montagnes, les autres hommes de ce pays qu'on nommait France, qu'en savait-il ? Et de ses langues, et de ses usages, et de ses princes, et de son roi ? Assurément, il en était ignorant. Alors, pourquoi, lorsqu'on lui disait qu'il était firangui, affirmer avec tant de violence qu'il n'était pas des hommes à veste rouge, et qu'il était français ?

« Que fais-tu, là-bas, pendant la saison des pluies ? »

Elle l'interrompait toujours dans ses méditations et revenait sans cesse à cette question. Il avait le plus grand mal à lui expliquer qu'il y avait en Europe quatre saisons ; elle se refusait à le croire et l'arrêtait toujours d'un obstiné : « Et la mousson ? » Madec comprit bientôt l'origine de ce refus. « Votre année ne finit donc jamais ? s'exclama-t-elle enfin, excédée. — Si, notre année finit, lui expliqua-t-il alors. Mais pas avec les pluies. Nous n'en manquons jamais, et nos prés sont éternellement verts. Seulement, en contrepartie, nous avons froid le tiers de l'année, froid comme vous n'avez jamais froid ici, sauf peut-être dans les montagnes. Et il fait noir, noir et gris des mois entiers, noir et froid ! »

Elle ouvrit grand les yeux, terrifiée ; et le brahmane écouta.

« Mais quand donc commence votre année ?

— Alors vient le jour où nous fêtons la naissance de notre dieu, par une nuit très froide et très longue. Ce jour-là, nous savons que le soleil ne va pas tarder à remonter à l'horizon et qu'il va revenir réchauffer notre vie. Alors commence notre année.

— Et le Holi ? Fêtez-vous le Holi ?

— Nous avons quelque chose qui lui ressemble. Mais tu sais bien que nos dieux ne sont pas les mêmes. » Elle hochait la tête :

« Un seul dieu ! Un seul dieu, et qui n'a vécu qu'une seule fois... Comme la vie doit être triste ! Ne préfères-tu pas les nôtres, qui vont d'avatar en avatar, et nos animaux sacrés ?

— Nous n'avons pas le droit d'adorer des animaux.

— Sot que tu es ! Tu ne t'intéresses même pas à Ganesh, qui donne la bonne chance ? Toi qui allais par les routes, ne crois-tu pas que Ganesh t'a protégé, pour te mener ici par deux fois sans encombre ? »

Il n'osait pas répondre. Ganesh était sans doute le dieu qu'il connaissait le mieux ; était-il bien certain d'ailleurs de ne pas l'avoir prié, avant de traverser un défilé infesté de bandits ou d'avoir hésité à la croisée d'un chemin ? Mais elle concluait déjà le chapitre d'un air péremptoire :

« Je n'aime pas ton monde étrange, qui torture les sadhu ! »

L'histoire du Christ l'avait étonnée ; elle ne s'en remettait pas : « Vous l'avez torturé, et donc vous n'avez plus de fous de Dieu ! » Des fous de Dieu, des fous de Dieu ? Madec cherchait dans sa mémoire. Elle disait vrai. Qu'avait-il rencontré sur les chemins de son enfance, sinon des pauvres ou des ivrognes en mal de bateau ? Bien sûr, leurs yeux hagards et fixes pouvaient s'apparenter à ceux des sadhu ; mais ils n'étaient pas pour autant des saints hommes, si c'était ce dont elle parlait. Et du reste, il ne connaissait de la religion que les fêtes carillonnées et le latin des aumôniers de bateau. Alors il secouait la tête : « Non, nous n'avons pas de fous de Dieu », et elle répétait : « Je n'aime pas ton monde étrange ! Ecoute plutôt les histoires d'ici ! »

La plupart du temps, néanmoins, elle ne lui racontait pas les aventures des dieux, comme si elle se refusait à les mettre en concurrence avec la geste mystique et douloureuse du sadhu nommé Christ, ou parce qu'il s'agissait aussi de choses trop sacrées pour l'oreille d'un firangui, fût-il Madec. Non ; elle préférait les histoires de l'*océan où se jettent les rivières des contes,* celles-là mêmes que colportaient les récitants ambulants. Madec les connaissait bien ; mais, comme au temps du bateau, il retrouvait un plaisir sans égal à en suivre les délicieuses péripéties ; Gopal à son tour s'arrêtait de jouer, et ils partaient tous trois pour l'archipel lointain du Roi des Perroquets, à la recherche de la Cité d'Or, ou dans les sables du désert, en quête du lac sacré renfermant le Lotus de Cristal. C'étaient, curieusement, des récits assez proches de ceux qu'on racontait sur les navires, des errances sur la mer, au milieu d'îles monstrueuses, serpents ou crocodiles flottants ; ou bien des cités merveilleuses cachées au profond des jungles ou de l'océan, des princesses recluses, et même un roi Pêcheur, qui gardait d'incommensurables secrets. Madec parfois prit le relais, ravaudant dans sa mémoire des bribes d'aventures féeriques, belles sirènes des mers et princes chevauchant. Avec le soir descendaient du zenana des lambeaux de musique ; Sarasvati se levait, enroulait un store entre ses doigts, cherchait dans l'air un peu de fraîcheur. Et puis, royale, elle faisait venir dix servantes. Alors qu'on l'éventait, elle picorait sorbets, sucreries et chapati, puis concluait invariablement des mêmes mots : « Demain, à l'aube, j'irai prier Khrishna, le Bleu Profond ! » A ces paroles, Madec comprenait qu'il n'y avait plus qu'à redescendre au camp. Et, tandis qu'il retrouvait les soucis de sa troupe, l'eau qui diminuait aux citernes, le riz qui commençait à manquer, l'attente des vigiles envoyés en éclaireurs jusqu'aux frontières, il se demandait combien de temps durerait cet étrange bonheur.

Un matin — c'était la fin mai, sans doute, ou le début de juin, il ne savait plus, il vivait désormais selon le décompte des mois indiens —, il monta au palais comme à l'ordinaire. La chaleur avait encore augmenté. Il salua la princesse, prononça quelques phrases. La conversation languit dès les premiers mots. Il faisait trop chaud, sans doute ; Sarasvati avait demandé qu'on laissât un peu de ciel apparaître à la galerie, et elle ne cessait d'y guetter un signe, sans écouter une seule de ses phrases. Le signe finit par apparaître :

« Regarde ! Le ciel se plombe. La mousson ne va pas tarder, on dirait. »

Le brahmane se tourna vers l'ouverture de marbre :

« Il est trop tôt, princesse.

— Trop tôt ! Alors cela donnera du temps à nos ennemis. A la guerre...

— Qui te parle de guerre ? interrompit Madec. Il faudrait être fou pour attaquer avant la mousson, et je n'ai jamais vu quiconque commettre pareille imprudence ! »

Elle éclata de rire :

« Mais le frère de Bhawani est fou ! Quant aux Anglais ses amis...

— Je connais la folie anglaise. Ils n'ont jamais attaqué avant la mousson.

— Madec, dit alors la princesse d'une petite voix tendre, il suffit que s'unissent deux folies moyennes pour que l'on connaisse la grande folie. »

La conjonction de la beauté de Sarasvati et de ses phrases ironiques et sentencieuses agaçait de plus en plus Madec. Il préféra se taire plutôt que de lui manquer de respect.

« J'aurais cru qu'on nous aurait attaqués plus tôt », poursuivit-elle. Et elle ajouta en se tournant vers Mohan :

« C'est trop tôt pour la mousson, mais trop tard pour la guerre. »

Le brahmane conserva son expression impassible. La princesse n'avait pas changé depuis le jour du meurtre. Un peu plus pâle peut-être, à force de réclusion voulue. Madec souhaita un instant retrouver le grand air avec elle, retourner au palais, une chasse peut-être. Mais non ; depuis que s'amplifiaient les rumeurs de guerre, personne n'envisageait plus de quitter la ville. C'était trop dangereux. Le pavillon des montagnes lui demeurerait donc aussi inaccessible que les lieux magiques des contes une seule fois entrevus, jamais retrouvés. Il se leva. Il se sentait brusquement tendu. Ce n'était pas la première fois, pourtant, qu'à Godh on évoquait la guerre devant lui ; à tout prendre, de quoi lui avait-on parlé d'autre, quand on lui avait vraiment parlé ? Mais il croyait la rumeur évanouie depuis la tentative d'assassinat contre Sarasvati ; des semaines entières, tout était redevenu calme, et muets les gens du palais, comme les marchands de la ville. Pourquoi donc Sarasvati choisissait-elle d'y revenir, et même de prononcer ce seul nom haï, quand rien ne bougeait ? Les soupçons. La peur. Les tentures épiées, la nourriture suspectée : avait-elle besoin d'un tel cauchemar ? Madec se dit alors que les jours passés n'avaient peut-être été qu'un long intermède de tranquillité fallacieuse, dont il avait été le seul à goûter la saveur. Il l'observa ; non, vraiment, elle n'avait pas changé. C'était donc qu'il rêvait ou qu'à jamais l'Inde lui serait étrangère.

Il écarta le store et se pencha à la fenêtre. La plaine de Godh, entièrement desséchée, paraissait grise. Les eaux du lac avaient beaucoup baissé, et l'on voyait d'ici les boues laissées sur le rivage. Soudain, il sursauta :

« Voici de la visite, princesse ! »

Elle tressaillit à son tour. Il est vrai que Madec avait parlé d'un ton grave, un peu nerveux, comme le guerrier qui va passer à l'attaque.

« Des ennemis ? s'exclama-t-elle, en tâchant de garder son calme.

— Je ne sais pas », répondit-il, et il fouilla encore l'horizon.

Un nuage de poussière venait de s'élever sur les contreforts du plateau du sud, à l'endroit même où la première fois Madec et ses compagnons étaient arrivés en vue de Godh. Mais ce n'était qu'un petit tourbillon, celui qui s'envole sous les pas d'une dizaine de cavaliers, plutôt que la nuée d'une troupe en marche.

« Attendons, attendons, murmura Madec. Ce pourrait être une ruse. »

Il ne croyait pas à une attaque. Ses hommes et ses canons avaient été répartis à l'orée de tous les cols, et ils avaient ordre de ne laisser passer personne qui fût armé, à l'exception des marchands, connus des gens de Godh, et qui du reste ne prenaient guère la route par ces temps incléments. Sarasvati se leva à son tour, se précipita à la fenêtre. Elle frôla son bras de sa taille nue, il se retint à grand-peine de la saisir à bras-le-corps. Elle ne s'aperçut de rien ou fit semblant. D'un coup d'œil, elle embrassa le paysage, et elle découvrit la première l'arrivée d'un soldat du guet, de ceux qu'on postait à chaque porte de Godh ; il courait sur la rampe à toutes jambes, mais ne semblait pas affolé.

« C'est une ambassade, soupira-t-elle en rajustant les plis de sa jupe, puis elle regagna les coussins.

— Méfie-toi, princesse, dit alors Madec. Méfie-toi ! Souviens-toi de l'alchimiste.

— C'était un Blanc. Les Blancs ne connaissent rien à la ruse. Nous, nous y sommes passés maîtres. »

Le brahmane, dans son coin, continuait à se taire. Quelques instants plus tard, la nouvelle franchissait l'une après l'autre les galeries, et bientôt entra le chef des gardes.

« Des émissaires seront là d'ici peu, princesse.
— Bien. Et de qui viennent-ils ?
— Ils portent l'étendard noir frangé d'or. »
Sarasvati se tourna vers le brahmane :
« Mohan, à qui donc appartient l'étendard noir frangé d'or ?
— Non ! interrompit Madec. Non ! »
Le brahmane se mit à sourire :
« Tu crains donc davantage son drapeau que son armée ? Il n'est pas de nos ennemis, que je sache, l'homme à l'étendard noir frangé d'or. Et quand bien même il le serait, ce ne sont là que ses émissaires. »
Le brahmane lui aussi refusait de prononcer le nom fatidique. Madec tâcha de cacher qu'il tremblait ; il se mit à mâcher du bétel, ainsi qu'il en avait pris l'habitude depuis ses visites quotidiennes au palais.
Il sentit sur lui le regard de Mohan, l'esquiva. L'astrologue avait raisonné juste, après tout, Sombre n'était pas de ses ennemis. Tous deux s'étaient battus pour l'Inde contre les Anglais. Sauf à Buxar. Et c'était bien pourquoi Madec tremblait. Que Sombre l'eût reconnu lors de leur combat singulier, et c'en était fait de lui. Il essaya de réfléchir le plus calmement qu'il put. Les chemins de l'Inde multipliaient tellement les visages ; et tant d'années s'étaient écoulées depuis la petite nuit de Pondichéry. Sombre, en raison de son âge et de son étonnant visage, était facile à identifier parmi les Européens de l'Inde ; mais comment se souviendrait-il, pour sa part, d'un pilotin de vingt ans à peine, lâché sitôt débauché dans les sables de Pondichéry ? Oui, mais qu'adviendrait-il si le projet de Sombre était de porter la guerre à Godh ? « S'il apporte ici la guerre, je le tuerai. Et je mourrai après lui s'il le faut. Mais je ne verrai jamais Godh qu'intacte ! » Il souleva à nouveau le store. Les cavaliers venaient d'atteindre les pentes du plateau et s'apprêtaient à les dévaler pour descendre dans la plaine. A leur tête, comme annoncé, flottait le grand drapeau noir.

Et pourtant, Madec le savait avec certitude, Godh n'échapperait pas à la guerre. Ce n'était plus maintenant qu'une question de jours. A moins que la mousson...

*

* *

Dès l'annonce officielle de l'arrivée de l'ambassade, qui eut lieu une heure plus tard, Sarasvati convoqua le *dorbar,* l'assemblée de tous les nobles de Godh. Elle gouvernait, c'était indéniable. Parents, alliés, vassaux de l'ancien rajah, tous furent mandés pour le lendemain au Diwan-i-Am, et tous s'exécutèrent avec une docilité fébrile et surprenante. Seule Sarasvati n'en paraissait pas étonnée ; elle menait son affaire comme si de toute éternité elle avait percé le cours des choses et continuait à sourire d'un air à demi absent. Elle avait exigé que les soldats de Madec s'installassent au palais, afin de ne pas gêner le camp des ambassadeurs, qu'on n'abriterait pas avant la réception d'usage. Madec passa donc la nuit à la citadelle. Il ne put fermer l'œil tant il y eut de remue-ménage ; aux petites heures de la nuit, quand tout s'endormit enfin, le silence lui-même sembla inquiet et tendu. C'était en fait lui qui était dans l'angoisse de savoir si proche la princesse, mais interdite par les seules conventions de cour, qu'elle regardait parfois, selon son caprice, avec une extrême désinvolture, et cela le tourmentait de manière insupportable. Enfin, quand le sommeil l'emporta, un serviteur amusé vint l'arracher à ses bienfaits : Sarasvati voulait le voir avant le *dorbar.* Il obéit ; cependant il était furieux.

Il entra d'un pas martial dans le Diwan-i-Am. Elle était debout près d'une fenêtre et contemplait la ville derrière les lattes du store.

« Viens ! Regarde. »

La parade des ambassadeurs venait de commencer. Mais ce n'était pas ce qui l'intéressait. Elle désigna à Madec une des cours du palais :

« Voilà le dorbar de Bhawani, ceux qui ont voulu m'assassiner et qui ont peut-être armé le bras de l'alchimiste. Regarde-les : des petits serpents privés de venin ! Et je suis leur joueuse de flûte ! »

Elle exultait.

« Crains qu'ils ne veuillent encore te mordre !

— Madecji ! Toi, tu es un guerrier. Mais eux ! La paix amollit les hommes, et Godh vit depuis trop longtemps dans la paix. Vois-les, ces hommes avachis : crois-tu qu'ils entreront dans l'armure de leurs pères ? Leur graisse molle fera éclater les cottes de mailles, leur bras obèse tremblera quand il faudra lever l'épée. Il n'est pas jusqu'à nos éléphants qui n'aient oublié la guerre !

— Tu veux donc la guerre ? » interrogea Madec, et il posa sa main sur la sienne.

Elle ne la retira pas. Mais que signifiait ce geste pour une Indienne ?

« La guerre... Ce qui devait arriver est arrivé. Ce qui doit arriver...

— Arrivera ; et ce qui est en train d'arriver est également en train d'arriver ! Tu me l'as dit l'autre jour, princesse ; mais alors je croyais que tu m'annonçais le bonheur !

— Tu es impatient, Madec, trop impatient ! Le bonheur se taille, comme les diamants ; il faut du temps pour cela. Ensuite seulement, quand il a perdu sa gangue et qu'il brille, il n'est rayé que par lui-même. Un peu de souci ne fait pas de mal aux joies à venir.

— Souci ! Tu appelles la guerre un souci !

— Qui te parle de guerre ? »

Elle laissa retomber les lattes du store et se dirigea vers les coussins. Souveraine, oui, c'était le mot, souveraine. Elle gouvernait.

Madec se radoucit. Elle venait de lui offrir un espoir, un petit lambeau d'avenir, un rêve d'amour proche et de corps partagé. Il s'en voulut, mais l'espérance à nouveau lui redonnait vie, et il oublia le souvenir de sa nuit sans sommeil.

« Reste au dorbar ! »

Et voilà qu'elle redevenait reine. Il lui désigna sa peau blanche.

« C'est vrai, répondit-elle avec un petit rire. Firangui ! J'allais oublier. Va derrière la tenture. » A cet instant, il fut persuadé qu'elle n'avait rien oublié du tout, mais qu'elle avait voulu jauger son désir de se mêler aux affaires d'Etat, d'user de son pouvoir sur elle pour partager l'autre pouvoir, celui qui jour après jour ne cessait de prendre de l'importance dans sa vie, le gouvernement de Godh. Dès les premiers mots aux serviteurs, dès l'entrée des courtisans, tout allumés par la nouvelle, elle avait régenté les préparatifs de réception avec une parfaite connaissance des usages. D'où tenait-elle tout cela, elle qui n'avait jamais vécu qu'au zenana ou dans l'ombre du rajah ? Dans l'ombre... était-ce si certain ? Et le brahmane, qui se taisait obstinément, n'était-il pas plus bavard dès que lui, Madec, avait tourné les talons ? Du haut en bas des galeries, le palais s'était mis à frémir, on avait sorti les éléphants, on les avait caparaçonnés de brocart. Dans le Diwan-i-Am, une foule de serviteurs embrasèrent des brûle-parfum, présentèrent des colliers de perles que Sarasvati passa l'un sur l'autre. Les hommes de la citadelle s'abandonnaient à une curieuse excitation nerveuse que Madec ne comprenait pas, pas plus qu'en lui-même il ne démêlait s'il tremblait sous l'effet de la joie ou de la frayeur. Avant de disparaître derrière la tenture, il voulut encore regarder par la fenêtre ; il interrogea cette fois non la plaine ni le rebord des montagnes, mais le sommet du palais ; là où vivaient les femmes, un endroit qui semblait mort depuis des semaines d'un sommeil qui jamais ne lui paraissait naturel. Là aussi, comme ailleurs, renaissait la vie, avec la même fébrilité inquiète ; il distingua des saris courant au long des balcons, des formes délicates penchées aux encorbellements de marbre ; et, surmontant les bruits des cuisines où l'on préparait des gâteaux frais, des caris de fête, une *vina* reprit un raga languide du temps de l'avant-mousson.

La musique de la garde, à son tour, déchira l'air. Il était temps de se cacher. La parade des éléphants gravissait lourdement la rampe. Madec disparut derrière la tenture. Il se passa un long moment avant que n'apparussent les hommes de l'ambassade. A quoi pense-t-elle, se demandait Madec, à quoi songe Sarasvati, assise sur ses coussins et caressant ses rangs de perle ? Il se fit alors la réflexion qu'il ne le devinerait pas, même s'il la voyait, et il faillit en pleurer. Ces longues semaines de discussions n'avaient dû être pour elle qu'une façon de passer le temps, agréable sans doute, parce que nouvelle. Un firangui ! Un firangui pour amant, le temps d'un soir, au moment même où elle était veuve ! Distraction analogue, en somme, à celle du rajah quand il élevait des daims dans le seul but de décorer ses méditations au jardin. A cet instant, il eut envie de la tuer. La tuer sur l'heure, d'un coup de poignard surgi de la tenture. Il en caressait la lame quand la voix de la princesse résonna sous les colonnes.

« Bienvenue à vous au palais de Godh ! »

D'où il était, Madec entendit les tapis se froisser sous les courbettes. Suivirent les salamalecs d'usage, des échanges de cadeaux. Tandis qu'elle faisait sauter la serrure d'un coffret, Sarasvati se mit à rire et s'exclama :

« Mais enfin, ceci n'est pas pour moi... Seul un époux qui voit son premier-né peut se permettre d'offrir un tel bijou à son épouse !

— Qui sait, très noble princesse, si notre maître ne te vénère pas à l'égal de celui-là ?

— Explique-toi ! dit Sarasvati d'un ton sec. Et parle-moi de ton maître. Sumroo, n'est-ce pas ? Que me veut-il ?

— Les étrangers sont en route vers ta province.

— Quels étrangers ? » coupa-t-elle aussitôt.

Elle semblait se durcir à chaque parole.
« Les firanguis à veste rouge. »
L'ambassadeur attendit longuement l'effet de sa réponse, qui ne vint pas. Il poursuivit alors :
« Ils ont été retardés par la sécheresse ; ils ont perdu des hommes. Mais ils sont encore des milliers, avec des canons.
— Les hommes des montagnes les repousseront.
— Non, très honorée princesse, car ils ont recruté des Indiens cipayes, des milliers eux aussi, et c'est le propre frère de feu le très honoré rajah de Godh...
— ...Qui les commande, tout cela je le sais ! Dépêche-toi, ambassadeur ! Tu ne m'apprends rien que je ne sache, et je crains bien que tu ne perdes ton temps. Dis-moi à l'instant qui est ton maître et ce qu'il veut, sinon je te renvoie aussitôt dans la plaine asséchée ! »
Madec entendit s'étrangler la voix de l'ambassadeur. Il connaissait bien la tactique de Sarasvati : dès qu'un visiteur lui était importun ou qu'il n'allait pas assez vite à son gré, elle ordonnait aux serviteurs, par signes imperceptibles, de cesser de l'éventer. Le malheureux ne s'en apercevait pas aussitôt ; il bredouillait, s'épongeait le front ; et comme les domestiques agitaient à nouveau leurs palmes, mais de la façon la plus irrégulière et la plus capricieuse, le supplice se poursuivait jusqu'à ce que, persuadé de l'inconfort de la pièce et de l'indocilité du service, le fâcheux décidât de disparaître, sa requête coincée dans la gorge ou ravalant ses récriminations.
Celui-ci devait avoir une mission d'importance. Il enchaîna presque aussitôt :
« Sumroo tient toutes les terres de l'Ouest. Il est le maître officiel de la plupart de ses domaines. Pour les autres terres, ce sont des *jaghirs,* confiés par des rajahs. Il étend sa domination jusqu'à Agra. La sécheresse a été bonne pour ses troupes. Là où se meurt le paysan, le soldat gagne du terrain, princesse !
— Il fallait donc qu'il contînt les Anglais !

— Les Anglais sont venus du nord, par des chemins détournés. »

« Ils ont pris les mêmes routes que moi, pensa Madec derrière la tenture. A l'heure qu'il est, ils doivent être à la limite du désert. Et c'est cela qui les arrête. »

« Mon maître a appris la conspiration ourdie contre ton époux.

— Les nouvelles vont vite en ce pays.

— Ne te moque pas, princesse. Ce qu'il te propose est sérieux. Tu n'es qu'une femme, et tu auras devant toi bientôt une immense armée.

— On n'attaque pas avant la mousson.

— C'est juste. Mais après les pluies... »

Il y eut un long silence.

« Je ne suis pas si désarmée que tu le dis. Et pas si seule. »

Madec frémit. L'ambassadeur, cependant, ne releva pas la phrase.

« Mon maître est puissant. Le Moghol l'a nommé "Lune des Indes" !

— Ah ! fit Sarasvati d'un air impressionné. Le Moghol... L'empereur n'est donc plus errant ?

— Sumroo lui a promis de le faire rentrer dans Delhi.

— Lune des Indes... Que ne donnerait-on pas contre de vagues paroles ! Paroles contre paroles, ambassadeur, vanité que tout cela. Ce joyau que tu m'offres, par contre, n'est pas vain.

— Princesse, très honorée princesse, laisse-moi doucement venir à l'objet de ma visite. »

Rien qu'à l'entendre, Madec devina que l'ambassadeur n'en pouvait plus et qu'une fois encore, les serviteurs désordonnaient le rythme de leurs éventails. Il s'obstina néanmoins :

« Tu es veuve. Ici les femmes portent malheur quand elles ont perdu leur époux. Mon maître, pourtant, désire t'épouser. Tu seras puissante, riche, honorée. »

Il y eut un instant de stupeur, puis Sarasvati éclata d'un grand rire. Il sonnait clair et beau, il parcourait l'un après l'autre les couloirs, et il s'écrasa enfin contre les portes d'argent clouté qui fermaient l'accès du Diwan-i-Am.

« Sumroo ! Mais c'est un firangui ! »

A ces mots, Madec sentit son cœur se déchirer. Comme dans un brouillard, il l'entendit qui poursuivait :

« Un firangui ! La Lune des Indes, peut-être, mais un de ces brigands qui courent l'Inde depuis que le Grand Moghol n'est plus qu'un amolli ! Sumroo... Et sais-tu bien, toi qui n'es qu'un ambassadeur, que l'assassin du rajah était aussi un firangui, un homme à la peau blanche, comme le maître qui t'envoie ? Qui me dit que Sumroo n'avait pas armé sa main ? As-tu des gages ? »

Il ne répondit rien, manifestement terrifié. Tout le dorbar se taisait ; on n'entendait plus que le bruissement des éventails. Sur le visage de Sarasvati s'était dessinée en effet une expression sauvage, cruelle, effroyable. Deux ou trois fois depuis le bûcher, elle l'avait eue, et Madec la devina sans la voir, rien qu'au silence sans fond qui suivait ses paroles.

« Tu es veuve, princesse, insista l'ambassadeur. Ta province est fragile, malgré ses joyaux.

— Reprends donc celui-ci. »

Elle referma le coffret d'un coup sec, le jeta à terre, puis ajouta :

« J'ai un fils ! Il me défendra.

— Réfléchis bien, très honorée princesse. Il est très jeune ! »

Madec sentit qu'un homme se déplaçait lentement le long de la tenture. Il souleva délicatement un pan de tissu. Il aperçut alors le brahmane qui joignait curieusement les mains. Sarasvati ne perdait pas un seul de ses gestes étranges, et son regard revint à l'ambassadeur :

« De telles décisions ne se prennent pas en un jour, déclara-t-elle avec un grand sourire charmeur.

— Alors je reviendrai... Mais quand ?

— Attendons donc la fin de la saison des pluies ! Par l'acier !

— Soit », fit l'ambassadeur, et il s'inclina longuement. L'un après l'autre, les hommes de sa suite se prosternaient à leur tour, avec la langueur obséquieuse qui était de mise en pareille circonstance. Un seul d'entre eux demeurait un peu raide, l'air emprunté, une façon d'être que Madec connaissait bien. Celle d'un firangui. Ce qu'il avait pressenti se vérifia sur-le-champ. Quand l'homme releva la tête, il reconnut aussitôt ses traits et il en laissa choir la lourde tenture. L'homme avait vieilli, un de ses yeux paraissait mort, mais c'était bien lui : Visage.

Pour lui parler, il fallut attendre la fête du soir. On avait introduit des danseuses, des musiciens ; quelques femmes très parées étaient descendues du zenana, dont la deuxième épouse, fort gaie, qui trempait les doigts dans tous les plats. Sarasvati fit redoubler les porteurs d'éventails ; elle disparut bientôt derrière leurs palmes. Madec n'éprouva aucune peine à échapper à la foule du dorbar. Visage s'était éloigné sous les galeries du jardin, puis s'était assis sur un rebord de marbre, contemplant avec mélancolie un jet d'eau tari, il attendait Madec, semblait-il. Il n'était pas le seul firangui de l'ambassade ; il y en avait au moins trois. Nul au dorbar ne s'en étonna ; il paraissait évident que Sombre, en étranger, s'attachât d'autres étrangers.

Tandis qu'il se frayait un chemin parmi les notables étalés sur les coussins, Madec s'interrogeait. Raconterait-il à Visage l'indicible, sa brève aventure avec la princesse, ou son ancien compagnon le pressentirait-il au premier regard ? D'un seul coup, il se sentait redevenir enfant, mais un enfant révolté, fou de douleur : car comment lui expliquer aussi le plus difficile, que depuis la nuit du bûcher il n'avait pas possédé la princesse et qu'il s'éternisait ici dans le vague, très vague espoir de retrouver un enchantement vite enfui. Au seuil du jardin, il eut une hésitation. Il avança néanmoins, amer et triste comme il l'avait rarement été. Ce furent donc des retrouvailles sans joie. Les effusions de la surprise en furent même absentes ; il était clair pour l'un et l'autre que les chemins de l'aventure ne cessaient de se croiser et de se décroiser, et qu'il ne fallait y voir qu'un effet de sa nature intime, une sorte de mécanique secrète de l'Inde et de ses routes. Visage et Madec se retrouvaient, et ils demeuraient froids : mais s'émeut-on, pensaient-ils, du galet cent fois ramené par la mer en son ressac ? Au premier coup d'œil, ils surent que leur passé mutuel avait connu de grands méandres et qu'ils n'avaient guère envie de les raconter. Visage avait perdu un œil, au Bengale précisa-t-il. Madec redouta que ce fût à Buxar ; il préféra ne pas s'étendre, pour ne pas avoir à mentir.

« Et Dieu ?

— Dieu est là-bas, avec *lui*... Il est artilleur en chef. Il a fondu des dizaines d'excellents canons.

— Bien... »

Madec saisit une plante desséchée dans un parterre et se mit à réfléchir. Le souvenir du jésuite le tracassait. Il avait dû parler ; s'il était parvenu à rejoindre Sombre, il avait dû prononcer son nom, peut-être lui dire qu'il y avait des firanguis à Godh. Visage lui aussi devait savoir. Il résolut d'attaquer de front :

« Qui t'a appris que j'étais ici ?

— Je l'ignorais. Tout le monde l'ignorait. Sombre a appris de ses banquiers espions l'assassinat du rajah, et surtout le complot contre la princesse.

— Il cherche une épouse résistante au poison ?

— L'histoire a fait grand bruit ! Certains Indiens prétendent qu'elle est déesse !

— Déesse... »

Madec était accablé. Jusqu'à cet instant, il avait cru que Godh était isolée du reste du monde, et sans doute l'avait-il aimée pour cela. Jamais il ne l'aurait imaginée au centre des routes, à la croisée des ragots et des légendes.

« Parvenus aux marches de la ville, nous avons appris des paysans que des firanguis y avaient installé leur camp. J'ai pensé que c'était toi.

— Pourquoi ? interrompit Madec.

— Je savais que tu reviendrais ici. »

Il posa sa main sur son épaule, comme autrefois, aux temps du bateau. Madec se troubla ; un instant, il fut tenté de repousser ce contact, tant il lui parut incongru : ils étaient tous deux vêtus à l'indienne, avec des robes que le seul souvenir du passé rendait pareilles à des déguisements ; un geste européen modifiait le corps, l'étoffe avait du mal à s'y plier sans paraître ridicule. Le sentiment l'emporta cependant. Les autres contemplaient les danseuses. Personne ne venait au jardin, qui n'apportait plus de fraîcheur.

« J'ai vieilli, Visage. Les choses ont changé.

— Je sais. Et moi aussi. Le turban cache mes cheveux gris.

— Les choses ont changé.... répéta Madec.

— Les autres se sont effrayés quand ils ont appris la présence d'un firangui, continua Visage. L'ambassadeur surtout, une de ces crapules indiennes amollies, qui n'a d'autre talent que de savoir mentir et ruser. Sombre les aime.

— Il a tort !

— Ils le servent. Et l'on peut aussi les duper, quand ils sont morts de peur. C'est ce que j'ai fait ; je lui ai dit que tu étais des nôtres, que je te connaissais. A l'heure qu'il est, ses petits espions ont dû le lui confirmer. »

Il se mit à rire, et Madec remarqua que sa voix s'était un peu cassée. La chaleur s'alourdissait de minute en minute. Madec n'avait plus qu'une envie : retrouver ses hommes, son camp, une rasade d'arak, fuir dans le sommeil. Auparavant, toutefois, il attendait un mot de Visage, une phrase, une seule. Mais pour l'obtenir, il fallait qu'il se découvrît, et cela lui pesait plus que tout au monde.

Visage le tira d'embarras :

« Sombre va mal, Madec !

— Comment ? Que veux-tu dire ?

— Oublies-tu que je suis médecin ? Pour cette unique raison, il m'a admis sans peine à ses côtés. Il est riche à crever, puissant... L'ambassadeur dit vrai !

— Il ne va donc pas si mal.

— Je suis le seul à le savoir. C'est moi qui lui fais ses teintures, pour qu'il paraisse encore avec ce poil noir qui fait l'admiration des troupes européennes. Il a cinquante ans bientôt, Madec, il est usé ; usé de femmes, usé d'alcool, usé d'opium aussi. Contrairement aux Indiens, il n'a pas su s'arrêter. Il ne dort plus. J'ai parcouru les jungles à la recherche des guru qui possèdent le secret du sommeil. Ils ont, parfois, consenti à l'approcher. Ils repartent tous en laissant des poudres bizarres, qui font de l'effet quelques jours à peine, plus de mal que de bien. Il est perdu.

— Combien de temps ? »

Madec, soudain, s'était allumé.

« C'est difficile à dire. Sa résistance est étonnante. Et ces Indiens connaissent parfois des drogues étranges. A dire vrai, je ne sais pas bien ce qu'il a. Tout ce que je vois, c'est que son corps est décrépit.

— Alors pourquoi veut-il ce mariage ?

— Il a la maladie des puissants. Madec, le mal des chefs qui vieillissent. Il veut survivre à sa légende. Il a mal supporté sa défaite au Bengale. Il lui faut une femme.

— N'a-t-il pas de fils ?

— Si ! Mais il le hait. C'est un métis, qu'il considère comme un faible. Il lui faut une femme ; sa variante femelle, sa réplique indienne, avec la beauté, la grâce, le panache. La force... Ils disent tous qu'elle la porte en elle, la force !

— Les Indiens sont fous. »

Il ne croyait pas un mot de ce qu'il disait, mais tout

son être se révoltait contre ce mot « force » qui lui enlevait Sarasvati plus efficacement que tous ses dédains. Force, déesse, disait Visage. Mais ce n'est pas *elle,* voulait-il crier, ce n'est pas elle, qui est de chair et de sang, que j'ai tenue entre mes bras, que j'ai caressée. On ne caresse pas la force. On n'étreint pas les déesses. A cet instant-là lui revinrent à l'esprit les contes indiens où de pauvres humains couchent sans vergogne avec les divinités. Il fut pris d'une atroce douleur ; il se souvint que naguère, des années entières, il avait lui aussi idolâtré Sarasvati. Une figure sacrée, une effigie superbe : l'amour n'était-il alors qu'un subtil imagier ?

« Ecoute, Madec. Ecoute bien ; je sais bien que tu ne vas pas m'entendre longtemps. Nous nous dirons si peu...

— Achève, achève en effet ! cria Madec, que la rage commençait à étouffer.

— Il ne la touchera pas. Mais il faut qu'elle l'épouse. C'est sa seule chance. Et la tienne. »

Madec se leva d'un bond :

« Non, Visage ! »

L'autre ne parut pas étonné.

« Méfie-toi, Madec. Sombre est retors. Il avait prévu le refus de la princesse. Il veut la tenir à merci. L'obtenir de son plein gré plutôt que par la force. L'ambassadeur a menti. Réfléchis encore ; si tu le désires, je pourrai te faire tenir des troupes de cipayes, nul n'en saura rien.

— Jaé, siffla Madec. Jaé, Jaé ! »

Dans sa rage, il avait parlé hindi. *Jaé :* hors d'ici ; d'un homme à un autre, le comble du mépris. Visage le comprit ainsi ; il s'obstina cependant :

« Alors méfie-toi, répéta-t-il. Car les Anglais ont passé le désert du Nord, et ils attaqueront avant la mousson. »

Madec avait tourné les talons. Il passa une nuit effroyable. Il se reprochait sa dureté envers Visage, l'injure qu'il lui avait jetée ; cependant, il n'avait pu supporter de le voir évoquer les liens qui l'unissaient à la princesse, fût-ce à mots couverts. Il se remémora le temps du bateau, les jours passés ici même autrefois. Visage n'avait pu mentir. Il avait agi en toute amitié, à sa manière tendre et paternelle. Au matin venu, Madec n'avait pas trouvé le sommeil. Aussi décida-t-il d'aller rendre visite à la princesse, à l'ouverture habituelle des audiences. Comme si elle s'amusait à le torturer, Sarasvati, ce jour-là, en retarda l'heure. Deux lances obstinément baissées fermaient l'accès du Diwan-i-Am. Madec enrageait. Elle consentit enfin à le recevoir. Il ne s'attarda pas. Après les salutations ordinaires, pendant lesquelles il eut le plus grand mal à se contenir, il l'entreprit aussitôt sur les menaces de guerre :

« Il faut inspecter les marches, princesse. Les marches du Nord.

— L'ambassadeur a dit que l'ennemi n'attaquerait pas avant la fin des pluies ! Et elles n'ont même pas commencé ! »

Sarasvati regarda le ciel d'un geste devenu mécanique.

— « Laisse-moi partir. »

Madec se refusait à argumenter. Non seulement son opération de patrouille relevait de la plus élémentaire prudence — quoiqu'il en eût, les propos de Visage l'avaient inquiété —, mais il tenait à affirmer l'indépendance de ses troupes.

Le sourire de Sarasvati s'évanouit.

« Il n'est rien de plus cruel que d'abandonner celle qui vous aime aux approches de la mousson. »

Tant de jours, tant de semaines sans la moindre déclaration ! Il fallait qu'il annonçât son départ pour enfin obtenir d'elle les mots qu'il attendait. Et tout cela était dit d'un air fort sérieux, et convaincu, et grave. Du coup, il faillit rester. Il se reprit aussitôt :

« Ne m'as-tu pas abandonné, toi aussi ?

— Non. »

Toute réplique eût été vaine.

« Je m'en vais pour ton salut. Pour ta tranquillité, pour Godh. Et du reste je ne serai absent que quelques jours. Je serai de retour avant les premiers orages. »

Elle se taisait.

« Avant la pluie je serai là », répéta Madec.

Elle regardait le ciel. Il s'était encore plombé, et des couples de hérons traversaient les nuages en battant des ailes.

« As-tu vu les oiseaux ? murmura-t-elle simplement.

— Oui. »

Il y avait en elle quelque chose qu'il pressentait, mais qu'il n'arrivait pas à cerner. Une sorte de grâce étrange, de poésie soudaine, et dont il sentait bien qu'elles avaient quelque chose à voir avec le temps. Caprice de femme, se dit-il, et il chercha ses yeux. Ils brillaient.

Ses yeux. Le profil légèrement busqué de son nez, le diamant qui étincelait. L'arc si pur de ses sourcils, et surtout sa peau sombre, et d'un grain pourtant tellement fin : toute l'Inde en elle, qu'il croyait saisir, et se refusait toujours.

« Je dois partir, Sarasvati. »

Aux sonorités de son nom, elle tressaillit enfin. Elle m'aime donc, se dit Madec, et il pensa que sa patrouille n'avait plus d'objet. Mais déjà elle lui répondit :

« Dharma ! Pars donc...

— Que feras-tu de ce temps-là ? »

Elle prit une pistache dans un plat d'argent, la défit lentement :

« De la musique, bien sûr. C'est la saison.

— Je reviendrai vite.

— Alors pars vite ! Tu n'en seras là que plus tôt... »

Il n'osait encore y croire. Elle était redevenue humaine ; humaine pour lui seul, ou peut-être aussi pour le brahmane, qui pliait et repliait avec fièvre un pan de son dhoti. Lui aussi, la mousson le travaille, pensa Madec, il perd son calme. Vivement les pluies !

Il salua la princesse, puis disparut dans la pénombre du palais qu'endormait l'été.

*

* *

Madec n'était pas parti une journée qu'il y eut une première pluie. On entendit un grand coup de tonnerre, puis l'averse crépita.

« Relevez les stores ! cria Sarasvati. Je veux voir la mousson... »

Gopal, à côté d'elle, battit des mains :

« La mousson, la mousson !

— Je savais bien qu'elle n'allait pas tarder, murmura la princesse. Je savais bien... »

Ce ne fut qu'une grosse averse, qui s'arrêta bientôt, et le ciel s'éclaircit. L'air, pourtant, s'était rafraîchi ; d'un seul coup la plaine parut plus verte. La poussière avait disparu. De tous côtés, le palais se mit à bruire. Depuis la passagère effervescence du dorbar, il était retombé en sommeil : la léthargie désespérée d'un malade dans les jours qui précèdent la mort. Je vis, je vis, et je vivrai, se répétait Sarasvati. Je vivrai, mon fils aussi. Combien de temps encore avant qu'il ne porte l'épée. Quatre, cinq ans ? Mais j'attendrai le temps qu'il faut !

Et elle réclamait le bain, des servantes, un massage, les miroirs et les onguents. Elle s'était octroyé la moitié des domestiques du zenana, non sans une joie un peu perverse, à l'idée que son pouvoir lui permettait pareille audace et que toutes les « femmes d'en haut », comme elle disait, enragaient de devoir se passer de leurs services. Elle ne pensait plus à ses amies d'antan ; ni à Mohini, qui avait mis au monde un fils, au lendemain de l'assassinat ; ni même à la petite Parvati qu'on n'avait toujours pas mariée, et dont le bruit courait qu'elle se languissait. Elle ne pensait plus à personne, sinon à Gopal, et surtout à

Madec. Le firangui ne cessait d'occuper son âme. Moi aussi, je me languis, se disait-elle en écoutant le babillage des servantes. De quoi peut-elle se plaindre, la jeune fille qui n'a pas connu les joies de l'amour ? Moi, je pleure après un bonheur enfui, et je l'ai de si près tenu. Le plaisir surtout lui manquait. Derrière les lourdes tentures du Diwan-i-Am, où elle avait aménagé ses appartements pour être sûre d'être bien gardée, et, si venaient à nouveau des assassins, de les voir arriver, elle s'était construit un univers neuf, plus vaste, plus libre. Mais elle regrettait parfois l'intimité des femmes ; plus d'émulation dans la subtilité du maquillage ; plus de concours de saris, ou de parfums. Plus de babils d'enfants, hormis le bavardage de Gopal, mais il était grand. Plus de corps dévêtus, contemplés au sortir du bain, et dont on observait jour après jour l'éclosion de beauté, ou, au contraire, la lente décrépitude. Ni la chaleur, diverse comme leur forme, des seins qu'on passait à la crème d'or, la peau douce des ventres ornés de dessins, les longues heures passées à entrelacer les menhadi. Tout cela, elle l'avait fui. Ici aussi, on la parait, la massait, la maquillait. Parfois, le bras trop longtemps frôlé d'une jeune servante la troublait, appelait des caresses anciennes. Le désir s'éteignait aussitôt. Madecji. Mais elle avait troqué le zenana contre la solitude. Quant à la vie de plein vent ; où était-elle ? Etait-elle d'ailleurs faite pour cela ? En cette fin d'après-midi, tandis qu'elle regardait la plaine éveillée par la pluie et les crêtes lointaines où chevauchait Madec, elle en douta un instant. Le regret du zenana se fit plus insistant ; puis elle réfléchit : non, elle n'y retournerait pas. L'autre jour, quand il lui avait annoncé qu'il partait, elle avait envié Madec. Elle aurait voulu le suivre. Mais tout la retenait ici. Un pas en dehors du palais, avec ces Anglais qui hantaient le désert du Nord, et c'en était peut-être fini de Godh. A qui se fier, tant que les pluies ne seraient pas là ?

Cependant la mousson venait. Une semaine

encore, Madec serait rentré, et ils pourraient s'offrir tous deux un moment de bonheur. Le bonheur des pluies, du long *amour d'après-midi,* tandis que l'averse remplit les rivières et que coassent les grenouilles. Une forte odeur de terre mouillée s'élevait par les fenêtres.

« Levez les stores, levez les stores ! cria encore Sarasvati. L'air s'est rafraîchi. Je veux maintenant voir la lumière ! » La vie de plein vent, quand viendrait la vie de plein vent ? Où était-il, Madecji ? Que pensait-il, ruisselant sous les averses ? Et si l'ennemi était aux marches ? Elle soupira. Elle n'avait même pas un portrait de lui, une miniature enluminée sur laquelle pleurer, tandis qu'une musicienne chanterait un raga de l'amour absent. Elle ne possédait rien du firangui. Et lui rien d'elle. Pas un bijou échangé, pas un signe. Rien. Et pourtant ce dénuement, cette distance, ce lien fait d'attente et d'éloignement, c'était elle qui l'avait voulu, comme une suprême et difficile liberté. Elle se rassit sur les coussins, demanda un narguilé. Fumer, s'étourdir de vapeurs. Oublier. Elle avait trop exigé des autres, de Madec et surtout d'elle-même. Il fallait vivre, tout simplement. Prendre le bonheur quand il passait ; l'amour et le désir aussi, à la volée. Les premières bouffées de fumée la calmèrent.

Pensées de pluie, se dit-elle en souriant. Peu à peu, une sorte d'euphorie l'envahit, insinuante, reposante. Elle ferma les yeux.

Un chuchotement soudain la fit tressaillir.

« Princesse ! Princesse...

— Laisse-moi.

— C'est Mohini !

— Je ne veux voir aucune femme.

— Princesse ! Elle revient de son premier bain, elle veut te voir ! »

Sarasvati ouvrit lentement les paupières, rajusta les plis de sa jupe. Mohini, retour du bain rituel, après la naissance de son premier fils ! Son mari était peut-être de ceux qui avaient préparé le poison. Qu'importe. Elle ne pouvait pas ne pas la recevoir. Et pourtant le passé n'était plus ; depuis la nuit du bûcher, il s'était consumé avec la chair du rajah, et, comme elle, dissous dans l'immensité du monde.

« Qu'elle vienne donc, soupira Sarasvati. Fais-la entrer ! »

D'abord, Mohini ne parla pas. Quelque chose pesait sur sa langue, quelque chose de lourd, la peur, la honte peut-être.

« Mohini... » chuchota alors Sarasvati.

Elle ne répondit pas. Elle gardait les yeux sur le sol, toute contrainte et apeurée.

« Mohini ! »

Cette fois, la princesse avait presque crié. Si cette femme résistait à la douceur, alors il lui fallait la force, et de force elle ne manquait pas. Elle avait vu juste. Mohini, aussitôt, releva la tête.

« J'ai eu un fils.

— Je sais. Tu dois donc être heureuse, et pourtant tu parais prête à pleurer. Qu'as-tu donc qui te tourmente ?

— Princesse... »

Les larmes lui venaient, en effet. Elle avait vieilli. Des fils blancs, de plus en plus serrés, parcouraient sa longue tresse ; sa dernière grossesse l'avait épuisée ; elle avait maigri et un grand cerne creusait ses pommettes.

« Parle. »

Sarasvati lui présenta la boîte à bétel, mais elle refusa l'offre :

« Je ne t'ai pas vue depuis le Holi.

— Je sais. Veux-tu des sorbets ? »

Elle essuya ses larmes, secoua encore la tête :

« On dit que tu n'es plus la même. Que tu as la *vajra*... On parle de toi comme de Kali, Parvati ou Lakhsmi. Une déesse. »

Elle s'interrompit un instant, puis reprit doucement :

Et cependant tu ne l'es pas. »

Sarasvati se mit à sourire.

« Tu ne l'es pas, tu ne l'es pas, je le sais mieux que personne ! La folie a pris ce palais !

— C'est la mousson, dit Sarasvati, et elle souleva la tenture qui lui dérobait le jardin.

— La mousson... »

Mohini jeta un coup d'œil autour d'elle.

« Puis-je parler ?

— Sois sans crainte. Je ne crains nulle rumeur. J'ai vaincu le poison, ne l'oublie pas.

— Justement, le firangui... »

Sarasvati fit claquer le fermoir de la boîte à bétel :

« Que sais-tu de lui ?

— Mais rien... Il est parti, n'est-ce pas ? »

La princesse se durcit davantage :

« Ainsi tu viens aux nouvelles ? Mais qu'avez-vous toutes à vous pencher sur mon destin ? La mousson arrive, n'est-ce pas ? L'ordre du monde va son train ! Alors ? Qu'avez-vous à faire du firangui ?

— Première pluie n'est pas mousson, Sarasvati.

— Première pluie SERA mousson ! Sors ! Et puis non, reste ! Je m'ennuie... »

Mohini ravala ses larmes :

« Non. Tu n'es plus la même. Tu n'es plus la même. »

Sarasvati ramassa ses jupes, s'arracha aux coussins. Elle s'était brusquement radoucie :

« Viens au jardin... Pourquoi me taire, Mohini, pourquoi me taire ? »

Ses mousselines traînaient sur le marbre humide. L'averse avait été trop courte pour remplir les bassins ou renforcer la pression dans le réservoir qui les alimentait ; pourtant, çà et là, des flaques brillaient. On entendit même un oiseau chanter. Les paons, dans un coin des parterres, surgirent tout à coup.

« Seulement aussi, pourquoi parler, reprit Sarasvati, pourquoi parler ? Seul un blessé comprend l'état d'un blessé. Seul un joaillier connaît la valeur d'un joyau. »

Les traits de Mohini se détendirent. Elle reconnaissait le rituel des confidences, toutes les convenances qui les précédaient ; Si la cérémonie recommençait, Sarasvati n'avait pas changé, elle n'était pas la femme dure et sèche qu'on lui avait peinte et que tout à l'heure, à son tour, elle avait cru découvrir. La princesse l'aimait encore, puisqu'elle allait lui ouvrir son cœur.

« Oui, mais les blessés ont besoin de médecins, et les diamants de montures ! »

Sarasvati poursuivait sans l'entendre :

« ... Le coucou qui chante, je crois qu'il dit *son* nom ! Le nom de Madecji... Le bout de mes ongles s'usera à compter les jours, les heures. Toute la nuit le sommeil m'a fuie ! Regarde : il y a de l'eau partout ; la terre va reverdir, et les nuages s'amonceler encore, noirs et jaunes, les nuages fous de la mousson. Mais lui, il est parti, et il n'a pas soulevé mon voile, il ne m'a pas dit une parole tendre... Il a lancé la barque de l'amour, mais il m'a laissée sur l'océan de solitude !

— Tu l'as déjà chantée, cette chanson-là, pour une autre mousson.

— Mohini ! je t'interdis ! Depuis toutes mes vies antérieures je me gardais vierge pour lui !

— Tu n'as donc plus rien conservé du monde, ni tradition, ni famille, ni respect humain ?

— J'ai mon fils. On ne me le tuera pas.

— Et que dirait ton fils, un jour, s'il te naissait... un bâtard !

— Tais-toi ! Je me doutais bien que tu viendrais m'accabler de reproches, me verser un autre poison ! Détrompe-toi, si tu crois pouvoir briser cet amour en moins de temps qu'on ne coupe une fleur de jasmin ! Privée de sa vue, rien ne me plaît, sache-le et tiens ta langue ! Le monde sans lui n'est que *maya,* illusion et rêve ! Je me noyais dans l'océan de la mort, et il m'a prise en protection. »

Elle s'arrêta un instant au bord d'un bassin. La pluie s'y était concentrée en raison de sa forme très creuse ; Sarasvati y chercha son reflet. Elle se mira un long moment, rajustant sur son boléro ses rangs de perles et sur son front la disposition des joyaux. Puis elle brouilla ce qu'elle avait fait, en secouant la tête d'un geste fébrile :

« Perles et bijoux sont faux et brillent d'un faux éclat, tous les ornements sont faux ; seule est vraie la force de l'amour !

— Et ton rang ?

— Je suis noble et de grande famille, et toujours alliée d'une grande famille ; tu as bien entendu parler du dorbar, au fond du zenana ? Tous, te dis-je, ils sont venus tous, les nobles de Godh, et ils m'ont prêté serment d'allégeance. Et d'ailleurs Mohan me protège ! Le brahmane me donne raison... Maintenant, va ! Va, car tu me déplais, Mohini. D'avoir mis au monde un fils ne te donne pas droit à l'insolence ! Va ! »

Mohini ne la saluait pas ; elle demeurait immobile. Les paons continuaient à tourner dans le jardin.

« Non. Je n'étais pas venue pour entendre ta colère. La mousson revient, n'est-ce pas, dharma ! Et s'il est vrai que tu es déesse... »

« Elle est amère, pensa Sarasvati. Amère et jalouse, comme les autres. Qu'y puis-je ? Le souci assombrit son cœur, comme les taches la beauté de la lune. »

« ... J'ai peur, confirma Mohini. Je dors mal.

— Les nuits qui précèdent la mousson sont toujours difficiles.

— Tu ne penses qu'à tes tourments ! Mais j'irai droit au but. Voici ce que j'ai vu, cette nuit, au zenana.

— Au zenana ! La vie du zenana m'indiffère, Mohini. Les peuples ne sont pas gouvernés par les femmes coquettes !

— N'as-tu pas gouverné Bhawani, pendant un temps ?

— On ne gouvernait pas Bhawani. On le séduisait !

— Les enfants conçus dans l'appartement des femmes régentent plus tard les armées, Sarasvati. Mais ce n'est pas de cela que je voulais te parler. »

Son visage venait de blêmir.

« Parle donc, dit Sarasvati avec un sourire ironique. Dis-moi les secrets du charpoï, les commérages... »

Mohini ne se laissa pas entamer :

« J'ai eu... J'ai eu une vision.

— Un rêve ?

— Je ne sais pas... J'ai vu cette nuit des choses étranges ; tu étais là, comme je te vois.

— Ce sont là choses qui arrivent. Nous avons parfois le pouvoir de donner force de matière à ce qui n'est pas, ou qui n'est plus.

— Tu étais là, dans la chambre de l'accouchement. Tu étais allongée, demi-nue sur le charpoï, comme pour le travail.

— La maternité te dérange l'esprit ! »

Mohini ne l'écoutait pas, poursuivait, les yeux révulsés :

« Tu étais là, gémissante, tes trois enfants à tes côtés... Ils étaient morts.

— Mais enfin, Mohini, c'étaient des jumeaux ! Ne me parle plus de cela.

— Tes trois enfants morts, te dis-je, Gopal aussi. Je t'ai vue, comme maintenant ! Un homme te tendait les bras, et tu t'es levée. Je l'ai reconnu. Il avait le crâne ouvert et un dhoti de safran.

— Bhawani... »

Sarasvati chancela, dut s'appuyer contre un pilier. Mohini continuait, les yeux révulsés, impitoyable :

« Et il avait aussi le ventre ouvert... Tu t'es levée, il t'a mis la main dans la plaie : "Venge-moi, venge-moi du firangui !"

— L'alchimiste...

— Crois-tu ? »

Mohini éclata de rire, d'un rire sec, atroce, cassé.

« Crois-tu ? Car il a continué, le rajah, lui pour qui

autrefois tu te lamentais quand il te quittait trois heures !

« "Godh va mourir, va mourir. Le firangui... Ton fils... »" Il t'a tendu une épée, désigné un éléphant dans la cour. Tu as saisi l'arme ! Te voilà prévenue, princesse. Il y avait du sang partout, du sang sur lui, sur le lit. Du sang sur toi. Et puis...

— Madecji ? »

Sa voix s'étrangla dans sa gorge.

« Le firangui était derrière le rajah, et il t'a tourné le dos. Il ruisselait de sang lui aussi. Il s'est écroulé ! »

Mohini exultait.

« Tu le vois bien, Sarasvati ! Première pluie n'est pas mousson ! »

A cet instant même, le tonnerre gronda, et le ciel parut plus lourd. Des gouttes larges et pressées s'écrasèrent sur les allées.

« Eh bien, tu te trompes, cria Sarasvati en se redressant devant elle. Tu te trompes, toi et tes apparitions inventées ! Fadaises de femmes ! Retourne au zenana ! »

Mohini se dressa elle aussi, puis se retourna d'un air las. Curieuses, les domestiques accouraient l'une après l'autre. Elle les écarta, puis sortit. « Elle a vieilli, pensa Sarasvati. Il est temps pour elle de ne plus avoir d'enfants, car son corps les porte mal, et elle enrage d'avoir perdu ce qui lui restait de beauté. Le zenana est mauvais pour les femmes, mauvais, plus pernicieux qu'un poison. »

Elle se sentit à nouveau allègre de l'avoir déserté.

« Il reviendra bientôt... Madecji ! »

Elle murmura dix fois son nom. L'averse reprenait, plus forte que la première. Il plut quatre heures d'affilée.

*

* *

Dix jours plus tard, Madec rentra des marches du Nord. Il arriva comme une surprise ; non que Sarasvati eût cessé de l'attendre, mais désormais l'orage avait bouché l'horizon ; il n'arrêtait plus de pleuvoir, de longues et grosses averses entrecoupées de tonnerre, et on n'y voyait rien à dix pas. Les murs du palais commençaient à moisir, une odeur fade de nature en gésine envahissait tout. Des pousses vivaces jaillissaient de la terre humide ; les flancs rocheux de la citadelle eux-mêmes entraient en reverdie. Les perruches gazouillaient à nouveau, et les coucous, et les moineaux. Les singes des coteaux s'étaient réveillés ; les serpents aussi, qui commençaient à tuer, disait-on, les malheureux qui dormaient sous les arbres. Mais la plupart des hommes étaient dans la joie ; la terre assoiffée retrouvait sa vigueur, les pluies s'annonçaient abondantes. Chacun se blottissait sur son petit bonheur, et le crépitement des averses en rythmait les plaisirs éphémères. C'était la mousson.

Aux verres colorés du palais, aux petits miroirs d'argent qui en décoraient les plafonds s'accrochait une buée légère qui ne les quittait plus. Les yeux de Sarasvati s'y perdaient souvent ; elle s'y oubliait des heures au fond de rêveries sans but, et son regard lui-même en prenait l'éclat mouillé. Elle, si nette, devenait floue, embuée, imprécise. Elle n'en était que plus belle, belle comme les pluies de mousson, pensait le brahmane, qui ne cessait de l'épier. Et une immense tristesse le prenait alors, qui grandissait jour après jour.

Godh s'était assoupie. En cette saison ne passaient plus les marchands, et les joailliers travaillaient au ralenti. Faute de colporteurs, on n'avait plus de nouvelles. Avec la chaleur disparue, les rumeurs inquiétantes de l'été s'étaient tues. La guerre ne sera pas pour cette année, disaient les vieux tailleurs de diamants, et on les écoutait, car seuls les vieux tailleurs de diamants savent comme il faut prévoir les guerres. Pour s'occuper, on parlait donc de la rivière. Il avait beaucoup plu sur les montagnes ; elle avait exagérément grossi. Certaines maisons des bas quartiers, après quinze jours de mousson, avaient déjà les pieds dans l'eau, et cela parut inquiétant. A la Porte d'Eau, les flots roulaient à mi-ogive ; certaines nuits, on avait entendu dans les montagnes des grondements d'assez mauvais augure. Nul ne s'y risqua cependant : « Les firanguis y sont en patrouille, disaient les vieux, pourquoi sortir pendant la mousson ? Et d'ailleurs la rivière de Godh, de mémoire d'homme, n'a jamais débordé. Dharma ! Nous nous plaignions de la sécheresse ; ne nous lamentons pas maintenant d'avoir trop d'eau. » « Dharma ! » répétaient les autres, et ils se rendormaient dans le chant des averses.

Un après-midi d'orage, Sarasvati fumait le narguilé, et des musiciens lui jouaient un raga de mousson, quand un brouhaha montant des cours intérieures la dérangea dans son plaisir mélancolique. D'un seul coup, elle fut aux aguets : ce cliquetis d'armes, ces sonorités étrangères, cette voix ferme et douce à la fois, elle les aurait reconnus entre mille. C'était lui. Enfin ! Elle arrêta les musiciens.

« Faites venir le firangui ! »

Il la fit attendre. Il réclama un bain, des vêtements propres, un repas copieux. Il prolongea les préliminaires à plaisir. Enfin il parut, vêtu de brocart neuf et parfumé, l'air un peu las. Mais il avait le teint rose d'humidité, ce qui enchanta Sarasvati. Il fut très bref.

« Il n'y a pas âme qui vive aux marches du Nord ! »

Le sourire de la princesse devint éclatant :

« Eh bien, nous partirons pour le palais du lac. Nous avons bien besoin de repos, il me semble ! »

Elle était resplendissante ; cette embellie soudaine rappela à Madec un souvenir exquis. La perspective très précise que contenait sa proposition le fit renvoyer à son tour :

« Mais je suis fatigué, princesse ! »

Ils éclatèrent d'un même rire.

« Il est des fatigues qui reposent d'autres fatigues ! Qu'on harnache les éléphants ! Brahmane, veille sur ce palais en mon absence... Je te confie Gopal !

— Tu ne l'emmènes pas ? »

Elle sourit :

« Enfin, brahmane... Il s'ennuirait ! Veille sur lui. »

Puis elle ajouta en chuchotant :

« Nous avons nos messagers, n'est-ce pas ? »

Mohan l'écouta d'un air un peu accablé, voulut dire quelques mots. Elle l'abandonna aussitôt, toute à sa joie. « Et les musiciens ! Les musiciens viennent aussi ! Et mes servantes ! Vite, préparez les saris, les onguents, la toilette... »

Madec, ravi, s'abandonna aux ordres et aux délices qu'ils promettaient ; il eut cependant un petit sursaut :

« Et mes hommes ?

— Tes hommes ? Mais qu'en as-tu besoin ? Nous partons pour le palais de plaisance !

— Je n'aime pas me séparer d'eux. Je les veux.

— Tu ne vas pas les faire camper, alors qu'ils reviennent à peine des montagnes...

— Non ; mais je les veux. »

Elle réfléchit un instant :

« Ecoute, Madec... A quelques *koss* du palais, à la lisière de la jungle, il y a une sorte de caravansérail, une halte pour les voyageurs avant les routes de la forêt. Elle est déserte ; en cette saison personne ne se hasarde à voyager. Je les y ferai installer ! »

Il faillit observer qu'elle ne semblait guère tentée de les héberger au palais du lac, mais il savait bien que c'était chose impossible ; arak, cris, chansons à boire, ils gâcheraient tout. Il se résigna, un peu inquiet cependant.

Elle le devina :

« Donne-leur mission de ne pas bouger avant ton ordre ou ton retour ! Que crains-tu donc ? Ces hommes te sont tout dévoués.

— Oui, murmura Madec, et il continuait à froncer les sourcils tandis que noircissaient ses yeux bleus.

— Allons ! C'est le temps de mousson, les pluies, la saison du repos ! »

Elle riait. Il se détendit à son tour et somnola un moment sur les coussins du Diwan. Trois heures plus tard, on était dans la plaine, sous l'averse qui ne cessait pas. Les éléphants pataugeaient dans la boue. De temps à autre, Sarasvati passait son visage hors du palanquin, l'offrait à l'ondée en murmurant des noms de dieux. Madec somnolait.

A mi-chemin, une soudaine accalmie découvrit le paysage ; comme par magie, l'on vit se lever dans le lointain le palais du lac ; il rutilait de pluie dans l'après-midi finissant.

Ils s'installèrent dans une partie du palais que Madec ne connaissait pas, et ce fut là qu'il comprit ce que l'architecte avait voulu qu'il parût : un petit joyau, dont les facettes multiples contribuaient chacune à la perfection, sans qu'on pût jamais en épuiser l'éclat. Sarasvati l'avait entraîné dans une vaste pièce de marbre, ouverte sur un jardin décoré de palmes, d'où l'on voyait la citadelle, la ville de Godh et, derrière elles, les lourdes montagnes noires des marches du Nord. Ou du moins les apercevait-on de brefs moments, quand les nuages de mousson se déchiraient sur un soleil fatigué ; mais ils se refermaient vite, ne laissant pour tout horizon que les berges du lac. L'eau montait. Parfois, sous une rafale de vent, des vagues un peu boueuses venaient lécher les parterres du jardin. Madec s'en inquiéta dès le premier jour.

« C'est un lac artificiel, répondit Sarasvati d'un air un peu désinvolte ; tout a été prévu, même les crues. Il y a là-dessous des canaux, des puisards... L'eau s'en va alimenter les champs... »

Elle désigna vaguement le rivage, la route de Godh.

« Tu crains la rivière, toi aussi ? reprit-elle. Mais tu sais bien que le lac est en hauteur. La route monte pour venir jusqu'ici, et la ligne de rochers le protège. »

Il soupira :

« Je ne crains rien. »

Elle eut un geste d'impatience :

« Que nous importent les pluies et leurs soucis ! Nous ne sommes pas des paysans, que je sache. Viens ! Viens ! C'est l'heure de l'amour ! »

Et elle appela les musiciens.

Depuis leur arrivée, tout était prétexte à l'amour, et surtout l'heure. Sarasvati regardait le ciel changeant : « La pluie va cesser, viens ! » Un coucou se posait sur le marbre mouillé, se hasardait à picorer des pistaches. « *Kokkilah, kokkilah,* viens dans ma main ! » Il s'envolait ; elle éclatait de rire : « Eh bien, toi, viens, Madec ! » Ou c'était dans le ciel un vol apeuré d'oiseaux *sara* que chassait la pluie : « Oh ! Madec, regarde ces deux-là, qui vont toujours par deux ! Regarde : ainsi je te serai fidèle, ainsi tu le seras ! » Et revenait le désir, tandis que les musiciens préludaient un raga. Les premières heures, Madec fut gêné par leur présence, à tel point qu'il demanda à Sarasvati de les renvoyer.

« Oh ! s'exclama-t-elle d'un air sincèrement navré. Mais il n'est pas d'amour sans musique ! »

Il n'insista pas. Il comprit qu'il venait encore d'aborder un domaine inconnu, auquel il se devait de s'accoutumer, faute de quoi il la perdrait sans retour. Il lui prit le visage entre les mains puis caressa doucement l'arête de son nez ; il s'arrêta un moment sur son aile, là où s'incrustait le diamant. C'était devenu un lieu de prédilection, il y revenait toujours, même au plus fort du désir ; l'Inde, l'Inde ici sertie, dans cette peau dont on ne savait plus si le joyau en était l'excroissance, ou le visage sa monture. Cette femme est diamant, pensait-il, et il perdit longtemps ses yeux dans l'eau de la pierre, comme si elle contenait de Sarasvati la plus intime essence.

Alors reprit leur danse, une danse où il était passé maître désormais, saisissant les mains et les pieds à point nommé, honorant selon les règles qu'elle lui murmurait la géographie de son corps, pour finir le ballet, en même temps que se mourait le raga, à ce qu'elle appelait joliment « ma maison de Kama » ;

puis ils restaient des heures à picorer et à parler, tandis que les musiciens se reposaient à leur tour ou lutinaient les servantes. Le deuxième jour — était-ce avant ou après l'amour, il ne se souvenait plus, tout commençait à se mêler dans sa tête, il soupçonnait Sarasvati d'incorporer à leur nourriture quelque substance qui les revigorât constamment —, il se leva pour contempler les eaux du lac après l'averse. Le crépitement des gouttes s'était tu ; il espéra une éclaircie et l'apparition magique de la citadelle au lointain, qui le fascinait toujours. Il crut rêver, il se frotta les yeux : le lac avait disparu. Ce n'était plus devant lui qu'une immense étendue verte de plantes grasses et rases ; les barques elles-mêmes, qui les avaient amenés, s'y trouvaient emprisonnées.

Il se retourna brusquement :

« Sarasvati... »

Sa voix se mourut ; elle dormait. Déjà, la veille, il l'avait vue s'enfoncer dans cette sieste lourde des après-midi de mousson ; lui-même se sentait trop fébrile pour s'y abandonner. De la savoir si proche lui ôtait le sommeil. Mais il ne voulait pas la déranger ; elle était superbe quand elle dormait ; chaque fois elle se réveillait encore plus belle, toute reposée, à nouveau prête pour l'amour. Et de la contempler, abandonnée dans la sieste, lui donnait l'impression qu'elle lui appartenait tout entière, qu'enfin elle n'était plus l'Inde, mais une femme, la sienne.

Il attendit deux heures, vaguement inquiet. Il ne pouvait se dissimuler que les plantes dérivantes soudain surgies du lac n'étaient pas vraiment ce qui l'effrayait : sitôt réveillée, Sarasvati lui en donnerait une explication rassurante, et son sourire, comme toujours, abolirait la peur. Il ne redoutait donc pas ce phénomène étrange, mais il craignait qu'il n'annonçât autre chose, cet autre chose qu'il sentait rôder autour de Godh depuis son arrivée le jour du Holi, cet autre chose qui avait tué le rajah, l'alchimiste, et qu'une fausse paix s'obstinait à cacher. Bien sûr, il n'avait rien trouvé aux marches du Nord. Les montagnes étaient vides. Pas un sadhu, pas un marchand. Les cols n'étaient plus que des déserts mouillés, et le monde semblait s'être renfermé sur lui-même. De l'eau, de l'eau sans fin ; des nuages en fuite, qui crevaient l'un après l'autre, bouchant l'horizon à cinquante pas. Plusieurs fois, il avait arrêté sa patrouille, se disant : ils sont là, ils sont là, je le sais. Les soldats l'avaient regardé comme s'il était fou. Qui aurait pu risquer de cantonner une armée d'invasion dans les défilés sinistres du Nord sans courir le danger d'une mutinerie ou de l'épuisement ? Il pleuvait si fort... Les Anglais ont de bonnes tentes, pensait-il cependant. D'excellentes tentes et une discipline exemplaire. Oui, mais comment faire la guerre de concert avec les Indiens, qui sont si fantasques ? Et la poudre, comment la protéger ? On ne fait pas la guerre à la saison des pluies ! Si toutefois ils connaissaient un abri, un refuge ? Si la population les protégeait, les sauvages Bhils par exemple, cette peuplade étrange qui ignorait tout de la civilisation, fût-elle indienne. Mais non, non et non, se répétait-il, ma raison défaille ; c'est le temps de mousson qui me monte à la tête ! Maintenant Sarasvati dormait et l'anxiété revenait. Quelque chose lui échappait ; la nature ou les hommes étaient lourds, lourds et gros d'un drame, d'un cataclysme ou d'une renaissance, il n'aurait su le dire. Lourds, trop lourds...

Elle se réveilla enfin.

« Le lac, murmura-t-il, et il la souleva pour la porter jusqu'au jardin. Le lac... Il n'est plus là... »

Il écarquilla les yeux. Le lac était revenu. A demi cependant ; les grands bancs verts de plantes grasses dérivaient devant lui, poussés par de brusques rafales de mousson, et le paysage se modifiait à chaque minute ; les barques, tout à l'heure emprisonnées, avaient échappé à l'invasion des plantes et se balançaient sous le vent avec un air d'ironie.

« Les jacinthes d'eau, dit Sarasvati en souriant. Les

jacinthes d'eau ! Tu vois bien que le monde ne cesse de changer et qu'il faut toujours célébrer à point nommé le bonheur qui passe. »

L'averse redoubla. Quelques instants, et ils furent trempés. Ils rentrèrent sous la galerie en éclatant de rire.

Il écarta une à une ses mousselines mouillées :

« Tu vas prendre froid !

— Toi aussi... »

Elle dégrafait sa ceinture.

« Musiciens ! »

Ils entamèrent un autre raga. L'un d'entre eux tenait le tambura, qui donnait un bourdon continu, extrêmement discret, mais imposait au joueur de vina et aux deux amants la dominante de la mélodie et les en imprégnait. *Raga,* pensait Madec, *raga,* qui signifie attirance, couleur, passion tout à la fois. *Raga :* la musique colore mon âme et mon corps, et les siens aussi.

« Nada Brahma, lui expliqua Sarasvati après l'amour, tandis qu'elle réclamait une autre mélodie, celle de *shanta rasa,* paix, tranquillité et repos. Nada Brahma, le son est Dieu ! Par lui tu atteins la félicité divine, comme par l'amour. Et même quand nous souffrons lorsque l'amant est absent et que la nostalgie prend notre âme, quand nous sommes pleins de *shringara* ! Sais-tu comme j'étais triste, quand tu étais aux marches ? *Shringara, rasa adi,* le premier des sentiments qui sont dans la musique, le premier, car l'amour est la force originelle. »

De la musique elle aurait parlé des heures. Il l'interrompit :

« Je ne t'ai plus jamais vue danser.

— Danser... »

Quelque chose en elle se leva soudain, quelque chose d'enfui qui remonta le long de ses muscles, affleura à sa peau.

« Danser... Mais pourquoi donc ?

— C'est ainsi que je t'ai vue apparaître la première fois.

— Ah ! »

Elle secoua la tête, prit dans ses mains la masse de ses cheveux, refit sa tresse lentement.

« Il y a bien longtemps que je ne danse plus. »

Il aurait voulu lui dire : « Danse, danse pour moi, danse encore », mais il se dit que les temps n'étaient plus les mêmes, et sa tristesse inattendue l'étonnait trop. A nouveau, elle s'éloignait : c'était sa première fuite depuis leur arrivée au palais du lac. Elle dut sentir son vœu secret, car elle se justifia aussitôt :

« Je ne danse plus depuis ce temps-là. Depuis les enfants... les jumeaux qui sont morts. Maintenant, ma force est ailleurs, va ailleurs. Et puis, il ne faut plus penser à Godh, ne penser à rien... »

Une violente averse crépitait à nouveau.

« Donne le narguilé. »

Elle fuma un long moment ; de temps à autre elle lui tendit le tuyau ; leurs lèvres se cherchèrent.

« L'amour même est une danse, Madec. Et elle est à deux.

— Je sais.

— Toi, je t'ai aimé quand je t'ai vu nous quitter. Tu étais à cheval, un pur-sang qu'on t'avait remis en cadeau... »

Elle évitait soigneusement de prononcer le nom de Bhawani. Cependant il était là. Pour conjurer le souvenir, Madec saisit Sarasvati au ventre, éloigna le narguilé. Elle se mit à rire, d'un rire pareil au premier jour, inquiétant et irrésistible. Il comprit alors qu'offerte, accessible, présente, il ne l'aurait jamais cherchée, et qu'en ce moment même une partie de la princesse se refusait toujours, qu'il ne posséderait pas, se laissât-elle éternellement, et davantage encore, saisir ainsi.

« Tu étais si beau, si noble sur ce cheval nerveux, poursuivait-elle. Tu l'as dompté sitôt monté ! Seuls les hommes nobles en sont capables, seuls les nobles ! »

Elle lui tendit encore le narguilé, qu'il repoussa.

« J'ai sommeil...

— Dors. Mais montre-moi encore tes yeux si clairs ! On dirait de l'eau, une rivière.

— Les eaux... les eaux montent », chuchota Madec en clignant les paupières, puis il s'endormit.

La pluie les berça toute la nuit ; elle ne s'arrêta qu'aux premières lueurs de l'aube, cependant le ciel demeurait lourd. Toute la journée, ils guettèrent une éclaircie. Le temps commençait à trop languir, et le plaisir, par son excès même, les lassa. Ils étaient désormais repus l'un de l'autre. Sarasvati surtout. A nouveau, mais en silence, elle s'était mise à regretter les allées et venues du palais et les petites griseries de sa puissance. Ils attendirent donc une accalmie ; le soleil allait se coucher quand elle s'annonça. Les montagnes du Nord apparurent au lointain, avec une netteté si surprenante qu'on y distinguait la route. Elle n'était pas vide. N'osant y croire, ils se raidirent tous les deux sur la balustrade ajourée de la fenêtre. Bannières au vent, une immense troupe se répandait dans la plaine. Elle semblait déjà aux portes, mais se prolongeait encore sur les chemins des montagnes, comme une immense chenille dont les anneaux se déroulaient et à une vitesse prodigieuse. Il y avait de tout : de la cavalerie, des canons, des éléphants de guerre. Il y avait de tout, mais surtout le pire. Car l'énorme serpent sorti de la trouée de nuages était à dominante rouge, incontestablement et effroyablement rouge.

« Les Anglais, chuchota Madec.

— *Anglais,* répéta Sarasvati. *Anglais !* »

Elle serra le bras de Madec et le regarda avec une expression d'une effroyable sauvagerie, qui dépassait en violence tout ce qu'il avait pu déjà y lire de démesuré.

« *Anglais !* »

Il crut qu'elle allait ajouter *Dharma !* et s'effondrer dans ses bras ; mais non. Elle se tendait encore, se crispait, comme en proie à une intense exaltation intérieure qu'elle n'endiguait plus. Il la crut possédée.

« Sarasvati ! »

Alors retentit un terrible grondement. Ce n'était pas celui des canons, ni celui du tonnerre ; autour d'eux, sous leurs pieds, au-dessus de leurs têtes, tout se mit à trembler. Le soleil rougeoyant apparut entre les nuages.

« Regarde ! » cria Madec.

Elle n'eut pas un frisson. Elle fixait la scène d'un air dur et froid, et c'est là qu'elle dit simplement :

« Dharma ! »

La terre trembla à nouveau, encore plus fort.

« Dharma... »

Sous l'effet d'un phénomène inexplicable — le tremblement de terre, sans doute, conjugué à l'excès des pluies — la rivière de Godh venait de quitter son lit, et le torrent fougueux qu'elle était dans les montagnes débordait jusqu'à la route, emportant comme fétus les colonnes anglaises et leurs canons. Puis Godh subit à son tour l'assaut de la terrible vague, et dans un bruit de tonnerre elle disparut sous leurs yeux, tandis que surgissaient de nouveaux nuages, où s'enfonça précipitamment le soleil du soir.

Elle eut un sang-froid admirable :

« La citadelle tiendra.

— Il faut partir, dit Madec.

— Non. Il fait nuit. La terre peut encore trembler, les pluies grossir. Cela ne servirait à rien.

— Mais ici... »

Elle l'interrompit aussitôt :

« Ici nous sommes en paix. Ici l'eau ne viendra pas. »

Elle parlait très calmement, absolument convaincue.

« La citadelle tiendra ! Laisse ces chacals de firanguis à veste rouge croupir dans la boue. A présent, ils sont bien châtiés.

— Mais Godh ?

— Godh en a vu d'autres. Son peuple a été plusieurs fois massacré, autrefois. Dharma ! C'est la mousson. »

Sous eux la terre trembla légèrement.

« Pas seulement la mousson, fit remarquer Madec. La terre a tremblé.

— Dharma ! Qu'y puis-je ? Crois-tu que de mes faibles mains je puisse repousser les eaux, calmer la terre ? Non ! Bien. La citadelle est sauve. Que souhaites-tu d'autre ? Cette ville était dans le bonheur depuis trop longtemps. Il lui faut du malheur pour renaître. C'est Kali qui l'a frappée, et Kali a raison. »

Madec tournait dans la pièce, fébrile. Les serviteurs venaient d'accourir, des lampes à la main. A leurs yeux rougis on devinait qu'ils sortaient du sommeil.

« Ce n'est rien, leur dit Sarasvati. Préparez-nous de quoi manger. Allez ! »

Ils courbèrent l'échine, s'exécutèrent. Sarasvati arrêta cependant l'une des domestiques, une vieille femme très ridée qui d'ordinaire leur présentait les plats. Elle lui chuchota quelques mots.

« Que lui dis-tu ? cria Madec.

— Je lui donne des ordres pour le repas », répondit Sarasvati d'un air indifférent.

Madec agrippa la servante par le bras :

« Répète-moi ce que t'a dit la princesse ! »

La vieille résistait avec une extraordinaire énergie.

« Lâche son bras, cria à son tour Sarasvati. Mais qu'as-tu donc ?

— Tu lui fais mettre des drogues dans la nourriture !

— Sot que tu es, de douter ainsi de ta puissance ! Et crois-tu que l'heure soit bien propice à de tels soupçons ? Mangeons donc, il nous faudra de la force demain ! A l'heure qu'il est, la ville doit regorger de cadavres. »

Elle avait dit ces derniers mots avec une tranquille assurance, comme si de la mort rien ne devait la toucher. Et toujours la même expression sauvage au fond des yeux, qui ne la quittait plus un seul moment. Quelques instants plus tard, le repas était là : des fèves rouges, des chapatis, du riz. Ils dînèrent en silence. Avec étonnement, Madec découvrit qu'il avait grand-faim. Il partit un moment au jardin, surveiller le cours des eaux. Il devinait dans l'obscurité les bancs de jacinthes dérivantes qui se frottaient aux barques avec un léger crissement. De temps à autre, les nuages en fuite laissaient passer un peu de lune, mais elle se cachait presque aussitôt. Il rentra. Il avait sommeil. Il chercha le charpoï. Sur le lit voisin, Sarasvati dormait déjà. Il eut un sommeil étrange. Plusieurs fois, il se vit dans les bras de la princesse qui le serrait fort, soulevait ses mousselines, ouvrait ses jambes et disait : *Kali, Kali,* au plus fort de l'amour. Kali ? se demandait-il. Mais cette déesse est horrible, sanguinolente, effroyable à voir, tu n'es pas Kali ! Et il cherchait dans ses voiles la douceur de ses seins. Plusieurs fois aussi il crut atteindre le plaisir ; un plaisir plus déchirant qu'avant, plus intense, plus torturé, aurait-on dit. Et quand il s'évanouissait ne lui succédait pas la paix accoutumée, mais ce sommeil agité, cette demi-veille où l'engourdissait pourtant une imparable torpeur.

Le matin vint. Il filtra doucement par les découpures des fenêtres. C'était un jour très gris, plus calme et plus pâle cependant que tous ceux qu'on venait de vivre. Madec plissa les yeux, un moment ébloui, et se dirigea vers le jardin. Il vacilla ; il avait la langue pâteuse. Sarasvati accourut derrière lui. Elle avait achevé sa toilette et revêtu un nouveau sari blanc. Ses bijoux tintèrent sur le marbre.

« Madec ! Vite... Nous partons. »

Il regardait le lac, sans pouvoir lever son regard jusqu'à Godh. Les jacinthes d'eau continuaient à dériver, mais plus doucement, car il ne ventait plus.

« Maintenant, les crocodiles ont dû s'endormir », chuchota Sarasvati.

Les crocodiles. Il n'y pensait plus. Mais là-bas, dans

la ville, ils devaient être à la chasse, les crocodiles ! Comment pouvait-elle dire des mots pareils, si poétiquement calmes, en un tel moment ? Et l'épidémie ? Avait-elle pensé à l'épidémie qui prenait impitoyablement les villes inondées ? Il huma l'air, y redoutant l'odeur douceâtre des maladies. Mais non, il faisait bon. Une fraîcheur tranquille de lendemain de pluie. Il vacilla un moment, s'adossa à un pilier.

« Ce n'est rien, dit Sarasvati en souriant. Bois un peu de thé. »

Elle lui tendit un verre fumant, qu'il but d'un seul trait, sans peur de se brûler la langue. Il avait soif :

« Encore », dit-il, et une servante accourut pour lui présenter une seconde tasse.

Il alla brusquement mieux.

« Mes hommes !

— Tes hommes sont au caravansérail de la jungle, où ils n'ont rien à craindre.

— Ils attendent mes ordres.

— Ils les attendront donc le temps qu'il faut, s'ils t'aiment comme ils le doivent.

— C'est juste. »

Il se sentit rassuré. Il s'en voulut, maudit ses craintes. Il ne se reconnaissait pas, ce matin. La nuit avait été mauvaise.

« J'ai un goût infect dans la bouche...

— Les hommes parfois résistent mal aux émotions. »

Elle eut un très léger demi-sourire, puis elle ajouta d'une voix presque dure :

« Il faut partir ! »

Il interrogea son visage. Elle n'avait pas changé depuis la veille. Si, peut-être, ce grand cerne sous ses paupières, sa bouche, un peu tendue, un pli comme incrusté à la commissure des lèvres. Il précipita la toilette. Quelques instants plus tard, à peine rafraîchi, rajustant encore les plis de sa robe, il attendait la barque sur le perron de marbre. Il osa alors interroger l'horizon.

Godh apparut derrière la brume. Comme l'avait prévu Sarasvati, la citadelle avait tenu. Mais de la ville il ne restait rien, ou presque. Il crut tout d'abord à un effet du brouillard, une vapeur persistante qui se serait posée sur les façades roses. Mais il fallait se rendre à l'évidence : la rivière en furie avait balayé les fragiles membrures des maisons ; les pierres dont elles étaient bâties ou, plus facilement encore, la terre rose et séchée de ses briques avaient été emportées sans retour.

« Godh est morte, déclara-t-il avec une voix qui tremblait.

— Non ! Elle est vivante ! La citadelle a tenu. Ce sont les guerriers qui fondent les villes et bâtissent les empires ! Et les guerriers, avec leurs femmes, étaient dans la citadelle ! »

Il n'y avait rien à redire. Madec se crispa un moment, faillit parler, puis résolut de se taire. Ils embarquèrent.

Lentement, la pirogue traversa les eaux, évitant de temps à autre des bancs de jacinthes. Sarasvati n'eut pas un regard pour le palais, mais ses yeux croisèrent un instant ceux de Madec. Il sut alors qu'elle n'aimait plus ce lieu, que tout son être était ailleurs, Godh peut-être, ou plus loin encore. Il baissa les paupières, n'osant la regarder davantage. On aborda.

« Les éléphants ! cria Sarasvati. Les éléphants, par l'acier ! » On les avait abrités dans une remise des jardins du rajah, non loin de la terrasse où il avait été assassiné. Madec craignit que les cornacs, effrayés par le tremblement de terre, ne se fussent enfuis. Il se trompait ; comme des bêtes fidèles, ils étaient restés là, à dormir sous les portes, indifférents à tout, et ils accoururent dès qu'ils entendirent la princesse.

Le voyage fut très pénible. Sitôt qu'on eut dépassé la ligne de rochers apparut l'étendue du désastre. La plaine de Godh n'était plus qu'un immense lac, mais un lac boueux, d'où émergeaient parfois des pans de construction, et surtout la ligne crénelée des remparts qui ne s'était pas entièrement effondrée. Au centre de cette petite mer, on distinguait un courant plus bourbeux encore, qui charriait des arbres, des poutres, des masses informes et, d'ici déjà on le soupçonnait, des dizaines de cadavres, parmi lesquels glissaient de longs serpents d'eau.

On arriva bientôt à la hauteur des remparts ; il fut alors évident que les éléphants ne pourraient plus avancer. A la trace laissée par le courant sur ce qui restait des murs, on voyait cependant que la décrue s'amorçait ; elle semblait même si rapide que Madec jugea que l'inondation soudaine de la ville avait davantage à voir avec le tremblement de terre qu'avec l'abondance des pluies. Il ne s'arrêta pas à ces considérations. Il fallait entrer dans la ville, et pour cela franchir ce torrent.

« Les éléphants passeront, cria Sarasvati.

— Non ! cria Madec. Es-tu devenue folle ? »

Elle avait déjà donné l'ordre, et la bête, après un instant d'hésitation, s'avançait dans les flots. Les autres suivirent. Ils vacillaient. En se brisant contre leur corps, le torrent formait des vagues, qui les aspergèrent entièrement plusieurs fois.

Sarasvati ne bronchait pas. Ses cheveux dégouttaient d'eau boueuse, son sari blanc collait à sa peau.

« Tu as froid », lui dit Madec, et il défit la mousseline de son turban pour la poser sur ses épaules.

Elle n'eut pas un remerciement. L'éléphant frémit une dernière fois, puis, dans un ultime effort, se hissa sur la berge de la rivière, son nouveau rivage, plutôt, car elle s'était creusé un autre lit, très profond, au beau milieu des maisons renversées.

« C'était le bazar, ici, dit Madec.

— Nous en construirons un autre. Je rebâtirai la ville. »

L'éléphant grimpait maintenant par les rues. L'eau avait très vite reflué, ne laissant derrière elle que des blocs épars, dont certains étaient fissurés de partout. La grande rue transversale de Godh était à peu près intacte, à l'exception d'une large crevasse qui suspendit un court instant le pas de l'éléphant. Sarasvati en profita pour se retourner.

« Les autres suivent. Bien ! »

On distinguait très nettement le *Jantar Mantar,* dont les structures géométriques avaient été épargnées ; mais l'observatoire était construit sur un terrain plat, et les eaux s'élevaient jusqu'à sa mi-hauteur, ce qui lui ôtait toute harmonie. D'un geste identique, ils détournèrent le regard ; la désolation de la ville commençait à leur peser de manière insupportable. Et surtout l'odeur de la mort. Sarasvati ramena un pan de son voile souillé contre sa bouche, mais le repoussa aussitôt ; l'exhalaison imprégnait tout, douceâtre, insinuante, jusqu'à l'écœurement. Jusqu'à présent, ils s'étaient refusé à jeter le moindre coup d'œil aux cadavres ; désormais, on atteignait le quartier des riches marchands, les habitations se raréfiaient à l'approche de la falaise : il était impossible de les ignorer. Madec les reconnut en frissonnant.

« Des firanguis à veste rouge... Ils étaient donc entrés dans la ville.

— La citadelle, dit alors Sarasvati, qui ne l'écoutait pas. Tu vois, elle a tenu ! »

D'un seul coup, les lourdes falaises venaient en effet de leur apparaître, puis les découpures de marbre du sommet du palais. De gros rochers s'étaient détachés des parois et s'étaient écrasés sur les maisons des marchands, laissées intactes par l'inondation. Rien ne bougeait. Madec commença à trouver l'affaire étrange. A nouveau se leva en lui la sourde terreur de la veille. Il fouilla les remparts. Rien n'y bougeait non plus. Il inspecta les rochers ; il y trouva enfin ce qu'il redoutait. Des cadavres : des cadavres d'hommes en armes, des archers, des lanciers ; çà et là, accrochées à des épineux, des bannières gorgées d'eau. Et enfin, des uniformes rouges, des fusils.

« Ils avaient donc attaqué ! »

Elle ne l'écoutait décidément pas. Ou bien peut-être

ne voulait-elle pas l'entendre, car son visage s'était encore durci, fermé, refusé. Les éléphants grimpaient de plus en plus péniblement, constamment gênés dans leur progression par des blocs de rocher, ou, pire encore, des corniches de marbre détachées du palais. Ils glissaient aussi parfois sur la terre humide ; le vent se leva.

« Tu as froid », répéta Madec, et il vit cette fois qu'il avait raison : elle tremblait. Il posa sa main sur la sienne.

Elle eut alors un regard très doux, infiniment tendre, qui ne dura pas. Plus tard, il se souvint que ce fut le dernier. On était parvenu aux portes du palais. Elles étaient à demi écroulées. Ici aussi, de nouveaux cadavres, des Indiens cette fois. L'éléphant les déposa sur le petit débarcadère. Plusieurs marches s'étaient affaissées. Madec dut sauter pour les franchir, et il tendit les bras à la princesse ; elle s'abandonna quelques secondes, se reprit aussitôt.

« Gopal ! » murmura-t-elle, et elle se dirigea résolument vers les portes arrachées.

Elle avait compris. Un seul coup d'œil à la première cour, et la vérité s'imposa, accablante. Epars sur les carreaux de marbre, d'autres cadavres. A leurs turbans dorés, elle les reconnut sans faillir : c'étaient les gardes du palais. Du sang, du sang partout, et des os broyés, des cervelles éclatées, des membres tranchés ou déchiquetés. Ce n'était pas là l'effet d'un tremblement de terre. A part quelques corniches effondrées, des encorbellements brisés, le palais de marbre était intact.

Comme prévu. Cependant, ce que Madec et Sarasvati n'avaient pas deviné, faute d'avoir plus longtemps pu observer la plaine, c'est que deux heures avant l'inondation l'ennemi était entré dans Godh, massacrant les habitants, attaquant la citadelle.

« Les messagers, se souvint Madec.

— Les messagers ont été arrêtés par les pluies, ou emportés par la rivière », intervint aussitôt Sarasvati.

Elle était calme, outrageusement calme et souveraine, ce qui acheva de l'exaspérer. Pas une plainte, pas un pleur, pas même un seul frémissement. Elle faisait face, avec une tranquillité où Madec se sentait insulté. Oui, ce bonheur même lui serait refusé, la prendre dans ses bras, la consoler, lui promettre une vie meilleure. Il comprit alors qu'il n'avait rêvé de Godh que pour sa princesse et que le destin de la ville, en définitive, lui était indifférent. *Firangui*... Etranger à tous ces hommes, désormais cadavres, étranger surtout à cette femme, qui marchait la première, se retournant de temps à autre pour faire signe aux serviteurs de la suivre et les contraindre à braver leur peur. Au détour d'une galerie, elle pressa soudain le pas.

« Non, non, ce n'est pas possible ! »

Elle avait crié, saisi à son cou une petite amulette d'or.

« Non ! »

Les cadavres s'amoncelaient toujours. C'étaient maintenant des femmes, des servantes, cheveux défaits, jupes entrouvertes. Et des enfants, une multitude d'enfants, des bébés, des adolescents parfois. Madec n'avait jamais soupçonné que le palais abritât tant de vies, de jeunes vies ; il l'avait parfois entendu frémir, ou s'alanguir doucement ; maintenant, il s'étonnait de ne jamais y avoir perçu de cris, de clameurs, de vivats ou de hurlements. Vie douce et feutrée, que la violence soudain surgie venait d'anéantir. Où avaient-ils vécu, joué, grandi, tous ces petits qu'on venait d'assassiner ? Jamais il ne les avait remarqués. Mais si souvent la destinée d'un Indien, vie, mort, conception, sommeil, amours, se jouait entre deux corridors, le minuscule espace d'une natte posée à terre, un recoin sombre ; béni encore celui qui possédait un toit ! Qu'avaient-ils attendu de l'existence, tous ces yeux ouverts sur les plafonds incrustés de miroirs ou de plaques d'argent, avec la même expression tragique et tendre qu'ils avaient dû avoir quand ils étaient en vie ? Les larmes lui venaient. Il glissa sur une flaque de sang et tomba. Il n'était pas relevé qu'il entendit Sarasvati crier encore :

« Gopal ! Gopal, non... »

Ses mots résonnaient sous la voûte des couloirs. Il hurla à son tour :

« Sarasvati ! »

Elle courait, éperdue.

Il l'appela encore. Mais c'était de désespoir et d'impuissance, car il savait qu'il ne l'arrêterait pas. En un moment elle fut dans le Diwan-i-Am. Une forme blanche se dressa soudain devant elle :

« Ils n'ont pas voulu me tuer. Je t'attendais ! »

C'était Mohan, le brahmane. Il avait la même expression que la princesse, étrangement sûre d'elle-même.

« Je sais. L'enfant ? »

Il ne répondit rien, secoua doucement la tête.

« L'enfant ! »

Mohan ne bougeait pas. Madec remarqua alors un petit paquet blanc couvert de fleurs autour duquel brûlait l'encens. Au milieu du désordre du palais, au cœur du carnage, c'était comme un minuscule îlot d'ordre et de beauté, la seule chose qui pût rappeler les scènes douces et sereines qu'il y avait toujours observées.

« Gopal ! hurla à nouveau Sarasvati, et elle se précipita sur les linges qui l'enveloppaient.

— Non ! fit Mohan en secouant la tête. Dharma ! Ne cherche pas à le voir. »

Elle s'inclina doucement sur le corps, tenta de défaire les linges, puis détourna son visage. Il y eut un long, très long silence, puis elle se mit à sangloter. Le vent soufflait par rafales, apportant chaque fois l'odeur de la mort. Elle ne pleura pas longtemps. Elle se releva bientôt, les yeux rouges mais secs :

« Mohan, il faut tout faire selon les règles. Dresse un bûcher. Madecji ! »

Il tenait les yeux baissés. Elle comprit son émotion, reprit plus doucement :

« Il faut l'aider...

— J'ai trouvé du bois, princesse, interrompit Mohan ; du bois de santal. J'ai cassé des coffres.

— Bien, bien... »

Elle parut un moment absente :

« Dis-moi ce qui s'est passé. Et les femmes ? Le zenana ?

— A quoi bon ? » dit le brahmane en se baissant pour réunir des éclats de bois.

Elle eut dans les yeux un éclair de sauvagerie :

« Mais pour me nourrir, Mohan, pour nourrir ma haine jusqu'à ma mort, et au-delà ! Je veux tout savoir, entends-tu, tout savoir ! »

Ses cheveux s'étaient défaits, son corps tout entier s'abandonnait à une furie singulière, dont Madec s'étonna de la voir si proche des transports qu'il lui connaissait dans l'amour.

« Comme tu veux. »

Le brahmane entama alors un assez long récit. Les Indiens avaient attaqué les premiers, par surprise, par le nord, au cœur de l'après-midi ; le frère du prince menait l'assaut. La garde du palais avait aussitôt canonné l'ennemi avec les armes que Madec avait laissées au palais. Peine perdue. Les assaillants étaient des centaines, et ils semblaient préférer mourir jusqu'au dernier plutôt que d'abandonner le combat. La mousson rendait les murs glissants ; un nombre considérable d'ennemis périt en escaladant les murs ou les falaises, le frère du rajah l'un des premiers.

« Ils regardaient souvent du côté des montagnes du Nord, poursuivit le brahmane, et je suis sûr qu'ils attendaient du renfort.

— C'est exact, interrompit Madec. Nous les avons vus. Les firanguis à veste rouge. Ils sont venus. Ils ont été noyés dans l'inondation. »

Il n'osa regretter l'absence de ses hommes.

Auraient-ils résisté à l'attaque ? Il se doutait bien que la canonnade servie par les Indiens n'avait pu atteindre l'efficacité européenne. Mais, de leur côté, ses hommes n'étaient pas habitués à la guerre archaïque que pratiquaient les rajahs. Ils auraient pu tout aussi bien se laisser désarçonner. En définitive, il était heureux de les avoir mis à l'abri. « Godh est morte, murmura-t-il, Godh est morte. » Bien qu'il n'en laissât rien paraître, il n'éprouvait plus qu'une seule envie : partir au plus vite. Partir, pour se battre. Venger l'honneur de cette cité violée. Venger Sarasvati. Trucider les Anglais. La folie de la guerre l'envahissait à son tour, lui qui la veille ne rêvait que de paix. Le brahmane continuait :

« Enfin ils sont entrés. Ils ont massacré la garde. Et puis ils sont venus ici. Je n'ai rien pu faire... Il n'a pas souffert.

— Achève, dit alors Sarasvati.

— Les femmes du zenana ont alors compris ce qui les attendait. Les notables qui restaient au palais se sont battus jusqu'au dernier, mais tu sais bien ce qu'ils valent à la guerre !

— Achève ! cria à nouveau la princesse.

— Elles ont dressé un grand bûcher et l'ont allumé. C'était presque la nuit. Elles s'y sont jetées avec leurs enfants.

— Mohini, murmura Sarasvati.

— Toutes, princesse, toutes sans exception, et même la petite Parvati. Ce sont des radjpoutes, tu le sais bien, des femmes de guerriers ! »

Elle éclata soudain, avec une rage insensée :

« Fariboles ! Tout cela, ce ne sont que mots vains ! Moi aussi je suis une guerrière, sache-le. Les temps ont changé, brahmane, tu le sais comme moi et tu feins de l'ignorer ! Pour les firanguis à veste rouge, rien ne compte, ni même ces gestes d'éclat. C'est notre mort qu'ils souhaitent ! Eh bien, je vivrai ! Je vivrai, entends-tu, brahmane ?

— Alors ils sont redescendus dans la plaine, poursuivit Mohan sans paraître l'écouter ; ils étaient fous, comme désorientés. Ils en voulaient maintenant aux marchands, aux joyaux. Alors la terre a tremblé. C'était la nuit...

— Kali, Kali ! » dit Sarasvati.

Le brahmane hocha la tête.

Elle se détourna, avança vers la cour de la garde.

« Où vas-tu ? Je veux être avec toi ! »

Madec avait crié, il avait hurlé ces paroles qu'il retenait en lui depuis des semaines, dans la crainte qu'elles n'éloignent de lui la princesse, plus sûrement que la pire maladresse. Mais le cataclysme les avait épargnés tous deux. Et le couple qu'ils formaient, il n'hésitait plus à en crier l'existence haut et clair, comme s'il avait pour tâche de recommencer le monde. Godh, le rajah, son enfant, sa garde, le zenana, morts, irrémédiablement morts. Et lui, Madec, n'avait-il jamais été que de mort en mort, de cataclysme en cataclysme ? Pondichéry, déjà... C'en était trop, il fallait, au moins, que sa passion se dise, qu'il aille jusqu'au terme de son ultime folie, pareil aux hommes qui venaient de tuer, à la nature et ses maux répandus ; puis ressusciter, avec Sarasvati.

Mais elle persista à ne pas l'entendre, s'en alla sous les voûtes de son pas hautain. Il la suivit. Elle pénétra dans une cour. Il n'avait jamais prêté attention à ces galeries un peu grises que rien ne décorait ; il n'y venait jamais que pour y laisser ses chevaux, dont les hommes du rajah prenaient le plus grand soin.

Elle se dirigea vers une petite remise.

« Ont-ils au moins épargné son daim ? »

Madec se souvint : le rajah possédait en effet un daim préféré, qu'il sortait de temps à autre au jardin et dont il aimait qu'il ornât, avec les jets d'eau et la musique, ses méditations poétiques. Il se demandait ce qui pouvait amener Sarasvati à penser à cette bête au milieu d'un pareil carnage, lorsque la princesse se retourna et lui dit :

« Donne-moi ton poignard !

— Es-tu folle ?

— Détrompe-toi. Je tiens à la vie ! Donne-moi ton poignard, à moins que je ne prenne un de ceux des gardes.

— Tu ne vas pas te souiller en dépouillant un cadavre !

— Crois-tu ? »

Elle paraissait si convaincue qu'il lui tendit son arme.

« Viens, joli daim, viens... »

La bête, d'abord apeurée, résista un moment, mais elle devait la connaître un peu, car elle la suivit. Sarasvati se mit alors à courir le long des couloirs ; le daim courait aussi, et de temps en temps elle s'arrêtait, lui flattait l'encolure.

Madec n'osait plus l'appeler et, plus par peur de la perdre que par curiosité, il lui emboîta le pas.

« Ne reste pas ici !

— Si !

— Madec, je t'en supplie, va-t'en... Tu ne peux pas comprendre, tu es un firangui !

— Non.

— Soit. Mais tu l'auras voulu. »

On était parvenu dans une seconde petite cour, une sorte de patio où s'ouvraient plusieurs sanctuaires. Dans le premier, Madec reconnut d'abord une monumentale statue de Khrishna, tout ornée de couronnes qui finissaient de pourrir dans l'humidité ambiante. Mystérieusement, il n'y découvrit aucun cadavre. Sarasvati se dirigea sans hésitation vers le plus petit des temples, dont elle écarta précautionneusement les battants dorés. Une forme grimaçante se dessina entre les portes. Elle dansait debout sur le corps inanimé d'un dieu, visiblement ravi de ces effusions meurtrières. La déesse tirait une langue rose vif, dégouttait de sang, agitait de multiples bras, à l'extrémité desquels elle tenait des colliers de têtes décapitées. Sarasvati prit-elle seulement le temps de prier ? En tout cas, il n'en garda pas souvenir. Elle détacha de son cou son amulette d'or, la piétina, caressa encore le daim, lui flatta le col.

Puis, tout soudain, elle lui enfonça le poignard dans la gorge. Le sang rejaillit sur son sari. Elle riait, elle riait à gorge déployée :

« Vois-tu, Madec, désormais je suis à Kali, je lui appartiens. A Kali, à elle seule ! »

C'était comme un défi. Il la crut prise de démence, se rappela cette autre scène de sang et de mort, à Pondichéry, cette femme qui hurlait le nom de Sombre et qui, elle aussi, avait voulu conjurer son désespoir dans la mort. Mais non, Sarasvati n'était pas folle. Car elle descendait les marches du temple, venait à lui :

« Viens, Madecji. Nous partons. »

Elle lui pressa doucement le bras, et ils s'en allèrent ainsi par les couloirs, sautant de temps à autre pour éviter une flaque de pluie, ou de sang à demi séché.

Le reste alla très vite. Pendant que Mohan achevait dans le jardin les préparatifs du bûcher, Sarasvati fit le compte de ses bijoux et de ses saris. On n'avait rien touché, on n'en avait voulu qu'à la vie des gens du palais. La garde avait certainement résisté un moment, mais le carnage était sans doute consommé bien avant le tremblement de terre. Dans leur terreur, aux premières secousses, les ennemis avaient fui la citadelle, certains même s'étaient jetés par les fenêtres, et c'étaient là les cadavres qu'on avait découverts dans les falaises et sur la rampe.

« Ils n'ont pas voulu me tuer, expliqua le brahmane, ils croyaient ainsi se racheter dans leurs vies à venir. Malheur sur eux ! »

Madec s'en fut explorer tous les recoins du palais ; il découvrit bientôt que, contrairement aux apparences, le carnage n'avait pas été complet : une cinquantaine de personnes, des gardes, mais aussi quelques servantes du zenana, s'étaient réfugiées dans une sorte de cave, où elles avaient résolu d'attendre la mort. Il eut le plus grand mal à les persuader que tout danger était écarté et à les faire sortir. On leur confia aussitôt la tâche de réunir les cadavres, ainsi que du bois, pour brûler tous les morts sur un bûcher de la cour centrale. Mais c'était là un travail d'une extrême complication : tant de gens de castes différentes, qu'on ne pouvait incinérer ensemble...

Madec pressentit que Sarasvati allait trancher. Depuis tout à l'heure, elle semblait oublier le malheur dans les ordres qu'elle donnait. Elle regarda longuement la plaine et dit :

« Brahmane ! Qu'on les brûle ensemble ! Par l'acier ! »

Il l'observa sans mot dire, interloqué.

« Je t'obéirai. Mais c'est mal. C'est contraire au dharma.

— Contraire au dharma ! »

Elle éclata de rire.

« Chez les firanguis, la mort est égale pour tous ! » Madec faillit faire remarquer que ce n'était pas exactement la même terre, ni la même pierre qui recouvrait les pauvres et les riches au jour du cimetière, mais il jugea à bon escient que l'heure n'était pas à ces considérations exotiques, et il entreprit lui aussi de réunir du bois. Deux heures plus tard, deux bûchers fumaient dans la cour intérieure. Le plus petit était celui de Gopal. Et l'autre, énorme, pour tous les autres. On avait réuni tout ce que le palais contenait de bois, puis on y avait amoncelé, pêle-mêle, tous les cadavres. Le petit bûcher n'était pas consumé qu'elle cria :

« Chargez les éléphants !

— Princesse, gémit alors le brahmane. Mais où pars-tu ?

— Je fuis cette ville maudite. Viens si tu veux.

— Et le firangui ?

— Le firangui me suit. »

Madec la regarda d'un air stupéfait :

« Tu vas bien vite ! Et mes hommes ?

— Nous ferons chercher tes hommes !

— Non. Je ne te suivrai pas. Je ne sais pas où tu veux aller, mais je ne te suivrai pas.

— Et pourquoi ? »

Madec ne répondit rien. Elle répéta sa question :

« Et pourquoi, Madecji, je te prie ?

— C'est jour de deuil. Il vaut mieux nous taire.

— Partons. Nous nous expliquerons en chemin. »

Il l'avait précédée, s'avançait déjà vers la porte, où les attendaient les éléphants. A sa grande surprise, Madec monta sur le second. Elle ne dit rien, et, en silence, ils commencèrent à descendre vers la ville. Sarasvati ne voulut pas se retourner, mais, lui chercha une dernière fois l'image de la citadelle. Le ciel était presque entièrement dégagé. Il vit alors le brahmane, debout sur la corniche du Diwan-i-Am.

« Mohan ! »

Sarasvati sursauta et fit volte-face à son tour. C'était trop tard. Le brahmane venait de se jeter du haut de la falaise.

« Dharma », commenta simplement Sarasvati, l'air immuablement absent.

Ce fut tout. On atteignait déjà les maisons des marchands. L'odeur de mort devenait de plus en plus forte, mais les eaux baissaient toujours. A la place des gros ruisseaux, ce n'étaient plus maintenant que des petites rigoles fatiguées qui parcouraient les rues de Godh, et l'on voyait bien que les dégâts du tremblement de terre avaient été plus terribles que ceux de l'inondation. Parfois, on voyait rôder un chien, une vache miraculeusement épargnés ; mais déjà, en grappes lourdes, s'abattaient les vautours.

On franchit cette fois le torrent sans difficulté.

On n'avait pas fait une demi-lieue que Sarasvati donna au cornac l'ordre d'arrêter et de ranger sa bête le long de celle de Madec.

« Je t'accompagne auprès de tes hommes.

— Non. »

C'était un refus net, buté, et pourtant il se faisait violence. Comment lui expliquer, avec la mort omniprésente, qu'il ne pouvait pas la suivre, parce qu'il voulait vivre ? Elle le dévorait, et leur passion, s'il restait auprès d'elle, le ferait mourir à son tour. Brusquement, il venait de réaliser que la force de Sarasvati, pour qui l'aimait ainsi que lui, d'un désir irrépressible de possession pleine et entière, serait un insupportable fardeau. Elle régnait, et il ne souffrirait pas longtemps cet empire sur toute chose. Il se sentait devenir esclave. D'un seul coup, ses révoltes d'enfant se réveillaient, il lui fallait secouer un dernier joug, le pire de tous, puisque c'était celui de l'amour. C'était maintenant ou jamais. Un pas de plus à ses côtés, et c'en était fait de lui. Elle regardait les collines de l'Est, toute frémissante d'avidité.

« Viens, Madecji... »

Les lèvres de la princesse tremblaient, mais ce n'était pas de passion. Car il le connaissait, Madec, ce regard-là, cet éclat intense qui illuminait les visages. La soif de neuf, le désir d'aventure. Or il se connaissait trop bien pour ignorer qu'ils ne se sépareraient jamais plus, s'il escaladait seulement avec elle la première de ces collines.

Qu'elle était belle, pourtant. Qu'il serait bon de se laisser aller, de mourir d'elle, avec elle, par elle. Il se reprit. La sirène des contes. La tentatrice des mers, ou des forêts interdites. La mort d'amour n'est pas belle, se dit-il, ce sont les sots qui le croient ; qui trépasse sous le joug d'une femme ne mérite que la honte, et la pire. Détester cette femme. La haïr, la fuir, il n'y avait que cela. Et très vite. Sur l'heure. Ne plus la voir, ne plus entendre cette voix roucoulante qui répétait, comme un maléfice, Madecji, Madecji...

« Tais-toi ! » cria-t-il, feignant la colère, puis il se retourna vers la ville.

De la citadelle montait encore la fumée des bûchers. Le ciel s'était à nouveau couvert, mais un peu de soleil filtrait encore, assez pour faire briller le palais, et l'autre, celui du lac, à l'extrémité opposée du paysage. Dans les jardins de Bhawani, qui étaient tout proches, on distinguait les arbres renversés par la pluie, et une terrasse paraissait près de s'effondrer.

« Ce lieu n'est que mort, dit Madec.

— Viens avec moi... nous nous vengerons. Je vaincrai l'Anglais ! »

Elle tâcha de sourire, mais il vit bien que le cœur n'y était pas. La vengeance désormais ne quittait plus son regard.

« Je devrai donc accepter l'offre de Sumroo ! »

A sa grande surprise, Madec n'éclata pas :

« Tu l'aurais fait un jour ou l'autre. La puissance, le pouvoir, voilà tout ce qui t'intéresse !

— Tu es un firangui, Madecji. Comment peux-tu prétendre lire dans mon cœur ?

— Tu n'aimes que dominer. Séduire. Tu as la force, paraît-il, la vajra. Je l'ai moi aussi. Je ne te suivrai pas. »

Une larme glissa sur la joue de Sarasvati.

« C'est vrai, tu as la force. J'ai cru pourtant pouvoir te garder, je t'ai même versé des drogues. »

Il ricana :

« Je m'en doutais ! Tu n'as que mépris pour les firanguis ! »

Elle essuya ses larmes d'un pan de son sari, puis se dressa dans son palanquin. Elle redevint royale :

« Non, Madecji, tu n'étais pas un firangui, et je ne t'ai pas aimé comme un étranger. Mais il est sur terre, je le vois bien à présent, deux races d'humains, plus étrangères l'une à l'autre que les Indiens et les hommes venus des Eaux Noires ! Oui, il est sur terre deux races incompatibles, qui sont les hommes et les femmes !

— Homme et femme pourtant nous nous sommes aimés, et de quelle façon ! » lui cria Madec. A cet instant, il sentit monter à nouveau en lui le désir de ne plus lui résister, de s'abandonner, de se faire à jamais son unique esclave, son chevalier servant, sa créature. Il détourna cependant la tête et, d'une voix blanche, il commanda au cornac de faire avancer l'éléphant.

« Vite, vite... »

La bête partit au petit trot, et bientôt la ligne rocheuse qui protégeait le lac déroba à son regard l'image de Sarasvati.

« Qu'elle vive et qu'elle se venge ! pensa-t-il. Elle possède la force, elle passera les montagnes, la mousson même ne saurait la toucher. »

Les premiers instants, il dut encore se faire violence, et les mots qu'il se répétait ne le convainquaient pas. Puis vint peu à peu la paix. Il était seul, et libre. Il eut peur pour elle encore un moment, il redouta les défilés infestés de bandits, les rivières en crue. « Mais non, se dit-il, elle a son escorte de serviteurs. Et la *vajra*... »

*
* *

Il était serein quand il parvint aux berges du lac. Le palais étincelait dans l'après-midi. Les bancs de jacinthes s'étaient regroupés au long de l'embarcadère, où se balançait la même barque qui, le matin même, l'avait emmené vers Godh. Un joyau, ce palais était un joyau. En un éclair lui revinrent la scène de la chambre des paons et la promesse du rajah. Comment n'y avoir pas pensé plus tôt ? Sarasvati, sans doute, lui avait bouché tout horizon et empêché toute mémoire qui n'était pas d'elle.

« Godh a subi deux sacs, avait dit le rajah ; au troisième, elle tombera ; le palais du lac sera saccagé... »

Sur ce dernier point il s'était trompé. L'ennemi n'avait pas eu le temps de piller ce lieu qu'aimait tant Bhawani, parce qu'il y reconnaissait sa propre image, tendresse et vulnérabilité. Il devait se douter de sa fin prochaine ; ses paroles, maintenant que Madec se les remémorait, lui parurent celles d'un mort-vivant. Elles lui revenaient sans difficulté, nettes comme si elles étaient de la veille :

« ... Si tu reviens, de deux choses l'une : ou Godh

sera encore debout, belle et tranquille comme tu l'as trouvée. Ou esclave, morte, finie, saccagée. Dans le premier cas, Madec, je serai toujours là, ou mon fils, ou le fils de mes fils. Ton diamant sera là aussi, dans sa cache, à t'attendre de sa vie invisible. Ou Godh ne sera plus ; alors viens ici, prends les dizaines et les dizaines de gemmes que tu y trouveras et venge notre honneur. »

Madec arrêta le cornac, sauta de l'éléphant ; un instant plus tard, il était dans la barque, pagayant entre les fleurs aquatiques. Venger l'honneur de Godh. Détruire les Anglais, les firanguis à veste rouge, comme elle disait.

« Sarasvati... » Il balbutia son nom, puis se mit à méditer. Son départ à elle était de vengeance et de pouvoir en même temps. Une puissance mystique, qu'il refusait, depuis qu'il l'avait vue ajouter au sang de son enfant, au sang de ses compagnes du zenana, à celui des nobles et des soldats, le sang de ce malheureux daim qu'elle avait offert à Kali.

« Tu es un firangui, tu ne peux pas comprendre... »

Mais si, il avait compris. Et trop. A la destruction de son peuple, elle voulait ajouter une destruction plus universelle, plus intense, un nouveau cataclysme : « Kali, je lui appartiens désormais ! » Où serait la place pour l'amour, le partage, le don, l'oubli de soi ? En son nom, au nom de ce qu'elle avait été, il avait donc décidé de la quitter. Tout s'était passé de manière très simple, logique, presque naturelle ; elle croyait que le sang régénérait la terre, et dans ses yeux s'était levée cette lueur farouche qu'il n'avait vue, il ne se le cachait plus désormais, que dans les yeux de Sombre. Lui n'était pas de ces hommes-là, fort bien : c'était donc la croisée des chemins. A l'heure qu'il était, il avait encore le temps de la rattraper, de la rejoindre, de lui dire : pardonne-moi, je ne veux rien d'autre que toi, la vengeance de Godh, la mort des Anglais...

Tandis que s'approchaient de sa barque les moucharabieh et les corridors du palais, il soupçonna cependant qu'il pouvait être plusieurs façons de mener la guerre, de répandre la mort ; l'une, pour défendre une cause ; l'autre, pour le sang, la destruction en eux-mêmes, pour étancher une soif plus intime, secrète et sans fin, l'avidité du pouvoir, l'éternelle danse d'un désir meurtrier, *Kali ! Kali !*, ainsi que l'avait crié la princesse.

Alors qu'il abordait au palais, le souvenir de la nuit reflua. La présence de la monstrueuse déesse ne s'y était-elle pas manifestée, dans ces songes bizarres d'homme à demi drogué ? Il soupira. Tout ici était demeuré propre, net et clair, comme à l'accoutumée. Le rajah s'était trompé ; pas de sang, pas de cadavres ; seul peut-être, dans la chambre abandonnée, le désordre de l'amour. Madec en fut presque étonné. Cependant, portée par le vent, l'odeur de mort venue de Godh se précisait. Il aurait dû se hâter ; il n'y parvenait pas.

Il erra un long moment dans les couloirs, un peu songeur. Elle l'avait drogué, elle l'avait dit elle-même : « J'ai cru pourtant pouvoir te garder... » Lui avait-il donc été, lui aussi, si étranger ? *Firangui...*

Dès lors, il fut certain qu'elle l'avait aimé ; il se sentait presque heureux. L'absence enfin devenait plénitude. Il retrouva sans peine le chemin de la pièce où ils s'étaient si longtemps caressés ; il pensa à nouveau entendre un raga de mousson. Il rêvait. Mais un peu du parfum de la princesse flottait encore dans l'air, et ses effluves, ainsi qu'un mécanisme, appelaient la musique. Il crut encore la désirer. Un de ses saris était plié sur un coussin. Il faillit le prendre. « Non, rien d'elle, se dit-il aussitôt. Pas l'ombre d'un bijou, pas un fil de tissu. Que tout demeure dans le souvenir, un coin de mémoire que nous serons seuls à posséder en commun. »

Il était calme. Il déambula dans les couloirs, cherchant le chemin de la chambre des paons. Avant le moment où, inexorablement, il devrait s'arracher à ce lieu, il voulait s'en imprégner à jamais. Quels rêves et quels chagrins avaient agité les servantes ? Quel homme, le premier, y avait fait l'amour ? Quels vents de poussière avaient terni les marbres et quelles moussons adouci les arêtes de leurs ciselures ? Quel jardinier pensif avait disposé ces iris, ces lotus, oublié cette palme sauvage au creux d'un bassin, quels enfants conçus sur cette natte, quels feux de Bengale tirés sur l'esplanade ?

Tandis qu'il marchait, Sarasvati cessait peu à peu d'être la mesure du monde. Depuis longtemps, elle était déjà devenue autre, se dit-il bientôt. *Autre ;* et lui aussi, à ce jour, partait pour une vie neuve.

Construire, enfin. Il était temps. Quel âge avait-il ? La passion avait aboli en lui le sentiment de la durée ; mois, jours et semaines, il ne savait plus depuis longtemps, il n'avait compté que les moussons, ou les nuits de pleine lune, quand pesaient trop solitude et désir. C'était fini. Il regagnerait d'ici peu le temps tranquille des saisons, de l'hiver qui vient, du printemps qui naît ; il oublierait le feu continu de la passion qui mangeait les nuits, ternissait les aubes les plus douces, fatiguait davantage les midi ardents, tuait l'apaisement du soleil couchant. Il n'attendrait plus Sarasvati ; et c'était bien ainsi, même si la vie, de plus calme, devenait plus vide.

De couloir en moucharabieh, de galerie ajourée en souterrain obscur, il parvint enfin à la chambre des paons. Il s'était muni en chemin d'une petite lampe, et le miracle de la dernière fois se produisit avec une facilité qui le déconcerta : le paon déployé, la cavité au pied de sa patte, le crissement, le déclic. Des dizaines de gemmes. Et le gros diamant, qui brilla intensément dès que Madec approcha la lampe.

« La vie invisible des pierres », murmura-t-il.

Un petit sac de brocart était déposé auprès des gemmes comme s'il était prévu que l'on vînt les chercher. Madec y enfouit le diamant. Ainsi que l'avait annoncé le rajah, le trésor de Godh était là, à côté, ces dizaines de joyaux qui s'étaient mis à briller dès qu'il avait introduit la lampe. Il n'y toucha pas, repoussa la porte d'un geste sec et la regarda sans frémir se refermer sur eux.

« La vie invisible des pierres, répéta-t-il tout bas, tandis qu'il resserrait son poing sur l'énorme diamant. La voici, dans ma main, la vengeance de Godh, hommes, armes, canons ; et la mort des Anglais ! Torrebenn ! Et la gloire... »

Il se mit à courir à toutes jambes. Quelques instants plus tard, il était dans la barque. Tandis qu'il regagnait la berge, son regard se porta vers l'est, là où, disait-on, Sombre régnait en maître. L'horizon s'était encore dégagé, on voyait les montagnes jusqu'aux cols. Comme il l'avait prévu, c'était la route que prenait la caravane de Sarasvati.

TROISIÈME PARTIE

CHANDERNAGOR

CHAPITRE XVIII

Mousson de 1764

Godh-Agra

Tout le voyage, le ciel demeura lourd, grave et triste. Madec ne suivit pas la couleur du temps ; imperturbable, serein, presque joyeux parfois, il allait sans trêve par les montagnes, harcelant de temps à autre son cornac et le petit éléphant qui lui servait de monture. Ses soldats suivaient à quelque distance, n'osant renâcler, tant ils étaient heureux d'avoir échappé au cataclysme de Godh. Les rivières grondaient tout autour d'eux, ils ne cessaient de patauger dans une boue rougeâtre, mais ils allaient de l'avant sur les cols déserts, animés par la seule force que donne la certitude d'avoir échappé à une totale destruction. On ne rencontrait âme qui vive ; les montagnards, les nomades, les sadhu solitaires, les animaux eux-mêmes semblaient s'être terrés pour jouir en paix du bonheur des pluies revenues. Doucement balancé sous les franges ruisselantes du palanquin, Madec somnolait souvent, rêvant à demi, prolongeant autant qu'il était possible des divagations informelles à la frontière de la veille et du sommeil. C'était une sorte de léthargie vide, une torpeur opaque. Quand il s'en libérait enfin, elle lui laissait le cerveau aussi inactif que ses membres relâchés. Des giclées de pluie, une hésitation dans le pas de l'éléphant le contraignaient soudain à revenir au jour présent. Il se tendait d'un seul coup, hélait le cornac : « Quand sortirons-nous enfin de ces maudites montagnes, méfie-toi des gorges, le pas de ta bête faiblit, as-tu remarqué des traces de cavaliers, es-tu bien sûr de connaître la route qui mène à Agra ? »

Agra, Agra, il n'avait que ce mot-là à la bouche. Il jetait par-derrière un dernier coup d'œil, pour vérifier que la troupe suivait, puis reprenait le cours de sa rêverie. Il en avait exclu tout passé qui ne fût pas Agra et les promesses du jésuite. Agra, son port, sa recouvrance : au milieu de ces montagnes, Madec se découvrit des espoirs de marin. Poser son sac. Mettre fin à l'errance. Bâtir une vie tranquille, ancrée, terrienne. Le roulis continuel de l'éléphant et l'eau qui sourdait de partout contribuaient grandement à entretenir cet état d'âme incongru. Comme sur les vaisseaux de la Compagnie des Indes, les vêtements commençaient à pourrir. Depuis quelques jours, les soldats souffraient aussi de la faim et Madec n'osait plus réclamer au cornac les maigres rations qui restaient dans les sacs empilés à la hâte lors du départ de la citadelle, et qu'on avait accrochés au flanc de l'animal. L'homme refusait obstinément d'y toucher : « Madecji ! tu es le chef, qu'est mon existence au regard de la tienne ! » Madec attribua ce refus à quelque préjugé de caste : « Ma vie est liée à la tienne, cornac ! Que ferais-je de cet éléphant sans ton secours ? Je ne sais pas le guider ! »

Le cornac continuait à secouer la tête : « Madecji, tu es le chef... »

Madec ne poussa pas plus avant sa tentative et résolut d'épargner les vivres autant qu'il le pouvait, n'attendant plus qu'Agra pour mettre un terme à ces désagréments qui, du reste, entre ses somnolences et ses rêveries, ne l'affectaient que de façon fort bénigne.

Il méditait. Dans ses songes en bordure du chemin, il se comparait à un serpent qui mue, une longue couleuvre abandonnant l'une après l'autre les peaux de tous ses printemps ; et peu importait que pour lui fût fini le printemps. La mousson est la seule grande saison de l'Inde, se répétait-il sans cesse, une renaissance répétée autant d'années que dure la vie, et où se lovent tous les bonheurs à venir. Quimper, Godh, Agra, voici venir ma troisième naissance, et cette fois-ci sera la bonne. Alors il passait la tête au-dessus du baldaquin, interrogeait le ciel pour la trentième fois du jour, cherchait à percer son écran de brouillard opalin ou de cristal liquide. Le soir, il voyait invariablement s'avancer des nuages aux teintes qui viraient et passaient en un rien du gris presque noir à des pastels nacrés. On arrêtait l'éléphant ; il s'écroulait, docile et épuisé. On cherchait un recoin de roche où s'abriter quelques heures, sous la bâche à peine tendue des tentes détrempées. La lune parfois monta dans le ciel battu de vent, et elle souligna d'ambre les nuages en fuite. Cette fois, ma joie sera tranquille, rêvait toujours Madec. Je ferai la guerre, mais sans flamme ni passion. Je serai riche et sage. Et il s'endormait, ne doutant plus que d'aussi fermes résolutions ne pussent venir à bout de la folie indienne.

Un matin, le cornac se mit à tousser. Il frissonnait de partout et son corps maigre paraissait très fiévreux. Il repoussa encore la nourriture, prétextant que la plaine n'allait pas tarder. Et en effet, le soir venu, elle surgit au débouché d'un col. La pluie venait de cesser ; c'était le coucher du soleil, une heure toute mauve. A travers la brume diaphane qui filtrait les derniers rais de lumière, Madec distingua ce qu'il attendait depuis si longtemps, éparpillées dans la plaine comme autant de signes de la vie humaine et de son ordre éternel, les fumerolles des galettes de bouse qui cuisaient le dîner de l'Inde. Demain, enfin, il serait à Agra.

« Cornac ! Regarde ! » cria-t-il dans sa joie.

L'autre avait vu depuis longtemps et souriait d'un air absent. Il chancela soudain.

« Cornac ! »

C'était trop tard. L'homme s'était évanoui et roula aux pieds de l'éléphant. Celui-ci, toujours étrangement calme, ne broncha pas, mais laissa échapper un très curieux barrissement doux. L'agonie du cornac dura toute la nuit. Madec avait compris aussitôt qu'il n'y avait plus d'espoir. La fièvre, la faim, la chute se conjuguaient pour terrasser le squelette frémissant qu'était devenu son corps. Sa résistance fut cependant surprenante. Madec le recueillit au creux de ses bras, tâcha de le réchauffer en le massant selon l'usage indien et attendit le jour. Aux premières lueurs de l'aube, le cornac commença à s'agiter et murmura :

« La prospérité soit sur toi, Madecji. Prends ceci. »

Il lui tendit une petite amulette serrée au creux de sa paume.

« Prends-le, Madecji. Que sa sagesse te protège. »

Le soleil se levait dans un ciel pur. Madec leva l'objet vers la lumière. C'était un petit Ganesh de cuivre tout usé, avec une longue trompe grossièrement ciselée.

« Cornac... »

Les yeux de l'homme demeuraient fixes. Le soleil déferla d'un coup sur la plaine, et Madec soupira. Le cornac était mort. Madec se leva, un peu las. Il glissa l'amulette dans la poche de sa robe, tout près des faces polies de son diamant. D'un village proche, il entendit l'appel du matin, celui que les brahmanes lançaient à la lumière, au feu, au soleil. D'un bout à l'autre de l'Inde, la même psalmodie montait vers le ciel, bruit rauque des conques dans lesquelles on soufflait, murmure des versets qui célébraient la naissance du jour. Et pourtant, de cette terre indienne, Madec n'espérait plus rien, sinon une ville à peine entrevue et un prêtre d'Europe qui, des heures durant, lui avait naguère parlé de vie sage et bien étroite.

Pourquoi donc avait-il accepté le Ganesh du mourant, dieu des brigands, des écrivains, des imposteurs, toutes choses qu'il n'était pas et ne voulait point devenir ? Il faillit le remettre sur le cadavre, mais pensa qu'il était néfaste de refuser le présent d'un mort. Je deviens comme ces fous d'Indiens, superstitieux et idolâtre, fulmina-t-il en silence, faut-il que cette femme m'ait ensorcelé ! Pour la première fois, depuis leur séparation, il songeait à Sarasvati ; il se jura que ce serait la dernière. Il garda le Ganesh. Quittant la dame de Godh, il avait à jamais tourné le dos à l'aventure ; mais il se fit la réflexion que le dieu ventripotent dont le cornac lui avait offert l'effigie protégeait toute personne soumise, comme les coupe-jarrets, à la nécessité de réfléchir deux fois plutôt qu'une. Il repoussa donc ses scrupules religieux et s'avisa qu'il lui fallait résoudre sur-le-champ une urgente difficulté : qu'allait-il advenir de l'animal du cornac ?

Il jugea que l'adieu à la vie hasardeuse commençait par une stricte économie. Le prix des éléphants demeurait constamment très élevé sous ces climats où pourtant ils abondaient. Madec décida donc de conserver la bête, quoique ses pattes un peu basses lui parussent peu conformes au brillant état qu'il espérait à Agra. Fortune faite, il lui serait toujours loisible de s'en procurer qui soient plus élégants. Il s'agissait donc de la nourrir au plus vite, et de ne point la quitter afin de paraître dans un équipage convenable en la bonne ville du père Wendel.

Envoyés au village voisin, les hommes de Madec, à force de baragouiner hindi, finirent par dénicher un grand homme maigre, que la rumeur locale donnait pour versé en science éléphantine. Dès qu'il eut examiné la bête, il s'inclina respectueusement devant Madec, en lui servant des « très honoré seigneur » à n'en plus finir. Madec l'interrompit avec humeur :

« Parle, si tu t'y connais en éléphants ! Mon cornac est mort. Que te semble de cette bête ?

— Oh ! très honoré seigneur, il est encore un peu jeune pour que l'on se prononce, mais assurément il fera un animal royal !

— Trop jeune ? Comment cela ? Quel âge a-t-il donc ?

— Douze, treize ans, je pense ; il va encore grandir. Regardez son poitrail, déjà bien bombé : il sera très puissant. C'est vraiment un animal royal, de la première caste des éléphants ! »

Madec demeura interloqué ; il ignorait que les Indiens étendaient aux animaux la hiérarchie impitoyable qui les divisait eux-mêmes. Il sourit d'un air sceptique :

« Et à quoi le vois-tu ?

— A son œil d'abord, seigneur firangui, à son œil rond, vif et bon. Puis à ces taches roses et blanches qui parsèment ses oreilles. A sa longue queue, qui cependant ne touche pas le sol. Et surtout à la couleur de sa peau ! »

Madec examina plus attentivement l'animal. Il était gris, lui semblait-il, aussi gris que les autres éléphants. Il dut prendre alors une expression un peu déconcertée, car l'expert en éléphants eut un rictus ironique :

« Tu ne connais donc pas la valeur des cadeaux que tu reçois, firangui ? »

L'homme avait abandonné toute formule de politesse et le considérait désormais avec un mépris mal dissimulé. Madec sentit la colère monter en lui :

« Celui-ci n'est pas un cadeau. Et d'ailleurs, que t'importent les présents que je reçois ? Firangui je suis, et firangui je demeure, mais prends bien garde à mon sabre et à mes mousquets si je les pointe sur toi ! »

Il avait dégainé son épée et l'agitait sous le nez de l'homme aux éléphants. Le geste eut aussitôt l'effet escompté : l'autre pâlit, se prosterna et demanda grâce.

« Bien, fit Madec. Continue maintenant. »

Il sentit un léger bourdonnement dans ses oreilles et crut un instant que la terre tremblait sous ses pieds. Cela ne dura pas. Il s'épongea le front, reprit ses esprits. L'homme aux éléphants n'osait plus dire un mot.

« Parle ! répéta Madec d'une voix plus douce, comme lasse.

— Assurément, cet éléphant est un don des dieux ! Outre ses qualités d'animal royal, il possède à chaque patte seize ongles, ce qui signifie prospérité pour celui qui le possède.

— Bonheur ? interrogea Madec, qui n'était pas sûr d'avoir bien compris.

— Non, prospérité, maintint l'autre. Mais enfin, qui connaît la prospérité connaît aussi le bonheur ! ajouta-t-il avec un petit rire. L'on trouve parfois des sadhu qui prétendent le contraire, mais ce sont des fous ! »

Il examina de plus près l'animal, lui palpa les flancs :

« Cependant...

— Quoi ? intervint aussitôt Madec, qui commençait à tenir à sa bête.

— Ton éléphant est mal nourri ! Quel dommage pour un éléphant blanc...

— Il n'est pas blanc !

— Il est blanc, très honoré seigneur, car il est clair ! »

Ces subtilités achevèrent d'exaspérer Madec ; il y retrouvait l'intarissable penchant de l'Inde à ergoter, pinailler, diviser, subdiviser, morceler les idées jusqu'à l'extrême, passion particulièrement répandue chez les marchands, mais qu'il avait aussi découverte avec effroi chez Sarasvati, au cours de leurs longues conversations, quand ils attendaient la mousson. Il ricana, puis cria d'un ton dur, qui terrifia ses soldats :

« Soit ! Va pour l'éléphant blanc ! Et maintenant, es-tu capable de nourrir cette bête ?

— Si tu me paies, très honoré seigneur ! Et je te préviens que ce pays a connu la disette, l'an passé.

— Je sais ! Tu seras payé ! Alors, que faut-il donner à cette malheureuse bête ?

— Il faut d'abord l'engraisser, très honoré seigneur. La nourrir de beurre clarifié, mélangé à du lait de vache, de l'huile de graine de sésame, du sucre, de l'ail haché... Cela ne te coûtera pas cher. Mais ensuite...

— Quoi encore ?

— Ah ! Seigneur... C'est qu'un éléphant blanc ne mange pas la même nourriture que les bêtes ordinaires, fussent-elles royales ! Il lui faut la canne à sucre la plus douce, les bananiers les plus moelleux, les gâteaux de froment les plus dorés et des boissons parfumées à l'eau de rose et au jasmin ! »

Madec sentit à nouveau sa tête bourdonner. Les paroles de l'homme à l'éléphant n'y étaient pour rien, il l'écoutait à peine. Il était là, extrêmement las. Agra, au plus vite ; la demeure du jésuite, le repos, le bonheur.

« Il aura tout cela ! » lâcha-t-il d'un air absent.

Puis il sembla brusquement pensif, considéra d'un il perçant son interlocuteur :

« Es-tu cornac ?

— Oui, seigneur.

— Veux-tu t'attacher au service de mon éléphant blanc ? »

L'autre parut au comble de la joie :

« C'est trop d'honneur !

— Réponds : acceptes-tu ? »

L'homme se prosterna aux pieds de Madec.

« J'accepte, seigneur, j'accepte !

— Bien ! Alors nous partons. »

Il lui désigna la bête.

« Pas si vite, pas si vite, cria le cornac. Il faut que l'éléphant s'habitue à moi. Il vient de perdre son maître, il doit être dans l'affliction ! »

Madec haussa les épaules :

« Soit ! Mais fais vite. »

Il faillit chanceler. Un nouveau vertige venait de le prendre, suivi d'un élancement aigu au ventre. Il n'était plus seulement las, il était mal. Il fallait n'en rien laisser paraître. Il résolut de tenir bon.

Pendant une bonne heure, l'homme, dont on venait d'apprendre qu'il se nommait Arjun, tourna et vira autour de l'animal, le touchant tendrement, lui murmurant à l'oreille des syllabes douces et étranges, l'examinant de toutes parts, et s'arrêtant soudain, pour interroger un long moment son regard triste et docile. Enfin il s'avança vers Madec :

« Nous pouvons partir ; je pense que c'est une bête placide et bien obéissante. Quel est son nom ?

— Son nom ? éclata Madec. Mais comment veux-tu que je sache son nom ? Je n'étais pas son cornac ! »

Arjun réprima encore une grimace de mépris, mais ne put retenir une nouvelle insolence :

« Le propriétaire d'un animal royal se doit de connaître son nom ! »

Madec ne se releva pas. La douleur lancinante au ventre reprenait, un léger brouillard voilait sa vue. Rentrer, rentrer. Cette fois, c'était peut-être la mort qui s'approchait, douceâtre, languide, traîtresse, comme toutes les choses de l'Inde, quand elle n'était pas en folie. Et il mourrait loin du pays. La Bretagne. Depuis quand n'y pensait-il plus ?

« Son nom ? » murmura-t-il comme dans un songe.

Puis il enchaîna d'une voix brusquement rassurée :

« Il s'appelle Corentin !

— Koh-ran-thin ? répéta le cornac en détachant les syllabes. Voilà un nom bien étrange. C'est un dieu ? Ton dieu ?

— Si tu veux... C'est un nom de mon pays, de l'autre côté des Eaux Noires. Va ! Nous partons ! »

Quelques minutes plus tard, la petite colonne était en marche. Madec allait mieux. S'abandonner sur les coussins le soulageait, quoique parfois, sourde et tortueuse, la douleur se levât. Le matin était clair, le soleil haut, on allait bon train. De temps à autre, le nouveau cornac se retournait vers Madec et lui lançait en riant :

« Koh-ran-thin, Koh-ran-thin ! Ah ! Quelle jolie bête il va faire d'ici trois à quatre ans ! Koh-ran-thin, Koh-ran-thin...

— Corentin, murmurait à son tour Madec, à demi couché au fond du palanquin. Corentin...»

Ainsi, se disait-il avec un plaisir un peu mélancolique, un peu de Bretagne m'est demeuré. Malgré l'Inde. Malgré Godh. Malgré Sarasvati.

Il soupira. Avec ce nom de Corentin lui était revenu soudain le souvenir de sa mère, Corentine-Manon, dont il ne se rappelait plus les traits, et qu'à présent la vraisemblance contraignait à tenir pour morte. Au bord de sa mémoire rôdait aussi Quimper, communément dite Quimper-Corentin. Vivait-elle encore au bord de son fleuve étroit, avec ses marées grises et ses champs d'ajoncs ? Mais tout cela avait-il vraiment existé ? *Maya, maya,* illusion, comme disaient les Indiens ! Rien n'avait de réalité ; ni ici, ni là-bas. Il n'avait pas le mal du pays, ou du moins pas encore ; et en cet instant, aurait-il fallu qu'il choisisse entre l'illusion en Bretagne et le mirage indien, il aurait à nouveau, chimère pour chimère, tranché pour l'Inde, car il n'était toujours pas rassasié de ses fantômes colorés. Non, il n'avait pas encore le désir de rentrer. Envie seulement de se reposer. Un petit moment ; un long moment. Et ensuite, encore l'Inde. Mais cette fois, l'Inde et l'ordre. Après une dernière douleur, plus déchirante que les précédentes, il s'endormit au fond des coussins.

On fit halte au premier village pour y déposer le cadavre de l'ancien cornac. Moyennant quelques pièces, Madec obtint qu'on le brûlât sur-le-champ, eu égard au dévouement de ce pauvre hère qui l'avait béni en mourant. Tout en reprenant la route, il demeurait bien étonné qu'Arjun eût si facilement accepté de s'attacher à une bête qui n'avait guère porté chance à son prédécesseur. Il tâcha de distinguer les raisons de cet enthousiasme et parvint à la conclusion que le zèle de ces deux hommes n'était pas adressé à son propriétaire, mais bel et bien à l'éléphant lui-même, en raison de son état d'animal de haute caste. N'avait-il pas entendu raconter à Godh que les éléphants blancs étaient la réincarnation du premier éléphant du monde, Airavata, sorti de la coquille de l'oiseau de Brahma ? « C'est un éléphant qui soutient tout l'univers, avait dit Sarasvati, et l'éléphant blanc ressemble au lait cosmique. » Il avait éclaté de rire, il s'en souvenait encore, ne comprenant pas qu'un éléphant fût comparé à du lait, et doutant fort que jamais pût naître pachyderme qui fût blanc de peau. Elle avait maintenu, il avait ri encore plus fort, elle avait répété sa fable d'un air prodigieusement irrité, puis elle s'était fermée, comme chaque fois qu'il la jugeait extravagante ; il se rappelait d'ailleurs qu'il lui avait fallu des heures de cajoleries pour qu'elle consentît, unique délice qu'il lui était encore loisible de goûter, à parler à nouveau et surtout à sourire. Souvenirs de Godh : plus on s'approchait d'Agra, plus il les pensait néfastes à ses projets de vie ordonnée et à la paix de son âme. On atteignit une large route, où l'on distinguait un troupeau de chameaux.

La vie reprend, pensa-t-il, puisque voici revenues les caravanes. Cette pensée le rassura. Elle lui parut balayer définitivement Godh, la mort, le cataclysme. Du reste, la région d'Agra était extrêmement plate, ce qui le soulageait infiniment, tant le cauchemar vécu dans le royaume de Sarasvati lui semblait lié aux barrières de jungles et de montagnes qui l'entouraient. Ici, une enclave de mort ne pouvait s'imaginer.

C'était un monde de routes et d'espaces sans fin, un univers libre, ouvert, aéré. Il s'en voulut d'avoir cru Godh protégé. Du même coup, il vit toute sa jeunesse comme une longue et gigantesque erreur, et il s'endormit sur cette certitude. Il ne se réveilla qu'aux portes d'Agra. Il ne discerna tout d'abord qu'une masse rouge et informe, et se demanda où il était. Le brouillard sur ses yeux s'était encore épaissi. La vue lui revint peu à peu, mais ses douleurs du ventre avaient augmenté.

« Seigneur, où allons-nous ? demanda le cornac.

— Connais-tu la ville ?

— Un peu... Par cette porte, nous pénétrons dans le marché.

— Conduis-moi à la maison des hommes à robe noire !

— Les prêtres firanguis ? Mais je ne sais pas où ils demeurent !

— Comment ? s'exclama Madec. Ne sont-ils pas assez connus dans Agra ?

— Je n'ignore pas leur existence, mais je ne sais où se trouve leur maison.

— Eh bien, descends, et demande-le ! Tâche aussi de me ramener des hommes qui puissent nous ouvrir le passage au milieu de la foule. Dépêche-toi ! »

La douleur le tordait à nouveau, et il eut un regard terrible en prononçant ces derniers mots. Le cornac descendit de sa monture avec des mouvements fébriles, puis disparut à toute vitesse. Une meute de mendiants se précipitait déjà autour de l'éléphant et des soldats, qu'il fallut faire fuir au plus vite tant ils étaient pressants. Depuis son aventure de Bénarès, Madec craignait surtout qu'il n'y eût parmi eux des lépreux, et il interdit formellement qu'on distribuât la moindre aumône. D'ailleurs, ses hommes n'avaient plus grand-chose à donner ; les mendiants, à la vue de leurs vêtements délavés, n'insistèrent guère, et l'attente s'installa.

On était au cœur de l'après-midi. Il n'avait pas plu de la journée, ce qui parut à Madec fort singulier, après les déluges qu'il avait connus dans les montagnes. De gros nuages s'accumulaient à l'horizon, qui n'allaient pas tarder à crever ; en attendant, le soleil brillait, durcissant encore le coloris rouge des murailles d'Agra.

Arjun ne revenait pas. Je ne connais pas cette ville, songea Madec. La dernière fois, je n'ai fait qu'y passer, sans même franchir ses remparts. Que vais-je devenir si les jésuites n'y sont plus ? Et si ce cornac a décidé de s'enfuir ? Comment diriger cette bête que je ne connais pas ? Si au moins c'était un cheval... Il contempla longuement son éléphant blanc. Son premier véritable éléphant. Et il était royal. Ne fallait-il pas y voir un signe ? Il s'aperçut alors qu'il commençait à le regarder avec les yeux des Indiens ; cette bête qui le matin même ne lui paraissait qu'un pauvre animal fatigué, un peu bas sur pattes, était en passe de lui devenir extrêmement précieuse. Désormais, résolut-il, je ne quitterai plus Corentin.

Enfin surgit de la porte la silhouette qu'il espérait : une longue forme efflanquée vêtue de noir qui s'avançait dans la foule avec une inimitable componction. Arjun le suivait ; comme il avait à peu près la même taille et une maigreur identique, on aurait cru de loin la réplique brune, légère, souple, et, pour tout dire, indienne, du père Wendel.

Un sourire de victoire le transfigurait. Pour le reste, il n'avait pas changé. Il le salua le premier, ce qui n'était pas coutume chez lui :

« Bonjour, mon fils ! Te voici donc de retour à Agra...

— Bonjour, prêtraille ! »

Malgré l'injure, l'autre continua à sourire et poursuivit :

« Il est vrai que l'autre jour, mon fils, tu n'étais pas entré dans la ville. Es-tu donc retourné voir ton cher Taj Mahal ?

— J'ai besoin de toi, sale abbé ! lui lança Madec, j'ai besoin de toi et tu le sais fort bien. Mais tu as de moi encore plus grand besoin, pour m'avoir fait « l'autre jour », comme tu dis, tes grandes et belles promesses. Je te reviens : alors tu vas me la tenir, ta parole, cochon de jésuite, sinon il t'en cuira, de toi et de ta vieille soutane !»

Malgré les douleurs qui lui tordaient les tripes, il prononça ces insolences avec une vigueur certaine. Le jésuite en fut très impressionné ; de plus, grâce à ses connaissances étendues qui lui avaient valu d'entrer dans un ordre religieux partiellement voué à l'espionnage exotique, il avait reconnu dans la monture de Madec un éléphant royal, et blanc de surcroît. Cette découverte eut sur lui un effet immédiat : il cessa de sourire, se courba très légèrement, frotta l'une contre l'autre ses longues et blanches mains, puis susurra :

« Soyez le bienvenu en cette ville d'Agra, cher Madec, et que Dieu vous protège ! Puis-je vous rejoindre sur votre animal ?

— Cornac ! Fais baisser l'éléphant ! »

Arjun s'exécuta, mais il fallut le secours de trois soldats pour hisser le corps anguleux et rigide du prêtre dans le palanquin. Madec ne voulait pas entamer les discussions avant d'être arrivé. Il détourna donc son visage et regarda en arrière. Il découvrit alors, plus légères que jamais dans la brume du soir montant, les coupoles aériennes du Taj Mahal, et il s'aperçut ainsi que le jésuite l'avait pressenti, qu'elles ne signifiaient à ses yeux plus rien d'autre que la mélancolie d'un rêve abandonné.

La traversée d'Agra fut une pénible épreuve. La ville était bâtie sur une série de ravins, dont les rues suivaient le relief capricieux ; leurs pavés de brique et de pierre étaient souvent arrachés, des fondrières les coupaient constamment, au point que Corentin, à plusieurs reprises, laissa paraître des signes de fatigue. Les quelques malheureux qu'Arjun avait recrutés pour ouvrir le passage ne furent d'aucun secours : en ce temps de mousson les habitants d'Agra demeuraient cloîtrés chez eux le plus clair du jour ; c'était encore la morte-saison des affaires. Malgré sa modeste stature, on n'osa pas aventurer Corentin dans les rues tortueuses du marché, où il n'aurait pas réussi à se faufiler. On emprunta donc une des trois rues principales d'Agra, suffisamment larges pour laisser passer pareil équipage, et que les empereurs moghols, du temps de leur splendeur, avaient ordonné qu'on ouvrît pour la pompe de leurs triomphes. De part et d'autre de cette route, et aussi loin que portait le regard, on mesurait avec tristesse la désolation qui s'était abattue sur leurs Etats autrefois florissants. De tous côtés, ce n'étaient que masures, décombres, ruines enchevêtrées. Parfois, le regard y distinguait un pilastre intact, où s'entrelaçaient de délicates arabesques. Ailleurs, c'était une vasque de marbre, oubliée au milieu de blocs épars mangés de lianes neuves. A Godh, on n'avait pas eu le temps de porter la mort dans les pierres. Ici, il semblait au contraire qu'une divinité plus cruelle avait cherché à ruiner jusqu'en son cœur l'image de la magnificence et du pouvoir. Tandis que montaient, de plus en plus régulières et franches, les douleurs qui lui brûlaient les flancs, un sentiment neuf s'empara de Madec : celui de l'inanité de la puissance, de la vanité de l'ambition.

La gloire ! Pourrait-il s'en passer jamais ? Etait-il bien certain d'avoir fini de vouloir monter, et de ne plus souhaiter que des joies ordinaires, sages et mesurées ? De ne plus envier ceux qui le dépassaient ?

Celui-là même qui, quatre ans plus tôt, avait transformé cette ville splendide en champ de pierres inculte, n'était-il pas Sombre, entraînant derrière lui les hordes des Djattes, et sa folie destructrice ne lui avait-elle pas valu un renom sans égal, à lui qu'on appelait la *Lune des Indes*, des Himalayas au cap Comorin ?

Il soupira bruyamment, chassa ce souvenir désagréable. Les tiraillements de son ventre devenaient plus aigus. Il les maudit, n'y voulant voir cependant qu'une incommodité passagère qu'un peu de repos apaiserait, en même temps que son humeur noire. L'effort était tel qu'il tremblait de partout. Le jésuite n'avait pas manqué de l'observer ; dans son regard s'alluma une joie à peine retenue. Avec la délicatesse un peu fade qu'on voyait en Europe aux Saint-Jean des églises, il étendit sa main pâle vers Madec, puis donna l'ordre au cornac d'arrêter : devant l'éléphant se dressait en effet une belle porte de bois barrée de fer ; une haute croix de pierre la surmontait, afin qu'il n'y eût pas de doute sur la nature d'un lieu qu'à l'abord on pouvait prendre pour un bastion ou un fortin.

« Avant que de pénétrer en cette sainte enclave, dit alors le père Wendel, confiez-moi donc, cher Madec, ce que vous attendez de mon humble ministère...

— Me marier, prêtraille, comme tu me l'as promis ! »

*
* *

Sitôt dans ses murs, le père Wendel voulut entraîner Madec à sa chapelle pour y remercier, comme il disait, la Divine Providence. Madec refusa tout net et réclama un bain.

Le jésuite pâlit :

« Un bain ! Mais les usages de l'Inde sont pernicieux, mon fils ! Le diable toujours vient s'y loger !

— Laisse le diable là où il est ! »

Wendel ne désarma pas :

« Huiles et parfums sont œuvres de concupiscence !

— Je n'entends rien à ton langage. Je veux un bain, je ne ressemblerai pas à un chien puant !

— Je n'ai pas de bassines.

— Tu mens. Toi aussi tu te baignes et te parfumes. Tu n'as pas l'odeur des Européens aux Indes. Tu te caches, mais tu te baignes ! »

Le jésuite rougit légèrement et désigna à Madec l'enfilade des cours :

« Suivez-moi, mon fils. Au fond se trouvent les chambres. » Comme chaque fois qu'il était découvert, le père Wendel ne revenait jamais sur ses dires, il ne cherchait pas le moins du monde à se justifier ; une fois encore, Madec admira ses incessants changements de sincérité, s'il était possible encore d'appeler sincérité cette merveilleuse aptitude à courber l'échine.

Ils traversèrent un semblant de déambulatoire délavé de pluie, puis des cours grisâtres, désespérément semblables les unes aux autres. Ni marbres ni fontaines ; pas la moindre décoration, pas un soupçon de jardin, pas l'ombre d'une ciselure.

« Voici le collège, et par là la bibliothèque », dit le jésuite en lui montrant une construction fissurée et moisissante.

De quelques mots hindis, il réveilla trois dormeurs assoupis sous une voûte :

« Au travail ! »

Les hommes, des adolescents encore, s'approchèrent docilement. Madec fut étonné de leur peau très claire. Parmi l'infinité des visages de l'Inde, il n'avait jamais rencontré de teint si pâle ailleurs qu'à Pondichéry et à Calcutta, où les bordées de marins facilitaient le mélange des races.

« Ce sont des métis ? interrogea-t-il.

— Des Français, mon cher, des *frantcis* comme on dit ici ! Je leur dispense l'enseignement du Christ ; en échange, ils entretiennent la mission.

— Ils ne sont donc point riches ?

— Ceux-ci ne le sont point. Les autres... »

Il eut un geste évasif et plein de respect, auquel Madec comprit que ces autres-là, s'ils n'étaient point domestiques, offraient, sans doute possible, rémunérations et service de qualité cent fois supérieure.

Le père avait prévenu ses pensées :

« Ah ! Madec ! Nous sommes dans la misère, nous autres missionnaires. »

Il pointa l'index vers la chapelle :

« Regardez cette église... Elle était autrefois couronnée d'une tour, avec trois grosses cloches, que le Moghol Jahanghir avait offertes à la mission. En ce temps-là — c'était vers l'an 1620, je crois —, l'empereur était bien près de se faire chrétien. Il s'entourait d'Européens, les ancêtres de ceux qui demeurent encore ici. Des médecins, des marchands, des architectes... Et puis Jahanghir est mort. Il a demandé l'extrême-onction, mais ses eunuques n'ont pas voulu prévenir la mission. Il est mort dans la religion des infidèles.

— Hindou ?

— Non, mon fils ! Musulman, musulman ! C'est moins affreux ; ces gens-là n'ont qu'un seul dieu, ils reconnaissent le Christ parmi leurs prophètes, mais ce sont pourtant des damnés ! »

Il décocha à Madec un coup d'œil narquois :

« Vous devriez savoir tout cela, Madec, depuis le temps que vous êtes dans l'Inde. »

Madec haussa les épaules.

« Le fils de Jahanghir nous haïssait, reprit le jésuite. Il a détruit nos deux autres missions, Delhi et Lahore. Et ici, comme tu vois, ruine et désolation : la tour de la chapelle a été renversée, ses cloches volées, à l'exception de la plus grosse, que les Djattes ont emportée, voici quatre ans, lors du sac de la ville. J'étais absent, je n'ai rien pu faire », ajouta-t-il comme pour s'excuser.

Madec prit un air ironique :

« C'était pourtant Sombre qui menait les Djattes en ce temps-là...

— D'une cloche, Sombre ne peut faire qu'un usage chrétien, mon fils.

— Chrétien, Sombre, avec ses débauches, ses eunuques, ces femmes qu'il épouse à toutes mains ?

— Sombre ne tardera pas à revenir dans les chemins de Dieu.

— Prends garde, curé, qu'il ne meure avant ! »

Le jésuite eut un petit sourire bizarre :

« Gardons foi en la divine Providence, mon fils, les desseins de Dieu sont impénétrables !

— Pardi !

— Mon fils, poursuivit Wendel en joignant les mains sur son front, depuis des mois je m'attache à le faire revenir en notre troupeau, et je ne suis pas loin d'aboutir. »

Ils étaient parvenus au fond de la dernière cour, et le père Wendel s'arrêta devant une petite pièce qu'un léger store à l'indienne protégeait de l'extérieur. Il le souleva et fit signe à Madec d'entrer le premier. C'était une pièce entièrement nue, une sorte de cellule aux murs moisis, que ne décorait qu'une écritoire bancale et un vieux crucifix contourné à la manière portugaise. Un sommier à l'européenne occupait la plus grande part de la chambre. Madec résolut de ne pas franchir cette enceinte sordide sans avoir en poche, à côté du diamant et de son Ganesh, l'assurance du bonheur. Il fallait donc attaquer sur-le-champ, malgré le sommeil qui venait ; ne pas laisser au père Wendel le premier quart de silence qui lui permettrait de s'éclipser en prétextant vêpres ou matines. Il entra dans le vif du sujet :

« Tu vas me marier, curé. »

L'œil de son vis-à-vis s'alluma :

« Et avec qui ?

— Ne joue pas l'innocent. Je veux, comme tu me l'as promis, une jeune chrétienne, belle et bien dotée.

— Vous demandez beaucoup, mon fils. »

Madec l'interrompit aussitôt :

« Jésuite ! Jamais je n'ai pu supporter tes détours et tes faux-semblants. Parle, et nous verrons bien si nous pouvons conclure ! »

Le père Wendel toussota quelques instants. Les serviteurs entrèrent, porteurs d'une bassine fumante et de quelques aiguières d'eau fraîche, qu'ils laissèrent sur le pas de la porte. Sans plus de cérémonie, Madec se saisit de l'une d'entre elles et se mit à boire au goulot.

« Alors, jésuite, cria-t-il quand il en eut fini. Dépêche-toi, car je suis fourbu ! »

L'eau fraîche n'avait pas étanché sa soif ; il se sentait fébrile ; à parler mariage pourtant, ses douleurs s'étaient un peu calmées.

« Eh bien... Mais promettez-moi d'abord, mon fils, que vous nourrissez vraiment l'intention de vous marier, et qu'il n'est pas dans votre âme pensée de ruse ou de tromperie.

— Soit ! Parle donc ! »

Le père plissa le front, puis laissa s'installer un petit silence. Sentir Madec impatient lui fournissait un plaisir inespéré. Enfin il commença :

« Au temps du Moghol Jahanghir, comme je te l'ai dit tout à l'heure, se sont installées des familles chrétiennes, une cinquantaine environ. C'était le grand espoir de notre congrégation...

— Au fait, jésuite ! Je sais cela. Les *frantcis*. Et alors ?

— J'y viens. Parmi la vingtaine qui en reste se trouve une famille fort riche ; malgré les malheurs du temps, elle a conservé une certaine prospérité. Le chef de cette famille n'a gardé vivant qu'un seul enfant, une fille, qu'il n'a pas encore mariée, car il ne veut pour elle qu'un bon catholique de sang européen.

— Est-elle jeune et jolie ?

— Certes, certes, mon fils, mais là n'est point la question. Si vous voulez conclure l'affaire, il faut faire vite ; les Indes bougent, les gentilshommes de fortune commencent à courir les routes, et d'ici peu il ne manquera pas de prétendants qui soient du goût de ma brebis !

— Quelles garanties m'apportes-tu ?

— La famille de la jeune fille est protégée du Moghol. »

Madec éclata de rire :

« Mais le Moghol est aujourd'hui errant !

— Tout change, Madec, tout change ! Il ne le sera

pas toujours ! La Cour se reconstitue. Des appuis neufs lui sont venus ; les Marathes, un peuple du Dekkan, qui veulent le rétablir dans sa ville de Delhi. On murmure déjà qu'il ne va pas tarder à y rentrer.

— Crois-tu que les Anglais le laisseront faire ?

— Les Anglais sont encore trop occupés à se maintenir au Bengale. Et la seule chance française de reprendre les Indes, c'est de restaurer le Moghol. Pour cela, nous avons besoin d'un chef de guerre. Si vous concluez ce mariage, si par votre beau-père vous vous ralliez les banquiers de l'Inde, si vous parvenez à vous approcher du Moghol, tous les espoirs vous sont permis, Madec !

— Les Anglais ne le permettront pas. »

Le jésuite trembla légèrement. Il paraissait excédé : « Je vous répète que les Anglais ont à faire ailleurs.

— A Godh, par exemple.

— Dieu ait leur âme, mon fils. »

Ainsi, Wendel savait. Il aurait dû s'en douter. Qui l'avait mis au courant ? Sombre bien sûr, Sombre ou ses émissaires. Dès le début le jésuite avait su, dès le printemps, dès Agra, dès Bénarès peut-être... Evidemment ! Des mouvements de troupes anglaises n'avaient pu passer inaperçus, surtout au cœur de l'été, dans les plaines faméliques et brûlantes.

Madec se remémora l'ambassade de Sombre. Comment avait-il été assez naïf pour n'y pas prêter attention ? Et si c'était Sombre lui-même, fou de rage d'apprendre le refus de Sarasvati, qui avait manigancé l'attaque de Godh, le meurtre de Gopal ? Non, c'était impossible. Sombre détestait trop les Anglais. Mais l'amour, l'amour, le désir de posséder cette femme magique, de retrouver prestige, gloire et puissance. Et n'était-il pas capable de la plus noire duplicité, plus diabolique encore que celle du jésuite ? La tête commençait à lui tourner. Il interrogea du regard le père, qui le fixait avec un visage fermé depuis que Madec avait parlé des Anglais. Il n'en dirait pas plus, c'était clair. Il fallait achever au plus vite.

« A qui veux-tu, jésuite, que je mène la guerre ?
— Nous parlions mariage, ce me semble ?
— Guerre ou mariage, à t'entendre, c'est tout comme en ce pays !
— Vous voulez donc, mon fils, mettre de l'ordre dans votre conduite ? »

Madec remarqua en frissonnant que le père Wendel prenait le ton de la confession. Il fut alors bien près de le jeter hors de la chambre, lui et ses onctuosités. Mais il sentit à nouveau un grésillement à ses oreilles, ce qui sauva le jésuite de quelques malencontreuses bourrades ; car il n'entendait plus ses paroles que déformées, comme parvenant d'une pièce lointaine ; il se persuada donc que ce discours s'adressait à un autre que lui et qu'il pouvait le supporter. Le prêtre continuait :

« ... Il convient donc, mon fils, de devenir riche, pour faire honneur à votre nouvelle famille ; un mariage coûte fort cher sous ces climats, bien plus cher qu'en Europe. Vous devrez prendre service chez un rajah ou maharajah des environs, qui vous confiera le soin de récolter ses impôts ; vous avez déjà fait merveille à cette tâche, et je veillerai personnellement à vous trouver emploi, sitôt finie la saison des pluies. Puis, quand vous aurez pris femme... »

Madec releva ses cheveux qui lui gênaient le regard et interrompit le père :

« Ne plaisantons pas, jésuite. A présent, je n'ai rien, je ne suis rien, que mes talents à la guerre. Crois-tu que le père de cette fille, qui tient tellement à elle, va me croire sur parole et sur ma bonne mine ?
— Cet homme m'est fidèle ; il suit tous mes avis. Ne suis-je pas le bon pasteur d'Agra ? »

Wendel avait pris l'expression d'une vieille fille offusquée. Il plissa à nouveau les yeux d'un air extrêmement pénétré :

« Et puis il n'y a pas que lui à souhaiter la venue d'un bon chef de guerre. Les marchands...

— Les marchands ! Ils vont toujours du côté du plus fort. Ils se plieront aux Anglais !

— Non pas, Madec, si le Moghol reprend le pouvoir !

— Tu ne crois donc plus en Sombre ? Voilà un chef de guerre !

— L'ennemi est puissant, mon fils. Il nous faut de grandes armées. Il y a Sombre, en effet ; il y a aussi Salvador de Bourbon, un *frantci,* comme le père de cette fille à marier ; il descend d'un aventurier venu ici il y a deux siècles, oui, un Bourbon, te dis-je, un Bourbon, comme notre bon roi ! Et il y aura vous, Madec... »

Il avait touché juste. Malgré la fatigue, Madec rougit de plaisir. Il préféra cependant s'en tenir à la question d'argent et répondit d'une voix affaiblie :

« Résumons : pour prendre femme, il faut que je sois riche et qu'ensuite je m'engage à servir la cause du Moghol ?

— Ne vous inquiétez pas de cela. Commencez par être riche, mon fils, vous aurez la fille, puis le rang, enfin viendra la gloire. L'espoir se lève pour la France des Indes... »

A ces mots, épuisé par un ultime effort d'attention, Madec s'écroula de tout son long sur le sommier :

« Alors j'épouse, jésuite, j'épouse. Mais avant tout, montre-moi la fille. »

Le père Wendel ne répondit pas. Madec dormait déjà, les bras en croix, la tête penchée sur le côté.

« Je le savais bien », murmura le jésuite, et il sortit sans le bénir.

*

* *

Madec dormit quinze heures d'affilée. Dans son sommeil s'agitèrent parfois des visions singulières : Corentin, son éléphant, qui gambadait dans les jardins de Godh, avec une peau immaculée qu'il n'avait jamais eue, tout éléphant blanc qu'il fût dénommé ; le père Wendel, nu et souriant, qui distribuait des bénédictions fort obscènes aux mendiants d'Agra ; Sarasvati enfin, dont il ne parvenait pas à chasser l'image, et qui s'obstinait à lui paraître en habits de noces.

Tous ces fantômes, plus inquiétants les uns que les autres, étaient dominés par la silhouette constamment présente du Grand Moghol, que l'esprit anxieux de Madec dessinait au cœur du sommeil comme une sorte de gros dragon chamarré, tout orné de perruches et de crocodiles humides. L'empereur se penchait vers lui à intervalles réguliers, pour lui déclarer d'une voix caverneuse : « Je te remets ma protégée ! » puis se retirait dans un recoin ombreux, et réapparaissaient en désordre le père Wendel, le beau Corentin, Sarasvati, à qui Madec tendait les bras, elle lui échappait, il s'écroulait à terre, le Moghol le relevait, « Je te remets ma protégée... », et recommençait la danse du rêve. Une averse crépitante le réveilla enfin. Avant de s'endormir, il n'avait même pas pris son bain, il ne s'était pas non plus débarrassé de la robe fangeuse qu'il portait depuis Godh ; inévitable conséquence, qu'il découvrit avec horreur, il sentait l'Européen, c'est-à-dire très mauvais.

Il allait se retourner pour chercher la bassine, dont il se souvenait qu'on l'avait déposée près de la porte. Elle avait dû y rester ; elle serait à présent pleine des eaux de l'averse, et il pourrait s'y rafraîchir. Il avait soif. La tête lui tournait toujours. Il chercha les aiguières, comme à tâtons, encore chancelant. Elles avaient disparu. Il souleva le store. Un long moment, sa robe jetée à ses pieds, il tendit son corps aux pluies de mousson. Il fut soulagé en quelques instants. C'était même délicieux. Il reprit son vêtement. L'averse l'avait définitivement transformé en loque. Il rentra dans la chambre, le secoua pour l'étendre.

« Mes soldats... »

Il jeta à nouveau un œil dehors, vit des silhouettes familières s'agiter autour de la cour. Ils étaient là, tout allait bien. Eux aussi avaient dû se reposer, dormir une longue nuit. Le soleil, doucement, commençait à percer l'averse.

« Il faut que je change de vêtements », dit-il à mi-voix, et il se pencha sur sa poche droite pour y chercher son diamant.

Il n'y était plus.

Son esprit était encore embrumé, mais il ne rêvait pas : le diamant avait disparu. Pourtant il percevait encore dans les plis de la robe le poids de la pierre, auquel il s'était accoutumé depuis son départ comme s'il était une partie de son propre corps.

Il fourragea avec fébrilité dans l'étoffe. Ses doigts, enfin, reconnurent les faces du diamant. Il était là, avec l'amulette. Mais on y avait touché, puisqu'il le trouvait dans la poche gauche, au lieu qu'il soit dans la poche droite où il l'avait toujours gardé. Ses visions de la nuit lui revinrent. Dans le désordre du rêve, se pouvait-il qu'il en ait ainsi interverti la place, par un de ces gestes bizarres que ne contrôlent plus les esprits troublés ? Il sortit la pierre du tissu, l'éleva jusqu'à la lumière, l'examina dans le soleil qui montait. C'était bien elle, sa taille inimitable, son reflet blanc-bleu.

« Cochon de jésuite... Il m'a fouillé pendant que je dormais. »

Il arracha la toile du sommier, s'en revêtit les hanches, saisit son pistolet et son épée. Il ne songea pas à l'effet qu'il produirait sur ses soldats qui déjà le contemplaient avec stupéfaction ; il se moquait autant du jésuite. Il n'avait qu'une seule idée en tête : le prendre au collet, le faire avouer et l'étriper sur-le-champ.

Un des hommes devina son projet :

« Tu cherches le jésuite ? Il est à confesser !

— A la chapelle ?

— Oui, à l'entrée. On a demandé notre tour, dame, on ne sait jamais, avec la mousson, les maladies, il a dit, plus tard, plus tard, les gens d'Agra d'abord... »

Madec ne l'écoutait plus. Il traversa la cour au pas de charge, sans se soucier de son accoutrement. La toile du sommier ne formait qu'un pagne court autour de ses hanches, mais depuis qu'il avait connu Godh, son corps s'était accoutumé à tous les tissus, à tous les plis, à tous les nœuds, car l'Inde le plus souvent ignorait les coutures et maîtrisait l'art de vêtir sans contraindre ; la meilleure soubreveste ne lui aurait pas donné plus d'aisance. Nu, demi-nu, drapé dans une mousseline, il ne se sentait jamais plus ridicule, et il lui sembla même, tandis qu'il courait sur les pavés humides, que ce bonheur du corps lui était venu pour toujours, le soir où Sarasvati avait pour lui soulevé ses voiles.

Il était parvenu à la porte de la chapelle, à demi vermoulue, comme tout le couvent, et pénétra dans le lieu saint sans autre forme de procès. On ne l'avait pas entendu car rien n'avait frémi au croisillon du confessionnal. Madec se posta derrière le premier pilier.

On parlait hindi. Le confessé était agenouillé à la vue de Madec. C'était un homme assez clair, aux traits fins, un *frantci,* à l'évidence, d'après ce qu'il avait cru comprendre de cette nouvelle race. Il devait avoir une cinquantaine d'années et paraissait fort riche, à voir toutes les pierres qui étincelaient à ses mains.

Le jésuite, lui, était dissimulé au regard par la porte ouvragée du confessionnal, et Madec, un long moment, n'entendit que des chuchotements informes. Le *frantci* hochait la tête en silence ; Madec enrageait derrière son pilier. Ce confessionnal était parfaitement grotesque. On avait voulu y copier la splendeur des ébénisteries indiennes, et on n'avait construit qu'un genre de palanquin mafflu. Manifestement, il servait beaucoup, à voir l'usure de ses marchepieds. Enfin le *frantci* se décida à répondre. Madec se contracta. Il parlait d'une voix un peu grasseyante, avec un accent qui lui était inconnu. Il tendit davantage l'oreille :

« C'est quand même ennuyeux... Il faudrait le tailler...

— Mais non, mais non, intervint Wendel, presque à voix haute, tant il était irrité.

— Qui vous dit qu'il acceptera de me le vendre à ce prix ? Si vous ne demandiez pas pareille commission... Et tout le monde saura qu'il arrive de cette ville maudite ! Vous avez beau me dire que la pierre n'en a que plus de prix, il vaudrait mieux la tailler, je n'aime pas les gros diamants, cette pierre pourrait me porter malheur ! Ne dit-on pas que le rajah a été assassiné ? »

Madec sortit de l'ombre :

« Et toi aussi, jésuite, tu le seras, si tu ne sors pas sur-le-champ ! »

Le *frantci* faillit s'évanouir. Le père ne bougea pas, on aurait pu croire le confessionnal vide de prêtre. Madec avait prévu cette parade. Il se précipita vers les croisillons.

« Sors ! ou je te brûle la cervelle ! »

Ce disant, il tira vers le plafond, d'où il tomba d'abondants plâtras. Comme prévu, Wendel consentit alors à pousser la porte. Il sortit lentement, blême, mais non point désemparé :

« Vous, Madec, et dévêtu, en ces lieux sacrés ! »

Il contemplait avec insistance le bas de son corps.

« Tais-toi, espion ! Espion du diable ! »

Le marchand se prosterna devant Madec, se répandit en salams terrorisés.

« Toi, va-t'en ! »

Il disparut. Il y eut alors un long silence et l'on n'entendit plus que ses pas pressés qui s'éloignaient sur les pavés humides. Contrairement à son habitude, le jésuite prit l'initiative de l'attaque :

« Ainsi, la princesse de Godh t'a récompensé. »

Il le narguait. Madec aurait voulu le tuer sans attendre ; cependant, la tête lui tournait, et il ne se sentit plus très sûr de sa force. Pour se moquer ainsi de lui, l'autre avait deviné son malaise et il en profitait :

« Elle t'a bien mal récompensé... C'est un diamant mol ! »

Madec ne comprit pas.

« Un faux diamant, si tu préfères », poursuivit le jésuite.

Madec faillit chanceler. A ses oreilles, le grésillement reprenait. Ne pas tuer Wendel, ne pas le tuer. Il était trop précieux pour le moment. Il pointa sur lui la lame de son sabre :

« Je comprends l'hindi aussi bien que toi, prêtraille ! Ton marchand ne voulait pas de ma pierre, car elle était trop belle ! Il voulait la retailler... Et toi, tu demandais ta commission, pour pouvoir nourrir tes pauvres, sans doute, ou t'acheter des nouvelles cloches ! »

Wendel ne broncha pas.

« Tu vas me marier au plus vite !

— On ne se marie pas sans fiançailles.

— Alors fiance-moi.

— Il faut attendre.

— Nous n'avons que trop tardé !

— Je ne suis pas sûr de tes sentiments chrétiens. »

Pour une raison que Madec ne démêlait pas, le père Wendel cherchait à gagner du temps. Il veut me tenir à merci, pensa-t-il. Et, pour la première fois, il se dit qu'il était malade ; cela, peut-être, se voyait. Malade... Wendel ne le lui avait-il pas prédit, au moment de leur séparation sous les murs d'Agra ? Et autre chose, aussi, dont il ne se souvenait plus...

Son sabre était toujours pointé sur la soutane du jésuite. Peu à peu, Madec sentait diminuer en lui l'énergie qu'il avait rassemblée. Dans un ultime sursaut, il se contracta :

« Jésuite, sache que j'ai gagné cette pierre au fil de l'épée, et que je la tiens des diamantaires de Godh, qui, avec ceux de Jaipur et Golconde, sont les joailliers les plus sûrs de l'Inde. Tout ce que tu as appris à me fouiller, c'est que je peux t'acheter sur-le-champ ta fille à marier. Alors tu vas aller chercher son père et tenir ta parole ! Allez, va ! »

Wendel ne bougea pas d'un pouce.

« Va, te dis-je ! »

D'un seul coup d'épée, Madec déchira sa soutane, qui découvrit un ventre maigre et cependant fort mou, de peau blanchâtre et, ainsi qu'il le supposait depuis longtemps, huilée avec le plus grand soin et extrêmement parfumée. D'une légère saccade du poignet, il agita la pointe de son sabre, qui y décrivit une longue balafre. Le sang se mit à sourdre :

« Seigneur ! Pour toi je vivrai le martyre ! hurla Wendel.

— Je t'ai à peine égratigné ! Quant au martyre, tu en as connu d'autres... Allons ! Va ! A moins que tu ne préfères te faire empaler ! »

Cette dernière proposition ne sembla guère agréer au jésuite, qui enfin se mit à trembler :

« Laisse-moi souffler ! Il faut que je change de soutane...

— Certes non, rétorqua Madec, va ! »

Wendel ne demanda pas son reste et ramassa ses jupes. Le temps de son absence, Madec fut d'une humeur charmante, que ses soldats ne lui avaient pas connue depuis fort longtemps. L'idée du père courant Agra dans sa robe déchirée, et tâtant sa blessure avec un air consterné, lui donnait une félicité sans nom qui parvenait même à effacer ses malaises. Deux heures plus tard, le prêtre était de retour, accompagné d'un nouveau *frantci,* un homme frisant la soixantaine, de physionomie un peu triste, que Madec attribua au regret de marier sa fille. C'était en effet le sieur Barbette, descendant d'une vieille famille française établie à Agra depuis bientôt deux siècles, et qu'on disait assuré de la protection du Moghol. On se rendit à la bibliothèque, où, très docilement, le père enregistra de sa plus belle plume une promesse de mariage rédigée en bonne et due forme. Le sieur Barbette, présentement marchand de grains, soies et tissus en la ville d'Agra, promettait sa fille Marie-Anne, née à Delhi, au sieur René Madec, logeant à la grâce de la communauté des jésuites, en attendant que sa fortune lui permît d'acquérir bonne maison en la susdite ville. Le père de la fiancée s'engageait à fournir à sa fille une dot de dix lacks de roupies, en échange de quoi le sieur Madec, aventurier de son état, offrait comme gage de bonne foi un diamant blanc-bleu, authentique et de belle taille, provenant des ateliers de Godh, lequel lui serait restitué après consommation du mariage. On en fixait la date à la mousson prochaine, temps pour le sieur Barbette de se préparer à cérémonie si considérable et pour Madec de réunir la fortune que réclamaient cette alliance et le rang éminent auquel elle l'élevait.

On parapha les parchemins établis en triple exemplaire, Barbette en hindi, Wendel en latin et Madec d'une vague croix : Godh lui avait enlevé jusqu'au souvenir de l'écriture, qu'il avait apprise pourtant autrefois, sous les leçons de son père, maçon-instituteur à Quimper-Corentin. Ne se souvenant même plus comment on lisait les caractères latins, il eut un moment un léger doute sur la nature de l'acte, mais il n'en laissa rien paraître, comptant fort sur la terreur du père Wendel, qui à l'évidence n'avait guère envie de voir s'ajouter une nouvelle balafre sur son abdomen délicat. Du reste, tout le temps de la négociation, il n'avait rien pressenti les ignorances de Madec et parut très surpris quand celui-ci apposa sur le papier sa petite croix.

« Il faudra, cher Madec, que je vous apprenne les lettres », lui déclara-t-il avec componction.

Barbette paraissait content, quoique toujours un peu mélancolique ; Madec songea alors à la fille ; pour que son père lui portât une passion si vive, elle devait être bien charmante. Il était près de passer la porte, quand il s'enquit soudain :

« Quel âge a la promise ?

— Douze ans, Madecji », répondit Barbette.

Il y eut alors un silence de mort.

Wendel intervint, les mains tremblantes d'effarement :

« C'est l'âge commun du mariage aux Indes... »

Madec ne sourcilla pas.

« Fort bien. Elle aura donc treize ans à la mousson prochaine. Quand puis-je la voir ? »

Le jésuite et Barbette échangèrent un regard consterné :

« Mais, Madec... Vous ne pouvez ignorer...

— Quoi encore, prêtraille ?

— L'usage des Indes exige que le fiancé ne voie pas sa promise avant la nuit de noces... La loi chrétienne elle-même ne saurait s'y soustraire ! »

Madec n'avait plus qu'une idée, retrouver son lit.

Il soupira, s'avança dans la cour et jeta au jésuite :

« Eh bien, soit ! J'attendrai. Bien des salams, seigneur Barbette, et gardez mon diamant en sûreté ! Et toi, jésuite, fais-moi tenir un lit, dans cette même bibliothèque, car ta chambre est petite et j'aime trop mes aises !»

Le jésuite s'exécuta. Madec ordonna à ses soldats de garder sa porte jour et nuit ; dès que le lit fut prêt, il s'endormit à nouveau pour de longues heures, au milieu de ces objets étranges qui commençaient à l'attirer, des livres dont l'odeur humide et fade lui plaisait. Il ignorait encore que c'étaient les œuvres de saint Jean de la Croix, ou des compilations savantes sur la grâce efficiente, ce qui aurait gâché sa belle humeur. Le lendemain matin, d'incessantes douleurs au bas-ventre l'arrachèrent au sommeil. Il demanda à boire ; il ne cessait plus d'avoir soif, il se sentit usé. Pour ses soldats, il fut clair qu'il était malade, et peut-être gravement. Curieusement, Madec ne s'en soucia pas ; il ne remarqua même pas leurs excès de sollicitude. A peine désaltéré, il réclama un miroir, avec une telle insistance qu'on en dénicha un, dans la chambre du jésuite et malgré ses protestations, entre des savons et des fioles à parfum. On le lui tendit. A peine s'y était-il regardé qu'il s'en détourna d'un air très las. La prophétie du jésuite — mais était-ce vraiment une prophétie — venait de lui revenir entière :

« Je suis vieux, eut-il encore la force de murmurer. Vieux et malade. Godh m'a tué. »

Et il s'endormit profondément.

*

* *

Ce fut en vérité une curieuse maladie. Madec avait le teint fort jaune, il dormit beaucoup ; dans les moments de veille, ce n'étaient que vomissements et flux de ventre. Pendant tout le temps que dura son mal, on ne donna pas cher de sa vie ; il délirait parfois, en breton, en français et en hindi, sans qu'il fût possible de reconnaître le sens de ses paroles, à l'exception d'un « maya, maya » qui revenait sans cesse. Malgré les réticences des soldats qui gardaient sa chambre, le père Wendel obtint de soigner Madec. A vrai dire, ils laissèrent faire, pensant que ses médecines ne pouvaient aggraver un état jugé désespéré. Des journées entières, dans le secret de sa chapelle, le jésuite prépara des poudres étranges, des sirops amers ou courut la campagne, une flore sous le bras, à la recherche de plantes rares ; il eut même, dit-on, des entrevues mystérieuses au fond du bazar d'Agra d'où il rapporta au couvent de petits sachets bruns qu'il cachait dans ses jupes avec précaution. Potions, élixirs, juleps se succédèrent ; il essaya tout, et il les versait lui-même au malheureux Madec, avec une tendresse presque paternelle. Un matin, la fièvre atteignit un seuil d'où il était assuré qu'on ne pouvait revenir. Wendel décida alors de veiller le malade tout le temps qu'il faudrait. Cela dura plusieurs jours et plusieurs nuits, et il ne dormit pas, l'œil rivé sur le visage émacié de son patient, et comme illuminé d'une passion secrète. De temps à autre, il lui épongeait le front, le calait sur son oreiller, mais le plus étonnant demeurait qu'il ne priait pas : on ne lui vit pas même un chapelet entre les doigts, au point qu'on pouvait se demander à bon droit s'il était médecin plutôt que soldat du Christ. Un après-midi enfin, alors qu'abattu comme jamais le jésuite sortait de son église, Madec émergea de sa somnolence. La fièvre avait pratiquement disparu. C'était la fin des pluies, la lumière de l'Inde se remettait au bleu. Pour la première fois, Madec ouvrit sur la pièce un regard qui n'était plus de brume. Le plafond de poutre et de chaux, les rayons de livres, les bois sans fioritures : il se crut un instant de retour en Europe. L'odeur, aussitôt, le détrompa. Car elle était bien là, l'odeur de l'Inde, s'infiltrant partout, et ses sens aiguisés par le jeûne la lui restituaient avec une intensité jamais connue ; il y distinguait tout : le parfum des lianes grasses et vernies surgies de la mousson, les fumigations d'encens dont on avait imprégné la pièce, les fragrances de nard échappées de l'église et, enrobant l'ensemble, les éternels effluves d'épices et de déjections chauffées au premier soleil d'après les pluies, vénéneuses, maléfiques, glorieuses comme l'amour.

Il sut alors qu'il s'en revenait de la mort. A son store s'agitaient les rayons de l'automne, et il renaissait, pur, lavé, neuf du passé. Léger, pareil au ciel qui passait la fenêtre. La maladie, dont il pressentait maintenant qu'elle l'avait envahi bien avant son arrivée au couvent, avait été son orage, sa mousson, sa vraie descente aux enfers. Son vrai voyage aussi, plus véridique que les milliers de lieues parcourues sur les vaisseaux de la Compagnie, plus réel que les chemins interminables qu'il avait battus de jungle en montagne. Du cœur de la fièvre, où plusieurs fois il s'était vu mourir, et de la pire façon, dans un lit, la langue nouée, prisonnier d'un demi-sommeil solitaire et douceâtre, il avait pourtant gardé la conscience d'avoir échappé à plus grand mal encore, Sarasvati, qu'il ne pouvait voir désormais que sous les traits de la reine Maya, Souveraine de l'illusion, aussi fuyante que la dame de Godh, qui lui avait conté ses sortilèges avec une complaisance inaccoutumée, en ces temps de l'avant-mousson plus brûlants que la fièvre. Oui, il avait réchappé de l'enfer, de Kalï buveuse de sang, de la ronde rouge de la mort, de tous les démons de l'Inde, saisisseurs, raksas, dakinis. Les temps de la renaissance étaient arrivés ; libéré de son corps, son esprit flottait doucement au ras des eaux premières, prêt à s'élancer à nouveau vers le monde des sens, le ciel bleu doux, l'odeur, l'odeur...

« Maya, murmura-t-il encore, et Wendel se pencha sur lui.

— Vous voici bientôt guéri, mon fils...

— Jésuite... Je dois reprendre les armes.

— Prenez patience, mon fils. Il faut vous fortifier. »

Wendel parlait d'une voix tendre, d'où toute hypocrisie semblait s'être envolée. Madec se crut en confiance :

« Je n'aime pas les lits, jésuite. Où est mon éléphant ?

— Ta bête va bien. Elle a grandi.

— Corentin ! Il a de belles défenses ! Je le mènerai à la guerre.

— Holà ! Madec... Pas si vite ! »

Madec désigna le store, qu'agitait le vent doux de septembre :

« Les pluies sont finies.

— Qui vous parle de guerre, mon fils ? L'Inde est calme. D'ici deux mois les premières moissons seront rentrées ; alors il sera temps de songer à récolter les impôts d'un rajah. D'ici là, il faut vous fortifier !

— Je n'ai pas de temps à perdre dans ton couvent.

— Certes, mon fils, mais vous êtes affaibli. Je vous ai soigné, je vous ai sauvé : je vous aiderai à reprendre force.

— Je m'ennuierai chez toi »

Le jésuite posa sa main sur le drap :

« Vous pouvez apprendre de moi des choses fort utiles.

— Et quoi donc qui me serve ? Tu ne sais même pas tenir un mousquet !

— N'avez-vous pas envie d'apprendre à lire, mon cher fils ? Et à écrire ? Croyez-vous bien que la gloire puisse s'accommoder de l'ignorance ?

— La gloire... »

Madec eut un long soupir. La conversation l'avait épuisé. Il n'avait même pas le courage de se lever dans son lit et de crier à ce prêtre le « va au diable » qu'il méritait. Et pourtant, la gloire... Peut-être le jésuite avait-il raison. Il se refusa à argumenter. Le souffle lui manquait ; et, tout compte fait, le lit ne lui était pas si désagréable. Il contempla la lumière qui filtrait par le store et, tout doucement, il s'assoupit.

Une semaine plus tard, le père Wendel entamait sa première leçon de lecture. Il vit sur-le-champ que Madec en savait tout. L'amnésie due à des années d'errances indiennes s'était brusquement effacée. Il en fut de même pour l'écriture. La maladie avait réveillé en Madec une rage de savoir toute nouvelle : il profita donc de sa convalescence pour obtenir du jésuite quelques leçons d'écriture arabe ; il en apprécia beaucoup les caractères, qu'il compara joliment à une route, un voyage tortueux d'un point à un autre. La santé lui revenait à si belle allure que Wendel n'eut pas le temps de lui donner, comme il le souhaitait, quelques rudiments d'écriture sanskrite. Un beau matin, au milieu d'une leçon, Madec renversa d'un seul coup livres, plumes et parchemins, déclarant soudain qu'il avait besoin d'air et qu'il reprenait la guerre.

« La guerre ? Mais qui a parlé de guerre ? Il s'agit simplement de récolter des impôts. Je vais vous trouver un rajah !

— Je n'ai pas besoin de toi ! Guerre ou impôts, c'est tout comme : éléphants, mousquets, canons ! Je pars. »

De tels signes de santé déçurent vivement le jésuite ; du temps de sa maladie, la détresse de Madec l'avait sincèrement affecté ; plus tard, sa rapidité à apprendre et son insatiable curiosité lui avaient offert l'ineffable plaisir de le sentir à merci. La proie était plus remarquable que prévu, et il comptait bien éterniser son empire. Or, d'un seul geste, Madec avait détruit ces folles imaginations ; il fut désespéré. Il tenta de le retenir, si troublé qu'il l'en tutoya :

« Tu es encore malade, Madec. C'est moi qui t'ai guéri, avec mes breuvages de plantes. Tu en as encore besoin.

— Les Indiens, comme toi, savent préparer des médecines. Je pars. »

Il se leva, encore chancelant, et, sans un regard, il se dirigea vers ses soldats.

Une semaine plus tard, il avait ranimé sa troupe, acheté de la poudre, fourbi ses canons, amassé du ravitaillement. Un marchand de la ville lui avait indiqué un rajah un peu éloigné, dont on prétendait qu'il avait grand besoin d'une armée, afin de réunir ses impôts qui depuis deux ans ne rentraient pas. Madec envoya un émissaire, puis se mit à attendre fébrilement son retour. Le jésuite, furieux d'avoir été devancé, commençait à regretter que ses médecines eussent été si efficaces ; il se mordait les doigts de ne les avoir point prescrites plus parcimonieusement, ce qui, à coup sûr, eût retardé la convalescence de son patient, qu'il trouvait décidément trop turbulent.

On attendit plus de trois semaines dans ces dispositions, Madec au comble de l'impatience et le jésuite exaspéré à proportion, quand l'émissaire revint enfin. Il apportait une réponse favorable. Avant de le laisser repartir, on ne manqua pas de le questionner sur l'état des provinces qu'il avait traversées ; ce fut alors qu'éclata la nouvelle, qu'à dire vrai tout le monde soupçonnait, sans s'y résoudre cependant : la princesse de Godh était arrivée dans le royaume de Dig, celui-là même où résidait Sombre. Elle campait à ses portes, on ne doutait pas qu'il la reçût incessamment. Enfin, chose plus extraordinaire encore, le bruit courait qu'il avait renouvelé ses propositions matrimoniales, malgré le refus qu'avait naguère essuyé son ambassade. Cette fois, la dame de Godh n'avait pas montré qu'elle s'y opposât ; et l'on murmurait même qu'elle était décidée à se faire chrétienne, aux fins de convoler avec Sombre, qu'on n'appelait plus que la *Lune des Indes*.

CHAPITRE XIX

Septembre 1764

Dig
Quinzaine sombre du mois de Bhadrapada
An 4865 de l'ère de Kaliyuga

Elle entendait déjà les conques, les trompettes, les tambourins, tout le déferlement sonore qui, où qu'on fût en Inde, célébrait aux quatre vents l'arrivée d'un puissant. Encore un petit moment, et à son tour elle franchirait les portes de la ville. Et quelle ville : Dig, capitale des Djattes, paysans-soldats renommés jusqu'aux Himalayas, des hommes-lions, avec Sombre à leur tête, dans une enceinte à leur image, dizaines de bastions, tours, demi-lunes, douves et meurtrières ; sur des koss et des koss, une muraille de terreur. Tout à l'heure, il lui suffirait d'un mot pour que ces murs fussent aussi les siens.

Sarasvati avait peur. Dans la solitude de sa tente, assise au milieu des tapis et des coussins fatigués du voyage, elle pouvait encore donner le change, mais qu'adviendrait-il lorsque Sombre entrerait, lui qu'on disait la *Lune des Indes* ? Pour la centième fois du matin, elle saisit son miroir. Face à un homme, quel qu'il fût, elle ne possédait désormais d'autre défense que la beauté. Elle respira, tout était en ordre, et c'était merveille pour une errante qui n'avait plus de femme qui sût la parer. Au centre de son front, sous son voile bleu et un léger diadème d'or, le tilak rouge, parfaitement circulaire ; à ses paupières, aussi pur qu'autrefois, le double trait de khôl ; une cascade de perles couvrait son boléro ; à ses poignets s'entrechoquaient les bracelets de turquoises, reçus pour les naissances, du temps de Bhawani. Arrachés à la hâte au palais envahi par la mort, les bijoux demeuraient son unique souvenir de Godh. Si elle avait distribué ses saris aux mendiants pour tout oublier de la mousson maudite, elle avait gardé les joyaux, car leur existence invisible, commencée sous terre des milliers d'années plus tôt, lui semblait échapper à toutes les vicissitudes humaines, quoiqu'une légende assurât qu'en certaines carrières on pût les semer et que, pareils aux plantes, ils renaissaient. « Sottises, pensa Sarasvati, rien d'autre que le sang répandu ne saurait permettre la renaissance ! Que perles et diamants poursuivent donc sur ma peau leur longue vie secrète, et songeons plutôt à la guerre et aux épousailles ! »

Elle approcha ses yeux du miroir, inspecta sans indulgence les contours de son visage. Malgré l'épreuve du voyage, l'absence de masseuse, les nuits sous la tente, les pluies sans fin, elle avait réussi à se garder belle. Miracle, sans doute, et fallacieuse apparence. Si les autres s'y trompaient, elle ne voulait pas être sa propre dupe. Tous, pendant cette folle équipée par monts et par jungles, n'avaient cessé de l'admirer. Rafales, ravines, vent, pluie, froid, danger, serpents rôdeurs, torrents en crue, elle avait tout supporté, elle ne s'était jamais salie. Toujours elle s'était montrée royale, tête haute, lisse, sereine, intacte.

Intacte, c'était le mot, et plusieurs fois elle avait

surpris les murmures de sa suite, « regarde, cornac, comme elle est belle, regarde, servante, jamais souillée de boue, et elle ne pleure pas son fils comme une faible femme, pas même le firangui qui s'en est allé au hasard des montagnes, vois donc, petit guide, comme elle est souveraine, la princesse de Godh qui porte la vajra »...

Intacte ! Le beau mensonge. De près, le miroir mettait bien sa fêlure à nu. Très secrète encore, cette petite meurtrissure, bien lovée dans le repli des rides naissantes, l'œil imperceptiblement durci, les lèvres qui s'asséchaient, là où, trois mois plus tôt, elles s'ouvraient encore pour la gourmandise. Rien que de très léger, rien qu'un signe ténu, comme elle en avait parfois observé dans la nature : le froissement sous l'averse d'un pétale de lotus, la fatigue de la rivière au premier grand soleil.

Ils ignoraient cependant, tous ceux qui la disaient belle, que cette beauté-là était en sursis. Sarasvati ne rayonnait plus, et bientôt sans doute sa déchirure éclaterait ; car c'en était fini de l'amour, des après-midi de plaisir et de ses mille manières. Elle ne brillait plus que de nuits de haine. Soleils, printemps, moussons, automnes clairs s'étaient arrêtés à jamais. Il n'y aurait plus d'attente que du sang. Sa vue, son odeur, les corps ouverts et transpercés, voilà ce qui l'avait menée à Dig ; elle le désirait aussi violemment qu'elle avait voulu le firangui, qui l'avait quittée, le fou, sans savoir la saveur du festin à venir, car il aurait été si beau, l'amour, au milieu des morts, si fort, le plaisir, après le sang. Rien qu'à y repenser, les larmes lui revenaient ; elle se raidit. La musique lui perçait les oreilles. Un serviteur souleva la toile qui fermait la tente :

« Il sera là d'ici peu, princesse.

— Assure-toi que c'est bien lui !

— C'est lui ! Il s'avance en tête, sur un éléphant gigantesque, et il porte l'étendard noir et or...

— Ce peut être un autre ! Ces firanguis connaissent toutes les ruses.

— C'est lui, c'est lui... »

Le garde tremblait déjà. C'était donc bien Sombre.

— « Fais-le attendre un moment. Qu'il sache bien que je ne suis pas une vaincue. »

Encore un moment de silence, avant que ne bascule le passé. Les larmes remontaient. C'était stupide : elle n'avait pas tressailli quand elle avait répandu dans la rivière les cendres de Gopal. Ne disait-on pas qu'elle avait la vajra ? Mais de lui, Sombre, on le prétendait aussi ! Colère contre colère, lequel des deux serait le plus fort ? Lequel ramperait, sourirait, souffrirait, donnerait tout pour l'autre ? Elle trembla à son tour. Contre tous les usages, Sombre avait accepté de se rendre à sa tente pour lui souhaiter la bienvenue ; ensuite, il chercherait peut-être à l'humilier. Sombre, qui tuait comme d'autres boivent, qui ne rougissait de rien, qui traînait par toute l'Inde des troupeaux de femmes esclaves et enamourées. Un instant, Sarasvati se mit à douter de sa force. « C'est Madec qui me l'a donnée, se dit-elle, Madec et son beau corps blanc, sa vigueur jamais connue ; et il m'a quittée, las de ma peau noiraude, de mes musiques, de mes breuvages ; trop de mois à l'aimer, à me sentir petite à sa première tristesse ; d'ailleurs, il a résisté au sortilège... »

La musique était au seuil de la tente, lui déchirant les oreilles. Le garde obéissant prolongeait l'attente ; un seul geste, et c'en serait fini : d'un firangui à l'autre. Il ne fallait pas pleurer. Seule et pauvre elle était sans doute ; pour tout bagage, un semblant de force, un reste de beauté. Tant pis. Faire face, tenir bon.

« Qu'il attende encore ! » chuchota-t-elle au garde.

Elle songea alors qu'elle n'avait pas d'étendard, ni le moindre signe distinctif qui annonçât son pays. Savait-elle encore, d'ailleurs, d'où elle était ? Dig, Delhi, Godh ? Sans terre, sans homme, sans enfant, l'Inde aurait dû la rejeter, telle une intouchable, privée de l'eau et du feu et souillant tout sur son passage. Mais elle possédait la vajra, qui triomphait de tout : du veuvage, de l'amour interdit, du départ du firangui. Elle fouilla précipitamment dans les coussins. De Madec, elle avait conservé un souvenir ; c'était un vieux mousquet, qu'elle lui avait dérobé au palais du lac, lors de leur dernier matin. Il ne s'en était pas aperçu, la main obstinément serrée sur son sabre, tant il s'était accoutumé à la manière indienne, et la tête trop lourde pour songer à la guerre. Ce mousquet serait donc son emblème, son fétiche, son étendard. Elle posa le fusil à plat sur ses genoux et attendit dans cette posture la venue de Sombre qui ne tarda pas.

Il apparut d'un seul coup, jambes écartées, tête haute, en costume de guerre. Pendant plus d'une minute elle ne vit rien de lui, que cette silhouette gigantesque qui se profilait dans le contre-jour. Dehors, c'était midi, et la tente était ténébreuse ; il cligna les yeux et on ne sut jamais si c'était d'entrer dans l'ombre ou d'être ébloui par la princesse. Elle ne dit pas un mot, elle ne bougea pas. Il y eut un grand silence, puis quelque chose frémit, qui n'était pas d'elle, mais de Sombre. Il frissonnait. L'un après l'autre, ses muscles, toujours tendus pour le combat, la haine, la violence, se laissèrent aller ; son sabre, son bouclier, sa cotte d'acier hérissée de clous n'étaient plus qu'un déguisement, des jouets d'enfant. Il réunit ses jambes, se prosterna, joignit ses mains pour le salut :

« Namasté, princesse.

Il n'avait pas ajouté, comme le voulaient les usages, « très honorée », mais elle ne s'en formalisa pas, devinant déjà qu'elle était la plus forte et qu'il ne voulait pas que cela parût.

« Namasté, très honoré seigneur Sumroo », répondit-elle avec malice.

Il releva le front ; sans la moindre retenue, elle se mit à l'examiner. Ce qu'elle vit d'abord, c'est qu'il était vieux, incontestablement vieux. Barbe noire et fournie, certes, mais très maladroitement teinte, tout comme ses cheveux, à ce qu'on en voyait du moins déborder du casque clouté. Quel âge ? Cinquante, soixante ans ? En tout cas, il était parvenu au temps où les hommes se relèvent mal de la manie des femmes, à force d'avoir cherché sur leurs corps la jeunesse évanouie. » Celui-là ne me possédera pas, songea-t-elle, quand bien même je l'épouserais. » Pour le reste, il n'était pas mal fait. Belle allure, silhouette massive, un peu trop sans doute selon le goût indien : trop de muscles et pas assez de graisse ; mais Sombre était un homme de guerre, n'est-ce pas, cela même qu'elle cherchait. De longues mains, cependant, un peu étranges ; elle s'y arrêta un moment : combien de vies avaient-elles arrachées ? Elle tenta de les imaginer dans le sang. Cela vint sans difficulté ; elle en conclut que la mort devait bien leur aller. Puis elle revint à son visage.

Sombre continuait à se taire, ses lèvres grasses légèrement frémissantes. Il fallait bien que quelqu'un se décide à parler ; malgré un reste d'orgueil, elle résolut de prendre les devants, car elle sentait son avantage assuré :

« Merci, très honoré Sumroo, d'avoir accédé à ma requête. Je ne suis qu'une errante, une faible femme sans protection... Merci de m'avoir accueillie, pauvre et sans escorte. »

Les longues mains faites pour le sang tressaillirent.

« Princesse, vous êtes belle. Votre beauté vous ouvre toutes les portes. »

Elle prit aussitôt un ton plus dur :

« Cela ne suffit pas, Sumroo, vous le savez fort bien. La beauté passe, comme tout le reste. Seule compte la force. Asseyez-vous. »

Il s'exécuta. Elle voulait l'avoir à sa hauteur, à sa mesure, à même le sol ; cependant, il demeurait énorme.

« La force ! Vous l'avez, princesse. C'est du moins ce qu'assure la rumeur. »

Elle éclata de rire, de son meilleur rire, un de ceux

qu'elle réservait à l'amour, dont elle savait qu'on n'y résistait pas. Les lèvres de Sombre se crispèrent dans un rictus effroyable.

« Cet homme, se dit Sarasvati, doit faire l'amour comme on dépèce un cadavre, avec ce même sourire qui n'en est pas un, de plaisir et de dégoût. Il se repaît des femmes, il s'oublie dans leurs blessures. »

Cette pensée était si nouvelle qu'elle faillit s'en effrayer ; elle mesura alors sa propre transformation. « Pour percer ainsi l'âme de cet homme, faut-il que je lui ressemble », songea-t-elle, et elle sourit de sa découverte. Sombre avait chassé son trouble.

« J'ai de bonnes raisons de consentir à me déplacer pour vous voir, déclara-t-il sèchement. Vous avez une fois rebuté mes ambassadeurs. Je viens moi-même vous le dire de ma bouche, et je ne me perdrai pas en longs détours. L'offre d'avant la mousson tient toujours : je veux vous épouser ! »

Il parlait d'une voix forte, où passait cependant quelque chose de très subtil, une sorte de sensualité exempte de tendresse, qui rappelait irrésistiblement à Sarasvati les accents de Madec, juste avant la fin de l'amour.

« Vous êtes un firangui, très honoré Sumroo. Vous avez la peau blanche. »

C'était un peu faux ; dès l'abord, elle l'avait remarqué, il avait le teint foncé, ce qui d'ailleurs l'avait un peu déçue.

Sa remarque parut le décontenancer :

« Certes, certes... Mais je sais qui vous êtes et d'où vous venez. Si vous n'aviez pas la vajra...

— Que voulez-vous dire ? »

Elle s'était subitement durcie.

« Rien. Ne parlons pas de cela. Sache simplement que je n'ai pas les préjugés de tes semblables. Je suis un homme venu des Eaux Noires, et c'est pour cela que tu me cherches, toi aussi. Car tu me cherches, à présent. »

Il s'était mis à la tutoyer, abandonnant à chaque

mot toute marque de respect. Elle se sentit tout soudain nue devant lui ; machinalement, elle qui depuis des semaines allait face au vent, elle se voila le visage.

« *A présent* ? Mais de quoi parles-tu donc, Sumroo, que tu ne dis qu'à demi ? »

Il fit semblant de ne pas l'entendre.

« Je n'aime pas les marchandages, princesse. Voici mon offre : unissons-nous. J'ai les hommes, l'expérience des guerres, les fusils et les canons. Je te les offre pour ta vengeance. Car tu hais les Anglais, n'est-ce pas, les firanguis à veste rouge ? En échange tu me donneras la vajra.

— La vajra ! Tu sais donc cela ! Et tu crois ces sornettes, toi, Sumroo, l'étranger qu'on appelle la Lune des Indes ! »

Il lui lança un regard terrible, qu'elle soutînt.

« Princesse, méfie-toi. Je ne suis pas marchand de neige ! »

Sarasvati réprima son sourire.

« Parlons donc, Sumroo.

— Je sais qui tu es et j'ai besoin de toi. Les Anglais s'étendent chaque année davantage. Ils corrompent un à un les princes et s'en servent pour pénétrer les terres les plus reculées.

— Tu ne m'apprends rien.

— Je te rappelle ton malheur pour te montrer qu'il va atteindre tous tes semblables et qu'ils ont besoin de toi !

— Continue donc.

— Clive, le vainqueur de Plassey, qui voici huit ans maintenant a ouvert le Bengale aux Anglais, est de retour. Il a reçu de son roi les pleins pouvoirs. Il fera ce qu'il veut, où il veut, sans être contraint d'en référer à quiconque, sans attendre les ordres venus par les bateaux de l'autre côté des Eaux Noires. Entends-tu, princesse, sans attendre les bateaux !

— Cela fait déjà un moment que les firanguis à veste rouge se sont installés au Bengale. Il est trop tard pour se réveiller. Dharma ! Nous payons pour nos fautes.

— N'as-tu pas déjà payé bien cher, princesse ?

— Ne me parle pas ainsi, Sumroo, ou je te maudis ! »

Il baissa un moment les paupières, puis reprit :

« Tu connais le dicton, princesse : il y a cent portes pour entrer dans le royaume du Bengale, et pas une pour en sortir.

— Les firanguis à veste rouge y entrent et en sortent comme ils veulent.

— Oui. Parce que nous n'avons rien fait pour les en empêcher. Tant que le Moghol sera faible, ils continueront. Mais qu'il redevienne puissant... Avec moi. Avec toi. Je fermerai les portes du Bengale. Avec toi !

— Moi !

— Oui, toi. Tu es belle, forte, trop belle et trop forte pour ces Indes qui craquent de partout. Aucun homme, sauf moi, ne voudra de toi, car tu fais peur.

— Peur ? »

Elle était sincèrement étonnée. Ainsi, c'était cela, la vajra ?

« Oui, peur. Mais je te l'ai déjà dit, je n'ai pas les préjugés des hommes d'ici. Moi aussi je fais peur. Et j'ai le savoir des firanguis, princesse. Je connais le Moghol ; la guerre est mon amie. Je suis connu par toute l'Inde.

— Oui. Mais tu n'y es pas le seul firangui. »

Sombre blêmit. Elle crut un instant qu'il allait se lever. Ses mains se crispèrent sur le pommeau du sabre :

« Oublie-les ! »

Elle ne répondit rien.

« Oublie-les. Ce sont là gens de sac et de corde, de misérables aventuriers qui se vendent au hasard des chemins.

— Non.

— *Il* t'a laissée, n'est-ce pas, car tu es devenue

pauvre, il t'a abandonnée, il a eu peur, et te voilà à mes portes ! »

De dépit, il s'enferrait ; Sarasvati continuait à secouer la tête :

« Non. »

Elle replia sur elle un à un ses voiles, comme pour lui signifier son congé. Son visage disparut bientôt sous la mousseline bleue, et il ne vit pas qu'elle pleurait.

« Je t'offre la vengeance.

— De lui je n'ai point à me venger.

— Je te donne le pouvoir.

— Ne me trompe pas. C'est toi qui le possèdes. Tu ne le lâcheras pas. »

Il enleva son casque, le posa sur le tapis. Elle souleva un pan de mousseline. Ses larmes s'étaient vite taries. Rien n'avait percé de son émotion. Cette dernière victoire sur elle-même acheva de la rassurer ; à nouveau, elle observa Sombre, il était vieux et très las. Le casque avait découvert un front creusé de très larges rides, et sur son crâne commençaient à s'éclaircir les cheveux que la teinture abîmait. Cette fois, ce fut lui qui déchiffra sa pensée :

« Je n'ai rien à te cacher, princesse. Je ne suis plus jeune. Tu es très belle, mais je suis revenu des femmes. Je n'attends plus rien d'elles.

— On dit que tu en possèdes deux cents, au bas mot, sans compter celles que tu achètes de temps à autre... Il en est certainement de plus jeunes et plus jolies que moi. De plus fécondes, aussi, car tu n'ignores pas que mon ventre est sec depuis des années déjà. Alors, qu'attends-tu de moi, qui ne soit pas d'une femme ?

— Tu n'es pas une femme. »

Sarasvati éclata de rire, d'un rire plus perfide encore que le précédent, un petit rire cascadé qu'elle n'avait jamais réservé qu'aux très grands après-midi, quand Bhawani ou Madec, emportés par ses imaginations amoureuses, emmenaient son corps vers des plaisirs inconnus, dont le raffinement la ravissait des heures. Elle guetta le visage de Sombre, où elle voulait voir revenir l'expression sauvage de tout à l'heure, cet air de tueur avide de blessures. Rien ne vint. Il baissait la tête, serrant fébrilement ses mains l'une contre l'autre.

« Et que crois-tu que je sois, sinon une femme, reprit-elle. Quel monstre crois-tu épouser ?

— Il y a de l'homme en toi. »

Elle ne fut pas certaine d'avoir saisi le sens de ses paroles. Sombre parlait parfaitement hindi, mieux encore que Madec, et sans le moindre accent. Mais depuis l'été passé avec l'autre firangui elle se méfiait des hommes des Eaux Noires, car souvent on croyait les saisir, et c'était un tout autre monde qui parlait dans leurs phrases, l'univers inconnu qu'elle avait désespérément cherché sur la peau si pâle de Madec, et qu'il lui avait refusé. Elle releva un à un ses voiles. Sumroo venait de l'émouvoir. Pourquoi la devinait-il si bien ? Pourtant, c'était chose assurée, jamais, au grand jamais, il ne la posséderait.

Il le savait déjà. Il releva la tête, comme si elle avait parlé à voix haute :

« M'épouseras-tu ?

— Je suis pauvre, misérable, stérile.

— Peu importe.

— Et le ventre sec ?

— Peu importe. »

Elle n'en revint pas.

« De m'épouser ne te donnera pas la vajra.

— Je t'apprendrai la guerre. Nous jetterons les Anglais hors de l'Inde.

— Je suis hindoue.

— Cela me convient. Ce sont les tiens qui sont ici les maîtres de l'argent.

— Je ne possède rien. Et je ne connais pas les banquiers.

— Je m'en moque. Tu es hindoue, tu possèdes la

vajra, et tu seras ma femme. C'est assez pour obtenir d'eux l'argent d'une grande guerre.

— Et ton dieu ? Qu'en dira ton dieu ?

— Hormis celle de sa personne, un grand homme de guerre n'a point de religion ! »

Il s'était brusquement détendu.

« D'autres que toi sont plus respectueux.

— Soit, si tu le veux, Dieu ! Dieu, le grand distributeur des empires ! »

Il eut alors le rictus que Sarasvati attendait. Il exultait ; la joie l'inonda à son tour. Elle venait de comprendre ce qui lui échappait depuis le début : à cet homme, il fallait parler pouvoir. La puissance lui tenait lieu d'amour. S'il entretenait encore des centaines de femmes, c'était sans doute par souci de superbe, car il semblait fort usé ; seule l'image de sa propre gloire pouvait le réveiller, en dissipant l'ennui qui l'avait pris.

« Un dernier point, cependant, objecta Sarasvati. On naît hindou, Sumroo, on ne le devient pas. Si je t'épouse, il convient donc que je change de religion.

— Ne cherche pas à éluder ma question, princesse, je te le répète, je ne suis pas un marchand de neige ! M'épouseras-tu ?

— Si tu consens à me prendre pour femme selon le rite chrétien, je serai à toi. »

Il la dévisagea sans comprendre. Son ambassade lui avait bien décrit les manières étranges de la dame de Godh, et d'une Indienne il s'attendait à tout. Mais une telle proposition l'atterrait. Le firangui de Godh n'était donc pas le jeune homme libertin qu'on lui avait décrit, puisqu'il avait converti, ou presque, une dame de haute caste à une religion prônant l'égalité. Une femme que lui, Sombre, avait à présent le plus grand mal à mater ! Fort heureusement, ce Madec, comme on l'appelait, s'était éloigné, et il était maintenant aux bons soins du père Wendel. On verrait donc à le maintenir à des tâches subalternes. Ou à le faire disparaître. Sombre plissa le front ; ses yeux disparurent presque derrière ses sourcils. Cette histoire de firangui le contrariait au plus haut point. Il n'avait jamais eu sur lui que des renseignements contradictoires ; constamment, quand ses agents lui transmettaient de nouvelles informations, il s'était acharné à les trouver insignifiantes, tout en éprouvant une singulière impression de déjà-vu qu'il ne parvenait pas à définir ; et il restait persuadé, au fond de lui-même, que ce jeune Madec qu'on lui décrivait négligemment depuis un an avait plus de pouvoir qu'on ne voulait le croire. La vajra ? C'était impossible. Elle seule l'avait, il suffisait de la regarder. Du reste, pour l'instant, Madec ne pouvait pas contrecarrer son union avec elle, puisque tout le monde s'accordait, à commencer par la princesse, à reconnaître qu'il avait pris l'initiative de la rupture. Bien au contraire, puisque la dame semblait l'aimer encore, il bénirait l'affaire, trop content d'être débarrassé d'une liaison encombrante. Un libertin, peut-être, un jeune étourdi, un aventurier sans envergure. Et cette belle princesse, qu'avait adorée un peuple entier, s'était donnée à ce chien ?

Tandis qu'il contemplait Sarasvati immobile et souriante au milieu des coussins, un point cependant préoccupait Sombre : Wendel, une semaine plus tôt, dans son dernier courrier, lui assurait encore que la princesse était une idolâtre résolue, une dangereuse païenne dont il était vain d'espérer autre chose que sang et luxure. Les renseignements du jésuite étaient donc mauvais. Pour le sang, il ne s'était pas trompé, Sombre l'avait bien vu à ses yeux, et aux éclairs qui s'étaient allumés quand il avait évoqué les Anglais. Pour la luxure, c'était une autre affaire, dans laquelle Wendel s'entendait fort peu, quand elle n'était pas masculine. Et d'ailleurs, il valait mieux n'y plus penser. Sombre était las ; il avait peur. Tout, en cette femme, le déroutait. Aurait-il seulement, quand elle serait dans son lit, la force de l'honorer ? Mais le plus important était qu'elle acceptât le mariage. Et elle acceptait. Il lui fit répéter sa phrase :

« Prends-tu donc ici même l'engagement de m'épouser ?

— Oui. Selon le rite chrétien.

— Je n'ai pas de prêtre qui puisse te baptiser. Je suis pressé de te prendre pour femme. La saison de la guerre approche.

— Baptiser... ? »

Il avait traduit le mot en hindi, par une sorte de métaphore, intermédiaire entre *verser de l'eau et initier ;* elle se souvint en effet de cet usage, dont Madec lui avait dit quelques mots, au détour d'une de ses questions.

« Mais ne puis-je donc pas t'épouser sans être, comme tu dis...

— Baptisée... Non. »

Sombre plissa encore le front. Il était partagé entre la volonté de faire vite et une inquiétude extrême ; il pouvait, c'était évident, organiser un semblant de baptême, faire bénir le mariage par un prêtre d'occasion. Mais il connaissait bien le ritualisme des Indiens : que cette redoutable femme vînt à découvrir la supercherie, et c'en était fini de ses projets. Quant à dépêcher ici le père Wendel, qui était à vingt lieues, rien de plus facile, mais le jésuite ne manquerait pas de questionner, confesser, espionner, intriguer. En cette affaire Sombre voulait être seul. Tant pis. On l'intimiderait.

« Si tu le veux, princesse, nous serons époux dans trois jours. »

Il eut à nouveau un petit rictus, plus discret cependant que les précédents.

Il allait se lever pour la saluer, solliciter une ultime réponse, quand elle l'interrompit dans son geste :

« Dis-moi seulement quel est le titre de ta première épouse.

— Elle n'en a pas. On l'appelle *bégum,* en langue moghole. C'est la seule femme que j'aie épousée ; elle m'a donné un fils, elle est douce et soumise. C'est une musulmane.

— Tu changes donc de religion selon l'épouse ?

— Que t'importe ?

— Rien. Je veux porter mon titre. »

Les longues mains se crispaient, se tendaient vers elle sans un tremblement. Saravasti crut qu'elles allaient se jeter sur elle, la battre, la renverser, l'étrangler. Il n'en fut rien. Comme au matin du meurtre de Bhawani, toute son énergie se ramassa en elle, très calmement, et Sombre recula ses doigts, les replia, baissa les yeux.

« Je ne veux rien d'autre, Sumroo. Entends-tu : RIEN. Tout est clair. Tu es l'allié du Moghol ; tes troupes... *nos* troupes vont se battre pour lui. Je veux un titre qui me donne du respect à sa cour. Et par toute l'Inde. Et aussi devant les firanguis !

— Jure-moi que tu dis vrai !

— Je n'ai ni parents, ni mari, ni enfants, ni même de dieu... Sur quoi donc jurerais-je ?

— Jure-le-moi sur la vie du firangui ton amant ! »

Cette fois, elle ne tressaillit pas.

« Il est peut-être mort, lui aussi...

— Non. Il vit.

— Il vit... Alors qu'il meure si je mens. »

Sombre la fixa intensément, cherchant à démêler une ultime ruse. Le firangui l'avait abandonnée, et elle nourrissait peut-être assez de ressentiment pour souhaiter sa mort ; en ce cas, elle pouvait allégrement parjurer. Mais il ne lisait rien dans ses yeux, qu'une ardeur insolite et violente qui le dérouta davantage. « Qu'elle passe donc dans mon lit, se dit-il, après quoi je saurai tout d'elle. » Néanmoins, il n'en était pas absolument certain ; il se prosterna une dernière fois.

« Soit, dit-il en se relevant. D'ici trois jours, tu seras donc ma femme, la princesse Sarasvati ! »

Puis il disparut à grands pas dans la lumière de midi.

*
* *

Trois journées durant, Sarasvati demeura sous la tente, la tête pleine de larmes qui ne venaient pas. Elle attendait pour sortir qu'arrivât l'homme à robe noire, sans lequel, disait-on, le mariage ne pouvait être célébré. Au troisième jour la route demeurait vide. Le temps s'éternisait entre les averses chaque matin devenues plus rares.

La mousson se termine, songea Sarasvati en ce troisième soir, et une très fade tristesse la pénétra tout entière. Elle se voyait flotter, encore un peu perdue, entre deux hommes, entre deux dieux. Deux dieux ; mais de ce vague Christ des récits de Madec, il n'était point question. Elle ne se souvenait guère que d'un conte fragmentaire, l'aventure bizarre d'un enfant pauvre devenu *sadhu* puis crucifié, et surtout des affres de sa mère, une vierge aux yeux doux privée, ainsi qu'elle, du fruit de ses entrailles. Ce Christ-là, se disait la princesse, ne sera jamais qu'un leurre, comme à la chasse, une apparence où piéger le gibier : le nouveau et seul gibier, l'Anglais. Elle avait bien saisi qu'entre Sombre et les firanguis n'existait nulle différence, sinon celle qui sépare le vainqueur du vaincu ; Sombre, comme les Anglais, avait voulu prendre les Indes, les Indes tout entières, de ses neiges éternelles à ses forêts de cocotiers. Sa convoitise avait été déçue, peut-être parce qu'il les avait recherchées d'un désir égoïste, d'un rêve fou de domination solitaire ; alors que les firanguis à veste rouge, Sarasvati le pressentait depuis Godh, pourrissaient l'Inde ainsi que des termites en groupe et en silence : gourmandise secrète, tenace, jamais découragée. Voilà pourquoi elle voulait Sombre, ses canons, ses soldats, sa foi même de firangui, pour briser l'ennemi sur sa propre image, sur ses propres armes, et elle devenait chrétienne pour le dernier sentiment à l'agiter encore, la passion de Kali. Kali la noire. Elle n'ignorait pas qu'elle allait se prêter à une cérémonie barbare, où elle accomplirait des gestes impurs, dirait des mots qu'elle ne penserait pas. Mais tout cela serait futile, insignifiant ; au moment même où elle se livrerait au prêtre firangui, elle consacrerait en réalité son union à Kali. Le sacrifice du daim, sur l'autel de Godh, n'avait été que prémices. Avant l'heure du mariage, le temps de Khrishna ne serait pas révolu. Parfois encore, et trop souvent, Sarasvati se réveillait, les lèvres murmurantes d'invocations au divin berger. Si Khrishna n'était plus le Bleu Profond, si dans ses rêves il paraissait avec la même pâleur que le firangui Madec, il en gardait l'obsédante et lointaine présence, un songe, une brume errante, la mémoire nébuleuse du plaisir, qu'il fallait dissiper pour toujours. Sarasvati en était là de ces pensées amères, la tête lourde comme jamais de n'avoir pas pleuré, quand se présenta à la nuit tombée un cortège venu de la ville. Sombre n'en était pas, mais son émissaire, firangui de belle allure quoique borgne et un peu vieilli, la priait de bien vouloir entrer dans les murs de Dig, où, prétendait-il, elle serait plus à son aise pour attendre le prêtre.

On approcha une lampe. La servante l'avait élevée près du visage de Sarasvati, si bien que la flamme éclairait doucement ses joues, dont elle soulignait admirablement les contours fins et la peau dorée. L'émissaire, troublé, détourna le regard. Son air de sagesse tranquille plut à la princesse.

« Quel est ton nom ? lui demanda-t-elle sans répondre à son message.

— On m'appelle Visage.

— Visage », répéta Sarasvati d'un ton rêveur.

Elle venait de reconnaître dans ces sonorités difficiles la musique des mots firanguis, et le trouble à son tour la prenait.

« Visage... Et que fais-tu à la cour de Sumroo ?

— Je suis médecin de mon métier, princesse.
— Pourquoi donc te vois-je ici en messager ?
— Chez les vôtres aussi, princesse, les médecins sont parfois conseillers ou confidents. »

Il parlait hindi avec un accent assez net, ce qui renforçait l'étrangeté de leur dialogue. Elle eut, une seconde, l'impression d'un déjà-vu ; quelque chose, dans cet être, rappelait le passé ; une immédiate sympathie, ce fond de tendresse un peu triste qu'il portait sans pouvoir la cacher. Elle repoussa cette pensée : elle n'avait jamais connu de firangui borgne, et il était temps de renoncer aux souvenirs. Il avait pourtant parlé de confidents, et Sarasvati ne put s'empêcher de songer à Mohan. Mohan, disparu lui aussi dans le désastre de Godh, et de son propre fait, puisqu'il avait choisi de mourir, plutôt que de la suivre. Peut-être l'avait-il aimée, à sa manière, et abandonnée à un destin qu'il réprouvait, lui, le doux et tendre brahmane. Mohan le secret, le pacifique.

Elle se reprit :

« Oui, en effet. Je vois que tu connais les usages de l'Inde.

— Qui, vivant auprès de Sumroo, pourrait les mépriser ? »

Il avait souri, et ce sourire était beau. Sarasvati en oublia qu'il était borgne.

« Assieds-toi. Ainsi, ton maître désire que j'entre dans sa ville ? Ignore-t-il donc qu'avant son mariage nulle femme respectable n'approche de la demeure de son maître à venir ? »

Visage avait prévu la difficulté ; il continuait à sourire :

« Excusez-moi, très honorée princesse, mais ce n'est pas ici un mariage ordinaire.

— Oui, je sais. C'est moi qui campe aux portes de mon époux ; je suis errante et sans foyer.

— Disons plutôt, très honorée princesse, que mon maître a pensé qu'il n'était guère aimable de te faire attendre à ses portes plus longtemps, alors que le prêtre tarde, et qu'il t'avait promis le mariage pour ce jour. »

Elle éclata de rire ; il parut à nouveau fort troublé.

« Comme tout cela est bien dit ! Mais retourne chez ton maître, et dis-lui que j'attendrai. J'ai passé toute la mousson sous la tente, je peux encore y rester quelques nuits.

— Princesse... »

Sarasvati sursauta. Visage avait prit un ton suppliant, presque tragique :

« Princesse... Il ne faut pas refuser.

— Et pourquoi donc ?

— Je suis le médecin, et aussi le confident. Ne refusez pas.

— Confident ! Tu pourrais donc être le traître ! Qui me dit que Sumroo ne veut pas m'attirer dans un piège ? »

Elle ne riait plus.

« Fort bien », dit Visage, et il se leva.

Il semblait sincèrement blessé. Elle le saisit au poignet, le força à se rasseoir. La lampe l'éclaira de plus près, et elle crut encore reconnaître un lambeau de passé, une curieuse parcelle de souvenir qui, très brièvement, à la manière d'un paysage nocturne soudain déchiré par un éclair de mousson, réunissait Madec, Bhawani et ce firangui borgne.

« Sois en paix, dit-elle d'une voix blanche. Je te crois le cœur pur. Explique-moi ce que me veut Sumroo.

— Il est impatient... Il n'est plus très jeune. »

Ils se comprenaient à demi-mot ; dès les premiers instants s'était établie entre eux une complicité qui ne cessait de se préciser.

« Il te laissera en paix, continua Visage. Mais il a besoin de savoir que tu es dans sa ville, dans son palais, proche de lui, presque déjà sa...

— Je sais, interrompit Sarasvati. Et l'homme à robe noire ?

— Certaines routes, dit-on, sont coupées par des rivières en crue. Il aura du retard.

— Les pluies sont finies.

— Oui, mais certains torrents, descendus des montagnes...

— Soit, interrompit-elle encore. Je consens à te croire. Pourtant, je devrais te demander de m'en répondre sur ta vie.

— Si vous le désirez, princesse.

— Non. Point de gage entre nous. J'entrerai demain à l'aube dans la ville de Sumroo. Je veux un cortège. Musiques, danseuses, éléphants.

— Tout est prêt.

— En es-tu sûr ?

— Absolument. »

Elle rit à nouveau et ajouta :

« Pour moi-même, quatre éléphants de haute caste, en plus des autres. »

Il la regarda sans comprendre. Ravie de son effet, Sarasvati plissa les yeux, agita doucement ses bracelets :

« Oui. Un éléphant pour moi seule ; et trois éléphants, dont le palanquin sera vide. Entends-tu : *vide*, absolument vide. Pour le reste, la procession ordinaire. C'est la seule condition que je mette à mon entrée dans Dig. »

Elle arracha la lampe des mains de la servante ; Visage comprit alors qu'elle ne plaisantait pas. Elle avait dans les yeux une expression farouche, qu'il ne lui avait jamais vue ; mais avait-il jamais connu la dame de Godh ?

Lors du premier voyage, au temps où Godh était en paix, il n'avait voulu voir en elle qu'une très belle jeune fille, à peine modifiée par la maternité. Tout à l'émerveillement des palais, de la chasse, des esclaves qu'on lui offrait, il s'était tenu loin d'elle, indifférent ou parfois peureux. Le hasard l'entraînait à la redécouvrir. La lumière mouvante approchée de ses traits révélait la même beauté qu'autrefois, mais comme approfondie, affinée, ciselée d'une ardeur intime ; elle ne la possédait pas au temps de Bhawani, et Visage l'avait sentie poindre seulement quelques mois plus tôt, le jour de l'ambassade. Toute douceur en était absente ; ce n'était plus que la beauté délicate et dure d'un joyau serti, et la comparaison s'imposa à lui avec d'autant plus d'évidence qu'il n'y avait dans son corps nulle partie apparente qui ne fût parée de bijoux ; mais là où les pierres auraient dû paraître exaltées par la peau, c'était la peau elle-même qui devenait joyau, et l'on oubliait les turquoises, diamants, et autres saphirs, pour ne plus voir que l'architecture sublime de ce visage et de ces bras, auprès desquels toute précieuse orfèvrerie lui sembla aussitôt ramenée au rang de breloque vaine. Sarasvati devina son émoi ; elle ne répéta pas sa phrase. Il se leva, la salua sans oser la regarder plus longtemps.

« Nous nous sommes compris, je crois, dit-elle simplement.

— Il n'est point la peine de le dire, très honorée princesse », répondit-il, avant de s'évanouir dans la nuit.

Elle éleva une dernière fois la lampe, afin de ne rien perdre de cette silhouette un peu voûtée, qu'elle avait dû rencontrer dans une autre existence, au milieu du circuit infini des vies.

La vie d'avant, peut-être, celle de Godh. Depuis la mousson, chaque fois que lui revenait un fragment de mémoire, la naissance de Gopal, les chasses, ses danses pour Bhawani, les figures nocturnes qui préludaient à l'amour, elle y voyait comme les réminiscences d'une existence antérieure. Entre Madec et Sombre, Sarasvati était morte ; la haine seule la faisait renaître. La nuit suivante, elle rêva pourtant que des liens plus mystérieux unissaient les parties éclatées du temps, et elle se prit à songer qu'un dieu narquois s'amusait peut-être à faire marcher les hommes sur l'orbe misérable de leurs propres pas.

*

* *

Malgré l'heure tardive, Sombre ne dormait pas ; ses insomnies duraient depuis des années, surtout lorsque Visage n'était pas là pour doser exactement dans une coupe les poudres diverses qui lui donnaient le repos. La veille encore, le guerrier vieillissant avait envoyé vers les jungles du Nord, du côté des Himalayas, un nouveau sadhu, aux fins de lui rapporter des plantes mystérieuses qui, murmurait-on, auraient seules raison du mal dont il souffrait. Insomnie rebelle, extrême lassitude, ou prélude à une affection plus franche, nul ne savait, pas même Visage, qui pourtant s'épuisait à l'observer. Malgré les ans, la maladie terrible dont ces nuits blanches paraissaient le présage ne se déclarait pas, et Sombre parfois se demandait, au cœur de ses angoisses, s'il ne souffrait pas, plutôt que du corps, d'un long dérèglement d'âme, une sorte d'hypertrophie de la colère et du désir. Qu'avait-il été d'autre en effet que cette force brutale, convoitise, volonté, orgie, fureur, concupiscence ? Au soir de sa vie, le repos qui suivait ses frénésies et ses courroux ne venait plus ; son tourment durait jusqu'à l'aube, où le sommeil, souvent, ne le soulageait qu'une petite heure.

Cette nuit, sans le secours de Visage, il en serait ainsi, à moins que l'autre ne se dépêchât, et il fallait qu'il se dépêchât, car, outre le sommeil, il devait lui ramener un peu de la femme qui campait à ses portes. Tant qu'il ne l'aurait pas épousée, le plus fort de son anxiété se fixerait sur elle. Deux nuits déjà qu'il maudissait le jésuite, la mousson, la terre entière ; quand enfin vint le dernier soir, il ordonna à Visage, le seul auprès de lui en qui il eût confiance, de mander la princesse pour le lendemain. Au premier caprice de la dame, il avait résolu de la tuer. Au fond de son désir et de sa nuit, rien d'important ne comptait plus, ni le Moghol, ni la menace anglaise, ni la vajra, nulle combinaison politique. Il lui fallait ici Sarasvati, dès l'aube, dans ses murailles, au creux de son palais ; il ne la verrait pas, il ne la toucherait pas ; mais elle serait enfin dans sa tanière, et cela seul lui suffisait.

Il approcha de sa bouche le tuyau du narguilé. Maintenant qu'il usait de l'opium, ce plaisir-là lui était fade ; c'était un geste machinal, une sorte de contenance qu'il se donnait vis-à-vis de lui-même. Tout était calme au palais des Mille Fontaines. Parmi toutes les demeures du rajah des Djattes, il l'avait choisi en raison du murmure incessant de ses cascades et de ses canaux. Le maître des lieux le lui avait volontiers abandonné ; pour sa part, il passait le plus clair de son temps au fond d'une remise pourrie par les pluies, où il se livrait avec un jeune brahmane à d'interminables expériences d'astrologie et d'alchimie, laissant à Sombre la liberté de conduire les affaires comme il l'entendait, qu'il s'agît de mener la guerre ou d'engrosser ses femmes. Sur ce dernier point, Sombre se montrait fort léthargique depuis quelques mois. La fécondité du zenana avait baissé d'autant. C'était précisément ce qui l'inquiétait ; trois jours plus tôt, il avait découvert en la dame de Godh une princesse infiniment séduisante, bien plus fascinante que toutes les femmes qu'il avait pu connaître. Or, si paradoxal que cela pût paraître, il l'espérait moins belle ; il aurait souhaité en elle au moins un soupçon de charme commun, cette indolence sensuelle qu'avaient souvent les indigènes, et qui faisait que l'Inde était peut-être le seul pays au monde où se pussent confondre princesses et courtisanes. Il n'avait rien trouvé que d'une reine : intelligence, vivacité, ruse et haine ; une force intérieure incalculable qui annihilait la femme, ou du moins l'idée que Sombre se faisait de la femme. A son seul souvenir, son angoisse redoublait, et la quasi-certitude de se présenter devant elle au soir des noces comme aucune autre ne l'avait vu le paralysait des heures à l'avance.

Des pas résonnèrent sur le marbre de la galerie. Il se souleva du sofa où il méditait, tendit l'oreille ; ce n'était pas la démarche d'un serviteur, ni même d'un garde. Il avait, comme à l'ordinaire, dégainé son poignard et sorti son pistolet, vieille habitude de guerrier rompu aux traîtrises. Il écouta encore. Enfin il se rassura, c'était bien Visage, avec les nouvelles de la dame de Godh. Accroupi à l'indienne sur son sofa, Sombre conserva pourtant son pistolet braqué. Il attendait le mot de passe. Il résonna bientôt sous les voûtes de la chambre :

« Le tigre dévore l'Anglais qui l'a chassé ! »

Sombre saisit une lampe qui se consumait au pied du sofa.

« Entre ! »

Visage s'approcha, nullement étonné du pistolet pointé sur lui ; comme toujours, Sombre ne le rengainerait qu'au bout d'une bonne minute, quand il se serait convaincu que son médecin ne conspirait pas contre lui. Traitement de faveur car le commun des visiteurs était forcé de converser sous menace constante de l'arme, et il arrivait même qu'une colère subite du maître déchargeât l'arme sur un partenaire insolent ou rétif. Pourtant, Sombre n'était pas seul. Une tenture cachait une pièce absolument inaccessible par une autre voie que la chambre, où il cachait une douzaine de serviteurs et d'hommes en armes, prêts à surgir à la moindre alerte ; néanmoins, dans son obsession du complot, Sombre vivait dans la jalousie de son ombre, et il nourrissait pour l'humanité une méfiance sans réserve. Il claqua des doigts ; les serviteurs qui veillaient derrière le rideau apportèrent sur-le-champ de grosses lampes basses, qu'ils allumèrent avec précaution. Les flammes semblaient ajouter de nouvelles arabesques aux tapis ; devant leurs ombres changeantes, Visage ne put s'empêcher de penser à la scène de tout à l'heure : mais il contemplait alors le dénuement d'une tente humide, et non la splendeur de ce palais. Et cependant tout, absolument tout, lui avait paru plus beau. Il crut en découvrir la raison dans l'apparence de Sombre, ses traits usés par la guerre et l'opium, ses cheveux fatigués d'être teints, et surtout, au fond de ses yeux, son tourment non dissimulé, qui parvenait encore devant les soldats à lui tenir lieu de flamme guerrière. Comment résistera-t-il, se dit alors Visage, à une femme qui ne craint plus rien, ni complot, ni torture, ni surtout la détresse des nuits ?

Sombre l'interrompit dans ses pensées :

« Alors ? Vient-elle demain ?

— Oui. »

Il se leva d'un bond, brusquement ragaillardi.

« Elle vient. »

Il n'osait y croire.

« Elle vient ! reprit-il. Demain. Demain à l'aube, comme je l'ai demandé ?

— Oui. »

La physionomie de Visage l'intrigua. Il semblait à la fois abattu et exalté ; il en fut surpris car Visage l'avait toujours frappé par son égalité d'âme.

« Ne me cache rien, médecin du diable !

— Elle vient, je te le dis.

— Le cortège est prêt. Un ordre et les bayadères seront réveillées, les musiciens, les éléphants ! »

Il exultait, Visage jugea prudent de l'interrompre aussitôt :

« Il faut trois éléphants de plus. Et de haute caste.

— Comment ? éclata Sombre. Comment ! Mais je t'avais interdit de céder à ses caprices ! Que veut-elle donc, avec ces trois éléphants ? »

Visage hésita un instant, mais il fallait achever :

« Trois éléphants, Sombre, et trois palanquins, qui demeureront vides, absolument vides. »

A son grand étonnement, Sombre ne répondit pas. Etait-ce la rage ou la stupeur, il se taisait, l'œil noir, le sourcil froncé. Les lampes vacillaient sur le tapis. Visage n'osait s'éloigner, comme il le faisait d'ordinaire quand Sombre réfléchissait ; seulement son maître n'avait pas encore reçu sa potion. S'il s'en apercevait au sortir de ses pensées, dans quelle fureur entrerait-il !

« Trois palanquins vides... Mais pourquoi donc ? interrogea Sombre d'une voix soudain cassée.

— Je n'en sais rien. Mais elle les exige ; sans eux, elle menace de ne pas entrer dans la ville.

— Paraît-elle toujours disposée au mariage ?

— Je n'étais pas avec toi lorsqu'elle a accepté. Cependant, je l'ai trouvée fort sereine. Elle t'épousera, j'en suis certain.

— Gare à toi si tu te trompes ! Cette femme est folle, et moi plus fou encore de vouloir l'épouser ! Surveille-la bien, Visage, elle est capable de tout, il faudra que je double ma garde et mes espions, il faudra que je lui attache des femmes qui la gardent, il faudra... » Sa colère retombait peu à peu ; il s'affala sur le sofa, renversant le narguilé, le pistolet, le poignard.

« Visage... A toi seul je peux le dire. Donne-moi les poudres qui rendent l'homme fort ! Indiennes ou européennes. Les indiennes plutôt, ces singes-là savent tout de l'amour, donne-les-moi, vite, après tu me verseras le pavot, le pavot... »

Il n'avait jamais pu donner d'autre nom à la drogue ; l'usage de l'opium était couramment répandu d'un bout à l'autre des Indes ; on le consommait sous diverses formes, la plus banale étant d'en mâcher des tablettes, et les femmes du zenana n'étaient pas de reste. Sombre cependant savait qu'il avait dépassé depuis longtemps cette pratique commune. Visage mêlait à ses médecines d'autres poudres, les plus puissantes, les plus diverses, dont il variait constamment la composition, dans l'espoir d'alléger les peines de son maître.

Il commençait à bégayer ; c'était le moment critique, celui où vite il fallait le calmer, l'envoyer dans le faux sommeil que donnaient les potions. Bien souvent, c'était aussi un moment d'extrême lucidité où, comme dans la voyance, se rassemblaient à une vitesse prodigieuse les souvenirs et les calculs ; en quelques instants, il en avait pénétré la substance, en retirait une conclusion essentielle ; son angoisse enfin retombée, il s'abandonnait sur la soie du sofa, n'attendant plus, pour le délivrer de ses ultimes tourments, que le secours des médecines.

« Des palanquins vides, des palanquins vides ; j'ai entendu parler de ça, autrefois. Un vieux maharajah... Il avait perdu à la guerre ses cinq fils. Dans les processions, sa vie durant, figurèrent toujours cinq éléphants, cinq palanquins vides hissés sur leur dos. » Il s'interrompit un instant, fronça encore les sourcils.

« Mais celle-ci... elle n'a perdu que son mari et son fils !

— Il y a eu des jumeaux, dit-on, qui sont morts !

— Cela fait quatre morts, et non trois ! » tonna Sombre.

Visage ne répondit rien, se pencha sur la petite trousse qu'il promenait toujours avec lui. C'était là qu'il gardait, sitôt mélangées en des proportions connues de lui seul, ce qu'il appelait les poudres de Sombre. Les serviteurs connaissaient le rite, ils approchaient déjà la coupe et l'aiguière.

« L'Inde est étrange, Sombre, ne cherche pas à démêler les détours de cette femme. Elle a souffert, elle souffre encore. Toutes ses fantaisies ne sont que façons de tromper sa douleur. D'ici peu elle sera chrétienne, et la paix dans son cœur.

— Quatre, et non trois », répétait Sombre, tandis qu'il se penchait vers la coupe.

Avant de s'anéantir dans le sommeil, il fut pris d'un dernier sursaut. Il se dressa sur son séant, d'un seul coup, comme s'il avait enfin compris le vœu de Sarasvati.

« Tant pis, murmura-t-il à Visage. Donne-lui ce qu'elle veut. »

Une atroce intuition venait de le traverser. Le troisième palanquin vide désignait lui aussi l'un des morts du désastre de Godh, mais ce mort n'était pas un cadavre. C'était sa passion défunte, l'amour qui l'avait jetée vers Madec, et dont elle entendait signifier le deuil ineffaçable, alors même qu'elle entrerait dans la cité de Sombre.

*
* *

La procession partit lorsque pointait l'aube, dans les stridences des trompettes et des conques. La terre était sèche et le ciel clair. De toutes parts le sol avait verdi, et s'annonçaient déjà les premières récoltes. C'était jour de marché. A l'arrivée des éléphants, les paysannes accroupies devant leurs tas multicolores, légumes, épices, grains de toute sorte, eurent un moment d'épouvante, quand elles virent défiler les trois palanquins vides, puis cette princesse trop belle qui ressemblait à une déesse. On les vit soudain blêmir, ou arrêter leurs mains sur le plateau des balances, avant de les joindre pour le *namasté* effrayé qu'on ne devait qu'aux divinités terribles, Durga, Kali, ou les démons saisisseurs.

Du haut de son palanquin, Sarasvati contemplait la ville, un enchevêtrement de murailles, de palais et de temples, si confus parfois qu'on ne savait plus si l'on entrait dans une place forte ou un lieu de plaisance. Peu m'importe, pensait-elle, tous lieux désormais me sont égaux, et la guerre se mène plutôt à l'air libre que dans le secret des chambres.

Autour du cortège, elle sentit bientôt monter comme une étrange liesse, quelque chose qui n'était pas de la joie. Elle reconnut l'excitation religieuse qui prend les foules aux éclipses de Lune ou de Soleil, quand le peuple entier se jette dans les rivières pour supplier le démon de ne pas avaler l'astre qui est en peine. La procession cependant, à l'exception des palanquins vides, s'avançait selon les usages : on distribuait des poignées de sucre candi, on répandait de pleins flacons d'eau de rose. La *vajra*, sans doute ; il y avait dans tout cela une tension cachée, le frisson du divin. Car çà et là, Sarasvati remarqua aussi quelques excès : des orchidées précieuses jetées aux pas des éléphants, des fontaines remplies de parfums ; et elle s'étonna alors que Sombre, qui la voulait pour la guerre, souhaitât l'entourer d'une telle volupté.

On pénétra dans l'enceinte des palais. On lui avait expliqué que Sombre occupait l'un d'eux, et qu'elle ne devait pas s'attendre à ce que le rajah des Djattes vînt l'accueillir, car il vivait retiré du monde et ne voulait pas se mêler des affaires. Elle avait souri d'un air indifférent ; tout cela lui convenait. Elle n'avait guère envie de retrouver le cérémonial des cours, Diwan, l'astrologue, rajah trônant sur un siège en forme de soleil ; comme Bhawani, le seigneur de Dig se disait petit-fils de l'astre divin, et son palais principal, Souraj Bhavan, en portait le nom. Elle aurait même souhaité que Sombre vécût dans une résidence européenne, sans d'ailleurs pouvoir imaginer ce que cela pût être, afin que dans sa nouvelle vie rien ne vînt rappeler l'ancienne. Son attente fut trompée : pavillons de marbre reflétés dans des bassins, jardins et parcs parcourus de canaux, légers balcons ciselés, tout la ramenait à la poésie de Godh, ses rêves aériens sculptés dans la pierre. Elle ne comprenait pas ; malgré ce qu'en prétendait Madec, le monde devait donc être bien minuscule, pour que se répètent ainsi, d'un bout à l'autre des routes, une aussi singulière uniformité.

Depuis quelques instants, un homme courait aux côtés de l'éléphant, indiquant à mesure les différents bâtiments. Quand on dépassa le zenana, un vieux palais sinistre tout fermé de moucharabieh, Sarasvati ne put s'empêcher de soupirer d'aise ; elle retrouvait un de ses plus vifs émois, celui d'avoir brisé la clôture des femmes. La certitude de la liberté s'imposa à elle avec une telle évidence qu'elle en fut comme secouée ; elle s'aperçut d'un seul coup de toute la vie qui l'entourait : réelles, ces couleurs roses et jaunes des pavillons de marbre, réels, ces caparaçons d'argent sur le dos des éléphants, vivantes, ces bayadères en plein effort, et leurs seins qui parfois passaient le boléro. Vivante et réelle, Sarasvati elle-même, féroce, gourmande de haine sous ses voiles rouges, enfin réchappée de la transparence somnambulique où elle flottait depuis la mousson. Le guide lui indiquait le Palais des Poissons, une banale construction, fantasque et délicate quand une rumeur soudaine parcourut le cortège ; le maître de cérémonies, placé devant les palanquins vides, s'arrêta d'un seul coup ; il était clair qu'il ne savait que faire. Amusée, Sarasvati se retourna. Au détour du dernier jardin, au milieu de coolies décontenancés, s'agitait une longue silhouette toute vêtue de noir qui glissait sur les fleurs répandues et les morceaux de sucre. L'homme, un firangui, avait abandonné sa chaise à porteurs et lançait des signes désespérés.

Sarasvati le jaugea d'un seul coup d'œil. Cet être grotesque, plus laid à chaque pas, s'annonçait déjà comme parfaitement ridicule ; mais il était sans doute assez redoutable : de toute évidence, il s'agissait du prêtre.

Le père Wendel était en grande colère. Il était persuadé que Sombre voulait se rire de lui, et ne l'avait mandé à Dig que pour lui montrer combien peu il craignait le Christ, et le forcer à assister à un mariage païen. Il dépassa le cortège à grands pas, avec cet air outré qui déplaisait si fort à Sarasvati. Il alla droit au palais des Mille Fontaines. Dès la première galerie, il tomba sur Visage.

« Où est Sombre ? »

Visage ne put s'empêcher de rire. La soutane du prêtre était maculée de poussière et d'immondices, signe qui, aux Indes, marquait infailliblement tous les voyageurs. En outre, il serrait contre son cœur tout son matériel à bénir, comme s'il devait d'une minute à l'autre offrir son corps au martyre.

« Nous ne vous attendions plus !

— J'ai été retardé ! Tous ces païens, sur les routes, qui revenaient de leur pèlerinage au Diable !

— Khrishna ? Qu'y pouvons-nous, mon père, si

Sombre a élu domicile à quelques lieues de Vrindavan ?

— La peste soit de Khrishna et de Vrindavan !

— Ne jure pas, mon père... »

Wendel devint écarlate :

« Vous allez les marier, n'est-ce pas, les marier selon le rite païen !

— Certes non ! Et je vous conseille de calmer votre colère. Sombre vous maudit depuis deux jours, et c'est du désespoir de ne point vous voir qu'il s'est résolu à faire venir la princesse !

— Alors il voulait se passer de moi.

— Non, mon père... »

Visage s'interrompit un instant, puis reprit :

« Il a si peur qu'elle ne lui échappe. »

A l'idée de savoir Sombre tourmenté, Wendel eut un semblant de sourire.

« Bien. Je m'en vais donc me rafraîchir !

— Non ! Tu restes là ! »

La voix terrible avait retenti ; Sombre venait de paraître, dans son costume de guerre hérissé de pointes, qui lui tenait lieu également de tenue d'apparat. Wendel se prosterna en tremblant :

« Seigneur Sumroo...

— Relève-toi, vermine de prêtre, vil cobra, sanglier puant ! »

Wendel ramassa ses jupes sales, comme ravi des insultes. Il ne retrouvait son efficience qu'humilié, forcé, sali. Visage l'en détesta davantage ; il frémit à l'idée que ces mains trop blanches, aussi longilignes que son âme était retorse, allaient d'ici peu verser l'eau bénite sur la nuque exquise de la princesse, puis toucher ses doigts, les unir à ceux de Sombre...

Celui-ci continuait à secouer le jésuite :

« Le baptême, sur-le-champ ! Et le mariage ! Allons, sors ton viatique !

— Mais où, mais où ?

— Ici ! »

Il désigna au fond de la galerie un patio minuscule,

orné de plantes vertes et tout de marbre noir. C'était un lieu d'une extrême sobriété ; les découpures de ses arcades rappelaient un peu celles d'une église, et on aurait pu s'y croire, avec un peu d'imagination, dans le jardin d'un cloître ou d'une chapelle romaine.

« Oui, oui, acquiesça Wendel. Mais tu dois te confesser, mon fils. »

Le seul mot de confession lui avait rendu toute sa componction.

« Me confesser ! »

Sombre éclata de rire, son vieux rire d'autrefois, comme on ne le lui avait pas entendu depuis longtemps, et ses rugissements résonnèrent de voûte en voûte :

« Me confesser ! Toi le père Wendel, me demander mes péchés, toi qui soulèves les jupes de tous les bougres de l'Inde ! Voilà pourquoi tu es en retard, et tu oses demander à te rafraîchir ! Et de quoi donc te rafraîchir, jésuite, vautour, chacal pourri ! »

Le jésuite n'insista pas. Une demi-heure plus tard, l'eau ruisselait sur le cou doré de la dame de Godh, qu'on n'appellerait plus désormais que la princesse Sarasvati. Le père Wendel, devant une croix de santal et une image de la Vierge copiée sur son missel par un artiste indien, prit ensuite sa main lourde de pierres, et la posa sur celle de Sombre, raide et féroce sous son costume de guerre ; au dernier moment, il avait ajouté un diamant au milieu de son casque, et, sur son pectoral, un long collier de perles noires. Quand elle découvrit le bijou, Sarasvati frissonna ; elle crut y deviner un signe de sa déesse, un appel de Kali : tout d'ailleurs semblait l'évoquer, du marbre du patio à la robe du prêtre, à peine éclairée de son étole pourpre. On lui traduisait à mesure le latin du jésuite. Elle se retint de sourire sous ses voiles. Le dépouillement de la cérémonie, sa hâte, le détachement de tous les assistants contrastaient si fort avec la ferveur des mariages hindous : tout cela convenait à l'austérité de sa tâche. Non qu'en épousant Sombre elle renonçât au luxe, loin de là : la magnificence et l'or étaient la condition obligée du pouvoir. Elle recherchait plutôt une rigueur de l'âme, dont elle croyait encore qu'elle était l'apanage des firanguis. Ainsi, ces simples anneaux d'or échangés, qui signifiaient leur union infrangible ; la logique parfaite du serment de fidélité qu'ils avaient prononcé l'un et l'autre : dans le mariage hindou, on ne l'exigeait que de la femme. Point de marche autour d'un foyer, point de *mantras* à n'en plus finir : non, trois mots, deux gestes imperceptibles, et voilà qu'on la disait liée à cet homme. Pour le meilleur et pour le pire, à ce qu'elle avait cru comprendre. Et elle savait que ce serait le meilleur pour elle, et le pire pour lui.

Elle respira longuement, ferma les yeux, les rouvrit sur le patio. C'était fini. Quelle merveille que cela se fût passé dans ce lieu géométrique et nu, si loin des ventres humides des temples indiens, boyaux moussus au creux desquels s'agitaient trop de démons et de génies ; noire, noire elle était, mais c'est au ciel clair, à l'air libre que devaient se répandre le mal, la douleur sans nom de sa double vengeance, d'avoir perdu Madec et la vie de son fils. Visage l'observa un moment. Il remarqua son air tranquille et absent, son expression de force contenue. Elle continuait à rayonner. Songeant aux poudres qu'il avait prescrites à son maître, il ne laissait pas d'être inquiet pour la nuit qui allait suivre. Que pouvait la médecine devant un homme vieilli trop vite, qui s'obstinait à désirer, pis encore, à dominer, une femme que nul ne matait ? Tout entier à sa folie, Sombre exultait comme un jeune homme : il eut même un regard pour la madone du jésuite ; au moment de le renvoyer, il ordonna à Wendel :

« Fais venir ton artiste, qu'il me peigne dans le mois une Vierge à l'enfant qui ressemble à ma femme ! » Il n'osa pas saisir la princesse aux cheveux et aux poignets, ainsi qu'il en usait quand il voulait signifier à son entourage qu'une nouvelle venue allait retenir ses faveurs plus longtemps que de coutume. Sarasvati allait la première, comme si de ce palais elle connaissait tous les recoins, et il la suivait, le dos un peu cassé, le sourcil tourmenté de l'épreuve qu'il se donnait.

La nuit suivante, à l'heure qu'il avait fixé pour la visite de Visage, il était seul dans sa chambre, l'œil vide et la main tremblante. Sur le double sofa préparé pour la circonstance, il n'y avait pas l'ombre d'un pli, pas plus que dans l'air le moindre souvenir d'un parfum de femme.

CHAPITRE XX

Juin 1765

Panipat

Comme on l'avait annoncé à Madec pendant sa convalescence, Corentin avait grandi. C'était maintenant un superbe et vaillant éléphant, que les moelles de bananier et les cannes à sucre généreusement distribuées par Arjun avaient rendu joyeux, quoique d'humeur parfois excessivement folâtre. La guerre le changera, pensa Madec, et les mois qui suivirent lui donnèrent raison. Corentin renâcla un peu au moment des premières marches, on crut même, lors d'un premier engagement, qu'il ne supporterait pas le choc de la bataille. Le bruit des canons l'avait terrifié, il s'était sauvé à toutes jambes, piétinant au passage de malheureux cipayes. Mais il se fit peu à peu au combat. Arjun s'était attaché à lui d'un amour sans pareil. Il déploya des trésors de patience, comme l'éléphant, dans le fond, était des plus dociles, il devint très vite un excellent animal de guerre, allant jusqu'à connaître chez les soldats indiens une popularité extrême, au point qu'ils le tenaient pour leur porte-bonheur.

Madec, lui aussi, se transforma. Le marchand d'Agra l'avait adressé à un prince des plaines du Nord : un pays neuf pour lui, en majorité musulman, qui étendait ses plaines fertiles entre Delhi et les Himalayas. Dès qu'il fut parvenu chez son nouveau maître, un nabab, et non pas un rajah, comme on le lui avait promis, il s'aperçut que celui-ci ne pourrait pas le payer. Indifférent à la beauté du seigneur, à l'air de majesté qui régnait dans toute sa personne, à son raffinement extrême, qui surpassait tout ce qu'on pouvait connaître en ce pays qui n'en manquait pas, Madec résolut sur-le-champ de le quitter.

Ce prince était un ancien vizir du Moghol, retiré dans le Nord à la suite de quelques excès. Il s'était autrefois signalé pour avoir fait décapiter plusieurs hauts dignitaires de l'empereur d'alors, ainsi que ce dernier ; mécontent de son successeur, il lui infligea cependant un traitement plus doux : il se borna à lui crever les yeux ; c'était la façon élégante de déposer un empereur. Le troisième, bien décidé à défendre l'intégrité de sa personne, lui voulut du mal, et le vizir se réfugia là. Avant de lever le camp, Madec jugea donc plus prudent d'entamer avec lui quelques négociations. Elles furent longues et difficiles. Néanmoins, le vizir reconnut qu'il était hors d'état de le payer ; de surcroît, il traversait un moment de sa vie où le souci de la volupté l'emportait sur celui de la cruauté ; il n'avait plus que la poésie en tête, et voulait pour faire sa culture ajouter deux idiomes aux vingt-deux qu'il possédait déjà, ce qui lui laissait peu d'énergie pour décider d'empaler ce négligeable firangui si l'étranger, sans nul doute, savait manier les canons, de toute évidence il ne maîtrisait pas l'art du complot. D'un geste large, il finit par lui signifier son congé, un peu las de ces discussions d'arrière-boutique, où on ne lui parlait que soldes à payer d'avance, canons à fondre, et coût de ravitaillement.

Madec ne partit pas à l'aventure, et c'était à coup sûr le principal changement dans son caractère. Depuis bientôt un mois, un peuple voisin, les Rohillas, ne cessait de le solliciter. En guerre avec les Mahrattes, une horde de l'Ouest, qui cherchait à profiter du désarroi du Moghol pour s'approprier de nouveaux fiefs, ils avaient entamé des mois auparavant le siège d'une forteresse réputée imprenable, une manière de cité de terre à triple ou quadruple enceinte, bâtie au sommet d'un piton. Sitôt sur les lieux, Madec n'eut pas de peine à se rendre maître de la situation ; le désordre absolu, seule règle que connussent alors les armées indiennes, était l'unique raison de ce siège prolongé. Il repéra aussitôt les endroits vulnérables du fort, sema habilement la panique chez les assiégés ; enfin, par un usage méthodique de l'artillerie, il fit tomber en huit jours une place qui tenait depuis des mois.

L'Indien ne connaît pas la mesure ; on réserva à Madec un accueil triomphal, et s'ensuivit ce qu'il espérait : on lui offrit une solde considérable, plus de dix mille roupies, des cipayes autant qu'il en voudrait, toutes facilités pour former une armée à l'européenne, et surtout une part non négligeable des impôts qu'il récolterait sur les populations nouvellement soumises.

Encore une très brève campagne, et il ramena à la capitale du pays plus que son maître n'en avait jamais espéré. Ce fut la gloire ; au moment du partage, Madec se trouva à la tête, outre sa solde, de cinquante mille roupies en or, pierres, bijoux, monnaie ; il s'empressa aussitôt de joindre les plus grands banquiers, les héritiers des frères Djagarset autrefois massacrés par Sombre. Leur opulence n'avait pas baissé, on continuait à les appeler les Banquiers Mondiaux. En quelques mois, tout ce qu'il y avait de riche et de puissant dans l'Inde connut donc Madec, et l'on ne cessa de s'étonner de l'ascension si rapide d'un firangui sorti de rien, qui construisait sa fortune, non, comme la plupart des autres, sur de misérables combinaisons de commerce et de mensonge, mais au grand air de la guerre à l'indienne.

Effectivement, depuis sa maladie, Madec brûlait d'un feu tout neuf. En même temps qu'il l'avait vieilli, le mal, en son for intérieur, l'avait régénéré. D'une curieuse façon cependant. Si parfois Godh et sa princesse venaient encore errer à la lisière de ses rêves nocturnes, à l'état de veille il n'y songeait presque plus, exclusivement préoccupé de son argent et de sa gloire. Il avait bien compris qu'aux Indes, l'un n'allait pas sans l'autre.

Souvent, lors d'un partage, au détour d'une tractation, le chef des Rohillas dut lui remontrer qu'il tenait à l'or avec une ardeur dangereusement croissante ; Madec répondit aussitôt, avec l'expression de l'orgueil blessé, qu'en son pays les hommes n'avaient point d'autre souci que la passion de leur splendeur, et qu'il n'avait jamais ouï dire que celle-ci, là-bas, comme dans l'Inde, pût aller sans la fortune. Par son pays, en ce temps-là, il entendait la France, et non la Bretagne, dont il voulait oublier l'existence pour en avoir trop entretenu Sarasvati lors du dernier été. Un moment, il avait tenté de lui faire comprendre qu'il appartenait à un peuple vaincu, comme les Indiens d'autrefois l'avaient été par les Moghols ; il lui répétait que son peuple isolé et farouche, sur son morceau de roc, détestait l'envahisseur comme l'hindou le musulman. Elle n'y avait voulu voir qu'une nuance futile : « Tais-toi, Madec, je ne comprends rien à tes histoires de peuples vaincus, tais-toi, la mousson ne tardera pas, regarde dans le ciel le vol des oiseaux *sara,* vois l'éclair, les pluies sont proches... »

A présent, il chassait ces souvenirs. Cependant les chaleurs montèrent, vives et dures comme l'an passé. Un nouvel été, sec et brûlant, s'en revenait. Madec se sentait pris de la même aridité que la terre qui se craquelait, et il se disait chaque soir, quand la fraîcheur n'arrivait plus, que sa sécheresse d'âme croissait à proportion de sa fortune. Peu importe, c'est bien, se persuada-t-il tandis que s'épaississait la fournaise. Dharma, fort bien ! Le soleil tape et la terre roussit ; je me marierai au beau milieu des pluies, ce sera grand et fastueux, car moi aussi j'ai grandi, et je serai splendeur.

Dans quelque cour qu'il passât, que ce fût l'humble réunion de quelques hobereaux, ou le dorbar gigantesque d'un nabab munificent, son occupation favorite était d'observer la pratique quotidienne du pouvoir chez les descendants des conquérants moghols, et son exercice le plus commun aux Indes : la distribution des titres. En quelques mois, malgré la difficulté des mots persans, Madec avait appris la langue du pays, l'*urdu*, ou « langue du camp » ; il fut très vite à même de pénétrer les subtilités de l'organisation impériale.

Le principe en était simple. La totalité des terres de l'Inde appartenait à l'empereur ; ce domaine étant extrêmement étendu, les souverains moghols avaient confié la perception des impôts à des *zamindars* ou autres militaires, à charge pour eux de leur en reverser une partie. D'autres fois, ils en avaient offert le bénéfice entier à des officiers méritants : ce revenu leur tenait lieu de salaire. Avec le temps, et l'empire se décomposant, la plupart de ces gentilshommes étaient devenus indépendants ; leur bénéfice, *jaghir*, était quasiment devenu leur propriété ; ils se battaient les uns les autres pour se les soustraire, et c'est à eux présentement que se vendait Madec. Néanmoins, surtout dans cette Inde du Nord dont il était à battre les plaines, et qu'occupaient toujours les descendants de l'armée d'invasion, la hiérarchie moghole conservait un prestige immense ; quoiqu'on sût fort bien que le pouvoir de l'empereur faiblissait d'année en année, on mettait une vanité extrême à se parer des titres qu'il distribuait selon son plaisir. Pour lors, il n'était pas un prince qui ne fût le frère, ou du moins le cousin germain du Soleil ou de la Lune ; et, qu'il se montrât un prodige de sagesse ou un monstre de cruauté, il avait droit, au bas mot, d'être nommé Gloire du Firmament ou Colonne de la Vertu, Madec ne rêvait pas de définitions aussi vaines. Mais il voulait un rang qui le sortît du commun, de l'état de simple cavalier enrichi dans la rapine, où il demeurait encore. Car qu'était-ce d'autre que rapine que le ramassage des impôts ? Sitôt les récoltes rentrées, on se précipitait dans les villages, menaçant, tuant, incendiant au premier soupçon de révolte ou de mensonge. On tirait au mousquet sur des paysans qui n'avaient que des pierres pour se défendre ; et pourquoi se défendaient-ils, sinon pour garder de quoi survivre ? Cette année, après une excellente mousson, la récolte avait été superbe. Point d'insectes, peu de voleurs, et la guerre en sommeil. Alors, au milieu des cabanes de terre et des paysans qui bénissaient déjà les dieux, Madec avait surgi, canons pointés, déversant sur les huttes le sang et la mort, indifférent à tout, aux femmes, aux enfants égorgés, à la ruine qu'il semait partout où il passait, tant depuis Godh le carnage lui apparaissait une loi universelle de l'existence, une sorte de Dharma, quasi vital, auquel il était vain de vouloir se soustraire ; et tant aussi, il faut le dire, s'était levée en lui la soif inextinguible de la gloire et de l'or. Que ne le sacrait-on *rouzindar, mansebdar,* ou même *omrah,* seigneur du Moghol, pour qu'il menât grand train, palanquins, éléphants, femmes, sucreries et épices à foison, vivant dans un luxe de fou, accumulant des trésors en montagne ?

Chaque fois qu'il eut à faire dans une ville du Nord — fonte de canons neufs, ravitaillement, transaction avec les banquiers —, il en revint tourmenté de faste. Il avait aperçu Luknow, au centre du fabuleux royaume d'Oudh, que menaçait depuis des mois la convoitise anglaise ; de Lahore la douce et belle, de ses marchés innombrables ruisselant d'épices, bijoux et bois précieux, de son temple d'Or, de ses fontaines diaphanes, de ses faïences étincelantes, de ses guerriers farouches, les Sikhs, qui jamais ne se sépararaient de leur sabre, Madec n'avait eu que des échos assourdis, mais suffisamment enflammés pour que se levât son désir. Il avait ouï dire que Martin-Lion avait établi dans ces contrées un réseau de commerce semi-clandestin, qui lui procurait déjà de si beaux bénéfices qu'on lui prêtait le projet de s'y installer pour toujours, dès que la paix dans l'Inde serait assurée. Pas plus que Martin, Madec ne pouvait désormais se passer des plaisirs indiens, luxe, parfums, douceurs, épices, et il recommençait à y songer, séductions innombrables de ses femmes voilées en ces pays du Nord, et donc d'autant plus désirables. Mais il ne s'y livrait qu'entre deux combats, à peine rafraîchi de l'odeur de la poudre, de la poussière des champs de bataille.

Il se répétait en rêvant les titres des seigneurs moghols, *omrah do hazari,* seigneur à deux mille chevaux, *omrah panch hazari*, seigneur à cinq mille chevaux ; et même, pourquoi pas, *omrah duazdeh hazari,* seigneur à douze mille chevaux... Comme il avait été bien inspiré d'accepter la proposition du jésuite ! D'ici peu viendraient les épousailles ; il s'approcherait du Moghol, et s'offraient peut-être à lui d'autres titres, encore plus fastueux : *Nabab,* seigneur, *Bahadour,* Guerrier-Toujours-Prêt-Au-Combat, et ces dignités mystérieuses de la cour de Delhi, où l'homme disparaissait derrière la poésie de son nom, Palme-des-Guerriers, Canal-des-Grâces, Lion-de-Guerre ; enfin, titre suprême entre les suprêmes, *Khan,* Prince, sublime de simplicité, au point que Madec, dans ses imaginations mêmes, n'osait jamais se le traduire.

A ce moment de ses rêveries, grisé de gloires à venir, Madec en oubliait l'Inde. Sans qu'il en parût, elle continuait doucement à se décomposer. Chaque mois qui passait, le termite anglais pénétrait plus avant au

Bengale ; il était d'ailleurs évident que l'armée du roi George ne s'y bornerait pas ; elle ne cessait de mener des incursions multiples profondes, et plus ou moins détournées. Il fallait s'aveugler pour ignorer que l'affaire de Godh, très discrètement étouffée, n'en avait été que le prélude, et un épisode des plus banals.

Cependant la récolte avait été magnifique ; la nouvelle mousson n'allait pas tarder. Comme la précédente, les astrologues l'annonçaient excellente. En ce mois d'avril 1765, Madec pouvait à bon droit penser que le temps des passions s'était clos, et que, l'amour à jamais exclu, sa vie serait une course tranquille à la richesse et à la gloire. Rien ne s'opposait plus à ce qu'il achevât son projet de mariage. Aussi écrivit-il au sieur Barbette qu'il serait très heureux qu'il prît aussitôt des arrangements en vue des épousailles.

Ainsi fut fait. Barbette lui répondit sur-le-champ qu'il acceptait son offre, aux termes du contrat signé dix mois plus tôt. Il commençait les préparatifs, et affirmait qu'il veillerait, comme la fortune de Madec l'y autorisait maintenant, à prévoir pour la cérémonie tout l'éclat nécessaire.

*

* *

Il se présenta une difficulté immédiate : le chef des Rohillas avait peur. Il craignait tout, l'Anglais, les Mahrattes, et même ses alliés afghans ; dès qu'il apprit de Madec ses projets de mariage, il le supplia de ne pas s'éloigner. Madec entra dans une fureur terrible ; jamais il n'avait imaginé se marier ailleurs qu'à Agra ; à vrai dire, il ne s'expliquait pas cette détermination. Sans doute était-ce un souvenir du Taj Mahal, sans la vue duquel il n'aurait jamais compris ce qu'il en était de l'amour. Dans son union avec la fille du sieur Barbette, il ne songeait pas un instant que pût entrer le moindre sentiment ; cependant il s'agissait d'un mariage, et il partagerait avec elle la même couche. Aussi l'image du Taj avait-elle plané depuis des mois sur tous les rêves qu'il s'était forgés, et était-il hors de lui à l'idée d'y renoncer. Il fallut toutefois plier. Madec tenait trop à son maître et aux généreux subsides qu'il lui distribuait, pour risquer en quoi que ce fût de les perdre en même temps que sa gloire naissante. Il envoya donc un courrier au sieur Barbette, lui disant que les troubles du temps l'empêchaient de se rendre à Agra, et que chacune des deux parties devrait faire vers l'autre un bout de chemin. D'un commun accord, ils fixèrent le lieu des noces à Panipat, une petite cité au nord de Delhi, sur la route caravanière qui reliait la capitale du Moghol aux cités fabuleuses du Penjab, Lahore, Amritsar, et leurs plaines fécondes, ainsi qu'à la non moins bienheureuse vallée du Cachemire, en bordure des Himalayas. On ne pouvait faire un meilleur choix. Si Panipat n'avait pas la splendeur d'Agra, ni la beauté raffinée des cités radjpoutes, c'était un endroit hautement symbolique, qui ne manquerait pas d'attirer sur Madec l'attention vigilante du Grand Moghol. C'était là en effet que son ancêtre prestigieux, Baber, avait remporté la victoire qui lui avait donné les Indes, exactement deux cent quarante ans plus tôt. Evidemment, à l'égard de ses anciens amis hindous — Sarasvati en particulier —, l'affaire n'était pas dénuée d'irrévérence : il allait se marier sur les lieux mêmes qui avaient consacré leur défaite. Six ans plus tôt, les Moghols avaient arrêté à Panipat une nouvelle invasion hindoue. Cela n'arrêta pas Madec ; du reste, une idée nouvelle avait germé en lui depuis sa convalescence, à la lumière des longues conversations qu'il avait alors eues avec le père Wendel. Le jésuite lui avait parlé des empereurs moghols, s'arrêtant tout spécialement à la personnalité d'Akbar, pour lequel il semblait nourrir une tendresse fascinée. Roi analphabète, mais non sans culture, grâce à sa mémoire étonnante, Akbar avait passé sa vie à guerroyer ; au soir de sa vie, il avait compris que l'unité de l'Inde, péniblement acquise au combat, ne se maintiendrait pas, à moins que ne s'unissent les communautés hindoues et musulmanes, jusqu'alors farouchement rivales. Il tenta donc d'instaurer une religion neuve, qui mêlerait les vérités des frères ennemis, auxquelles il ajoutait, dit-on, celles du christianisme : la douceur des Evangiles lui paraissait le liant nécessaire à son projet. La légende voulait aussi qu'il eût étendu la tolérance jusqu'à vouloir des épouses des trois religions, fait que le jésuite ne jugeait pas avéré.

Le vieil empereur avait échoué. Son successeur, Aurengzeb, avait tout détruit de son œuvre, allant, dans sa folie mahométane, jusqu'à renverser les plus vieux temples de Bénarès. Tout au long de ces mois passés sur les traces des batailles impériales, sur les routes de ses caravanes et de ses lieux de plaisance, Madec avait constaté l'état de décadence où son empire se trouvait aujourd'hui parvenu. Il en avait conclu qu'Akbar avait vu juste ; son union des trois croyances et de leurs fidèles aurait pu guérir l'Inde de sa folie première et la préserver du mal qui l'avait prise. Musulmans, hindous, firanguis, à nouveau unis sous la houlette du Moghol, ils se sauveraient peut-être du monstre anglais ; car, pour chrétiens qu'ils fussent, il n'était pas question, dans l'esprit de Madec, que les Saxons maudits prissent la moindre part à cette renaissance, attachés qu'il les voyait à un seul et unique but : le profit commercial.

En se mariant à Panipat, Madec marquait donc son attachement à l'Inde profonde, l'Inde unie du nord au sud, une Inde des temps neufs, une Inde tranquille dans sa diversité infinie, *une Inde* enfin, plutôt que *des Indes*. Ballotté de Pondichéry à Calcutta, de Godh aux marches du Cachemire, pressentant la beauté glaciale des cimes himalayennes aussi bien qu'il se souvenait des jungles du Dekkan, Madec entendait retrouver par ce mariage l'unité perdue de son être. Trente ans : c'était l'âge. Brisé par les massacres de Godh, l'âme éparpillée par la passion de Sarasvati, le corps encore parfois tiraillé de désir, il n'aspirait plus qu'à la sérénité d'un projet simple et lucratif.

Suivi de son armée, ainsi que du chef des Rohillas, qui ne le quittait plus, c'est dans ces dispositions fort originales qu'il se mit en route vers la cité de Panipat.

*
* *

Tout commença vers six heures du matin. Il faisait déjà chaud, atrocement chaud. A cette heure du jour, le ciel ne s'était pas encore plombé, comme il le fait ordinairement aux approches de la mousson. Il était bleu et clair ; et, n'eût été cette touffeur qui ralentissait les gestes, coupait le souffle, fatiguait l'esprit, on aurait pu se croire un matin de printemps.

Madec avait loué dans Panipat une gigantesque demeure, une sorte de palais tout en galeries et jardins. Elle avait appartenu jadis à l'un des grands de la cour, quand le Moghol était encore en sa magnificence, et qu'il partait l'été sur les routes du Nord, pour y chercher la fraîcheur des Himalayas. C'était un peu pour lui qu'on l'avait bâtie, car il aimait, sur son chemin, que l'un des siens lui offrît une halte, loin du tumulte des caravansérails. Après les malheurs de l'empire, elle était devenue la propriété d'un banquier, qui l'avait ornée de luxe ostentatoire propre aux gens de sa caste. Elle avait plu cependant à Madec. Il l'avait retenue dès son arrivée, afin d'y loger sa fiancée et la famille de Barbette en attendant le jour des noces. Jusque-là, comme l'exigeaient les convenances, il s'installerait ailleurs. Autant par souci d'économie que pour montrer qu'il n'abandonnait pas un instant le souci de la guerre, il s'en fut camper avec toute son armée aux portes de la ville, ce qui ne manqua pas d'ajouter à son panache.

Les quelques jours qui précédèrent, toutes les routes de Panipat furent encombrées de convois ; ce n'étaient que troupeaux de cabris, moutons, volaille, buffles chargés de sacs de riz, chameaux croulant sous les légumes, pains de sucre, jarres d'huile ou de *ghi*, farines diverses, mangues juteuses, épices, tissus, parfums. Suivaient des hordes d'intouchables, mandés depuis dix lieues pour dépecer les bêtes ; des cuisiniers par dizaines, d'innombrables servantes. Venait aussi, à dos d'éléphant ou dans des palanquins fermés, la foule des invités : banquiers de Luknow, bijoutiers de Lahore, notables provinciaux du Moghol, marchands de soie ou de canons. Tout ce monde, malgré les chaleurs, se hâtait vers la ville en souriant, déjà porté par la liesse naissante : la fête était là, la grande fête indienne, sans laquelle ici la vie n'avait point de sens, et que la moindre occasion suffisait à réveiller.

Le père Barbette avait bien fait les choses ; de Luknow, où il avait de puissantes relations, et où il ne tarderait pas à se retirer sitôt sa fille mariée, il avait appelé les plus grands musiciens. Dès les premiers rayons du soleil, leurs mélodies endiablées arrachèrent Madec à son profond sommeil. Il en fut ravi. Il craignait trop la solitude de l'aube. Sous la tente, et par un été trop semblable au précédent, le souvenir de ses attentes passées aux murs de Godh, et pour une autre femme, aurait pu remonter, assez vite pour lui gâcher la journée. Il redoutait tellement ses vieux fantômes qu'il avait renoncé à ses tentes à l'européenne, dernier vestige de ce temps-là, malgré leur solidité dépouillée qui lui paraissait si commode ; puisqu'il voulait entamer sa nouvelle vie sous le signe de l'empereur, il avait choisi pour l'attente des noces un immense pavillon de toile bleu et blanc, frangée d'or, qui ressemblait à celle des généraux moghols, et dont les couleurs lui rappelaient sa patrie. A l'intérieur, et ce n'était pas seulement par souci du confort, il avait disposé des sofas de soie du Penjab, des tapis de Cachemire, des cuivres de Luknow : rien, absolument rien, ne devait rappeler le pays hindou ni les artisans de Godh. Il se voulait autre, il se voulait neuf, et il bénissait l'infinie variété des produits de l'Inde, qui lui permettaient si facilement d'échapper à des jours maudits.

Ainsi donc, vers six heures, il se prépara à la noce. Après un court bain parfumé, il passa une longue tunique de brocart d'or, tissé pour la circonstance. Quoi qu'il en eût, les réminiscences de ses errements le poursuivaient encore : ainsi, sur toutes les parties de son corps dont il avait vu que Sarasvati était friande, n'avait-il pas frotté de puissantes essences de menthe fraîche, qui continuaient à le brûler ? Ne se nettoyait-il pas la langue et les yeux ainsi qu'il l'avait vu faire à Bhawani ? Ne s'ornait-il pas le front d'un turban et d'une grosse améthyste volée dans le sac d'une cité rebelle, qui le désignerait à l'assistance comme le détenteur d'un pouvoir sacré ? Et ce bain, ce bain surtout, d'où il venait de sortir, comme tous les matins, régénéré, c'était bien Sarasvati qui lui en avait enseigné les délices ; or, il exigeait de ses serviteurs qu'on y dosât les parfums avec la plus extrême perfection, comme s'il en eût été l'inventeur, car il ne voulait plus savoir qu'il en tenait la recette de la bouche même de la dame de Godh.

Il rayonnait cependant, tandis qu'on l'enturbannait d'un brocart assorti à sa robe. Un serviteur s'inclina devant lui :

« Madecji... Ce sont tes femmes ! »

Ses femmes... Il avait oublié. Il sursauta :

« Fais-les entrer ! »

Quatre silhouettes se profilèrent à l'entrée de la tente, vaguement intimidées. La plus âgée, revêtue d'un sari, se prosterna la première ; les autres, plus jeunes et comme effarouchées, n'osaient bouger.

« Avancez donc ! »

Les quatre silhouettes se précisèrent. Madec n'eut pas un regard pour la première, une femme d'une cinquantaine d'années qu'il n'avait choisie que pour ses compétences avérées de matrone. Les trois autres étaient des filles d'une vingtaine d'années, des musulmanes, comme le signalaient d'emblée leurs pyjamas persans ; deux d'entre elles lui avaient été remises en guise de bakchich par un hobereau qui était à la ruine, et ne pouvait s'acquitter de ses impôts ; enfin la dernière, la plus jeune, pour qui il nourrissait une très sincère affection, était une bayadère rencontrée à Luknow. Elle l'avait surpris par ses dons amoureux, tant ils s'approchaient du talent de Sarasvati, sans l'atteindre toutefois. Elle vivait alors dans une maison de plaisir ; ce jour-là, Madec se sentit plus ému qu'à l'ordinaire, et donc moins préoccupé de son or. Il l'acheta sur-le-champ et la surnomma *Mumtaz Mahal*, l'élue du harem, nom qu'avait donné l'empereur Shah Jahan à son épouse bien-aimée, qui reposait sous les dômes du Taj. C'était dérision envers lui-même, ainsi qu'exorcisme de ses illusions sur l'amour.

Ce matin, il était d'humeur très enjouée ; il prit plaisir à la taquiner :

« Mumtaz Mahal, la belle entre les belles, que te semble donc de ma promise ? »

Mumtaz baissa les yeux, troublée ; la complicité ouverte de son maître l'embarrassait.

La matrone intervint :

« Madecji... Elle est trop jeune, celle-ci, pour pouvoir te répondre ! Crois-en mon expérience de matrone ! La fille de Barbette te donnera de beaux enfants. En elle tout est prêt pour la maternité : duveté ce qui doit être duveté, renflé ce qui doit être renflé, et joliment fermé ce que tu ouvriras ! »

Les deux autres femmes acquiesçaient sous leurs voiles.

« Mais encore ?

— Elle te fera de beaux enfants, répéta la matrone. Sa hanche est courbe et large, ses seins déjà généreux ! »

Madec la regarda d'un air méfiant. Depuis une semaine, il commençait à être inquiet à l'idée d'épouser une fille de treize ans qu'il n'avait jamais vue. Tout s'était passé si facilement dix mois plus tôt, trop facilement peut-être ; et cet acharnement du jésuite à la lui faire épouser. Il avait demandé un portrait qu'on lui avait refusé. Il avait appris alors que la coutume du pays autorisait le fiancé à faire visiter sa promise par des femmes de sa maison ; s'il y avait dans la future épousée quelque vice du corps, quelque tare insoupçonnée, le contrat passé avec son père pouvait fort bien être déclaré nul ; il était prudent de s'en assurer avant la nuit de noces, après quoi, rien ne pouvait être entrepris, le marié, de toute façon, étant considéré comme ayant retiré toute valeur marchande à son épouse.

« Il s'agit bien d'enfants ! tonna Madec. Avant de lui faire des enfants, encore faut-il qu'elle me plaise ! Matrone, dis-moi le vrai : cette fille est-elle exempte de tare ?

— Elle l'est.

— Et son visage ?

— Elle n'a que treize ans !

— A treize ans, matrone, on sait bien si une fille sera belle ou affreuse ! C'est à ton âge qu'on n'a plus d'autre choix que la laideur ! Réponds, ou je te fais fouetter devant tous mes soldats ! »

Mumtaz, dans ses voiles, continuait à baisser les yeux.

« C'est une femme *hastini,* déclara soudain la matrone.

— *Hastini...* » répéta Madec, tâchant de rassembler ses souvenirs.

Il dévisagea la vieille femme. A l'évidence, elle ne mentait pas, ou plus. Ses yeux très noirs se plantaient dans les siens. Elle faisait front d'un air très assuré, avec la tranquillité inébranlable qu'avaient souvent les vieilles hindoues. Car elle était hindoue, contrairement à Mumtaz et aux deux autres, et c'était bien pourquoi Madec l'avait choisie pour visiter la fille, connaissant la science consommée de toutes ses semblables dans les arts de l'amour. Mais elle lui déplaisait ; il n'avait guère envie de pousser plus avant les questions. C'est Mumtaz qu'il voulait interroger, et seul à seul, Mumtaz qu'il cajolerait, qui se laisserait faire, qui parlerait tout net ; pour être musulmane, elle avait vécu assez longtemps dans une maison de plaisir pour juger des bonheurs que promettait la petite.

« *Hastini, hastini,* murmurait Madec en triturant la garde de son sabre.

— Oui, une femme *hastini,* reprit la matrone, et elle se mit à réciter les versets des vieux livres :

« — Son abondante chevelure luit, et se déroule en boucles soyeuses, son regard troublerait le dieu d'amour, il ferait rougir les bergeronnettes ! Le corps de cette femme gracieuse ressemble à une liane d'or, ses seins fermes et rebondis ressemblent à deux vases de vermeil... »

Elle s'arrêta brusquement, joignit ses mains en *namasté.*

La tradition, sans doute, s'arrêtait là. Le texte était fini. Rien, il ne saurait rien de plus, c'était clair. Madec passa sa main sur son front plein de sueur. Une seule question le torturait désormais : qui était Sarasvati, selon l'impitoyable hiérarchie de Kama, le dieu qui présidait à l'amour ? Bhawani lui-même, un soir, ne l'en avait-il pas entretenu ?

« Connais-tu nos règles d'amour, Madecji ? » Madec avait secoué la tête. « Quel dommage ! Ah ! Madec, c'est peut-être, avec nos dieux, notre plus grand trésor ! » Rougissant, Madec avait détourné le regard. Bhawani le devina. « Il est tard. Un jour je te l'expliquerai, quand tu prendras femme... Car il faudra bien que tu prennes femme ! » Il désigna alors Sarasvati : « Vois-tu, la solitude est mauvaise ; la vraie solitude, celle que connaît l'âme privée d'affection, esseulée, malheureuse, toujours en quête de sa moitié, qu'elle a perdue aux temps de l'autre vie. Et nous passons notre existence à chercher la femme qui nous la ramènera. Il est des règles pour cela... Sache-le déjà, Madec, et ne l'oublie pas, il est quatre types de femmes : la femme-lotus, la Padmini. La Chitrini, ou femme habile. La Hastini, ou femme-éléphant. Enfin la Shankhini, la plus basse, la femme-truie. Il existe, nous disent les poètes, une Padmini sur dix millions de femmes, une Chitrini sur dix mille, une Hastini sur mille ; la Shankhini se trouve partout... Je te laisse deviner quelle femme est Sarasvati ! » Et il avait éclaté de rire, avant de donner le signal du coucher.

Ainsi donc, la fille de Barbette était une Hastini. La description de la matrone, cependant, était assez flatteuse, pour une femme de troisième ordre ; elle aurait tout aussi bien pu s'appliquer à Sarasvati. Fariboles que tous ces classements, pensa Madec. L'important, c'est le moment du désir. Ne pas trouver une fille de glace, mais une amie docile, vive, ingénieuse. Mumtaz viendrait l'aider. Il s'adressa à nouveau aux femmes :

« Et vous, les deux autres, qu'avez-vous à dire de plus ?

— La matrone a dit vrai, seigneur Madec !

— Sottes que vous êtes ! Vous êtes du Nord, vous ne connaissez rien aux règles d'amour ! »

Elles se récrièrent aussitôt :

« Elle a dit vrai, elle a dit vrai ! »

Elles se prosternèrent à ses pieds, laissant béer leurs grands décolletés. Des greluches. Que ne s'en était-il débarrassé ? Il aurait bien sûr passé pour un fou ; la force d'un chef se mesurait à son harem, c'était une affaire entendue. Cependant, depuis six mois, pour une raison qu'il n'osait s'expliquer, il avait toujours possédé plus d'argent que de femmes. Il soupira, leur ordonna de se relever. Il les garderait ; elles lui avaient tout de même procuré, quoiqu'un peu maladroites, quelques soirées plaisantes par temps d'avant mousson.

« Allez-vous-en, toutes trois ! Partez ! Mumtaz, reste ici ! »

Mumtaz releva les yeux ; elle maintenait cependant devant sa bouche un pan de son voile, dans un geste de pudeur qui étonnait toujours Madec : il ne comprenait pas ces délicatesses chez une ancienne prostituée, dont il avait jugé, aux quelques heures passées dans la maison de plaisir, qu'elle avait dû se soumettre à de multiples turpitudes.

« Mumtaz... Et pour l'amour ?

— Comment savoir, Madecji... Elle te viendra neuve. Il faudra que tu lui apprennes !

— Mais tu le sais, toi, si elle sera bonne. Tu le sais ! Tu en as vu arriver, dans la maison de Luknow, des petites comme elle, à peine échappées du sein de leur nourrice.

— Ce n'était pas moi qui les choisissais !

— Tu sais, Mumtaz, tu sais... »

Il suppliait.

Elle se laissa faire, comme prévu, douce et tranquille :

« Oui, je sais. »

Ainsi que Sarasvati, elle parlait toujours d'une voix tendre, un vrai miel, les mots dans la bouche comme des bijoux. Il n'était pas jusqu'à son accent du Nord, les syllabes rauques de l'Urdu, qui sous sa langue ne donnaient une musique étrange, troublante, pareille aux douceurs de l'amour.

« Je sais, oui. Elle a treize ans, seigneur Madec, elle a du sang firangui. Elle est très claire, les gens d'ici l'apprécieraient beaucoup.

— L'apprécieraient ? »

Il paraissait de plus en plus inquiet.

« La matrone ne t'a pas trompé : tout ce qui doit être duveté est duveté, renflé ce qui doit être renflé, fermé ce que tu ouvriras. Mais elle n'a que treize ans, elle n'est pas encore entièrement faite, comme le sont parfois les filles de firangui. Les os un peu vifs, les cuisses encore vides de graisse, tu comprends ? J'en ai vu une ou deux qui lui ressemblaient, à la maison de plaisir, des esclaves volées sur les bateaux d'Arabie. Ces filles-là ne sont bien parfaites qu'à seize ou dix-sept ans. Il faudra lui donner du lait de chamelle, des loukoums... Mais, seigneur Madec, tu dois savoir tout cela : toi aussi, tu es un firangui ! »

Il feignit de ne pas entendre.

« Elle n'est pas encore faite ! Alors, Mumtaz, Mumtaz, nous la ferons, veux-tu ? »

Elle rougit, releva son voile à nouveau sur sa bouche, sourit à demi d'une joie mal retenue.

« Oui, seigneur Madec.

— Comme le veut la coutume, je ne serai pas dans son lit avant dix jours. Tu seras près de moi, n'est-ce pas ?

— Oui, seigneur Madec.

— Maintenant, va ! Nous nous retrouverons... »

Elle voulut se prosterner ; il l'en empêcha.

« Va. »

Elle s'en alla très mollement, avec une démarche balancée qui rappelait elle aussi la princesse de Godh. Malgré la chaleur insupportable, il la contempla un instant par l'ouverture de la tente. La sueur perlait à ses tempes. Il appela un serviteur.

« Va voir si Corentin est prêt ! »

Il s'avança au milieu du camp ; la poussière commençait à s'élever lentement dans l'air, signe assuré de grande chaleur. Mumtaz avait disparu. D'ici peu, il fallait s'en aller au palais de Barbette, où le jésuite donnerait sa bénédiction. Il était prêt ; tout était en ordre.

Alors seulement il s'aperçut qu'il avait négligé de poser à Mumtaz la question la plus importante, celle qui le tourmentait depuis une semaine : quel était le visage de Marie-Anne Barbette, la fille de treize ans qu'il allait épouser ?

Quelques instants plus tard, Madec faisait son entrée dans la ville. Quoique la procession solennelle ne fût prévue que pour le soir, il avait absolument tenu à ce que Corentin fût de toute la fête, et il s'en allait donc sur son dos, heureux dans le matin, l'âme dilatée de joie, n'attendant plus que le moment qui le délivrerait de ses ultimes angoisses. On avait bouchonné Corentin fort soigneusement ; jamais on n'aurait pu imaginer qu'il servît à la guerre. Son cuir avait retrouvé sa délicatesse première et sa peau très claire que les cipayes avaient peinte d'un maquillage subtil, sur toutes les parties de son corps qui n'étaient pas recouvertes par son caparaçon de tissu lamé. Ainsi, de ses oreilles au bout de sa trompe, ce n'étaient que fleurs géantes doucement contournées, plumes de paon, signes cabalistiques, tous les dessins de l'amour et de la prospérité, en couleurs roses, bleues, blanches, qui s'harmonisaient à merveille avec le ton de sa robe. Une améthyste sertie d'or avait été fixée juste au-dessus de ses yeux ; au bout de ses longues défenses s'agitaient deux queues de yack, qu'on avait fait venir à grand prix des montagnes de Tartarie. Corentin avait donc belle allure, l'air d'un éléphant-roi : à le voir, on se croyait revenu aux tout débuts du monde, les temps où Ganesh briseur d'obstacles gambadait dans les cieux neufs sur le dos d'un rat, les heures plus anciennes encore où Brahma, l'universel géniteur, fit sortir d'une coquille envoûtée par ses chants un pachyderme à peau de lait ainsi que celui-ci. Oui, Corentin était beau, divinement beau, et Madec, superbe lui aussi, même améthyste sur le front, même robe dorée, peau pâle de haute caste, béni du ciel, allègre et vaillant, royal enfin comme sa monture.

D'ici peu, il faudra que je marie Corentin, songeait-il, il serait affligeant qu'une aussi belle bête passât sa vie sans descendance. Sitôt les noces finies, j'en parlerai à Arjun. Cette bête-là me porte bonheur, et je veux qu'elle partage ma joie. Pour l'allégresse, c'était déjà chose faite ; comme s'il avait compris les pensées de son maître — ou bien était-ce un effet de la dextérité d'Arjun —, Corentin s'en allait par les rues de

Panipat du pas folâtre qu'il avait du temps où il ignorait les combats, fantasque, gambadant presque lorsque la foule, par extraordinaire, au détour d'une pièce plus vaste ou d'un carrefour peu fréquenté, se raréfiait. Sous son palanquin doré qui le protégeait du soleil, Madec savourait tous les caprices de son pas, s'abandonnait à la beauté du moment. L'heure était magnifique, le ciel encore bleu, malgré la fournaise envahissante. De rue en rue resplendissaient les faïences fines des caravansérails ; la musique du cortège, tambours, conques, petits violons, grandissait ; des femmes dansaient déjà. La tête grisée, oublieux désormais du passé, Madec se livrait tout entier à ce qu'il ressentait déjà comme un triomphe, le prélude glorieux de sa marche au Moghol.

L'affluence était considérable. A près de dix lieues à la ronde, les campagnes alentour s'étaient vidées de leurs habitants. Mais tous n'étaient pas là, puisque la noce allait durer dix jours ; de surcroît, la plupart des invités jugeaient que seuls les festins consacraient les épousailles de Madec, et non la barbare et rapide bénédiction qui avait lieu ce matin. On avait dû échelonner les agapes : d'accord avec Madec, Barbette avait prévu une foule de convives, pas moins de dix mille par jour. La dépense serait excessivement lourde, mais l'ambition se paie, avait pensé Madec ; dès la fin de la mousson une nouvelle année de campagne, et il en aurait largement couvert les frais. D'ailleurs, il avait de nouvelles raisons d'être en joie : le bruit de son mariage avait déjà couru jusqu'au Bengale, au Dekkan, au pays même des Djattes, là où résidait Sombre, et de mystérieux émissaires, plusieurs fois déjà, étaient venus jusqu'à lui afin d'entamer des négociations. Il avait éludé dès les premiers mots, prétextant le souci de ses noces. Trois mois encore, et ce sera le Moghol, songeait-il chaque nuit. Le Moghol, et l'on saura alors ce que vaut un firangui. Il ne voulait pas se préciser la nature de ce *on* : il se répétait que c'était l'Anglais ou tous ceux qui, par le passé, l'avaient peu ou prou humilié. Il savait cependant qu'il se racontait des mensonges ; ce *on*, il ne le connaissait que trop. Mais tant pis : ce matin était beau, serein, et il volait vers le bonheur.

Corentin s'arrêta enfin devant le palais de Barbette. Au premier regard, Madec ne reconnut pas l'édifice : on l'avait entièrement couvert, du moins sur la façade qui donnait sur la rue, de longs dais dorés, et le sol était décoré de fleurs. L'encens fumait déjà. Le père Barbette attendait Madec sur le seuil ; il lui fit signe de se hâter. Madec sauta sur l'échelle qu'on lui tendait, descendit prestement de l'éléphant. D'une galerie qu'on voyait de la porte, le père Wendel distribuait déjà des bénédictions.

« Bonjour, mon fils ! lança-t-il à Madec avec une vigueur inaccoutumée.

— Bonjour, jésuite ! »

Madec aurait bien aimé lui servir son lot habituel d'injures, tant sa personne lui déplaisait ; mais il convenait de garder contenance, car ce n'était ni le lieu ni l'heure. La tâche fut facile : à sa grande stupeur, le jésuite ne lui proposa pas de se confesser :

« Suivez-moi, Madec, c'est ici que la fiancée vous attend. »

Ils quittèrent la galerie ensoleillée, s'engagèrent dans un corridor étroit et sans lumière. Pendant un bon moment, encore ébloui du matin, Madec ne distingua rien ; le jésuite se retournait de temps à autre pour lui dire :

« Venez, venez, ne craignez rien. »

Il pénétra dans une salle. Quelques hommes étaient assis à même le sol, qui se levèrent dès son arrivée.

« La mariée ? Où est la mariée ? »

Wendel désigna dans la pénombre un moucharabieh :

« Ici. »

Madec écarquilla les yeux ; il discernait à peine des formes voilées qui s'agitaient, d'autres cierges, la fumée des parfums qui montait derrière le treillis de bois.

« Je l'épouse, c'est désormais une affaire assurée. Je veux la voir.

— Pas avant le soir des noces, mon fils, pas avant.

— Comment ! Mais c'est ici un mariage à la chrétienne !

— Vous êtes désormais un Grand, Madec, comme je vous l'avais promis. Et ceci est l'usage qui règne chez les Grands ! Ne pas vous y conformer serait vous avilir.

— M'avilir ! Mais tu m'as trompé, jésuite, tu m'as dit que je la verrais le jour du mariage ! Tu vas me forcer à attendre dix jours, à ne pas la voir, même maintenant ? Et comment vas-tu nous unir, comment ? »

Madec parlait de plus en plus fort ; il était maintenant près de crier. Derrière le moucharabieh les formes s'ébrouaient, les flammes des cierges s'étaient mises à vaciller. Barbette lui posa la main sur la bouche.

« Tu n'avais pas le droit d'ignorer cet usage.

— Je suis nouveau venu dans le Nord. Et dans le mariage aussi. Je suis un homme de guerre, non un galant qui court les dots !

— Ma fille n'est point tarée, je te demande de me croire sur parole ! D'envoyer les femmes la visiter, c'était ton droit le plus strict. Maintenant, cependant, tu commences à me faire insulte, et je t'adjure de te taire. »

Madec n'avait jamais entendu Barbette parler si fermement ; d'ordinaire, il se tenait sur la réserve, d'un air triste et effacé. Son intervention n'en prit donc que plus de poids.

« Fort bien mon beau-père, qu'on nous marie sur l'heure ! »

Le père Wendel, plus que jamais pommadé, entama sur-le-champ les prières ; de l'autre côté de la cloison parvenait à Madec une musique très douce, la mélopée susurrée des paroles latines, et il chercha dans ce concert la voix de sa promise. Pourvu qu'elle soit jolie, se prit-il à souhaiter. Fût-elle la plus belle des femmes, je ne supporterais jamais une épouse à la voix aigre... Depuis le début de la cérémonie, il s'était écoulé un bon quart d'heure. L'encens fumait de plus en plus, les paroles sacrées semblaient en suivre les volutes. Tout entier à ses vœux, Madec n'avait rien écouté. Une franche bourrade du père Wendel l'arracha à sa torpeur :

« Madec, Madec, avancez-vous, c'est le moment ! »

Un peu embarrassé dans la raideur de son brocart, il s'approcha, ainsi qu'on le lui montrait, du moucharabieh de santal. Le jésuite en dégagea la partie supérieure. D'un seul élan, Madec se hissa sur la pointe des pieds. Il n'eut que le temps d'apercevoir une petite silhouette perdue dans des voiles rouge et or qui la recouvraient entièrement, visage compris, et sur laquelle s'agitaient les ombres d'un chandelier.

Le père Wendel l'arrêta aussitôt :

« Holà ! Madec, holà ! Ne tentez rien, je vous prie, qui vous rabaisse ! Passez la main par-dessus cette cloison, et, par la grâce de Notre Seigneur, baissez les yeux et ne bougez plus ! »

Madec s'exécuta sans mot dire. Il tremblait un peu. Dans l'autre pièce, il l'avait bien entendue, une voix de vieille femme avait murmuré en hindi la même injonction. Une autre main, qui tremblait davantage, saisit alors la sienne, tandis que Wendel psalmodiait des répons. C'était une chair tendre, extrêmement douce, une chair où se sentaient encore les arêtes des os, une peau un peu fade à force d'être suave. D'ici lui parvenait son parfum, exalté par la chaleur ambiante. Non, rien de cela ne lui répugnait ; mais rien non plus ne l'enthousiasmait.

« C'est à vous de répondre, Madec, murmura Wendel d'un ton excédé.

— Répondre... répondre quoi ? »

Il avait, comme le jésuite, parlé en français.

« L'échange des serments se fait en hindi. Je vous demande si vous la prenez pour épouse. »

Il sourit :

« Mais oui, mais oui. »

Le jésuite répéta sa question en se penchant vers les croisillons du moucharabieh. Dans la main de Madec, les doigts inconnus se crispèrent brusquement, et il entendit une voix frêle, mais de femme déjà, qui répondait le *oui* hindi. Wendel agita son goupillon, répandit encore un flot de paroles latines, puis saisit chacune des deux mains, qu'il sépara d'un geste autoritaire. C'était fini.

Pour le moins, elle aura une jolie voix, se dit Madec, et il s'en retourna par le corridor à moitié satisfait.

*

* *

Des jours qui suivirent, Madec ne conserva qu'une confuse mémoire, tant ils se ressemblèrent dans leur débauche de luxe. Sitôt conclue la cérémonie, il emmena Barbette à son camp, ainsi que tous les hommes de la famille, qu'il régala ainsi qu'il le fallait. Tout ce que l'Inde comptait de plats somptueux était distribué à foison : carries brûlants, éteints par des pintes de lassi aux herbes ; montagnes de chapatis et de riz safrané ; pleines marmites de confiture de mangue, épaisse, gluante et douce ainsi que les pluies de mousson ; citrons verts, confits dans l'huile et le vinaigre ; thé aux épices, sentant fort le gingembre frais, et servi très chaud, vraie bénédiction par le temps d'été ; sorbets divers, dont on puisait la transparente glace au fond d'immenses pots de cuivre, dont on se demandait où l'on avait bien pu les garder, pour qu'ils fussent ainsi gelés encore, alors que l'hiver était si loin ; chatnis innombrables, où l'on se plaisait à retrouver toutes les épices de l'Inde, fenugrec, cumin, anis, piment, tamarin, sucre roux, coriandre, menthe fraîche, muscade, massala, girofle, moutarde, pavot, nigelle, bétel, arec, curcuma, safran...

Dix jours durant, tous les plaisirs furent de la fête, sans retenue aucune, tous les bonheurs de la langue et du ventre. Comme autant de feux d'artifice, ils explosaient l'un après l'autre, maléfiques, immoraux, divins. Des après-midi entiers, c'était la douceur sucrée à mourir des pâtisseries au sirop, celle des beignets en forme de fleur tout dégoulinants de miel : ceux-là flattèrent la langue et le dedans des joues, ce furent des duvets, des tendresses, des cajoleries. Venaient ensuite, dans un complet désordre, des carries qui déchiraient les plus secrètes muqueuses ; l'estomac pourtant accoutumé se mettait à hurler, dans une douleur qui rappelait l'amour, déflagration de délices en même temps que de souffrance. Et les servantes, jusqu'à tard dans la nuit, répandaient les sucrés-salés, les gâteaux au lait gorgés d'aphrodisiaques, le rhum capiteux, le vin de palme, et surtout de pleines broches de viandes, suprême liberté qu'autorisaient les pays du Nord, pourvu qu'on ne servît pas du porc. Madec, qui avait un peu souffert à Godh de ne point pouvoir s'octroyer de temps à autre une bonne volaille rôtie, s'en donnait aujourd'hui à cœur joie. Dix jours durant, Panipat vécut dans le fumet des viandes rousses. Les cuisiniers du pays, héritiers scrupuleux des vieilles traditions mogholes, les accommodèrent de mille façons : perdreaux marinés et farcis, cabris entiers enfouis dans des fours de terre, bœufs embrochés sur des feux qui ne s'éteignaient ni du jour ni de la nuit. Chaque festin fini, mâchés les derniers bétels, crachés les derniers jets de salive rouge, l'on pétait, l'on rotait, avant de se pencher, ultime félicité, seule permise aux proches parents des mariés, vers des coupelles fines, où brillait de l'argent pilé. C'était alors une sensation sublime : brusquement, toutes les épices avalées par le corps s'en trouvaient exaltées. On pétait, on rotait encore ; et l'on songeait aux femmes.

Jongleurs, danseuses à demi nues, combats de coqs, tout était là pour exacerber le désir ; il fallait cependant attendre. Si quelques invités, n'y pouvant plus tenir, s'éclipsèrent brusquement entre deux bombances, les convenances, dans l'ensemble, furent à peu près observées. Au sortir de ses nuits qui commençaient à l'aube, Madec remarqua des servantes endolories et sur leur visage une expression de plénitude enjouée qui ne trompait pas. Il y eut parfois des cris, des plaintes, des saris déchirés, des bêtes même, qu'on prétendit mises à mal. Mais nul ne s'en souciait. Du matin au soir, on était étourdi ; les mélodies des chanteurs, le tintamarre de leurs violes et de leurs tambours, les rondes des danseuses étouffaient tout. De temps à autre, on se mit en longue procession sous des pluies de riz, pour porter la fête aux fenêtres des femmes, au palais de Barbette où elles étaient cloîtrées avec la petite ; soldats, musique, éléphants, Corentin en bonne place, toujours ravi, car il était lui aussi du festin et se gavait de loukoums, on donnait l'aubade à la mariée, pour l'aider à son tour à laisser place au désir. A quoi passait-elle ses journées derrière les moucharabieh ? Madec l'ignorait. A force de venir parader chaque jour, sa curiosité s'excitait, et elle devint si forte qu'un soir il manda Mumtaz à sa tente. Elle arriva, toute tremblante :

« Ce n'est pas bien, Madec. Tu te dois d'être chaste jusqu'à la dernière nuit.

— Je ne veux que te parler.

— Me parler ?

— Que font les femmes jusqu'à la nuit de noces ? »

Elle sourit.

« Je n'en sais rien ! Je viens d'une maison de plaisir ! Je n'ai jamais été mariée.

— Tu as bien dû voir un mariage, une fois au moins, quand tu étais petite ?

— Oui... Mais qu'y a-t-il à savoir ? Elles sont enfermées, les femmes, elles sont sur des sofas, elles mangent, elles se parent, elles maquillent la mariée, la parfument, lui murmurent des conseils... Le soir venu, elles la déshabillent, elles la baignent, elles chantent de vieilles chansons, la regardent, jouent avec elle comme une poupée, lui racontent leur nuit de noces, leurs accouchements. Tu sais, Madec, elle ne voit pas le temps passer, la petite, elle le sait bien, c'est son dernier moment de bonheur !

— Le bonheur est d'appartenir à un homme, Mumtaz ! »

Elle le regarda d'un air sceptique :

« Tu crois ? Pour l'instant on la choie, on n'a d'yeux que pour elle. Après...

— Elle sera heureuse avec moi. Je lui ferai des enfants. Va-t'en. »

Elle allait partir, mais il la retint au dernier moment :

« Tu viendras, n'est-ce pas ? Tu l'aideras. Toi aussi tu m'appartiens. »

Elle ne souriait plus. Elle prit un air faussement docile, l'air qu'elle avait quand il l'avait découverte à la maison de plaisir, et il soupçonna sa tristesse.

« Oui. Je serai là. Dans deux jours, n'est-ce pas ?

— Dans deux jours. A la nuit close, là-bas...

— J'y serai.

— Tu entreras avec ma suite et mes coffres. »

Elle acquiesça, joignant les mains en *namasté* :

« A bientôt. »

Et c'est ainsi que de bombance en procession, au milieu d'une foule en liesse qui ne se fatiguait pas, de musiciens et de danseuses qui officiaient tout le jour malgré la chaleur et la poussière, s'arrêtant à peine le temps de la sieste ou aux approches de l'aube, Madec arriva au terme des fêtes. Chaque soir, il y eut bal, et chaque soir feu d'artifice, des danseuses fraîches relevaient celles qui s'écroulaient ; le dernier jour enfin, comme le voulait la coutume des grands, il régala tous les pauvres de la région, plus de dix mille personnes, qu'il abandonna au coucher du soleil pour rejoindre le palais de Barbette. Celui-ci l'attendait sur le pas de la porte :

« Demain, si tout va bien, je te rendrai ton diamant.

— Tout ira bien, beau-père », répondit Madec, et il s'engouffra dans la galerie d'entrée, suivi de ses malles, de ses serviteurs et de la belle Mumtaz que l'on regarda d'un air fort étonné.

On mena Madec jusqu'à une grande pièce sombre, précédée d'une galerie ouverte sur les jardins. Le serviteur s'arrêta brusquement.

« C'est là, seigneur. »

Il désigna une pièce précédée d'un corridor et fermée d'une porte ouvragée. On en était bien à dix pas. De la rue parvenait encore le vacarme des musiciens.

« Viens », souffla Madec à Mumtaz.

Ils s'engagèrent dans le couloir. Pour avoir visité la demeure avant de la louer, Madec connaissait un peu les lieux ; cependant, il ne s'était guère soucié de savoir comment les Barbette s'y arrangeraient, et il découvrait cette salle ainsi qu'une surprise. Le couloir se terminait sur une porte massive sculptée dans du cèdre, entièrement ciselée d'ornements à la moghole ; çà et là, à la lumière de la torche remise par le serviteur, il reconnut même des fragments d'écriture persane, qu'il n'avait pas le cœur à déchiffrer.

« Entre, lui chuchota Mumtaz. Entre ; je te suivrai. »

Il poussa les battants. Il y eut comme un frémissement ; tout d'abord il ne vit rien, et il ne put deviner d'où venait le bruit. Puis, éloignant de son visage l'éclat de la torche et le promenant de part et d'autre, il s'accoutuma à la pénombre. Il discerna alors, presque au fond de cette immense pièce, un petit tas de voiles rouge et or, de la même couleur que l'autre jour. Il jugea que ce ne pouvait être que sa jeune épousée. Elle n'était pas seule. Trois vieilles femmes l'entouraient, qui jetaient sur elle des poignées de riz ; de surcroît, le fond de la salle n'était qu'un immense moucharabieh, du même bois parfumé que la porte ; il cachait une autre pièce, au moins aussi grande que celle où il se tenait, où remuaient sans retenue des dizaines de femmes, éventées par des servantes et croquant des pistaches.

Il s'approcha du petit tas rouge.

« Voici ta femme », lui dit une des vieilles.

Elle était tout édentée et sa voix chevrotait. Madec l'écarta d'un geste :

« Va-t'en !

— M'en aller ! Mais je suis sa tante ! Pauvre petite, elle a perdu sa mère voici trois ans, et c'est moi qui l'ai préparée !... Qui *te* l'ai préparée...

— Je n'ai pas besoin de toi, ni de tes... »

Il pointa le doigt sur ses compagnes, prêt à les injurier. Il se retint :

« Allez-vous-en, de grâce ! »

Elles ne bougèrent pas. Derrière le grillage, par grappes, les silhouettes voilées s'agglutinaient, retenant leur souffle.

« Faut-il vous supplier, ou vous menacer ? »

Sa main se crispa sur la garde de son sabre.

« Toi, tu as bien emmené une suivante !

— Tais-toi, vieille. Cette fille m'appartient. De celle-ci qui est à mes pieds, je suis dorénavant le maître, et je te conseille de filer ! »

Elles s'exécutèrent rapidement, à l'exception de la plus âgée, qui marqua de la mauvaise grâce :

« Je te souhaite bonne chance », marmonna-t-elle.

S'il ignorait presque tout du mariage à l'indienne, Madec savait cependant qu'il n'était pas d'usage, avant la nuit de noces, de formuler le moindre souhait. Musulmans ou hindous, tous craignaient le mauvais sort que répand si facilement le courroux divin. Evidemment, ce qui se passait à Panipat depuis quelques jours était fort singulier : dans ce mariage franco-indien, entre un firangui pâle, et assez peu chrétien, et une Indienne baptisée qu'on disait fort dévote, tout déroutait : on ne savait plus où s'arrêtait les rites catholiques, où commençaient les mœurs des infidèles, où s'insinuaient les superstitions païennes. Mais le regard terrible de la vieille avait édifié Madec :

d'être écartée d'un spectacle unique, dont elle rêvait peut-être depuis des mois, elle était folle de rage ; aussi, dans sa fureur, lui souhaitait-elle bonne chance, afin d'attirer sur lui tous les génies du mal. Il n'eut pas le cœur de répondre. Dans la pièce voisine, où venaient d'entrer les trois sorcières, il entendit des imprécations, des éclats de voix suivis de chuchotements. Puis il y eut comme un immense bruit d'ailes : une à une, lentement, comme à regret, les femmes quittaient la place, dans le murmure de leurs voiles froissés. Madec soupira d'aise. Quoique Godh l'eût habitué à la présence constante de serviteurs ou de musiciens, au va-et-vient des suivantes et des caméristes, il souhaitait ce soir être seul face à sa jeune épousée ; seul, c'est-à-dire avec Mumtaz, rassuré par sa présence discrète, ses conseils, sa tendresse délicate..

« Viens, petite, viens, murmurait-elle au petit tas rouge. Viens sur le sofa. »

La fille se leva d'un seul coup. Elle n'était pas grande.

« C'est moi, la servante du seigneur Madec, poursuivait Mumtaz. J'étais avec la matrone lorsqu'elle t'a visitée. Tu as bien vu que j'étais douce...

— Oui, murmura une voix soudain rassurée.

— Que t'ont donné les vieilles ?

— Rien encore.

— Alors bois ceci. »

Elle lui tendit une petite fiole, qu'elle but à longs traits sans relever ses voiles. Quand elle eut fini, Madec sentit qu'elle l'observait derrière l'étoffe. Il était ennuyé, mal à l'aise, un peu fatigué. Mumtaz à son tour lui tendit une autre fiole, qu'il connaissait bien depuis leur rencontre à la maison de Luknow.

Il but, très lentement. Il n'était pas pressé.

Mumtaz s'éloigna dans un coin de la pièce.

« Reviens. Tu m'éventeras.

— Non, Madecji. Un autre jour. »

Elle avait pris un air buté ; il comprit qu'elle ne

céderait pas. Elle s'allongea sur un charpoï, que sans doute les vieilles avaient prévu pour elles.

Alors, dans le brusque silence qui s'abattait sur la ville, Madec un à un souleva les voiles.

Quand il se réveilla, la petite avait disparu. Il faisait encore plus chaud que la veille, mais il reconnut dans l'air la moiteur pesante qui annonçait l'orage. Il comprit aussitôt pourquoi Marie-Anne l'avait quitté. Avant de s'endormir, il lui avait annoncé qu'il souhaitait retourner vers le nord avant la mousson. « Aux premières pluies, les routes seront coupées ; je t'installerai dans une ville tranquille, en attendant que se passe la saison humide. Tu auras la paix. » Elle était sans doute partie se préparer et dire adieu à son père, qui s'en retournait lui aussi vers le nord, à Luknow, où l'appelaient de pressantes affaires. Les torches s'étaient éteintes. Par de petites fenêtres découpées, qu'il n'avait pas remarquées dans l'obscurité, tombait un jour très dur. Mumtaz, sur son charpoï, continuait à sommeiller. Il s'approcha d'elle sur la pointe des pieds. C'était vrai, elle ressemblait un peu à Sarasvati, surtout quand elle dormait : cette façon identique de plier son cou sur sa longue tresse, sa peau, qui ne semblait jamais souffrir de la chaleur, cette matité extrême, transparente et dorée. Il soupira. Une histoire étrange lui trottait dans la tête depuis son réveil, qui lui revenait maintenant avec la plus grande netteté. Il était ici, aux Indes, nouveau marié, bientôt proche du Moghol, et prêt à commencer une carrière splendide comme jamais firangui n'en avait accompli, et voici qu'il ne songeait plus qu'à un prêche entendu voici des années en l'église de Quimper. Un prêche ! Lui, Madec, qui n'avait jamais assez d'insultes contre les prêtres, surtout s'ils étaient jésuites, comme Wendel. Lui qui blasphémait, ne priait plus, invoquait Ganesh à la croisée des chemins, convaincu que le dieu éléphant lui ouvrirait toutes les routes, celles des jungles comme celles de l'esprit. Et d'ailleurs, n'en portait-il pas toujours l'amulette au cou, cachée sous la chemise, malgré les remontrances du père ? L'autre jour, au moment du mariage, quand il avait pris la main de Marie-Anne, il avait cru la sentir tressaillir sur son cœur.

Et maintenant il se souvenait d'un prêche ! A vrai dire, il avait oublié la teneur du sermon ; ce qui lui restait de cet épisode enfantin, baigné dans la lumière de la cathédrale quimpéroise, c'était une histoire de femmes orientales, un conte exotique, si l'on veut, avec bergers, fontaines, patriarches en quête de rivières de miel. Le héros du conte, il s'en souvenait fort bien, avait nom Jacob ; il désirait Rachel, la fille de Laban, qui était la cadette. L'aînée était Lia ; elle avait les yeux ternes, mais Rachel avait belle tournure. Au bout de sept ans de travail chez Laban, Jacob obtint Rachel, et il y eut force festins. Or, au soir des noces, au lieu de Rachel, ce fut Lia qui se glissa dans son lit, et Jacob la connut, sans s'apercevoir du subterfuge. Ainsi Madec, cette nuit, avait cru épouser Rachel. La boisson de Mumtaz aidant, il s'était livré à des transports répétés, comme il n'en avait pas connu depuis bien longtemps, et la petite, fort délicate et ingénieuse, elle aussi soutenue par l'ardeur du breuvage, l'avait suivi toute la nuit.

Enfin, quand l'aube pointa aux fenêtres, il regarda son épousée. Alors Mumtaz, croyait-il se souvenir, pareille à une biche inquiète, s'était soulevée de sa couche. Marie-Anne les avait fixés tous deux d'un air doux et tranquille, elle avait la peau lisse, elle était toute fraîche. Non, elle n'était pas laide. Comme l'avait assuré le père Barbette, il n'y avait en elle nulle tare ; duveté ce qui devait être duveté, renflé ce qui devait être renflé ; et maintenant ouvert ce qui devait être ouvert. Son visage lui-même, dévoilé aux premiers baisers, n'avait rien qui pût détourner le regard.

Mais Marie-Anne, telle la Lia de Jacob, avait les yeux ternes, et la marieuse avait dit vrai, qui avait annoncé à Madec qu'elle était Hastini. Hastini tout entière était Marie-Anne, et Madec comprenait maintenant la compassion de Mumtaz, à qui depuis longtemps il avait conté ses amours de Godh. Hastini, femme de troisième rang, juste avant la Sankhini ; une sur mille s'en trouve, disaient les règles de Kama, les textes sacrés de l'amour récités par la matrone.

Comme il était généreux, le maître ancien qui en avait établi les lois ! Une sur cent, une sur dix, une sur deux, les femmes Hastini. Surtout pour qui s'en revenait de Sarasvati la parfaite, Sarasvati la Padmini, la femme-lotus, une sur dix millions, une seule et unique dans des galaxies de femmes ! La douce, la tendre, la petite et charmante Marie-Anne, malgré ses traits effilés, sa peau très pâle quoique déjà dorée, sa très lourde tresse, sa poitrine généreuse, son délicat yoni, oui, Marie-Anne, dans toute sa jeunesse, n'était qu'un loukoum fade. Commune, commune, elle était désespérément commune.

Mumtaz s'éveilla soudain et sourit ; elle paraissait heureuse :

« Es-tu content, Madecji ? »

Il se força à chasser sa tristesse.

« Oui, belle Mumtaz. »

Elle le devina aussitôt, un peu comme Sarasvati :

« Elle te fera de beaux enfants, tu sais.

— Oui, sans doute.

— Je te donnerai à nouveau l'élixir.

— Ne parlons plus de cela. L'important est qu'elle soit douce et docile.

— Elle l'est. »

Elle s'interrompit pour renouer sa tresse, puis répéta :

« Elle te fera de beaux enfants.

— De beaux enfants, reprit Madec comme en écho. De beaux enfants... »

Il venait de comprendre que c'était là son principal regret, de n'avoir pas rempli le ventre de Sarasvati, de n'avoir pas serré contre lui un enfant qui rappelât leurs deux corps unis.

« Oui, un enfant... J'espère qu'elle n'est pas stérile. »

Mumtaz se rhabillait en silence. Il appela les serviteurs pour la toilette. Il ne fallait pas s'attarder. Désormais, il était le maître de cette fille si proche du Moghol. Désormais commençaient les grandes choses. Pour entamer la journée, il fit remettre à Barbette le drap de sofa soigneusement plié, en échange de quoi on lui remit son diamant de Godh, son blanc-bleu toujours aussi gros, intact, toujours aussi pur.

Le lendemain, il s'en retourna vers le nord suivi de son armée et des soldats Rohillas, repus, fatigués et renâclant devant les marches. Les pluies n'allaient pas tarder. Il installa Marie-Anne dans un vieux caravansérail de la ville de Bareilly, derrière une couronne de mosquées tranquilles. Il y attendit la fin des pluies, dans une immense paresse, qu'aucun de ses proches ne lui avait connue. Quand le ciel s'éclaircit, il échappa soudain à la nonchalance. Il s'apprêta à partir pour Luknow, afin de négocier avec son beau-père plusieurs transactions bancaires et d'acheter des canons neufs. Tout allait bien ; ainsi que les astrologues l'avaient annoncé, la mousson nouvelle avait été aussi généreuse que la précédente. C'est alors qu'éclatèrent deux nouvelles qui le laissèrent à demi étourdi. D'abord, ce fut Mumtaz, qui courut toutes les galeries de la maison pour l'avertir que Marie-Anne était enceinte. Ensuite, et dans le même quart d'heure, il apprit l'arrivée d'un émissaire du Sud. Il annonçait de nouvelles attaques anglaises, bien plus considérables et meurtrières qu'elles ne l'avaient jamais été. Comme à leur habitude, les Britanniques se servaient de petits rajahs ambitieux qu'ils armaient jusqu'aux dents. Les paysans mécontents des impôts formaient le plus gros de la troupe ; canons, mousquets, sabres et baïonnettes, et l'on mettait en marche. La cruauté commune aux Indes faisait le reste. L'ambassadeur disait venir du pays des Djattes.

« Mon maître te sollicite, dit-il à la fin de son exposé.

— Je suis bien ici, et je ne partirai pas. Mais qui est donc ton maître ?

— Le maharajah Badan Singh.

— Je ne le connais pas. »

Madec réfléchit un instant :

« Le pays des Djattes... Mais n'y a-t-il pas chez toi quelques firanguis ?

— Si, Madecji. »

Pris d'une immense fureur, Madec empoigna l'émissaire :

« Que ne me l'as-tu dit plus tôt, vieux chacal ! Tu as donc peur de me le dire, ce nom-là ? Que redoutes-tu le plus, de lui ou de moi ?

— Détrompe-toi, Madecji, mon maître n'est pas celui dont tu parles.

— Et qui donc d'autre, veux-tu me dire ? hurla Madec.

— C'est une femme, murmura l'émissaire. Mon maître est une femme, et on l'appelle Sarasvati. »

Les bras de Madec en tombèrent, et avec eux l'ambassadeur, qu'il n'avait cessé de secouer jusqu'à ce qu'il prononçât les syllabes attendues. Il reporta aussitôt son départ et s'enferma trois jours avec le messager dans une pièce reculée du caravansérail, afin qu'il l'entretînt plus profondément de l'état de l'Inde.

CHAPITRE XXI

Janvier 1772

*Quelque part en mer
entre Madras et Calcutta*

Warren Hastings reposa sa plume dans l'encrier, soupira, contempla un moment ce qu'il apercevait de mer par le hublot. Il était heureux ; entre chacune de ses missives, il la voyait s'éclaircir. Du bleu intense qu'elle avait la veille au large de Madras, elle était passée à une teinte plus pâle, un peu boueuse, qui annonçait le Gange.

Le vaisseau se balançait doucement. Calcutta, Calcutta bientôt, Calcutta enfin, après des années d'ennui et de souffrance. Calcutta, où l'attendait une femme. Non point la plus belle au monde, certes non, il ne faut demander à Dieu que ce qu'il peut raisonnablement offrir, mais la plus délicieuse, la plus ressemblante surtout à l'idée que Warren, depuis son retour d'Angleterre, s'était fabriquée du bonheur. Une idée neuve, venue des brumes de son exil londonien.

Il lui semblait pourtant qu'il l'avait toujours connue, qu'il était né avec elle. Mais là-bas, au bord des canaux où glissaient les premières péniches, auprès des manufactures industrieuses comme des jardins faussement sauvages des *terrace-parties,* il n'était pas un gentleman qui ne crût inédite cette façon d'être. Comment l'appelait-on, déjà ? Warren eut un peu de mal à retrouver le mot. C'était un adjectif, il s'en souvenait bien ; on ne l'avait guère appliqué, jusqu'à ces dernières années, qu'à une certaine littérature fade et merveilleuse à la fois, pour esprits faibles et dames solitaires.

Il fouilla un instant sa mémoire, sourit.

Romantic, romantic, c'était cela. Avec le monde qui

changeait, les mots aussi se transformaient. Son goût de la précision fut comblé. Romantic : cet adjectif, à coup sûr, serait celui de l'ère à venir. L'ère du cœur. Seul le génie britannique pourrait y concilier beauté, richesse, vertu, et domination universelle. Ce soir, Warren Hastings se sentait visionnaire.

On serait à Calcutta d'ici deux jours. Warren revint à sa lettre, relut sa dernière phrase. Il écrivait à un ami. Une relation plutôt, un de ces compagnons que sa misère avait apitoyé, et qui l'avait secouru pendant son séjour en Angleterre. Se rappelant la gêne où il fut réduit alors, Warren se prit à douter de la réalité de son bonheur présent. Qui prétendait qu'on pouvait faire fortune dans l'*East India Company* ? Pour un Clive qui s'en revenait les poches pleines de diamants, combien d'agents comme lui, qui dépensaient leur petit pécule à doter une sœur ou une nièce, puis se retrouvaient à la ruine, contraints un jour sur deux à faire antichambre pour obtenir de rentrer aux Indes ? Sitôt débarqué sur les quais de Londres, Hastings avait compris l'ampleur de ses illusions. Westminster n'avait que faire des coloniaux de son espèce. Après les silences glacés et les demi-ironies qui étaient aussi le génie de son peuple — d'ailleurs Warren savait aussi les manier à l'occasion —, on lui avait très vite représenté que son errance indécise entre Gange et Tamise le reléguait irrémédiablement au rang d'un déclassé. Quant au seul projet désintéressé qu'il eût conservé, celui de créer à Oxford une chaire de persan, il n'avait suscité que quelques petits rires secs. Dans le meilleur des cas, on avait eu la grâce d'y voir une marque d'humour, une excentricité de noble déchu. Les portes se fermèrent une à une devant lui. Ses appartements se rétrécirent. Un jour, il dut emménager dans une soupente. Il se voyait bientôt partager les mêmes paillasses que les dockers de Londres.

Quatre années d'errance et de misère, quatre interminables années passées à guetter le retour des Indiamen. La nécessité devint pressante. Warren se fit alors violence. Il sollicita son unique protecteur, Sykes, qui ne recula pas devant les mots :

« Il doit retourner en Inde, ou bien il sera mendiant », écrivit-il à Clive. C'était la plus stricte vérité. En 1769, Hastings repartait pour Madras, le second comptoir anglais, où, du reste, on ne lui confiait qu'une place médiocre, *Export Ware Housekeeper.* Il n'avait pas même assez d'argent pour acheter son équipement colonial mais il exultait : Madras serait son marchepied vers le pouvoir. Tout s'était confirmé. A présent qu'il s'en allait vers Calcutta, c'était la même joie. Depuis deux ans, les Indes lui avaient redonné le goût de vivre. A peine avait-il quitté Londres qu'il avait découvert cette charmante Marian, embarquée avec son époux sur le même vaisseau que lui. Il avait été malade : elle l'avait soigné, avec une délicatesse sensuelle qui promettait des félicités sans nombre. Elle était mariée : il l'avait achetée. Bel et bien, et fort simplement achetée, à son propre époux, pour le prix du divorce, des deux enfants qu'elle avait, et de la complaisance du sieur Ihmoff, qui, à vrai dire, n'en manquait pas. Après avoir peint quelques miniatures, fabriqué deux ou trois automates pour des princes indiens, celui-ci, comme convenu, et dûment appointé par Warren, s'en était retourné à sa lointaine province germanique, où il ne désespérait pas d'obtenir bénédiction de sa rupture, pour le motif irréfutable d'une incompatibilité d'humeur. Car bien qu'on fût dans l'Inde et qu'il s'annonçât des temps neufs, il ne convenait pas que le premier fonctionnaire de *l'East India Company* entretînt avec une femme, si charmante fût-elle, des relations coupables et illégitimes. La vertu, toujours la vertu : pourquoi l'avait-on nommé président du Conseil du Bengale, sinon pour y purger la compagnie de ses brebis galeuses ? C'était la vertu qui menait Hastings au pouvoir. Il entendait donc la respecter. Les ordres de Westminster étaient clairs, en effet : version moderne du *True Born English-*

man, Hastings avait pour mission d'enrayer la contagion chez ses compatriotes de la folie indienne. Rendre toutes choses aussi anglaises que possible, sages, mesurées, un brin distantes, parfois cocasses. Bâtir une Inde tranquille et sans passion. Une Inde où il y aurait comme là-bas des chevaux propres et de grands palais à colonnades, des *terrace-parties* devant des jardins moghols, des chiens à pedigree dans la chasse au perdreau, des gentlemen dans les palanquins des éléphants, des tasses de thé à n'en plus finir.

Une Inde mélancolique et tendre, enfin, que l'on pourrait avec délectation coucher sur les estampes, avec jungles ombreuses et paysans un rien bucoliques, ainsi que sur les derniers tableaux de Gainsborough. Et puis, sur le modèle de Londres, une ville neuve pour capitale : Calcutta...

Pax britannica. Aux pieds d'Hastings s'inclinerait tout ce que l'Asie comptait de rois, et il serait l'unique détenteur du Cabinet des Merveilles.

Il tâta la porcelaine de la théière ; elle était froide. Il sonna pour en réclamer une autre. Une ordonnance entra, enleva le plateau sans un mot. Ici, tout le monde connaissait déjà ses habitudes. Il lui fallait du thé, très vite, pour qu'il pût réfléchir. Derrière la porte, on s'affaira.

Warren, soudain, était devenu inquiet. La solitude londonienne l'avait accoutumé à l'examen de son cœur. Oui, il était fou du Bengale, épris comme un gamin, amoureux, comme il ne l'était jamais plus d'une femme, fût-elle Marian. Elle, il ne l'avait désirée qu'une demi-heure, tant il avait été clair qu'elle se donnerait à lui au bout du seul délai des convenances en vigueur dans le jeu galant. N'était-ce pas pour cela qu'il l'avait choisie, bien qu'il ne lui restât qu'un souvenir de beauté ? Son air d'aisance et de tendresse légère, cette mélancolie à la mode... Et surtout ce que les Français, dans leur langue amoureuse, appelaient fort justement *la facilité.* Marian était *facile,* étonnamment *facile,* davantage même que les filles de Birnagor. Rompue à toutes les figures, à toutes les voies de l'amour ; le corps toujours offert et chaud, ce qui finissait par lasser d'ailleurs, comme une pâtisserie trop sucrée. Mais dans l'âme, plus facile encore, plus soumise : une sorte de dévotion sensuelle, un peu triste, ce qui montrait qu'elle y était neuve, et que, peut-être, elle aimait son maître et acheteur. Quel passé ombreux, chaotique, mensonger, tout cela cachait-il ? Warren préférait l'ignorer. Elle lui avait confié qu'elle était venue à Madras autrefois, dans sa jeunesse. Il aurait pu pousser plus avant les questions. Il s'y refusa, moitié par peur, moitié par insouciance. Entre eux, il ne s'agirait jamais que d'amitié. Avec le Bengale, Warren savait qu'il vivait tout autre chose. Le Bengale était traître, mystérieux, jamais conquis : *difficile*. Ses sourires, sa soumission : une façade, un paravent, un mensonge permanent. De lui à Warren, c'était l'amour ; plus même, la passion. Il termina rapidement sa lettre, signa. Il n'était pas utile d'étaler ses sentiments. Le soir était tombé. On ne distinguait plus la mer. Le bateau continuait d'avancer au même rythme. A Calcutta la marchande, les raffinements de l'Europe des lumières seraient loin. On ne parlerait plus que chiffres. Ou guerre. La guerre, précisément. Warren n'avait pas encore touché aux dossiers. Avec la nuit venait le temps de l'étude. Son ordonnance, ainsi qu'à l'habitude, allumait les bougies du bureau.

La guerre menaçait sur deux fronts ; au nord, les Mahrattes tentaient, à n'importe quel prix, d'établir un grand royaume hindou sur les ruines de l'Empire moghol. De temps à autre, ils s'alliaient à l'empereur, pour mieux faire trembler les Anglais. Ce n'était pas le pire. Le Sud lui aussi commençait à bouger. Un aventurier musulman, Haïder Ali, avait pris Mysore. De là, il cherchait à ébranler Madras, prétendait aussi menacer Bombay, déjà bien inquiétée par la proximité mahratte. Warren se rembrunit ; pourtant, il était fort peu probable que ces deux factions pussent un jour s'unir, étant de religions rivales et farouchement hostiles. Mais un nom pouvait souder l'Inde. Un nom seul, briser la division sur laquelle grandissait l'Empire anglais. Et ce nom-là, c'était la France.

Or, fait peut-être insignifiant — mais il n'y avait rien, aux yeux de Warren Hastings, qui fût vraiment sans importance —, il venait de retrouver, sur deux rapports différents, une allusion à un même homme. Tant chez les Mahrattes que chez le sultan de Mysore on signalait sa présence. Il fallait donc qu'il fût diaboliquement habile, pour s'introduire ainsi partout ! Et le nom de cet homme était français.

D'un geste méthodique, Warren souleva les deux liasses, les plaça l'une à côté de l'autre, se prit la tête entre les mains. C'était tout de même assez extraordinaire ; le plus étonnant était qu'on ne lui en eût rien dit, et qu'il ait dû le remarquer par un effet du hasard ou de sa prodigieuse mémoire. Il lut plus attentivement les rapports des espions. C'était clair, extrêmement précis. On n'avait rien omis, à l'exception, grave lacune, de la description détaillée de ce fameux Français. Il faudrait là aussi apporter quelque réforme dans les méthodes de la Compagnie.

La France ! Warren frissonna. Ainsi, il faudrait encore affronter ces hobereaux empanachés qui ne connaissaient rien au commerce et n'avaient d'autre mérite que la grâce de leurs femmes et la beauté de leur langue. C'était incroyable ! N'avaient-ils pas assez compris, lors de la guerre de Sept Ans, qu'ils n'étaient pas faits pour la guerre au loin, ni pour la marine, encore moins pour le commerce ? Au traité de Paris, fort galamment, on leur avait laissé leurs cinq misérables comptoirs. Et voilà qu'ils avaient rebâti Pondichéry, cette ville imbécile, et qu'ils nourrissaient l'idée de s'en servir pour des opérations dans le Dekkan !

Même si les entreprises françaises n'étaient que grandes courses à la chimère, un certain goût de la perfection poussa Hastings à dresser la liste de tous ces éventuels acteurs, par ordre de danger croissant, comme l'exigeait la plus élémentaire logique. Il saisit une feuille vierge, trempa à nouveau sa plume, souleva une à une les feuilles des dossiers. Il ne retrouvait plus le nom qui l'avait frappé tout à l'heure. Il s'irrita, bouscula sa tasse. La porcelaine tinta.

« Ah ! »

Il s'était à nouveau exclamé tout haut. Oui, c'était bien un nom français ; il lui rappelait même une ombre de souvenir, qui pourtant ne s'éclairait pas.

Il en répéta plusieurs fois les syllabes.

« Saint-Lubin... »

Que disaient donc les espions ? Dans le rapport qu'il avait sous les yeux, on décrivait Saint-Lubin comme « d'assez belle tournure », on rappelait, à trois reprises au moins, sa relative jeunesse. L'agent de renseignements semblait avoir été sensible à la beauté du personnage. Cela aussi suscitait chez Warren une réminiscence. Malheureusement, il ne manquait pas chez les Français de fort beaux jeunes hommes. Celui-ci cependant devait offrir de très singuliers appas. Un extravagant, une jeune tête brûlée, sans doute aucun : l'espion n'avait-il pas noté qu'il était venu jusqu'à Mysore « par la caravane », c'est-à-dire en bravant les déserts de Perse et d'Arabie, les périls en tous genres du pays afghan, les traîtrises des steppes asiatiques ? Un voyageur intrépide. Curieux, pour un beau jeune homme, que l'on disait également fort introduit dans les bureaux de Versailles.

Il est vrai, songea alors Hastings, que les ministres de Louis XV viennent d'avoir un sursaut de bon sens, ils ont dissous leur misérable Compagnie des Indes, renvoyé à leur vanité les splendeurs de leur prétentieux Lorient, les fausses gloires de Bordeaux et de Nantes... Les Français n'aiment pas la mer, et ils ont bien raison, car elle non plus ne les aime pas, ils ne sont pas faits pour elle. Ils viennent maintenant aux Indes par la caravane, comme aux antiques temps de Marco Polo !

Il en riait presque. Il reprit sa liste. Qui placer en second lieu ? Sans reprendre les dossiers, il résolut d'écrire le nom de Sombre.

« Toujours en vie, ce monstre. Toujours en vie, malgré son mariage... »

Il ne savait rien de la nouvelle épouse. Il fourragea à nouveau dans les parchemins.

« La princesse Sarasvati... "Fort catholique, ainsi que son époux. On l'a beaucoup redoutée au moment de son mariage en raison d'un ressentiment qu'on lui supposait envers notre nation. Il n'en a rien été. Elle n'a rien accompli d'extraordinaire, se contentant simplement, par un effet de la superstition commune sous ces climats, de fréquenter de temps à autre, en dépit de sa religion catholique et romaine, quelques temples écartés où se pratiquent nuitamment des sacrifices aux divinités païennes." »

Au grand désespoir de Warren on ne disait pas qu'elle eût des enfants, pas plus qu'on ne mentionnait son âge, sa beauté, ni la raison de sa supposée rancune.

« Les bons temps de l'espionnage se perdent, bougonna-t-il. Il faut que j'y mette de l'ordre. La Compagnie ne sait pas utiliser les Indiens. Ah ! Ram, Ram... Le revoir au plus tôt, s'il n'est pas mort dans la famine de l'an passé... »

Au fond de lui-même, il doutait qu'un banquier, ou fils du banquier, pût mourir jamais dans une quelconque famine. Quelle était cette mystérieuse protection qui, jusqu'aux Indes, protégeait souvent les riches des pires calamités ? Mais enfin, il fallait s'attendre à tout, la peste et le choléra, tout de même, n'avaient pas toujours une égale révérence pour les hommes d'argent. Comme il serait triste cependant qu'il fût mort, ce très cher Ram. De son espion préféré, Warren n'avait gardé qu'un délicieux souvenir, celui de son dhoti collé sur ses flancs, et sa démarche ondoyante, comme une claire invite à la volupté. Elle le troublait encore, en dépit de l'ère de vertu qu'il avait décidé d'instaurer. En tout cas, s'il vivait encore, le charmant Bengali lui dirait tout de la princesse Sarasvati. Dès son arrivée, il se ménagerait un rendez-vous avec lui. A cette pensée, ses anciens bonheurs lui revinrent. Le temple de Kali. Les déguisements au petit jour. La traversée du marché, parmi les Indiennes au ventre nu, accroupies devant leurs légumes. Le sang des chèvres se caillant dans le soleil, au milieu des fleurs pourrissantes et de l'encens en volutes. D'un seul coup, Warren comprit d'où lui venait cette inépuisable passion pour le Bengale. Il sut que le but qu'il se proposait, la faire anglaise, n'était qu'un prétexte intellectuel, une maladie d'Européen au cerveau trop actif. En réalité, c'étaient tous ses sens qui l'appelaient là-bas, ses sens malades d'avoir été trop longtemps comprimés, battus, refusés. Au fond de lui, ce qu'il attendait du Bengale était une explosion sensuelle, et il se trompait lui-même en l'appelant sentiment. Non, il voulait la fièvre, le délire, la jouissance. Flagellation ou mise à mort, peu lui en importait l'issue, pourvu qu'enfin il connût la fête, qu'il se roulât dans l'orgie. Et, il dut aussitôt se l'avouer, tout ce qu'il craignait des Français était qu'ils l'en empêchassent.

Il restait encore deux noms à écrire. Celui de Chevalier bien sûr, le directeur du comptoir de Chandernagor, qu'il connaissait depuis toujours. Lui aussi, comme la plupart de ses compatriotes, un homme insignifiant. Il avait cependant la manie d'écrire. Assez stupidement, il envoyait en France des missives à n'en plus finir, qu'il dissimulait dans des ballots de châles et d'eau de rose, sans imaginer qu'il était sur les quais assez de coolies vendus aux Anglais pour leur transmettre son courrier. Pour l'instant, ce n'avaient jamais été que broutilles d'arrière-boutique, mais on lui prêtait d'autres projets, et un dernier rapport affirmait qu'il serait entré en contact avec un aventurier français retiré dans le nord de l'Inde.

Le nord de l'Inde... Le pays convoité par les fameux Mahrattes... Saint-Lubin...

« Goddam ! » éclata Warren, et il en renversa la théière. Un moment abasourdi, il regarda sans comprendre les morceaux épars de sa porcelaine. Il ne put s'empêcher d'y lire un présage. Sa théière préférée. C'en était fini de ses rêveries interminables, des calculs échafaudés en laissant son regard se perdre sur les silhouettes épurées des belles Chinoises. L'eau brune du thé s'était répandue sur le parquet, qu'elle noircissait peu à peu.

« Goddam ! » répéta-t-il, et il repoussa du pied les morceaux brisés, avant de les écraser rageusement sous son talon.

Il reprit le cours de sa réflexion. L'intérieur de l'Inde... Il jura encore. Le puzzle, enfin, se reconstituait. C'était de l'intérieur de l'Inde que la France, cette fois, mènerait son offensive. Saint-Lubin, Chevalier servaient d'agents de liaison, d'émissaires, d'espions. Sombre, lui, fournirait les troupes. Sombre, et peut-être aussi cet aventurier français qu'on signalait non loin de lui.

Ainsi que Saint-Lubin, c'était un inconnu pour Warren. Il consulta à nouveau la notule qui le concernait. On le disait âgé d'environ trente-cinq ans, marié à une *Frantci,* et à la tête d'une fortune assez considérable gagnée en collectant les impôts. Tout cela était fort commun. Commune, aussi, sa trahison : il avait quitté le service des Rohillas, qui ne l'avaient pas payé, pour les Djattes, près du pays de Sombre. Pourquoi Sombre, on ne le disait pas. Cependant, on le prétendait vénal, et lié à ce dernier par une amitié certaine, quoique très distante : s'ils travaillaient de concert, ils ne se rencontraient jamais.

Cette fois, l'espion avait noté quelques détails intéressants. Le Français avait un enfant, une épouse qu'il chérissait, quelque harem, et recevait de temps à autre la visite du père Wendel.

« Wendel ! Ah ! Wendel ! sourit Hastings. Comme il fait bien les choses... »

Il ne l'ajouta pas à sa liste, quoiqu'il doutât un peu de son intégrité.

Il trempa sa plume dans l'encrier, pour ajouter à sa liste le nom de l'aventurier, qui lui parut assez barbare : Madec. Ce pouvait d'ailleurs n'être qu'un surnom, ou un pseudonyme. Une anagramme peut-être. Il relut sa liste.

Quatre noms. Pour menacer l'Inde anglaise, cela faisait trop d'hommes, ou pas assez. Il faudrait en savoir davantage. Sur ce bateau, Warren se sentit brusquement paralysé. Il brûlait plus que jamais de revoir Calcutta. Il fut agité soudain d'une étrange émotion. Ram ! Ram ! Il ne pensait même plus à Marian. Il sonna pour qu'on lui préparât son lit, gagna sa cabine dès qu'elle fut prête.

Avant de s'endormir, il se remit à sa lecture favorite, la *Bhagavad-Gîta*. Il la pratiquait en sanskrit, habitude prise pendant ses années d'ennui. Il l'ouvrit à l'endroit où il l'avait laissée la veille : ... « Tout en se remplissant, il demeure immuable, l'océan où se perdent les eaux. De même, celui en qui se perdent les désirs obtient le repos, non celui qui désire le désir... »

Cette sage lecture n'eut aucun effet sur lui. Toute la nuit, il rêva de Ram.

CHAPITRE XXII

12 janvier 1772

Calcutta

Assise au centre du salon sur un tabouret bas, Marian Imhoff attendait Hastings en distribuant des ordres. Depuis qu'elle s'était installée à Calcutta, où les subsides de Warren lui permettaient de mener grand train, c'était sa besogne préférée, au point que, afin de ne rien perdre de cette infinie jouissance, elle s'était mise au bengali, elle qui toujours avait détesté l'apprentissage des langues.

En cet après-midi finissant, elle avait relégué les femmes à la cuisine ou aux berges du fleuve, et l'on ne voyait autour d'elle que des serviteurs mâles : brodeurs, raccommodeurs de mousselines, épousseteurs de tapis, jardinier, régisseur, préposés à l'entretien des meubles, réparateur de bibelots, et même un jeune peintre indigène qu'elle avait chargé d'exécuter, à la mode européenne, de grandes planches botaniques sur les curiosités des Indes. Debout devant elle, ils attendaient patiemment leur tour, présentaient leur travail ou leurs registres, s'inclinaient, se prosternaient, guettaient, le front inquiet, l'approbation de la maîtresse, se prosternaient encore, tandis qu'elle critiquait impitoyablement leur ouvrage ou la tenue de leurs comptes.

Etait-ce la proximité du retour d'Hastings ou le plaisir de cette compagnie exclusivement masculine, Marian souriait à demi, les lèvres humides d'une convoitise bizarre. Autour d'elle, pourtant, les domestiques n'avaient pas la grâce frivole des galants qui la courtisaient aux beaux temps de Pondichéry. Leur va-et-vient n'était pas feinte soumission, et leur docilité se chargeait parfois de regards lourds, où tout autre qu'un Blanc aurait pu lire des lueurs de rancune. Cependant ils tremblaient. Tous la craignaient, tous, sauf peut-être le jeune peintre en botanique, qui supporta sans frémir les quelques mots secs que Marian lui lança en guise de compliment :

« C'est encore trop indien, ce lotus, petit peintre ! Trop contourné, trop flou ! Tu n'es pas assez net. Regarde : je n'arrive même pas à compter combien la fleur a de pétales. Marque davantage ton trait, enfin ! »

Une fois par semaine, Marian tenait à dresser le bilan du travail accompli ; elle avait compris qu'il avait pour les serviteurs l'importance et la gravité d'une vraie cérémonie. Elle commençait par faire tirer les stores sur les fenêtres du salon, même par les temps bleus et doux de l'hiver, comme c'était alors la saison. Puis elle faisait mander toute sa valetaille, s'asseyait avec solennité au centre de la pièce pareille à un maharajah devant son *dorbar* ; alors enfin elle s'abandonnait à la volupté des dos courbés sous ses humiliations flûtées. C'était savoureux. Un délice, dont jamais elle ne se lasserait. Etre servie plutôt que de servir. Avant ce bonheur-ci, dix années vides en effet et tristes comme le sinistre baron qu'elle avait fini par épouser, quand il lui avait promis, à bout d'arguments pour l'attacher à lui, qu'il la ramènerait aux Indes. Car elle les avaient fuies, ses Indes chéries, dans un élan de rage, sur le premier vaisseau en partance pour l'Europe. Certes, elle savait que ni la France, ni l'Allemagne, ni l'Angleterre ne lui avaient jamais rien donné. Il n'y avait donc aucune raison pour qu'elles lui offrissent davantage. Mais ne venait-elle pas de tout perdre en la personne de Saint-Lubin, tout perdre du vrai bonheur, celui qu'on ne trouve qu'à l'est de l'Afrique et dans la profusion du Tropique ? Lui, l'unique, le superbe, le merveilleux Saint-Lubin l'avait, dans une dernière pirouette, abandonnée aux rives de Madras. Aujourd'hui encore, alors qu'avec Hastings sa vie paraissait s'engager sur la voie de la tranquillité et qu'elle était morte aux troubles du cœur, elle s'en souvenait en tremblant. Fallait-il cependant regretter ce temps-là ? Avec l'amour du gouverneur, toutes les Indes venaient de lui tomber entre les bras. S'agissant d'Hastings, *amour* était sans doute un bien grand mot. Elle l'avait su au premier baiser : il avait une façon d'embrasser méthodique, « point trop n'en faut », comme aurait dit Saint-Lubin. L'affaire un peu plus loin menée, elle découvrit la même mesure dans sa manière d'alterner élans du corps et effusions sentimentales ; c'était d'ailleurs un très moyen amant. Mais il souffrait d'une maladie commune, dont Marian avait saisi aussitôt le parti qu'elle pouvait tirer : il désirait qu'on l'admirât. Ambitieux et rapide, une cour innombrable l'eût encombré. Il y avait là une place à prendre, et elle abandonna sans vergogne mari et enfants. Deux ans de vie médiocre sous les palmes de Madras, et voilà qu'Hastings était nommé gouverneur général. Toutes les Indes à ses pieds. Il y a donc un destin, songeait Marian en examinant dans le jour de la porte le rapiéçage d'une mousseline. Il y a un destin, et voici maintenant, au bout de toutes mes errances, une union solide et tranquille.

Elle reposa sur ses genoux le tissu, congédia le serviteur :

« C'est bien ; tu peux aller. Tu reprendras une à une les moustiquaires des chambres. Les insectes les ont percées. Il faudra voir aussi les nappes des guéridons. Fais-les blanchir d'abord. Va. »

Elle soupira. Rien ne restait propre à Calcutta. Ce n'était pas la proximité du port, pourtant, puisqu'elle avait choisi de s'établir à l'extérieur de la ville, au milieu des derniers potagers, presque à la lisière de la jungle. Cette salissure continuelle, contre laquelle tous ses soins semblaient impuissants, lui demeurait un vrai mystère. Et pourtant, dût-elle perdre des heures à distribuer des ordres, il fallait que tout fût propre, impeccablement propre. Jamais elle ne se fût avoué qu'en ce souci de perfection domestique elle s'efforçait de copier le fantôme hagard qui venait parfois hanter ses rêves, la silhouette généreuse et ferme de Jeanne Carvalho. Elle préférait se dire qu'elle recherchait cette netteté pour complaire à Hastings : il y voyait un signe des temps à venir, une qualité par laquelle, affirmait-il, l'homme blanc étendrait sa suprématie à la Terre entière, aussi efficacement qu'au moyen de ses armées.

Un remue-ménage soudain la fit tressaillir de joie. Elle venait d'entendre la cohue ordinaire qui précédait l'arrivée d'un palanquin, et, au pas rapide qu'elle distinguait sur le gravier de l'allée, elle avait reconnu Hastings.

Warren se précipita sur les marches du perron :

« *My Queen !* »

Dès qu'il était loin du regard des hommes, il s'abandonnait au lyrisme :

« *My heart's treasure ! The deity of my religion...* »

Marian devina pourtant qu'il se moquait un peu ; de lui-même d'ailleurs, de ses accès brutaux de sentimentalité, plus que de sa compagne retrouvée. Elle sourit en lui tendant la main :

« Vous me flattez trop. »

Elle avait répondu en français, langue que le gouverneur possédait à merveille, non par affectation mais pour se réfugier dans la distance élégante du « vous » français, le temps que se rétablît leur intimité.

« Comment va votre santé, madame ? reprit Warren que le jeu amusait. Le Bengale vous réussit, on dirait. On le dit cependant si malsain... »

Il lui saisit la main, la couvrit de baisers. Marian soupira :

« Malsain... Le pays, non point ! Mais les domestiques, Warren, les domestiques ! Quelle misère ! Impossible ici de mener comme il faut un train de maison...

— Je vous vois pourtant superbement installée. »

Ses effusions étaient déjà terminées. D'un instant à l'autre, ils allaient parler anglais. Ses bras, un moment, avaient cherché sa taille, ils retombaient maintenant, tandis qu'Hastings inspectait le couloir, le salon, la pénombre de l'escalier. Il était ainsi : plaisir rapide, qu'il ne faisait durer que par pure convenance, émotions fugaces, transports toujours tenus en bride.

Il eut pour Marian un ultime regard attendri. Oui, reposante était cette femme qui l'attendait sans relâche, à toute heure du jour ou de la nuit, constante, offerte, sereine, toujours disponible à ce jeu dont l'hypocrisie paraissait l'enchanter. Voyant le sentiment s'éloigner d'Hastings, elle devenait toute prévenante. Elle se retournait déjà, commandait du thé.

« Tu as soif, n'est-ce pas ? »

Il s'avança dans le couloir sans répondre, tant il était clair qu'elle avait percé son désir.

« Tu as admirablement arrangé cette maison. »

Il était sincèrement admiratif. Ici il ne reconnaissait pas les intérieurs sombres et débraillés de Calcutta, où voisinaient toujours sofas défaits, meubles précieux et les pires tableaux qu'on vendît à Londres, sur fond de domestiques ensommeillés ou de nourrices obèses s'exténuant à calmer des gamins blancs trop gâtés.

Ici régnait l'ordre. Warren fut ravi d'y trouver le reflet de ses plus secrets desseins sur l'Inde. Cela l'avait frappé dès son arrivée, quand, sur la route qui bordait le fleuve, il avait distingué cette grande maison à colonnades blanches, ni trop massive ni trop légère, qui se détachait sur le courant. Il y avait, dans la symétrie de son triple fronton, la rigueur de sa colonnade centrale, le charme de la terrasse qui en formait le toit, une harmonie certaine, de la grâce et de la mesure à la fois, un alanguissement sans faiblesse qui était tout ce que Warren adorait.

Il revint sur le perron, contempla le jardin en

silence. Il ne se souvenait pas que la demeure eût possédé un parc. Il était donc l'œuvre de Marian.

« J'aime ce jardin. »

Marian l'avait suivi, elle rougit de plaisir.

« Je n'ai guère eu le temps de m'y consacrer. Seules les terrasses sont achevées. Plus tard, nous aurons une serre, un jardin botanique, des orangers, des manguiers... Des orchidées. Une ménagerie, peut-être. »

Il hocha la tête. Oui, vraiment, ce jardin lui plaisait. D'où lui était venue cette idée de parterres symétriques, de bassins tranquilles, de haies régulières qui fuyaient jusqu'à l'horizon du fleuve où, dans la lumière mourante, dérivaient encore les voiles carrées des barques du Gange, la proue en forme de paon d'un navire de rajah soumis aux Anglais ? Le moment était superbe, c'était le grand soir de l'Inde, l'heure où de la campagne s'élevaient partout les feux du dernier repas, dont les fumées troublaient faiblement la pureté bleue du ciel hivernal. Qu'on était loin de la mousson, et comme son cataclysme paraissait impossible, devant ce paysage parfait, rigoureux, presque mathématique. Warren songea d'abord que Marian avait cherché à recréer ici, en Française qu'elle était, et semblable à tous les esprits éclairés du siècle, la symétrie des jardins de Versailles. Mais il se rappela qu'elle ne les avait pas connus autrement peut-être que sur des estampes dont les perspectives étaient toujours fausses. Il se souvint alors qu'à son départ de Madras, il lui avait confié sa collection de miniatures mogholes, le seul bien qu'il possédât. Il s'était toujours refusé à les monnayer. C'était donc dans le souci de lui plaire que Marian avait copié le décor des jardins moghols, cette stricte harmonie, leur rigueur implacable qui surprenaient tant à la lisière de la jungle, surtout lorsqu'on pensait aux savants fouillis des nouveaux jardins d'Europe dont l'Angleterre, précisément, avait voulu que la nature en fût l'unique modèle. Fallait-il qu'elle l'aimât... Pour un peu, Warren s'en serait ému, s'il n'avait reconnu dans son dos le tintement d'une porcelaine. Il se retourna. Marian l'attendait devant la porte avec un domestique chargé d'un plateau et d'une théière ; d'un doigt un peu las, elle fit signe au gouverneur de la suivre. Tel un huissier, il pénétra dans le salon d'un pas rapide, inspecta l'état des lieux, catalogua puis rangea dans sa mémoire les moyens qu'elle avait déployés pour lui plaire. Laques, crédences, porcelaines fines, estampes fraîches, jades légers et miniatures : elle avait réuni tout ce qu'il aimait en une harmonie douce, anglo-indienne, celle-là même dont il rêvait depuis l'Angleterre. Une beauté neuve, européenne et exotique tout ensemble. Elle ne détonnait pas, bien au contraire, avec l'extérieur de la maison. Une boîte à couture incrustée de nacre était restée, il ne savait pourquoi, au centre du salon, tout près d'un tabouret bas. Il en débordait de pleines sachées de soie multicolore, ce qui donnait à l'endroit une note de négligé charmant sans laquelle la pièce eût paru un peu sèche, abstraite, intellectuelle peut-être. Le soir tomba tout d'un coup. Des serviteurs silencieux apportèrent des chandeliers. Marian servit le thé, puis proposa au gouverneur une partie d'échecs sur un jeu dont le modèle faisait fureur à Calcutta : ses pièces d'ivoire ciselé représentaient, face à face, une armée anglaise et un bataillon indien. Rajahs et généraux simulaient les rois, on avait éléphants et canons en guise de tours, enfin des cipayes servaient de pions. La partie ne fut pas longue. Lassitude ou désir de complaire à Hastings, Marian commit erreur sur erreur. Le gouverneur, qui lui avait laissé les Blancs — c'est-à-dire les Anglais —, l'arrêta soudain :

« L'échec et mat est inévitable, madame. L'Inde vous a vaincue ! »

Il avait à nouveau parlé en français. Marian sourit :

« Voulez-vous dîner ? »

Il acquiesça.

Le souper fut des plus brefs : Warren n'ignorait pas

que Marian n'avait aucun goût pour la nourriture ; elle n'avait jamais su ce qui s'imposait ici, diriger la moindre cuisinière indienne ; elle aurait mangé n'importe quel affreux curry. Après une ultime tasse de thé, ils se retirèrent au premier étage, dans un boudoir qui jouxtait leurs deux chambres.

Warren enleva sa perruque, la déposa sur un guéridon, se pencha sur la glace qui le surmontait. Il s'en détourna vite : Marian l'observait. Il passa sa main dans ses cheveux très blancs. Elle ne put s'empêcher de rire. Warren était resté très mince et, sans sa perruque, il avait l'air d'un petit garçon vieilli trop tôt : ses cheveux gros et secs, encore très fournis, étaient parcourus d'épis, et ils gardaient un aspect ébouriffé qui donnait toujours au gouverneur l'air de sortir d'un lit ou de revenir d'une course à cheval.

Il se retourna et soupira :

« J'ai tant à faire, Marian, tant à faire... Pour combler ses dettes, Londres veut l'Inde, toute l'Inde. L'Angleterre doit tenir son rang en Europe, les guerres lui ont coûté cher. Un jour ou l'autre, les bénéfices de la Compagnie doivent lui revenir. Ici, je dois transformer en Etat la simple administration d'une rente ! Expulser les banquiers bengalis, réformer la propriété, construire un droit qui vaille à la fois pour les Anglais et les Indiens, supprimer les abus, ménager les personnes. Purifier, purifier... Les taxes, la douane, les bandits, le Sud qui s'agite, Bombay qui veut faire sécession, et puis ces pays immenses, à peine connus, les Himalayas du Népal, les coupeurs de tête aux rives du Brahmapoutre, les Lamas de Tartarie, le Cachemire, ah ! le Cachemire ! »

Il savait bien que Marian ne l'écoutait qu'à demi, qu'elle ne connaissait de l'Inde que ses comptoirs et ses salons, qu'elle n'avait pas même l'idée que ses habitants puissent écrire, penser, rêver, aimer. Il continua pourtant :

«... Et tous ces dieux, des millions de dieux, les musiciens divins, les danseuses célestes. J'ai rencontré voici quatre jours un grand marchand de Calcutta, un banian né à Bénarès. Il m'a raconté que les Indiens avaient reçu une prophétie, voici des centaines d'années. Un jour, leur avait dit un de leurs sages, les enfants du dieu-singe Hanouman prendront l'Inde. L'Inde entière, entends-tu, l'Inde entière... »

Il se dirigea vers la fenêtre, fixa dans le noir un point invisible :

«... Je suis peut-être le chef de cette armée de singes ! »

De sa coiffeuse, l'air lointain, Marian haussa les épaules :

« Tu ne vas pas te comparer aux nouveaux arrivants, tout de même ! Tu n'es pas un *griffin* ! Tu es gouverneur, tu as reçu le meilleur accueil qui soit ! »

Il poursuivit sans l'écouter :

« Et surtout, je suis seul. Seul comme Robinson Crusoé. »

Elle parut soudain effrayée :

« Naufragé ?

— Si l'on veut... Te souviens-tu du passage où Robinson se met à construire un navire pour fuir son île, à une bonne distance de la mer, sans même savoir comment il le mettra à l'eau ? »

Marian avait peu de mémoire des livres qu'elle lisait ; il le savait. Elle hocha pourtant la tête :

« Alors je construis mon bateau... sans plus de réflexion, à une énorme distance de la première plage, sans savoir non plus comment je le mettrai à la mer ! Et comme Robinson, chaque fois que se présente une objection ou une difficulté, je les écarte promptement, et je me dis : Cela n'est rien ; finissons d'abord le bateau, et je suis sûr que je trouverai ensuite le moyen de le lancer... »

Il se détourna de la fenêtre, fit face à Marian :

« Mon bateau, Marian, c'est l'Inde. »

Il prononça ce mot avec une immense tendresse. Il changea brusquement de ton :

« Quelle heure est-il ?

— Je descends au salon consulter la pendule.

— Reviens vite. Demain, je dois partir à l'aube. »

Il lui expliqua en quelques mots son rendez-vous aux confins du bazar :

« C'est un espion que tu dois voir ? Pourquoi ne pas le faire venir ici ?

— Non.

— C'est pour la guerre ? »

Il ne répondit pas.

« La France ?

— En quelque sorte.

— La France... »

Elle n'en demanda pas plus. Tandis qu'elle descendait l'escalier qui menait au salon, promenant les ombres des bougies sur les murs blancs de sa demeure, elle se prit à songer à d'autres murs blancs, entre lesquels, des années plus tôt, un autre homme lui avait aussi parlé de guerre et d'espionnage. Il lui vint alors une curieuse idée : cette homme n'avait pu laisser choir ses occupations mensongères et météoriques, et il était vivant, non loin d'ici. L'Inde violente, sanguinaire, haineuse, traîtresse, dont le gouverneur venait de lui parler, semblait en effet avoir été inventée pour lui. Une sorte de joie s'empara de Marian, et elle se mit à souhaiter la guerre, à rêver de ce petit comptoir français blotti au fond d'une belle anse, dont on lui avait autrefois rebattu les oreilles, et d'où peut-être resurgiraient tous les plaisirs de sa jeunesse.

Quand elle remonta, Hastings sortait de sa mallette des reliures fatiguées, Defoe, bien sûr, mais aussi Lucrèce, Hume, Machiavel, ainsi qu'un ouvrage moins patiné que les autres, qui paraissait presque neuf.

« Diderot, madame, un Français comme vous », lui dit-il en le lui tendant.

Elle refusa son offre :

« Il est temps de dormir, Warren. Demain je me

lèverai avant vous pour préparer cette expédition au bazar. Vous êtes vraiment un extravagant ! »

Il se pencha sur elle enfin, pour l'embrasser. C'était leur premier contact un peu intime. Leurs peaux s'effleurèrent. Celle du gouverneur était rêche, comme parcheminée. Elle remarqua aussi sur ses mains quelques taches brunes qui n'y étaient pas six mois plus tôt. Il avait vieilli, en effet. Il n'y avait que son cerveau qui fût jeune. Mais que pouvait-elle faire de son intelligence, sinon l'utiliser pour sa propre tranquillité ?

Elle s'éclipsa sans un mot.

A peine avait-elle disparu que Warren souffla les bougies. Il était soulagé. Elle l'avait écouté avec patience ; il était venu à bout de son angoisse, et elle n'avait rien demandé en contrepartie, ni des indiscrétions politiques, ni surtout la chaleur de son lit. Il avait suffi qu'il sorte ses livres, et elle avait compris qu'elle était de trop, qu'il ne désirait plus que la solitude.

Délicieuse, délicieuse femme... Une esclave blanche. Ainsi, maintenant, alors qu'elle devait être sous sa moustiquaire, si le désir brusquement venait le tourmenter, il n'avait qu'à vite se lever, gagner sa chambre, la chercher sous les draps, lui glisser les douceurs convenues, la prendre vite, la remercier en deux mots, avant de revenir ici, apaisé, tranquille... Pure hypothèse d'école. D'ici quatre heures, il faudrait se lever, l'esprit bien clair, pour aller à la rencontre de Ram. Sitôt qu'il avait posé le pied sur le sol de Calcutta, une semaine déjà, Warren avait fait fouiller les dédales de la ville indienne. Et cette semaine n'avait pas été de trop : quels bouleversements étranges agitaient la banque bengali et les marchands du bazar ? Les indicateurs renâclaient, les espions blancs avaient peur, les portes grillagées se fermaient une à une. Mais Ram était vivant, et c'était l'essentiel. Le reste, il le saurait demain.

Aux premiers rayons du soleil, au fond de la cour

qui donnait sur le temple de Kali, il verrait surgir, tel un dieu des Ecritures indiennes, l'adorable silhouette du jeune Bengali. A cet instant de sa rêverie, Warren éprouva une sensation bien connue, irritante et agréable à la fois, qui lui fit regretter d'avoir donné congé à Marian. Mais comme la journée qui venait promettait d'être rude, il chassa de son esprit les images libertines qui s'y pressaient en foule et s'endormit presque aussitôt d'un sommeil fort lourd.

*
* *

Une heure avant le lever du soleil, Marian vint réveiller le gouverneur. Il fut prêt en quelques instants, savoura avec une ardeur inaccoutumée le thé brûlant qu'elle lui servit à petites tasses. Devant le perron, elle avait fait sortir un vieux palanquin, le premier qu'elle eût possédé quand elle s'était installée ici. Il n'avait pas le faste de ses nouveaux équipages ; celui de Warren resterait dans le jardin, bien en évidence, entouré de ses pions : ainsi tout le monde croirait qu'il était encore dans son lit, et personne ne pourrait soupçonner son expédition au bazar.

« Méfie-toi tout de même, Warren. Je n'aime pas les Indiens. Mes domestiques, je les observe bien tous les jours, ce sont des traîtres comme tous les Bengalis. Ton rendez-vous n'est peut-être qu'un traquenard.

— Je suis sûr de mes gens. J'ai toujours agi ainsi.

— Tu es le gouverneur désormais.

— Qui me reconnaîtrait ? »

Marian lui avait passé un vêtement fort commun, celui qu'il portait au moment de son retour aux Indes. Il était très fripé et tout élimé aux coudes ; les bas étaient de soie défraîchie, il était difficile de reconnaître le gouverneur, quoiqu'il n'eût mis aucun soin à grimer son visage. Il s'était simplement appliqué à ressembler à ce qu'il était autrefois, un homme voûté avant l'âge à force de besognes ennuyeuses et d'ambition retenue, triste et morne comme la Calcutta anglaise. Il s'amusa un moment à prendre devant elle le pas affairé des petits courtiers de la Compagnie, leur expression suffisante et soucieuse à la fois. Marian cependant ne sourit pas :

« Est-il vraiment besoin d'aller soi-même aux renseignements ? N'as-tu donc pas des hommes pour cela ?

— On n'est jamais aussi bien servi que par soi-même, comme vous dites en France. »

Elle se montra ce matin très inquisitrice :

« Mais sur qui veux-tu donc apprendre tant de choses ? »

Elle fit une pause, puis reprit :

« Il y a peut-être des choses que je sais, moi...

— Marian ! »

Son air mystérieux inquiéta Hastings.

« Nous nous sommes promis de vivre hors du temps, Marian, loin des vices du siècle. Laisse-moi ma besogne.

— C'est vrai, je te l'ai promis. Mais ces Français dont tu parles, j'ai pu les connaître.

— Où ?

— Autrefois, en France. J'étais jeune, mais j'ai pu les connaître. »

Hastings la regarda d'un air bizarre, puis déclara d'un ton définitif :

« Restons tous deux loin de cela. D'ailleurs, c'est d'abord sur une Indienne que je cherche des renseignements. Une femme dangereuse... Enfin, une femme qu'on a présentée autrefois comme telle, et dont le mari s'est abouché avec un Français. »

Il surveillait ses mains ; comme il s'y attendait, il les vit frémir.

« Qui ? »

Warren eut un petit ricanement :

« Oh ! Celui-là, depuis le temps qu'il est en Inde, tu n'as pas pu le rencontrer ! C'est un genre de rajah, de nabab français. Il a pris femme et enfants ici, c'est un guerrier, comme l'autre, Sumroo, le mari de cette

Indienne. Tu vois bien que tu ne connais pas ces gens-là ! »

Chaque mot de Warren résonnait dans la poitrine de Marian. Elle tenta pourtant de réfléchir. Le Français avait pris femme, il avait des enfants, le gouverneur affirmait que c'était un guerrier. Non, il ne pouvait s'agir de Saint-Lubin ; il était trop céleste, trop irréel, trop habile aussi, pour avoir jamais engendré. Et surtout, il ne savait pas tenir une arme. Il faisait le mal en douceur, sans faire couler le sang, d'une manière impalpable, immatérielle, qui ouvrait dans les êtres des blessures plus pernicieuses encore que celle d'un poignard indien.

Les domestiques, simplement vêtus d'un dhoti, et le dos recouvert de pièces de laine, s'avancèrent vers le palanquin.

« A bientôt, madame, murmura Hastings.

— A bientôt, gouverneur. »

Il s'allongea dans le palanquin. Avant de baisser le rideau, il chercha encore sa silhouette dans la nuit. Elle avait déjà disparu.

Les pions se mirent en marche. Bientôt Warren n'entendit plus sous leurs pas le crissement du gravier ; ils décrivirent un coude : comme il le leur avait ordonné, ils prenaient la direction de la ville. Il lui sembla alors qu'il respirait plus largement ; l'air lui parut plus léger. Un moment encore, il tâcha d'imaginer ce que faisait Marian. Il la vit, se déshabillant devant sa coiffeuse, avec son air lent et indifférent à tout. Il pensa qu'elle allait se rendormir. Une idée lui traversa soudain l'esprit et si elle mourait ? Aussitôt, comme par automatisme, lui revint une phrase de Clive, écrite des années plus tôt, quand Warren n'était encore qu'un simple agent à Cassimbazar. Au bas d'une lettre, celui-ci n'avait pu s'empêcher de lui faire part de la mort de sa fille, et s'était laissé aller à lui confier sa douleur. « Bien vite, lui répondit Clive, bien vite, monsieur, vous la remplacerez. » Ce ne fut pas de la part de Clive simple politesse. C'était la pure vérité.

Warren ne tenait en réalité à personne. Marian disparue, elle qu'il disait si rare, il trouverait bien quelqu'un d'autre à qui raconter ses peurs. Le monde ne manquait pas de femmes complaisantes. Il suffisait de savoir choisir. Ram était-il patient, aussi docile qu'elle ? Il en doutait encore. Warren souleva le voile du palanquin. Le jour naissait, dévoilant sur le fleuve les premières barques, des sortes de péniches à haleurs qui remontaient le Gange, quelques vaisseaux anglais ancrés sur des quais neufs. De l'autre côté de la route, l'eau des rizières bleuissait dans le matin. Warren se mit à fixer l'horizon, songeant aux centaines et centaines de champs semblables à ceux-ci, qui s'éveillaient en même temps au premier soleil, les terres à jute, à coton, à thé, à soie. Une bonne mousson, et peut-être le Bengale reprendrait-il vie, après l'atroce famine de l'an passé. De temps à autre, on croisait encore sur la route des ossements épars, depuis la catastrophe, personne n'avait songé à les débarrasser, comme s'il s'était agi d'un signe des dieux, le rappel sacré de la destruction universelle, qu'il eût été sacrilège de détruire sur une terre où Kali régnait en souveraine.

Longtemps il n'avait pas compris pourquoi le fondateur de la ville anglaise avait tenu à offrir un sacrifice à la monstrueuse déesse, le jour même où il avait reçu du nabab du Bengale licence d'y établir un comptoir. Grâce au recul pris durant son séjour londonien, Warren savait qu'il se devait lui aussi de passer un pacte avec elle. Bien qu'il ne voulût pas se l'avouer, c'était un peu le but de son rendez-vous avec Ram. Un chaos, Calcutta n'était rien d'autre. Un chaos, d'où sortait, à chaque mousson, une richesse monstrueuse, comme du ventre énorme d'une déesse mère. Tandis qu'il contemplait derrière son rideau les petites rigoles d'eau claire qui irriguaient les champs, Warren se plut à songer que cette richesse pourrait tout aussi bien être d'un ordre spirituel, et que la déesse indienne de l'intelligence pourrait trouver son compte à Calcutta. Londres, la ville-monde de l'Europe, depuis qu'elle drainait tout le divers de l'Asie et des Amériques, n'en était-elle pas devenue le phare intellectuel ? Voltaire, qu'eût-il été sans l'Angleterre ? Et Rousseau, et tant d'autres, qu'il n'avait pas eu le temps de lire, mais dont il rêvait qu'ils préparaient, tout comme lui, les temps à naître. Il chercha un instant le nom de la divinité locale de la sagesse, une sorte d'Athéna sensuelle, de muse dansante, qui ne dédaignait pas l'amour. Le nom lui revint alors qu'on traversait les potagers de la ville : Sarasvati. Il trouva ces syllabes harmonieuses, mais se persuada que celles de Kali, puissantes et monstrueusement féminines, tout ce qu'il redoutait dans les femmes, convenaient mieux à la ville du Gange. Calcutta, une ville en menstrues, ou en gésine perpétuelles. Une ville-fleuve, une sirène, une ville-putain, toujours offerte, beuglante, avec des râles d'amour et de mort. Il l'aimait. Il s'endormit, malgré le tumulte qui grandissait aux approches du matin. De temps à autre, des lépreux qui mendiaient, les lamentations d'un cortège funèbre, des convois de buffles en route pour le marché faillirent l'arracher à son demi-sommeil. Il se soulevait à peine des coussins, la tête fatiguée de rêves fiévreux, avec des gestes de noyé qui s'abandonne au flot. Il se sentait bien, en effet, dans cette somnolence lourde de l'attente de Ram, bercé par le pas régulier des pions, enfoncé dans la soie défraîchie des coussins. Il ne souhaitait plus qu'une chose, que cela durât longtemps, ces odeurs marines et pourrissantes que le rideau n'arrêtait pas, ce remue-ménage crasseux qu'il devinait derrière le palanquin, la foule indifférente qui s'ouvrait devant lui pour se refermer aussitôt, les hommes en sueur qui s'escrimaient sur leur besogne de misère, les femmes à demi nues ployant sous leurs paniers. Oui, il savait tout de Calcutta, de ses bâtisses moisies à peine construites, des claquements de ses voiles en partance, de la sève juteuse des lianes guettant les cimetières anglais. Il savait tout, jusqu'au labyrinthe grillagé du quartier arménien là commençait l'Inde, son éternelle ignorance. Là commençait Ram.

Les pions s'arrêtèrent d'un seul coup. A une vitesse prodigieuse, Warren chassa de son esprit tous les miasmes de ses rêves. Il redevint aussitôt éveillé, vif, précis, calculateur. Avant de se relever, il inspecta son costume. Tout était en ordre. Pour le reconnaître, il faudrait l'avoir suivi depuis son lit. Il sauta à terre, s'engagea dans la demi-obscurité des ruelles. Le soleil ne perçait pas encore l'étroitesse des murs. Il redécouvrit avec satisfaction la maison abandonnée de ses rendez-vous d'autrefois, s'engagea dans le couloir. Rien n'avait changé. Dans la cour, au fond, il retrouva aussitôt la brèche du mur, et le temple de Kali où s'agitaient les silhouettes des fidèles sous les premiers rayons du soleil.

Debout dans le dernier recoin d'ombre du couloir, Ram était là qui l'attendait, nu dans son dhoti malgré le froid du matin.

Warren voulut étendre la main, prononcer quelques mots de bienvenue. L'autre l'en empêcha d'un seul geste :

« Non. Fais vite. »

Il semblait froid, un peu buté. Il n'avait pas changé. Son corps luisait dans la pénombre, toujours aussi mince, ferme, musclé. Mais ses traits s'étaient durcis. Il avait perdu son air de demi-enfant ; sa bouche se plissait dans une sorte de rictus amer et gourmand à la fois, qui lui donnait une expression particulièrement troublante. Il était encore jeune, sans l'être ; ses cheveux blanchissaient déjà. On eût dit qu'il était riche d'une expérience nouvelle, exaltante ; mais au seul premier coup d'œil, Warren ne put démêler si elle lui venait de la pratique de la banque ou de celle du plaisir.

« Fais vite, te dis-je, répéta Ram. Que veux-tu savoir ?

— Que sais-tu des firanguis de Chandernagor ?

— Chandernagor ! C'est un village... Tu ne m'as pas fait venir pour cela. »

Il regarda autour de lui, agita nerveusement le paquet d'amulettes qu'il portait au cou.

« Je te parle de tous les firanguis qui ne sont pas comme nous. Les frantcis, ceux du Nord. On dit qu'ils ont fait de grosses fortunes, les banquiers les connaissent ; tu les connais...

— Depuis l'assassinat des frères Djagarset, la banque indienne va mal, sahib, tu le sais mieux que personne ! Les héritiers des Banquiers Mondiaux ne sont même pas épargnés. Et que vaut la fortune d'un firangui, à côté des trésors que les tiens emportent vers les Eaux Noires ?

— J'ai toujours protégé ta famille. Je continuerai à le faire.

— Ma famille, oui... Mais que dira ma caste ?

— Ah ! Ta caste... C'est une autre affaire. Nous verrons cela.

— Méfie-toi, sahib, l'Inde est violente.

— Je le sais. Mais que sais-tu des firanguis français, dis-moi, que sais-tu ?

— Rien. »

Il secoua la tête, plus fermé encore que tout à l'heure. Le soleil montait, exposant ses jambes à la lumière. Il avait embelli, sembla-t-il à Warren. Il était plus tourmenté, plus profond sans doute. Il s'était parfumé. Warren s'approcha :

« Ram... »

Il parlait d'un ton très doux, qu'il ne s'était jamais connu, même avec Marian. L'autre leva vers lui des yeux à peine étonnés, où il sentit le début d'une faiblesse. Il fallait aussitôt l'exploiter. Il posa la main sur l'épaule du jeune homme, frémit. Que cette peau était douce, polie, ferme et solide à la fois, comme jamais ne savait l'être la peau d'une femme. Il descendait lentement la main sur ce dos nu, prenant plaisir à voir les muscles frissonner un à un sur son passage, appréhendant le moment où l'arrêterait l'étoffe du dhoti. Ses lèvres tremblèrent.

« Ram... »

L'autre leva la tête, ferma les yeux, s'arc-bouta contre Warren.

« Qui est cette femme qui a épousé Sumroo ? Tes frères travaillent avec l'argent de Sumroo, je le sais. Et l'autre, le frantci qui vit non loin d'eux, qui est-il ? Dis-moi, Ram... »

Le jeune homme eut un demi-sourire, se détendit, offrit son corps à la lumière ; les plis de son dhoti se défaisaient lentement.

« La princesse... Ah ! la princesse, Viens. »

Il saisit tout d'un coup la main de Warren, lui désigna dans l'angle un petit appentis. Le gouverneur eut un moment de recul ; tout lui échappait à présent, tout allait trop vite, trop loin.

« Le temple, Ram ! On va nous voir. »

Il tremblait. Il sentait dans son dos comme une présence ; quelqu'un qui serait venu de la rue, du bazar. Ram le lâcha soudain et traversa la cour à toutes jambes. Warren se plaqua contre le mur du couloir, tâta dans sa poche le petit pistolet qui ne le quittait pas. C'était trop tard ; il y eut, dans les herbes folles de la cour, un bref corps à corps. Il n'eut que le temps de distinguer l'éclair d'un couteau, et déjà l'autre, un très jeune homme maigre et musculeux, arrachait les amulettes qui pendaient au cou de Ram, sautait par la brèche du mur, disparaissait dans la foule des fidèles. Il n'y avait pas eu un cri, nul sinon Warren ne semblait s'être aperçu de quelque chose. Il jugea bon de disparaître sur-le-champ. Avant de quitter le couloir, il se retourna, comme pris d'un regret. Une seconde, il fixa la tache de lumière où se détachait tout à l'heure la silhouette du jeune Bengali. Tout était calme. Les lianes se balançaient dans le matin grandissant ; au fond de la brèche, des fidèles tranquilles se prosternaient, passaient au cou de la déesse, juste au-dessus de son collier de têtes, des guirlandes de fleurs et des bâtons d'encens. Au milieu du soleil s'étendait le cadavre nu d'un homme encore jeune, la gorge tranchée net ; entre ses flancs étroits commençait à se cailler, ainsi qu'aux victimes offertes à Kali, un grand ruisseau de sang frais.

Le dos plus voûté qu'à l'ordinaire, Warren rejoignit ses pions à grands pas. Autour de lui, le bazar s'agitait avec indifférence, sans plus de violence ni de joie. Il n'y comprenait rien. A vrai dire, il était moins égaré par la mort de Ram que par l'imminence de l'acte qu'il avait failli commettre, le trouble de sa peau qui avait frémi contre l'Indien. Il cherchait à démêler les raisons du crime ; cependant son désir frustré continuait à l'éprouver, et il n'y voyait plus rien. Une fois rentré chez Marian, il parvint à songer froidement à la scène. On avait égorgé Ram avec une précision étonnante ; Warren n'avait jamais croisé la mort de si près. Lui qui s'était toujours tenu à l'écart de la guerre, il ne connaissait du trépas que son visage bengali, les innombrables Indiens raides et gris ramassés au matin sur le bord des routes ; pour le reste, c'étaient les visages cireux des agents de la Compagnie allongés sur leur lit de mort pendant les épidémies de la mousson, ou l'agonie misérable des pauvres de Londres, du côté des docks. Il n'avait pas encore vu jaillir tant de sang. Cette image, une bonne heure, ne cessa de l'obséder ; le sang, le sang épars sur le corps nu de Ram qui devait à présent sous le soleil commencer son lent travail de décomposition.

Marian, dans sa chambre, n'avait pas bougé. Elle dormait. Il ne la réveilla pas. Chose rarissime, il repoussa le serviteur qui lui proposait du thé, commanda du ratafia de cerises. Il s'enferma dans sa chambre, où il écrivit quatre heures d'affilée. Ce n'était qu'un brouillon. Il transportait toujours au fond de sa mallette de vieilles feuilles de livre de comptes, des bordereaux usagés, des parchemins à demi déchirés, qu'il employait à recevoir ses idées les plus intimes, au fur et à mesure qu'elles lui venaient ;

c'était, le plus généralement, des considérations sur l'Inde. Le fait qu'elles se confondissent avec les chiffres de l'*East India Company* l'amusait au plus haut point : il y voyait la rencontre de l'ambition marchande et de la prophétie politique, de l'esprit visionnaire et de la gestion du quotidien. Mais ce matin-là, rien ne put le distraire. Il saisit le dos d'une vieille enveloppe, ouvrit à sa droite la *Bhagavad-Gîta,* se mit à griffonner fiévreusement. Il n'abandonna sa plume que bien longtemps après, quand son texte se termina sur ces mots : « ... C'est sur la vertu, et non l'habileté de ses employés, que la Compagnie doit fonder la stabilité de ses domaines. La culture est utile, non seulement aux individus, mais encore à l'Etat, et à l'humanité en général, par les nouvelles lumières qu'elle procure, en ouvrant une voie de communication avec le peuple que nous dominons par le droit de conquête... Nous devons apprendre à les observer, afin de développer une sensibilité plus généreuse pour leurs droits naturels, et apprendre à les estimer d'après les nôtres mêmes. Mais ces exemples ne sauraient être puisés que dans leurs écrits, qui subsisteront encore longtemps après que la domination britannique dans l'Inde aura été anéantie, et que les sources de la richesse et de la puissance qu'elle y avait puisées auront été effacées du souvenir... »

C'était encore bien imparfait, il demeurait quelques petites répétitions, des défauts légers dans la clarté de l'expression. Mais l'essentiel était que ces sublimes pensées fussent notées dans le moment même où elles étaient nées. Des moments pareils, où l'âme s'élevait si loin dans l'espace et le temps, ne se retrouvaient guère. La mort de Ram venait en effet rappeler à Warren la vanité des entreprises humaines, et le gouffre d'ignorance que l'Inde ouvrait sous les pas de l'Angleterre. Point de paix en cette terre si nous ne cherchons pas à la connaître, songeait le nouveau gouverneur du Bengale, point de profit non plus si nous ne perçons son secret. Il prit alors sa première décision, dont il remit l'exécution à plus tard, mais qu'il dédia à la mémoire de Ram : dès que possible, il recruterait un Anglais capable de traduire la *Bhagavad-Gîta.*

Après quoi il déverrouilla sa porte, héla un domestique, le pria d'appeler Marian. Il était midi passé. Il lui demanda aussitôt ses faveurs ; elle accepta, et ils goûtèrent tous deux quelques joies. Warren se complut à penser qu'elles approchaient ce qu'on en voyait sur ses miniatures. Il se trompait : il ignorait encore que la manière indienne exigeait l'amour long. En effet, comme il était pressé, il avait abrégé la fête, et s'en était vite retourné fonder l'Inde anglaise.

CHAPITRE XXIII

Janvier-septembre 1772

Bharatpur
Du mois de Magha
au mois de Bhadrapada
Années 4872-4873 de l'ère de Kaliyuga

A peu près la même semaine, Madec reçut une lettre des plus déroutantes. Ce n'était pas la première ; trois mois plus tôt, comme aujourd'hui, Visage lui avait porté une missive du même correspondant, Chevalier, commandant du comptoir de Chandernagor.

En ce matin de janvier, cependant, Madec se souciait de la France comme d'une guigne. Il s'apprêtait à soigner Corentin, qui lui donnait bien du souci. Trois jours plus tôt, Arjun avait remarqué à sa tempe une petite sécrétion de fort mauvais augure : la saison des amours allait recommencer. En ce domaine, Corentin se montrait particulièrement passionné : deux ans plus tôt, il avait ravagé la moitié des écuries pour aller rejoindre une éléphante de basse caste, qu'il engrossa d'un éléphanteau hybride. Depuis ce jour, et quoiqu'on ne mît pas en doute ses capacités de géniteur, on l'enchaînait dès que s'annonçait le *masth,* la période amoureuse, car Corentin déployait vraiment une ardeur excessive et l'on craignait, pour l'arrêter, d'être contraint à l'abattre ainsi qu'un tigre mangeur d'hommes. Madec était inquiet. Corentin supportait très mal les chaînes ; jour et nuit, il ne cessait de barrir. En pareille époque, il ne souffrait nulle présence humaine, pas même celle d'Arjun. Pourtant Madec voulait le voir, ne fût-ce que de loin. Il se demandait s'ils avaient tous deux beaucoup de temps à vivre ensemble. Il traversa à grands pas les galeries de son palais, ses jardins, sortit vers les écuries. Corentin était au centre de la cour, dûment enchaîné. Il ne barrissait plus. Il paraissait rêver, balançant doucement sa trompe, l'œil un peu vague, comme il l'avait parfois. Ses longues défenses luisaient dans le soleil du matin. Il était vraiment superbe. Les prévisions d'Arjun s'étaient toutes vérifiées : taille exceptionnelle, large poitrail très bombé, lourde trompe, longue queue qui ne touchait pas terre, pattes massives, la peau toujours aussi claire, et surtout de petites taches roses et blanches sur la face et les oreilles, qui lui conservaient un air de fantaisie bien qu'il fût maintenant coutumier de la guerre. A chaque bataille, c'étaient soixante éléphants qui le suivaient, les bâtards, les basse-caste comme les autres animaux royaux que la fortune grandissante de Madec lui avait permis d'acquérir ou qu'il avait pris à la chasse. Corentin avait droit aux plus grands égards : on continuait à le gratifier d'un traitement de faveur, tendres moelles de bananier, gâteaux de froment dorés, canne à sucre, boissons parfumées au jasmin. Au combat, toutefois, sa nourriture était plus fruste. Il ne s'en montrait pas moins vaillant, chargeant toujours au premier rang de l'armée, sans peur des flèches et des canons, toujours docile à l'égard de son maître et placide envers ses compagnons de combat. Un vrai joyau, ne cessait de clamer Arjun, un bijou, Madecji, un cadeau des dieux !

Un cadeau des dieux, se répétait Madec en ce matin d'hiver, tandis qu'il regardait Corentin se pencher vers une brassée de canne à sucre fraîchement coupée. Un joyau, comme mon diamant de Godh. Mais ce bijou-ci ne saurait rentrer au ventre d'un vaisseau. Quant à le faire revenir par la caravane, c'est une épreuve que jamais ne supportera mon beau Corentin.

Vaisseaux et caravanes, caravanes et vaisseaux ; depuis quelques mois, ces mots revenaient sans trêve dans l'esprit de Madec. Six ans seulement qu'il était marié, et son désir de gloire paraissait comblé. La richesse avait envahi son existence, son corps lui-même en portait la marque, puisqu'il ne se montrait plus que paré de brocarts précieux, enturbanné de soie, endiamanté sur toute sa personne, la tête fière sous l'aigrette, les mains alourdies d'anneaux plus somptueux les uns que les autres... Après avoir trahi les Rohillas pour les Djattes, il s'était installé à égale distance d'Agra et de Dig, dans la ville de Bharatpur où il s'était construit un immense palais. Deux autres résidences dans les environs, des terres innombrables, des avoirs prodigieux en or et lettres de change chez les Banquiers Mondiaux, des serviteurs autant qu'il en voulait, un parti gigantesque, mené selon une discipline inflexible, fait unique dans les annales de l'Inde ; Madec possédait de quoi rassasier son cœur.

Il était repu. C'était venu lentement, tout d'abord, au fil des premiers mois qu'il passa chez les Djattes. La proximité de Sombre et de Sarasvati entretint quelque temps en lui une soif de briller, une avidité de faste. Mais ses espoirs de grandes choses aux Indes s'amenuisèrent peu à peu. Six ans plus tôt, l'émissaire de Sarasvati l'avait convaincu d'abandonner les Rohillas pour se rapprocher du théâtre où, prétendait-il, devait naître et s'épanouir la résistance à l'Anglais dès que le Moghol reprendrait de la force. Rien n'était venu. Une fois établi à Bharatpur, Madec ne reçut plus une nouvelle de la princesse Sarasvati, ainsi que tous l'appelaient désormais. Visage, de temps à autre, lui rendait visite, porteur d'un message de son époux, quand il cherchait à mener avec Madec telle ou telle opération militaire : mais ce n'étaient jamais que des associations temporaires, de pillage plus que de politique. L'aventure seule les rapprochait ; ils ne se rencontraient même jamais. Sombre, d'ailleurs, aimait s'entourer de mystère. Il surgissait sur le champ de bataille au plus fort du combat, monté sur un cheval fauve, entièrement vêtu de couleurs funèbres, à l'exception du thorax où ruisselait, sur une cuirasse peinte en blanc, une cascade de perles noires. Alors, sabre au clair, il se mettait à charger, impitoyable, fulgurant, pour disparaître au bout d'une heure, le carnage achevé, vers un équipage bizarre de quatre éléphants à palanquins vides qui l'escortaient jusqu'en son palais de Dig. Ainsi donc, Sarasvati se taisait. Madec n'osait s'enquérir d'elle, et nul d'ailleurs ne prononçait son nom. Il se répéta mille fois ce que prescrivait aux firanguis la sagesse populaire : l'Inde est lente, sais-tu, lente et paresseuse, traîtresse aussi, perfide ainsi que le cobra, allons, Sarasvati te fera signe un jour ou l'autre, attends, Madec, sois patient, l'heure n'est pas encore venue, l'heure, qui sera *ton* heure... Un jour enfin, il pensa qu'il se berçait d'illusions, et il se dit que ses espoirs débouchaient sur du vide. Princesse Sarasvati, reine du vent, souveraine des chimères, maya, maya ! Elle m'a joué, comme toujours. Elle me voulait à sa portée, pour se servir de moi si l'occasion s'en présentait. Et l'occasion n'est pas venue.

De ce jour, l'ambition de Madec se tarit. Ce qui d'abord n'avait été qu'un lent travail de son âme se transforma en nostalgie violente ; la passion qui le poussait depuis quinze ans par tous les dangers de l'Inde ne l'aiguillonnait plus. Il y avait en lui comme une fatigue des sens, une stérilité du désir. Chaque année, après la saison des pluies, il se remit à battre les campagnes, une fois pour récolter les impôts, une autre pour soumettre tel petit rajah insolent, une autre encore pour dépouiller un peuple devenu fragile. Tout cela l'enrichissait facilement, mais sans panache. A ses propres yeux, il demeurait moyen ; ses pillages et prétendus exploits n'étaient que la routine de l'Inde, depuis que la décadence avait gagné les Etats du Moghol. Autrefois, Madec se serait révolté contre lui-même, se serait mortifié de se voir si commun. Mais la contagion de l'Inde était trop forte : pareil aux filles des zenanas, comblant leur ennui en se gavant de sorbets trop sucrés et de pâtisseries gorgées de miel, Madec avait multiplié les rapines, accumulé des butins dont il n'avait que faire. Les femmes elles-mêmes ne l'intéressaient plus. L'un après l'autre, les enfants que portait la bégum son épouse mouraient à peine nés ; quatre ans plus tôt, cependant, un enfant mâle survécut, ce qui apporta à Madec un léger renouveau d'énergie. Il l'avait appelé Balthazar, René, Félix : René, pour qu'il fût son prolongement, Félix, comme le lui avait expliqué Wendel, pour qu'il connût, dans ce monde comme dans l'autre (et surtout celui-ci), toutes sortes de bonheurs, enfin Balthazar, en souvenir d'une légende racontée autrefois sur les bateaux ; au nombre des Rois Mages, disait-elle, se trouvait un prince du nom de Balthazar, porteur d'encens, et qui venait de l'Inde. S'il avait été mieux rompu à sonder les replis de son cœur, Madec aurait alors compris que cette idée saugrenue d'appeler son fils Balthazar n'était pas innocente et qu'elle contenait déjà le projet d'un voyage vers l'ouest, sinon celui de son retour.

Les choses n'étaient pas alors suffisamment avancées dans son esprit. Il continua d'engrosser régulièrement la bégum, qui perdit aussi constamment ses rejetons. Mumtaz, par contre, se montra plus heureuse ; elle s'obstina toutefois à donner le jour à des filles. On commença à parler, dans l'intimité poreuse du zenana, d'une malédiction étrange ; circulèrent des histoires de Raksas, de démons saisisseurs. Madec ne s'en émut pas. Sa paternité elle aussi comblée, il ne demandait qu'une chose : qu'on couvât Balthazar. Pour les trois filles au teint pâle et aux yeux presque verts que Mumtaz avait enfantées, il constitua chez les Banquiers Mondiaux de grosses dots en diamants et pièces d'or, sans oublier des montagnes de soie à saris, ainsi que le voulait l'usage indien. Il repoussa avec vigueur tout ce qui pouvait lui rappeler le versant ténébreux de l'Inde, n'en voulant plus garder que ce que l'Occident retenait d'elle : la splendeur. Ainsi donc, il eut un jour envie de rentrer. Refaire la route à l'envers. Ramasser tout son bien et rentrer. Mais il fallait que ce chemin fût court. Les vaisseaux, les courriers étaient lents. Deux ans plus tôt, le hasard lui amena des officiers bretons, perdus dans la poussière de l'Inde comme il l'avait été jadis. Leurs noms, du Drénec, Kerscao, Clémencin, réveillèrent en lui des souvenirs volontairement obscurcis, celui de Dieu, par exemple, devenu, disait-on, maître canonnier chez Sombre, ou de Martin-Lion, qui achetait par centaines des terres dans les hautes plaines du Nord. L'épopée du Dekkan s'effaçait dans sa mémoire, mais il retrouva sans difficulté la langue de ses frères. En questionnant les nouveaux arrivants il apprit qu'on avait rebâti Pondichéry ; la guerre contre l'Anglais s'était rallumée dans le Sud, la Compagnie des Indes était nouvellement dissoute et le comptoir français, ainsi qu'à ses beaux temps, recommençait à happer de pleines troupes de soldats ambitieux ou contraints.

A ce moment, Madec aurait pu connaître un regain d'ambition ; il aurait pu même se griser de la tentation de fonder une communauté bretonne au sein de la mosaïque infinie qui composait les peuples de l'Inde. La plupart de ses hommes en effet, anciens comme nouveaux venus, venaient de la lointaine presqu'île. Quelque chose, cependant, l'en empêcha ; une sensation confuse, une bizarre intuition, une résurgence, peut-être, de son passé de Godh. C'était l'idée que l'Inde, en dehors de ses comptoirs, ne pouvait accueillir l'homme blanc autrement qu'isolé, ou presque, afin de l'engloutir sans risque dans son gigantesque estomac. La réunion sous une même loi d'hommes venus de l'Ouest, plus nombreux et mieux organisés que les vagues frantcis d'Agra, n'eût été pour elle qu'un greffon malsain, elle l'eût rejeté sans pitié : trop peu d'amour en l'homme blanc, trop peu de haine. De la mesquinerie, point de saine passion, trop de folie étrangère à la sienne.

Madec envoya vers Goa un premier message. Il n'osait joindre un comptoir français, de peur qu'on lui demandât des comptes de sa désertion de la marine et de son engagement sous la bannière britannique. D'autre part, en joignant les Portugais, il évitait de formuler clairement un désir précis de recouvrer sa patrie. En fait, ce qui le tourmentait alors n'était encore qu'une nostalgie d'homme nouvellement enrichi : savoir si ses parents vivaient toujours, ce que les nouveaux Bretons n'avaient pu lui dire, leur faire tenir de quoi soulager leur vieillesse. Une fois même, il se prit à penser : « Quelle belle entrée je ferais dans Quimper, avec mes soldats et mes éléphants ! » Ce jour-là, il s'aperçut qu'il ne pensait plus en Français ni même en Breton, mais en Indien. Rentrer, mais pourquoi ? Pour la gloire ? Mais était-il à l'Ouest quelque chose qui ressemblât à la gloire ? Un pays froid, des brumes, du gris, pas d'éléphants ; et surtout quel rang ? Retrouver son état de demi-gueux, alors que tout encore était possible ici ? Mais Madec jetait désormais sur ses vieux rêves un regard dur. Il n'y avait pas quatre mois, un certain M. de Modave était venu le consulter sur les chances qu'il avait « de se frayer un chemin dans l'Inde ». C'était ce qu'on appelle un vieux beau, un noble d'assez fringante allure malgré sa cinquantaine proche, et qu'avaient usé de malheureuses tentatives de colonisation à Madagascar, à ce qu'il prétendait du moins. Ses grands airs de salonnard égaré aux tropiques, comme Madec en avait observé sur les navires de la Compagnie, lui rappelèrent que l'Europe était aussi le pays du mépris ; le comte de Modave lui déplut infiniment. Il ne le montra pas. Toutefois, il prit un intense plaisir à le décourager : « Monsieur de Modave, l'empereur est présentement misérable, fugitif et errant ; il n'y a à l'évidence nulle raison qui puisse nous faire penser qu'il en aille autrement dans les années qui viennent, encore moins dans celles qui vont suivre. De l'empire moghol ne demeure à cette heure qu'un cadavre ; et l'âme qui devrait animer ce corps n'est plus qu'une ombre vaine, sans crédit et sans influence. » A sa grande déception, l'autre ne fut pas désarçonné ; il eut un petit rire léger, prit un air détaché et lui rétorqua : « Etes-vous bien certain, monsieur Madec, de ne point vouloir lui reconnaître de la grandeur, par le dépit que vous avez de n'avoir pas été considéré de lui ? Il n'y a pas longtemps encore que j'étais en France, et je vous assure qu'à Versailles, chez les ministres dont j'ai l'oreille, on faisait grand cas du Moghol... »

Furieux d'être ainsi découvert, Madec enragea ; il tâcha néanmoins de prendre le même ton méprisant et badin : « Dans ces conditions, monsieur de Modave, je ne comprends pas ce que vous venez chercher sur les routes de l'Inde, encore moins chez des gueux de mon espèce ! Fondez donc un parti, offrez-le au Moghol, et vous verrez bien vous-même ce qu'il en adviendra ! — Vous n'êtes pas un gueux, monsieur Madec, on vous dit riche à millions. — Sachez donc alors, monsieur de Modave, qu'on ne risque pas pareille fortune pour un fantôme de gloire. » Et ils se quittèrent sur ces paroles assez peu amènes.

C'était le temps, Madec s'en souvenait maintenant, où il avait reçu une première lettre de Chandernagor. Un certain Chevalier, commandant de la place, lui proposait de se mettre à la tête de « forces considérables », au demeurant aussi grandes qu'elles étaient vagues, pour faire plaisir à un ministre français qui n'était pas nommé. L'homme assurait pourtant que le renom de Madec lui était parvenu et lui avait laissé une impression des plus vives. Ma réputation, jusqu'en France ? Madec n'en revint pas. La fin de cette brève missive, cependant, le fit déchanter : le commandant de Chandernagor, arguant que « les richesses ne sont dans l'Inde que choses passagères », lui offrait de faire passer sa fortune en France par l'intermédiaire de lettres de change remises aux Banquiers Mondiaux. Il fallait être bien malhabile, ou le considérer comme un parfait demeuré, pour lui présenter, en moins de dix lignes, deux propositions aussi contradictoires. De deux choses l'une, se dit Madec : ou je lève des troupes sur mes deniers pour le compte de la France, et je reste dans l'Inde. Ou je fais passer ma fortune en Europe, et je rentre. Mais l'une et l'autre ne sauraient s'accorder. Il relut la lettre, la jeta dans un de ses coffres et répondit assez sèchement à cette obligeante missive : « Je ne vois pas, monsieur, en quoi je peux devenir utile à ma patrie, en un pays aussi éloigné d'elle. A la vérité, je n'ai rien à désirer au-dessus de la fortune dont je jouis présentement, mais j'ai formé le dessein de passer en Europe pour jouir paisiblement du fruit de mes travaux, et je vous prie de bien vouloir user de l'influence et des facilités que vous confère votre rang éminent à Chandernagor afin de me faire tenir des passeports, nécessaires à mon retour en France. »

Il ne lui plaisait pas encore d'écrire. Bien que parfois il en fût las, il n'aimait alors que la guerre, et surtout ce qui la suivait : le décompte des butins, les négociations chez les héritiers des malheureux frères Djagarset. Sombre, qui avait assassiné leur père et leur oncle, menait très étrangement avec eux de fructueux marchés, sans qu'il y eût de leur part la moindre animosité. D'année en année, leur visage s'était fermé pourtant, comme sous l'effet d'une irrésistible terreur. Mais rien dans la guerre ni dans les affaires ne se précisait. Madec tenta un jour de les questionner : « Que craignez-vous donc, vous autres banians ? Français, Anglais ou Indiens, c'est bien vous qui tenez l'argent, et les richesses de l'Inde se vendront toujours par le monde ! — Ah ! Madecji, les grands temps de la banque se meurent, sais-tu ! Ils vont nous chasser du Bengale, ils vont tout nous prendre ! La déesse Lakhsmi a déserté nos terres, depuis que les firanguis à veste rouge s'y sont installés ! Ah ! Madecji ! D'autres prendront nos places ! » Ces lamentations laissèrent Madec indifférent, c'était l'habitude de l'Inde que les riches fussent toujours à se plaindre du mauvais cours des affaires ; devant l'adversité, on ne trouvait que les pauvres à se taire. Il leur lança donc avec un peu d'insolence :

« Vous autres Indiens construisez parfois votre propre perte. Si tous les peuples de l'Inde s'unissaient contre les firanguis à veste rouge, votre avenir serait à nouveau assuré ! »

Les Djagarset lui répondirent avec un regard hébété :

« Les peuples de l'Inde... s'unir ? »

Il était clair qu'ils refusaient d'entendre ce langage.

« Oui, repartit Madec. Derrière le Moghol.

— Mais le Moghol va à la ruine ! Et c'est un musulman !

— Ne travaillez-vous point avec l'argent des musulmans, vous aussi ? Ne les avez-vous point tolérés pendant des siècles ? Et les firanguis à veste rouge ne viennent-ils pas d'autoriser le Moghol à rentrer dans Delhi ?

— Il a péché lui aussi, et les pères de ses pères.

Nous serons tous punis. Dharma ! Dharma ! Seule Kali peut nous sauver.

— Kali ! explosa Madec en recomptant ses lettres de change. Kali ! Sornettes ! Et vous êtes banquiers !

— Oui, Kali, maintint l'aîné des Djagarset. Kali, la régénératrice. Comme le temps qui passe, détruit et fait renaître, Kali doit être aimée.

— Kali n'est pas belle !

— Kali n'en doit pas moins être aimée, firangui ! »

Ils avaient répondu ensemble, lui jetant de concert, au lieu du traditionnel et respectueux *Madecji,* ce *firangui* qu'il reçut comme une injure.

Il prit congé aussitôt, se retira sans mot dire en son palais de Bharatpur. Kali ! Tous ces Indiens étaient fous à lier. Une maladie contagieuse, dont Sarasvati n'avait été que la victime ordinaire. Tout ce pourquoi Madec avait autrefois adoré l'Inde, il le haïssait désormais. Son désir de regagner l'Ouest se précisa. Il eut des larmes insolites au soleil couchant, son cœur, certaines nuits sans lune, se serra comme aux jours de l'enfance. Ce n'était pas d'espoir, mais de renoncement. Quelques semaines, il crut pouvoir échapper à ce nouveau mal. Le rajah des Djattes le déclara *panchazary* : comme tel, il eut droit à une musique militaire permanente, quatorze trompettes à cheval, des cymbales portées à dos d'éléphant. Quelle belle entrée il ferait à Quimper... Mais Corentin ? Sans le savoir, il s'inventa encore des raisons de rester ; tous ses rêves finissaient d'ailleurs par buter sur cette histoire d'éléphant. Je n'échangerai pas mon beau Corentin, se disait-il, contre dix ni même cent Mumtaz. Dans sa tête, c'était comme le temps de l'avant-mousson, lourd de nuages et vide de pluie. Il en était arrivé, une semaine plus tôt, à s'en remettre au sort. Dharma. Pourvu que ma lettre ne parvienne jamais à Chevalier. Pourvu qu'elle se perde, que mon messager meure, qu'il soit pris dans la peste, qu'un cobra le pique, qu'un tigre le dévore, oh ! Ganesh, Ganesh, dieu des routes et de l'aventure, toi qui toujours m'as protégé...

Ce matin encore, Madec en était là de ses prières et désirs constamment contradictoires, quand se profila, derrière le turban des Sikhs qui gardaient le jardin, la silhouette familière d'un firangui. Il portait sous un bras un paquet de parchemin, et Madec le reconnut aussitôt : c'était Visage, qui arrivait d'Agra sans même avoir pris le temps de secouer la poussière de sa robe. Malgré le profond amour qu'il nourrissait pour Corentin, Madec se mit à souhaiter tout le contraire de ce qu'il demandait à Ganesh l'instant d'avant. Il ne voulait plus qu'un passeport pour rentrer en France, et c'était sans doute aucun ce que Visage lui apportait.

*

* *

« Laissez-nous », ordonna Madec aux gardiens sikhs.

Les hommes enturbannés s'éloignèrent à pas lents.

« Ne vous éloignez pas. Surveillez le jardin. »

Depuis l'assassinat de Bhawani, Madec avait appris que la mort venait souvent guetter les puissants aux endroits les plus inattendus, en particulier dans les jardins. L'an passé, le rajah des Djattes avait péri aux abords d'un temple, sous les coups d'un faux alchimiste, un Indien cette fois, qui l'avait attiré dans un guet-apens. Comme Bhawani, il s'était écroulé, percé d'un poignard.

Visage prit un air goguenard :

« Tu as peur, Madec ?

— C'est l'Inde qui a peur, Visage. Et tu sais bien que peureuse elle devient sanguinaire. »

Visage approuva. Depuis quelques années, il ne vieillissait plus. Il était parvenu au temps où les traits reflètent le détachement intérieur ; une sorte de sérénité, sans doute. On en oubliait qu'il était borgne.

« Je t'apporte une lettre.

— Je sais. »

Ils étaient tous deux face à face, debout devant un

bassin à cascade. Des servantes passèrent sous une galerie. Madec les héla, réclama des coussins, de quoi manger. Puis il se tourna vers Visage :

« Allons nous asseoir près du *chadar.* »

Visage le suivit, et ils attendirent tous deux le retour des domestiques. Une sorte d'accord tacite s'était établi entre eux : ne pas parler avant d'être installés. Des habitudes indiennes, c'était certainement celle qu'ils avaient eu le plus de mal à prendre. Leur rapidité, leur volonté d'être directs froissait souvent leurs partenaires indigènes. Mais aujourd'hui l'heure était grave ; ils devaient se ménager l'un l'autre. Ainsi que les Indiens, ils repoussaient donc le moment de parler.

Les servantes revinrent, étalèrent les tapis, posèrent les traversins, offrirent des narguilés.

« Le bétel ? interrogea Madec.

— Pardon, maître », murmura une des femmes.

Un bon quart d'heure s'écoula en gestes calmes, comme fatigués ; il allait se dire des choses graves, et tous deux en reculaient l'instant, comme si un seul mot, de l'un ou de l'autre, eût représenté le renoncement à cette vie présente, à ce paysage même : les marbres pastel du palais de Madec, les reposoirs symétriques qui en marquaient les angles, le jardin moghol, ses cascades, ses canaux, enfin, à l'horizon des derniers, buissons, les murailles rouges de Bharatpur, semblables en tout point à celles de Dig. Etait-ce le perpétuel souci de la guerre, ou le reflet de l'ordre qu'il avait mis dans sa conduite, Madec avait refusé dans son palais tous les fastes ordinaires, les murs incrustés de petits miroirs, les décors de pierres semi-précieuses. Cela n'empêchait pas qu'on se crût dans un endroit de rêve, le paysage d'un conte de fées ; et, d'une manière identique aux charmes des légendes, on aurait pu croire qu'il suffisait d'une seule parole pour en dissoudre la magie.

La servante fautive revint, porteuse de cornets de bétel, où se mêlaient la chaux et l'arec. Madec considéra un moment ses jardins, caressa le marbre du chadar, où son doigt s'attarda dans les vaguelettes toutes pareilles que la pierre creusait dans l'eau. Il décida de rompre l'enchantement.

« Ainsi, je vais rentrer. »

Il eut un rire très bref, un rire de dérision dont Visage devina qu'il se l'adressait à lui-même.

« Rentrer ? Mais où ?

— Comment ? Mais tu le sais bien ! »

Très étrangement, Visage crut qu'il parlait de Godh :

« Mais la ville est détruite, Madec. Plus personne n'a voulu vivre là-bas. De la citadelle, on a fait un lieu de culte, un endroit où l'on a construit, en hommage au sacrifice des femmes, comme à Chittor, un temple de la Renommée... Et tu le sais, d'ailleurs ! »

Madec, cette fois, éclata d'un rire franc, qui ne s'arrêta plus :

« Visage... Visage... Godh ! Es-tu fou ! Godh n'a jamais existé ! C'est la maya ! L'Inde a existé, oui. Mais elle est morte ! Je rentre, Visage, je rentre ! »

Visage ne comprenait pas, ou plutôt se refusait à comprendre.

« Rentrer... rentrer... » ne cessait-il de répéter, tandis que Madec continuait à rire.

Celui-ci lui arracha les parchemins :

« Allons. Ne barguignons pas. Il faut savoir trancher. J'ai choisi. Montre-moi donc ces passeports. N'essaie pas de me retenir.

— Les passeports ?

— Oui. Ceux que j'ai demandés à Chevalier. C'est le courrier de Chandernagor, n'est-ce pas ? Tu es allé le chercher chez Wendel ?

— Oui », répondit Visage, l'air atterré.

Comment préparer Madec à ce qui l'attendait ?

Le courrier était parvenu directement chez lui, au palais de Sombre, à Dig où il demeurait. Comme si Chevalier avait voulu tenir Wendel à l'écart de son projet. Pour qu'on se méfiât ainsi du jésuite, l'affaire était donc d'importance. Le paquet comprenait une lettre qui lui était adressée en particulier, à lui, Visage, et où se trouvaient exposées les propositions faites à Madec. Aussi Visage savait-il ce que son compagnon allait y lire. Madec le regardait fixement, n'osant décacheter le parchemin.

« Tu te fourvoies, hasarda Visage. Tu ne rentreras pas. »

Madec ne cilla pas. Il conservait le silence, souriait à demi, ainsi que les Indiens, lorsqu'ils refusaient de répondre. Et d'ailleurs, n'eût été la couleur de sa peau, trop pâle encore malgré tous les soleils, couperosée aux joues et crevassée tout autour des yeux, on aurait pu le prendre pour un Indien. Un Indien du Nord, s'entend, un homme du Cachemire ou des marches du Népal ; avec l'âge, ses yeux s'étaient bridés, accentuant ses pommettes, qu'il avait hautes, ainsi que les conquérants venus des steppes. Mais il y avait ce regard bleu, ce fixe et triste regard bleu qui commençait à s'éteindre et disait à Visage, contre toute raison, « je veux rentrer ».

Rentrer ! L'eau mélancolique de ces yeux. Ils étaient de l'Ouest, ces yeux-là, et pour un peu de paix avant la mort, ils réclamaient l'Occident. Visage l'avait observé : après les folies aventurières, l'instinct commande souvent aux hommes de retourner à leurs racines. Cependant, depuis qu'il avait lu la lettre de Chevalier, une seule évidence s'imposait à lui : Madec devait rester. Faute de quoi il ne parviendrait pas lui-même à justifier sa présence à Dig. Il laissa parler sa passion :

« Lis cette lettre, Madec. Tu verras bien que tu ne peux pas t'en aller. Tu ne peux pas ! »

Il hurlait presque. Les gardes sikhs passèrent des têtes inquiètes par-dessus les buissons. Madec se souleva sur les coussins, rajusta sur ses épaules un châle du Cachemire, désigna le ciel à Visage :

« Il fait si frais parfois en Inde... Nous sommes encore en hiver. Je l'avais oublié. Rentrons. »

Ils s'installèrent dans le dorbar, là où Madec recevait, ainsi qu'un prince, les rajahs, émissaires ou marchands qui le sollicitaient. Comme les seigneurs de l'Inde, il s'asseyait alors sur un trône bas, au milieu d'une quantité extraordinaire de traversins et de tapis sous un plafond peint de bleu et d'or, unique luxe qu'il se fût permis en ce palais. Veillées d'armes ou lendemains de victoire, tout commençait et finissait ici. Combien de vendeurs de sabres, de fondeurs de canons, d'espions, de traîtres, de mercenaires, de hobereaux en mal d'impôts s'y étaient succédé depuis cinq ans ? La moitié des puissants de l'Inde du Nord, au bas mot, et pourtant en dehors du faste de convenance l'endroit demeurait d'une simplicité extrême.

Madec ne s'assit pas sur son trône. Il tendit un coussin à Visage, s'accroupit en face de lui. Des servantes rapportèrent du jardin les narguilés, ainsi que du bétel frais. Madec se mit à mâcher lentement. Enfin, d'un geste extrêmement brusque, comme s'il était pris d'une soudaine résolution, il brisa les cachets de la lettre.

La missive contenait beaucoup de mots oubliés : *Patrie, amour pour le roi, considération, honneurs, Nation :* ce dernier vocable ne cessait de revenir au point que Madec, dans un premier temps, ne comprit pas qu'il s'agissait de la France. Il crut que son correspondant évoquait l'Inde : du temps de sa jeunesse, il n'avait jamais entendu qu'on parlât ainsi de son pays natal. C'était un singulier vocabulaire que celui de Chevalier. Il ne s'en émut pas ; le français lui avait toujours été une langue artificielle, un des instruments obligés de l'ambition. Il n'était guère accoutumé au français écrit, encore moins à l'abstraction de termes tels que « droits incontestables », « émulation », « souvenir pour toujours mémorable ». Mais l'hindi, qu'il pratiquait à la perfection, se montrait parfois plus abstrait, d'autre part, les activités guerrières et marchandes de Madec l'avaient accoutumé depuis des années à voyager sans heurt dans la constellation des langues de l'Inde, telugu, oriya, gujerati, urdu, aussi fécondes en mots que les peuples errants jetés sur les routes par la multiplication des désordres.

Avant d'interroger Visage, l'orgueil le poussait à s'assurer qu'il avait bien compris le contenu de la missive ; il la relut quatre fois.

Il écarta d'emblée la dernière proposition qu'elle contenait : prêter de l'argent à la France, aux fins de reconstruire les remparts de Pondichéry. Comme le précédent, ce courrier sentait le filou. Quel était donc ce Chevalier, et la France derrière lui, pris d'un soudain intérêt pour un ancien sergent, déserteur, mais enrichi dans l'Inde ? Madec soupçonna que cette passion subite pour son destin était à proportion de sa fortune connue.

Il revint cependant sur deux passages qui l'avaient fortement intrigué. Dans le premier, un peu dithyrambique, on lui promettait qu'il serait « notre libérateur et un autre Moïse ». Madec ne se souvenait plus si ce dernier personnage était un guerrier des sables ou l'un des trois Rois Mages, mais c'était en tout cas quelque chose d'approchant, et la comparaison le flatta. Le mot de libérateur le retint également, ainsi qu'un autre qui suivait, dont pourtant il ne put démêler le sens.

Il eut un sursaut d'humilité, interrogea Visage. Celui-ci trompait son impatience en tirant sur son narguilé.

« *Révolution*, Visage... Je ne comprends pas.

— Révolution... Ah ! Cela fait bien longtemps que je n'ai pas entendu ce mot. »

Il aspira le tuyau du narguilé, réfléchit un instant :

« Ce n'est pas si simple... Les livres sont si loin de moi. On dit cela du corps, quand par extraordinaire la composition des humeurs qui le forment vient à se modifier. On le dit aussi d'un peuple, quand un soudain changement bouleverse sa constitution première. » Madec relut tout haut la phrase de Chevalier : « ... Dans la position où vous vous trouvez, quelles facilités n'aurez-vous pas de causer une révolution capable de relever votre nation de l'état de langueur où elle se trouve aujourd'hui plongée dans l'Inde par une suite de ses anciens malheurs, dont vous connaissez les causes... » Oui, c'était clair. Mener la guerre, derrière le Moghol, pour la France, sa patrie, contre l'Anglais. Bien. Cela coûterait cher. Où était l'argent ? On n'en parlait pas. On l'attendait donc de lui. En conséquence, la prudence dictait de ne point écouter ce Chevalier. Cependant, un dernier mot, plusieurs fois répété, troubla Madec. C'était le mot honneur.

L'honneur. L'honneur et l'argent. En Inde, les deux allaient de pair. Il n'était pas de noble qui ne cherchât à étaler sa fortune et ne fût prêt à accomplir les pires bassesses pour acquérir de nouveaux trésors. Ici, on parlait d'une autre forme d'honneur, qui était simplement de défendre la très haute idée qu'on se construisait de soi, au mépris des biens de ce monde.

Madec réfléchissait lentement. Quelque chose d'ancien trembla bientôt en lui. Rien de très violent, non, une simple vibration, une part de lui-même qui n'était pas repue, un lambeau d'insatisfaction subitement réveillé.

En bas du second feuillet, il l'avait bien lu, il n'avait pas rêvé, ce Chevalier lui parlait d'un jeune Français comme lui, Gentil, arrivé gueux aux Indes : « Il vient d'obtenir presque à la fois un brevet de capitaine et la croix de Saint-Louis. » Une pensée folle traversa la tête de Madec, une idée d'enfant :

« Moi aussi, je veux la croix de Saint-Louis. Et devenir capitaine. Mieux encore : colonel ! »

On lui demandait de l'argent, soit. Ce n'était pas le pire. Tout se paie. Il en regagnerait d'autre, plus encore, puisque l'entreprise, ni plus ni moins, était de ranger ses troupes derrière celles du Moghol. Le Moghol, enfin ! Et l'on y songeait en France ! Et c'était sur lui qu'on jetait les yeux. « ...Vous êtes brave, et en état de conduire des armées, les princes de l'Hindoustan vous cherchent, et c'est à qui d'eux vous aura dans son service ; tant de circonstances réunies vous offrent une occasion unique de vous immortaliser à jamais, et de rendre votre nom pour toujours mémorable, dans les fastes du pays qui vous a donné naissance... A l'âge où vous êtes, et dans la route de fortune où vous vous trouvez placé, il me semble qu'un pareil plan vous doit flatter et exciter votre ambition. »

Le maître mot était lâché.

« Les raisons de ce Chevalier sont fortes, déclara Madec, sitôt finie sa relecture. Cependant, je veux y réfléchir à loisir. »

Visage, fort satisfait, se retira sans un mot de plus. Madec manda ses banquiers sur-le-champ, les interrogea sur le montant exact de ses possessions en or, pierres précieuses et lettres de change ; il voulut aussi une évaluation de ses biens immobiliers, ce qui prit quelques semaines et retarda d'autant le moment d'une résolution définitive. Il répondit enfin à Chevalier vers le mois de mai, en lui demandant sur son plan d'autres précisions qu'il estimait nécessaires avant d'arrêter son choix.

La mousson vint, incitant, comme chaque année, son âme à la mélancolie ; ses yeux, à travers les verres colorés de son palais, les stores des galeries, dérivaient sur le monde comme une barque sur l'océan calmé, vagues, vides, pleins de rêves informes, et de langueurs étranges. Il ne se reposait pas : il s'en remettait au cours de la vie, il attendait une décision qu'il ne se résolvait pas à prendre, il espérait, ainsi qu'à Godh, une révolte soudaine des événements ou, mieux encore, des éléments, qui lui auraient montré, tel un dieu apparu soudain dans le ciel orageux, le chemin à suivre.

*

* *

Dans ces conditions, l'arrivée de Saint-Frais constitua une grande chose. C'était un homme très beau, quoiqu'il ne fût plus de la première jeunesse. Il se présenta un soir à sa porte, tout crotté de bas en haut et ruisselant de pluie. Il portait sur le visage quelque chose d'un peu corrompu, qu'il avait peine à dissimuler. Dès l'abord, il déplut à Madec qui fut persuadé qu'il ne voyageait pas sous son véritable nom. Mais l'inconnu avait bravé la mousson et les devoirs de l'hospitalité n'auraient su être bafoués sans étonner les Indiens. Enfin, cet homme était français, il apportait peut-être quelque message.

Dès qu'il fut reposé, Madec le convoqua et lui demanda s'il n'avait point par hasard de lettre pour lui. Saint-Frais parut très étonné, trop étonné peut-être. Il affirma n'être qu'un coureur des routes, un simple aventurier que retenait ici son amour de l'Inde. Il en connaissait les usages, il en parlait toutes les langues. Madec abrégea la démonstration : cependant, son hôte semblait connaître Chevalier. Dans son indécision, et se méfiant d'éventuels colportages, Madec n'osa approfondir ce point.

Un enthousiasme extraordinaire envers la cause du Moghol animait Saint-Frais, Madec le mit au compte d'une jeunesse prolongée. Il avait sans doute le même âge que lui, bien qu'il parût singulièrement moins usé. Il parlait avec flamme : il prétendait sauver l'empereur de la sauvagerie anglaise, arracher l'Inde à la barbarie des hommes de Londres. Madec approuva toutes ses vues ; il en nuança néanmoins l'ardeur, lui représentant que bien des nobles de la cour moghole n'étaient que des satrapes assoiffés d'or et de sang. L'autre écouta très attentivement, voulut bien en convenir et lui dit enfin :

« Il est pourtant dans l'Inde, comme en France, des hommes libres, libres de la vraie liberté, libres de leur combat pour la justice. Et seuls les peuples libres accèdent à la véritable noblesse. »

S'engagea alors une discussion sur le mérite.

Devant cet esprit si nouveau, Madec se sentit autorisé à faire état de l'opinion qu'il s'était forgée depuis des années :

« La naissance n'est rien, expliqua-t-il, veuillez me pardonner, monsieur de Saint-Frais, mais nous sommes ici dans l'Inde, où je suis prince, quand je n'étais que gueux à Quimper.

— Comme je vous approuve, monsieur Madec ! Il n'y a pas si longtemps j'étais en France, et il s'y prépare, croyez-moi, de grandes choses, des révolutions étranges !

— Fort bien », répondit Madec. C'était la deuxième fois en peu de mois qu'il entendait ce mot neuf. « Et que sont donc ces *révolutions* ?

— Connaissez-vous les mœurs des Sikhs, monsieur Madec ?

— Certainement, puisque je les ai plusieurs fois défaits ; j'en emploie même dans mon parti !

— Vous n'ignorez pas, poursuivit Saint-Frais, que ce peuple a chassé de sa religion l'idolâtrie ? Il tient une fois l'an le congrès général de sa nation, et il n'aime guère la division des hommes en castes. »

Madec l'arrêta ; il refusait qu'on assimilât l'Inde à l'Europe.

« Holà ! holà ! monsieur de Saint-Frais ! » Il s'interrompit. Il avait décidément du mal à prononcer ce nom qui sentait l'imposture... « Les Sikhs sont de l'Inde, et de l'Inde ils demeurent !

— Leur guru Nanak a pourtant dit : "Il n'y a pas d'hindous, il n'y a pas de musulmans. Il n'y a qu'un dieu, la Vérité Suprême." »

— Vous êtes bien savant !

— Ne vous moquez pas. Car c'est cela même, monsieur Madec, qu'on murmure à présent par toute la France ! »

Madec parut soudain furieux :

« Qui le dit ?

— Ceux-là mêmes qui comme vous possèdent le mérite sans avoir la naissance. Ceux-là mêmes, ainsi que vous, qui prétendent que la naissance n'est rien où la vertu n'est pas.

— Et le roi, monsieur de Saint-Frais ? Que dit-il, lui, de tout cela ?

— Il y viendra.

— Il y viendra... » Madec réfléchit un moment avant de reprendre : « Mais comment se fait-il qu'un homme bien né tel que vous tienne à m'avertir de ces bouleversements ? Votre intérêt serait de vous taire !

— Là où il s'agit de l'intérêt de la nation et de sa grandeur dans l'Inde, toute âme véritablement noble sait dompter ses plus basses pensées ! »

Ce dernier trait plut à Madec, sans toutefois lui ôter sa méfiance. Il scruta Saint-Frais d'un œil plus perçant. L'autre n'esquiva pas son regard. Bizarrement, Madec se mit à regretter de s'être ouvert à lui d'une de ses plus intimes convictions. Ils n'étaient pas du même rang, comme on disait en France, et toutes ses déclarations égalitaires étaient trop belles pour être vraies. Mais après tout, cet homme ne lui demandait rien, sinon l'hospitalité, le temps que se calment les pluies. Il n'avait pas l'air de rouler sur l'or, n'entretenait que deux chameaux, un cheval et cinq gardes : c'était peu. Rien, d'ailleurs, ne pesait en lui, il paraissait prêt à se volatiliser d'un instant à l'autre, semblable aux apparitions surgies des jongleries des magiciens indiens. D'où il venait, où il allait, il l'avait à peine dit. Madec ne chercha pas à en savoir davantage. Il écourta l'entretien. Etait-ce le temps de mousson, il ne désirait plus que la solitude. Du reste, l'autre ne s'attarda pas. À la première éclaircie, il réunit sa modeste suite et vint lui demander congé. Il n'était là que de cinq jours.

« Vous partez déjà ? feignit de s'étonner Madec.

— Oui, répondit Saint-Frais d'un air absent.

— Ne craignez-vous point les fleuves en crue, les serpents qui rôdent dans tous les chemins, les routes coupées par les boues ?

— J'ai trop à faire. Il s'agit de l'Inde, et du Moghol.

Je lui offrirai ma personne ! C'est une sorte de foi qui me guide. Mais vous avez vécu trop loin de notre France, vous ne pouvez comprendre ces idées neuves. Adieu, monsieur Madec, je vous remercie encore. »

Il chercha dans sa poche une tabatière, où se trouvait dessiné le visage d'une femme, la déposa dans la main de Madec, salua une dernière fois.

L'instant d'après, il disparaissait sur son cheval dans les rues de Bharatpur.

L'averse reprit aussitôt. Il aurait dû rester, pensa Madec, pourtant pressé de reprendre sa méditation solitaire.

Il considéra un moment le cadeau de Saint-Frais. C'était une tabatière, un objet un peu ancien. Une fort belle femme brune s'y trouvait peinte, d'une quarantaine d'années, qui paraissait venir d'un autre monde et souriait avec mélancolie. Un prénom y était inscrit : *Jeanne,* une date : 2 avril 1759. Enfin un nom, Saint-Lubin, suivi d'un mot d'amour qui lui parut ridicule : « Mon petit Cupidon. » Saint-Lubin. Encore un nom qui ne lui était pas étranger. Il se mit à réfléchir. Sa mémoire défaillait. Pour tout ce qui touchait à Pondichéry, sa mémoire était rebelle. Dès l'entrée de ce jeune homme dans sa demeure, l'habitude des routes lui avait fait pressentir qu'il mentait, du moins sur son nom. Mais avait-il menti sur tout ? Il devait posséder des raisons bien précises de dissimuler son identité. Quelle étourderie, dans ces conditions, de lui avoir laissé cette tabatière où se trouvait inscrit ce nom, Saint-Lubin, Pondichéry... Madec contempla le visage de la femme. Quelque chose du passé y frémissait, l'espace d'un très court instant. Et tout s'évanouissait plus rapidement encore.

Madec soupira. Tout ce monde — les femmes blanches, les perruques, la poudre — était si éloigné. Etait-il bien certain d'y vouloir revenir ? N'était-ce pas, d'une certaine façon, une course vaine aux temps de sa jeunesse, où les femmes de Pondichéry, en effet, s'habillaient et se coiffaient ainsi, ces dames si jolies qu'il n'osait alors approcher, les inaccessibles fées des bals des Tropiques ? Vivaient-elles encore, dansaient-elles toujours ? Portaient-elles les mêmes rubans pastel que la femme de la tabatière, et ces profonds décolletés ? Qu'étaient-elles devenues, dans le monde changeant et lointain que décrivait Saint-Frais ?

Il réfléchit longtemps à cette étrange visite. Quelques semaines plus tard, le gros de la mousson passé, deux lettres lui parvinrent de Chandernagor, plus longues et plus insistantes que les précédentes. Elles étaient respectivement datées du 24 juillet et du 16 août 1772. L'on promettait clairement à Madec, en échange de ses services, un brevet de capitaine et la croix de Saint-Louis. Ce n'était donc plus un vague appât. Mais ce fut une autre phrase qui détermina Madec ; elle se grava dans son esprit pour le restant de ses jours, tant elle exprimait sa pensée avec la plus parfaite exactitude :

« ... La noblesse d'extraction n'est point nécessaire à qui veut remplir les vues de l'ambition. »

Ainsi donc, en un mois de temps, le hasard lui amenait, de près ou de loin, deux personnes fort différentes, quoique également bien nées : Chevalier, commandant de Chandernagor, et l'aventurier Saint-Frais, qui lui tenaient des discours identiques, où lui, Madec, ci-devant gueux de Basse-Bretagne, ancien mousse de la Compagnie française des Indes orientales, se retrouvait tout entier. La France, qui l'avait autrefois humilié, avait donc effectivement changé, et cette « révolution », comme eût dit Chevalier, valait bien qu'on lui sacrifiât momentanément sa fortune.

Madec prit alors la résolution de trahir le rajah des Djattes en lui abandonnant du même coup les deux cent mille roupies de solde que celui-ci lui devait, et de passer avec Corentin, or, pierres, perles, chevaux, éléphants, femme, enfant, serviteur, et bien sûr la belle Mumtaz, dans les Etats du Moghol, au nom du roi de France et de la Nation.

CHAPITRE XXIV

Même mois, la nuit et le jour qui suivirent

Dig

Le soir même de son entrevue avec Madec, un message de Sombre attendait Visage. Ses espions l'avaient prévenu que des lettres étaient arrivées de Chandernagor. Tant de courrier venant de la France, dont on avait perdu jusqu'au souvenir, et en si peu de jours, il y avait gros à parier, lui murmurèrent-ils, qu'enfin se précisât le renversement attendu depuis si longtemps dans les affaires de l'Inde. Visage ne fut guère étonné de cette convocation. A vrai dire, elle le soulagea même un peu, car il ne voulait pas donner l'air de manigancer quelque intrigue dont Sombre ne fût pas. D'ailleurs, comme à Madec, la missive de Chevalier lui demandait de plus amples précisions sur « Monsieur Sombre » ; à défaut de soldats, proposait-elle fort cérémonieusement, la Lune des Indes pourrait pour le moins avancer à la France une petite part de sa fortune, que la rumeur publique prétendait immense. Visage attendit la fin de la nuit avant de se rendre chez son maître. Pour rien au monde, il n'aurait dérangé ses habitudes. Il ne savait au juste à quoi Sombre passait ses insomnies, à quelles méditations sanguinaires, en tête-à-tête avec quels fantômes. Nul n'ignorait cependant, au palais des Mille Fontaines, que la solitude ténébreuse du vieux guerrier ne pouvait être rompue qu'aux premières lueurs du jour, faute de quoi il entrait dans des colères atroces, des crises qu'on eût dit de semi-démence, qui le laissaient affaibli et prostré pour des heures, avant que ne se réveillât, plus avide et sauvage que jamais, sa violence native, qui le précipitait à nouveau sur le chemin de la guerre. Le premier marchand à lui signaler le pays affamé par une mauvaise mousson, et il traversait des plaines entières pour le réduire à merci. Viols, tortures, exécutions : les assiégés finissaient par déterrer leurs trésors. Il s'en retournait alors, un peu fatigué d'avoir si vite assouvi sa soif d'or et de sang, terrorisant toujours hommes et bêtes sur son passage, et chargé du plus hétéroclite butin, qu'il déposait aux yeux ravis de la princesse, femmes violées, éléphants, tigres pour sa ménagerie, pierreries diverses, cuivres, canons, sabres, troupes enchaînées de malheureux vaincus : on n'aurait su dire si Sombre revenait de la chasse ou du combat.

Les opérations qu'il menait avec Madec étaient en revanche toujours pesées, réfléchies, concertées. Tout se passait comme s'il y avait eu chez Sombre deux usages de la violence : le plus commun, piller, un instinct, comme de boire, manger, razzier des femmes. Avec l'âge, cette fièvre ne lui revenait que par intermittence ; un courroux passager, où il était impossible de distinguer s'il se révoltait contre son entourage, plutôt que contre lui-même et son impuissance naissante. Le second était au contraire un comportement exclusivement politique. C'était un effet de sa raison qui l'amenait à ménager Madec malgré la concurrence qu'il représentait. Les deux hommes avaient très soigneusement veillé à ne jamais se retrouver sur les mêmes terrains de rapine. Comme si la chose allait d'elle-même, ils ne s'étaient unis que pour combattre un ennemi commun, des peuples trop turbulents, des armées d'envahisseurs, des vautours, comme eux, que tentait l'ambition d'arracher ses meilleurs morceaux à la dépouille de l'Inde. Pour cette seule raison, six ans plus tôt, Sombre avait laissé Sarasvati convaincre Madec de se rapprocher de Dig. Il craignait trop fort que son rival ne vînt à se tailler un empire dans le Nord qui pût compromettre sa propre royauté sur l'universel pillage. Dès son arrivée, il lui abandonna les miettes du festin ; bientôt d'ailleurs il dut reconnaître qu'il payait son hégémonie beaucoup plus cher que prévu. Cela l'étonna. Cependant, il se refusa à rencontrer Madec ; dans les batailles importantes, ils se concertaient par le truchement d'émissaires. Un jour, l'un d'entre eux lui apprit une nouvelle qui le remplit d'allégresse : Madec ne parlait plus de l'Inde. Il était résigné. Il songeait à rentrer. Sombre connaissait assez son ambassadeur pour savoir que Madec ne lui avait rien confié, mais que l'autre avait déchiffré ses pensées. C'était un Indien très subtil, habitué à démêler les cœurs les plus insondables. Ce jour-là Sombre fut en joie, comme personne encore ne l'avait pu voir.

L'annonce du premier courrier de Chandernagor, toutefois, l'avait rembruni, et Visage craignait fort que le second ne le contrariât davantage. De corridor en galerie, tandis qu'il traversait le palais, sa peur se précisait, il commençait même à trembler. Il est vrai que de nuit, le palais des Mille Fontaines ressemblait désormais à l'antichambre des Enfers. De jour, et bien que l'avarice de Sombre empêchât qu'on l'entretînt, l'élégance délicate des pavillons moghols lui conservait un air de féerie. En dépit des injures des moussons, il paraissait impalpable, tout frissonnant aux frontières de l'irréel, prêt à s'envoler vers on ne savait quelle fantasmagorie. Sitôt le soleil couché, était-ce la monstrueuse personnalité du maître des lieux, on croyait entrer dans le repaire des divinités sanguinaires, telles que les décrivaient les grands livres sacrés des Indes. Visage les avait lus et relus ; et chaque nuit, de couloir en couloir, il s'apprêtait à voir surgir les démons, à peine échappés du chaos primordial, venimeux, gluants, avides de broyer les os des hommes ou de répandre sur eux des moussons chargées de pestilence.

Le silence régnait. Depuis quelques années, Sombre avait exigé qu'on arrêtât au crépuscule le mécanisme qui alimentait les fontaines, il prétendait qu'elles coûtaient trop cher et aggravaient ses insomnies. Nulle lumière non plus, pas un flambeau dans les couloirs, à peine, à la main des gardes, des lanternes fumantes de beurre clarifié. De temps à autre, les élytres froissés d'un monstrueux insecte faisaient sursauter Visage ; ou bien c'étaient des chauves-souris, blotties en gros paquets sous les corniches des plafonds, qui se soulevaient toutes ensemble, inquiètes, et retombaient aussitôt, comme accablées, si l'une d'elles se risquait à un vol hors du nid, elle errait le long des murs où s'écaillaient les fresques, tournoyait deux ou trois fois sans conviction, et rejoignait d'une aile visqueuse l'abri du plafond. Le silence en effet, comme l'obscurité, collait, il y avait dans le palais nocturne quelque chose de gluant qui annonçait la mort, sans que celle-ci fût proche. Et cependant, songeait Visage à chaque pas, il est aussi dans cette demeure une femme qui est la vie, et qu'on prétend encore, sur les routes de l'Inde, porteuse d'énergie. Etait-ce donc sa seule présence qui repoussait le trépas ?

Tandis qu'il traversait un à un les barrages de gardes que Sombre faisait dresser au moindre coude des couloirs, chuchotant à mesure les mots de passe convenus, Visage se demanda une fois encore par quel mystère Sombre se maintenait en vie. Ses pauvres poudres, autant qu'il en sût, n'y étaient pour rien. Il mêlait les enseignements de l'ayurveda à sa propre science ; mais, tout comme les brahmanes qui les lui avaient confiés, il était convaincu qu'ils ne pouvaient rien contre le tourment diabolique qui dévorait l'âme de Sombre, et son corps avec lui. Six ans plus tôt, il ne lui donnait, au plus, qu'une année à vivre. Au lendemain de son mariage avec la dame de Godh, quand il découvrit dans sa chambre le sofa intact, il crut que sous vingt jours on lui clouerait son cercueil. Il se trompait. Sombre passa l'hiver, puis la mousson suivante. Il reprit la rapine et la guerre comme à l'accoutumée. Chaque année, aux approches du mois de Jyestha, tandis que sur la plaine s'abattaient les chaleurs, Visage avait la certitude que sa prochaine visite nocturne lui révélerait son maître à l'agonie. Il n'en fut rien. Ses insomnies n'étaient pas plus sévères qu'au temps de son mariage. Peste, choléra, dysenterie, typhus, il traversa toutes les épidémies, comme pourvu d'une immunité particulière, d'origine diabolique, sans doute aucun, quoiqu'on le vît de plus en plus prier le Christ et ses saints. Mieux encore, la présence de Sarasvati le revigorait. Ils allaient de concert à la guerre. Elle restait toujours à l'écart, debout sur son éléphant royal, et accompagnée de ses trois bêtes à palanquins vides. Elle ne s'avançait jamais davantage. Elle observait. On voyait bien, toutefois, qu'elle n'avait pas peur. Soudain Sombre intervenait, à sa manière foudroyante et fantomatique. On la voyait sourire, un bref instant. Puis il la rejoignait au grand galop et ils rentraient tous deux au palais des Mille Fontaines, elle, redevenue impassible et lointaine, lui, à ses pieds, paraissant minuscule sur son palefroi tant l'éléphant de la princesse était haut sur pattes. Mais il exultait.

A ce qu'en savait Visage, la vigueur de Sombre ne s'était pas réveillée. Pas plus qu'au premier jour, Sarasvati ne venait partager son sofa. Il ne s'en ouvrit jamais à son médecin ; il lui laissa simplement entendre qu'il s'accoutumait peu à peu à ne plus désirer les femmes. Seules les exigences du faste lui imposaient d'entretenir un harem, environ deux cents captives enlevées lors des pillages et soigneusement triées par ses soins. De temps à autre, il les réunissait dans ses appartements clos sur le jour, leur commandait de se montrer nues, de danser, de prendre des poses lascives. Parfois même il y conviait les plus grossiers de ses soldats ; il s'amusait fort de les voir partagés entre leur concupiscence et la terreur qu'ils avaient de lui. Certains ne pouvaient retenir leurs élans : on les transformait sur-le-champ en eunuques, condamnés, qu'ils fussent Européens ou indigènes, à protéger des regards indiscrets le corps des belles créatures qu'ils avaient si imprudemment convoitées.

On murmurait que Sarasvati n'était pas de reste dans ces plaisirs solitaires. La rumeur du palais voulait qu'elle assistât à la fête, fort attentive, derrière la grille d'un moucharabieh aménagé à son intention par son époux lui-même. La chose, toutefois, ne put être prouvée. Les appartements de Sombre étaient inaccessibles au commun des mortels. Seuls auraient pu le dire les gens de sa garde, mais ils n'en passaient pas l'enceinte, constamment enfermés de peur d'un complot. Hormis la princesse dont nul ne savait d'ailleurs le détail des allées et venues, Visage était le seul à y pénétrer chaque nuit.

Il franchit le dernier barrage de soldats, entra dans l'antichambre. Sombre, collé à la porte, l'avait entendu arriver. Comme d'habitude, il lui demanda lui-même le mot de passe :

« De tous les anges qui sont au ciel...

— Je ne suis point l'Ange Exterminateur.

— Entre ! »

Il y eut un long cliquetis de serrures, puis Visage sentit la porte s'ouvrir. La manie des fermetures métalliques, dans un pays qui n'en comportait pas ou peu, à l'exception des coffres, des prisons ou des porches des remparts, était l'une des dernières excentricités de Sombre. Il y avait préposé l'ancien canonnier Dieu, qu'il avait placé à la tête de sa garde personnelle. Son nom lui plaisait de plus en plus. Il y voyait, comme dans la présence de Sarasvati, l'assurance d'une protection. De son côté, le maître-artilleur s'accommodait fort bien des mille et une exigences de la Lune des Indes. Sombre l'avait gratifié d'un harem important, et Dieu, à quarante ans passés, préférait demeurer au palais à fabriquer des serrures plutôt que de courir la mort sur les champs de bataille.

Caché derrière la porte, Sombre attendait Visage, prêt à sauter sur lui à la moindre menace.

Comme pour le rassurer, Visage étendit ses mains nues.

« Bien », bougonna Sombre, et il sortit des ténèbres.

Son regard noir luisait toujours avec la même intensité, mais on sentait dans toute sa personne le renoncement à la jeunesse. Il ne se teignait plus les cheveux, ses sourcils poivre et sel et les rides qui lui ravinaient le front s'étaient figés dans l'expression sauvage qu'il prenait autrefois pour la guerre. Son teint bistre tournait à l'olivâtre : la maladie couvait encore, très certainement. Surtout, il avait maigri, il flottait dans sa robe. Emacié, Sombre n'en était que plus terrifiant. Une force nouvelle, un regain d'énergie qui se développe parfois au cœur de la vieillesse se levait en lui, aigu, sinistre. Toute comédie avait déserté son être, laissant à nu la pure et simple cruauté. Telle sa nature première, intime, elle affleurait. Comme tous les soirs, Visage eut peur. Selon le rite convenu, il se dirigea vers le sofa et déposa sur le tapis le coffre portatif où il serrait les poudres.

« Non ! » hurla Sombre.

Visage s'y attendait, mais ne voulait pas modifier lui-même le cours du rituel. Sombre reprit :

« Parle ! Tout de suite. Et va vite ! Je suis fatigué. »

Dans ces moments-là, quand il prétendait être « fatigué », il devenait très dangereux. Visage ne se fit pas prier. Il résuma ce qu'il savait en peu de mots :

« L'homme de Chandernagor, Chevalier, demande à Madec de mettre ses troupes à son service. Il ne lui demande plus d'argent. Je crois que Madec a fait son choix.

— Ah ! oui, ricana Sombre. Et quel choix ?

— Il va rejoindre le Moghol. »

Sombre éclata de rire :

« Tant mieux ! Il va donc trahir notre présent suzerain, le rajah des Djattes. Et devenir ainsi notre ennemi. Non seulement il m'abandonne ses territoires, mais nous allons mener bataille contre lui ! »

Il éclata de rire. Ce n'était plus son rire d'autrefois, il était moins profond, moins puissant, et, de temps à autre, on y discernait des chevrotements de vieillard.

« Je vais le piller ! »

Visage hésita un instant :

« Sa décision peut prendre quelques mois. J'ai de bonnes raisons de penser qu'il va suivre le Moghol, mais l'affaire n'est pas assurée.

— Oh ! Ne t'inquiète pas ! Parle clair. Je ne te trahirai pas. »

Visage, pour une fois, s'étonna de la légèreté de son maître. Sombre savait bien pourtant que le courrier venait de Chandernagor : il avait ouï dire qu'il était de Chevalier. Il aurait dû supposer que les propositions d'un marchand si éloigné ne pouvaient suffire à ébranler Madec. Comment ne voyait-il pas que derrière Chevalier, c'était la France qui commençait à bouger ?

« La lettre parle aussi de vous, maître, hasarda-t-il.

— De moi ! Bien sûr ! Je suis la Lune des Indes. »

Visage ne sut s'il fallait y voir un signe d'ironie ou la marque d'une folie naissante.

« Ce Chevalier demande que vous l'aidiez. Une simple contribution en argent, qui ne nuirait en rien à votre indépendance... »

Cette fois, Sombre ne rit pas. Il hoqueta :

« De l'argent ! De l'argent ! »

Visage craignit le pire, se pencha fébrilement vers la mallette aux poudres.

Sombre reprit son souffle. Son regard s'était voilé :

« Ne sait-il pas, ce misérable Chevalier, dans son trou à serpents de Chandernagor, que Sombre est peut-être le plus riche prince qui soit en Inde ? Eh bien, tonna-t-il soudain, Sombre ne lâchera jamais son or ! Je suis le plus riche et le plus avare ! Je ne donne qu'à Dieu, Dieu, le vrai, celui du jésuite, pour la paix de mon âme ! Je reconstruis l'église d'Agra, je prépare la pierre de ma tombe, j'entasse de quoi payer mes messes ! Dix mille messes pour ma mort ! Le reste, je le garde. Pour mon fils, celui de ma première femme. »

Il s'interrompit un instant, souffla, poursuivit d'une voix plus sourde :

« ... Pour la princesse aussi. Et puis tais-toi, médecin du diable, messager de malheur. Verse-moi ma potion ! »

Contre toute prudence, Visage fit front :

« Non. »

Sombre ne cilla pas, mais se mit à le regarder par en dessous, visiblement très décontenancé :

« Que cherches-tu, borgne ? Que je perce l'œil qui te reste ? Les médecins ne manquent pas en Inde. Une fois aveuglé, empalé, tu seras remplacé sur l'heure. »

Visage s'obstina :

«Il faut aider le Moghol. La France... »

Sombre l'interrompit d'un nouvel éclat de rire :

« La France ! Mais balivernes, misérable apothicaire, suceur de sang ! Moi, Walter Rheinhardt, déserteur d'Allemagne et de toutes les armées, donner mon argent à un roi, et qui plus est au roi de France ! Je suis plus riche et plus puissant que lui, qu'il crève, lui, ses ministres et ses maréchaux ! La France ! Elle a perdu une fois, elle ne gagnera pas la seconde fois, sache bien ceci, Visage, l'Inde n'adore que les vainqueurs ! Moi-même, à Buxar, j'ai failli me perdre et je n'ai dû mon salut qu'à ma fuite dans l'immensité de l'Inde. Car je n'avais pas de nation, moi ! Ni France, ni Angleterre, ni rien ! Les Indiens ont oublié qu'un jour je fus vaincu. La Lune des Indes ! J'ai gardé mon nom. Et j'ai épousé leur plus belle fille, la porteuse de vajra. Je suis des leurs, sans être d'ici. Un flibustier, un forban des jungles. Crois-moi, Visage, il n'y a rien pour la France à espérer ici. Le Moghol n'est plus qu'un cadavre à dépecer, une épave. Je tiens à demeurer du festin. Que Madec s'en aille lui offrir l'occasion d'une dernière défaite, à la bonne heure ! Il m'en restera davantage à manger et je paierai plus de messes à mon âme !

— Il n'y a pas que l'argent dans votre vie, maître. Il y a la princesse et la princesse aime l'Inde. »

Sombre blêmit. Il s'allongea sur le sofa.

« Verse les poudres. »

Visage se pencha sur ses fioles.

« Je me fous de l'Inde.... murmura Sombre. Sarasvati me maintient en vie. Elle a la vajra.

— Vous ne le croyez pas. Ce sont des balivernes bonnes pour les Indiens. »

Au lieu d'éclater, Sombre se radoucit :

« Non, Visage, je devrais être mort, malgré tes poudres. Mais je vis et je vivrai longtemps encore. J'échappe même aux vengeances, sais-tu, médecin, même les pires. La princesse me protège. Les Banquiers Mondiaux, dont j'ai assassiné les pères, Dieu me pardonne, les Djagarset eux-mêmes me baisent les pieds. »

Il se releva sur le sofa, pris d'une soudaine jubilation :

« Ils me baisent les pieds et je leur donne pourtant si peu d'or à changer, et je caresse le ventre de leurs filles... Je pourrais même les empaler devant eux, ils ne bougeraient pas ! C'est la princesse !

— Elle ne sort guère, sauf au combat. Elle ne tire pas au canon. Et vous savez comme moi que toutes les légendes se meurent. Six ans déjà ! Elle ne fait plus parler d'elle. Et d'ailleurs elle est chrétienne.

— Chrétienne ! »

Sombre soupira. Surpris, Visage cessa de tourner les médecines dans la coupe :

« Le père Wendel l'a baptisée !

— Ah ! mon pauvre Visage, que tu es naïf ! »

Sombre l'attira à lui et lui donna une bourrade presque tendre.

« Brave apothicaire, nul ne le sait que moi, mais à toi je peux le dire puisque tu me soignes si bien. Connais-tu les sannyasis ?

— Les sannyasis ? Oui, des pénitents, qui vont de ville en ville, proclamant que le dharma est souillé et qu'il faut purifier notre vie. Il y en a surtout au Bengale. »

Sombre corrigea :

« Il y en a partout dans l'Inde du Nord depuis que les Anglais ont pris le Bengale.

— Je n'en ai pas vu ici.

— Ah ! Visage ! Tu passes trop de temps à lire les livres des moricauds, pas assez à les regarder vivre. C'est vrai qu'ils se cachent... »

A ce moment, Sombre sursauta violemment. Visage, lui aussi, avait entendu le bruit, un froissement d'étoffes derrière le moucharabieh du fond. Ils se regardèrent. Sombre s'étendit sur le sofa, ferma les yeux, comme pour cacher son inquiétude.

« J'ai sommeil. Verse la potion. »

Il avait une voix rauque, presque de mourant :

« Dépêche-toi. Donne. Je veux dormir. »

Visage fut pétrifié. Ainsi, l'instant d'avant, il était prêt à s'abandonner à des confidences : le ton attendri qu'il avait pris ne pouvait l'avoir trompé. Puis, un frisson derrière un moucharabieh et Sombre se taisait. Visage examina la pièce. Rien n'annonçait une présence insolite. Une lampe se mourait. Au moucharabieh, rien ne bougeait. Pourtant, ce ne pouvait être un garde qui se trouvât à cet endroit. Ils se tenaient toujours à l'exact opposé. Sombre aurait pu les changer de place. Cependant, il avait été surpris, bien plus que Visage lui-même. Il lui tendit la coupe. Sombre but à longs traits.

« Va-t'en ! lui lança-t-il dès qu'il eut fini. Va-t'en. Il faut que je prie.

— Paix à votre âme », ironisa Visage.

Sombre s'était relevé en effet, son corps amaigri secoué de tremblements.

« Paix aussi à la tienne, apothicaire du diable ! »

Visage repoussa la porte. Tandis qu'il s'éloignait résonna le long cliquetis des serrures qui se refermaient sur Sombre. Aux échancrures découpées des couloirs, l'aurore s'annonça. Il n'était pas parvenu au seuil de sa chambre qu'une servante accourut, qui lui demanda de la suivre, à la requête expresse de la princesse Sarasvati.

*

* *

Sarasvati était assise au fond d'une pièce très blanche, dépouillée à l'extrême, un peu semblable à celle où le jésuite l'avait unie à Sombre. Visage ne l'avait pas rencontrée depuis des mois et jamais d'aussi près. Il l'avait aperçue lors du premier dorbar, ruisselante de brocarts dorés, figée comme une déesse aux côtés de son époux. Il l'avait trouvée détachée, hors du monde, inaccessible ; non comme à Godh. Ici, nul ne lui prêtait attention. Elle se dissolvait dans les débauches d'or. Elle n'était qu'une des vagues parties du faste théâtral qui accompagnait toutes les apparitions de Sombre, un des multiples attributs de sa force. Visage s'étonna un peu qu'elle fût si facilement entrée dans le jeu, au point d'y laisser sa personne. Mais comme les autres il l'oublia.

Maintenant qu'il l'approchait, sa surprise était exactement inverse : elle lui paraissait si peu indienne. Ce ne fut qu'une impression fugace. Sarasvati avait abandonné sa tresse ; elle avait roulé ses cheveux dans un énorme chignon serré bas sur la nuque, ce qui lui dégageait entièrement les traits ; son voile était fixé plus haut sur la tête, comme aux femmes d'un certain âge, qui ne craignent plus le regard des hommes.

Ce n'était pas pourtant qu'elle semblât vieillie. Elle avait grossi, certes, mais sans s'alourdir. Les rides qui s'étaient installées aux contours de ses yeux, de sa bouche, de son menton avaient encore l'air de fossettes. Ses yeux brillaient toujours du même insoutenable éclat, renforcé par le double trait de khôl qui les soulignait. Il n'y avait guère que ses cernes, deux grands cernes presque noirs et profonds, pour rappeler le poids des années et l'étendue de ses malheurs.

Néanmoins elle n'en laissait rien voir. Elle souriait. L'aube se levait peu à peu derrière les stores. Ses traits se précisèrent. Elle ne portait pas de bijoux, à l'exception de son diamant de nez et d'un rang de perles à médaillon qui s'enfonçait dans les plis de son cou. Ainsi éclairée, avec l'air de sérénité qui l'illuminait, elle rappela à Visage les madones européennes. Son attention fut alors attirée par un objet insolite. C'était un tableau fixé au mur. Il n'en avait jamais vu en Inde, sauf à Pondichéry.

« L'Occident arrive », songea Visage avec mélancolie. Puis il étudia plus soigneusement la peinture. C'était incontestablement une Vierge à l'Enfant. Mais une Vierge noire : elle avait les traits de Sarasvati. Ainsi donc Sombre lui avait offert ce tableau commandé au jour des noces, lui qui prenait et ne donnait jamais. En signe de reconnaissance et de bonne intelligence, elle aurait dû glisser dans le médaillon qu'elle portait sur sa poitrine la miniature représentant son époux. Visage frémit soudain. Le médaillon était vide. Il n'eut pas le temps de chercher pourquoi. Sarasvati lui jeta soudain d'un air ironique :

« Tu trembles, médecin ?

— Très honorée princesse, il ne sied pas à une femme de ton rang de me faire pénétrer dans le zenana.

— Tais-toi, médecin. Ne t'embarrasse pas de politesses inutiles.

— Mais que dirait le seigneur Sumroo ?

— As-tu vu quelque eunuque pour garder mes appartements ? Je suis libre, sais-tu ? Je décide de ce qui me plaît. Le seigneur Sumroo ne dira rien. Et d'ailleurs je ne vis pas au zenana. Sais-tu bien, médecin, ce qu'est la vie au zenana ? »

Visage ne sut que répondre. Il pensa être tombé dans un piège, le pire qui soit, celui des femmes. Ainsi qu'à leur première rencontre, Sarasvati le perça sur-le-champ :

« Ne tremble pas ainsi ! Tu ressembles à une jeune mariée ! »

Il rougit.

« Devine donc, médecin, pourquoi je te fais venir. »

Il soutint son regard noir, comme tout à l'heure celui de Sombre :

« A cause des lettres qui me sont venues.

— Tu crois ? ironisa-t-elle pour voir combien de temps il supporterait l'épreuve. Et si j'étais malade ? »

Elle se pencha ; son boléro échancré s'ouvrit aux yeux de Visage. Il sentit qu'elle le guettait.

« Je suis une femme encore désirable, n'est-ce pas, encore belle malgré les ans ! »

Visage détourna la tête. Il se sentait honteux d'être vieux et borgne, à la merci d'une si belle femme. A mesure qu'elle parlait, le charme de Sarasvati grandissait. Elle en jouait. Son âge — le sommet, semblait-il, d'une superbe trentaine — lui en donnait ici le droit. Elle n'était plus tenue à l'excessive réserve imposée aux très jeunes femmes. C'était sans doute la raison pour laquelle il l'avait crue presque européenne. En fait, il le constatait maintenant, la princesse demeurait indienne : sa cruauté de chat, cette façon légère de disposer du destin d'autrui, d'ordonner, de jouer sans que ce fût un jeu... Visage avait observé qu'en Inde cette époque de la vie représentait souvent l'apogée des femmes. Ce qu'elles perdaient en beauté, la société le leur restituait en pouvoir. Il fallait pour cela qu'elles eussent enfanté, puis élevé des fils. Ce n'était pas le cas de Sarasvati. Mais tout se passait comme si l'immensité de son malheur, son extraordinaire aventure, l'élevait à un point de souveraineté que jamais une autre n'aurait pu atteindre.

Elle l'interrompit dans ses pensées :

« Rassure-toi, médecin. Je ne t'ai pas fait venir pour te perdre ! »

Visage osa enfin la regarder en face. Elle prit un air pincé :

« Et puis, qu'as-tu à me fouiller ainsi ? Tu comptes

mes rides ? Tu ne sais donc pas que ce sont les pieds d'une femme qui doivent exciter le désir d'un homme, et non sa tête, son *visage,* comme on dit dans ta langue. » Elle lui tendit ses pieds décorés de henné, rêva un bref instant, puis reprit :

« Il est vrai que c'est ton nom, Visage... »

Elle éclata de rire. Elle avait prononcé les deux dernières phrases en français, une langue impeccable d'ailleurs, dont elle roucoulait doucement les syllabes, ainsi que les gens de Pondichéry. Visage fut abasourdi :

« Tu sais donc le français ?

— Je l'apprends, oui. Dieu me l'apprend.

— Dieu ?

— Oui, le maître canonnier. Lui aussi, il porte un nom étrange. C'est l'inconvénient de votre langue.

— Toutes les langues sont étranges, princesse, lorsqu'on se met à les apprendre... Et les hommes qui les parlent encore plus que leurs mots. Les firanguis surtout, les hommes blancs. »

Elle sourit d'un air entendu.

« Certes, certes... A ce que je vois, tu es bien impatient de parler des lettres. Nous attendrons cependant. Nous y arriverons le moment venu. Il ne faut jamais presser la mangouste de tuer le cobra. Elle sait bien l'attaquer à point. »

Elle souleva le store qui les séparait du zenana :

« Allons, viens ! »

Visage blêmit :

« Les femmes ne me sont rien, très honorée princesse.

— Viens ! »

C'était un ordre. Il fut troublé. Il ne savait quel parti prendre. Lui résister, il le sentait déjà à son regard où couvait la colère, c'était lui imposer un affront qui jamais ne serait pardonné. La suivre, c'était aller au-devant d'un danger sans mesure. Il lui barra le chemin :

« Que veux-tu de moi ? »

Elle sourit un long moment, puis elle se mit à ricaner :

« Couard, pleutre ! Poltron que tu es, comme tous les mâles en ce bas monde ! Crois-tu être encore assez jeune et beau pour que je veuille de toi ou même te donner aux femmes de Sombre ? Tu es borgne, ne l'oublie pas ! Et crois-tu détenir assez de pouvoir pour que je cherche, par mes charmes ou ceux de mes filles, à te tenir sous ma coupe ? »

Sous l'effet de la colère, elle recommençait à parler en hindi. Elle se radoucit bientôt.

Elle le tira par la manche de sa robe, le poussa derrière le store, et ils restèrent un moment sur le balcon de la pièce. C'était une longue galerie couverte, où alternaient les carreaux de faïence bleue et les croisillons des moucharabieh ; elle était encombrée de plantes vertes et courait tout autour d'un vaste patio à étages. Juste au-dessous d'eux, c'était le zenana.

Le soleil se levait doucement. D'ici, on avait une vue très nette sur toutes les pièces. Contrairement à l'habitude, les stores n'étaient pas baissés. On pouvait donc les observer à loisir.

« Ce sont les femmes de Sombre, chuchota Sarasvati, toutes celles qu'il achète pour entretenir l'illusion de sa force. Regarde-les, les pauvres : elles ont fêté toute la nuit. »

Autour des charpoï en désordre, on voyait en effet des coupes à demi vides de vin de palme, des pâtisseries entamées, des fioles à élixirs. Les eunuques enivrés ronflaient ventre béant. Dans les cheveux épars des femmes endormies se flétrissaient des couronnes de fleurs, et sous les châles leurs corps se soulevaient lentement. Parfois les traversait un râle étrange, un souvenir de la fête. Leurs voiles soudain se gonflaient, leurs boucles d'oreilles se mettaient à tinter, comme un prélude à des réjouissances nouvelles. Des bouches s'avançaient vers celles de leur voisine, pour les goûter, comme si elles fussent celles de leur maître.

La passion s'échauffait bientôt, renversait des tissus ; des mains, des jambes se cherchaient au milieu des ceintures dénouées et des bijoux brisés, avant de retomber, quelques instants plus tard, lourdes, apaisées, repues et lasses de ces amours somnambuliques.

« C'est toi qui le permets ? interrogea Visage.

— Médecin ! Crois-tu vraiment que ces belles créatures pourraient se satisfaire de danser nues une fois le temps devant le pauvre Sumroo... »

Le pauvre Sumroo. C'était bien la première fois que Visage entendait parler ainsi de son maître. Il fut atterré. D'ordinaire, les Indiens employaient mille circonlocutions pour aborder les sujets qui les préoccupaient ; mis à part le prélude du zenana, Sarasvati l'attaquait sans ambages.

« Que te dire ? Il y a six ans je le croyais près de mourir. Il a tenu. Il va mieux, même. Et pourtant mes poudres ne sont ni pires, ni meilleures qu'avant.

— Tu ne vas pas me dire, toi, un firangui, que j'ai la vajra, et que c'est moi qui le fais vivre !

— Les raisons qui maintiennent en vie des hommes qu'on croyait au bord de la tombe sont impénétrables, princesse. La médecine est science de longue vie, ayurveda, comme on dit chez toi, mais certains des remèdes sont cachés au fond de notre cœur. Qui pourra démêler ces mystères ?

— Abrégeons, médecin. Je sais qu'il s'épuise. Bientôt il mourra, par une nuit plus dure que les autres. Si je ne le soutiens pas. Car j'y crois, moi, à la vajra, vois-tu...

— Alors qu'attends-tu de moi ? »

Elle répondit d'une voix extrêmement dure, et c'était pourtant la même madone qu'au tableau :

« De savoir quand je peux espérer mettre ma force ailleurs qu'à soutenir ce vieillard.

— Je ne comprends pas.

— Tu as bien reçu des lettres, non ? Des lettres de France. Ou du moins de Chandernagor.

— Oui.
— Tu en as porté une à Madec ?
— Oui.
— Il va rejoindre le Moghol ? »
Ainsi, elle ne se cachait même pas d'avoir espionné Sombre, tout à l'heure, derrière le moucharabieh. Mais peut-être étaient-ils complices. En tout cas, elle semblait mener le jeu, puisque Sombre s'était si soudainement arrêté dans ses confidences.
« Je ne sais pas, répondit Visage d'un ton faussement détaché.
— Deux semaines, trois mois, je m'en moque, pourvu qu'il parte !
— Toi aussi, princesse, tu veux sa perte ? »
Elle rit :
« Qui te dit qu'il va à sa perte ?
— Sombre ne veut pas donner d'argent pour la guerre.
— C'est évident ! Il n'en donne à personne ! Il entasse ! »
Il y eut un long silence. Du zenana montaient des bruits de vaisselle renversée, les cris de fausset des eunuques, des effluves de parfum qu'on brûlait. Sur le mur de la chambre, avec le jour, pâlissaient les couleurs de la madone.
« Tu le connais bien, ce Madec, n'est-ce pas ? Tu le connaissais d'avant moi... C'était toi, le médecin firangui qui l'accompagnait à Godh. »
Jamais Visage n'aurait imaginé qu'elle pût oser évoquer une rencontre qu'il avait lui-même effacée dans sa mémoire. Profitant de sa surprise, Sarasvati poursuivit :
« Je n'ai guère de souvenir de ce temps-là. J'étais heureuse, comprends-tu, si heureuse. Mais je sais depuis les lettres de Chandernagor que tu étais avec lui. Tout m'est revenu.
— Princesse, tu ne les as pas lues, ces lettres !
— Pourquoi l'homme de Chandernagor aurait-il fait de toi son homme de confiance auprès de Madec ?

L'Inde est grande, Visage, pas assez cependant pour garder les secrets. Ce n'était d'ailleurs pas un secret. Nous sommes peu à survivre au bonheur de Godh. Nous nous reconnaissons entre nous.

— Où veux-tu en venir ? »

Sarasvati se pencha sur un coffre de cuir, l'ouvrit avec délicatesse.

« Regarde ! »

C'était un petit tigre de bois peint, penché sur un homme en tricorne et uniforme rouge, un Anglais, à l'évidence, qu'il s'occupait à dévorer.

« Mon tigre te plaît, n'est-ce pas ? dit Sarasvati. Celui-ci n'est que très modeste. C'est un marchand venu du Sud qui me l'a vendu. D'après lui, un firangui construit de grosses machines animées, sur le modèle de celle-ci, qu'il propose aux nababs du Dekkan mécontents de la présence anglaise. On dit que c'est le rajah de Bénarès qui le premier a eu l'idée de cette image. C'est très beau, n'est-ce pas ? »

Elle se leva lentement, agita une sorte de poignée qui se trouvait sur le côté. Le tigre se mit à se lever et à rugir, tandis que l'Anglais laissait échapper des râles de mourant.

« C'est bien gracieux, commenta Sarasvati. Mais celui-ci est trop petit. »

Elle montra à Visage la bouche circulaire de l'Anglais :

« On peut aussi introduire dans l'objet une bonne vessie de sang frais, et l'homme crache le sang à chaque râle. Cela fait plus vrai. Mais c'est salissant.

— Je te croyais chrétienne, princesse. Tu aimes le sang. Tu n'étais pas ainsi autrefois. »

Visage était allé trop loin ; dès qu'elle avait évoqué le passé et dissipé la dernière équivoque, il s'était cru autorisé à lui faire la leçon.

« Belle franchise ! éclata Sarasvati. J'en ai vu plus que toi, médecin, du sang, et j'en veux encore ! Regarde cet enfant, au mur ! Ce n'est certes pas ton Christ de pacotille, qui pardonne et tend la joue gauche ! C'est *mon* fils, le seul qui me restait, et on me l'a tué ainsi que boucherie ! »

Elle éclata à nouveau d'un grand rire :

« J'ai besoin de toi, Visage, sinon je te ferais empaler sur l'heure... Pauvre médecin. N'as-tu pas compris que je gouverne Sombre ? Je suis discrète et patiente, nul ne me voit. Il est temps pourtant que tu le saches : rien, de Madec, désormais ne doit m'échapper. C'est à moi que tu transmettras les messages, non à mon époux. A lui, tu diras la vérité ou le mensonge, peu importe. Tu es ma créature, entends-tu, ma créature... »

Elle claqua des doigts ses servantes, qui surgirent d'une tenture, l'œil à peine étonné.

« Préparez le bain ! »

Il frissonna. Ce qu'il craignait une heure plus tôt venait d'arriver : elle le tenait à sa merci.

« Je suis pressée, vieux borgne. Tu vas me le jurer sur l'heure : pas un courrier de Chandernagor ne doit m'échapper.

— Et si Madec vient à être défait ?

— La suite est mon affaire.

— Je ne sais, princesse, si tu veux son bonheur ou son malheur.

— Les dieux seuls nous commandent, Visage. Laisse-moi donc à mon désir. Quant à Sombre, je veux être avertie de tous les changements qui surviendraient dans sa santé. Jure-moi ! »

Visage s'agenouilla sur le tapis, posa sa tête jusqu'à terre, selon le rite indien. Les pieds de Sarasvati le touchaient presque, couverts de bagues, de bracelets, et décorés de fleurs peintes au henné. Il répéta tout ce qu'elle lui dictait, sans même oser respirer. Quand il releva la tête, elle se penchait sur lui avec tendresse, ainsi qu'elle l'aurait fait sur un enfant au berceau. Ce fut alors qu'il découvrit, derrière le médaillon vide qui cachait le sillon de ses seins, une vieille amulette ternie de vert-de-gris. Tout en la dissimulant dans son boléro, elle se mit à rire une dernière fois ; c'était le même rire qu'en sa jeunesse, une cascatelle, tout en fraîcheur.

« Ceci, médecin, c'est une autre histoire et qui n'est pas pour les firanguis ! »

On apportait le bain fumant. Visage se retira aussitôt. Il erra longtemps dans les couloirs, abasourdi. Les fontaines, avec le matin, recommençaient à bruire. Il se perdit plusieurs fois, heurta des serviteurs endormis, des volières abandonnées. Il finit par retrouver sa chambre, où des heures entières, il se demanda par quel miracle il avait prêté ce serment, si c'était par amitié pour Madec, ou par un bizarre sentiment qui le poussait vers la princesse. Il finit par conclure qu'il avait parfaitement joué. L'homme de Chandernagor ne lui conseillait-il pas de s'appuyer pour vaincre sur « tout ce qu'il y avait de puissant en Inde » ? Peu lui importait donc la princesse Sarasvati puisque, de toute façon, ses vues serviraient l'intérêt de la France. Enfin, pour se calmer, il se persuada qu'elle continuait d'aimer Madec. Un seul détail l'empêcha toutefois de retrouver une complète sérénité : l'effroi de Sombre quand il s'était aperçu qu'on guettait ses confidences sur les sannyasis, et surtout l'amulette grimaçante entre les seins de Sarasvati. C'était la monstrueuse Kali.

CHAPITRE XXV

De la mousson à l'hiver 1772

Bharatpur-Delhi

Madec ne vit pas finir les pluies. Du jour où fut arrêtée sa décision de servir l'empereur, il vécut dans l'attente des messages. Pas un marchand ne passait dans Bharatpur sans qu'il ne fût mandé à son palais. « Que fait à présent le Moghol ? harcelait Madec, en dépit de toute prudence. — Le Moghol ! s'esclaffaient les marchands. Mais il est tout à son sérail ! » Et ils s'étonnaient qu'un homme aussi puissant que Madecji pût à ce point se préoccuper du Moghol. Etrangeté de firanguis, pensaient-ils, et ils repartaient dans les trouées des averses.

Contre tout son orgueil, Madec se résolut à prendre l'initiative des offres de services, puisque l'empereur ne se décidait pas à l'appeler. Dans un ultime message, il lui parla plus clairement de la France et des grandes choses que sa patrie voulait pour lui.

C'était, pensa-t-il, la dernière chance qu'il s'accordait. Le dernier espoir de devenir, selon l'expression de Chevalier, « l'homme de la nation ».

L'homme de la nation... Il n'avait plus que ces mots en tête. Il y eut des moments où, à se les murmurer, Madec fut pris de vertige. *Nation,* surtout, lui plaisait ; quelque chose dans ce mot lui rappelait une part obscure de ses racines. Non les rues de Quimper, non le lieu de Bretagne qui depuis l'enfance modelait ses rêves. Mais une contrée de lui-même plus vaste, celle-là même qui le justifiait autrefois à ses propres yeux, quand il avait jeté dans la fange un nobliau qui l'avait nargué. Quelque chose du ruisseau où il était né : la boue qui se hissait à la gloire, le peuple enfin splendide.

Tout cela était fort éloigné de l'Inde. Tant que Madec attendit sa réponse, le monde autour de lui perdit sa réalité. Il ne voyait rien, il ne sentait rien. Il sortit parfois à cheval dans Bharatpur pour scruter l'horizon des routes embourbées. Le ciel demeurait bas, brumeux, les messagers, comme les animaux, semblaient partis pour d'autres pays. Même Janmasthami, l'anniversaire de la naissance de Khrishna, le laissa indifférent, sourd et aveugle. La ville était en fête. Dans chaque foyer, les femmes s'affairaient, cuisant des gâteaux de riz et de lait, jetant dans des marmites de sucre de pleins paniers de fruits juteux, qui en ressortaient craquants et glacés à merveille. Toute l'Inde en ce jour célébrait l'amour ; les jeunes gens lutinaient les jeunes filles sur des balançoires pareilles à celles des amants divins. Des temples aux maisons de terre, on récitait les versets sacrés de la vie de Khrishna, on racontait sa victoire sur les démons et le tyran Kansa, ses facéties à Vrindavan, les vierges qu'il posséda dans l'eau des rivières, la jalousie de Radha trop folle de son corps bleu, enfin l'offrande qu'il fit de son enveloppe charnelle au dernier jour, pour apporter aux hommes les bienfaits de la paix.

Madec s'en moquait bien. Il n'avait que la guerre en tête.

Dans son palais, pourtant, on n'était pas de reste ; c'était Marie qu'on célébrait. La bégum Madec fabriquait pour la Vierge de petites offrandes ; comme dans les maisons de Bharatpur, fruits confits et gâteaux de riz, pour que la Mère divine protégeât le nouvel enfant qu'elle portait. A l'autre bout du palais, Mumtaz chantonnait tout le jour, prise elle aussi de fièvre amoureuse. Devant son miroir, elle bordait et rebordait ses yeux de khôl, elle parfumait et lissait ses cheveux tressés de fleurs. Le soir venu, elle levait une lampe vers le jardin et guettait l'heure où reviendrait son maître bien-aimé.

Il venait le front plus soucieux de soir en soir. Mumtaz se douta de quelque chose. Elle redoubla d'attentions pour lui, comme s'il était un enfant malade. Madec, cependant, ne parlait, pas. Elle tenta le tout pour le tout : « Madecji, tu t'assombris alors que l'amour est partout ! Veux-tu que j'essaie les tours des prostituées des temples, tu sais, les servantes du seigneur, les Devadesi, allons viens, j'en ai beaucoup appris, à la maison de plaisir... » Il ne la repoussa pas. Un matin d'éclaircie, ils transportèrent même leurs joies au jardin, sur un tapis tout neuf, et elle le convainquit, dans la demi-allégresse qui suivit, de jouer avec elle au cerf-volant, ainsi que tous les amoureux quand la mousson finit. Il persévérait néanmoins à se taire.

Un soir enfin, Bharatpur ne sentit plus le riz au lait, signe indubitable de la fin des fêtes. Un homme délicat et grassouillet, qui se prétendait marchand à Delhi, se présenta à sa porte.

Si la capitale comptait beaucoup de négociants de son espèce, trafiquant les fruits et légumes entre Kabul, Srinagar et Agra, il ne fallait pas être grand clerc pour deviner que celui-ci n'était pas ce qu'il affirmait, à savoir marchand de melons et pistaches. Teint clair, yeux bridés, manières raffinées, il avait tout du notable moghol ; Madec l'introduisit aussitôt. Ils n'échangèrent pas un mot. L'autre sortit de son manteau trempé un sac de quatre mille roupies en acompte sur les quarante mille qu'on lui promettait, puis un gros rouleau d'acier travaillé qui contenait un parchemin.

C'était une patente de nabab.

Dans une lettre jointe, le généralissime du Moghol déclarait que l'empereur acceptait l'offre du firangui et de son roi. Le titre de nabab, accordé au seigneur Madec, prendrait effet à l'heure où il rejoindrait Delhi. La chose serait solennellement signifiée à la face du monde, dont le Moghol était le parasol. On l'attendait.

« Au plus tard dans deux mois ! ajouta simplement le faux marchand de melons afghans.

— Marché conclu », répondit bravement Madec.

Le soir même, Madec fit mander Mumtaz.

« Je veux encore les tours des Devadesis. »

Elle fut surprise, mais s'exécuta avec soin.

Le jeu fini, elle sut qu'il allait parler.

« Tu es bien habile, Mumtaz... Pleine d'imagination. Mais enfin, tu n'es pas une Indienne ! »

Elle saisit l'occasion :

« Non, répondit-elle fièrement. Mais les gens du Moghol non plus, tu verras ! »

Il la saisit aux cheveux :

« Comment sais-tu ?

— Madecji... Nous autres femmes, nous sommes habituées à tout observer. On ne nous dit rien, mais il est bien des choses qu'on apprend à travers les grilles d'une maison ! Rien qu'à regarder la pluie qui tombe derrière les moucharabieh... »

Il la relâcha, et elle le regarda de côté, toute douce, souriante, à peine émue de sa violence :

« Le visage du soldat qui court entre les gouttes, sa façon de porter l'épée... La façon même dont tombe l'averse ! Et puis ton regard, Madec, tes yeux changeants après... »

Elle hésita :

« Après... Comme maintenant. Combien de choses, Madec, dans tes yeux qui changent de couleur ! »

Elle approchait la lampe. De colère, Madec la souffla. Il s'en alla à l'autre bout de la pièce, s'étendit sur le tapis, ramena sur lui un grand châle. Il ne bouda pas longtemps :

« Et la bégum Madec, le sait-elle aussi ?

— Entre femmes, Madecji, on ne se dit rien, mais le silence parle à toutes. »

Il revint auprès de Mumtaz, essaya de s'endormir. Le sommeil ne vint pas. Il se retourna une dernière fois vers elle, caressa ses hanches à travers la soie de ses pantalons bouffants.

« Mumtaz... Crois-tu que toutes les femmes devinent ? Toutes ? Même de loin ?

— De loin ? Que veux-tu dire ? »

Elle avait la voix du premier sommeil. Il préféra ne pas insister :

« Dormons. »

Le lendemain, une heure avant l'aube, il expliquait à ses soldats le plan qu'il avait mis au point pour trahir le rajah des Djattes.

L'entreprise fut plus difficile qu'il n'y avait songé. Le gros de son armée campait à vingt lieues. Madec la confia à Kerscao, un de ces officiers bretons nouvellement arrivés, bien né, très cultivé et excellent soldat. Pour sa part, il demeura à Bharatpur, avec cinquante fantassins et autant de cavaliers : il s'agissait, au premier chef, de sauver sa fortune. En une journée, il réunit les pierres et l'or qu'il possédait ; il en chargea six grands coffres, qu'on arrima sur le dos de Corentin. Suivirent les autres éléphants, les chameaux, les chariots à bœufs, portant sa famille et le reste de ses biens, tapis, vaisselle, serviteurs. Le palais avait été entièrement vidé. La caravane se dirigea vers le camp où l'attendait Kerscao tandis que Madec, avec ses cent soldats, s'en allait vers la route où l'attendaient les Djattes. Comme il le supposait, l'alarme avait été donnée. Un détachement barrait la route.

« Le rajah des Djattes te mande en son palais, hurla le chef de la garde. Il exige des explications sur tes ventes, achats et déplacements ! »

Il fallait gagner du temps ; permettre à la caravane, Corentin, sa fortune, ses femmes de rejoindre sans encombre les Etats du Moghol. Il parlementa, allongea à plaisir les salams et les marques d'égards. La brute djatte, flattée, s'y laissa prendre un moment. Cependant, la nuit s'avançait. Madec avait allumé des flambeaux. Ils révélèrent, derrière lui, de très gros bagages. Ce n'était que vil paquetage d'armée, mais la convoitise du Djatte finit par s'exciter :

« Saisissez ce chacal ! »

Déjà Madec avait fait renverser les torches. Tous ses hommes tirèrent d'un seul élan. Profitant de la confusion, ils se retirèrent derrière les bagages et soutinrent pendant une heure un feu nourri. Les Djattes s'épuisèrent. Il était temps de rejoindre le camp. Madec ne pensait plus qu'à Corentin et à ses coffres d'or. Le diamant de Godh, enfoui dans un chariot sous un ballot de soies grossières... Les Djattes refusèrent de le laisser fuir. La poursuite commença. A la tête de la cavalerie, Madec hurlait pour presser ses hommes. De temps à autre, la charge des Djattes se rapprochait, on tirait dans la nuit ; parfois, on distinguait un bruit sourd sur le sol, un corps qui s'écroulait, puis le galop des chevaux recouvrait tout.

La nuit était claire, sans un brin de vent. Et pourtant le monde s'agitait en tous sens ; toutes les visions de la route s'entremêlaient, les banians noduleux, les fontaines désertes aux carrefours, les temples de campagne où dansaient, glacés sous des couches de peintures vives, les génies de la terre et du ciel. Visions fugaces, aussitôt superposées les unes aux autres ; Madec croyait se battre contre les créatures de l'Enfer :

« Raksa, Raksa, tu ne m'auras pas ! » hurlait-il, chaque fois qu'il se retournait pour tirer sur les Djattes. Plus s'avançait la nuit, plus l'ennemi se confondait en effet dans son esprit avec les démons dont parlaient les femmes, les saisisseurs venus de l'au-delà pour arracher aux humains leurs biens les plus précieux.

« Raksa, Raksa », répétaient les soldats sans comprendre, tandis qu'ils passaient, une à une, les dernières collines du pays djatte.

Rien n'arrêta l'énergie de Madec. Deux heures avant l'aube, victorieux des Djattes comme des fantômes de la route, il atteignit son camp. Tous ses doutes tombèrent. Il était certain d'être l'homme de la Nation. Il commanda de battre la *Générale,* puis *Aux Champs.* Il exultait. Il se crut revenu à ses grands espoirs d'enfant débarqué à Pondichéry. Il se sentit français, incontestablement français. Et heureux de l'être. C'était la première fois. Il profita du répit pour priser du tabac dans la jolie boîte que lui avait donnée Saint-Frais. Sur son couvercle, la belle Pondichérienne continuait à sourire. Ainsi, pensa Madec, la France de l'Inde va renaître. Il rendit son sourire à la dame de la boîte, l'enfouit dans sa poche, pressa le pas de son cheval. En route vers de grandes choses, il convenait de se hâter.

Son armée avança sans encombre. Depuis que la caravane s'y était jointe, c'était un bazar en marche plutôt qu'une armée. A ses troupes encadrées et entraînées à l'européenne s'ajoutait un nombre extraordinaire de porteurs, chariots, canons, victuailles, barils de poudre, un apparent désordre propre à frapper d'apoplexie tout général d'Europe. La progression s'en trouvait retardée ; néanmoins, vers neuf heures du matin, on n'était plus qu'à trois lieues des Etats du Moghol.

A peine coupée de la verdure d'un marais, une immense plaine s'étendait, toute libre : le pays de Delhi. La trahison était consommée.

Madec n'osait y croire. Il donnait l'ordre de franchir le marais, quand il vit se ruer une foule incroyable, attaquant à la manière indienne, dans la confusion la plus complète. Il chercha fébrilement leur étendard : c'étaient encore les Djattes. Les yeux rivés sur Corentin qui ouvrait la marche, Madec eut un moment d'hésitation. Il fouilla l'horizon. C'était l'heure où se décidait la victoire, si jamais du fond de ces collines, sur son cheval fauve, surgissait l'homme en noir.

Il ne vit rien. Il pouvait gagner. Il chargea.

« Raksa ! C'est moi le Raksa ! » hurlait-il, tandis qu'il hachait bras et jambes à coups de sabre. Des éléphants s'écroulèrent, les jambes brisées de boulets. Les chevaux se renversaient un à un, les Djattes glissaient sur leurs entrailles.

Soudain, la voix de Madec s'étrangla. L'étoffe de sa robe s'était déchirée. Le sang ruisselait sur son bras. Une balle, sans doute. Il ferma les yeux. Quand il les rouvrit, quelques secondes plus tard, ce fut pour voir Kerscao à ses côtés, lui-même balafré d'un coup de sabre.

« Continuons ! Ils reculent ! Fais protéger le marais par les canons, et que passent les chariots et les bagages ! » Les Djattes reculaient, en effet. Lentement, les éléphants traversèrent le marais, puis les chameaux, les bœufs, les fantassins. Madec demeura le dernier sur la rive. Les ennemis, de temps à autre, tiraillaient sans conviction. Ils disparurent peu à peu dans la boue des chemins. Madec décompta rapidement ses morts : une cinquantaine, des cipayes pour la plupart.

Il jeta un regard sur le marais. Corentin avait atteint l'autre rive, ses coffres d'or et de pierres toujours bien arrimés. Il engagea dans la vase rougeâtre le sabot de son cheval. A son bras, il sentait une intense douleur. Une sorte de fièvre se levait en lui.

Un très léger instant, son cheval hésita à poser le pied dans les eaux gluantes. La tête un peu lourde depuis sa blessure, Madec ressentit cette hésitation comme un nouveau choc. Il s'agrippa aux rênes de la bête, se reprit, eut un dernier regard pour le pays djatte. Une nouvelle fracture dans sa vie : là-bas, irrémédiablement perdus, son palais de Bharatpur, ses jardins, son bonheur simple, la fin supposée de ses passions. Dig, aussi, où s'était recluse à jamais, croyait-il, la dame de Godh. Sur l'autre rive, l'inconnu, Delhi, la plaine des honneurs, la France des Indes recommencée. Mais Sarasvati, un jour, n'avait-elle pas aussi parlé de l'empereur ? Comme à son habitude, lorsqu'il se voyait vaciller à la croisée des chemins, Madec musela avec autorité ses restes d'émotion et franchit sans frémir la demi-lieue de boue qui le séparait des Etats du Moghol.

CHAPITRE XXVI

Décembre 1772

Delhi

La plaine de Delhi était singulièrement plate ; l'affirmer n'était pas commettre un grossier pléonasme. D'ordinaire, en effet, les plaines savent s'agrémenter de courbures inattendues, de gonflements légers, de petites ondulations ; à tout le moins, quelques délicats mamelons viennent soulager le voyageur excédé de leur irritante monotonie. Les Etats du Moghol, bien au contraire, offraient à l'armée de Madec l'image surprenante de la plus parfaite uniformité. Etait-ce la grisaille rougeâtre de cette campagne, ou l'insidieuse influence de l'automne naissant, Madec commença à regretter d'avoir quitté Bharatpur. Douze jours qu'on marchait depuis la trahison des Djattes. Les blessures reçues se refermaient peu à peu ; on avançait dans le calme. Point de chaleur, point de poussière, c'était la meilleure saison pour un voyage. Madec pourtant s'était assombri.

En dépit de son expérience, il s'était plu à imaginer les Etats du Moghol cent fois plus riches que tout ce qu'il avait vu aux Indes. Or, ils se présentaient à lui comme une terre abandonnée, un demi-désert. De loin en loin, de vagues bouquets d'arbres, une mare rousse, dix masures de paille et de torchis : c'était tout pour la vie ; on repartait aussitôt dans le néant des champs rouges.

Madec chevauchait en tête de sa troupe. Il se retournait souvent pour observer ses hommes. Comment imaginer que ce ruisseau, ce mince filet de vie humaine perdu dans l'immensité de l'Inde, allait, par la volonté et l'énergie d'un seul d'entre eux, lui, Madec, apporter sa seconde naissance à un continent moribond ? Depuis plusieurs jours, cette pensée l'irritait. Il était pris de doute, de regret. Du même coup, il était devenu d'une humeur exécrable.

Au matin du douzième jour, une rumeur s'éleva de l'armée. Son cheval tressaillit. Dans la brume qui se dissipait venaient de surgir au bout de la route des coupoles rougeâtres et des dizaines de minarets.

« Delhi, la Rome de l'Orient, murmura Kerscao qui chevauchait à ses côtés, et qui avait des lettres.

— On dirait un camp, bougonna Madec. Regarde ces remparts. Tous les monuments qu'ils protègent ressemblent à des tentes. »

La brume se déchirait très vite, comme souvent en Inde. Sans le savoir, l'armée n'était plus qu'à deux lieues des murs.

« Un camp, reprit Madec. Un camp immense et qui serait de pierre.

— Tu vas voir les merveilles qu'elle contient, poursuivit Kerscao. Des merveilles, tous les voyageurs l'ont dit. Un marché fabuleux, des mosquées superbes, et le fort du Moghol, ses jardins suspendus, son trône, avec deux paons de pierres précieuses et d'or, des plafonds lambrissés d'argent. Cette ville est vieille comme le monde, sept cités, sept cités, oui, construites l'une sur l'autre. Le premier, Indra, le dieu du ciel, vient l'habiter... »

Madec l'interrompit :

« Cette ville n'a rien d'indien. Epargne-moi tes voyageurs, Kerscao. Je m'en moque. Je ne veux que le Moghol. »

Il se retourna pour observer Corentin. Bien qu'il n'eût pas reçu de blessure, la bataille contre les Djattes avait un peu éprouvé l'animal. Il avait l'air triste, comme plein de sombres pressentiments. Madec s'inquiétait : ne disait-on pas que les éléphants, détenteurs d'une sagesse quasi divine, prévoyaient le mal que les hommes s'obstinaient à se cacher ? Corentin avait définitivement abandonné son pas fantasque, ses manières polissonnes. L'air du pays lui déplaisait et la proximité de Delhi, contre tous les vœux de Madec, ne semblait pas le réjouir davantage.

« Je n'aime pas cette plaine, déclara Madec à son second. Non, vraiment, cette ville ne me dit rien.

— Toutes les cités mogholes se ressemblent. Ces minarets, ces remparts tout rouges... Agra n'est pas différente. » Madec se raidit sur son cheval :

« A Agra, Kerscao, il y a le Taj ! »

Il s'en voulut aussitôt de cette réplique simpliste. Pour avoir traversé tant de villes indiennes, il savait que chacune d'elles, et pas seulement Agra, possédait la singularité d'un être humain. Ainsi, au bord du même océan, rien ne rapprochait l'alanguissement tropical de Pondichéry et la magnifique putréfaction de Calcutta. Les villes du Nord, Luknow, Lahore, avaient le charme persan de leurs courtisanes, telle Mumtaz, mais rien de commun avec la fierté rocheuse des cités radjpoutes. Delhi, elle, s'annonçait comme autre chose encore, qu'il distinguait mal. Les nuages s'ouvrirent davantage. Un immense minaret surgit soudain devant eux, à un quart de lieue à peine. Mumtaz passa la tête hors de son chariot et se mit à crier avec joie :

« *Qutb Minar,* Madecji, *Qutb Minar !* »

Elle rayonnait. C'était son pays : tout ici redevenait musulman. Le *Pôle de la Foi,* en effet, le plus haut minaret que l'Islam eût jamais construit. Delhi, Madec s'en souvint alors, s'était bâtie sur les corps des héros radjpoutes, les ancêtres des hommes aux astrologues, diamants et villes roses, les adorateurs de dix millions de dieux. Ici, l'Inde des temples et des divinités dansantes avait été vaincue. Mais son vainqueur même, au cœur de ses Etats, approchait à son tour de la mort.

On arrivait à l'endroit fixé pour la halte. Madec ordonna que le convoi s'arrêtât. Sur le bord de la route se dressait un caravansérail ruiné dont la cour lépreuse abritait un puits. Tandis que les soldats se ruaient vers l'eau, que les femmes descendaient des chariots et s'ébrouaient sur le chemin, Madec abandonna son cheval, escalada les décombres. C'était chez lui une vieille habitude de voyageur et de soldat. Avant de pénétrer un pays nouveau, il voulait toujours contempler d'en haut. Or, dans cette plaine à demi déserte, il n'en avait pas encore découvert l'occasion.

Rouge, rouge sans fin était la terre jusqu'aux remparts de Delhi, une immense enceinte crénelée qui s'interrompait de temps à autre, rouge ocré elle aussi. Madec reconnut sur-le-champ que les trous gigantesques percés dans la muraille n'étaient pas l'œuvre des moussons ; des canons, des éléphants étaient passés par là, et nul n'avait réparé le saccage. Derrière le rempart, la désolation n'était pas moindre. Pour un dôme de mosquée encore intact, dix ou vingt palais ruinés, des mausolées éparpillés dans des jardins en friche, puis sur un terre-plein surplombant le même fleuve qu'à Agra, un fort presque identique : la demeure du Moghol. Mais dans tout le paysage, il ne trouva rien qui ressemblât au Taj. Les rêves mélancoliques et tendres dont les Moghols avaient adouci la gloire d'Agra, étaient exclus d'ici : Delhi n'était que de pouvoir. Pouvoir à présent ruiné, qui pouvait cependant renaître, puisque sept fois déjà la ville avait ressuscité.

Aux pieds de Madec, tout s'entremêlait : les chapitaux des mosquées, arrachés à de vieux temples hindous, soutenaient les coupoles dressées pour le Dieu unique ; aux pilastres des colonnades s'ouvraient les jambes d'une danseuse céleste ou les anneaux du serpent d'éternité. Peu importait, après tout, que les Etats du Moghol fussent en ruine. Mort, naissance, apogée, qui connaissait le cours des choses ? Partout où il était passé, Madec avait vu l'Inde survivre aux pires catastrophes. Lui, Madec, René, nabab des Etats du Moghol, d'ici deux jours entrerait dans Delhi. Et, avec lui, pour la grandeur de l'Inde et sa résurrection, la plus prestigieuse nation qui fût alors en Europe : la France. Il s'était longtemps cru de nulle part ; des années, on l'avait appelé *firangui* ; cependant, il était resté étranger à son propre pays. Mais maintenant qu'il y allait de sa gloire, son nom, singulièrement, ne lui brûlait plus la bouche.

Le généralissime de l'armée moghole se présenta à Madec dès l'aube qui suivit. Ainsi que bien des princes de l'Empire, c'était un homme de belle tournure, à la barbe soignée et au sourire cruel. Il éluda immédiatement toutes les questions de diplomatie internationale, pour concentrer son propos sur un unique objet : le protocole compliqué de l'entrée dans Delhi du nabab Madec, qui commença dès le lendemain. Il n'en avait pas précisé la durée. A la grande surprise de Madec, elle dura trois jours. Delhi était assurément fort étendue, pas assez grande cependant pour justifier une procession aussi longue. Au bout d'une demi-journée, Madec se demandait déjà si le généralissime, nommé Nagef-Khan, ne cherchait pas à se moquer de lui.

Le jour avait bien commencé. Il faisait frais ; il flottait dans l'air quelque chose de montagnard. Le vent descendu des Himalayas dégagea le ciel, puis tout net arrêta de souffler. La plaine apparut vide de la moindre poussière ; la terre rouge, contre le ciel très bleu, en prit une teinte plus violente qui rassura Madec : si les couleurs criaient ainsi, c'était donc qu'on demeurait en Inde.

Les descendants des Moghols avaient gardé et même raffiné leur sens légendaire de l'apparat. Ils étaient arrivés par milliers, avec des dizaines d'éléphants de première caste et des chevaux de luxe entièrement chamarrés, qui trottaient très élégamment au son des tubas et des tambours. Pour le reste, c'était le commun des cérémonies indiennes, turbans dorés, aigrettes, pierreries, rehaussé toutefois d'un éclat particulier : les fameux notables moghols, que Madec, au sortir de Godh, avait si fort enviés, étaient au complet. Chacun d'eux, *rouzindar, mansebdar, omrah, panchazari, duazdeh hazari, Perle de Gloire,*

Colonne de l'Empire, marchait avec son cortège particulier, ses musiciens, son étendard, ses soldats en cotte de mailles et ses mousquetaires, si bien que le cortège qu'ouvraient, côte à côte, Madec et Nagef-Khan semblait se multiplier d'autant.

Et d'ailleurs, les premières heures de la marche, Madec crut connaître les transports d'un triomphe. Aux côtés de l'étendard du Moghol, il étrennait son gonfalon de nabab ainsi que l'étoffe blanche et or du drapeau français sur lequel il avait fait broder, comme insigne de son régiment, la silhouette de son bien-aimé Corentin. On traversa des jardins, on longea des mausolées, on contourna des remparts. La foule accourait de partout, inépuisable, indéfiniment renouvelée, couvrant de vivats le vacarme des timbales et des trompes. Delhi, enfin, se montrait vivante, ce n'était plus un désert. Elle abritait un peuple immense, disséminé dans une multitude de villages cachés dans les bosquets, et il hurlait, dansait, chantait : c'était énorme et magnifique à souhait.

On passa des enceintes à demi éboulées qui débouchèrent sur d'autres murs. On dérangea marché sur marché, et les badauds abandonnèrent leurs étals de beignets pour lancer sur la procession roses fraîches et liqueurs jasminées. A l'horizon des ruelles en folie se profila plusieurs fois la façade puissante du fort du Moghol. On se dirigeait droit vers lui ; mais au dernier moment, alors qu'enfin on allait l'embrasser dans son entier, les balanceurs d'ostensoirs et les porteurs d'éventails qui ouvraient la marche pivotaient, tournaient brusquement à droite ou bien à gauche ; cela paraissait pur caprice.

Ainsi, en une seule matinée, on fit volte-face à cinq reprises, on s'en alla, comme par fantaisie, vers d'autres foules, d'autres jardins, d'autres mausolées, sans qu'à midi passé on eût franchi l'enceinte du Moghol. Madec tâcha de dissimuler sa rage. Il jeta un œil furtif sur Nagef-Khan, dont l'éléphant marchait au même pas que le sien, quoique avec plus de lourdeur. Il eut la certitude que le général ne l'aimait pas. Cela avait dû commencer la veille lorsqu'il avait découvert Corentin. Ragaillardi par une nourriture plus délicate et les soins de toilette prodigués en vue de la fête, celui-ci avait un peu retrouvé de sa belle humeur. A peine Nagef-Khan l'eut-il aperçu qu'il lui lança un regard particulièrement mauvais que Corentin, du reste, lui rendit. De surcroît, il se mit à barrir ; un instant, Madec put croire que le général allait s'enfuir à toutes jambes. Fort heureusement, il parvint à garder la tête froide. Il prit seulement un petit air très hypocrite. Corentin, quant à lui, préféra détourner la tête, secoua sa trompe, et les apparences furent sauves.

A présent cette impression de haine se précisait. Selon les convenances, Madec avait revêtu un uniforme à la française, où il se sentait terriblement engoncé. Nagef-Khan, pour sa part, paradait dans une large et souple robe de soie mouchetée d'or ; il distribuait de généreux saluts, si bien que chacun de ses gestes paraissait destiné à narguer Madec, à entraver tout le bonheur qu'il aurait pu goûter. Que le généralissime l'eût ou non cherché, il ne parvenait pas à savourer l'ampleur de l'événement. Il doutait même que ce fût un triomphe. Les éléphants tournaient, tournaient sans fin, comme les chevaux au manège, autour d'une ville rouge dont ils se refusaient à pénétrer le cœur. De temps à autre, les tubas s'essoufflaient, les vivats se clairsemaient ; à travers les fumées d'encens se glissait l'odeur de la viande frite et des boulettes de poisson. Puis c'était une nouvelle ruée de foule, un torrent humain se déversait, se répandait en clameurs. Au sortir de ruines abandonnées, on avait pu croire, un moment, au silence ; alors surgissait un village de torchis, puis un *chawk* débordant d'épices. A nouveau, les cris, les chants, la liesse. Constamment, Delhi surprenait, se contredisait, tournait sur elle-même. Les Moghols n'en avaient cure, ravis de cette absurde marche dans un labyrinthe, narquois et fiers de dérober à Madec son impossible trésor, le palais du Moghol.

Deux jours pleins, il tourna ainsi dans Delhi, furieux, frustré, et cependant muet. Le soir venu, les Moghols le raccompagnaient à son camp, et ils se postaient tout près avec leurs bêtes, comme pour l'excéder et l'observer encore. Il ne dormait pas. Au matin, hébété, il reprenait la procession ; il ne savait plus s'il devait se forcer à partager la liesse ambiante ou se faire raide et ténébreux, ainsi que la victime humiliée aux yeux de tous. Parfois l'exaltation le prenait. Il tremblait de joie, il pleurait presque. L'instant d'après, il croisait l'œil oblique de Nagef-Khan, et il détestait tous les Moghols, Delhi, les fleurs piétinées, l'eau de rose et les turbans. Observant la foule qui sautait de joie à ses pieds, il la comparait alors à la mécanique d'un automate, remontée d'elle-même à la seule approche d'un éléphant maquillé.

Au matin du troisième jour, au mépris de toute la diplomatie franco-moghole engagée sous son nom, Madec était près d'éclater. Alors, comme s'il l'eût senti, Nagef-Khan, d'un geste large, lui désigna une immense avenue. De part et d'autre s'étendait le grand bazar de Delhi, le chawk par excellence, le marché entre tous les marchés. De Canton à Constantinople, il était connu par tout l'Orient, des caravanes chinoises aux quais des Yémen. Ses devantures, tout le monde le savait, n'offraient que denrées communes ; mais, disait la rumeur, ses boiseries grillagées cachaient le plus secret, le plus précieux de l'Asie profonde, venu par des routes périlleuses, inaccessibles aux profanes de la Marchandise, les steppes de Tartarie, les défilés du Tibet, les jungles du Népal, autant de pays encore inexplorés. Derrière leurs moucharabieh vermoulus, les trafiquants de Delhi en savaient seuls les routes : d'où le prestige de leur nom, les Seigneurs de la Marchandise. Et ils s'étaient tous extraits de leurs officines, ils étaient au balcon, les rois du jade et de la soie. Du haut de Corentin, Madec passait à leur hauteur, il les contemplait de tout près.

Il chercha vainement sur leurs traits grossiers de banians enrichis l'ombre d'une passion aventurière. Son imagination butait sur du commun. Nagef-Khan, d'un mot, l'arracha à ses spéculations :

« Nous voici au terme de notre procession ! Prépare-toi, Nabab Madec, à pénétrer la demeure du Seigneur du Monde, souverain universel, à l'ombre duquel, comme sous un parasol, l'humanité entière doit se reposer ! » Il débitait les titres d'une voix mécanique, sans passion aucune. On y sentait à la fois de la haine et de l'envie : il était clair qu'il désirait, lui aussi, offrir son ombre à l'humanité et qu'il eût volontiers supplanté son maître dans cette auguste tâche,

Madec sursauta. Un frisson familier parcourait le marché. Il le reconnut aussitôt. Une solennité s'annonçait, supérieure à ce qu'il venait de vivre. Nagef-Khan ne lui mentait pas. Les deux jours précédents n'avaient été que préparatifs. Somptuosités apéritives, en somme, telles les délicatesses des festins indiens. Arrivait maintenant, au terme d'une attente qui avait énervé tous ses sens et même sa sensibilité politique, l'apothéose. Aurait-elle le même effet que l'argent dégusté en cuiller à la fin des orgies mogholes ? Il n'en douta plus. Les tubas crièrent de plus en plus fort. La foule grossit. Des étals de beignets se renversèrent, de pleines bassines de confitures et de sorbets se répandirent sur les parterres de fleurs. Soudain s'ouvrit devant les éléphants un espace immensément libre. Une mosquée sur la gauche, une esplanade surplombant la rivière Yamuna, la même qu'à Agra. Et, comme là-bas, un fort, un gigantesque fort, rouge lui aussi, flanqué de tours rondes d'au moins trente pieds d'élévation. C'était à la fois terrifiant et admirable.

« Entrons, cria Nagef-Khan. Le Grand Moghol t'attend, Nabab Madec ! »

Ce fut son dernier instant de lucidité ; l'ivresse, enfin, l'envahit.

« La porte de Lahore ! » annonça Nagef-Khan de sa voix blasée.

Madec bouillonnait. Du coup, il ne vit rien, ni les douves à sec, ni les remparts fissurés de partout. Les éléphants s'engagèrent sur les pavés d'une rampe. L'ombre puis le silence tombèrent sur la procession. On arrêta les bêtes au seuil de la rue centrale. Dans l'obscurité du lieu, leurs chamarures parurent déplacées. Toute liesse s'était éteinte.

Ici donc, ville au sein de la ville, c'était le cœur des Etats du Moghol. Le pouvoir était proche. Mais, à la différence de Delhi qui s'agitait trente pieds plus bas, le fort était une cité vide. On s'engagea dans l'allée qui menait au palais, une longue rue voûtée et bordée d'arcades, où s'agitait le menu peuple du bazar impérial : gardes déguenillés, astrologues pouilleux, marchands de mille minuscules choses. Ils s'accrochaient à leurs boutiques, les mains tremblantes devant le peu qu'ils avaient à vendre, comme pour le protéger d'un nouveau cataclysme : la guerre, tant de fois, était venue ici. C'étaient des mendiants, des morts-vivants, plutôt que des marchands. Quelle illusion de fortune, quel rêve encore les retenaient dans ces remparts si fragiles ? Le même, sans doute, qui chavirait à présent l'esprit de Madec. Il marchait, comme à Godh, vers la merveille. Pourtant, autour de lui rien ne ressemblait aux splendeurs décrites par Kerscao. Les ateliers des brodeurs avaient disparu, comme ceux des orfèvres, des peintres, des tailleurs, des tourneurs, des appliqueurs de laque, des faiseurs de babouches, des tisseurs de soie. Avaient-ils jamais existé ? A chaque carrefour, l'air froid claquait sur des façades abandonnées. La richesse avait fui. Sur les toits s'amusaient quelques vautours. Tels les palais des contes désertés par les fées, la demeure du Moghol était vide, comme jamais ne l'avait paru la citadelle de Godh, fût-ce au matin du massacre. D'ici, c'était aussi le pouvoir qui s'en était allé ; et pire encore peut-être : l'esprit qui fonde la puissance.

Retentit soudain un roulement de tambour.

« *Nakharahkhana* », annonça Nagef-Khan.

C'était la porte de la musique. Ils la franchirent d'un pas pressé. La lumière avait déferlé en même temps que les sons. Elle happait le cortège. Sans transition, on abandonna l'austérité de l'architecture militaire pour la nonchalance d'une cour et d'un jardin. Au fond d'une esplanade traversée de canaux s'ouvrait une grande salle à plusieurs rangs de piliers, à peine protégée de toiles rouges.

« Diwan-i-Am, Nabab Madec... Voici que tu t'en vas saluer l'ombre de Dieu. »

Madec frémit. La fièvre lui battait les tempes. Un brouillard tomba sur ses yeux, qui n'était pas l'éblouissement de la lumière retrouvée.

Il se dirigea d'un pas faussement assuré vers le trône du Grand Moghol, serrant dans ses poches les roupies d'or que la tradition voulait qu'il lui offrît.

Les arbres étaient secs, le gazon jauni. Ni les bassins ni les canaux ne murmuraient. N'eût été le froid, on se serait cru en pleine saison d'avant-mousson. Un vieux garde s'avança, un bâton à la main, gesticulant des bras et des jambes comme un possédé. Une forme soyeuse s'agita sur un trône de bambou tressé, et l'homme au bâton s'inclina devant elle :

« Salut, Roi des Rois, Vainqueur du Monde, Maître de l'Univers ! »

Puis Madec fut poussé vers ce qu'il supposa être le Moghol. Il ne pouvait que le supposer en effet, puisqu'il ne reconnaissait autour de lui ni les porteurs de massues d'argent promis par Kerscao, ni surtout le fameux trône aux deux paons, dont tous les voyageurs assuraient qu'il était le trésor du palais, le chef-d'œuvre d'un frantci du siècle passé. Le garde enfonçait son bâton dans le dos de Madec :

« Avance ! Fais ton salam ! »

Madex s'exécuta.

« Maintenant, donne ton nazer ! »

Il obéit encore, tendit ses roupies d'or dans un mouchoir de mousseline. Une main soignée les saisit, les compta. Le garde saisit alors Madec aux épaules, le somma de regagner le bout du jardin. Les notables moghols s'approchaient à leur tour, lui dérobant le visage de l'empereur. Courbé sur le tapis pendant le salut, il n'avait pas même aperçu ses traits. Déjà, on le reléguait à vingt pas de lui, on lui réclamait à nouveau des courbettes, tandis que les omrahs, les Soutiens du Ciel, les Colonnes de l'Empire passaient dans le mépris de leurs robes bruissantes et lui écrasaient les pieds. Enfin les salams touchèrent à leur fin. Les notables en tunique revinrent aux côtés de Madec ; on apporta des coussins. Tous s'assirent.

Une heure durant, le Moghol demeura muet. De temps à autre, il claquait des doigts. Des serviteurs sales s'affairaient aussitôt. Les caprices succédaient aux caprices. Ce fut d'abord une revue de cavalerie, plutôt saugrenue au beau milieu de ce jardin, quoiqu'il fût à l'évidence à peu près abandonné. Les bêtes déposèrent leur crottin un peu partout sur le marbre ; un moment, les cascades coulèrent, de ce qui n'était pas de l'eau jasminée. Les bêtes étaient très nerveuses ; un serviteur prit une ruade, ce qui amusa fort l'assistance. D'un air distrait, le Moghol commanda ensuite un combat de gazelles apprivoisées, dont il se lassa au bout d'un quart d'heure. Il fit venir alors des cadavres de moutons, vidés de leurs entrailles, où il essaya inlassablement la lame des divers couteaux qui pendaient à sa ceinture. Il variait le geste avec un art consommé, tandis que les gardes tournaient et retournaient les bêtes devant lui, dans toutes les positions. Chaque fois qu'il retirait sa lame des chairs, les notables criaient en chœur :

« Merveilles, merveilles ! Il-a-fait-merveilles ! »

Madec voyait avec terreur s'avancer l'après-midi, quand enfin le Moghol consentit à parler. Il repoussa avec un dégoût soudain les moutons sanguinolents, mit de l'ordre dans les plis de sa robe, se cala contre le bambou du trône et déclara :

« Approche, nabab !

— Merveilles ! Il-a-dit-merveilles ! » renchérirent les courtisans.

La situation était parfaitement absurde. Mais, tout bien considéré, aussi solennelle qu'incongrue. Madec opta pour la gravité. Il s'avança. Le Moghol continuait, d'une voix caverneuse, à demi étouffée par la soie qui le recouvrait :

« Approche, Soleil-de-Ma-Cour, Héros-de-Mon-Empire, Madec, Nabab, Madec, Bahadour, Toujours-Prêt-Au-Combat, Mon-Lieutenant-De-Guerre, Madec, Bocci, Troisième-Après-Mon-Grand-Vizir ! »

Madec avait calqué son pas sur le rythme auquel l'empereur débitait les titres, si bien qu'il fut près du trône à la fin de l'énumération. Cela fut très vivement apprécié. On lui sourit.

« Moi, Shah Allam, successeur de Tamerlan, Roi des Rois, Vainqueur du Monde, Maître de l'Univers, je te fais nabab, de première caste, te voici mien, voici ton cachet, tes patentes renouvelées, prends cette robe d'or, ce turban, cette aigrette, cette ceinture... »

Madec eut à peine le loisir d'observer le Moghol. Son regard s'était embué, comme celui des navigateurs quand ils découvrent leur extrême lointain, leur ultime inconnu. Cet inconnu-ci n'offrait rien que d'un peu triste. C'était un demi-vieillard, semblait-il, ni vraiment jeune, ni franchement chenu ; il portait un carquois et un sabre : ses mains délicatissimes savaient-elles seulement s'en servir ? Elles sentaient si fort le parfum des femmes... Elles se penchèrent vers Madec avec de petits gestes las, comme convaincues de leur inutilité, mais où l'on cherchait à montrer de l'art. Des doigts très mous effleurèrent son front ; Madec voulut relever les yeux, affronter tout droit le regard du Moghol.

Il n'en eut pas le temps. Les serviteurs le saisirent à bras-le-corps. Il disparut sous une étoffe. Comment l'avoir oublié ? C'était bien sûr la *kalaate,* la robe d'or traditionnelle, comme à Godh, comme chez tous les rajahs. Il respira et prit le turban puis l'aigrette qu'un notable lui présentait. L'empereur hochait la tête. Il lui désigna un cheval :

« C'est aussi pour toi !

— Merveilles, Il-a-fait-merveilles », psalmodiaient toujours les courtisans.

Brusquement, le Moghol se leva. Le chant s'éteignit aussitôt. Il détacha son cimeterre et, de sa propre main, le passa dans la ceinture de Madec.

Nagef-Khan blêmit. Le premier toutefois, il reprit le chant :

« Merveilles... Il-a-fait-merveilles... »

Madec se laissa faire, l'esprit tendu vers son projet. L'empereur maintenant se penchait sur ses officiers, leur passait à leur tour robe dorée et aigrettes de pierres. Kerscao jubilait sous son brocart neuf.

Abandonnant toute convenance, Madec voulut à nouveau s'approcher du Moghol.

« Seigneur... La France... Les projets de guerre... »

L'empereur sourit :

« Ne trouble pas les salams.

— Mais... »

Il se ferma soudain. Nagef-Khan s'interposa :

« Il sera un jour bien assez temps. »

Un quart d'heure encore, la cérémonie se prolongea. Tous les officiers de Madec étaient à présent vêtus de robes. On se voûta dix fois sur les tapis usés, on tourna lentement autour du jardin mort, salams, merveilles, l'empereur réclama encore un mouton mort, dont il lacéra longuement les chairs.

Soudain, il lança un œil appuyé vers la gauche, où se dressait un joli bâtiment.

« Le sérail », chuchota Kerscao.

Il avait vu juste. Une dizaine d'eunuques en surgirent, comme s'ils guettaient ce regard depuis des heures.

« Préparez-moi mes femmes.

— Merveilles ! » approuvèrent les courtisans.

Madec comprit qu'il était trop tard. Si loin qu'il fût, il hasarda pourtant :

« Mais... la guerre... Nos accommodements... »

L'autre sourit vaguement, claqua des doigts. Les porteurs de bâton s'avancèrent vers les Français :

« C'est fini. Repartez. »

On les reconduisit par une autre porte. Ils traversèrent une série de galeries. Madec était dégrisé. Comme ses compagnons, il remarqua les plafonds vidés de leurs lambris d'argent, les murs soigneusement excoriés des rubis, topazes et émeraudes qui les ornaient autrefois. Maintenant qu'étaient terminées les excentricités du Moghol, la mélancolie déferlait sur son palais. C'était triste, presque funèbre. Sitôt franchies les portes du fort, la liesse reprit. Le monde avait retrouvé sa qualité sonore, il résonnait, vibrait, hurlait de toutes parts. Un bref moment, Madec se demanda s'il ne s'était pas laissé prendre à un piège. Le généralissime lui déplaisait, ainsi qu'à Corentin. Et ce Moghol si mou, si délicat, son refus de parler de la guerre, de l'alliance, son palais de silence... Néanmoins, Madec était nabab. Et de première caste. Bahadour de surcroît, et Bocci, roi ! Troisième dans l'empire après le Grand Vizir. Un palanquin tout neuf s'était joint au cortège, ainsi qu'une musique militaire. Ses harmonies persanes ne lui plaisaient guère, mais enfin, c'était le signe de sa dignité. Et d'ailleurs la foule ne l'acclamait-elle pas plus fort que tout à l'heure ?

Il se rengorgea. On n'était pas rentré au camp qu'il avait retrouvé toute sa sérénité. Ainsi qu'aux plus beaux jours de sa jeunesse, l'ardeur s'empara de lui. Relever l'empereur de sa présente déchéance, comme le lui avaient demandé Chevalier, Visage, Saint-Frais... Et que dirait Sarasvati, si elle apprenait son titre ? Nabab de première caste, Bahadour, Bocci... Pour la première fois depuis six ans, il eut envie de la revoir. Un désir de revanche, sans doute. Elle, qui avait clamé qu'elle mènerait la guerre, elle n'avait rien fait que d'une femme : se marier. Il se rappela sa dernière phrase : « Souviens-toi, Madec, il est deux races d'êtres en ce monde : les hommes et les femmes ! » Certes ! Et la guerre était pour les hommes. Sans le savoir, Sarasvati lui avait offert l'occasion de la grandeur. Ce soir-là, Madec voulut demeurer seul dans sa tente. Une sensation nouvelle l'habitait, qu'il voulait s'expliquer.

Il se voyait enfin échapper aux fatalités. La première, bien sûr, était celle dont lui avait parlé Chevalier : l'humilité de ses origines. La seconde était immense : en ce jour, c'était peut-être la fin de sa soumission à l'événement. Madec était désormais un homme en marche.

Mais non plus seul. Derrière lui, la *Nation.* La France, qui tout à l'heure peut-être s'était fiancée à l'Inde.

Il n'avait pas la moindre idée du nom qu'il fallait donner à ce qu'il éprouvait. *L'Histoire,* peut-être, selon un mot cher à Chevalier ? Il ne savait pas. C'était encore un langage étranger. Néanmoins, le sentiment était fort, intense, déchirant, presque à en défaillir. Au milieu de tous ces transports, une soudaine résolution s'imposa à lui : dorénavant, il noterait tout ce qu'il entreprendrait. Dates, noms, lieux, tout y serait. Le passé aussi, il le mettrait au net. Et pour l'instant, ce qui pressait, c'était de fixer sur le papier le souvenir de cette journée singulière.

Madec s'accroupit donc sur le tapis, et, pour la première fois de sa vie, il se mit à rédiger un texte qui n'était ni un compromis militaire ni une lettre de change. Il énuméra soigneusement ses titres, les cadeaux qu'il avait reçus, les rares paroles du Moghol. Parvenu au terme de son inventaire, il s'aperçut qu'il n'avait pas écrit trente lignes et que le plus important, l'impression étrange qui l'avait accompagné tout au long de ce jour, s'en trouvait absente. Il chercha et rechercha ses mots, en vain. C'était en lui comme une barrière, une impossibilité majeure.

Au bout d'une heure de pénible réflexion, où il retourna encore ses souvenirs de la journée, dans une ivresse et une souffrance indémêlables, il écrivit une phrase qui le satisfit enfin : « A considérer maintenant l'état de grandeur où je me trouve, à peine puis-je croire que ce ne soit un songe. »

CHAPITRE XXVII

Décembre 1772 - janvier 1773

Dig-Delhi
An 4873 de l'ère de Kaliyuga

Le bruit de l'accueil reçu par Madec à Delhi parcourut l'Inde à une vitesse extraordinaire. Sans doute le Moghol avait-il distingué bien des chercheurs d'aventures ; mais Madec était le premier firangui qui eût trahi son maître, riche et opulent, pour se ranger sous la bannière de l'empereur qui n'était rien ou presque.

Sarasvati apprit la nouvelle sans surprise. Très fidèlement, comme convenu, Visage la lui porta, et il revint plusieurs fois lui faire part de l'émotion qu'on en avait éprouvée à Chandernagor, et même en France, à en croire les lettres de Chevalier. Des frantcis isolés, des couvents portugais, disait la rumeur, sollicitaient l'un après l'autre la protection du Nabab, et Versailles, ajoutait-on, se murmurait en frémissant sa terrible épopée. Sarasvati écoutait en silence. Elle ne cherchait pas les nouvelles, c'étaient les nouvelles qui venaient à elle. Depuis l'entrevue de la dernière mousson, il semblait qu'elle tenait Visage à sa merci. A son tour, il avait succombé à son charme. S'il espérait des lettres de Chandernagor, ce n'était pas pour leur contenu, mais pour pénétrer à nouveau dans les appartements de la princesse, s'imprégner de son parfum, revoir le balcon, la volière, le mur blanc à la madone. Et pourtant Sarasvati parlait à peine, hochant doucement la tête entre les phrases du médecin, l'œil fixé sur les saisons qui défilaient à sa fenêtre.

Il n'avait pas la moindre idée de ce à quoi elle occupait ses journées. Loin d'elle, ainsi que Madec aux temps de Godh, il ne voyait rien, il oubliait le monde et sa réalité. Elle possédait en effet un pouvoir singulier, celui de gommer toutes choses, de faire accéder les êtres qu'elle avait touchés à une sorte d'univers en trompe l'œil. De cet état d'âme, l'Inde sans doute était très familière. Autrefois, interrogeant les yeux des agonisants ou les regards effarés des sadhu, Visage l'avait découvert avec étonnement ; maintenant, il ne voyait même pas qu'il s'y trouvait pris. Entre les appels quotidiens de Sombre, qui le mandait de plus en plus tôt dans la nuit, et ses longues courses dans la campagne pour chercher des plantes, il ne vivait plus que d'elle, de sa seule attente et du prétexte qui la lui ramenait : les lettres de Chandernagor. Or, ce matin, c'était Sarasvati qui l'avait appelé. Il était presque midi. Il n'en revint pas. Son cœur se mit à battre. Visage tenait un journal exact de toutes ses visites à la princesse : c'était sa seule incursion dans le temps, un calendrier irraisonné qu'il eût souhaité éternel. Et lui, le presque vieux, le borgne, le tranquille Visage, voici qu'aux yeux de tous il se mettait à courir les galeries du palais, haletant, radieux, l'angoisse et la passion indécemment étalées.

Dès qu'il eut passé le seuil de ses appartements, Visage comprit que l'heure était grave. La guerre, peut-être. Il essaya de rassembler dans son esprit tout ce qu'il savait des rumeurs de palais. Il n'y parvint pas.

Il n'écoutait plus ce qu'on racontait de l'armée. La cour des Djattes, parfois, était parcourue de remous. On assassinait. On allait soumettre un voisin. On volaït, on massacrait. Cela n'était pour lui que du « on-dit », du « paraît-il ». Seule existait Sarasvati, et, pour le reste, battre les campagnes, interroger les brahmanes sur l'ayurveda et lire jusqu'à plus soif leurs vieux livres sacrés.

Sarasvati l'arracha à son étonnement :

« Prends ce coussin. »

Il salua, s'assit en tremblant.

« Je sais que tu n'as pas de lettres de Chandernagor. C'est moi, cette fois, qui suis la messagère. »

Elle lui tendit un cornet de bétel. Ses mains tremblaient, elles avaient perdu leur lenteur familière.

« Visage... Les Djattes vont bientôt attaquer le Moghol. »

Il ne s'émut pas :

« Madec les a déjà vaincus. Ils perdront.

— Les Djattes, reprit-elle. Unis aux Mahrattes ! Deux cent cinquante mille hommes... »

Cette fois, il blêmit :

« Empêche cela. Tu tiens Sumroo à merci, princesse.

— N'y compte pas. »

Elle le fixait d'un air farouche. Une colère soudaine déferla sur Visage. Il en cracha son bétel. Tout ce qui le portait vers elle l'instant d'avant se transforma soudain en répulsion sauvage, irrésistible.

« Alors, princesse, je ne suis plus des tiens ! Je pars. Je ne peux demeurer dans le camp où l'on prépare froidement la perte de Madec ! »

Il allait se lever, quand elle l'arrêta d'un seul mot :

« Je l'espère bien !

— Comment ? Et que t'ai-je fait pour que tu me chasses ? » Elle ne répondit pas. Elle observa un moment sa volière où jouaient des perruches. Le soleil les éclaira soudain, puis se cacha.

« Quelle vengeance poursuis-tu, princesse ?

hasarda Visage. Quel mal Madec t'a-t-il fait ? Deux cent cinquante mille hommes contre Delhi ! Avec les soldats du Moghol, Madec n'en possède pas soixante mille...

— Baisse le ton, médecin ! Baisse vite le ton, avant qu'il ne t'en cuise ! »

Elle parlait maintenant d'une voix rauque, souterraine, comme un animal qu'on menace.

« Sache que je ne poursuis d'autre vengeance que la mort de mon fils ! Que m'importe le souvenir de Madec. Dharma ! Cette attaque aura lieu. Je suis encore bien bonne de t'en prévenir.

— Je partirai donc.

— Eh bien, va ! Je ne te retiendrai pas. »

Elle laissa s'installer un petit silence, puis ajouta :

« Et même, je ne te trahirai pas ! »

Elle éclata de rire.

Visage ne se laissa pas décontenancer :

« Si tu consens à ce que je m'en aille, princesse, c'est alors que tu as quelque chose à me demander en échange.

— Bien vu. Alors devine !

— C'est difficile ! Que va devenir Sumroo, ton époux ?

— Lui, il faut qu'il vive. Moi, médecin, c'est différent : toutes ces moussons qui défilent, mon ventre sec, les printemps qui reviennent, et ma vie si vide...

— Sumroo ne vit que par toi. Toi par lui. Par ses armes.

— Je ne sais pas. Je ne crois pas.

— J'en suis certain. Ce ne sont pas ces poudres... »

Elle l'interrompit :

« Ces poudres, justement. Si tu t'en vas... »

Il éclata :

« C'est donc cela ! »

Sarasvati dégagea la tête de son voile, étendit son bras vers Visage. Sa main, un long moment, s'appesantit sur la sienne.

« Médecin... Je ne sais comment vous êtes, vous, les

hommes de l'Ouest. Madec est loin, à jamais loin... je n'ai plus goût à la vie. Tu lui ressembles, pourtant, Visage, tu lui ressembles. »

Elle parlait maintenant en français.

« Tu es pâle, comme lui, et digne, et tu as les yeux clairs. Depuis longtemps déjà j'aurais pu mourir. Que sommes-nous, Sombre et moi, dans l'Inde qui meurt ? Des moisissures accrochées à un vieux cadavre. Sombre est las. Il ne pense plus qu'au salut de son âme. Il a encore appelé Wendel, il le couvre de roupies en échange de ses absolutions. D'ailleurs, Sombre ne sera pas de cette guerre.

— Comment ? Et que m'as-tu dit tout à l'heure ?

— Qu'il n'en soit pas ne signifie pas qu'il la désapprouve. Pour sa part, Sombre ne veut rien tenter contre le Moghol, c'est tout.

— Et le rajah des Djattes ?

— Le rajah empruntera nos troupes le temps de l'expédition. Sombre restera ici.

— Je ne suis donc pas le seul à rester fidèle à Madec !

— Tu vois... Pourquoi me haïr ?

— Je ne t'ai jamais détestée, princesse.

— Laissons cela. Maintenant, si tu pars, fais vite. Et donne-moi les poudres.

— Les poudres ? Mais qui pourra les administrer à Sombre ? »

Sarasvati réprima un rictus de colère :

« Ecoute, médecin, ou bien tu restes ici, tu continues à soigner Sombre, et tu abandonnes Madec. Ou bien tu pars, et tu me confies le remède ! Tu dois choisir ! Sinon, tu signes ta perte ! Tu trahis l'un ou l'autre. Sombre ou Madec. »

Visage était stupéfait. La main, toujours, tenait la sienne. Elle était extrêmement douce. Sarasvati s'approcha de lui, prit sa tête entre ses bras :

« Tu es borgne, médecin, mais tu es beau. Tu es droit... » Jamais il n'avait senti de si près sa peau, son parfum. Il n'avait plus envie de partir.

« Donne-moi les poudres, Visage. Je crois que cela vaut mieux. »

Il se leva, disparut dans les galeries, la tête chavirée. Il venait de se rappeler qu'il avait plus de quarante-cinq ans. Or, il venait de désirer une femme de plus de dix ans sa cadette ; et ce qui mettait le comble à son désarroi, il la fuyait en s'apprêtant néanmoins à passer par tout ce qu'elle exigerait. Une heure plus tard, Visage et Sarasvati s'enfermaient dans une pièce obscure de ses appartements, celle-là même, impure, où l'on cuisait la nourriture. Il ne fallut pas beaucoup de temps à la princesse pour comprendre le dosage des poudres et le maniement des flacons. Visage voulut lui inscrire le détail sur un parchemin. Elle refusa net :

« J'ai tout retenu. »

Lui qui ne s'était jamais fié à une femme, il la crut sur parole.

« Maintenant, conclut-il simplement, cache cette mallette en lieu sûr. Personne d'autre que toi ne doit y toucher. Tu as compris, très honorée princesse : une seule goutte de certains élixirs, et c'est la mort sur-le-champ. On ne sent même rien.

— J'ai compris. Quant à toi, tu partiras dès l'aube. Je te ferai tenir un cheval et un garde. On n'y verra que du feu. Sinon, dis que tu pars chercher des plantes du côté de la frontière ou consulter un guru. »

Visage sourit. D'ici quelques heures, ils allaient être séparés, peut-être pour longtemps, peut-être pour toujours. Cependant il ne souffrait pas ; cette complicité neuve, entière, absolue, à la veille du départ, lui était délicieuse. Il allait pousser la porte de la pièce quand il s'arrêta soudain :

« Et Dieu ?

— Dieu ? Et pourquoi Dieu ? Crois-tu qu'il veuille te suivre auprès de Madec ?

— Oui. »

Elle ne parut pas surprise. Visage tint cependant à se justifier :

« Lui aussi, il était avec moi, avec Madec, à... »
Sarasvati posa sa main sur sa bouche :

« Tais-toi. Je sais. Dieu m'a appris ta langue. Maîtres et élèves se disent bien des choses. Et lui aussi... » Elle laissa retomber son bras, l'air un peu rêveur.

« Lui aussi, comme tu dis, il t'aime, princesse... Il partira, cependant. »

Elle corrigea :

« Non, Visage. Il... m'aime, *et c'est pourquoi* il partira. Comme toi. Comme...

— Ne dis pas cela. Tu le souhaites, princesse, ce départ. »

Visage parlait très vite, d'une voix assurée, presque étonné lui-même de sa soudaine fermeté. L'imminence de la séparation, la gravité des secrets échangés rendaient tout infiniment facile. Sarasvati l'observa longuement, sans la moindre trace d'émotion.

« Va donc chercher Dieu. Qu'il parte aussi.

— Il vaudrait mieux que ce soit toi, princesse. Je l'ai si peu vu. Tu le gardais tout à toi. »

Il parlait déjà à l'imparfait, comme si la fuite était consommée.

« Non. Toi ! Il est là-bas, avec ses serrures, au fond de ce couloir. »

Elle lui montra une galerie qui s'enfonçait dans ses appartements.

« Je ne veux plus vous voir, ni l'un ni l'autre. Partez. Partez, demain à l'aube. Et tâchez de rester en vie. »

Le couloir était sombre. Visage voulut, une fois encore, rencontrer l'éclat de son regard, s'y perdre, y guetter une ultime buée. Tout à la griserie de lui obéir, il n'avait pas imaginé que le passé basculât si vite. Sarasvati se retournait, les yeux baissés. Elle s'avançait dans le couloir, le pas assuré malgré l'obscurité, comme en quête d'un mystère qu'elle était seule à connaître. Parvenue au bout du corridor, à l'endroit où s'étalait la lumière venue du jardin, elle se retourna dans le soleil qui traversait ses voiles.

« Allons ! Va voir Dieu ! »

Visage se tassa soudain, passa la main sur son œil mort et ses cheveux blancs, puis il partit vers la pièce lointaine où Dieu, disait-elle, travaillait tout le jour à ses subtiles mécaniques.

Il était minuit passé. C'était l'heure indiquée par Visage. Sarasvati s'engagea lentement dans le dédale de corridors qui parcouraient le cœur du palais. Serrures dissimulées, panneaux pivotants, les mécanismes, un à un, cédaient sous ses doigts. Elle s'avançait dans le noir sans difficulté, rompue à tous les obstacles qui se dressaient devant elle. Des heures durant, lors de sa mise en place, elle avait étudié les détails avec Dieu, et cela faisait plus d'un an que le passage secret lui était familier. Elle chercha à tâtons une dernière cheville de bois, la découvrit bientôt, et le grillage du moucharabieh glissa lentement. Sur son sofa, elle vit Sombre trembler. Il saisit son poignard à deux lames, retomba soudain sur les coussins :

« C'est toi...

— Oui. »

Sarasvati se pencha vers la lampe qui brûlait à terre.

« Où est le médecin ? »

Elle prit plaisir à le torturer :

« Comment ? Le médecin, en pleine nuit, seigneur Sumroo, es-tu donc si malade ? »

Il l'arracha par son boléro, plaça devant sa gorge la double pointe du poignard.

« Ne joue pas les innocentes. Tu sais que Visage n'est pas venu. Je veux mes poudres ! »

Elle ne tressaillit pas :

« N'as-tu point assez de ma vajra ?

— Vajra ! Ne mens pas, princesse ! »

Il continua à jouer du poignard. Visage l'avait dit : c'était le moment crucial. La seule minute dangereuse, la première. Il fallait qu'il acceptât de recevoir de ses mains le remède. Il lui fallait gagner. Sinon, c'était la mort, là, tout de suite. Sombre écumait :

« Je sais, depuis des mois, que tu as acheté mes

gardes... Un mot de moi et ils te tuent. Tu m'espionnes ! Pourquoi, pourquoi t'ai-je donc laissé faire... Maintenant tu m'enlèves le médecin. »

Il se mit à gémir. Mais la lame du poignard demeurait sur son cou. Elle tenta le tout pour le tout :

« Tais-toi, seigneur Sumroo ! »

Elle avait à peine élevé la voix. La main de Sombre retomba d'un coup.

« Je me doutais qu'un jour tu oserais entrer ! Je l'espérais, même. Et pourtant je savais qu'en même temps tu m'enlèverais Visage. Qu'as-tu fait de lui ? Tu l'as vu aujourd'hui, ce vieux borgne...

— Le vieux borgne est parti. Parti chez Madec.

— Et j'espérais que tu venais pour...

— Tu n'as rien à espérer de moi.

— Je sais ! Tu n'es qu'une femme froide et dure, un monstre de silence et de haine !

— Nous nous ressemblons, seigneur Sumroo ! »

Il continuait à gronder, la tête entre les mains :

« Un monstre, un monstre...

— Il ne t'a pas manqué de femmes chaudes et tendres. Il ne t'en manque toujours pas. »

Sombre éclata :

« Tu n'as jamais voulu de moi. Je ne t'ai vue qu'aux dorbars quand on parlait de guerre. Ou sur le champ de bataille. Tu renvoyais tous mes serviteurs quand ils te portaient d'autres messages que ceux qui parlaient combat ! Et tous les soirs, tu étais là, à m'espionner...

— Ne me l'avais-tu pas promise, la guerre ?

— Foin du passé !

— Certainement pas, s'obstina Sarasvati. Je n'ai toujours pas reçu vengeance. »

Sombre ne l'entendait plus :

« Mes poudres... Le médecin... Je veux mes poudres ! »

Elle sortit de ses voiles la mallette de Visage. Sombre, un long moment, demeura muet. L'effet de surprise avait joué. Elle avait gagné. Sarasvati se mit à rire. Ses longs doigts bruns caressaient le petit coffre, comme pour accentuer à plaisir le contraste entre sa mise, somptueuse et soignée, et le vieil objet venu de l'Ouest.

« Les poudres, princesse.... murmura enfin Sombre. Mais tu ne sauras pas les préparer ! »

Son rire reprit :

« Moi, ne pas savoir !... Pauvre, pauvre Sumroo ! Tes espions te renseignent mal ! Ignores-tu que j'ai appris la langue des firanguis ? J'apprends ce que je veux, comme je veux, et aussi vite que je veux ! C'est vrai, Sumroo, j'ai la vajra, et tu devrais être mort... Mais tu as encore à apprendre de l'Inde, firangui que tu es ! Firangui tu demeures, Sumroo, firangui... »

Elle chantonnait le mot, tout en secouant la mallette.

« Princesse... Méfie-toi ! Les fioles... »

Il haletait.

« L'Inde est lente, Sumroo, faut-il te le rappeler, à toi qui peut-être en ce siècle l'as connue le mieux ? J'ai tout le temps pour ma vengeance, et tout le temps pour tes poudres. Une minute, un an, deux siècles, c'est tout comme, au regard de l'éternité ! » Les mains noueuses de Sombre, agrippées au sofa, attirèrent l'attention de Sarasvati. Comme elles avaient changé, depuis le temps de ses noces. De longues et fines, « faites pour le sang », ainsi qu'elle l'avait pensé, elles s'étaient transformées en crochets tourmentés, parcourus de nodosités douloureuses. Elle ne l'avait jamais remarqué. Il est vrai qu'en public Sombre portait toujours ses gantelets de mailles, sous son armure hérissée de pointes, où, selon Visage, il avait maintenant tant de mal à entrer : « S'il vit encore six mois, bégum, ce sera grâce à toi. A toi seule... » Mais justement, il fallait qu'il vive six ans, et non six mois. L'Inde ne se préparait que lentement à la grande guerre. Et elle, Sarasvati, elle n'était pas prête non plus : pas assez vieille.

« Seigneur Sumroo... Ecoute-moi ! »

Elle le saisit à bras-le-corps. Il était lourd, affreusement lourd. Elle se tendit de tout son être, parvint à le maintenir assis sur les coussins.

« Ecoute-moi bien, Sumroo, avant que je ne te donne les poudres. Le rajah des Djattes — ton seigneur, et le mien — va attaquer Delhi. Avec les Mahrattes.

— Laisse-moi. Je sais cela.

— Madec est là-bas, chez le Moghol. »

Elle le sentit tressaillir sur l'étoffe :

« Qu'ai-je à faire de *ton* Madec ? Tu le veux à nouveau ? »

Elle faillit, de colère, le laisser retomber, le laisser là, seul, briser les fioles, jeter les poudres au premier vent. Elle se retint. L'enjeu était trop gros.

« Tu n'iras pas à cette guerre.

— Et pourquoi donc ? Misérable femme, putain, tu as vendu ton corps aux firanguis, et tu veux que je t'obéisse !

— A toi, seigneur Sumroo, certes je te l'ai vendu ! Tu m'as achetée, et je ne t'ai rien donné. Pauvre vieux porc ! Un intouchable ne voudrait pas de ta chair... »

Il essaya de prendre son regard d'autrefois, ses yeux terribles qui disparaissaient sous ses sourcils. Il n'y parvint pas.

« Les poudres, Sarasvati ! »

C'était bien la première fois qu'il l'appelait par son nom, et non son titre. Une vague étrange déferlait sur lui, de la tendresse, de l'abandon. Elle saisit l'occasion :

« Ecoute-moi, si tu veux ta potion ! Demain, au dorbar du rajah, refuse la guerre. Prétexte ta santé. En compensation, offre tes hommes et tes canons.

— J'ai besoin du combat, princesse. Cela seul donne du goût à ma vie.

— Ne te mens pas à toi-même. De ta vie, je suis la seule épice, le seul piment. Tu ne t'étais jamais attaché à une femme. Tu as besoin de moi. »

Elle avait posé ses mains autour de sa tête, comme à Visage. Il tenta un moment de résister. Elle s'obstina. En plein midi, peut-être, il aurait gagné. A présent, avec la nuit qui s'avançait, elle était la plus forte. Il souffrait trop. Sarasvati en trouva la victoire un peu fade.

Elle se pencha sur la malette de Visage, l'ouvrit avec précaution. Elle posa une à une les fioles et les boîtes sur le guéridon bas, ainsi que le médecin le lui avait expliqué. Elle commença à verser, à mélanger. Elle souriait. Elle était d'une grâce exquise, et elle le savait. Elle sentait les yeux de Sombre à demi ouverts sur elle, ravis, en fin de compte, que ce ne fût plus un vieil homme qui vînt à son chevet, mais cette lointaine épouse qu'il ne voyait qu'au dorbar ou la veille des batailles, apprêtant ses quatre éléphants.

« Je ne peux rien contre toi, Sarasvati. Mais je ne comprends pas ce que tu cherches. Madec était ton amant. Tu veux sa mort ? Pourquoi avoir attendu si longtemps ? Ils seront deux cent cinquante mille en face de lui... »

Elle admira qu'il pût, malgré sa douleur, calculer encore.

« Tu as pris ses fiefs, n'est-ce pas, quand il est parti ? Tu te moques bien de Madec, toi aussi !

— C'est un grand guerrier.

— Tais-toi, tu n'aimes que l'argent. Mais crois-moi, si l'Anglais arrive jusqu'ici, c'en est fait de toi. Et de *moi*. Tu es vieux, Sumroo, tu ne pourras rien défendre... Nous avons donc besoin de Madec.

— Tu veux le perdre.

— Non ! Ecoute-moi. Il faut le détacher du Moghol. Il faut qu'il passe au service des Indiens. Les Djattes, qu'il a trahis, ne voudront plus de lui. Les Mahrattes, si. Il faut donc qu'il perde à Delhi. Les Etats du Moghol tomberont aux mains des Mahrattes. Au lieu de le poursuivre, ceux-ci lui demanderont d'être leur général. Il acceptera. Alors, nous autres Indiens, nous pourrons reconquérir notre terre. Toutes les terres de l'Est qui sont aux mains des Anglais. Et le Bengale. »

Comme elle l'avait prévu, Sombre se mit à rire. Il chevrota lentement, doucement, comme un animal satisfait. Elle lui caressa les cheveux. Il s'abandonnait dans ses bras, et elle avait peine à le porter.

« Tu es belle, princesse. Belle et forte. Tu vois loin, en effet, plus loin que moi désormais... Mais Madec a déjà vaincu dans des combats plus durs. Quand il a déserté, les Djattes étaient cent mille, et son armée comptait à peine deux mille hommes.

— Ce n'est que la rumeur ! Tu n'étais pas là pour le voir, Sumroo. Et Madec se battait alors en terrain découvert. Cette fois, il sera enfermé dans Delhi. Enfermé, entends-tu ? Sais-tu ce qu'est un siège en cette ville ? J'étais enfant lorsque les Afghans sont venus... Je m'en souviens encore.

— Il n'est pas sûr qu'il perde, princesse, pas sûr.

— Si.

— Tu es orgueilleuse, et tu te méprends. Que connais-tu de la guerre, que je ne t'aie appris ? Seulement tu ne l'as jamais menée...

— Il perdra, Sumroo, car nous lui ferons croire que je suis morte !

— Morte ! Et comment cela ?

— Morte, oui. Sauf pour toi. Wendel est au palais, n'est-ce pas ?

— Oui, murmura Sombre.

— Appelle-le demain dans la chapelle. On y a déposé le cadavre d'une femme de haute caste, pâle et grande ainsi que moi. Dis-lui qu'on m'a trouvée morte, empoisonnée. Qu'il m'enterre sur l'heure. Dès l'aube, entends-tu ? Dans le parc devant le palais.

— Et toi ?

— Tu vas me cacher ici. Et tu épouseras une autre femme, aux yeux de tous. Je ne sortirai que pour la guerre, quand Madec, pour toujours, sera attaché à l'Inde.

— Et les tiens ? Les... »

Il hésita.

« Les sannyasis... Seigneur Sumroo ! Es-tu

retombé en enfance ? Ce sont eux qui préparent tout... Il savent, bien sûr. Ils ne trahiront pas. Ils craignent trop Kali !

— Et comment Madec le saura-t-il ?

— Le médecin. Demain, avant son départ, Visage croisera mon cadavre. Il se taira d'abord, bien sûr, puis il parlera. D'ici là, Madec sera enfermé dans Delhi. »

Sombre se mit à rayonner. Il se souleva sur son sofa, oubliant la potion.

« Tu es forte. Mais tu as oublié quelqu'un. »

Il avait retrouvé, quelques secondes, sa grande voix d'antan, et ses yeux brillaient à nouveau.

« Et qui donc ?

— Wendel... Wendel. C'est un traître dans l'âme. Il fouine partout.

— Tu lui feras peur.

— Il n'a plus peur. D'autres, sans doute, lui graissent la patte.

— Qui ?

— Je ne sais pas. Des petits rajahs. Le Moghol. Les Anglais, peut-être. Comment savoir ? »

Sarasvati soupira. Elle était épuisée. Tout se passait selon les prescriptions de Visage. Peu à peu, le corps de Sombre s'enfonça dans les coussins, coinçant sa main contre le bois du sofa. Elle la dégagea avec peine, soupira encore. Sa nouvelle tâche l'écrasait. Mais elle n'avait personne à qui se confier. Déjà, peut-être, Sombre ne l'entendait plus.

« Wendel, murmura-t-elle pourtant... Wendel. Eh bien, si tu le veux, seigneur Sumroo, nous prendrons donc nos précautions. Car j'ai mes hommes, moi aussi. »

Elle le regarda un instant. Il s'endormait d'un sommeil terrible, sans ronflements, un sommeil d'artifice qui lui coupait le souffle. Et pourtant son visage n'était pas serein. Cette ravine, qui lui coupait le front en deux, ces lèvres tordues d'envies, de peurs, de supplices donnés, d'orgueil inassouvi. Sarasvati fut inondée de bonheur. Lui aussi, Sumroo, elle le tenait. Elle aurait pu même, sous sa babouche, l'écraser comme fourmi, et nul n'y aurait trouvé à redire. Un petit moment, elle s'amusa à faire courir la lampe sur ses traits endormis. Il ne bougea pas. Mais le temps pressait. D'ici quatre heures, ce serait l'aube, il se réveillerait, et il convenait que tout fût prêt pour la première heure de la vengeance.

*
* *

Surpris dans son bric-à-brac de rouages, serrures, automates à peine ébauchés, Dieu n'avait pas fait la moindre difficulté. Visage lui exposa la situation en deux phrases. Il comprit aussitôt :

« Il faut partir... »

Ils n'eurent rien de plus à se dire. Complices dans l'enlisement de Dig, ils se retrouvaient complices dans l'aventure, sans s'être parlé depuis des mois. Dieu pensa que Visage reprendrait la chirurgie, et Visage que Dieu se remettrait aux canons. La même femme, qui les avait emprisonnés, leur ouvrait à nouveau les chemins de l'Inde : ces choses-là, assurément, étaient trop élémentaires et compliquées à la fois pour qu'ils songeassent à les démêler. D'ailleurs le temps pressait.

« Elle nous prépare les chevaux, dit Visage. Nous partirons à l'aube.

— Elle », répéta Dieu, et il rangea tous ses outils.

Ainsi donc, à l'aube suivante, ils se retrouvèrent aux écuries, tous deux également fébriles. Ils détachaient leurs montures pour longer les jardins, quand une mélopée attira l'attention de Visage.

« Du latin, souffla-t-il, du latin ! On dirait bien une messe. »

La rumeur s'amplifia. Visage se plaqua contre le mur de l'écurie.

« La messe des morts », chuchota Dieu.

Derrière les buissons défilait en effet un petit cortège, en tête duquel ils virent Sombre qui n'était pas en habit de guerre. Wendel ouvrit la procession. Visage pâlit :

« Il faut que je sache. »

Il se précipita dans le jardin. Une fosse béante s'ouvrait au milieu d'un parterre. Au-dessus d'elle, très appliqué, le jésuite répandait les signes de croix. Au fond du trou reposait une longue forme blanche, à la fois mince et pleine. Une femme, à n'en pas douter. S'échappaient du suaire une lourde natte noire, ainsi qu'une main brune encore chargée de bagues. Visage fut pris de tremblements ; pendant un long moment il ne parvint pas à détacher ses yeux de la main et de la chevelure. Enfin il se leva. Dieu n'avait pas bougé de l'écurie. Il lui dit tout.

Ils se mirent en marche en silence. De la journée, ils n'échangèrent un mot. Au coucher du soleil, ils étaient parvenus aux marches des Etats du Moghol. Visage se confia enfin :

« Elle m'a trompé, elle voulait du poison, de quoi mourir. Lui aussi, Madec, il va mourir. Elle le savait. »

Dieu secoua ses cheveux roux :

« Qui te dit, Visage, qu'elle s'est donné la mort ? Et si c'était Sombre ? »

Visage parut épouvanté.

« Il vaut mieux rejoindre Madec, ajouta Dieu. S'il doit être vaincu, nous tomberons à ses côtés.

— Oui, répondit Visage. Et puis, nous ne lui dirons pas qu'elle est morte. »

Dieu approuva. Peu après, ils franchirent sans être inquiétés la frontière du Moghol.

Au même moment, intrigué par un bûcher dressé derrière le palais des Mille Fontaines, Wendel soudoyait un garde pour qu'il lui ouvrît la tombe, fermée sous sa bénédiction douze heures auparavant. Le jésuite descendit dans la fosse sans la moindre vergogne ; il se pencha, retourna la terre, et ricana. Il demanda au garde de replacer la dalle, puis quitta Dig à toute hâte, sans même saluer Sombre, qui pourtant le réclamait pour la survie de son âme. On le laissa faire. Le lendemain il était à Agra. Il n'avait pas franchi la porte de son couvent que deux coups de sabre lui tranchaient les avant-bras, tandis qu'une lame bien effilée lui déchirait la langue. Avant qu'il ne s'évanouît, on lui chuchota quelques mots sanscrits, dans le style orné des Livres Sacrés de l'Inde :

« Afin que ta langue mauvaise ne puisse dire le mal, ni ton stylet, le répandre. »

Au sortir de sa convalescence, quatre mois plus tard, le jésuite n'en put rien transmettre : il était désormais muet et manchot.

*

* *

Tout se passa exactement selon le plan de Sarasvati. Un fait nouveau vint même parfaire le malheur qu'elle prévoyait : le Grand Moghol n'avait plus de quoi payer ses mercenaires. La chose était demeurée très longtemps secrète. Cependant, depuis le triomphe de leur chef, les troupes de Madec ne mettaient plus de bornes à leurs espérances ; elles croyaient trouver à Delhi la fine fleur des richesses de l'Inde, sa quintessence en pierres précieuses et pièces d'or. Pas un jour sans qu'un soldat arrêtât Madec :

« Quand nous distribues-tu le trésor ? »

Il ne savait que dire. De trésor, il n'y avait point ; mais point non plus de solde. Lui-même n'était pas payé. A deux reprises, il se présenta aux portes du fort impérial. Les gardes lui signifièrent aussitôt qu'il n'était pas souhaité. Il rebroussa chemin, il attendit. Deux mois s'écoulèrent, dans la plus grande perplexité. Il ne se résolvait pas à l'idée qu'il avait vécu un songe, que le Moghol l'avait abusé, que Delhi n'était que misère. Ses soldats, pour leur part, étaient déjà dégrisés. Un beau matin, au sortir de sa tente, Madec sentit que la révolte grondait. Des centaines d'hommes menaçaient de partir. Il tenta un discours. Peine perdue. Manifestement les paroles ne pouvaient les calmer. Le cœur gros, il ouvrit donc ses coffres, et s'en fut au bazar de Delhi monnayer des diamants chez les Seigneurs de la Marchandise. Ceux-ci exultaient. Quand Madec entendit le prix dérisoire qu'ils lui offraient pour ses pierres, il comprit tout d'un coup la curiosité distante qu'ils lui avaient manifestée lors de son triomphe. Derrière leurs balcons grillagés, ils s'étaient amusés du spectacle d'une proie à venir, ravie d'une gloire chimérique, bientôt écrasée, vaincue, à merci. Madec les étonna. Il les saisit au revers de la robe, tempêta, marchanda jusqu'au plus fort de la nuit. Il finit par obtenir un prix presque équitable. A l'aube suivante, il payait ses troupes. Il terminait la distribution de roupies, quand les sentinelles postées aux frontières firent irruption dans le camp, porteuses d'une terrible nouvelle : les Mahrattes, renforcés par les Djattes, marchaient sur la capitale.

Ce n'était pas vraiment une surprise. A l'arrivée de Visage et de Dieu, quand il avait vu se profiler à la porte du camp leurs silhouettes érodées par les ans, Madec avait éprouvé comme le pressentiment de la défaite. Toujours cette vieille idée, venue d'où il ne savait, que le temps, comme un serpent, se mordait la queue. Mais, à la différence des jours d'autrefois, il ne put y lire l'annonce d'une nouvelle jeunesse. Depuis son triomphe, son « zénith », ainsi qu'il disait, il était persuadé que le déclin commençait. La vie qui, pensait-il, lui avait donné d'elle la meilleure part ne pouvait plus, dans sa courbe descendante, que lui offrir le pire.

Un immense effroi l'envahit : pourquoi Sombre avait-il lâché ses amis ? Après les premières embrassades, on en vint aux explications. Madec les trouva singulièrement confuses. Dieu et Visage finirent par évoquer l'éventualité d'une coalition des Djattes et des Mahrattes.

« Et Sombre ? interrompit Madec. Sombre, est-il de l'affaire ?

— Non.

— Et que n'est-il ici, avec nous ! hurla Madec.

— Tu sais bien qu'il est malade, intervint Visage.

— Malade, malade... Reste seul avec moi, médecin, j'ai à te parler. »

Dieu s'éloigna d'un air moqueur. Madec, déjà, saisissait Visage à bras-le-corps :

« Dis-moi la vérité.

— La vérité...

— C'est elle, n'est-ce pas, elle...

— Non. Non, Madec, crois-moi. C'est Sarasvati qui nous a appris ce qui se trame entre les Djattes et les Mahrattes. C'est grâce à elle que nous sommes ici. Quant à Sombre, s'il est malade, c'est de trop lui obéir.

— Regarde-moi en face, Visage. Ne me trompe pas ! »

Le médecin eut un sourire amer :

« Comment un borgne regarderait-il en face !

— Comment va-t-elle ? murmura Madec, et il rougit.

— Bien, Madec, fort bien. »

Un grand silence s'installa, que Madec n'osa rompre. Une peur subite ; la certitude que rôdait ici une part d'incompréhensible, mais, en même temps, l'impossibilité de la chasser. Il aurait fallu questionner plus avant, avoir le courage de parler d'elle, se rappeler sa peau dorée, le timbre de sa voix, et tant de mots enfouis.

Trop de soucis lui pesaient. Il sortit sur le pas de sa tente, accablé par l'immensité de la tâche. Trouver de nouveaux éléphants de guerre, fondre des canons, accoutumer les hommes du Moghol à manœuvrer à l'européenne. C'était lourd, effroyablement lourd. Plutôt que le message d'un malheur, mieux valait voir en l'arrivée de Dieu et de Visage un bienfait de la Providence. Madec chassa sa fatigue et se remit au labeur.

De temps à autre, quand le commandement lui en laissa le loisir, il s'improvisa guetteur, il monta aux chambres de veille. Morne et rouge, la terre de

Delhi semblait attendre l'invasion, malgré tous les mouvements de troupes et l'accumulation des armes. Comme si l'endroit eût été ravagé d'une peste effroyable, les messagers l'évitaient. En deux mois, il n'y eut pas une lettre de Chandernagor. Si prolixe un an plus tôt, Chevalier se taisait. Pas l'ombre d'un brevet de capitaine, pas le moindre espoir de renforts venus de France. Un moment si proche, la *Nation* n'était plus qu'un fantôme, deux syllabes abstraites, sans réalité aucune. Car la seule vérité, pour Madec, ce n'était désormais que l'horizon rougeâtre de cette plaine, où surgiraient, un jour ou l'autre, les armées levées pour l'abattre.

Leur arrivée ne fut pas une surprise. C'était la fin de décembre, *bientôt la Noël,* comme disaient les frantcis égarés au bazar de Delhi. Ils n'eurent pas le loisir de chanter leur enfant-Dieu. Rien n'arrêta les armées venues du Sud. Elles franchirent la frontière en une demi-journée. Au matin du 20 décembre, elles étaient à deux lieues des remparts. Du haut d'une tour avancée, Madec et Nagef-Khan contemplaient la catastrophe.

Une à une, les troupes mogholes cédaient, emportées par l'irrésistible poussée des Mahrattes. Encore une heure, et elles seraient acculées aux murs. A moins d'une bataille rangée. Delhi tombait aux mains des ennemis.

Bizarrement, Madec ne se décidait pas à descendre.

« Le temps presse », déclara Nagef-Khan.

Il était clair que le généralissime ne savait quel parti prendre. Madec paraissait absent. En temps ordinaire, il aurait dévalé l'escalier de la tour, enfourché son cheval, déplacé les troupes en un tournemain, harangué les soldats dans leurs langues diverses, et chargé, sabre au clair, au premier rang. Nagef-Khan craignit que son désarroi ne l'eût gagné.

« Il faut descendre », reprit-il.

Madec ne l'écoutait pas ; il marmonnait :

« Sombre n'est pas là. Je ne vois pas son étendard... »

Puis, sans s'apercevoir de l'incohérence de son discours, ou tout simplement parce que ses mots s'adressaient à lui-même, suivant le cours d'une logique qu'il était seul à connaître, il ajouta d'un ton satisfait :

« Elle ne m'a pas trahi.

— Elle ? Mais qui, Nabab Madec ? »

A nouveau, Madec inspecta les dizaines de gonfanons qui claquaient au vent de l'ennemi.

« Elle... Sa femme. La princesse. »

Nagef-Khan partit d'un grand rire :

« Et pour cause, Nabab Madec, puisqu'elle est morte voici deux mois ! »

Des cris de guerre montaient de partout. Les éléphants s'étaient mis à barrir. L'air sentait déjà la poudre. Les bras de Madec se crispèrent sur le grès rouge de la tour. Il regarda longuement la plaine, avec une expression parfaitement stupide.

« Nabab Madec ! hurla Nagef-Khan. Nous attendons ton plan ! »

Madec sursauta.

« Va rejoindre le centre, répondit-il, la voix subitement enrouée. Oui, c'est cela, va au centre. Moi, je prendrai la gauche. »

Le centre et la droite fondirent dès les premiers assauts. Les sabres mahrattes tranchaient, déchiraient, étripaient. Les éléphants piétinaient les cadavres, les canons tonnaient sans discontinuer. Cela dura des heures. Retranchée dans des champs de blé, appuyée sur la rivière Yamouna, seule la gauche résistait. Le soir venu, Madec tenait encore. Il fit bouger ses troupes jusqu'à la grand-porte de Delhi, celle-là même qu'il avait franchie lors de son triomphe. Les mousquets mahrattes se turent soudain, leurs sabres retombèrent : Delhi était sauvée du pillage. Dans les tréfonds du bazar, les Seigneurs de la Marchandise retrouvèrent espoir. Il y eut dans la cité comme une rumeur assourdie, un chuchotement soulagé qui dut atteindre le fort du Moghol, car le soleil n'était pas couché depuis une heure que Madec y fut appelé.

Il refit dans la nuit le chemin de sa gloire. Delhi était sauvée, mais il était accablé. Un messager venait de lui apprendre que son camp, situé hors les murs, avait été ravagé. Tentes, chameaux, canons, tout avait été emporté. A présent, Madec ne possédait plus que ce qu'il avait mis à couvert dans la ville, ses coffres d'or et de pierres, Corentin, ses précieux parchemins, et sa famille, dont la bégum, qui venait d'accoucher. Tout le reste, irrémédiablement, était perdu. Le fort était silencieux. A chaque porte s'agitaient des gardiens effarés. Au nom du nabab Madec, ils se perdaient en humilités, puis s'évanouissaient dans la nuit. Seul, au bout de la rampe, le Diwan-i-Am était éclairé. Sous ses plafonds caissonnés où les flambeaux révélaient les quelques placages d'or épargnés par les précédents pillages, Madec reconnut la silhouette du Moghol, écrasé sous sa *kalaate* rebrodée de perles. Son visage ne trahissait aucune émotion. Des courtisans tremblants se pressaient contre les colonnes. Le Moghol n'eut pas un mot. Il se leva, saisit Madec aux épaules, lui donna l'accolade, puis, d'un mouvement rapide, détacha la fibule qui retenait sur ses épaules une grande cape d'apparat. Les courtisans avaient entamé un discret « Merveilles, il a fait merveilles », mais l'inédit du geste fit expirer leur litanie. Entièrement recouvert du brocart impérial, Madec regardait en face le Seigneur du Monde. Seigneur d'une ville assiégée, qui n'avait dû son salut qu'à l'énergie d'un firangui : une ardeur sauvage, un peu démente, où il y avait de la maladie ; un mal de l'âme inconnu, étranger à l'Inde, pourtant si fertile en folies. Le Moghol dut percevoir l'intensité de cette détresse. Il se pencha à nouveau vers Madec, et, très maladroitement, lui serra le bras. Madec interrogea ses yeux. Il les avait très clairs, presque verts, avec un beau dessin en amande. On y sentait une sorte de bonté, mais surtout de la fatigue, la lassitude d'une errance éternelle.

Madec s'y reconnut. Si cet homme, en face de lui, avait tout reçu en naissant, terres, renom, fortune, palais, la vie, en contrepartie, ne lui avait donné que la haine. Madec, lui, né de rien, avait cherché la gloire ; il s'y était hissé, et, en chemin, comme par surcroît lui aussi, il avait reçu l'amour. A présent, tous deux se retrouvaient égaux, brisés, humiliés par le même malheur, rabotés jusqu'à une condition identique. Fraternité de la défaite et du silence ; dans ce vieux palais condamné à la solitude, elle rapprochait, au-delà des hommes, les deux parties du monde les plus opposées, et, sans doute aussi, les plus complémentaires.

Un dernier instant, Madec se perdit au fond de ce regard brun ocellé de vert. Il s'embuait peu à peu sous les flammes des torches. Avant même qu'un garde, comme le jour du triomphe, vînt annoncer la fin de l'entrevue, Madec eut un ultime salam, et il s'en alla par les couloirs, le pas alourdi par sa cape d'argent.

Le lendemain, les Mahrattes avancèrent encore. Ils entreprirent de canonner les murs. Vers midi, blessé d'un boulet à la cuisse, Madec dut quitter le combat. Ses troupes continuèrent cependant à résister, et la bataille s'éternisa jusqu'au crépuscule. Les portes de Delhi tenaient toujours. Dans la tranquillité de jardins isolés, les ambassadeurs des deux parties se mirent alors à préparer la paix. Vers minuit, le traité fut au point. Les Mahrattes et les Djattes renonçaient à prendre Delhi. Ils exigeaient néanmoins que le Moghol abandonnât toutes ses conquêtes récentes, ainsi que la cession de fiefs importants. Du même coup, les propres vassaux de l'empereur ne lui laissaient plus qu'un cercle de terres exsangues, dans les environs immédiats de la capitale. La dernière condition n'était pas la moins dure. A moins d'une reprise immédiate des hostilités, et la fermeture de toutes les routes qui alimentaient les Seigneurs de la Marchandise, l'ennemi exigeait le départ sans délai du dénommé Madec, nabab et firangui, Bahadour, Bocci, et Soleil du Moghol. Arraché à son sérail pour signer la paix, l'empereur souscrivit sans discuter à toutes ces exigences. Madec apprit la nouvelle au matin. Il gisait sur un charpoï au fond d'un caravansérail qui jouxtait le bazar. Mumtaz et la bégum se perdaient en lamentations, tandis que Visage posait sur sa cuisse déchirée un cataplasme d'herbes indiennes.

Dieu entra en courant :

« Madec ! La paix est signée.

— Les conditions ? »

Dieu résuma ce qu'il savait. D'un coup de reins, Madec se leva sur son charpoï. Vacillant encore, il déclara à la cantonade :

« S'il en est ainsi, mes amis, nous rentrons donc en France ! »

Et sur-le-champ il donna des ordres pour qu'on se mît en marche.

*
**

Du fond de sa cache, Sarasvati savourait les messages. Il ne se passait pas de semaine sans qu'elle reçût des nouvelles, ou qu'on lui demandât, sous le couvert de Sombre, comment mener les opérations. Sa mort supposée, et le fait que la Lune des Indes eût pris une nouvelle épouse, musulmane celle-là, arrangeaient ses projets plus qu'elle ne l'avait imaginé. A part ses fidèles sannyasis, qu'elle visitait nuitamment au profond des temples, nul ne savait plus dans l'Inde qui était vraiment la mystérieuse Sarasvati. Les plus folles rumeurs couraient les caravanes : Sombre avait tué son épouse indienne, trop impérieuse, pour épouser une jeune et docile musulmane, mais la dame de Godh se vengeait de lui en hantant son palais, et même les champs de bataille. D'autres affirmaient que la nouvelle épouse était la réincarnation de Sarasvati. Pour avoir souillé le Dharma dans ses amours avec un firangui, elle se serait donné la mort. De temps à autre, elle apparaîtrait au plus fort des combats, demandant vengeance des descendants du dieu-singe Hanouman, les étrangers venus des Eaux Noires, les assassins de l'Inde. Pour Sombre, l'effet de ces rumeurs était tout bénéfice. Il allait beaucoup mieux. Un brahmane plus lettré que les autres avait reconnu dans ses douleurs une forme de rhumatisme aigu. Elles s'en étaient considérablement allégées. Il ne parvint pas cependant à se libérer du besoin de certaine poudre blanche, que Sarasvati, quoiqu'elle en diminuât les doses, lui mélangeait scrupuleusement chaque nuit dans sa coupe.

En fait, c'était la proximité de la princesse qui le revigorait, et surtout leurs conciliabules pendant les heures qui précédaient minuit. Tout le temps qui la séparait du moment de soigner Sombre, Sarasvati le passait en effet à rire avec lui de leur grand mensonge, à machiner de nouvelles façons de brouiller les cartes. De temps à autre, quand elle était lasse de son existence nocturne, Sombre l'emmenait au grand jour, sur un cheval fauve tout semblable au sien, et ils surgissaient de concert dans les batailles. Dès que tonnait le canon, elle se lançait dans la mêlée, tirant au mousquet, éperonnant sa bête. Enfin, elle partait d'un grand rire et soulevait son voile. Tous se figeaient, les hommes de Sombre comme ses ennemis. Alors elle repartait vers Dig au grand galop.

Sombre à son tour éclatait de rire. Belle, vénéneuse, fulgurante, Sarasvati, ou sa figure de l'au-delà, avait brisé d'un coup toutes les résistances. Le fantôme de la mort était passé. Incertains eux-mêmes, persuadés d'être les jouets de la maya, les soldats de Sombre ramassaient le butin. Qu'ils fussent Indiens ou aventuriers d'Europe, ils rentraient l'œil illuminé, la poitrine gonflée, aurait-on dit, de la *vajra* qu'ils prêtaient à leur chef. Pour parfaire la confusion,

Sombre sortait parfois sa nouvelle épouse, la bayadère musulmane et timide ; il la dévoilait elle aussi, la jetait sur un cheval, la contraignait à tirer au fusil. Taille, âge, démarche, beauté, la dissemblance entre les deux femmes était considérable. Nul pourtant ne s'en étonnait. Ce qui comptait aux yeux des Indiens, c'était l'incompréhensible : parler du mystère, en jouir, l'entretenir, l'embellir, et, surtout, ne pas l'élucider.

Aussi les nuits de Sombre en compagnie de sa recluse étaient-elles devenues les plus belles heures qu'il eût jamais passées. Il ne la touchait pas plus qu'avant, mais il lui parlait, délice sans pareil, inconnu de lui. Sa joie ne connaissait plus de limites. L'obscurité de ses liens conjugaux lui avait apporté dans l'Inde un extraordinaire regain de popularité. Il n'était plus la brute sanguinaire dispersant les os d'Akbar, ou volant les portes du Taj, ni surtout le guerrier vieillissant du palais des Mille Fontaines. Qu'on l'eût dit son esclave ou son maître, il était le seul à parler à la dame de l'au-delà, à communiquer avec la déesse. Les banquiers étaient à ses pieds ; l'argent affluait comme jamais. Auprès du jésuite muet, il s'achetait plus de messes que la totalité des rois d'Europe n'en pouvaient obtenir du pape. Le soir venu, immuablement allègre, il rentrait à ses appartements, réveillait Sarasvati de ses longs sommeils diurnes. Ravi, il lui racontait tout de ses espoirs, de ses turpitudes, de ses plus noirs secrets. Il succombait au charme qu'il avait tant redouté d'elle à la veille de leurs noces. Entièrement à la joie d'avoir trouvé en elle la meilleure des complices, il ne se retenait plus de l'aimer ; et, plus encore que Madec, plus même que Bhawani, Sarasvati le tenait sous sa coupe.

Pas un bruit courant les routes, pas une confidence d'espion, pas un message intercepté qu'il ne lui confiât. Or, toutes ces nouvelles étaient merveilleusement unanimes : Madec avait perdu. Comme prévu, au sortir de Delhi, le général mahratte l'avait attendu avec des offres de services. Madec avait accepté. Quelques mois encore, un an peut-être, et il aurait repris goût à l'argent. Alors on pourrait mener contre le Bengale l'attaque décisive, chasser l'Anglais des Indes. Et ce jour-là, splendide, heureuse, digne incarnation de Kali sur terre, Sarasvati enfin ressortirait de sa cache.

Un soir cependant, Sombre apporta une nouvelle qui la consterna. C'était la copie d'une lettre destinée à l'homme de Chandernagor. Elle contenait une autre missive, elle aussi recopiée, et destinée, semblait-il, aux hommes des Eaux Noires. On y apprenait que Madec renvoyait en Europe son second, Kerscao, pour qu'il instruisît sa nation de l'avantage qu'il y aurait à envoyer en Inde des troupes françaises. Pour sa part, croyant avoir tout fait pour convaincre le roi de l'attachement qu'il portait à sa patrie, Madec reconnaissait le peu de succès de ses entreprises. En conséquence, il était déterminé à rentrer en France, afin, concluait-il, « de donner de l'éducation à mes enfants, leur procurer un établissement honorable, soulager mes pauvres parents et mourir à Quimper... »

De cette phrase, Sarasvati ne retint qu'un mot ; elle haussa les épaules :

« Ainsi, il a fini par avoir un second enfant... Dans le malheur, les hommes s'obstinent toujours à engendrer ! »

Allongé sur son sofa, Sombre se taisait. Elle s'approcha de lui :

« Il ne partira pas. »

Il ne put s'empêcher de la contredire :

« A moins de le tuer, tu ne l'empêcheras pas de partir.

— Je le garderai. Et sans le tuer. »

Sombre faillit éclater. Tant que Madec était resté lointain, il était un sujet de conversation agréable, l'un des supports de sa complicité avec la princesse. Qu'elle vînt comme à présent à trop s'en préoccuper, la jalousie l'envahissait. Il se sentait exclu de la passion de Sarasvati ; comme avant, elle devenait inaccessible.

« N'oublie pas ta vengeance, princesse. Tes enfants morts. Les Anglais... Madec ne vaut plus rien à la guerre !

— Vous autres, hommes de l'Ouest, vous ne voyez jamais plus loin que la pointe de votre babouche ! Je *nous* garderai Madec, sans le tuer. »

Il ricana :

« Et comment ?

— Pauvre Sumroo... Tu ne le vois donc pas ?

— Non », répondit-il d'un air piqué.

Ce fut à elle de rire :

« Par l'homme de Chandernagor... »

Cette nuit-là, malgré les poudres, Sombre dormit d'un sommeil agité.

CHAPITRE XXVIII

Février-septembre 1773

Delhi-Narvar

L'enfant qui venait de naître à Madec était une fille. On la baptisa Marie-Anne, comme sa mère, et c'est en se penchant sur elle, que son père, une seconde fois, avait été saisi de l'irrésistible désir de rentrer au pays. Pourtant, lors de la naissance, survenue peu après le triomphe de Delhi, Madec ne lui avait pas prêté la moindre attention. Il ne nota même pas l'événement sur ses parchemins. Dans sa débâcle qui suivit le siège, on emporta l'enfant comme un paquetage. Corentin, lui, avait droit à des égards mille fois supérieurs : pour qu'il conservât, dans un pays dévasté par la guerre, ses fraîches cannes à sucre et ses délicates galettes, Madec se compromit à des vilenies sans nombre, dont l'entrée au service des Mahrattes constitua l'exemple le plus voyant.

Il avait dépensé les deux tiers du trésor contenu dans ses coffres, et il voyait venir le jour où il devrait se séparer du diamant de Godh. Un peu gêné de suivre ses ennemis de la veille, il se justifia à ses propres yeux en prétextant le salut de Corentin et l'effroyable tristesse qu'aurait éprouvée l'animal s'il avait fallu vendre, pour survivre, les grelots d'or massif qu'il portait aux pieds. Tout le monde, à commencer par Visage, fit semblant de le croire. Sindia, le général mahratte, offrait de bonnes soldes, et la certitude de gros butins. On partit donc vers l'ouest, où s'étendait son territoire. Corentin marchait d'un bon pas, il paraissait très heureux. Madec s'en réjouissait ; il en oublia sa déroute. Il n'allait pas tarder à découvrir en sa fille une autre source de consolation. Ce fut aussi la naissance d'un nouveau tiraillement. Se leva en lui un amour inconnu, absolument contradictoire à sa passion pour l'éléphant. Marie-Anne, on le voyait déjà, n'était pas indienne, ou si peu. Elle avait « tout pris de lui », selon l'expression des femmes. Jusqu'alors, Madec n'avait guère prêté d'attention à leurs jugements. Commérages, marmaille, basse cuisine ! tonnait-il lorsqu'il les entendait, et il reprochait vivement à Mumtaz d'y mettre du sien.

Cette fois, quelque chose avait changé. La défaite peut-être. Ou l'âge. Trente-sept ans. L'an passé, pourtant, il aurait conservé son indifférence. Mais, de la même façon qu'aux lendemains de Godh, il venait de vieillir tout d'un coup ; une sorte de saccade du temps. En un seul mois, il perdit la moitié de ses cheveux. Le reste, sur les tempes et la nuque, grisailla à grande allure : il n'osait jamais plus quitter son turban. Ses blessures, quoique bien refermées, le tiraillaient par jour d'orage. Enfin, il ne supportait plus aussi bien les marches en plein soleil ; de temps en temps, il devait s'arrêter, haletant, l'estomac noué et tordu de nausées.

Alors il y eut cet enfant. Son premier-né, Balthazar, l'avait contenté, sans plus. En somme, une vanité commune, la satisfaction d'avoir engendré un fils. Jamais il ne l'intéressa. Petit, noiraud, taciturne, il se cachait toujours dans les jupes des femmes : Madec était père, sans être paternel. Marie-Anne, elle, fut une révélation. Elle avait environ dix mois. Madec venait d'emménager dans une demeure offerte par le général mahratte, et descendait chez les femmes pour chercher Mumtaz. Dans la cour du jardin, il faillit s'écrouler sur une petite forme enveloppée de soie unie, qui rampait avec vivacité sur le marbre. Il se retint à la grille d'une fenêtre. Un regard très bleu s'approcha de lui, étonnamment vif, curieux, presque moqueur. C'était Marie-Anne.

Comment n'avait-il pas remarqué plus tôt qu'elle avait le teint si clair ? Pâle, rosé, picoté de très légères taches rousses, comme étaient roux aussi les reflets de ses cheveux fins. Et ces mains longues et blanches, bien qu'elle fût un bébé, cette grâce un peu brusque du corps, qui, contrairement à ce qu'on voyait toujours en Inde, se passait sans difficulté de bijoux, de pierres précieuses, de tissus chamarrés. Un naturel immensément simple et brut : tout, dans cet enfant, disait l'Europe et la Bretagne. De ce jour, il l'adora. Pas un matin sans qu'il se glissât chez les femmes prendre de ses nouvelles, pas un départ en campagne sans qu'il vînt l'embrasser, les larmes aux yeux : « Marie-Anne, Marie-Anne, prie bien le Ciel que ton père revienne, que la bouche des canons ne le mange pas, demande à la Vierge qu'il te rapporte beaucoup d'argent, car vois-tu, ma petite, mon adorée, les filles ont besoin de grosses dots, et je veux que tu sois la plus riche en... »

Il s'arrêtait généralement à ce point de son discours, n'osant pas ajouter ce à quoi il pensait, le mot haï et désiré à la fois, neuf et ancien comme jamais, le délicieux et maléfique « Bretagne ». Car aussitôt il filait chez Corentin. Avec les airs penauds des gamins ou des maris coupables, il courait droit aux écuries, entamait un compliment parallèle, qu'il savait illusoire : « Allons, mon brave et beau Corentin, mon adoré, le roi des Eléphants-Rois, partons donc chercher des roupies, je te donnerai de nouvelles clochettes, et puis, Corentin, un jour viendra où je trouverai une caravane, qui te ramènera à Quimper... » Arjun regardait Madec avec beaucoup d'inquiétude. Plus les jours passaient en effet, plus celui-ci répugnait à parler hindi à l'éléphant. Il préférait le français, et surtout le breton. Arjun était perdu d'angoisse. Il redoutait que ce changement de vocabulaire, et quasiment de mesure, de musique phonétique, ne finît par troubler Corentin.

« Tu sais, Madecji, intervenait-il parfois, les éléphants comme les hommes ont leurs habitudes, leur mémoire est bien plus grande que la nôtre. Ne mélange donc pas les langues ! Corentin va te prendre pour un étranger, et il ne nous aimera plus. Tu vois bien que depuis Delhi il n'est plus aussi vaillant ; il faut le ménager, Madecji !

— Il est dans la force de l'âge, répondait Madec d'un air irrité. Il a vingt ans, des dizaines d'années devant lui, les éléphants vivent jusqu'à soixante-dix ans !

— Les éléphants royaux ne sont pas comme les autres, observait tristement Arjun, et surtout les éléphants blancs. »

Madec ne l'écoutait pas. Un beau matin, après avoir expédié sur les routes des messagers porteurs de parchemins, il arriva aux écuries d'un pas singulièrement joyeux.

« Nous allons rentrer en France », annonça-t-il.

Arjun venait de bouchonner la robe de Corentin, elle sentait très fort les poudres parfumées.

« Eloignons-nous, dit le cornac. Il ne faut pas en parler devant lui. »

Ils s'en allèrent dans un recoin des écuries.

« Tu es décidé, seigneur Madec ? » demanda Arjun.

A son air grave, Madec comprit qu'il avait peur pour Corentin.

« Oui, Arjun. Tu m'accompagneras jusqu'à Pondichéry.

— Tu ne rentres donc pas par la caravane ?

— Je te laisserai Cor...

— Tais-toi, seigneur Madec, tais-toi. Quoi que tu fasses, je te suivrai. Mais je m'arrêterai aux Eaux Noires.

— Je ne te le demande pas ! Je te donnerai Corentin.

— Nul ne sait l'avenir, interrompit encore Arjun. Nul ne le sait... Dharma !

— Dharma », répéta Madec, qui songeait à sa fille.

Arjun prit soudain une expression terrible :

« Méfie-toi tout de même, seigneur Madec.

— Et de quoi donc ? J'ai pris toutes mes assurances pour traverser le Dekkan. Une escorte nous attendra. D'ici quatre mois, je serai à Pondichéry.

— Dharma ! bougonna encore Arjun. Mais crains que Ganesh, dieu et maître de Corentin, ne se mette à dresser devant toi les barrières qu'autrefois il t'a levées ! Les Eléphants-Rois ne supportent pas de partager avec quelqu'un d'autre l'amour de leur seigneur !

— Partager l'amour ! Mais que dis-tu là, Arjun ? Tu divagues !

— Reviens voir ta bête, s'obstina Arjun. Reviens donc la voir, et vois si tu peux sans lui traverser les Eaux Noires. »

En dépit de son agacement, Madec le suivit. Il caressa Corentin un petit moment, joua avec sa trompe, lui murmura des mots doux.

« Et alors ? dit-il à Arjun au moment de partir.

— Dharma ! » répondit le cornac, et il s'éloigna en soupirant.

Un an plus tôt, rien qu'à examiner Corentin, Madec aurait compris ce qui désolait Arjun. Comme lui, il en aurait perdu le sommeil ; il aurait cherché par les routes les meilleurs brahmanes soigneurs d'éléphants. Car depuis deux semaines environ, une humeur transparente, presque cristalline, affleurait à la paupière de Corentin. Elle ressemblait à des larmes, mais ce n'étaient pas des larmes. Que Madec n'eût rien vu confirma le pressentiment d'Arjun : ce liquide étrange apparu aux yeux de sa bête était bien le signe qu'évoquaient les versets sacrés transmis de cornac à cornac depuis la nuit des temps, l'annonce indubitable des malheurs prêts à s'abattre sur le maître trop désinvolte de l'éléphant blanc.

*

* *

Par l'intermédiaire complaisant de Sombre, Sarasvati joignit sans difficulté celui qu'elle appelait « l'homme de Chandernagor ». A force de rassembler, comparer, soupeser les informations de tous les espions, dans un jeu sans fin qui ressemblait, sans qu'elle le sût, aux puzzles si fort en vogue dans la société anglaise, elle finit par se construire une idée précise du sieur Chevalier : un intrigant, un ambitieux, au demeurant fort habile et persuasif, et qui était attaché aux « intérêts de sa nation », selon son expression, dans l'unique mesure où ceux-ci servaient ses projets de fortune. Peu lui importait. Rien ne comptait, sinon qu'il lui servît. En l'occurrence, il devait empêcher Madec de sortir de l'Inde. Le ramener à ses pieds, docile, désespéré, consentant à tout, la tête vidée de tout ce qui touchait à l'Europe : bon pour Kali. Sarasvati le savait par Chevalier, Madec avait envoyé requête sur requête à son souverain des Eaux Noires. Elle ne cessait plus d'en rire. Lui qui, sept ans plus tôt, l'avait quittée pour satisfaire ses ambitions mogholes en compagnie de la fille Barbette, voilà qu'il recommençait, malgré sa défaite à Delhi, à courir *les honneurs de neige,* ainsi qu'on disait en hindi. Dans ses interminables missives auprès du roi de France, il n'arrêtait pas de réclamer un brevet de capitaine, en raison, prétendait-il, des services qu'il avait rendus. Quels services, sinon des batailles vaines ? Sarasvati ricanait encore. Cet homme-là, songeait-elle, ne saura jamais que courir après des fantômes, et je l'aimais mieux cherchant l'amour que chasseur de chimères au pays de l'Ouest.

Elle était certaine de pouvoir l'emprisonner dans l'Inde. De ses derniers recoupements, elle avait acquis la certitude que le pays de Madec, cette France dont jamais elle ne prononçait le nom sans un délicieux frisson, n'éprouvait plus le moindre intérêt pour ce qui se passait à Delhi. Si la situation avait dû s'éterniser, c'eût été fort ennuyeux. Pour l'instant, l'opportunité était merveilleuse : il s'agissait pour Sarasvati de gagner du temps. Or, les nouvelles étaient excellentes. Par des banquiers de Calcutta affidés aux dévots de Kali, lui étaient parvenues des informations que le Conseil anglais était seul à connaître, et que son gouverneur, Warren Hastings, n'aurait jamais dû laisser filtrer. Le roi de France, disait-on, était très malade, le désordre le plus complet régnait à sa cour. Ses ministres, indifférents à l'Inde, seraient chassés dès sa disparition ; mais pour l'instant, le vieux souverain ne semblait guère décidé à gagner le Royaume des Morts. Parfait, se disait Sarasvati. Cela me laisse le temps d'enfermer Madec. Dès qu'il sera entre nos mains, nous lui ferons miroiter de nouveaux espoirs. Quel que soit son roi, intéressé ou non par les affaires de l'Inde, je pourrai de toute façon lui faire accroire que son souverain n'a d'autre désir que de chasser les Anglais de l'Inde. Et il le fera. Derrière moi. La position de Chevalier, telle qu'on pouvait la deviner dans les missives hypocrites qu'il envoyait à Sombre, n'était guère très éloignée. Bien sûr, rien ne se disait ouvertement. Tout se laissait entendre. Il fut donc aisé aux agents de Sombre d'obtenir de lui ce qu'exigeait Sarasvati : que les appuis sur lesquels comptait Madec pour traverser le Dekkan et rejoindre Pondichéry se dérobassent au dernier moment.

*

* *

Comme à son habitude, Madec avait envoyé en tête sa famille, ses coffres et Corentin. Le précieux cortège s'arrêta à Narvar, la ville où commençait la grande route centrale qui menait au Sud. Au-delà, on ne pouvait voyager sans escorte. Il était donc prévu que, dès que serait arrivé Madec, un Français du nom de Gentil, celui-là même que Chevalier lui avait cité en exemple pour le convaincre de joindre le Moghol, vînt apporter le secours de ses troupes. Madec suivit un mois plus tard. A son tour, il avait traversé les montagnes. Il avançait comme un aveugle, mettant une énergie insensée à parcourir en sens inverse les chemins qui, des années plus tôt, l'avaient amené jusqu'à Godh.

La nouvelle de son départ vint aux oreilles des Djattes. Ils voulurent se venger de sa désertion passée. Ils bloquèrent toutes les routes qui menaient au Dekkan. Seul un défilé ne semblait pas fermé. Madec décida de le prendre. Deux villes fortes en gardaient l'issue, et il aurait suffi de poster cent soldats dans les montagnes pour empêcher de passer vingt mille hommes. Tant pis, se dit Madec, et il s'engagea dans la passe. D'un côté, c'était un labyrinthe de crevasses, de l'autre grondait la rivière Chambel. C'était folie. Mais au bout, il y avait l'Europe. Il marcha. Arrivé aux deux villes fortes qui fermaient le passage, il couvrit sa cavalerie par deux corps de cipayes à pied, et il sortit du royaume des Djattes sans un mort, ou presque.

La nouvelle ne désarçonna pas Sarasvati. Au contraire, elle en fut réjouie. Il lui plaisait en effet de voir Madec se dépenser sans compter pour se retrouver, en fin de compte, bloqué au cœur de l'Inde par une escorte qui ne venait pas. Telles les marionnettes des conteurs de Godh, Madec lui obéissait, si loin qu'elle fût ; c'était un bonheur immense, et elle s'en voulut de l'avoir méconnu.

Il poursuivait sa route sans encombre. Un après-midi, la jungle s'éclaircit. Il reconnut à son orée la route poussiéreuse de sa jeunesse, celle qui menait à Pondichéry. Narvar n'était plus loin. Il pressa l'allure. Le soir même, il retrouvait sa famille. Il se précipita au caravansérail où elle était logée, saisit Marie-Anne entre ses bras, la couvrit de baisers.

« Tu vis, tu vis, ma belle, mon adorée ! Et moi aussi, je vis, je te retrouve... D'ici trois mois nous voguerons vers la France. »

Marie-Anne se mit à gazouiller. Mumtaz se taisait. La bégum souriait plus qu'à l'ordinaire, heureuse de sentir qu'un peu d'elle, enfin, rendait la joie à son époux. Dans la cour lépreuse de l'hostellerie, Corentin continuait à larmoyer, et Arjun se morfondait, car son maître ne l'avait pas encore salué. Enfin Madec ressortit de chez les femmes, s'approcha des écuries :

« Arjun !

— Seigneur Madec...

— Soigne-le bien... »

Il n'osait même plus prononcer le nom de l'éléphant.

« Soigne-le bien. Dès qu'arrivera l'escorte, nous reprendrons la route. Il faut qu'il soit vaillant, si tu veux à Pondichéry...

— Tais-toi, Madecji », dit Arjun, et il détourna la tête.

Deux mois s'écoulèrent, dans une solitude extrême. Sitôt passée la joie des retrouvailles, Madec s'aperçut que Narvar était une cité presque abandonnée. L'escorte ne venait pas, la route du Sud était un ruisseau de poussière qui ne menait à rien. Les premiers temps, il se divertit à chasser. La région était giboyeuse. Il tirait tous les jours le cerf et la panthère. Corentin humait avec joie l'odeur des jungles retrouvées. Parfois, les battues débouchèrent sur un temple vide, on croisa d'étranges statues moussues, des dieux pervers et dansants, des cénotaphes.

Madec ne leur accorda qu'une attention distraite. Son esprit était ailleurs. Il avait les yeux vides, le regard indifférent du voyageur en partance. Arriva la saison des pluies ; on était toujours sans nouvelles de l'escorte. De la chasse, Madec passa à l'exploration. Il allait d'étonnement en étonnement. Qui avait pu jeter hors d'ici les peuples d'antan, tout ce grouillement d'hommes qui battait autrefois les chemins de l'Inde ? Il ne savait plus si c'était sa mémoire qui avait inventé ces foules ou s'il était le jouet de la maya. Des heures durant, il fouilla la jungle. Les lianes étaient neuves, laiteuses, comme nourries d'une fécondité soudaine. A l'évidence, le pays avait été dévasté. Les bandits, sans doute.

Son regard ne quitta plus l'horizon du sud, les montagnes, les cols, que tenaient les brigands. Sans trêve, il tournait et retournait les forêts. Narvar était située dans une grande cuvette humide. Malgré la pluie, on pouvait lui trouver un certain charme, celui des petites villes mogholes, jolies, fantasques, endormies dans la mousson. Bientôt pourtant Madec se prit à la détester. Il connaissait maintenant chaque lieue de la jungle. Il découvrit, de loin en loin, des palais tout abandonnés. Derrière des barrières de lianes surgissaient brusquement des marbres, des vasques, des bassins, d'un coup de sabre, il écartait la végétation qui pourrissait à leur surface, dévoilait sous l'eau croupie des fonds de pierre polie, tout incrustée de cornaline et de jade. Poursuivis par des malheurs inconnus, les maîtres des lieux avaient disparu, livrant leurs demeures à la terre vénéneuse. La lèpre avait gagné les murs, un air putride flottait dans les couloirs, la malédiction rôdait. Jour après jour, Madec décrivit dans la campagne des cercles de plus en plus étroits. Narvar s'était vidée comme par enchantement. Un matin, il allait par habitude retrouver Corentin, quand il comprit que l'escorte ne viendrait pas. Chevalier l'avait trahi.

CHAPITRE XXIX

Mai-juin 1775

Calcutta

Occupé à parapher un ordre d'exécution, Warren Hastings sursauta soudain. Bien qu'il en connût par cœur le contenu, il garda les yeux rivés sur son parchemin. D'ailleurs, il ne lisait pas ; il tendait l'oreille, inquiet, brusquement arraché à la quiétude de son bureau de gouverneur. C'était l'heure de la sieste, le moment ordinaire où, repue de son déjeuner avalé à l'instant le plus chaud du jour, Calcutta s'endormait tout entière. Il n'y avait guère que les pauvres, les Indiens s'entend, pour traîner par les rues nouvellement tracées, et lancer, de loin en loin, la plainte du mendiant, le cri du marchand de mille choses. Le port lui-même s'engluait dans la torpeur. Tous, matelots, calfats, charpentiers, hâleurs, maîtres voiliers ou capitaines, ils étaient allés chercher le frais, à l'ombre des banians ou dans l'obscurité des bouges.

Or, cet après-midi, le port frémissait. Et non seulement les quais, mais maintenant la ville anglaise, les abords du parc qui bordait le palais du gouvernement. Ni les boiseries du bureau d'Hastings, ni les rideaux de sa fenêtre, ni ses grands stores à l'indienne n'arrêtaient ce brouhaha qu'on entendait habituellement vers les six heures du soir, quand la proximité de la nuit ramenait des espoirs de fraîcheur : le trot des chevaux tirant les phaétons, les ordres secs lancés aux porteurs de palanquins.

Oui, cet après-midi, Calcutta ne dormait pas. Mais seule vraiment la ville anglaise s'était éveillée. Sans quitter son bureau, Warren avait senti que l'Inde, en réalité, continuait à dormir, indifférente à ce qui avait arraché les Britanniques à leur digestion soporifique ; trop de bruits d'Europe, trop de cris impatients, de sonorités froides et fades, qui montraient que de sa somnolence rituelle, l'Inde sortait contrainte et forcée, acteur en apparence impassible, docile, mais couvant la colère, comme toujours, depuis qu'elle avait compris que l'Angleterre avait volé sa terre.

« Un bateau est arrivé », songea Warren, et il marcha jusqu'à sa fenêtre.

Il souleva le store, les mains soudain fébriles. Sur le Gange endormi, des dizaines de vaisseaux anglais balançaient leur mâture, tandis que dérivaient les petites voiles carrées des barques indiennes. L'agitation était plus proche : aux grilles du parc se pressaient quelques dames, qu'il devina fort émoustillées. Quatre palanquins s'étaient arrêtés, ainsi qu'un phaéton. Il y reconnut avec désagrément Sir Francis, son principal adjoint, et son plus grand rival.

Warren haussa les épaules. Il lui déplaisait souverainement d'être dérangé dans la solitude de son travail. Solitude qui était aussi celle du pouvoir, et qu'il aimait. Elle lui donnait l'impression qu'il était le maître de la destinée de l'Inde. Ce n'était, hélas ! qu'une illusion, puisqu'il devait rendre compte de ses actes à trois autres membres du Conseil du Bengale, Monson, Clavering, et surtout à ce noble plein de morgue et tout frais débarqué, Sir Philip Francis, qui n'allait pas manquer, d'ici quelques instants, de lui demander audience. Encore une fois, Warren haussa les épaules, chercha du thé. Le récipient était vide. Il s'efforça de conserver son calme. De toute façon, c'est la nouvelle qui compte, se dit-il, non le messager, et il se mit à guetter l'antichambre.

Derrière la porte, on s'agitait. Des chaussures neuves crissèrent sur le parquet, on échangea des saluts. D'une minute à l'autre, la porte allait s'ouvrir. Il fallait se préparer à tout accepter avec flegme. Pour se détendre, Warren entreprit de fixer l'unique tableau qui décorât son bureau : le portrait du roi de France, un souvenir de son prédécesseur. A son époque, les Indiens n'avaient d'yeux que pour son rival français et Clive avait trouvé commode de se présenter comme un sujet de Louis XV. Il n'était pas dans l'Inde un riche banquier qu'il ne menât un jour ou l'autre sous ce royal portrait, afin de le décider à telle ou telle concession commerciale. L'effet était en général foudroyant. Superstition ou hommage au vainqueur de Plassey, Warren n'avait pas dérogé à la coutume. Le tableau était assez élégant. On y voyait Louis XV, en pied, tout de bleu et blanc vêtu, encore jeune, fringant. Il avait dans l'allure ce qu'il fallait de délicatesse pour qu'on pardonnât à sa superbe : l'esprit français, en somme, tel que le ressentait Hastings, brillant, frivole, désinvolte, tout ce qu'il admirait pour des raisons esthétiques et littéraires. Tout ce qu'il détestait aussi, pour le respect grandissant qu'il portait à l'efficacité commerciale et aux valeurs de la grande Angleterre. Une ordonnance l'arracha à sa contemplation :

« Gouverneur... C'est Sir Francis ! Il apporte un message.

— Qu'il entre ! » répondit Warren sans un frisson. Son visiteur n'était pas assis devant lui qu'Hastings lui retira toute occasion de se faire valoir :

« Ne me dites rien, Sir Francis, laissez-moi deviner ce qui vous amène... Le roi de France est mort, n'est-ce pas ?

— C'est exact, répondit l'autre, d'une voix blanche. Comment le savez-vous déjà ? Le vaisseau qui porte la nouvelle est à peine arrivé ! »

Warren feignit le détachement. Sir Francis était

blême. Il se reprit et poursuivit d'un ton plus ferme, en essayant un sourire satisfait :

« Voilà pour vous... pour nous, une très mauvaise affaire ! »

*

* *

Malgré la chaleur de l'après-midi, Warren Hastings et Sir Francis s'enfermèrent plusieurs heures dans le bureau du gouverneur. Leur conversation ne fut pas des plus amènes. Sir Francis était un homme assez singulier. De son apparence physique, il n'y avait pas grand-chose à retenir, sinon qu'il était un « beau », terme français que les Britanniques, pour n'en avoir pas trouvé dans leur langue l'exact équivalent, appliquaient volontiers aux hommes de son espèce. Toutes sans exception, les femmes de Calcutta raffolaient de lui ; à écouter Marian, Hastings avait cru comprendre qu'un séjour ancien dans la capitale française n'était pas étranger à pareille faveur. Sir Francis y avait collectionné, dans les années 1765, un nombre considérable de conquêtes féminines. Cela lui avait valu un surnom, le *Bel Anglais*, qui avait traversé les mers.

En attendant le thé, Warren l'observa un moment, cherchant à démêler en lui ce qui pouvait bien attirer les femmes. Certes, il était grand, ses proportions étaient parfaites ; la tête fièrement rejetée en arrière, point de ventre, une cambrure honorable, quoique fort courante chez les aristocrates ; enfin des traits assez classiques. Toutefois, était-ce l'abus du vin ou des filles, son visage commençait à se bouffir : deux vilains cernes, en particulier, lui gâchaient le regard. Tout cela demeurait fort discret. Il avait trente-cinq ans et paraissait encore jeune. Sir Francis avait grande allure ; mais de là à le trouver beau, à s'extasier, comme Marian et les amies qu'elle invitait à ses thés, sur « ses oreilles ravissantes », ou « ses mains modelées à la perfection »... En vérité, ces dithyrambes étaient grotesques. Ou bien ces dames ignoraient la définition précise de la beauté d'un homme : par exemple l'alanguissement exquis de l'éphèbe inconnu découvert autrefois au couvent de Birganor, souvenir aussi frais dans la mémoire du Gouverneur que celui de Ram, le bel et merveilleux banquier.

Le silence pesait, qui ne serait rompu qu'à l'arrivée de la théière ; Warren aurait pu s'abandonner à loisir à ses vieux rêves. Mais ceux-ci le troublaient à l'excès. Il s'en voulait de n'avoir pas éclairci, voire puni, l'assassinat de Ram. Il n'était plus jamais retourné au quartier arménien, encore moins aux abords du temple de Kali. Il se justifiait en se répétant que sa tâche était ailleurs, qu'il n'avait pas besoin des secrets de l'Inde pour construire les palais, les pelouses, les frontons blancs, les colonnades, tout ce qu'il souhaitait pour Calcutta l'anglaise. En effet, en trois ans, la ville avait changé de visage. Elle avait pris une apparence d'ordre. Comme les nobles du Kent ou du Surrey, ses habitants s'étaient mis à courir de courses de chevaux en bal, de *terrace-party* en séance de musique. A vivre. A se corrompre, aussi, et de plus belle. D'une nouvelle façon, insaisissable, bien plus élégante, bien plus hypocrite. Dans ces conditions, ce qui prenait forme sous les yeux d'Hastings, était-ce l'Inde anglaise, ou l'Angleterre indienne ? Il n'aurait su le dire. Son rêve de pureté s'évanouissait devant lui. Quelque chose, depuis la mort de Ram, lui échappait dans cette terre. Il n'avait pu le définir : l'étendue de sa tâche, les deux premières années, l'avait complètement absorbé. Rassuré par Marian, il avait exclu de sa réflexion tout ce qui n'était pas du domaine de la pure raison. Quelques mois plus tôt, trois nouveaux membres du Conseil avaient débarqué à Calcutta. Il reconnut tout de suite en eux des ennemis déclarés. Leur jalousie était patente. Le « triumvirat », comme on l'appelait, avait pour but avoué de détruire le peu qu'il avait construit, puis de prendre sa place. Des trois, Sir Francis était le plus acharné. Le plus élégant, le plus dissimulé, le plus redoutable. Quelle que fût la nouvelle qu'il apportât, Warren, une fois de plus, devait lui démontrer qu'il était parfaitement maître de la situation : dans ce bureau étouffant s'annonçait donc une nouvelle bataille.

Un serviteur entra, porteur du plateau de thé. Francis eut peine à cacher son désagrément ; ainsi que bien des Britanniques établis à Calcutta, il ne supportait que l'alcool. Warren s'en amusa presque ouvertement :

« Ah ! Sir Francis ! Je sais qu'à cette heure vous aimez le cognac. Désolé, je n'en ai pas ici le moindre petit verre... Ni même du ratafia de cerises... Je n'ai pas connu, comme vous, les délices de Paris, *le luxe, la mollesse*, ainsi que dit Voltaire. Je suis un barbare, Sir Francis !

— Un barbare, c'est en effet le mot, gouverneur ! »

Warren ne s'attendait pas à une attaque aussi rapide. Néanmoins, il ne broncha pas. Il se pencha sur la théière, s'amusa à en faire longuement infuser le liquide, puis il le versa avec délicatesse dans une porcelaine bleu-blanc, qu'il tendit à son adversaire.

Sir Francis n'osa refuser. Warren attendit qu'il eut goûté le thé, savoura lui-même la brûlure excitante de sa première lampée et consentit enfin à répondre :

« Vous me semblez bien sombre.

— Qui ne le serait, par les temps qui courent ? A moins d'être aveugle ! »

Warren porta à nouveau la tasse à sa bouche. Cette fois, il ne le but pas, mais le huma lentement. Il se forçait à cette indolence ; en fait, il bouillait de savoir les nouvelles. Mais la lenteur ! se répétait-il, la lenteur et l'indifférence indiennes, le grand enseignement de ce pays, ma seule force face à ce *griffin* impatient de me perdre. Il reprit enfin la parole :

« Sentez-moi ce thé, Sir Francis. Une vraie merveille. Un nouveau cru, planté par nos agents sur les pentes de l'Himalaya. Il faudra continuer, c'est bien votre avis ? Ah ! ces belles pentes des montagnes d'Assam, Siliguri, Darjeeling...

— Pays de sauvages ! interrompit Francis. Vous n'y êtes même pas allé.

— Certes ! Mais j'ai les rapports de nos voyageurs, et les estampes qu'ils me gravent de ces paysages.

— Il vaudrait mieux pour l'Angleterre, et le Bengale, que l'esprit du gouverneur fût ailleurs qu'à des estampes ! »

Francis, enfin, se découvrait.

« Il n'y a pas un instant vous me disiez barbare. Allons donc ! Buvons ce thé à la santé du roi George... et fêtons la mort du Bien-Aimé ! »

Il désigna à Francis le portrait de Louis XV. L'autre leva les yeux, goûta une gorgée de thé, grimaça.

« Ne fanfaronnez pas, gouverneur. Malgré toutes vos estampes, vos traductions des textes indiens, vos projets d'une académie qui se consacrerait à la science de l'Asie, vous demeurez un barbare. »

Warren se crispa. Francis avait une manière si élégante d'assener l'injure qu'il était tout à fait impossible d'y répondre.

« Bien sûr, poursuivait l'autre, vous avez réformé les impôts, la justice, les douanes. Le *Regulating Act*... Purification des finances de la Compagnie ! La belle affaire ! C'est pour mieux vous tailler votre empire ! Vous régentez tout, Hastings, avouez-le, les octrois, les lois indiennes, le commerce de l'opium et du sel. Vous comptez trop sur vous-même. Le pouvoir absolu vous perdra. Ecoutez nos conseils.

— Allez au fait, Sir Francis.

— Vous avez torturé des rajahs indiens rebelles à vos visées. Vous les avez emprisonnés. Et même...

— Un d'entre eux sera exécuté, soit. Et alors ?

— Vous osez en convenir sans trembler ? »

Hastings se leva d'un air las, se planta droit devant Francis :

« Vous êtes donc venu me demander la grâce de Nandkumar ? Le faussaire, le traître Nandkumar, qui voulait ma perte et celle de l'Inde anglaise ? C'est bien cela, n'est-ce pas ? La mort d'un roi de France n'était qu'un prétexte à votre visite ! »

Francis ne se laissa pas désarmer :

« Nous le verrons plus tard. En attendant, Hastings, réfléchissez bien : Nandkumar est maharajah et brahmane. Brahmane, entendez-vous ? Et vous voulez le pendre ! Vous qui connaissez si bien les lois de l'Inde, vous ne pouvez ignorer que les indigènes y verront une souillure irréparable, qu'ils pourraient bien nous faire payer. Le Bengale est fragile, gouverneur, depuis la mort du nabab d'Aoudh. Il y a là-bas des Français ! Des Français en nombre considérable, avec des partis, comme ils appellent leurs armées. Des chefs dangereux, comme Sombre...

— Depuis le temps que l'Inde parle de Sombre ! Celui-là n'est pas loin de la tombe, croyez-m'en.

— Il y a sa femme.

— On ne sait même pas si elle existe. Ce ne serait pas la première fois que Sombre s'invente des légendes. A la soixantaine, on n'est plus très bon guerrier.

— Il n'est pas seul. Il n'est pas le chef de cette affaire qui se développe contre nous au pays d'Aoudh. Il y a là une grande armée, avec un homme tout dévoué à la cause indienne, à leur projet de reconquérir le Bengale. Un chef français ! »

Warren se rassit. La chaleur lui pesait. Les petites phrases sèches de Francis, sa volonté de lui faire la leçon l'agaçaient à l'extrême. D'autant qu'il paraissait bien renseigné. Possédait-il son réseau d'espionnage personnel ? C'était peu probable, pour un homme si fraîchement arrivé. Son inquiétude grandissait. Depuis la mort de Ram, Warren s'était désintéressé des espions. Il n'avait plus guère d'hommes de renseignements. Il construisait, il organisait, il étendait les conquêtes anglaises, l'esprit désormais éloigné des bazars, des Banquiers Mondiaux, des Seigneurs de la Marchandise. Seule peut-être, dans l'Inde, la littérature continuait à le passionner. La traduction des lois sacrées de Manu était terminée, celle de la

Bhagavad-Gîta, en bonne voie. Il s'en voulut ; il fallait reprendre l'espionnage. Il l'avait aimé : il pouvait l'aimer encore, et, comme les textes religieux de l'Asie, le trouver *sublime*, mot qui résumait présentement dans sa bouche la reconnaissance de la parfaite beauté.

Il décida de presser l'entretien.

« Vous me disiez que vous m'apportiez des nouvelles, Sir Francis ? »

Il pointa l'index sur un gros parchemin que Francis triturait depuis son entrée dans le bureau.

« C'est juste », répondit Francis, et il eut son premier sourire.

Il tendit à Warren la liasse de feuillets. L'écriture, comme tout ce qui venait des bureaux de Londres, en était fine et soignée. C'était un condensé des informations recueillies par tous les agents de la Couronne répandus dans les chancelleries étrangères, les ports des Amériques, les comptoirs de l'Asie. Une part de ces renseignements venait d'ici même et n'était donc pas étrangère au gouverneur. Il en connaissait même certains de longue date ; mais on devait toujours les transmettre à Londres, où les ministres du roi George les ajoutaient à la foule d'indications reçues de tous les océans. Alors, lointain et sentencieux, Westminster envoyait ses conseils, ses directives, parfois même ses ordres. Avant de lire, Warren s'adressa une dernière fois à Sir Francis :

« Le grand ennui, dans ces sortes d'affaires, c'est que la lenteur des voyages nous contraint à obéir aux ordres avec un an de retard. Or moi, j'ai toujours cru que la politique ressemblait à l'art de la navigation. Ici, je suis simple matelot, et Londres est mon capitaine. Or qu'adviendrait-il d'un marin qui, voyant venir l'orage, et découvrant son capitaine frappé de soudain mutisme, déciderait d'ignorer la tempête ? »

Sir Francis éclata d'un rire jovial :

« Philosophez, philosophez, mon cher Hastings.

Vous n'en aurez plus le loisir quand vous aurez lu ce rapport ! »

Les stores baissés sur la chaleur ne laissaient plus passer qu'une lumière affaiblie. Warren s'approcha des fenêtres pour déchiffrer le texte. Au bout d'un quart d'heure, il transpirait à grosses gouttes. Quand il se rassit à son bureau, il était blanc de rage. Sir Francis prit cette pâleur pour de la peur ; il pensa alors que le gouvernement du Bengale lui reviendrait sous peu.

Hastings réfléchissait méthodiquement. L'auteur du rapport, un ancien commis de la Compagnie retiré dans les bureaux de Londres, ne pouvait être contesté. C'était un esprit appliqué, voire besogneux, qui concevait ses rapports ainsi qu'un bilan d'exercice, avec une extrême limpidité. Le gouverneur aimait cela, il y reconnaissait un peu de son esprit d'antan, quand la fièvre du pouvoir ne l'avait pas encore atteint. Cette fois, il sentit pourtant combien une clarté excessive pouvait être cruelle. Westminster ne s'étendait guère sur le décès du roi Louis XV. On l'enregistrait. Sur son successeur, Louis XVI, on était à peine plus prolixe. On signalait un seul fait : le jeune souverain nourrissait un faible envers la marine. Ses ministres, soudain convaincus de l'utilité du grand commerce, étaient animés à nouveau de grandes vues sur les colonies. On n'en voulait pour preuve que les avances considérables qu'ils venaient de consentir à un certain chevalier Pallebot de Saint-Lubin, connu aussi sous le nom de Saint-Frais, expert ès Inde et aventures. Il avait fait le siège des antichambres versaillaises et venait d'obtenir, après trois ans d'efforts, d'énormes subsides aux fins de mener une expédition dans le cœur de l'Inde, de concert avec le peuple indigène le plus menaçant pour la souveraineté britannique, à savoir les sauvages Mahrattes. Le retour de Saint-Lubin, disait le rapport, pouvait être attendu dès réception de la présente. Il se rendrait aussitôt chez ses alliés, avant de mettre en marche une offensive franco-indienne.

« Goddam ! » pesta Hastings, avant de revenir s'asseoir. Il avait compris. Pour saisir l'ampleur de la menace, il n'était pas besoin d'aller jusqu'aux derniers feuillets. Depuis combien de temps avaient-ils été rédigés ? Six mois, dix mois, peut-être, le temps qu'aborde à Calcutta le vaisseau qui les acheminait. Il reprit toutefois sa lecture. Il avait détaché un store, qui laissait entrer sur son bureau un jour très blanc, où il pouvait déchiffrer aisément.

« Il est évident que l'intelligence française avec le peuple mahratte constitue un obstacle majeur à notre domination en Inde, étant donné que le nabab du pays d'Aoudh, Suja-Dowlah, qui avait passé alliance avec nous pour empêcher les prétentions de tout prince indien sur nos possessions au Bengale, serait à la mort. Or, il se trouve chez lui nombre de soldats et aventuriers français prêts à mener contre nous la rébellion indienne, et même à nous envahir ; à leur nombre, un certain Madec, le plus bouillant et le plus dangereux. Celui-ci, par l'attachement excessif qu'il semble porter aux cultes idolâtres, par l'étrange accointance qui l'unit au redoutable Sombre serait, selon toute vraisemblance, fort désigné pour mener les attaques rebelles et fanatiques contre notre souveraineté au Bengale. En conséquence... »

Warren s'arrêta là. Francis l'observait d'un air narquois.

« Madec, n'est-ce pas ?... Vous en êtes à Madec.

— Comme Sombre, Sir Francis, je connais son nom depuis longtemps ! Madec est un petit ambitieux, tel qu'on en trouve dans le peuple de plus en plus souvent. En France plus d'ailleurs que dans notre chère Angleterre ! Un je-ne-sais-quoi, un va-nu-pieds, un fils de cabaretier bas-breton, bref, la canaille habituelle des vaisseaux français. Il y a trois ans, je crois, il s'est cru maître du monde, pour avoir été reçu chez le Moghol ! Deux mois plus tard, il a engagé bataille pour le service du Grand Monarque : il a tout perdu, de sa fortune et de sa solde.

— Depuis ce temps, il s'est refait », observa Francis.

Hastings parut étonné. Décidément, son adversaire était bien renseigné.

« Il s'est refait, il s'est refait... bougonna-t-il. C'est vite dit. Il est parti au pays d'Aoudh, comme les autres, là où il y a les plus belles putains et les meilleures maisons de plaisir.

— Le Moghol ne l'a pas abandonné. Il lui a remis un *jaghir*.

— Soit, soit, il a la fortune commune aux gens d'aventure.

— Londres le dit dangereux.

— Ne plaisantons pas, Sir Francis. Vous le savez autant que moi, puisque vous êtes pareillement informé, la France lui refuse depuis trois ans le brevet de capitaine qu'il lui réclame à cor et à cri. Tous les courriers partant de Chandernagor sont vérifiés. Croyez-moi, le gouvernement de la France, pas plus que nous, ne peut avoir d'estime pour ce gueux sans foi ni loi.

— Le rapport...

— Eh bien, oui, le rapport, Sir Francis ! Nous lui obéirons donc, et nous perdrons ce Madec, qu'on nous dit si grand ! »

Il marqua une petite pause, puis coula un regard vers le somptueux costume de son interlocuteur.

« Après tout, grandeur et décadence, c'est la loi de l'aventure, n'est-ce pas, vous avez lu Daniel Defoe ! Et de l'aventure, quoique nobles, nous en sommes également, vous et moi. Qui se croit fort se retrouve faible le lendemain.

— La remarque vaut aussi pour vous, gouverneur.

— Absolument. Et voilà pourquoi je perdrai Madec. »

Francis se mit à ricaner :

« La déduction est simple, gouverneur, non l'exécution de l'affaire. Il vous sera plus facile de mener un brahmane à la potence, que de vous saisir de ce Madec. Il est très bien entouré, savez-vous ? Et riche : les subsides de Sombre, ses propres terres, ses jaghirs, que feu Suja-Dowlah avait demandés pour lui au Moghol, un revenu d'un million de livres françaises, dit-on, des canons autant qu'il veut, tous les débris de petits partis français regroupés autour de lui, des noms prestigieux de la France, d'Aumont, de Cressy, La Sauvagère, La Martinière...

— Ce ne sont jamais que les infimes déchets de la société de Pondichéry. Ils demeurent dans le royaume d'Aoudh parce qu'ils ne savent comment en sortir, et que le charme des putains musulmanes les retient. Nous les perdrons. Ils sont enfermés dans l'Inde. »

Warren parlait sans conviction, mais il ne pouvait s'empêcher de contredire Francis. Celui-ci eut un petit rire :

« Oui, vous avez raison. Enfermés. Et par qui, je vous prie ?

— Le Bengale est le verrou de l'Inde.

— Non, gouverneur. Ce verrou, c'est une femme. La femme de Sombre.

— La princesse ! Vous aussi, Sir Francis, croyez à ces racontars ! L'intervention providentielle et vengeresse d'une réincarnation, l'histoire d'un fantôme de femme venue se venger du sac d'une ville que nous aurions commis autrefois aux confins du Radjpoutana ! Sombre a épousé une Indienne, qui est morte. Il vient de convoler avec une bayadère musulmane, qu'il entraîne à la guerre. C'est une de ses dernières excentricités avant sa mort. Laissez-le en paix. Madec n'a rien à voir dans cela.

— Ce n'est pas ce que prétendent les Indiens. »

Warren commença à se sentir irrité.

« Notre force, Sir Francis, c'est la raison. La raison venue d'Europe, et qui d'ailleurs, chez nous autres Anglais, n'exclut pas le cœur. N'allons pas nous laisser gagner par toutes ces peurs inconsistantes. Gardons notre sang-froid. Je connais l'Inde et les Indiens d'avant vous. Ils naissent avec la peur au ventre...

— La peur... Nous l'avons aussi, gouverneur. Finissez le rapport. »

Warren en parcourut rapidement les dernières lignes. Rien de très intéressant. On lui conseillait de renforcer sa surveillance sur Chandernagor et son remuant commandant, Chevalier. Enfin, on signalait la nécessité de la loyauté à l'égard de la Couronne britannique ; toute volonté d'indépendance, analogue à celle qui présentement ravageait l'Amérique, serait comme là-bas sévèrement réprimée.

« Rien dans ce parchemin n'appelle la peur. » Il contempla la bouche charnue, trop rouge, de Sir Francis, ses mains blanches, très fines. La vie lui avait tout donné. Il n'était pas venu aux Indes pour se refaire, contrairement à tant d'autres. Il était là de passage, par accident ; ne disait-on pas que sa place de membre du Conseil, grassement rétribuée, lui avait été octroyée par le roi George pour prix de son silence, quand un ministre avait découvert que c'était lui, Junius, l'ignoble pamphlétaire qui depuis des mois médisait du souverain dans des feuilles anonymes. Le dénonciateur d'Angleterre n'avait pas pu oublier ses habitudes. Warren se reprocha de n'y avoir pas songé plus tôt. Il se promit de le surveiller de plus près. Mais Francis, comme tout homme, possédait une faille. Et cette faille, sa ressemblance avec le roi de France la révélait pleinement. Le regard de Warren erra sur le portrait. Le plaisir, bien sûr, le plaisir. Francis, qui si fort le condamnait, ne devait le connaître que trop.

Warren entrebâilla la porte et commanda une nouvelle théière. Francis conservait son expression supérieure, ignorant que ce geste du gouverneur était le signe d'une énergie neuve.

« Ah ! gouverneur, reprit Francis avec assurance, qu'allons-nous faire de ce Madec ?

— Envoyons une peuplade se déchaîner contre ses

Etats. Les Rohillas, par exemple ; il les a trahis autrefois.

— Et si Madec gagne contre eux ?

— Il perdra. »

Hastings avait repris le ton sec qu'il avait à l'arrivée de Francis. Pourtant, il savait bien que la phrase qu'il venait de prononcer était fort dangereuse. C'était un exorcisme, une simple formule pour se rassurer. Il la répéta cependant plus fermement encore :

« Il perdra, vous dis-je.

— Et cette femme, la princesse... Ne croyez-vous pas qu'il faudrait se renseigner davantage ?

— Soit. Cela ne coûte rien. »

Là encore, Warren s'avançait. Le seul homme capable de l'informer, contacté dès son installation à Calcutta, n'avait jamais répondu à ses avances. Ce jésuite, établi à Agra... Peut-être était-il mort ? Les routes de l'intérieur étaient incertaines, surtout par les chaleurs d'avant-mousson. Peu importe. Là aussi, il valait mieux tenter l'aventure. Warren se rengorgea soudain. Maintenant qu'il voyait un moyen de tenir Francis, de gagner une partie que son adversaire était venu lui annoncer comme effroyablement difficile, il se jetait à corps perdu dans la bataille, avec une excitation qu'il n'avait pas connue depuis la mort de Ram. Le thé venait d'arriver. Francis n'allait pas tarder à lever le siège, non sans lancer, c'était à prévoir, une ultime attaque. Elle arriva sur-le-champ.

« Et Nandkumar, gouverneur ?

— Il sera exécuté.

— Pesez-vous tous les risques, après lecture du rapport de Londres ?

— Je les pèse, n'ayez crainte. Nandkumar est une fripouille. Il a prétendu que j'ai été acheté par la tutrice du nabab du Bengale, puis que je l'ai séduite pour mieux tenir la province, que sais-je encore ? A titre de preuves, il a usé de faux ! Non, Sir Francis, nous ne pouvons tolérer pareilles atteintes à notre souveraineté en ces lieux. Nandkumar sera donc exécuté.

— C'est un maharajah !

— Coolie ou maharajah, peu me chaut.

— Vous avez fort bien pu séduire cette princesse, gouverneur, je ne goûte guère les charmes des moricaudes, mais après tout, un homme est un homme, n'est-ce pas ? »

Warren haussa les épaules.

« Un peu de thé ?

— Non, je vous remercie. »

Il était clair que Sir Francis brûlait de retrouver sa maison, son bain, et sa fiasque de cognac.

Il ajouta cependant d'un air venimeux :

« Certains murmurent que vous avez acheté les juges de Nandkumar. Pourquoi l'exécuter selon la loi anglaise, le pendre haut et court, puisque vous connaissez le droit indien ? Vous avez corrompu des pandits de Bénarès pour qu'ils vous révèlent leurs lois sacrées qu'ils ne livrent à quiconque, excepté sous la torture. »

Le gouverneur se leva, s'approcha de lui, lui chuchota dans l'oreille :

« Faut-il apprendre à tout Calcutta que Junius va sévir en ses murs ? » Francis se dressa d'un seul coup. C'était à son tour de blêmir.

Warren poursuivit à voix haute :

« En ce cas, mon cher Sir Francis, voulez-vous que nous nous retrouvions demain, à la séance du Conseil, pour faire part à tous les membres du gouvernement de vos excellentes suggestions ? »

Francis reprit son air désinvolte :

« Bonsoir, gouverneur. Ne travaillez pas trop. Pourquoi ne voulez-vous jamais être des nôtres, au jeu ou à la danse ? Mrs. Imhoff, j'en suis sûre, doit se languir d'y venir seule.

— Oh ! Mrs. Imhoff... »

Warren s'était déjà rassis à son bureau, soulevait

des paperasses. L'autre eut un sourire d'un assez beau mépris, salua et disparut.

« C'est bien cela... Le plaisir, murmura le gouverneur. Maintenant, il me faut interroger Marian. Elle saura, elle. »

Il saisit dans ses tiroirs un joli papier vélin, dont il ne se servait que très rarement, et il rédigea rapidement un court billet. Il mêla équitablement les déclarations d'amour convenues et les précisions utiles à un rendez-vous : « Mon adorée, le trésor de mon cœur, je serai ce soir à la porte de votre maison, pour une affaire si douce que je ne souffrirais point que vous sortiez. Ah ! bientôt vos regards délicieux, votre voix enchantée ! Ne partez point, ma douce Marian. Je serai là à la fraîche. »

Il ne signa pas, estimant qu'elle aurait compris, appela un messager. L'homme, un bengali entre deux âges, avait les yeux curieusement hagards, ainsi qu'une haleine insolite, que l'on respirait parfois dans les échoppes du bazar. Warren n'y attacha pas la moindre attention et remit dans ses mains fiévreuses son billet galant.

*

* *

Ainsi qu'il l'avait annoncé, Hastings quitta le gouvernement à la fraîche. Dire « à la fraîche » était d'ailleurs pure formule de style, une appréciation très relative des variations de température car on était en mai, et la canicule paraissait permanente. Depuis un bon moment déjà, on avait quitté le *good english weather* qui faisait le bonheur des dames pendant les trois mois d'hiver.

Tandis qu'on approchait du parc de Marian, Warren s'abandonna à la mélancolie. Où sont donc passés les temps anciens ? se demanda-t-il. A cette pensée, qu'il jugea très originale, une légère douleur le traversa, et il se trouva sublime. Où étaient les temps de Calcutta la pionnière, ses quais boueux, ses masures en désordre tout juste bonnes à abriter des comptables pensifs ? Les temps, aussi, de Birnagor, aujourd'hui rasé pour faire place à un entrepôt de jute... La richesse était venue. Calcutta, bientôt, serait la ville-monde dont il avait rêvé. Au premier vent qui poussait les vaisseaux aux rives du Bengale, débarquaient des foules de Britanniques. Du coup, tous les étrangers des environs, Hollandais, Portugais, Danois et même les Français de Chandernagor, s'en trouvaient définitivement condamnés à vivre dans l'ombre de l'Angleterre.

Les Français... Warren se souvint des menaces qu'annonçait le rapport. Madec, la princesse... Sans les négliger, il ne pouvait, pour sa part, renoncer à ses certitudes. Calcutta et le Bengale ne mourraient que d'eux-mêmes. N'était-ce pas une loi de l'histoire, que tous les empires finissent un jour par succomber sous le poids de leur propre grandeur ? Et n'était-elle pas plus fatale, ici, sur la terre de Kali ? Pourtant, il s'obstinait, contre vents et marées, à construire l'Inde anglaise, vouée inéluctablement, il le savait, par la tare secrète qui avait accompagné sa naissance, à une destruction plus ou moins lointaine. Pour s'en persuader, il lui suffisait d'observer les hommes qui s'agitaient autour de lui. Mis à part Francis, l'avidité, la grossièreté, à l'état pur. La poudre, la perruque, le masque de la comédie salonnarde les cachaient mieux qu'au temps jadis. Mais on voyait bien que les trognes étaient les mêmes qu'aux tavernes de Londres ; rien ne les séparait, dans la caricature, des tableaux de Hogarth. On trouvait seulement plus de vice, plus de perversité que dans les peintures du célèbre satiriste. Le diable était ici, sous sa forme la plus retorse. Le gravier crissa sous les pas des porteurs. On arrivait, Hastings soupira d'aise. Marian et lui se mentaient, sans doute, dans tous leurs élans, poèmes, billets et mots d'amour. C'était sans importance. Leurs vies, sans être vraiment unies, continuaient à coexister agréablement. La corruption les épargnait. Warren en était certain. Marian, toutefois, fréquentait les salons, mais à sa manière, distante, légère et vaguement triste, plus mélancolique chaque année. La quarantaine ne lui seyait guère. Maigre sans l'être vraiment, languissante, sans qu'on pût découvrir en elle une maladie déclarée, elle paraissait s'évanouir dans un monde étranger, un ailleurs qui aurait irrité le moins assidu des amants. Mais, à vrai dire, l'attente du divorce qui permettrait de justes noces ne les impatientait pas. Ils vivaient déjà en vieux époux : un code d'indulgence mutuelle, de silence et de bons usages. Mousson après mousson, les années le scellaient.

Le palanquin s'arrêta devant le perron blanc, Warren sauta à terre avec une ardeur inhabituelle. C'est qu'aujourd'hui il avait beaucoup à demander à Marian. De se sentir inquisiteur le rafraîchissait tout entier. Il escalada les marches du perron. Où était-elle ? Il fouilla l'ombre du couloir. Non, elle n'était pas là. Depuis sa nomination, c'était la première fois qu'elle ne l'attendait pas. Le message... Se pouvait-il qu'elle n'eût pas reçu le message ?

Il revit alors l'Indien qui avait pris le billet. Ces yeux fixes, cette odeur étrange... Que n'y avait-il pensé plus tôt ! Qu'il avait été étourdi, de confier sa lettre sans s'assurer du porteur. D'ordinaire, il ne procédait jamais ainsi. Il choisissait toujours deux hommes, de façon que l'un pût relayer l'autre. Celui-ci, de toute évidence, sortait d'une fumerie d'opium, où il était retourné, sitôt empochée la demi-roupie du gouverneur.

Dans la maison régnait le silence. Warren pénétra dans le couloir central, tendu, entre chaque colonne, de grands pans de shantung bleu. Comme chaque fois que les maîtres n'étaient pas là pour donner des ordres, les domestiques s'étaient endormis, éparpillés dans les endroits les plus incongrus : roulés sous un fauteuil, assis contre le socle d'une colonne, pelotonnés sur une marche de marbre. Ils ne bougèrent pas à son approche. On aurait cru un champ de bataille, ou un lendemain d'épidémie. Mais Marian était là, c'était sûr. Warren avait vu son ombrelle posée sur une crédence et sa jolie aumônière sans laquelle elle ne sortait pas.

Soudain, il fut pris de tremblements. Arriver sans prévenir, c'était la pire des fautes. Le galant homme s'annonce toujours, lui avait expliqué autrefois un huguenot français passé dans l'armée de Madras : pour ne pas déranger son amie, autant que pour éviter de découvrir une éventuelle infortune. L'instant d'après, Warren était au premier étage, l'œil rivé à la serrure du boudoir de Marian. C'était, il faut l'avouer, une volupté fort ancienne, guère éprouvée depuis Birnagor : le plaisir de voir et de ne point être vu.

Car Marian était là, sous ses yeux. Il entendait aussi le froissement de son déshabillé de satin, avec un crissement bizarre que couvraient, de temps à autre, de tout petits cris. Warren dut convenir très vite que cette révélation brutale d'une part de sa maîtresse si longtemps ignorée comportait, tout bien considéré, quelque désagrément. Aussi s'arracha-t-il au trou de la serrure et, d'un geste résolu, poussa-t-il la porte.

Dans l'esprit d'Hastings, la nuit qui commença au trou de cette serrure devait rester à jamais mémorable. Elle ouvrit en effet dans son existence une déchirure brutale. Il y eut désormais, pour le restant de ses jours, un « avant » et un « après » ; et, bonheur ou malheur, le destin voulut que cette révélation lui advînt par Marian.

Marian, l'adorée, la reine, le trésor de son cœur, selon ses propres formules. Il la croyait encore à la surface des choses, quand elle était depuis longtemps en leur cœur. Jamais comme cette nuit il ne brûla autant de connaître son passé. Mais il y avait urgence ; il se contint donc et se cantonna au présent. Un Européen ignorant des choses de l'Inde eût été simplement amusé par le spectacle qu'offrait Marian

Imhoff. Il l'eût trouvé surprenant, gracieux, voire saugrenu. Pour le gouverneur général du Bengale, c'était bien autre chose.

Marian était assise à même le parquet, face à une énorme bassine de cuivre tibétain remplie de dizaines de perles, au milieu desquelles elle avait déposé une portée de chatons qu'elle s'amusait à y ensevelir. Or ces perles n'étaient pas un cadeau du gouverneur. Elle n'avait pu les acquérir qu'illégalement, à moins que ce ne fût le *nazer* d'un Indien. Pour quelles combinaisons, pour quelle intrigue ? L'esprit d'Hastings se mit à travailler à une vitesse extraordinaire. Dans tous les cas, l'affaire était grave. Le seul courtier en perles qui fût admis à Calcutta était un ami de Francis. Qu'elle en fût ou non consciente, Marian trempait donc dans une affaire de corruption qui le menaçait directement, lui, Hastings, le gouverneur : on voulait donc sa perte.

Il s'avança :

« Madame... »

Il parlait en français.

A son accent, elle le reconnut sur-le-champ :

« Hastings ! »

Elle avait crié comme elle avait senti : Hastings, et non Warren, ce prénom qu'elle renâclait toujours à dire hors de sa présence. Il comprit d'un seul coup la distance qui les séparait, l'immensité de ses illusions sur sa pureté.

« D'où tenez-vous ces perles ? »

Il avait pris l'inflexion sèche du commandement. Elle enchaîna sur le même ton et lui répondit plus durement encore :

« Monsieur, ce sont là mes affaires !

— Quel rajah vous a corrompue ? »

Elle éclata de rire, repêcha un chaton à demi étouffé.

« Répondez-moi, vous dis-je ! Je vous l'ai bien dit, dès ma nomination au gouvernement du Bengale : point d'affaires, madame, point de spéculation, point d'intrigue. La femme de César ne doit point être soupçonn... »

Elle ne le laissa pas finir. Avec une aisance extrême elle se releva, drapa avec élégance autour d'elle les plis de son déshabillé, puis lui décocha un regard féroce qu'il ne lui avait jamais vu :

« Mais, monsieur, je ne suis pas votre femme ! »

Warren se détourna. Il ne pouvait souffrir ce regard un instant de plus. Ses mains s'agrippèrent à une console, ses traits se convulsèrent. Il ne voulait pas qu'elle le vît. Un moment, il crut qu'il allait pleurer. *Grasping !* Ainsi, comme toutes les femmes de Calcutta, Marian était *grasping*, avide, âpre au gain, les dents longues, les mains crochues. Francis avait raison. Il passait trop de temps au gouvernement. Trop de temps sur les parchemins, trop de temps à chercher comment contrer les membres du Conseil, trop de temps sur les livres sacrés de l'Inde. La littérature, les jardins, la beauté, le sublime... Chimères, fariboles. La corruption avait tout gagné, le Mal était universel.

Il ne philosopha pas longtemps. Il comprit aussitôt le parti qu'il pouvait tirer de l'affaire. Il était évident que Marian, de près ou de loin, avait été achetée par l'entremise de Francis. Elle pourrait d'autant mieux le renseigner, surtout maintenant qu'il la découvrait coupable. « Ce par quoi Francis a voulu me perdre le perdra lui-même, songea Hastings. Et j'irai plus loin. Je materai l'Inde, dont il me promet si grande révolte. J'exécuterai Nandkumar. Je détruirai Madec et la princesse. L'Inde anglaise sera mon œuvre. La mienne seule ! Avant qu'il ne se retournât, l'image de Ram lui revint. Sa mort, il le comprenait maintenant, avait signé la fin de la passion généreuse qu'il portait à la terre indienne. Les temps de la curiosité étaient clos. Il fallait conquérir. Un nouveau jeu s'imposait. Etre impur *utilement*. Warren Hastings détacha ses mains de la console. Il se calmait peu à peu. Comme il était vil lui-même, en effet, puisqu'il allait se retourner vers Marian, la prendre dans ses bras, lui demander pardon d'être si peu galant, lui baiser les mains, l'emmener jusqu'au lit, soulever la moustiquaire, froisser les draps de mousseline, détacher le ruban du déshabillé, caresser ces seins las de trop d'années sans amour, embrasser cette bouche tout avidité et mensonge, enfin mourir dans des bras chargés de pierres volées, volées à l'Inde, en murmurant les rituels *my queen, oh ! Marian, sweet Marian, beloved, mon adorée*.

Et il le fit, en effet, et elle ne protesta pas, et ils poussèrent leur commun mensonge jusqu'à échanger, à certain moment, le sourire complice des vieux roués.

Quand, enfin, nu et apaisé, Warren ramassa sur eux les draps, il reprit la parole avec une expression tranquille :

« Suis-je bien pardonné, madame ?

— Depuis si longtemps, gouverneur, on ne vous connaissait plus pareils transports... »

Elle avait rosi de partout. Warren en conçut quelque fierté. Profitons-en, songea-t-il. Etre impur utilement.

Il n'éprouva aucune difficulté à apprendre ce qu'il voulait savoir. Il ne parla pas à Marian de ses perles, encore moins du jeu cruel auquel elle avait soumis sa portée de chatons. Cela la rassura ; elle était prête à répondre à toute autre question. En trois phrases, il avait amené la conversation sur Sir Francis.

« Le plaisir, Marian, le plaisir... Hélas ! je passe toutes mes journées au gouvernement. Mais tout homme ambitieux renonce aux joies du monde, n'est-ce pas ?

— Ce n'est pas ainsi que Sir Francis mène sa vie, Warren. »

Il fit mine de se lever avec indifférence. Elle lui retint le bras. Elle voulait, c'était clair, prolonger l'intimité.

« Le “bel Anglais”, lui, prétend concilier les plaisirs avec les charges de sa tâche. »

Warren haussa les épaules.

« Le jeu ? Les femmes ?

— Si vous étiez plus au fait des choses du monde...

— Le monde, Marian, c'est pour moi l'Angleterre, les océans, le Bengale. De Sir Francis, à vrai dire, je ne sais rien, que son incompréhension des choses qui touchent à l'Inde.

— Il est encore un peu *griffin*, Warren. Je t'assure que c'est un homme exquis, agréable, plein d'esprit...

— Il est charmant, en effet. Et il est beau.

— Beau, oh ! oui, très beau. Et séducteur... Il y a en lui un *je ne sais quoi*, un mélange de gaieté, d'esprit et de sentiment, oui, c'est cela, de sentiment, qui captive énormément les femmes.

— Toi ?

— Moi... Je n'ai plus l'âge, Warren, et je suis à toi.

— Il pourrait te vouloir pour t'enlever à moi, pour ce simple plaisir.

— Ce n'est pas là ce qu'il recherche ! Mais les jeunes, très jeunes femmes. Les jeunes filles.

— Les indigènes ?

— Oh ! non. Les Blanches, les vraies Blanches ! Si tu savais les fêtes qu'il donne à son bungalow* de Lodge, avec son frère !

— J'y suis allé comme toi. Nous n'y avons jamais rien vu d'extraordinaire.

— Warren, sais-tu ce qui se passe dans ses quatorze chambres dès que nous sommes partis ?

— Et le sais-tu, toi ? Non, Marian. Cet homme-là joue les extravagants. Il sera bientôt submergé de filles indiennes et d'enfants olivâtres. Il est déjà fatigué de ses carrosses, de ses pions qui crient dans les rues son titre à tue-tête. Il se lassera aussi des femmes. »

* Maison de campagne.

Marian parut piquée :

« Non. Sir Francis n'aime que les Blanches. Il les prend de plus en plus jeunes. Il faut voir comme il les courtise. On dirait un Français. »

Warren allait de surprise en surprise.

« A ce train, *my queen*, il ne lui restera plus guère de gibier dans la ville.

— Enfin, gouverneur ! Mais il y a Chandernagor !

— Chandernagor ? Comment cela ?

— Oui. Chandernagor ! Chevalier, le commandant de la place, donne des fêtes dans l'ancien palais de Dupleix. Mais ils s'ennuient entre Français. Ils ont trop de femmes et pas assez d'hommes. Chevalier a décidé d'inviter des Anglais. Nous ne sommes pas en guerre, n'est-ce pas, nous pourrons y aller ? »

Warren demeura un moment silencieux. Il calculait. La proposition de Chevalier, dont il connaissait les courriers vers la France, n'était certainement pas innocente. L'ennui, c'était qu'un nombre de plus en plus croissant de lettres diplomatiques lui échappait depuis quelques mois. Chevalier avait dû apprendre qu'il était espionné et trouver de nouveaux moyens de correspondre avec Versailles. Que cherchait-il donc ? Marian soulevait le drap, recommençait à le câliner :

« Chandernagor... Nous irons, n'est-ce pas, Warren, nous irons ?

— Y a-t-il une date ? »

Il avait repris le ton sec du gouverneur. Il était irrité que le pouvoir l'empêchât de connaître toutes les menues choses de Calcutta, qui souvent s'avéraient d'une extrême importance.

« Enfin... non, il n'y a pas de date, c'est une simple proposition de Chevalier à Sir Francis. Il n'acceptera rien sans ton accord.

— En ce cas, nous irons doucement. Nous y viendrons. Mais il faut attendre. »

Marian se rembrunit.

« Oui, il faut attendre, répéta-t-elle. L'exécution du brahmane ?...

— Exactement. Je vois que les nouvelles vont vite, de salon en salon.

— Pourquoi l'exécuter ?

— Marian, je vous prie. Vous ai-je parlé de vos per... »

Elle l'interrompit :

« Nous irons, n'est-ce pas ?

— Nous verrons. Il n'y a pas que l'affaire du brahmane pour nous retarder. Il y a comme toujours des menaces de guerre, mais plus inquiétantes, à présent qu'un nouveau souverain est monté sur le trône de France. »

Marian reprit son air mélancolique qui lui donnait le visage d'une malade. Warren jugea que c'en était assez.

Tandis qu'il se rhabillait pour aller à sa chambre, Marian poursuivait tout haut sa rêverie :

« Chandernagor... Sir Francis, comme toi, écrit de beaux poèmes. Et il tient son journal. Quelles belles choses il pourra nous écrire après les fêtes de Chandernagor, si jamais elles ont lieu ! Lui qui est si peu anglais, la France l'inspirera. »

Warren se retourna d'un seul coup :

« Quoi ? Il tient son journal ? Et tu l'as vu ?

— Mais non, mon pauvre ami ! Il ne le montre qu'à ses maîtresses et seulement le passage qui les concerne, la naissance de leur amour, les premiers émois, etc.

— Belle stratégie, en effet, commenta Hastings.

— Le *Bel Anglais*, que veux-tu... »

Marian retomba sur l'oreiller ; sa voix se mourait. Elle dormait à demi.

En vérité, elle est toujours française, pensa Hastings en quittant la chambre. Etrange soirée... Etrange journée, également. Il lui semblait qu'en quelques heures le destin s'était plu à lui désigner tout ce qui menaçait son ascension, Sir Francis, Madec, la princesse, la corruption de Marian, les menées de Chevalier et de l'agent Saint-Lubin. Cinq pièces, d'importance diverse, et qui venaient d'un même puzzle, celui du regain d'ambition de la France sur le pactole indien. Cinq pièces, en effet, et elles se rejoignaient toutes au même endroit : le petit comptoir français endormi au bord du Gange. Hastings ne savait même pas à quoi il pouvait ressembler. La curiosité le brûlait. Mais il y avait plus urgent. D'ici là, trois tâches s'imposaient. Premièrement, exécuter l'encombrant Nandkumar et veiller à ce que le Bengale conservât son sang-froid. Deuxièmement, régler le cas du sieur Madec, nabab de son état. Pour cela, il fallait attendre le retour de l'émissaire dépêché à Agra cet après-midi même. Par ces temps de chaleur, cela pouvait prendre deux mois. Enfin, attendre aussi l'arrivée à Chandernagor de l'agent Saint-Lubin.

Ainsi, par l'entremise de la France, la perversité politique et les vices intimes du gouverneur se recoupaient d'une manière qui se montrait, pour sa raison, la plus satisfaisante qui fût. Mais il fallait attendre. Attendre... Que le plaisir, hélas ! était lointain.

*

* *

On était au début de juin et les chaleurs ne cessaient de monter quand le shérif chargé de la prison commune vint annoncer au maharajah et brahmane Nandkumar que son exécution était fixée au lendemain. Le notable indien était résigné. Il reçut la nouvelle sans sourciller, et ce furent ses bourreaux qui tremblèrent, quand, le matin suivant, par un ciel plombé et grésillant de grillons, ils présentèrent à la corde son cou des plus sacrés.

Nandkumar n'eut qu'un mot : qu'on transmît ses adieux aux triumvirs ennemis d'Hastings, Clavering, Monson et surtout Sir Francis. Toutefois, il n'eut pas un mot de malédiction pour le gouverneur, dont la rumeur disait pourtant qu'il avait acheté ses juges. Les triumvirs assistèrent de loin à l'exécution. Ils étaient extrêmement fébriles : s'ils avaient soutenu

Nandkumar, ce n'était pas par sympathie brahmanique. Tout simplement, ils l'avaient pris pour un instrument de la perte d'Hastings ; de la pendaison, ils espéraient une émeute indienne qui renverrait le gouverneur vers la verte Angleterre, accompagné de l'opprobre le plus général. Pour assister à l'exécution la ville indienne s'était vidée. Une foule immense couvrait la place. Toute la nuit, une folle rumeur avait couru Calcutta : il était impossible que les dieux permissent qu'on pendît un brahmane. Kali reçut des centaines de poulets égorgés, des dizaines de chèvres expirèrent sur ses autels, l'encens enfuma des quartiers entiers. Si la foule avait accouru, c'était en effet pour voir la toute-puissante déesse déchirer les nuées de l'avant-mousson et descendre, terrible, accompagnée de ses Raksas et de tous les démons de l'univers, afin de sauver le brahmane d'une mort ignominieuse et l'emmener dans la félicité éternelle des Himalayas.

La vue du cortège détrompa les Indiens. Nandkumar, à l'évidence, n'attendait rien du ciel. Tranquillement installé dans son palanquin, insigne de son rang, il s'approcha de la potence avec un sang-froid qui étonna jusqu'aux Anglais. Un seul souci l'occupait : celui d'avoir près de lui des hommes de sa caste, afin qu'ils célèbrent ses funérailles dans la stricte conformité aux rites des deux-fois-nés. Enfin il se livra aux bourreaux. Ils officièrent avec leur dextérité coutumière.

Le peuple fut frappé d'horreur. Après un moment de silence, où les Bengalis, sans un geste, contemplèrent le cadavre du brahmane se balancer au bout de la corde, ce fut un immense cri, puis une bousculade effroyable : tous, ils couraient au Gange pour laver dans l'eau sacrée l'épouvantable souillure d'avoir vu un tel crime.

Derrière les stores de son bureau, au-delà des pelouses grillées par la chaleur et des palmiers du parc, Warren Hastings guettait la rumeur. Elle ne vint pas. Après le grand cri qui avait salué le passage de

Nandkumar dans la Cité des Morts, Calcutta retrouvait son rythme ordinaire.

En apparence, la ville n'avait pas frémi. De la journée, cependant, Warren Hastings ne parvint à travailler. Il ne put même toucher à sa théière. Vers le soir, un agent zélé lui apporta une note qui aurait dû le rassurer : il y était dit que l'exécution du brahmane avait convaincu les Indiens qu'il était dangereux de s'attaquer à la personne du gouverneur. Warren renvoya l'agent et sa note. Il demeurait inquiet. Comment s'assurer de ce bruit ? Il aurait fallu s'aventurer au bazar. C'était folie. Et du reste, qu'y aurait-il rencontré d'autre que des yeux lourds et noirs, tout de peurs et menaces mêlés ?

Le matin qui suivit, après une nuit d'insomnie, une nouvelle visite lui ôta l'envie de travailler. C'était l'espion qui revenait d'Agra. Il avait fait diligence. La première question du gouverneur fut pour Madec :

« Les Rohillas sont-ils prêts à l'attaquer ?

— Tout est en place, gouverneur.

— Bien. Où se trouve-t-il ?

— Aux frontières de ses Etats, du côté d'Agra. Il a groupé autour de lui tous les partis français et, avec l'aide du généralissime Nagef-Khan et du Seigneur Sumroo, il s'apprête à réunir auprès du Moghol tous ses vassaux autrefois rebelles.

— Y compris les Mahrattes ?

— Oui, très honoré gouverneur.

— Il perdra ! »

L'espion, un Bengali entre deux âges aguerri aux silences, n'osa pas répondre. Warren voulut éviter son regard ; il détourna la conversation :

« Wendel nous renseigne donc aussi bien qu'avant. Pourquoi s'est-il tu pendant tout ce temps ? »

Le Bengali eut un air effaré :

« Mais, gouverneur... Ce n'est pas lui qui m'a renseigné.

— Comment ?

— Mais non... L'homme en noir ne peut plus parler.

— Ne peut plus parler ? Mais comment donc ? »

Alors le Bengali raconta ce qu'il avait vu en l'église d'Agra et ce fut pour Warren un récit atroce. Quand l'espion était entré dans le nouveau sanctuaire, rebâti et embelli à grands frais par les subsides de Sombre, le jésuite célébrait la messe. Nulle parole ne sortait de sa bouche. Il mimait avec les lèvres les sonorités supposées des mots, et, derrière lui, un jeune frantci psalmodiait les paroles latines. Enfin, et c'était le pire, le jésuite n'avait plus d'avant-bras. Un artisan de la ville avait fixé sur ses moignons deux gros crochets de fer à doigts savamment articulés, dont les cliquetis métalliques rythmaient ses bénédictions et la distribution des saintes hosties. Parfois les crochets se prenaient dans son surplis ; il s'arrêtait d'un coup, proférait des grognements, un enfant de chœur se précipitait pour le dégager, et il reprenait le cours de son office. Les conversions, disait le Bengali, n'avaient pas baissé ; les gens d'Agra le prenaient pour un saint et affluaient pour contempler ces rites insolites dont ils espéraient de grands bonheurs dans leurs vies à venir.

Un juron de Warren interrompit son récit.

« Damned ! Et qui lui a fait cela, tonna-t-il, qui ?

— On ne sait pas, répondit l'espion. Certains disent que c'est le fantôme de la princesse Sarasvati.

— Va-t'en, cria Warren. Sarasvati ! Ils sont fous. »

L'espion sortit immédiatement.

« Elle aussi, je la perdrai », murmura Hastings entre ses dents.

Cette fois, il eut clairement conscience que les menaces s'accumulaient.

« Je les perdrai, se répéta-t-il toute la journée. Tous, sans exception. »

Puis il se replongea dans ses dossiers. Le soir venu, quand un peu de fraîcheur tomba sur Calcutta, il ouvrit la fenêtre du gouvernement et contempla longtemps le Gange, du côté de Chandernagor.

CHAPITRE XXX

Juillet 1775

Fatehpur Sikri

Vers la mi-juillet de la même année, c'est-à-dire à peine un mois après l'exécution de Nandkumar, l'armée des Rohillas se mit en route vers les Etats du nabab Madec. C'était un peuple impétueux, bouillant, avide, qui descendait des montagnards afghans. Dans leur mémoire, le souvenir de la trahison de Madec demeurait très vivace : les espions à la solde de Warren Hastings les avait manœuvrés sans difficulté. La mousson, cette année-là, s'annonçait tardive. Depuis déjà un mois, les pluies auraient dû recouvrir le pays. D'un bout à l'autre de l'immense péninsule, les Indiens affolés prévoyaient les pires catastrophes. Les sujets de Madec n'échappaient pas à la panique : après tout, quel était ce firangui qu'un nabab du Nord, Suja-Dowlah, aujourd'hui passé dans la Cité des Morts, leur avait imposé ? Bien sûr, on murmurait partout que Madecji était la dernière chance de l'Inde, qu'il ramenait sous la bannière du Moghol tous ses vassaux naguère révoltés, qu'il rencontrait aussi, de temps à autre, par des mystères impénétrables, le fantôme terrifiant de la dame de Godh. Mais rien n'était moins sûr. Et même si Madecji rendait hommage aux dieux de l'Inde, si le bruit voulait aussi qu'il serrât dans sa poche un vieux Ganesh de cuivre usé, fallait-il oublier qu'il venait des

Eaux Noires, fallait-il consentir à verser l'impôt à cet homme trop pâle, fallait-il oublier qu'il était firangui ? Dharma ! Et la mousson n'arrivait pas. Un jour ou l'autre viendrait l'expiation.

Madec était dans la plaine de Delhi, tâchant de joindre l'armée mahratte aux débris des forces mogholes, quand lui parvint la nouvelle qu'on envahissait ses Etats. Il prit la chose avec le plus grand calme. Son devoir, bien sûr, lui imposait de les défendre. Une bataille de plus, une bataille sans importance. Depuis Narvar, une immense sérénité l'avait gagné. Peu à peu, ses désirs s'étaient émoussés. Il n'y avait plus en lui l'impatience, la passion, la folie de l'être qui avaient marqué sa jeunesse, voire sa maturité, quand il n'avait d'autre souci que d'entasser or et diamants. Seulement peut-être Marie-Anne, sa fille toujours adorée, réveillait un peu de ses émois anciens. Comme à l'accoutumée, il courut l'embrasser avant de se mettre en marche. Il découvrit une Marie-Anne tout enjouée. La bégum Madec souriait en silence, comme toujours. Seule Mumtaz paraissait tourmentée. Elle agrippa Madec par la manche de sa robe de guerre :

« Emmène-moi, seigneur.

— Es-tu folle, une femme dans la bataille !

— Les autres chefs sont toujours suivis de leur harem ! Emmène-moi. »

Elle s'agenouilla, lui saisit les pieds :

« Madecji, la vie est si courte, et si court le plaisir... »

Elle releva les yeux, toute couverte de larmes. Elle était bouleversante dans sa beauté de femme mûre qui commençait à se faner, ses yeux verts fatigués, non de la peine, mais de l'ennui du zenana, des gestes identiques répétés à l'infini depuis des années, langer les enfants, diriger les servantes, les nourrices, cuire les caris, les lentilles, les gâteaux de riz et de lait, et toujours les mêmes mots, qui ne passaient jamais les moucharabieh, qui ne connaissaient jamais le grand air et le vent. « Suis-je enceinte, vais-je garder l'enfant, le seigneur Madec est en campagne, quand reviendra-t-il, la mousson est encore loin, le petit ne boit plus le lait de sa nourrice, hélas ! ma belle, demain il sera mort, dans un mois la fête du pays, il faudra acheter de l'encens frais, que le marchand vienne avec des saris neufs, Balthazar a cassé la marmite de terre, Marie-Anne a grandi... »

Madec la prit par les mains, la releva.

« Tu me suivras. Cette seule et unique fois, car il n'y a pas de danger. Et veille bien au retour à ne point susciter la jalousie des femmes. »

Ils échangèrent un long regard. Dans les yeux de Mumtaz, ce fut la même lueur qu'au jour où Madec l'avait arrachée à la maison de plaisir.

Quand l'armée fut en ordre de marche, Madec s'assura d'un dernier détail. Y avait-il, au sujet de cette bataille, quelque recommandation de Sombre ? Les messagers n'avaient rien reçu. Il partit donc avec encore plus d'assurance. Son affaire était bien, comme il le pensait, strictement privée : il allait au secours de ses sujets comme un maître de maison court à ses fenêtres si les brigands les menacent. Il se sentait serein.

Il n'avait pas cherché à éclaircir ce qui l'avait empêché de passer Narvar. Ou plutôt il ne le savait que trop. Elle, bien sûr, Sarasvati. Il n'osait pas se l'avouer, à demi ravi de sa condition de prisonnier. Il n'avait pu partir, car il la servait, tel un chevalier. Les messages de Sombre, nul ne l'ignorait, c'étaient ses ordres à elle, ordres semi-divins d'une demi-morte, d'une encore vivante, d'une créature mi-souterraine, mi-terrestre, dont peut-être, dans une vie antérieure, Madec avait été l'amant. Cela parfois arrivait aux humains, disaient les textes sacrés ; et l'on rencontrait déjà, aux carrefours poussiéreux, des montreurs de marionnettes qui racontaient sur la dame de Godh de longues histoires qui leur valaient de grandes recettes. Elle y était tantôt *apsara,* danseuse céleste lovée aux pieds de Vichnou, puis rédemptrice noire, sous la forme de l'horrible Kali, qui punissait les méchants et sauvait les meilleurs. Oui, il se sentait, il se savait son chevalier, prisonnier de sa dame du Lac. Comme dans les vieux contes bretons qui traînaient toujours dans sa mémoire à côté des histoires indiennes, il ressentait autour de lui la révérence accordée aux chevaliers d'antan. Mille détails l'attestaient : la place qu'on lui accordait dans tous les banquets, la vénération des rajahs quand, juché sur Corentin, il entrait dans les villes, les chuchotements qui parcouraient les dorbars dès qu'il avait le dos tourné, et que Dieu et Visage lui rapportaient fidèlement.

Combats, récoltes d'impôts, comptes chez les Banquiers, la vieille vie avait repris. Son corps, de loin en loin, s'était marqué de nouvelles blessures. Mais ce n'était que le corps. Pour le reste, Madec s'anéantissait dans l'obéissance. Tout frais venu d'Europe, un inconnu aurait pu voir en lui un bâtisseur d'empire, puisqu'il racolait tous les Français égarés dans l'Inde, qu'il fondait des centaines de canons, qu'il organisait, de concert avec Nagef-Khan, une vaste armée moghole, qui pût se battre à l'européenne. Ce faisant, il n'était qu'un esclave, un prisonnier résigné ; tout cela n'était qu'obstination à se soumettre à l'Inde, entêtement dans l'esclavage. Un à un, ses désirs s'émoussaient. Il n'écrivait plus à Versailles pour son brevet de capitaine. Du reste, ni la France, ni Chevalier, ne lui répondaient plus. Il était ici, condamné à l'Inde, pris à son piège, femme, déesse ou terre maléfique, il avait oublié, et, tel un papillon affolé pris au grillage d'un moucharabieh, il parcourait plaines et jungles sans relâche, éléphants et canons en tête, pour la gloire d'un amour idéal dont il ne recevrait peut-être jamais remerciement.

Une fois de plus, tandis qu'il volait au secours de ses Etats, Madec s'abandonna à ces folles pensées. Vers la fin de juillet, il arriva à l'endroit où s'étaient postés les Rohillas. L'endroit était superbe. C'était une vaste colline recouverte de ruines, les restes de la Cité Parfaite construite deux siècles plus tôt par l'empereur Akbar. On l'appelait Fatehpur, ce qui parut à Madec d'un excellent présage : le mot signifiait en effet la Ville de la Victoire.

La nuit qui suivit et cette seule nuit, Madec admit Mumtaz sous sa tente. Il avait été bouleversé qu'elle voulût le suivre, et il se reprochait de l'avoir ouvertement considérée jusqu'à ce jour ainsi qu'un Moghol regardait les femmes de son harem, viens, reste, tu es délicieuse, et maintenant va-t'en, je t'en prie, laisse-moi, j'ai à faire ! Oui, il avait eu à faire. L'ambition. Mais aussi la longue fuite, le long chemin de croix, pour se sauver de l'autre femme, l'irremplaçable et la maudite.

Sarasvati, Mumtaz : la musulmane, quoique docile, avait adouci tous ses jours de souffrance. Plus pleine, plus sereine, moins tendue que la princesse de Godh, elle la lui rappelait cependant. Une certaine habileté dans l'amour, cette façon de faire qui était une danse, ces mots murmurés, et surtout, comme la dame de Godh, un don extraordinaire à saisir la poésie de tous les instants, à les prolonger au-delà du plaisir. Mumtaz, elle aussi, était l'Inde. L'Inde plus pâle des plaines du Nord, l'Inde des femmes moins souveraines, l'Inde langoureuse des palais moghols, celle qui venait des grands déserts asiatiques, des caravanes sans fin, des villes jasminées, des sérails pleins de filles effarouchées, des mosquées nues et chaudes sous les soleils de plomb.

Il défit lentement ses voiles. Mumtaz ne baissait pas les yeux. Sa main s'attarda à son ventre. Trois filles, elle lui avait donné trois filles. Peut-être se fût-il davantage rapproché d'elle si elle avait enfanté des fils. Mais cela n'eût rien changé à la nature de son amour. Car amour il y avait, bien qu'il sût que jamais plus la passion ne le déchirerait.

« Mumtaz...

— Madecji... Tu ne m'en veux pas de t'avoir suivi ? »

Il sourit.

« Comment regretter le plaisir ?

— J'ai trop appris à me taire, Madecji, à suivre toujours les caprices des hommes. Mais tu n'es plus seulement un... »

Elle s'interrompit, chercha ses mots. Madec sourit encore, rétablit sous son dos les coussins de soie.

« Oh ! Madecji, j'ai peine à le dire et je ne voudrais pas te blesser. Tu m'es un frère et un ami, aussi, plus qu'ami... enfin je ne sais plus... »

Madec enleva sur ses cuisses le dernier voile :

« Les grandes choses, Mumtaz, nous n'avons pas de mots pour les dire, j'ai appris cela, autrefois. Notre langue se paralyse, notre tête bourdonne, et nous voilà plus imbéciles qu'un idiot de village. Mais les grandes choses, Mumtaz, comme nous sommes tous deux très habiles à les faire ! »

Il avait parlé d'un seul trait. C'était une phrase de Sarasvati, une de ses phrases magiques, comme toutes celles qu'elle avait prononcées au palais du lac. Mumtaz ne savait qu'en penser. Elle demeura un instant rêveuse, partagée entre joie et souffrance. Elle eut alors un mot étrange :

« Au jeu d'amour, nous sommes égaux, toi et moi, Madecji, car nous y sommes d'une même force et je t'ai donné bien des leçons. Mais sitôt que j'ai quitté ton charpoï, je suis une prisonnière.

— Prisonnière ? Tu vas et viens à ta guise !

— Prisonnière, oui. Prisonnière de toi. Les enfants que j'ai eus de toi, l'attente de toi, Madecji... Toi !

— J'ai eu tant à faire, Mumtaz. »

Elle prit soudain un air dur :

« Alors il faudra peut-être arrêter, Madec. Je te le répète : la vie est si courte ! »

Madec blêmit. Elle avait parlé du même ton royal et assuré que Sarasvati, lorsqu'elle énonçait des certitudes. Jamais la princesse ne s'était trompée. Et Mumtaz elle aussi semblait dire vrai. Les femmes de l'Inde avaient-elles donc le pouvoir de percer les secrets du monde ? Etait-elle exacte, la légende que racontaient les frantcis d'Agra, selon laquelle le nom de Brahma, dont les Indiens prétendaient descendre, était en fait celui d'Abraham, dont ils étaient les fils illégitimes ? Ils étaient venus demander leur part d'héritage au patriarche et Abraham avait déjà tout distribué ; il ne lui restait plus que la dot de Rachel, tout un paquet de secrets de magie et de divinations qu'il leur remit, et ils partirent vers l'est, vers cette Inde où ils s'établirent, gardant, seuls de toute la Terre, la grâce d'éclaircir les grands mystères de l'Univers.

Il se pencha sur le charpoï. Les cheveux de Mumtaz avaient ruisselé sur son corps, et c'était un dernier voile à rejeter.

« La vie est brève, Madecji, poursuivait-elle.

— C'est encore une grande chose, ce que tu dis là, Mumtaz ! Veux-tu donc maintenant que nous passions aux actes ? »

Elle éclata de rire, un rire un peu saccadé, moins serein qu'à l'habitude. Puis elle enfonça ses ongles dans les épaules de Madec, et, par petits gestes, lui demanda de la prendre selon le modèle « sésame et riz ». C'était, disait la tradition, marque de grande passion. Quand Mumtaz éleva la petite lampe jusqu'au visage de Madec, elle vit bien qu'il y prenait sa joie, mais comme au jour de leur rencontre, un autre visage de femme continuait à vivre sous ses paupières closes. La vie est si courte, pensa-t-elle, et elle faillit pleurer.

*

* *

Point de remparts à Fatehpur, depuis deux siècles la cité était vide. Ouverts sur la plaine d'Agra, des dizaines et des dizaines de pavillons à étages, cours, bassins et salles ; enfin, en contrebas, le souvenir mélancolique d'un lac asséché. Il faisait une chaleur accablante. Les Rohillas, épuisés par de longues marches et privés d'eau, n'osaient pas tenter l'ultime attaque. Les deux camps s'endormirent face à face, dans une sieste qui paraissait la mort.

Madec ne savait que faire. Mumtaz elle-même s'était abandonnée au sommeil. Les canons étaient pointés sur l'ennemi, tout était en ordre. Fébrile, il décida de passer l'après-midi à rôder dans les ruines. Il erra de terrasse en terrasse, de corniche rose en bassin verdâtre, dérangea des grappes de perruches, des singes exténués de chaleur, des serpents parfois, qui s'enfuyaient entre les pierres. Fatehpur était morte. Avait-elle jamais vécu ? Pouvait-on espérer qu'elle revive ? Au bout de douze ans d'existence, l'eau même l'avait fuie et le rêve de l'empereur, ces rues rectilignes à perte de vue, ces palais abstraits, ces merveilles trop évidemment pensées, tout cela, pour une citerne capricieuse, avait sombré dans le néant.

Ici, le cerveau bâtisseur d'un empereur de génie avait imposé ses visions à une colline sèche ; il avait exigé que la nature s'y pliât. Elle avait refusé. Non sans traîtrise. C'était un ermite qui avait attiré Akbar en ces lieux, lui promettant des fils, quand toutes ses épouses demeuraient stériles. Elles enfantèrent. Akbar voulut rejoindre l'ermite. Il crut à l'impossible, à la fécondité soudaine de la terre, comme celle du ventre de ses femmes. Alors il construisit sur le sol aride son rêve de pierre nue, bibliothèques, mosquées, jardins, terrasses, observatoire. Il y voulut réunir tout ce que l'art avait produit de plus beau, de Bagdad à Ceylan, de l'Arabie heureuse aux cités lointaines de l'Asie jaune, marier les splendeurs d'Angkor et les folies de Samarkande. Et cela fut. Les villes mogholes, jusque-là ambulantes, prirent ici racine. Racine et mort. Au propre comme au figuré, Akbar avait pétrifié son rêve. Etrange après-midi, en vérité, celui que passa Madec en la Cité Idéale. Lui qui jamais ne s'arrêtait à contempler les monuments, peut-être parce qu'il était, non un bâtisseur, mais un éternel errant, un homme de la route et de la poussière, il se sentit lui-même atteint par l'engourdissement minéral qui avait pris l'endroit.

Il traversa des plates-formes sans nombre, escalada le reposoir où Akbar buvait l'eau d'immortalité, franchit des dizaines de passerelles, des bassins, des ponts à n'en plus finir. Dans les galeries ouvertes sur la plaine, il imagina sans peine les jeux d'*amour l'après-midi,* il contempla sans déplaisir l'échiquier en croix sur lequel Akbar, au temps de sa splendeur, déplaçait, en fait de pièces, ses esclaves nues. Mais chaque perspective débouchait sur le désert et il eut bientôt la bouche sèche, comme la sensation du néant. Avec le soir s'approchèrent lentement léopards et chacals. Il parvint à la mosquée. Dans le soleil couchant, il eut encore le temps de déchiffrer l'inscription qui en ornait la porte. Les années ne l'avaient pas ternie :

« Jésus, fils de Marie, que la paix soit sur lui, a dit : Le monde est un pont, passe sur lui, mais n'y construis pas de maison. Qui espère pendant une heure, espère pour l'éternité. Le monde est une heure : passe-la en prière, car ce qui suit est inconnu... »

Alors dans la ruine de la cité défunte, Madec tomba à genoux et pria. Il ne savait pas quel dieu il suppliait, si c'était le Christ, le Grand Prophète, Kali ou son cher Ganesh. Tous les ponts de la ville étaient dans ses souliers, lui non plus, Madec, il n'avait pas de demeure et peut-être, comme disait la phrase, n'en fallait-il pas souhaiter.

Oui, le monde est un pont, disait-il, tandis que la cité disparaissait dans le soir. Un pont et je suis de passage. Dieux, qui que vous soyez, donnez-moi donc un bateau pour rentrer en France, et ma tombe y sera ma demeure.

Quand le soleil fut couché et qu'il rentra à son camp, il s'étonna de n'être plus le chevalier servile qui, tout à l'heure encore, brûlait de vaincre les Rohillas. Pourquoi donc, dans sa prière, avoir négligé de demander la victoire ? Pourquoi donc avoir oublié Sarasvati ?

La chaleur s'était aggravée. La nuit fut lourde de nuages. Le lendemain matin, juste après l'aube, l'orage éclata, et ce fut l'heure que choisirent les Rohillas pour passer à l'attaque.

En l'espace d'un seul quart d'heure, l'averse avait tout détrempé : les réserves de poudre, les mèches des canons, les amorces dans le bassinet des fusils. Les Rohillas l'avaient prévu. Sur le camp de Madec s'abattirent des lances, des grêles de flèches. Il fallait fuir sur-le-champ, tout abandonner, quitte à essayer, sitôt la pluie passée, de prendre l'ennemi à revers. Madec fit sonner la retraite.

« Nous lutterons à l'arme blanche, cria-t-il à Dieu qui s'agitait dans tous les sens. Les officiers, à cheval, et les cipayes, en avant ! Nous les couvrirons ! Arjun, amène ici Corentin ! »

Le corps à corps commençait déjà. Madec n'eut que le temps de sauter sur la bête aux côtés de Mumtaz, qu'on venait d'y hisser, la chevelure encore tout emmêlée.

« Madecji... »

Elle n'osa se blottir contre lui, de peur de le gêner dans ses gestes. Bien qu'elle n'eût aucune arme à la main, elle se tenait toute droite dans le palanquin, comme si, elle aussi, elle était prête à frapper.

L'armée de Madec se repliait vers la cité morte. Le ciel crevait de partout. Il faisait très noir. On frappait, indistinctement, les hommes et les chevaux. Les cipayes tombaient par dizaines.

Corps à corps, cache-cache. Les hommes glissaient sur les dalles, les coutelas des Français tuaient mal, ils ne pouvaient rien contre les poignards à double lame, les massues, les crochets de fer de l'ennemi. De tous côtés, on se poursuivait dans le dédale des pavillons de plaisance, le sang se délayait dans les flaques ; déjà, sur les tuiles bleues des reposoirs, les vautours étaient à l'affût. Une heure de combat et l'échiquier d'Akbar, à la place des esclaves nues, fut semé de cadavres ; on aurait cru qu'un dieu jaloux, mauvais joueur, en avait bouleversé les pièces d'un revers de main.

Il fallait rejoindre Agra au plus vite. Madec ordonna à Arjun de lancer Corentin au trot de guerre et il pressa la retraite des fantassins. On était sorti de Fatehpur quand soudain Corentin suspendit son pas. Dans le matin naissant, on découvrit en face de lui une autre bête de guerre, un éléphant gris de seconde caste. Il errait lamentablement, privé de cornac. Madec regarda de tous côtés. Il n'y avait pas d'ennemis. Devant la retraite des Français, ils avaient abandonné la poursuite, préférant se livrer au plaisir de piller leur camp. L'animal, porteur d'un fanion rohilla, était donc abandonné. Il se mit brusquement à barrir. Les deux bêtes se fixèrent un instant. Mais l'immobilité ne dura pas.

« A terre ! cria Arjun. On l'a drogué pour le combat, sa gueule sent l'arak à plein nez ! »

Madec saisit Mumtaz :

« Viens ! Saute après moi !

— Jamais !

— Saute ! »

Il était déjà à terre, tout couvert de boue :

« Saute ! Je vais t'attraper ! »

Il n'eut pas le temps de poursuivre. L'autre bête, excitée par l'alcool, se précipita sur Corentin, lui laboura les flancs de ses défenses, une première fois, puis une deuxième. Arjun avait beau encourager Corentin, l'exhorter à fuir, l'instinct de la bataille était le plus fort. En face de lui, l'autre bête continuait ses coups de boutoir, massive, régulière, à peine fatiguée.

Dieu surgit tout d'un coup. De son cheval, il avait tout vu.

« Madec ! Viens en croupe ! Il faut partir, ils nous poursuivent ! »

Madec ne l'entendit pas. Il ne voyait que Mumtaz.

Debout dans le palanquin, elle basculait à chaque

attaque. L'autre animal eut un léger répit. Corentin vacilla mais reprit son équilibre. Mumtaz regarda Dieu, Madec, le cheval. Elle eut un très grand sourire, et, comme si c'était une chose infiniment naturelle, elle se pencha par-dessus le palanquin et se jeta à terre. L'autre bête attaqua au même moment. L'instant d'après, Mumtaz disparaissait dans les giclées de boue soulevées par les pattes de l'éléphant drogué.

« Madec, allons-nous-en ! criait Dieu à en perdre le souffle. Laisse Corentin ! Il est perdu... Elle aussi ! »

Alors il se passa une chose extrêmement curieuse. Corentin lui aussi se pencha sur le côté ainsi que l'avait fait Mumtaz, et, très exactement comme elle, se laissa tomber dans la boue, les flancs déchirés et sanguinolents. Il était mort. La pluie reprit de plus belle.

« Arjun... » souffla Madec, puis Dieu éperonna leur cheval.

Madec ne retrouva ses esprits qu'aux environs d'Agra. Le ciel s'éclaircit un moment, découvrant les coupoles du Taj. Il comprit alors qu'il avait tout perdu : son camp, ses cipayes, ses canons, ses bœufs de trait, ses éléphants de guerre, sa bête royale, Corentin, et bien sûr Arjun qui s'était laissé mourir avec lui, comme tout cornac qui se respecte.

Mais Mumtaz, se répétait-il inlassablement, Mumtaz, pourquoi Mumtaz ? Elle avait voulu le suivre, elle l'avait supplié de l'emmener, elle avait pleuré pour venir jusqu'ici, pourquoi donc ?

On s'approchait d'Agra et le mausolée de l'autre Mumtaz, la vraie, Mumtaz Mahal, celle de Shah Jahan, luisait dans le soleil revenu. Quelle femme à présent égalait dans l'Inde entière le renom légendaire de la dame ensevelie au Taj ? Qui d'autre, sinon Sarasvati ? Alors Madec saisit pourquoi sa belle favorite l'avait suivi à la guerre, et il se dit que les visages les plus familiers étaient bien insondables, puisqu'elle, la docile, la tendre, l'effacée, qui des années entières avait attendu sans broncher ses retours de la guerre, n'avait rien souhaité d'autre que de s'illustrer à ses côtés, comme l'autre, l'inaccessible rôdeuse des champs de bataille, le fantôme qui le hantait, Sarasvati, la dame de Godh. Et il sut en même temps que Mumtaz l'avait aimé. Fatehpur, ville de la défaite. Il avait tout perdu, jusqu'au bonheur de l'amour partagé, dont il aurait pu combler l'ancienne prisonnière de la maison de plaisir.

CHAPITRE XXXI

Hiver 1776

Chandernagor

L'annonce du désastre de Fatehpur parcourut l'Inde avec la même rapidité que la nouvelle du triomphe de Madec à Delhi, trois ans plus tôt. Pas un nabab, pas un maharajah qui ne donnât le firangui pour condamné, du moins dans son crédit politique. Les apparences leur donnaient raison. Lors d'un dorbar solennel, le généralissime du Moghol n'avait pas hésité à narguer Madec :

« Très respecté Nabab, il n'est guère honorable, pour un chef tel que toi, de se voir battre par d'aussi piètres guerriers que les Rohillas ! »

En guise de réponse, Madec brandit son sabre et menaça Nagef-Khan. Aussitôt, comme le généralissime l'avait escompté, les officiers moghols se jetèrent sur lui, l'épée haute et le pistolet au poing, espérant voir Madec les supplier de lui laisser la vie. Il n'en fut rien. Il demeura parfaitement froid. Il n'attendait plus rien de l'existence. Le diamant de Godh, placé en lieu sûr, pourrait, en cas de malheur, nourrir cent familles pendant trois générations. Ses filles nées de Mumtaz étaient bien dotées ; d'ici deux ou trois ans, on les marierait. Quant à Marie-Anne et Balthazar, ils grandissaient en paix, à Barri, au secret d'une maison fortement gardée. Tant de sérénité dérouta Nagef-Khan. Il étouffa le dépit de n'avoir point vu Madec à ses genoux, et préféra continuer à compter avec lui. Entretenue par les Anglais, la guerre reprenait de toutes parts. Le pays des Djattes, autrefois paisible, s'enflammait. Les musulmans prenaient les armes contre les hindous, c'en était fait de la paix religieuse. Le Grand Moghol ne pouvait souffrir pareille situation. Il se devait d'aller défendre les hommes de sa foi. Son armée se mit en marche, sous le commandement de Madec et de Nagef-Khan. Tous les hindous étaient sauvagement poursuivis. Madec, impuissant, regardait torturer des hommes qui adoraient les mêmes dieux que la dame de Godh. Impuissant, ou peut-être indifférent, accablé de fatalité. Rien n'arrêtait la cruauté des Moghols : on massacrait les pèlerins en route vers le sanctuaire de Khrishna, on empoisonnait les puits en plein été, enfin, et ce fut le pire, il fallut se résoudre à assiéger Dig.

Sombre l'avait quittée. Son départ avait précipité la catastrophe, et Madec se demanda s'il ne l'avait pas cherchée. En réalité, la Lune des Indes voulait qu'on ignorât son déclin. Sa maladie n'avait pas empiré ; mais, brusquement, était-ce la vieillesse ou l'abus des médecines, il s'était racorni, rabougri, tel un fruit séché au soleil. Il n'osait plus porter son costume de guerre, tellement il le sentait flotter autour de lui. Il ne paraissait plus qu'en robe moghole, rouge et plissée, avec une ceinture de cuir et un sabre à garde de jade. Il arborait toujours son pectoral de perles noires qui crissaient à chacun de ses gestes. Comme il ne bougeait les bras que très difficilement, on pouvait prendre ce bruit étrange pour celui de ses os, la plainte, aiguë et sourde à la fois, de son corps fatigué, et l'on imaginait, sous les bijoux et le collier, ses entrailles malades, toutes semblables au nom qu'il portait, sombres, noires, suintant d'une horrible sanie, percluses, ainsi que son âme, d'un mal satanique. Et pourtant, plus que jamais, il n'avait que le Ciel en tête. Le jésuite aux crochets de fer avait récemment reçu une bonne partie de ses prises de guerre. Puis Sombre s'était retiré dans le Nord, à Sirdannah, non loin de Delhi, certain que le temps des merveilles, en même temps que sa propre vie, tirait à sa fin. C'était un pays qu'il avait gagné à la guerre, un jaghir que le Moghol, comme à Madec, lui avait accordé. Il aurait pu se battre encore, mais avant de mourir, il lui fallait une terre à lui, des frontières sûres, une existence indépendante : un nid, en somme. Sarasvati le suivit avec une sorte d'allégresse. Elle s'était lassée de leur comédie commune. Quatre ans d'existence à moitié recluse l'avaient épuisée. Avant la mort de Sombre, elle avait besoin de reprendre son souffle. Car elle envisageait sereinement le trépas de son époux, priant seulement Kali de le lui donner au moment opportun, quand elle serait en force de mener la guerre, et que l'ennemi serait mûr pour tomber sous les coups.

Son retour au grand jour se passa sans encombre. La principauté de Sirdannah était à l'écart des routes. Après la folie d'un déménagement qui mobilisa des centaines de chariots, personne là-bas, dans ce palais tout neuf, ne s'étonna vraiment de la présence de Sarasvati. On avait pris de nouveaux serviteurs. Quant aux soldats et aux femmes du zenana, ils virent dans sa présence la confirmation de la légende qui avait couru l'Inde : la dame de Godh était morte, puis s'était réincarnée. Tout, dans ces conditions, était immensément simple. Les premiers temps de leur installation, Sarasvati craignit cependant pour son époux la nostalgie de la guerre. Cette peur était vaine. Par un de ces revirements que connaît parfois la vieillesse, il s'intéressa à tout ce qui, jusque-là, l'avait laissé indifférent : l'élevage des vaches, la culture du coton, du sucre, du tabac. Ainsi, bénissant Dieu à toute heure du jour, les doigts perdus dans les grains de son chapelet, l'esprit concentré sur ses bucoliques projets, apparemment vidé de tout soupçon de colère, Sombre attendait la mort, satisfait de n'être plus des batailles où, aux portes mêmes de son ancien palais, s'épuisait Madec.

Il faut le souligner, cette métamorphose de Sombre était saisissante. Il était parvenu à retrouver le rythme ordinaire de l'humanité, à veiller le jour, à dormir la nuit. Parfois même, une curieuse léthargie le prenait dès l'après-midi, il dormait quinze heures d'affilée, d'un sommeil trop profond pour n'être pas suspect. Quelques serviteurs murmurèrent alors que l'une des épouses, l'étrange hindoue au regard noir qui le veillait sans cesse, lui versait des potions préparées de sa main, dont elle tenait les recettes de vieux ermites arrachés aux jungles. La rumeur fut brève. Une semaine plus tard, on retrouva les bavards étranglés d'une manière qui portait la marque des dévots de Kali. Dès lors, le palais de Sirdannah entra dans le silence, et on ne vit ailleurs domestiques plus muets. On ne s'étonna plus de rien, ni de l'autorité de la princesse sur le seigneur Sumroo, ni de celle qu'elle avait sur les femmes et sur le fils unique du maître qu'elle commandait comme un chien. Venant d'elle, rien ne surprenait, pas même ses extravagantes lectures, dans des volumes aux signes inconnus, dont il était pourtant facile de reconnaître qu'ils venaient des Eaux Noires, et qu'ils étaient impurs. Car il en arrivait, des hommes étranges, à Sirdannah, tout spécialement ces après-midi où Sombre, brusquement, s'effondrait sur son sofa. C'étaient parfois de simples messagers, et, on le voyait à leur visage, ils venaient de l'est, du Bengale où régnaient les Anglais. Ou bien plus rarement, c'étaient des firanguis, des hommes errants entre Delhi et le Sud, et qu'on prétendait bons, bien qu'eux aussi fussent d'un pays des Eaux Noires. Dans ces cas-là, Sombre ouvrait un œil, consentait à quelques politesses, et entre deux bouffées tirées de son narguilé, racontait ses expéditions aux marches du Cachemire, ou parlait de sa lointaine Allemagne ; il disait toujours à son visiteur : « Retournez donc là-bas, et allez voir Trarbak, la ville où je suis né ! Sous son château, se trouve une mine d'argent, je vous le jure, allez donc fouiller là-bas, au lieu de moisir ici ! Il n'y a plus de trésors à tirer des Indes ! »

Puis il se rendormait, et la belle hindoue qui le veillait raccompagnait le visiteur en chuchotant des mystères.

C'est ainsi qu'un soir, par un notable moghol dépêché en hâte à Sirdannah, on apprit que Dig venait de tomber. Le messager exultait. Sombre ne se releva même pas de son sofa.

« Qui commandait l'armée ? demanda Sarasvati.

— Nagef-Khan, très honorée princesse, et...

— Madec, bien sûr. Madec, qui ne vaut rien. Il n'est donc plus bon qu'à saccager. Que ne rentre-t-il en son pays ? »

Le Moghol s'inclina devant la princesse :

« Est-il impertinent, princesse, de te rappeler que tu le sais mieux que moi ? Les firanguis passent si souvent par Sirdannah. Et les nouvelles du Bengale...

— Tais-toi, et sors ! » ordonna Sarasvati.

Oui, elle savait tout de Madec depuis son échec, et elle mettait même de la perversité à s'enquérir de lui. Ouvertement, elle ne souhaitait plus rien, qu'il s'en allât. Qu'il était imbécile, de croire encore au Moghol, de le suivre dans des opérations aussi stériles que le siège de Dig. Butins, bien sûr, petite gloire. Et l'Inde, dans tout cela ? L'Inde, et ses dieux, qu'il laissait outrager... Son prisonnier, désormais, l'encombrait. Elle savait que, depuis Fatehpur, il s'était pris au jeu, qu'il croyait sincèrement pouvoir sauver l'Inde, qu'à nouveau il envoyait par-delà les Eaux Noires, chez son souverain, lettre sur lettre, où, disaient les messagers bengalis, il ne demandait plus seulement un brevet de capitaine, mais bâtissait de grandioses stratégies. L'une d'entre elles, la dernière en date, ne s'appelait-elle pas le *Grand Projet* ? Folies. Il voulait établir une colonie française dans la vallée de l'Indus, aux fins d'aider le Moghol à reconquérir le Bengale. Quand ce serait chose faite, on concéderait aux Anglais de s'installer au Sud, dans le Dekkan, la partie la plus inféconde de l'Inde. Comment, mais comment Madec pouvait-il méconnaître l'absurdité de son Grand Projet ? Le Moghol n'était rien, il le savait pourtant, maintenant qu'il l'avait vu à l'œuvre ! Et s'il chassait un jour les Anglais du Bengale, jamais ceux-ci n'accepteraient d'être cantonnés aux jungles du Dekkan. Et que diraient les hindous, dont elle était, de voir se reconstituer la puissance musulmane ?

La démence avait pris Madec. Folie épistolaire, sans doute ; il ne pouvait croire à ce qu'il écrivait. Dans les interminables missives dont il accablait l'homme de Chandernagor, et qu'elle connaissait par les messages de Chevalier, il était clair qu'il essayait de se masquer son échec. Mais qu'il parte, Kali, qu'il parte ! Quelquefois, Sarasvati dut s'avouer les raisons qui la poussaient à souhaiter si fort son départ : la honte, sans doute, d'avoir cru en lui. Et aussi quelque chose de très trouble, qui, en pensée, l'arrachait parfois à la vertu qu'elle s'était imposée. Quelque chose, en définitive, qu'elle préférait ignorer.

Le soir où elle apprit la fin de Dig, il lui fut plus difficile d'échapper à ses tourments. Elle eut donc envie de passer sa colère sur le zenana.

La nouvelle y était déjà parvenue. Servantes ou filles du harem, bien des femmes, avant Sirdannah, n'avaient connu d'autre horizon que le palais des Mille Fontaines, ses pavillons exquis, la lointaine silhouette des murailles de Dig. De les savoir saccagés les avait plongées dans la détresse. Sarasvati, qui s'en doutait, prit donc un plaisir infini à leur rendre visite, à leur parler, tandis qu'elle leur caressait les cheveux et les pieds :

« Alors, les belles, la vie d'ici vous plaît-elle ? »

Les larmes perlaient encore à leurs paupières, le khôl avait laissé sur leurs joues les marques du désespoir. Elles réprimèrent des sanglots, mais leurs mains tremblaient de colère. Dès que Sarasvati eut tourné le dos, ce fut une explosion :

« Comment, n'y était-elle pas aussi, avec nous, à côté de nous, dans ce palais ? Ne l'a-t-elle pas connu, aimé ? Elle se moque de nous, elle nous nargue !

— Méfiez-vous, répondaient les femmes plus âgées. Cette femme-là n'est de nulle part, et elle revient de chez les morts. C'est une démone, une raksa, la réincarnation d'une princesse morte, rappelez-vous combien de temps elle a disparu, et comme elle est revenue auprès du seigneur Sumroo dès notre arrivée ici. Il l'adule à l'égal d'une déesse, sachez-le, elle est morte, elle revit, c'est elle qui donnait la victoire à Sumroo du temps de la guerre ! Allons, ne pleurez pas Dig ! Ce temps-là est fini, ne haïssez pas cette femme qui pourrait maudire vos ventres et les rendre secs, allons, ne pleurez pas Dig, pensez à autre chose ! Nous sommes ici en paix, le maître est fatigué, il mourra bientôt, prions les dieux de nous donner paix et félicité ! »

Pourtant le lendemain, il y eut d'autres larmes, car Sarasvati revint, pour ajouter d'horribles détails au récit des messagers. La cloche, principal ornement du palais du rajah, parce qu'il l'avait volée jadis à l'église d'Agra, et dans laquelle tout le peuple djatte voyait le signe de sa force, avait été reprise par le firangui Madec. Non content de l'emporter, il l'avait fondue pour la transformer en canons. Sitôt ces armes fabriquées, il en avait haché les derniers habitants de Dig. Pire encore, les Moghols avaient rempli les temples hindous de tripes de vaches et de têtes de bœufs, souillant ainsi pour des siècles et des siècles la pureté des sanctuaires. Sarasvati racontait tout cela en souriant. Comme la veille, dès qu'elle eut disparu, les femmes se mirent à gémir, les musulmanes comme les autres :

« Comment, elle, une hindoue, s'amuser de ces crimes, n'est-elle pas plutôt une force du mal faite femme ? D'où vient-elle donc ? Dis-nous, toi, la petite, qui as épousé Sombre après sa disparition, qui est-elle au juste, que sais-tu de cette femme ? »

L'ancienne bayadère secoua la tête :

« Non, je ne sais rien de plus. » Puis elle se replia dans ses voiles. Alors les femmes tracèrent sur le sol des carrés magiques, et l'on entendit des nuits entières leurs incantations terribles. De temps en temps, Sarasvati venait jusqu'aux grilles du zenana, les observait un petit moment, et continuait à sourire.

Une semaine plus tard, après l'arrivée d'un messager bengali, on apprit qu'elle avait disparu. Sombre, disait la rumeur, s'était endormi depuis deux jours, et il ne sortait plus, ou presque, de cette léthargie soudaine. Les vieilles femmes se mirent à crier que leurs maléfices contre la démone avaient réussi, et qu'elle ne sortirait plus de la Cité des Morts. Aussitôt, le palais de Sirdannah retrouva la paix. Le zenana, à nouveau, sentit fort le henné et les gâteaux de miel, tandis que Sombre, avec des gestes de nageur fatigué, se relevait parfois de son sofa moite de sueur pour murmurer de longs *Ave*.

*
* *

C'était l'hiver, la meilleure saison du voyage. De temps à autre, Sarasvati soulevait la toile fruste du chariot à bœufs qui la traînait vers le Bengale, se demandant comment l'Inde pouvait dérouler tant de plaines, de rivières si belles, de fleuves gigantesques. Pour la première fois de sa vie, ses rêves de grandeur recoupaient la réalité des choses. Oui, l'Inde était vraiment immense, fertile, souveraine, à l'ouest, les grands déserts caravaniers, au sud les montagnes du Dekkan, au nord, les steppes mogholes et les Himalayas, enfin à l'est, ce Bengale qui faisait tourner toutes les têtes, avec, blottis dans une anse du Gange, la petite ville des firanguis français, l'ultime terme de ce voyage insensé, Chandernagor.

Les bœufs avançaient lentement. Dès qu'on atteindrait le Gange, et passé Bénarès, on prendrait un bateau, avait-elle annoncé à ses gardes. Les routes, pour l'instant, demeuraient tranquilles. Toutefois, afin d'éviter d'être importunée, elle s'était entièrement voilée. De temps à autre, elle fermait les yeux, s'abandonnait aux coussins. Les tissus de mousseline caressaient son visage au rythme du chariot. Cela la reposait, tout en lui permettant d'ordonner la foule de ses pensées, à cette heure encore par trop enchevêtrées. Les premiers jours en effet, elle s'était demandé si sa décision n'était pas une pure folie. Un message arrivé à Sirdannah, et destiné à Sombre — mais l'homme de Chandernagor savait bien qu'elle le lirait —, exposait le dernier projet des intrigants français. On y disait que l'un des meilleurs moyens d'affaiblir la puissance anglaise au Bengale, et par conséquent en Inde, était de compromettre gravement tous ses dirigeants. L'affaire Nandkumar avait échoué. On pouvait tenter autre chose : si le gouverneur, ou son second, étaient compromis, il s'ouvrirait à Calcutta une sorte de vacance du pouvoir, dont la France, alliée à ceux des Indiens décidés à se battre, pourrait tirer grands profits. Depuis quelques mois, ajoutait Chevalier, un nombre croissant d'Anglais se rendaient à Chandernagor, où se donnaient des fêtes. L'un des membres du Conseil de Calcutta s'était épris d'une jeune Française, seize ans à peine, mariée de surcroît. Il était prêt à commettre l'irréparable ; Chevalier ne donnait pas cher de son avenir politique. Pour le Nouvel An firangui, on organisait à Chandernagor de nouvelles festivités où viendrait, disait-on, le gouverneur en personne. Dans son message, Chevalier n'avait pas explicitement demandé la présence de Sarasvati. Néanmoins, il avait suggéré qu'il serait assez heureux de s'entretenir de leurs projets avec

« l'un ou l'autre des rois de Sirdannah, et, ajoutait-il, je n'ai jamais encore vu la princesse, dont on assure par toute l'Inde qu'elle est d'une grande beauté ».

Jusqu'à Bénarès, Sarasvati ne comprit rien à ce qui la poussait, femme seule, un peu lasse, le cœur plein de vengeance, à prendre la route par ces temps incertains. Mais après le pèlerinage sacré, le bain rituel dans l'eau du Gange, quand elle se fut rompu la tête à répéter la syllabe magique, *om, om, om*, oubliée depuis si longtemps, tout s'éclaira enfin.

On prit un bateau. Assise en poupe, sous un léger parasol, elle découvrit les marches du Bengale, une terre douce, calme et baignée de bleu. De temps à autre, sur le bord du fleuve, des sanctuaires étageaient leurs pierres pourries d'humidité. On croisait des navires comme elle n'en avait jamais vu, à coque ronde au lieu d'être plate, à quatre, cinq, six voiles, au lieu d'une seule, et carrée. Le monde des firanguis approchait. Bien sûr, comme partout en Inde, les femmes continuaient à laver leur sari au fleuve, bien sûr, teinturiers et foulons s'y retrouvaient, pour y plonger le safran et l'indigo. Mais elle ne pouvait se le cacher : « Le monde change, Sarasvati, et vois ton corps aussi que les années ont épaissi, les rides autour de tes yeux que le khôl ne dissimule plus, la ligne de ton nez qui se creuse, tes hanches, qui n'osent plus se balancer comme avant, le temps de la femme est révolu pour toi, Sarasvati, Dharma : tu n'as plus devant toi que la guerre, pour te faire espérer... » L'espérance. C'était bon pour la jeunesse, tout cela. Pour les jours de Godh, ses seize ans offerts à Bhawani, les premiers babils de Gopal, la musique lente sur les terrasses du palais du lac, les feux d'artifice, pour tout dire, la vieille féerie anéantie par la guerre. Or, c'était Diwali, la fête des Lumières. Par toute l'Inde, on célébrait l'espoir. Dans la plus humble des cabanes, hommes et femmes allumaient de petites lampes, et sur les bords du Gange scintillait parfois dans le soir un second fleuve, celui de la lumière, celui de l'espérance. Sarasvati s'étonnait. Comment, on pouvait encore croire au bonheur, prier Lakshmi, déesse de la fécondité, en dépit de tous les fléaux qui s'abattaient sur l'Inde ? Pendant toutes ces années passées auprès de Sombre, elle n'avait eu que la vengeance en tête, et peut-être son cœur, comme le corps de son époux, s'était-il aussi racorni. A la vue des centaines de lumières, qui, de village en village, célébraient Diwali, le doute s'installa en Sarasvati. Et si elle s'était trompée depuis le désastre de Godh ? Follement, obstinément trompée ? Et s'il y avait, au milieu des forces qui agitent le monde, une puissance plus grande que celle de Kali ? Venant d'une femme qui s'était vouée corps et âme à la déesse noire, et qui, secrètement, continuait d'animer des armées de dévots, étrangleurs, égorgeurs, rôdeurs de nuit, cette pensée était vraiment extraordinaire. Elle s'en serait sincèrement effrayée si, au fil de sa descente du Gange, elle ne s'était pas souvenue de la légende de Parvati, Fille de la Montagne et Divine Mère. Ses deux fils, le dieu de la sagesse et le dieu de la guerre, se disputaient pour monter sur ses genoux. « Je ne puis vous prendre tous les deux à la fois, leur dit-elle. Mais allez courir autour du monde, et le premier de retour s'assiéra sur mes genoux. » Le dieu de la guerre s'éloigna au grand galop sur son cheval fougueux. Le dieu de la sagesse tourna trois fois autour de sa mère, puis s'assit sur ses genoux : il avait fait le tour de l'univers, qui était sa mère, qui était l'amour.

Depuis des années, depuis la disparition de ses fils, Sarasvati s'était efforcée de n'y point penser. Après le pèlerinage de Bénarès, elle y songea en toute sérénité.

Et si l'amour était le plus fort ? Le doute était insupportable.

Alors, puisque Sombre allait mourir, et que, seule, il faudrait reprendre la guerre, canons, camps, soudards, éléphants, elle devait s'assurer de la nécessité de la haine, et surtout, effacer à jamais la cause même de ces relents de tendresse, le visage trop pâle du firangui Madec, dont elle allait, à Chandernagor, rencontrer l'univers.

La barque indienne à voile carrée arriva à destination par un bel après-midi d'hiver. La mousson avait cessé quatre mois plus tôt, et le Gange avait beaucoup baissé, laissant sur ses rives boueuses des troncs creux de banians emportés par l'inondation, des lianes torses, et, de loin en loin, des épaves de canots qui croupissaient sur les bancs de vase.

Un dauphin du Gange pointa le nez. En ces temps de saison sèche, il descendait sans doute vers l'estuaire. Puis ce fut un gavial, à demi endormi sur la berge, qui rappela à Sarasvati les crocodiles du lac de Godh. Un bon moment, son attention fut distraite, et elle ne s'aperçut même pas que le fleuve décrivait une boucle. Le vent poussait bien, et, tout comme le navire, elle se laissait porter. Tout d'un coup, Chandernagor fut devant elle.

Elle n'eut aucune peine à reconnaître le comptoir français : il lui semblait l'avoir vu dans une autre vie. Au fond d'une anse large de sable clair, derrière un simulacre de quai envahi par les lianes, s'entassaient une vingtaine de maisons d'une facture inconnue d'elle : de grandes fenêtres droites, trop droites, pas une courbure, pas une inflexion de la pierre, pas une douceur dans cette façon de construire. Elle se dressa brusquement dans la barque, qui manqua de se renverser :

« Chandarnagar... »

Elle prononça le mot à l'indienne, trop émue pour retrouver le nom français. Chandernagor. Elle soupçonna un instant que les sonorités du nom devaient paraître superbes à tout firangui ignorant de l'Inde. Elle descendit de la barque. Déjà, ses gardes s'avançaient sur le quai de planches branlantes, demandaient Gorette, la demeure de Chevalier. Sarasvati se raidit dans ses voiles. Chandernagor n'était rien, mais il était trop tard désormais, pour faire le voyage à l'envers.

Dès le premier regard, elle sut qui était Chevalier, dont les lettres étaient si élégantes, et si répugnante la personne. Ce n'était pas qu'il fût sale, loin de là. Il était même trop apprêté, trop parfumé, trop soigné pour un firangui, et le vil marchand qu'il était en réalité. Indien ou Blanc, Sarasvati savait lire depuis longtemps sous l'écorce des corps ; et ce Chevalier, elle se serait bien allongée sur la planche à clous des guru pour en attester, n'était qu'un commerçant sans scrupules, un intrigant de la plus basse espèce. L'homme qui le suivait était d'une autre trempe. Plus jeune encore, très mince, il avait sans doute eu quelque beauté. Mais l'œil de Sarasvati ne s'y trompa guère : cet homme-là, s'il n'avait pas la bassesse de l'autre, respirait aussi le mensonge et le vice. Elle aurait pu fuir aussitôt, tant cet univers lui déplaisait ; un sentiment d'intense douleur l'avait prise dès qu'on avait ouvert devant ses gardes les portes de Gorette. Chevalier, arrivé en hâte, s'était perdu en salams :

« Oh ! madame, madame, vous qui parlez, dit-on, si bien notre langue... »

Elle ne desserra pas les dents. Elle croyait voir la mort. Chevalier dut pressentir sa déception, car il ajouta :

« Vous le savez, depuis notre défaite, nous ne sommes pas riches, c'est moi qui de mes deniers ai restauré le palais de Dupleix, son parc, mais, vous l'imaginez, c'est très difficile... »

En effet, songeait Sarasvati. Comment pouvait-on appeler parc une friche pareille, d'où émergeaient, de loin en loin, des marbres moussus, quelquefois renversés, et qui représentaient, suprême horreur, des femmes blanches, immobiles et nues : autant dire des fantômes.

Il la fit pénétrer dans la demeure. Tandis qu'elle montait les marches du perron, elle sentit le deuxième homme, le faux jeune aux cuisses minces, l'ancien beau plein de mensonges, qui la frôlait. Elle eut un mouvement très sec, enfonça dans son poignet, comme par étourderie, l'une des pierres aiguës qu'elle portait à sa main. Il faillit crier. Sous son voile, elle se mit à sourire. L'autre devait saigner ; c'était parfait : il se tiendrait désormais à distance.

Une heure durant, Chevalier lui montra, non sans satisfaction, les enfilades de salons de l'ancien palais de Dupleix. Ce n'étaient que murs de stuc blanc, trumeaux alambiqués, que l'on avait cru bon de sertir de miniatures mogholes. Sarasvati frémissait de rage. Ici, pour l'agrément des firanguis, les scènes de l'amour sacré ! Ici, des princes pareils à Bhawani, partant à la chasse et embrassant leur bien-aimée, des femmes demi-nues à la toilette, regardant dans le ciel les vols d'oiseaux *sara*... Non, ce n'était pas possible, son propre reflet, ou du moins celui de sa jeunesse, n'était pas aux mains de ces hommes pâles, qui ne comprenaient rien, qui souillaient tout. D'être à Gorette, elle se sentait impure, sale, effroyablement malheureuse. Si encore elle avait pu courir au Gange pour se laver de cet horrible contact... Mais il fallait tenir, au moins jusqu'au soir de la fête.

Elle se tassa soudain, se replia dans ses voiles, dont elle saisit un pan pour cacher son visage.

Chevalier la regarda, décontenancé, et ne sut plus que dire.

Elle s'arrêta enfin, désignant une petite pièce :

« Je resterai ici. Quand a lieu votre fête ?

— Dans deux jours, princesse. Vous verrez, ce sera fort beau.

— Où seront vos invités ? »

Il désigna une vaste pièce dans l'enfilade des salons :

« Là-bas.

— Si vous désirez que je reste jusqu'à ce jour, arrangez-vous pour que je voie, sans être vue. Je n'ai rien à faire en ces lieux. Je suis une princesse indienne.

— Mais, très honorée princesse, c'est ici une demeure à l'européenne, nous n'avons...

— Oui, j'ai vu. Vous n'avez pas de grillages, ni de moucharabieh. Mais je suis princesse Kshatrya et pas de ces bengalies que vous offrirez à vos misérables invités. J'aurai donc, dans deux jours, de quoi voir sans être vue, ou bien je ne serai plus des vôtres. »

Chevalier s'inclina, puis le faux jeune homme.

*
* *

Les deux jours qui suivirent, Sarasvati les passa dans la petite chambre, placide, fumant le narguilé toute la journée.

Malgré le mépris qu'il affichait pour la princesse moricaude, selon l'expression dont il usait désormais pour désigner Sarasvati, Chevalier n'avait pas osé passer outre son désir. Le soir de la fête, l'un des murs du grand salon avait été percé, puis fermé d'un grillage de bois de santal, à la manière commune des demeures indiennes. Sarasvati n'eut pas un mot de remerciement. A l'aide d'une petite lampe à huile elle inspecta les lieux avec soin. L'humidité du Gange, même en plein hiver, suintait de partout. Sur les stucs neufs des parois, elle remarqua de grandes auréoles grisâtres, ainsi que de légères mousses moisies, qui lui donnèrent un peu de courage : d'ici peu cette maison de malheur serait mangée de pourriture, puis avalée par le fleuve saint qui roulait au bas du parc. Chevalier s'éclipsa. On entendait des cris, des sabots de chevaux grattant le gravier de la route, des mots étrangers.

Voilà. C'était l'heure. D'ici peu ils seraient tous là, ceux qui s'étaient promis de voler l'Inde à elle-même, Français comme Anglais. Sarasvati se fit, sous ses voiles, encore plus petite, avide de connaître ces pays des Eaux Noires, dont, un été entier, Madec lui avait dit les étrangetés ; mais, en même temps, elle était écrasée par l'épouvantable souillure qu'elle s'apprêtait à commettre.

Chevalier paradait devant ses invités anglais, il désigna une table chargée de plats :

« Nous vous avons préparé les choses comme vous les aimez à Calcutta : soupe, volaille rôtie, riz et cari, pâté de mouton, agneau, pudding de riz, tartes, beurre frais, fromage, vin de Bordeaux, cognac, et bien sûr, de la liqueur de parfait-amour ! »

On s'assit autour d'une longue table. Sarasvati connaissait cet usage, dont il était abondamment parlé dans les livres venus des Eaux Noires, mais elle n'en avait pas encore mesuré toute l'absurdité. Pourquoi afin de se nourrir se hisser sur quatre morceaux de bois, alors qu'il était si simple de s'accroupir à terre ? Les instruments dont usaient les firanguis, couteaux et fourchettes, ne l'inquiétèrent pas c'était un détail. Ce qui la repoussait davantage, c'était, autour de la table, l'alternance régulière des hommes et des femmes : il n'y avait pas, comme elle l'avait pensé, un lieu séparé pour chaque sexe. Mais, pire encore, à force d'observer les convives, elle comprit que les jeux d'amour avaient commencé en même temps qu'on engloutissait de pleines bouchées de volaille et de viande rôties. Très vite d'ailleurs on abandonna la table, et l'on se mit à danser, au son d'une musique suraiguë, trop rapide, qui restait au ras des choses, sans chercher jamais l'au-delà de la danse, l'union magique de l'instant avec le divin.

Sarasvati n'en pouvait plus. Tout ceci était profane, scandaleusement profane. Les firanguis effleuraient toutes choses, sans jamais pouvoir s'élever. Des oisillons sans grâce, condamnés à ne jamais s'envoler. Du bruit en guise de musique, et pour la danse, un dessin à ras du sol, qui souillait la terre et les puissances divines cachées en son sein. Madec n'était pas ainsi. Il avait toujours paru familier des forces obscures qui gouvernent le monde, et pourtant présent, si intensément présent à l'univers. Son regard interrogea une à une toutes les figures qui s'agitaient derrière le grillage de bois. Les hommes blancs, plus blancs qu'à l'ordinaire, car leurs faux cheveux et leurs faces étaient alourdis de poudre, enlaçaient des dames d'âge divers, blafardes elles aussi, à l'exception de deux ou trois d'entre elles, où Sarasvati reconnut de très jeunes filles. L'une d'entre elles, surtout, qu'elle envia aussitôt. Si pâle, si rose, et des cheveux légers, bouclés, une vapeur dorée. C'était donc cela, la *blondeur*. Etrange femme en vérité, qui portait si peu de bijoux : pas un diamant au nez, à peine un bracelet, un rang de perles, et tout cela si fin, presque imperceptible. Elle devait être pauvre, ou mal dotée. Et puis cette robe, trop serrée sur le buste, trop large sur les hanches, et qui couvrait le ventre. Non, Madec ne pouvait pas venir de ce monde extravagant. Il n'avait jamais pu désirer ces femmes. Et d'ailleurs, n'avait-il pas épousé une frantci, une demi-indienne ? Déçue, furieuse de s'être souillée l'âme pour si peu de chose, Sarasvati allait se détourner du moucharabieh, quand la figure d'un homme mélancolique, isolé dans l'un des angles du salon, l'attira soudain. Il n'était qu'à peine poudré ; sa perruque était de travers ; et surtout, dans ses yeux presque gris, qui brillaient à la lumière des lustres de cristal, elle retrouva l'expression bizarre, qui, de temps à autre, traversait autrefois les yeux de Madec. Incontestablement, cet homme n'était pas de la fête. Il contemplait le spectacle de loin, comme détaché. Sa mise était des plus discrètes. Quelquefois, il avait un regard pour la jeune blonde, qui dansait depuis une heure au bras d'un firangui en costume somptueux. Elle se demanda s'il n'était pas jaloux. Puis elle chercha à deviner s'il était français ou anglais. Il portait l'air de la défaite : elle opta pour la France.

Sarasvati avait vu juste : cet homme solitaire était fort triste. Cependant elle s'était trompée sur un point, le plus important : l'homme qu'elle avait remarqué n'était autre que son pire ennemi, Warren Hastings, gouverneur général du Bengale, et ce n'était pas une défaite qui l'affectait si fort. Pour ce qui était de l'Inde, en effet, ses affaires allaient bien. L'administration du Bengale était épurée, les agents mis au pas, les Indiamen rapportaient en Angleterre des cargaisons de plus en plus somptueuses, sans qu'on pût jamais accuser le gouverneur de corruption. L'un de ses ennemis personnels, Clavering, membre du « triumvirat », venait de mourir. Or, marque suprême de l'empire que Warren Hastings possédait désormais sur les Indiens, ceux-ci y avaient vu l'effet d'un pouvoir extraordinaire, qu'ils n'avaient jamais reconnu à un Blanc. Ils le disaient en effet sorcier, capable de mener au trépas, par des moyens obscurs, la foule de ses ennemis. Il s'ensuivait que la ville indienne le respectait ; on observait même sur son passage des signes de vénération communément réservés aux plus célèbres des guru. Pour couronner sa réussite, il venait d'annoncer la mise en œuvre de son plus vieux projet, la création d'une académie chargée d'explorer le domaine inconnu de la culture indienne, et, pourquoi pas, dans les temps à venir, birmane, cinghalaise, chinoise même. On l'avait nommée, selon son vœu, l'*Asiatic Society*. Enfin, il venait d'apprendre que les tribunaux d'Allemagne avaient consenti à l'annulation du mariage Ihmoff, si bien qu'il pourrait d'ici peu épouser Marian, et offrir à la face du monde toutes les garanties de la respectabilité. Cependant, la veille au soir, quand il s'était agi d'évoquer la fête de Gorette — Goretty, comme disaient les Anglais, qui n'aimaient pas les sonorités françaises —, Marian avait annoncé au gouverneur qu'elle n'en serait pas.

« Comment, *my queen,* voici dix-huit mois, vous m'en suppliiez !

— Non. Je n'irai pas. »

Elle secouait la tête, se retournait comme pour bouder, vers sa coiffeuse, se mettait à brosser ses cheveux. Warren eut l'air soucieux :

« Vous n'allez pas bien, *my heart's treasure,* vous n'allez pas bien. L'Inde vous a fatiguée, je crois. Et pourtant, tous ces diamants que je vous donne, ces perles, le moindre de vos caprices passé, au péril de mon œuvre et de mon honneur... »

Marian posa sa brosse, se retourna :

« Il s'agit bien d'honneur ! »

Puis elle se perdit, comme elle le faisait depuis quelques semaines, dans une de ses interminables rêveries devant son miroir.

A vrai dire, une autre affaire tourmentait Warren. Il était parvenu à faire passer un de ses hommes au service de Francis, pour l'espionner. Une semaine plus tôt, l'espion avait forcé le secret du fameux journal, et lui en promettait une copie. Six jours maintenant que le gouverneur attendait, et rien n'était venu. Il imaginait le pire : que sa surveillance eût été découverte, que l'espion l'eût trahi, que Sir Francis lui tendît un piège. De surcroît, il n'avait accepté de se rendre à Gorette, qu'avec la certitude de connaître ces fameux renseignements, qui lui permettraient de comprendre la conduite de son rival, et, conséquemment, de mieux le perdre. Il avait mal dormi. Il doutait de sa chance. Il avait tort : le lendemain matin, la copie du journal était sur son bureau. Il la parcourut avec avidité, ne s'attachant qu'à ses derniers passages.

Il fut au début très satisfait. On y apprenait d'abord que Sir Francis s'était épris d'une très belle jeune Française de Chandernagor. Elle était mariée à un certain Grand, ami de Chevalier. « Peu importe, écrivait Francis, l'amour triomphe de tout. Cette nuit, le diable sera à Goretty. Je renonce à toutes les femmes de Calcutta pour la petite de seize ans. Je sais qu'elles vont pleurer, et spécialement la riche épouse du Tyran, mais qu'elle pleure, je m'en moque bien, elle se consolera avec ses diamants et ses perles ! » A la première lecture, Warren ne remarqua que l'injure : Tyran. Tyran, lui, Hastings, l'épurateur de la Compagnie des Indes, le chasseur de toute corruption. L'insulte l'avait blessé. Il relut cependant la copie. La maîtresse du tyran, écrivait Sir Francis, devait pleurer cette nuit. Les pensées les plus confuses agitèrent Hastings. Il essaya de les repousser. Le travail l'accablait tant qu'il y parvint jusqu'à la tombée de la nuit. C'était l'heure de se rendre à Chandernagor. Ce soir-là, il décida de ne pas paraître à la maison de Marian. Il mit un peu d'ordre dans sa mise, se résigna à demeurer terne, et appela son phaéton. Lorsqu'on eut dépassé Calcutta, il ne put se masquer davantage les révélations du journal de Francis. Oui, c'était clair, Marian avait été, ou brûlé d'être, la maîtresse du *Bel Anglais*. Elle l'avait aimé. Comment ? Combien de temps ? Une souffrance atroce s'empara de lui. Pour la première fois, il s'interrogeait sur Marian.

Pourquoi, jusqu'à maintenant, avoir évité les questions, sinon pour éviter de donner à cette femme une aura dangereuse ? Dangereuse, car si Warren avait été jaloux, il aurait fouillé dans son passé, il n'aurait plus pensé qu'à elle, il l'aurait, elle aussi, espionnée, il en aurait oublié la politique : en un mot, il l'aurait aimée. Aimer Marian. Ridicule, et si peu *romantic*, puisqu'elle n'était plus qu'une demi-vieille femme, ménagère avisée, *grasping*, et lectrice attentive de l'*English Gardiner* !

On était à une lieue de Chandernagor quand Warren réussit à s'imposer une héroïque résolution : il ne fallait pas chercher à savoir, mais pousser l'aventure jusqu'au bout. Il avait acheté Marian au sieur Ihmoff, fort bien, il l'épouserait, avec tout son passé, son impureté, sa corruption. Elle vient d'aimer pour la dernière fois, songeait le gouverneur. Elle est entrée dans l'ère de la résignation. Prenons-en acte. La femme de César ne doit pas être soupçonnée : elle ne le sera pas. Nous finirons peut-être, avec la vieillesse qui vient, par nous aimer vraiment.

Warren soupira longuement, presque soulagé, et se redressa sur le siège du phaéton. D'ailleurs ne tenait-il pas la plus belle vengeance qui soit contre un rival en amour, puisque ce soir même, Sir Francis venait aussi à Chandernagor, mais pour consommer sa propre perte ?

*
* *

La fête tirait à sa fin. A l'exception de l'homme triste, tout le monde avait bu, mangé et dansé. Le faux jeune homme, un moment, avait rôdé autour du firangui solitaire. L'autre lui avait jeté un regard étonné, puis il avait détourné la tête, comme un gamin pris en faute. Dans un coin de la pièce, la jeune blonde s'abandonna aux bras de son cavalier. Un autre firangui, rougeaud, soucieux, l'air fatigué, apparut soudain, proféra quelques mots, puis ressortit aussi vite qu'il était entré, avec une expression de fureur extrême.

Sarasvati commençait à s'ennuyer. Les plaisirs du pays par-delà les Eaux Noires l'avaient plus que déçue. Elle tentait de réfléchir. Les dieux, où étaient donc les dieux ? Elle songea encore à l'histoire de Parvati et de ses deux fils. Non, le bonheur n'est point dans la sagesse, pensa-t-elle, et ce n'est pas ma voie, malgré le nom que je porte. Je préfère le dieu de la guerre, qui parcourut trois fois l'orbe du ciel ! L'amour, par cette lointaine nuit de mousson au palais du lac, l'amour m'a fuie pour toujours.

Dans son dos, soudain, elle sentit une présence. L'homme très mince, l'horrible faux jeune homme à figure de traître, était entré à nouveau, et il levait un chandelier vers son visage dévoilé.

Dans sa stupeur, Sarasvati se mit à parler en hindi :

« Es-tu fou, misérable, de venir ici ! On va me voir, avec ta lampe ! » Il sourit, et lui répondit dans la même langue, sans le moindre accent :

« Viens donc ici, très honorée princesse. » Sans savoir pourquoi, elle le suivit dans la pièce voisine. Suprême horreur, elle empestait la viande rôtie. Elle eut une grimace de dégoût. Il l'attaqua de front :

« Je sais qui tu es. »

Sarasvati se mit à rire.
« Tu as toutes les impudences, firangui, à ce que je vois ! Pourquoi saurais-tu donc ce que tout le monde ignore ?
— Tu es la dame de Godh, n'est-ce pas ? »
Godh. Elle avait tressailli. Il avait le front de prononcer cette syllabe interdite, le nom de la ville maudite, qu'aucun Indien, plus de dix ans après la catastrophe, n'osait évoquer. Il avait dû pressentir son trouble, car il poursuivit, toujours en hindi :
« Tu peux beaucoup pour nous, princesse, pour la France. Tu aimes les Français, n'est-ce pas ? Pour te venger, il te suffirait de si peu. Regarde donc par la grille cet homme un peu voûté : c'est le gou... »
Elle n'y tint plus, l'interrompit brusquement :
« La dame de Godh est un fantôme, firangui. Nul ne sait qui elle est.
— Moi, je le sais.
— Toi, pauvre petit serpent !
— Très honorée princesse !
— Ne me flatte pas ! Tu es de ceux qui volent et se vendent. Va-t'en ! Vous autres firanguis n'êtes venus ici que pour nous souiller. Va-t'en ! »
L'autre ne trembla pas. Cependant, sa peau trop pâle se fendilla sous la poudre ; il eut un petit rictus nerveux :
« Je sais qui tu es, ce que tu fais... Kali...
— Ne prononce pas des mots que ta bouche salit, firangui ! »
Elle cracha le mot comme une injure. Il voulut s'éloigner, puis eut comme un regret, se retourna au seuil de la porte, et dit en guise d'adieu :
« Et le firangui Madec, qui sait que tu es ici, et qui a pris la route dès qu'il a appris que tu venais à Chandernagor, t'a-t-il salie, lui aussi ?
— Firangui ! » lança encore Sarasvati, et elle lui tourna le dos. Elle avait retrouvé son port de princesse, ce qui ne lui était pas arrivé depuis qu'elle était entrée à Gorette.

A travers l'enfilade des salons, elle appela ses gardes :

« Nous partons. Trouvez un chariot à bœufs, un palanquin, un éléphant, des chevaux, n'importe quoi, mais nous partons. Voici l'argent. »

Elle leur tendit des pièces d'or.

Elle les secouait. Ils se mirent à plier des balluchons, réunirent les quelques saris que Sarasvati avait emportés, ramassèrent les pots d'onguents et les fioles de parfum.

« Je serai là dans un instant. » Elle retourna vers le lieu de la fête. Une dernière fois, elle voulait ranimer sa haine, contempler ce qui, des années entières, la nourrirait dans la grande guerre qui allait commencer. Elle avançait lentement. La musique s'était tue. Derrière les petits croisillons, la pièce apparaissait. Elle s'approcha. Le bal était fini ; une autre danse commençait, qu'elle connaissait bien, et qui était, de loin, à peu près semblable à ce qu'elle en savait, malgré les peaux si blanches et les corps différents. La belle blonde fixait le plafond, le jupon ouvert sur des formes exquises. A ses pieds, son cavalier se répandait en baisers.

Sarasvati tremblait. Sa vue s'était soudain obscurcie. Madec... Fou qu'il était, d'avoir pris la route, quand les Anglais le recherchaient et que les chemins du Bengale étaient fermés à tous les étrangers. Mais elle ne pouvait plus rien pour lui. Ou il mourrait, maintenant, et de la main des firanguis à veste rouge, ceux-là mêmes qui s'ébattaient ici ; ou il vivrait, et, elle en était sûre, il rentrerait chez lui, dans ce monde impur, dont elle avait sous les yeux le reflet. Elle s'arracha au grillage de santal. Une lampe brûlait sur le sol, qu'elle n'avait pas remarquée. Elle se baissa pour la ramasser, l'éleva vers les couloirs qui la ramenaient à sa chambre. Elle vit alors qu'elle n'était pas seule. Un autre qu'elle avait épié la fête. Il se plaqua contre les croisillons, tournant soudain le dos à ce qui l'intéressait si fort une minute plus tôt. Un moment très long, ils se regardèrent sans comprendre. Sarasvati ne le quittait pas des yeux, s'attardant sur les cheveux blancs tout ébouriffés qui passaient la perruque, la bouche pleine qui tremblait, la grande ride qui se creusait sur le front. Il avait un air de coupable saisi en flagrant délit. Sarasvati faillit lancer une injure, comme à l'autre. Elle n'en fit rien ; sans un mot, elle replia sur elle ses grands voiles, puis, d'un seul coup, détacha son regard des yeux du firangui. Anglais, Français, gouverneur ou intrigant, quelle importance, puisque Chandernagor n'était rien, puisque Madec allait disparaître. Puisque tout était dit.

*
* *

Un quart d'heure durant, le gouverneur général du Bengale demeura dans la position assez ridicule où l'avait surpris la princesse. Il ne comprenait rien à l'irruption de cette Indienne qui l'avait si intensément regardé, puis s'était évanouie, l'abandonnant dans ce réduit qu'il avait découvert par le plus grand des hasards. Enfin il retrouva ses esprits et sortit sur-le-champ.

Tout le temps qui lui resta à vivre, et pendant les innombrables tempêtes qu'il traversa, il ne devait jamais oublier les yeux de cette femme. Jamais, fût-ce chez ses rivaux les plus acharnés, il n'avait lu tant de haine, et jamais non plus il n'avait imaginé que la haine pût être si belle.

CHAPITRE XXXII

Janvier 1777

Caravansérail
sur le chemin de Bénarès

Quinzaine claire du mois de Magha
An 4877 de l'ère de Kaliyuga

Le grand jour d'hiver, jaune et clair, tombait par l'ogive de la fenêtre. Derrière les croisillons, Madec vit passer lentement la silhouette d'un paon. La surface où il se déplaçait n'était pas grande, juste un rebord de pierre peint en blanc, mais la bête, avec la solennité du pas propre à son espèce, le parcourait de bout en bout, méticuleusement, puis se retournait, avec, parfois, un léger roucoulement. Madec ne pouvait en détacher les yeux ; il avait la tête lourde, effroyablement lourde, et un mauvais goût dans la bouche qui lui rappelait un souvenir lointain. Il y eut tout à coup un grand froissement d'ailes, et l'oiseau, fatigué sans doute de ses monotones allées et venues, sauta de la fenêtre. Madec fut parcouru d'un frisson. Il fit un effort, tâcha, malgré sa migraine, de distinguer ce qui l'environnait. Il ne comprit pas où il était. Ce n'était ni son palais, ni sa tente de guerre, mais une pièce nue, des murs blancs, cette ogive grillagée, et, sur la terre battue, le charpoï grossier où il était étendu. Brusquement, la mémoire lui revint. Le caravansérail. Sa course éperdue vers Chandernagor, deux chevaux afghans de la meilleure race crevés sous son fouet...

Le petit garde qui l'accompagnait avait alors crié : « Madecji, il faut nous arrêter, plus loin on ne nous vendra pas de chevaux, rejoignons la route qui mène à Bénarès ; il y a là-bas un grand caravansérail, nous y trouverons bien des bêtes à acheter ! » C'était judicieux. Depuis son départ, trois jours à peine, Madec avait évité les grands chemins ; mais à présent il n'avait plus le choix. Or l'endroit que lui proposait l'Indien était bien choisi. Sur cette route, en effet, passage obligé d'est en ouest, convoyaient toutes sortes de marchands, et il eût été bien étonnant qu'il n'y découvrît personne qui, malgré les temps de famine et de guerre, ne pût lui vendre deux animaux.

Ils arrivèrent en pleine nuit. Sous les voûtes qui bordaient un petit jardin brûlaient des lampes à l'odeur rance. Il faisait froid. La cour de l'hostellerie était presque vide. Soudain, Madec se sentit très las. Il reconnut les signes avant-coureurs d'un étourdissement. Cela lui arrivait de plus en plus souvent depuis sa défaite de Delhi. Il ne demanda pas des bêtes, mais un charpoï. Son petit compagnon, toujours vaillant, se mit à sourire :

« Il faut te reposer, Madecji... » Madec fouilla à nouveau sa mémoire. Le paon était revenu sur la fenêtre. Cette seule phrase lui revenait : « Il faut te reposer, Madecji... » Il se revit, chancelant devant le charpoï. Et l'Indien, il s'en souvenait maintenant, lui avait tendu une grande coupe : « Madecji, tu n'es pas bien... Repose-toi... Bois. » Il avait bu.

« C'est bon, l'arak ! » répétait le jeune garde. Il aurait voulu répondre que ce n'était pas de l'arak, que le goût du sucre en cachait un autre, amer, le goût de sa dernière nuit au palais du lac, mais plus fort, plus amer encore. Sa tête s'était brusquement alourdie, et les mots n'avaient pas passé ses lèvres. Il s'était endormi. Comme à Godh, la nuit de la catastrophe. On l'avait drogué. C'était le petit. Et d'ailleurs, où était-il, le petit ? Il inspecta la chambre. Peu à peu, le brouillard s'estompait devant ses yeux. Il était parti, bien sûr. Il s'était sauvé pour porter la bonne nouvelle à ceux qui l'avaient payé pour son forfait, Dieu et Visage, évidemment, Visage, surtout, qui avait pris un air si mauvais à l'annonce de son départ : « Reste ici, Madec, ne va pas courir après cette femme, elle est folle ! Reste ici, Sombre t'a menti, il t'a fait dire qu'elle était partie pour mieux te perdre, il te jalouse depuis des années, le Bengale est rempli d'Anglais, ta tête y est mise à prix, imagine que la princesse et lui soient complices, qu'ils ne cherchent que l'argent de ta vie, cette femme est diabolique, et Sombre, qui va mourir, veut s'offrir la joie de te savoir mort avant lui...

— Je vais la chercher, répétait Madec. Elle n'ira pas à Chandernagor ! Je la remettrai dans le droit chemin !

— Mais tu ne pourras rien contre cette femme ! Et ton parti, tes soldats que tu n'as pu payer cette année, les officiers qui se disputent...

— Il s'agit bien du parti ! »

Visage, il s'en souvenait bien maintenant, avait eu un rictus furieux, avec un petit regard qui signifiait va-t'en toujours, tu verras ! Il avait dû courir à ses coffres d'apothicaire, pleins d'herbes indiennes et de potions bizarres, ramasser dix pièces d'or, les agiter sous le nez du garde.

Madec peinait encore à réfléchir. Combien de temps avait-il dormi ? Dix, douze heures ? Et depuis quand Sarasvati avait-elle pris la route ? Trois semaines, d'après le message de Sombre, et, avait-il ajouté, elle voyageait en chariots à bœufs. A cheval, Madec aurait pu la rattraper, à condition d'aller vite, de ne jamais désemparer... Il était furieux. Depuis longtemps la princesse devait être à Chandernagor. Ainsi donc Visage avait gagné, qui lui avait prédit qu'il ne pourrait jamais lui barrer la route. Et pour cause... Au prix d'un énorme effort, Madec se leva, gagna la cour du caravansérail. Des femmes accroupies préparaient les légumes d'un cari, deux chameaux tout pelés se serraient l'un contre l'autre. Enfin, sous une galerie, un homme très gros, d'une corpulence rare par ces temps de disette, fumait son narguilé en regardant le ciel. C'était, à n'en pas douter, le maître du caravansérail. Madec se planta devant lui, arracha le tuyau de son narguilé. L'autre eut un air ironique :

« Tu as dormi si longtemps, seigneur... Nous avons craint pour ta vie !

— Ma vie.... balbutia Madec, encore engourdi.

— Oui, nous avons fait venir un homme de l'ayurveda, mais il nous a affirmé que tu avais bu trop de liqueur d'opium... Il ne faut pas abuser de ces choses-là.

— Et mon garde ? »

L'autre se mit à rire :

« Il est parti, seigneur ! Il t'a vraiment cru mort ! Il est parti chercher fortune ailleurs. » Madec, peu à peu, retrouvait ses esprits. Il s'éloigna dans une galerie, tâta l'ourlet de sa robe, où il avait caché quelques pierres et pièces d'or, afin de monnayer son expédition. Elles étaient là. On ne l'avait pas volé. C'était donc bien Visage qui avait tout manigancé. Il revint dans la cour, héla le maître :

« Et j'ai dormi combien de temps ? »

L'autre parti d'un grand rire :

« Mais trois jours, seigneur, trois jours pleins ! Trois jours sur ton charpoï... plus raide qu'un cadavre !

— Non, pas trois jours, c'est impossible.

— Si. Mais rassure-toi, seigneur, tu n'es pas le premier firangui qui se laisse prendre. »

Madec repoussa brutalement l'appareil du narguilé :

« Un cheval. Je veux un cheval. Tout de suite ! »

Le maître du caravansérail consentit à se lever :

« Es-tu fou ? Mais enfin, seigneur, regarde cette hostellerie ! Ne vois-tu pas que la guerre l'a vidée ? Ici, c'est la meilleure place entre Bénarès et Delhi, et c'est l'hiver, la meilleure saison pour le voyage... Il n'y a personne ! Les marchands se cachent, seigneur firangui, ils se terrent ! »

Madec le saisit par le revers de la robe, dégaina son petit poignard à deux lames :

« Trouve-moi un cheval, ou un éléphant... »

L'autre ne se laissa pas intimider :

« Tu peux me tuer, seigneur, si tu veux. Cela ne change rien à l'affaire. Tu ne passeras pas Bénarès. Les Anglais interdisent tout passage aux autres firanguis. Ils sèment la terreur. Et c'est bien pourquoi personne ne veut plus voyager. Pas même les sadhu ! »

Madec hésita un instant. Il était rare qu'en Inde on cédât quelque chose de précieux sans contraindre l'autre à utiliser la menace, c'était un rituel en quelque sorte, et Madec aurait failli à l'image qu'il voulait donner de lui-même s'il n'avait pas sorti son poignard. Mais si, sous la menace, ce gros maquignon suiffeux affirmait qu'il n'y avait plus une bête à vendre, cela devait être vrai. Car cet homme-là, c'était clair, tenait à la vic. Madec relâcha son étreinte, observa la plaine rouge, derrière le porche du caravansérail. Il la contempla un long instant. L'aubergiste ne tremblait pas. Soudain, Madec leva à nouveau le poignard sur lui :

« Et ceci, chacal, ceci, qu'est-ce d'autre qu'un voyageur venu de l'est ? »

Il le poussa vers le porche, où s'élevait déjà un nuage de poussière. Un éléphant gris, surmonté d'un gracieux palanquin, fit son entrée dans la cour. Le cornac, un petit Bengali, sauta à terre, tendit à son passager une sorte d'échelle portative. Une femme très droite déploya ses voiles, descendit l'échelle et se dirigea vers les galeries ogivées. Une fine mousseline bleue cachait son visage. Deux gardes fatigués suivaient sur un chameau. Madec lâcha l'aubergiste, qui lui cria :

« Eh bien, seigneur firangui, essaie toujours avec ceux-là ! »

Madec s'était précipité. Il saisit le poignet de la femme, souleva son voile. Le port de tête inimitable ne l'avait pas trompé : c'était Sarasvati.

Bien des fois — c'était généralement dans le repos un peu triste qui suivait ses ébats avec Mumtaz, ou, tout à l'inverse, dans la furie des combats —, Madec avait pensé, rêvé, souhaité de tout son être retrouver Sarasvati. Jamais cependant il n'avait imaginé que ce fût ainsi, dans la cour lépreuse d'un caravansérail, au milieu des odeurs de cuisine et de bêtes lasses. Dans ses rêveries, il s'était vu assis sur un trône d'or et d'argent, quelquefois de pur diamant. Elle venait à lui, soumise, pleureuse, suppliante. Ou bien il la sauvait d'une ville en flammes, il l'arrachait à la bouche d'un canon, il la volait à un ogre qui l'emprisonnait — sous ce dernier costume, sans doute, il dissimulait Sombre. Dans tous les cas, la dame de Godh était à ses genoux, éperdument reconnaissante, et du palais de Madec sortaient des messagers par dizaines, pour annoncer à l'Inde entière la surprenante nouvelle. Depuis leur séparation, c'étaient d'ailleurs ces rêves qui l'avaient fait avancer, battre les plaines de l'Inde par les pires chaleurs, oublier la poussière, les blessures, les défaites, les humiliations, continuer à marcher, vers des gloires de plus en plus chimériques. Et même aussi, il se l'avouait à présent, toutes les lettres qu'il avait envoyées en France, ses mémoires, ses rapports, son Grand Projet, cette folie d'écriture qui l'avait pris depuis le désastre de Fatehpur, tout cela peut-être, un rêve fou, l'avait guidé : Sarasvati éblouie, ployant la tête devant lui, Sarasvati subjuguée, réduite, admirative, Sarasvati, enfin, *possédée.* Or, présentement, voilà qu'elle lui faisait face, aussi droite qu'avant, point du tout soumise, mais si proche, si intensément présente, humaine, presque sœur. Elle ne portait pas de bijoux, à l'exception de ses bracelets d'argent et d'un diadème d'or posé sur son tilak. Son sari était sali par des heures de voyage, mais elle demeurait princière, comme toujours : rien en elle n'attestait qu'elle fût plus fragile qu'autrefois.

« Madecji », dit-elle simplement.

Sa voix n'avait pas changé. Ce fut lui qui se prosterna.

« Madecji, répéta Sarasvati, relève-toi, viens... »

Il la suivit. Un seul mot avait suffi, et il avait su que Chandernagor, quoi qu'elle y eût vu, ne l'avait pas touchée. Elle était là, toute semblable à ce qu'il avait connu d'elle, souveraine, infrangible, mais si douce pour lui, pour lui seul : le paradis. Comme aux jours du palais du lac, tout s'effaça autour d'eux. Rien n'avait plus d'existence, ni l'aubergiste goguenard qui avait repris son narguilé, ni la plaine rouge à l'horizon, ni les souvenirs de mort et de guerre.

Maya, maya, se dit plusieurs fois Madec, comme pour conjurer un danger. *Maya,* déesse de l'illusion. Et tout était vrai, pourtant, Sarasvati qui se baissait vers une bassine de cuivre, y lavait son visage un peu las, agitait ses bracelets, se penchait vers un miroir. Comment elle réussit à trouver, dans ce caravansérail, crasseux, un endroit qui fût un peu propre, un tapis acceptable, de l'encens, quelques fleurs à effeuiller, comment ils se retrouvèrent dans la chambre aux murs nus, il n'en garda pas le moindre souvenir, pas plus que des mots qu'ils échangèrent ; et d'ailleurs, se parlèrent-ils vraiment, autrement que pour dire, viens ici, donne-moi ta main, viens, viens... Il retrouva sans peine leur lenteur d'autrefois, les chuchotements, les gestes sacrés. Cela venait tout seul, tranquillement. Il ne chercha pas à penser, certain qu'il n'y avait rien à comprendre à cette ironie dernière du hasard et des routes.

Car, ainsi que Sarasvati, Madec savait qu'ils vivaient là leur ultime rencontre. Ils se devinèrent. Midi venait. Le paon, unique décoration de cet endroit désolé, se mit à nouveau à arpenter le rebord des ogives. La lumière sur son plumage avait changé. Elle était plus douce, plus bleue. Alors, sur le vieux tapis du caravansérail, Madec et Sarasvati entreprirent ensemble de réussir leur fin. Il n'y avait pas de musique. Pas de servantes non plus pour déplacer les coussins, approcher le tuyau du narguilé, réveiller leurs ardeurs de leurs yeux aux aguets. Ils ne s'en aperçurent même pas.

Lui, il savait mieux l'amour ; elle, elle avait un peu oublié ; néanmoins, sout, phra, phat, phut, ils accomplirent parfaitement le tour des choses : petits baisers, jolies morsures, griffe du tigre, patte de paon, nuage brisé, corail et joyau... Au fur et à mesure que les figures lui en commandaient l'exploration, Sarasvati découvrit le corps de son amant plus épais, et surtout marqué de cicatrices fraîches. Quant à Madec, il trouva en elle des coussinets et des replis qui autrefois n'y étaient point. Ils s'en moquèrent. La joie les portait, et non les règles d'amour. C'est elle qui leur commanda sur le tapis usé tel dessin, plutôt que tel autre. Il leur suffisait d'échanger un regard pour savoir, sans un mot, que faire de leur corps. Enfin le jour déclina, et tout était fini. Sarasvati comprit que son amant était terriblement las, peut-être malade ; épuisé, en tout cas. Une petite lampe brûlait à la porte, qu'elle s'en alla chercher. Elle l'éleva jusqu'au visage de Madec. Ses cheveux blanchis s'étaient raréfiés et dégageaient son front. Son regard en paraissait plus intense, plus clair encore que dans le souvenir qu'elle en avait gardé. Il était malade, elle avait vu juste. Alors elle choisit de poser la question qui, à jamais, fermerait leur histoire :

« Tu vas t'en retourner par-delà les Eaux Noires ? »

C'était à peine une question ; une sorte d'affirmation tranquille, tout juste nuancée d'un doute poli.

« Oui. »

Voilà, c'était dit, et sans un tremblement.

« Oui.... murmura-t-elle en écho, rassemblant dans ses mains ses cheveux défaits par l'amour.

— Et toi, tu vas mener la guerre, n'est-ce pas ? » reprit Madec.

Elle avait déjà roulé son chignon. Elle se drapait dans la soie d'un sari rouge, ainsi qu'au soir de Godh, quand elle lui était apparue sur les cendres du champ funéraire. Plus austère, cependant, toute raidie de l'intérieur, grave, un peu tragique. Il voulut saisir ses mains, y contempler encore ses dessins au henné, lui parler, la consoler peut-être. Elle le devança, posa ses doigts sur sa bouche :

« Dharma, Madecji. »

Comment lui dire l'impossible, qu'elle continuait à l'aimer, qu'elle aurait voulu prendre dans sa main toute l'eau de ses yeux et l'y garder, comme les diamants des joailliers de Godh ? Et puis, fallait-il parler ? Ne s'étaient-ils pas tout dit, quelques instants plus tôt ? Tous les combats, les désespoirs, les meurtrissures ? Malgré le monde étrange d'où venait Madec, malgré le temps, son amour n'avait pas déteint, il n'était pas de mauvaise couleur, comme disait le proverbe hindi. Seulement Kali, qui commandait tout, allait les séparer, les emporter vers d'autres cieux, d'autres vies. Il fallait se soumettre. Elle, elle pourrait. Mais lui, qui venait de ce pays maudit d'hommes arrogants, le saurait-il jamais ? Lui, Madec, l'orgueilleux, le rêveur, le chasseur de choses qui n'existent pas... Elle voulut le rassurer.

« L'amour est un passeur, Madecji, et nous traverserons l'insondable océan des âges... Dharma. »

Il eut un air étonné, pâlit un peu, puis il sourit :

« Dharma. »

Ils s'endormirent. Pour une fois, ce fut lui qui s'éveilla le premier. Il était parti depuis deux heures, raconta le maître du caravansérail, quand Sarasvati, cachant les morsures de l'amour sous de longues écharpes, reprit la route de Sirdannah.

CHAPITRE XXXIII

Avril 1777-janvier 1778

Retour à Pondichéry

Rentré dans ses Etats, Madec y découvrit le plus complet désordre. Les Européens de son parti s'étaient mis à se quereller. L'abus des femmes et de l'arak, joint aux rigueurs du climat, les avait excités plus que de mesure ; il avait suffi que Madec s'éloignât pour que tout partît à vau-l'eau. On avait tué des cipayes, étranglé des concubines, noyé, par une nuit d'ivresse, plus de dix canons dans la rivière Yamouna. Or l'année avait été des plus mauvaises, après une mousson presque inexistante. Les impôts n'étaient pas rentrés, les soldats n'avaient pas reçu leur solde, la révolte grondait. L'arrivée de Madec les apaisa un peu. Il n'osa pas leur annoncer sa décision. Trois semaines encore, il feignit d'attendre un courrier de Chandernagor, il leur parla du Grand Projet, qu'une seule lettre de Versailles, prétendait-il, pouvait faire renaître. Cependant, il avait commencé, en secret, à négocier tous ses biens. Il ne se hâtait pas ; rien ne pressait, il fallait en tirer le plus d'argent possible, marchander lentement, doucement, à l'indienne.

Nagef-Khan le contraignit à aller vite. Sentant que les forces de Madec s'étaient affaiblies, il se présenta à la frontière de ses Etats, le sommant de s'en aller dans le mois qui suivait, faute de quoi il l'envahirait. A la surprise générale, Madec ne lui répondit pas. Il acheva en trois jours la vente de ses biens, annonça à ses soldats qu'il se retirait de la guerre. Comme il craignait les périls d'un trop long voyage, il se résigna à vendre le diamant de Godh. La somme énorme qu'il en retira fut confiée à un banquier de ses amis, à charge pour lui de l'ajouter à la dot des trois filles nées de Mumtaz et de les marier au plus vite. Le banquier fit du zèle ; il était musulman. Un mois plus tard, il les avait adjointes à son harem et empocha la dot. Madec n'en sut rien. Il était déjà parti, après avoir froidement annoncé à ses soldats qu'il se retirait de la guerre et qu'il quittait l'Inde. Dieu et Visage, à qui il remettait son parti, parurent stupéfaits ; néanmoins, ils acceptèrent l'offre de leur ami, et ils se séparèrent sans une larme, au début d'avril 1777. Tel fut leur détachement qu'ils parurent certains de se retrouver un jour ; on eût dit qu'ils partageaient un secret, une étrange complicité.

Madec avait envoyé dans le Dekkan une forte troupe armée de canons, qui devait lui ouvrir le passage et lui servir d'escorte. Il n'était pas disposé à attendre, comme cinq ans plus tôt, le bon vouloir de Pondichéry, ni à renouveler l'épisode de Narvar. Vers le 15 avril, un message arriva enfin : l'escorte gardait solidement les routes, la voie était libre. Les brigands étaient maintenus à bonne distance, il franchirait le Dekkan sans encombre.

Alors qu'il mettait en marche, un second message lui parvint. Il provenait de Chandernagor. C'était une lettre de Chevalier : « Monsieur Madec, reprenez donc votre Grand Projet, j'ai tout lieu de croire que le roi de France vous en bénira... »

Madec froissa la lettre. Le Moghol, trop longtemps déçu, ne l'écouterait pas. Et de toute manière, quand bien même il lui serait favorable, il y avait, entre l'empereur et lui-même, ce Nagef-Khan qui voulait sa perte.

Dharma, songea donc Madec, et il se mit en marche.

Il y eut huit mois de voyage, huit longs mois pendant lesquels il s'efforça de rester près de Marie-Anne, afin de ne pas trop regarder les jungles autour de lui, la route du Dekkan qu'il parcourait à l'envers, chaque lieue qui le séparait de Sarasvati, aussi sûrement qu'autrefois elles l'en avaient rapproché. La bégum, son épouse, ne percevait pas bien ce qui se passait ; elle ne cessait de surveiller les bêtes qui transportaient ses saris et ses bijoux, puis, l'air absent, elle se mettait à marmonner des prières ou questionnait des hommes d'escorte sur le pays de France, qu'à l'égal des hindous elle paraissait redouter. Le soir venu, on faisait halte. Madec quittait ses hommes pour retrouver Marie-Anne, qui sautait de joie à son approche et lui réclamait des contes. Il s'exécutait aussitôt, mêlant à ses récits des brides des légendes entendues à Godh, ou des morceaux de sa propre histoire habilement transposés. Seule, dans un recoin de tente, la bégum semblait tout comprendre, et on la voyait parfois hocher la tête, les yeux hésitant entre l'émerveillement et les larmes. Quand le conte était fini, Madec posait Marie-Anne à terre :

« Maya, ma fille, tout cela n'est qu'un conte, illusion et faribole, qui pourra démêler le vrai du faux, si ce n'est la reine Maya, souveraine des chimères !

— C'est moi, la reine Maya, répondait Marie-Anne avec assurance, et je veux encore une histoire ! »

Et c'est ainsi que de légende en légende, de veillée en veillée, de montagne en montagne, Madec sortit peu à peu de l'Inde, où il s'était enfermé si longtemps. On était au début de février 1778 quand il se présenta aux portes de Pondichéry, sain et sauf avec femme et enfants, et encore richissime.

Quelques semaines plus tard, l'envoyé extraordinaire du roi de France auprès du Moghol, M. de Montigny, arrivait à Delhi, chargé de mettre en œuvre le Grand Projet. Reçu par l'empereur, il ne put que déplorer avec lui le départ de Madec. Ils décidèrent de le supplier de rentrer. Montigny rédigea une lettre : «... Monsieur, je ne puis que vous témoigner les regrets de votre prompte retraite à Pondichéry, en un temps où vous touchiez à la veille d'éprouver les bontés du ministre et les grâces du roi... Je crois qu'il n'y a que votre retour qui puisse faire revivre tout ce que vous aviez à vous promettre, concernant votre avancement militaire. » La lettre ne parvint jamais à Madec. La guerre entre Français et Anglais avait repris dans l'Inde ; et le messager de M. de Montigny eut la tête tranchée en chemin. Du reste, Madec eût-il reçu cette missive que cela n'eût rien changé à sa résolution : les gens de Pondichéry l'avaient déjà fait capitaine, ainsi qu'il le souhaitait depuis des années.

Seule blessure à sa vanité, Madec ne commandait que seize dragons, et Pondichéry, à nouveau, était assiégée.

Il avait suffi en effet qu'il rentrât dans la ville pour que l'air recommençât à sentir la poudre. Il avait connu deux mois de répit, pendant lesquels on l'avait fêté. Il put constater que son renom était extrême et sa gloire à son comble. Il s'y montra plutôt indifférent ; il voyait bien que tous ses admirateurs n'avaient guère dépassé les limites de Pondichéry et que son titre de nabab leur tournait la tête. L'Inde, ici encore, travaillait les imaginations. De plus, on le disait riche, comme en effet il ne craignait pas la dépense, tout le monde fut bientôt à ses pieds, et le brevet de capitaine vint avec la plus grande facilité. En réalité, il ne dépensait pas plus qu'avant. Il se trouvait même économe. Il vivait à l'indienne, avec munificence, au milieu d'aventuriers poudrés que la vue d'un cobra effrayait et qui n'osaient pas franchir la première jungle. Cette admiration le lassa très vite. Il n'attendait qu'une voile pour retrouver la Bretagne magique qu'il promettait à sa fille, comme autrefois les marins de Quimper, au bord des quais moussus, lui avaient promis les merveilles de l'Inde. La saison des vents favorables approchait quand on annonça la chute de Chandernagor. La guerre d'indépendance américaine avait rallumé la vieille haine des Anglais, qui entendaient bien faire passer sur les comptoirs de l'Inde l'immense dépit souffert dans leurs colonies de l'Ouest.

La fête était finie. Madec eut à peine le temps de rassembler ses souvenirs, de superposer à la nouvelle

Pondichéry, sans remparts ni Porte Marine, les images qu'il avait gardées d'autrefois, la maison de la Carvalho, le palais du gouvernement, le port et ses bordels, et il fallut reprendre la guerre. On était assiégé. Il cacha la bégum et ses enfants dans un couvent, enterra son magot, et, comme il l'avait toujours fait, il repartit se battre. Embuscades, canonnades, tranchées, terrassements. Cela dura quatre mois, de juillet à octobre.

A l'horizon, c'était la guerre navale ; pas plus que vingt ans auparavant, il ne fallait compter sur l'héroïsme des officiers français. A la première bataille, l'amiral décréta qu'il ne pouvait rien pour Pondichéry, et s'en fut au premier vent vers l'île de France, où, lui assurait-on, vivaient les plus jolies créoles qui se trouvassent par le monde. Des deux mille hommes, Blancs et Noirs, qu'on était au début du siège, les Français se retrouvèrent très vite à huit cents. Les Anglais étaient dix mille ; à leur tête, les mêmes chefs qu'à Buxar, quand le Bengale était tombé aux mains des Anglais.

De juillet à octobre, on se battit donc. On prit Madec pour un héros, parce qu'il sautait de tranchée en tranchée, enclouait ou volait des canons anglais, trucidait du Saxon à grands coups de sabre, comme il l'aurait fait du Djatte ou du Rohilla, s'aventurait là où jamais personne n'aurait osé avancer l'orteil de son esclave. Selon le jour, on souriait de lui. Son côté mi-indien, mi-breton, ses jurons alternativement celtes et hindi lui donnaient une allure joliment exotique que goûtaient fort les nobles français amateurs de curiosité ; mais le lendemain, quand il tentait de prendre une tranchée à une lieue des Limites, les mêmes criaient au fou. Madec partait cependant et revenait vainqueur. Plus personne alors ne savait s'il fallait railler, ou redouter les exploits du nabab, ainsi que tous désormais l'appelaient. Parmi ces officiers, il n'y avait guère qu'un certain Barras, jeune homme courageux quoique porté à l'excès sur les dames, pour lui témoigner une chaleureuse sympathie. Pendant les accalmies, entre deux récits de son naufrage aux Maldives, où il avait étudié sur le terrain la galanterie des femmes indigènes, Barras ne cessait d'assurer Madec de son entière admiration, ajoutant même qu'un jour l'audace et la fougue, toutes semblables à la sienne, redonneraient vie à l'Europe moribonde, et que le premier qui saurait renoncer à la bonne vieille guerre, en menant le combat à sa manière, s'assurerait du même coup la domination du monde. Madec ne l'écoutait qu'à demi ; ces vues sur l'avenir lui paraissaient fort étrangères. Il ne désirait plus rien qu'un bateau pour rentrer en France. En conséquence, il fallait donc sauver Pondichéry, ou du moins assurer la capitulation dans des conditions honorables.

On était en octobre ; les pluies n'allaient pas tarder. Dans Pondichéry ne demeuraient plus que quatre cents soldats. A l'horizon, pas le moindre espoir de secours par la mer. Les Anglais avaient perdu six mille hommes, mais des renforts affluaient par toute l'Inde. Brusquement, dans le comptoir, tout le monde fut las de l'héroïsme : pourquoi s'obstiner plus longtemps à défendre cinq cents maisons au long d'une plage grise, cinq cents maisons construites pour mieux se faire détruire, comme l'avaient été inéluctablement celles qui les avaient précédées ? Rien ici ne réveillerait jamais le sentiment de la grandeur ; toute splendeur avait été révolue depuis le dernier siège, et le Comptoir des plaisirs ne renaîtrait jamais. Il fallait s'y résoudre : c'était une ville absurde. Seule pouvait survivre la Ville Noire, la ville indienne. A chaque siège, les marchands l'avaient relevée de ses cendres. Cette fois encore, elle ressusciterait. Car une pensée plus désespérante encore que l'imminence de la victoire anglaise s'imposait : l'Inde, un jour, dévorerait Pondichéry, comme elle avalait déjà les vieux comptoirs portugais, comme elle absorbait ce qui restait des établissements danois. Et comme peut-être, en fin de compte, un jour lointain, elle engloutirait l'Angleterre.

Cette dernière réflexion n'appartint qu'à Madec. Il eût sans doute été furieux d'apprendre qu'il la partageait avec Warren Hastings et que le gouverneur, tout en menant ce siège de son lointain bureau de Calcutta, se persuadait lui aussi de la vanité des entreprises européennes aux Indes, quand du moins il consentait à les jauger à l'aune de l'éternité. Pour l'instant cependant, il fallait continuer à vivre ; et la vie exigeait, tant pour les Anglais que pour les Français, que Pondichéry se rendît.

Le 18 octobre 1778, on capitula donc. Les deux jours précédents s'étaient passés en pourparlers entre les deux camps, où Madec, fait remarquable, fut l'objet d'une clause spéciale. Un moment, les Anglais avaient parlé de lui laisser la liberté contre versement de sa fortune, sur laquelle ils paraissaient fort renseignés. Les Français ne l'entendirent pas ainsi. Sachant qu'en grande part ils devaient d'être saufs aux exploits du nabab, ils exigèrent qu'on le laissât en paix, attendu qu'il n'avait présentement d'autre désir que de se retirer en France. A ces mots, les Anglais parurent extrêmement soulagés. Après quelques conciliabules où ils pesèrent avec lenteur, selon leur coutume, les avantages et les inconvénients de la chose — le nom du gouverneur du Bengale, qui semblait les terrifier, revint très souvent dans leurs phrases —, ils accordèrent un sauf-conduit au capitaine Madec, et le 18 octobre, les troupes françaises, comprenant quatre cent quatre-vingt-treize hommes, sortirent en grande pompe par la porte de Villenour, celle-là même où, dix-sept ans plus tôt, Madec avait rencontré Jeanne Carvalho, qui tenait la fillette étranglée et hurlait le nom de Sombre. Vingt mille Anglais leur présentèrent les armes. Une fois terminé le défilé français, les Britanniques ne bougèrent pas, attendirent le reste des troupes. Ils étaient persuadés n'en avoir vu que l'avant-garde. On les détrompa : c'était là toute l'armée française. Ils ne voulurent rien en croire et firent fouiller la ville. Ils n'y découvrirent personne, sinon quelques putains faméliques, des capucins fatigués de dire des prières et une vingtaine de bourgeois qui n'aspiraient qu'à décamper. C'était la troisième mort du Comptoir des plaisirs.

A la mi-décembre de la même année, une voile française se présenta enfin pour ramener dans la patrie tous ceux qui le voulaient. Le vaisseau se nommait le *Brisson*. L'un des premiers, Madec en franchit la passerelle. Il emportait huit caisses, que les Anglais, par une dernière attention, exemptèrent du droit de visite. Autour de lui se pressaient une foule de réfugiés, tout en pleurs et désespérés, qui ne pouvaient arracher leur regard du peu qui restait de Pondichéry.

Une fois sur le pont, Madec, quant à lui, ne se retourna pas. Il partit tout droit s'enfermer dans sa cabine et, serrant Marie-Anne contre lui, il commença un conte.

EPILOGUE

Europe,
1778-1784

Dès son retour en France, Madec fut reçu à Versailles, anobli, fêté dans tout Quimper. Il y acheta de nombreux domaines, vendit ses derniers diamants pour la construction d'une maison de campagne, fréquenta la meilleure société, engendra une deuxième fille. Le peuple l'aimait, l'appelait le nabab et, sur ses aventures, composait des chansons. De temps à autre lui parvenaient des messages de l'Inde, qu'il hésitait à ouvrir tant les nouvelles étaient mauvaises ; l'un des derniers fut signé de Visage, qui lui annonça qu'il se faisait corsaire, avec cette seule explication : « Dieu est mort. Le parti est foutu. »

La santé de Madec déclina rapidement. Dès l'année 1783, il ne sortit plus guère, hormis pour de longues promenades à cheval dans le pays bigouden, dont il aimait le grand vent de mer. Au tout début du printemps 1784, il partit pour une de ces chevauchées sur les grèves de la presqu'île et on ne le vit pas revenir. On ne s'étonna guère : c'était le temps qui précédait l'équinoxe. Comme aux plus douces saisons de l'Inde, l'air était tiède, le soleil éclatait. La lande avait fleuri de partout, d'un jaune qui déchirait les yeux. Quel meilleur remède pour un malade que de s'en aller prendre l'air du large au bout de cette presqu'île un peu magique, où, disait-on, se retrouvaient les amants séparés par la vie, avant de s'embarquer pour les paradis bienheureux.

Il ne rentra pas de la nuit. On commençait à s'inquiéter quand on apprit qu'un paysan l'avait découvert au matin, dans la boue d'un chemin creux, à demi assommé par une chute contre un talus. Sa monture avait disparu. Une sorte d'amulette en cuivre, qui représentait un monstre, avait glissé de sa paume.

Le paysan y vit un signe du diable et la précipita dans un puits avec de grandes malédictions. Madec vivait encore. On le ramena à Quimper. La fièvre l'avait pris, et il délirait dans une langue bizarre que seule comprenait la bégum, son épouse. On ne retrouva pas le cheval. Des paysans le signalèrent à l'extrémité de la presqu'île, d'autres prétendirent qu'il était entré dans les vagues et qu'il s'était perdu dans les rouleaux. Le sénéchal chargé de l'enquête n'en crut pas un mot et proclama que c'étaient là des sornettes, un effet pernicieux de la sottise des manants de Penmarch, gens sauvages, et tout juste bons à peupler les colonies.

Dans son hôtel de Quimper, Madec entrait en agonie. Elle se prolongea jusqu'au seuil de l'été. Il apercevait de son lit les jardinets de son hôtel. Dans ses rares moments de conscience, il ne les quittait pas des yeux. Ainsi il vit, semaine après semaine, se succéder les fleurs. Il levait les paupières, contemplait la verdure, puis se rendormait ; alors, comme au temps de sa maladie chez le père Wendel, défilaient dans ses rêves les images confuses de son aventure à Godh. Il lui semblait n'avoir pas vécu depuis le jour du cataclysme. Les tourelles délicates de la ville disparue s'emmêlaient les unes aux autres, se dilataient jusqu'à l'infini, puis c'était la princesse qui se penchait sur lui, avec l'expression de joie intense qu'elle avait eue le soir du bûcher, ou durant les quelques nuits passées au palais de plaisance. C'était insupportable, Madec se réveillait, suppliant son épouse de lui verser de l'eau, murmurant des prières où il mêlait Christ et Ganesh, et criant surtout qu'il souffrait le martyre. On fit venir des médecins. Aux apothicaires de Quimper succédèrent des chirurgiens de Brest et de Lorient. Puis ce furent les prêtres, que le nabab subit dans la plus totale inconscience. On en revint aux médecins. On appela un homme de Rennes qu'on prétendait sans pareil : il dut avouer une égale impuissance. Le corps de Madec était couvert de cicatrices ; les médecins s'étonnèrent qu'il eût survécu à tant de plaies, mais ils n'expliquaient pas non plus qu'une simple chute de cheval, qui n'avait causé nulle blessure apparente, pût venir à bout d'un homme aguerri par les dangers de l'Inde, qu'avec sagacité ils supposaient fort grands.

Chaque fois qu'ils entraient, la bégum se prosternait devant eux. Dans un mélange extraordinaire de breton, de français et d'hindi, qu'ils avaient peine à comprendre, elle les suppliait de lui rendre son mari en leur promettant ce qui lui restait de bijoux. Ils la rassurèrent unanimement. A la vérité, ils étaient très perplexes. Tout ce qu'ils devinaient, c'était que la vie s'en allait de cet homme, non qu'il eût reçu une blessure fatale, mais parce qu'il ne voulait plus se battre contre la mort ; l'instinct de guerre et de survie avait quitté le nabab, et il n'y avait plus qu'à attendre la fin.

Cependant, la bonne société de Quimper, qui tenait toujours à son héros, les assaillait de questions. De façon inouïe, comme s'ils en eussent convenu, ils racontèrent tous la même fable : quand le nabab était tombé de cheval, toutes les plaies qu'il avait reçues en Inde s'étaient soudain rouvertes, et elles refusaient depuis de se refermer. La nouvelle courut Quimper et ses faubourgs. A leurs chansons sur celui qu'ils appelaient l'*homme de loin*, les faïenciers et lavandières ajoutèrent un couplet sur les blessures dont ils multiplièrent le nombre. Sans qu'il y eût là-dedans la moindre cruauté, ils attendaient sa mort avec fébrilité, tandis que tombaient sur la ville les premières pluies de printemps. Leur grand homme, d'un jour à l'autre, allait s'en aller pour l'Enfer Froid, le séjour d'eaux mortes et de brouillard des trépassés de la Celtie. Alors enfin les chansons ressembleraient à son destin : une boucle qui se referme, bien ronde, bien troussée.

Un matin de juin, alors que devant la fenêtre du nabab se fanaient les derniers camélias, son esprit tout d'un coup cessa d'être obscurci. La bégum, qui le veillait jour et nuit, remarqua qu'il avait ouvert les yeux. Il contemplait les fleurs. Il prononça quelques phrases, d'une voix extrêmement douce, et elle en fut surprise, car elle ne l'avait pas entendu parler depuis longtemps :

« Là-bas, lui dit-il lentement, là-bas il y avait des fleurs, de grandes galeries, qui s'ouvraient sur des jardins. »

Il parlait en hindi, avec les modulations mystérieuses et solennelles qu'il aimait à prendre quand il inventait des contes pour Marie-Anne.

« Il y avait un lac, reprit-il. Et des fleurs qui dérivaient sur l'eau. A chaque minute, le paysage changeait... »

Il désigna soudain l'arbre aux camélias. Une à une, les fleurs abandonnaient leurs pétales aux premiers vents d'été.

« Je sais, dit la bégum. Il y avait un lac. On me l'a dit, un jour. »

Madec ne l'entendait pas.

« Regarde, poursuivit-il. Les fleurs dérivent. C'est le vent de mousson. Il va encore pleuvoir. Appelle les musiciens, il faut de la musique, le raga de l'après-midi, le raga qui précède la pluie. »

Inertes depuis des mois, ses mains s'agitaient. Un pétale de camélia tourbillonna dans le vent, puis il vint se poser au bord de la fenêtre.

« La fleur dérive, continuait Madec. Dérive comme un bateau... »

La bégum eut un moment d'espoir. Le pétale en effet bougeait lentement sur le granit du rebord, comme poussé par un invisible courant. Elle se leva, sourit, partit à la fenêtre. Ses voiles indiens bruissaient sur le parquet ciré. Elle saisit délicatement la fleur entre ses doigts bruns.

« La voici, Madecji, la fleur comme un bateau. »

Madec avait un air extrêmement lointain.

« La voie de l'amour est étrange », murmura-t-il encore, et il ferma les yeux sur l'Enfer Froid.

ANNEXE

Ce qu'ils devinrent

La bégum Madec survécut cinquante-six ans au nabab. Un moment inquiétée lors de la Révolution, elle retrouva très vite la paix, en raison du prestige immense de feu son époux, dont on convint qu'il avait sacrifié en Inde une fortune immense, pour l'intérêt supérieur de la nation. Sa fille Marie-Anne mourut avant sa vingtième année. Marie-Henriette, la dernière-née, fut mariée dans la noblesse bretonne. Quant à Balthazar, il hérita du manoir de Pratanraz, où il mourut nonagénaire. Il était devenu maire, trésorier général de l'Association bretonne, et avait épousé une descendante de l'explorateur Kerguélen, découvreur des îles du même nom.

Il y a quelques années, dans les environs de Quimper, la mémoire populaire conservait encore dans ses chansons le souvenir du nabab, qu'elle appelait l'*homme de loin (an den vzo bell).*

Warren Hastings, l'année même du départ de Madec, dut affronter à Calcutta médisances et calomnies de plus en plus nombreuses. Sir Francis n'y était pas étranger. Le gouverneur entreprit de le perdre. Il se battit en duel contre lui, le blessa grièvement. Sir Francis regagna l'Angleterre. Puis Hastings poursuivit la conquête de l'Inde. Il fit prendre Bénarès, en arrêta le rajah, distribua ses trésors aux soldats anglais, séquestra les bégums du royaume d'Aoudh qui refusaient de payer tribut aux Britanniques. Enfin il fut rappelé en Angleterre en 1785. Sir Francis, l'écrivain Sheridan et bien d'autres orchestrèrent contre lui un retentissant procès en corruption, qui dura sept ans, agita considérablement l'Angleterre et même l'Europe. Acquitté, Hastings y perdit cependant une bonne partie de sa fortune. Il racheta le domaine de ses ancêtres, Daylesford, où il se retira, acclimatant des plantes indiennes, chérissant des chevaux arabes et composant des vers dans le goût romantique. L'université d'Oxford le nomma docteur. Il mourut à quatre-vingt-six ans dans les bras de Marian.

Sir Francis, dès le lendemain de la rencontre de Chandernagor, était devenu l'amant de Mme Grand. Une dénonciation leur valut d'être surpris les premiers jours de leur aventure. Convaincu d'adultère, Francis fut traîné en justice par l'époux de la jeune femme, qui obtint de lui soixante mille roupies de réparation. Peu de temps après, le gouverneur trouva un prétexte à l'éloigner. A une provocation de Francis au sein du Conseil, Hastings avait répondu par des attaques sur sa vie privée. Comme on l'a vu, les deux hommes se battirent en duel, et Francis dut rentrer en Angleterre ; il emmenait Mme Grand, mais, pour des raisons de « convenance », ils n'occupaient pas le même navire. La jeune femme noua très vite en chemin une seconde liaison et disparut de sa vie, comme on le verra plus bas (voir *Mme Grand*). Rentré en Angleterre, il contribua très efficacement à la perte d'Hastings. Il fonda une Société des Amis du Peuple, se remaria à soixante-quatorze ans à une jeune femme de vingt-deux ans, continua à écrire des pamphlets et à courtiser les dames, enfin mourut d'un cancer en 1818, la même année qu'Hastings, deux ans après qu'on eut démasqué en lui le mystérieux Junius, auteur de libelles anonymes dirigés autrefois contre le roi George III, et qui avaient déchiré l'Angleterre.

Mme Grand, au terme d'une longue suite de liaisons et pérégrinations diverses, épousa Talleyrand en 1802, qui l'avait sauvée quatre ans plus tôt d'une accusation d'espionnage. Elle mourut princesse de Talleyrand, avec la réputation d'avoir été la plus grande et la plus stupide beauté qui fût en Europe du temps de Napoléon.

Saint-Lubin, pour des raisons demeurées mystérieuses, abandonna ses intrigues en Inde dès que Warren Hastings le fit espionner. Sa présence est attestée à Malte vers 1780, puis à Marseille, où, malade, il reçut dans sa chambre le commissaire du port, « paré comme une nouvelle accouchée ». Il arriva à Paris accompagné d'une belle suite de jeunes Africains et de Portugais des meilleures familles. Une plainte déposée contre lui, émanant d'un capitaine de vaisseau qu'il avait menacé et séquestré au cours de ses aventures, lui valut aussitôt d'être embastillé. Il contracta le scorbut, fut envoyé à la prison de Charenton ; il s'en évada. On le retrouve exerçant la profession de perruquier à Cologne et à Trèves, d'où il envoie à Versailles de nouveaux mémoires sur l'Inde, d'une extrême limpidité. Puis il disparaît sans laisser de traces.

Dieu mourut dans la flotte de Suffren, où il s'était engagé.

Visage, comme il l'avait annoncé à Madec, abandonna le parti pour devenir corsaire et écuma la mer entre Surate et Bombay. Le père Wendel fit signaler sa mort en 1788, sans plus de précision sur les circonstances de sa fin.

Le jésuite, pour sa part, mourut septuagénaire, au printemps 1803. Ses activités demeurent très obscures, quoiqu'on ait la certitude qu'il était pro-anglais, en raison des trafics commerciaux très importants auxquels il se livrait dans les royaumes du Nord, tombés sous la domination britannique peu de temps auparavant.

Martin-Lion connut le sort le plus heureux. Acquis depuis longtemps aux Anglais, il fit fortune dans le Nord, en créant un système d'assurances sur les transports de marchandises. Il se fit construire dans sa ville, Luknow, un immense palais, Constantia, toujours visible de nos jours, et qu'on appelle désormais La Martinière. Il mourut en 1800, au milieu d'un harem considérable, en léguant à ses femmes des sommes extraordinaires, ainsi qu'aux cités de Calcutta, Luknow et Lyon, qui était sa ville natale. Il avait refusé toute sa vie la nationalité anglaise. Son palais fut transformé en collège, où Kipling situa l'enfance d'un de ses héros, Kim.

Sarasvati. Sombre était mort d'un rhume, lui abandonnant sa fortune et ses hommes. De ce jour, la princesse fit trembler l'Inde, menant guerre sur guerre, levant armée sur armée, prenant amant après amant, ce qui enfiévra par la suite l'imagination des romanciers. En réalité, nul ne sait vraiment à ce jour si la femme qui fut la terreur des gouverneurs anglais, et qu'un ami de Stendhal rencontra vers 1840, dévorée d'avarice, dévote à l'excès quoique fort cruelle, et « ratatinée comme un fruit sec », est effectivement l'ancienne princesse de Godh, ou plutôt la bayadère musulmane qu'avait épousée Sombre à la veille de sa mort, et qui lui servit à tromper les foules. L'affaire est extrêmement épineuse, les sources historiques, presque absentes. Il convient cependant de remarquer que la princesse, ou son double, s'éteignit centenaire, qu'elle était richissime, et qu'on chanta pour elle un service funèbre à Saint-Pierre de Rome.

Une quinzaine d'années plus tard éclatait la révolte des cipayes. Cruellement réprimée, cette vague de résistance à l'occupant anglais cristallisa par la suite le sentiment nationaliste indien qui devait aboutir, en 1947, à l'indépendance du pays.

Table

PREMIÈRE PARTIE

LE COMPTOIR DES PLAISIRS

DEUXIÈME PARTIE

LA DAME DE GODH

TROISIÈME PARTIE

CHANDERNAGOR

DU MÊME AUTEUR

QUAND LES BRETONS PEUPLAIENT LES MERS *(Fayard).*

LES CONTES DU CHEVAL BLEU LES JOURS DE GRAND VENT *(éd. Picollec).*

MODERN STYLE *(J.-C. Lattès).*

DÉSIRS *(J.-C. Lattès).*

IMPRIMÉ EN FRANCE PAR BRODARD ET TAUPIN
Usine de La Flèche (Sarthe).
LIBRAIRIE GÉNÉRALE FRANÇAISE - 6, rue Pierre-Sarrazin - 75006 Paris.
ISBN : 2 - 253 - 04473 - 3 30/6423/5